JN068712

令和
07
年

キタミ式 イラストIT塾

シラバス9.0対応

基本情報技術者

きたみりゅうじ 著

技術評論社

はじめに

基本情報技術者試験は、情報処理技術者試験の中でもっとも受験者数の多い、まさに「基本」といえる試験です。お題目は「高度IT人材となるために必要な基本的知識・技能、実践的な活用能力を測る」というもの。「資格なんて実務能力には関係ないさー」などと気取ってみても、就職や昇格に際して「最低限必要」とされてしまうことも多くて、それがためにイヤイヤながら取りに行く羽目になる…という資格でもあります。

ええ、イヤイヤながら取りにいきました私も昔。

試験対策としては、「とにかく解説書を一冊読んで用語に慣れること」と「過去問を解いて知識の穴を補完すること」の2つ。

ところが、最初の一歩であるはずの「一冊完読する」というのが実は思いの外難しいんですよね。次から次へと用語が出てきて覚えきれるはずもなく、しかも退屈。もうイヤだ疲れた眠い資格なんてキライキライ大ッキライ…と。

せっかく勉強するのに、これは実にもったいない。

そんなわけで、本書は「とにかく最後まで飽きずに読んでもらえること」を重視しました。イラストやマンガをふんだんに入れるのはもちろんですが、なによりも重視したのは「なぜなに?」に応えること。そして「試験のためだけの勉強」で終わらないこと。この2点です。

勉強って、わからないままの暗記はしんどいんです。でも、読んで理解して「わからないことがわかるようになる」瞬間ってのは、本当は楽しくて飽きないもののはず。そして、「わかった!」となった項目は、意外と忘れないものなんですね。

だから本書は、「なんでこーなるの」「だからこーしてるの」的な部分をとにかく掘り下げて書きました。試験範囲を全部網羅して暗記するための本…ではなく、試験範囲の中で大事と思われる項目に絞り込み、その分「理解する」ための内容にページ数を割いています。

ただ、中には「なんか妙に小難しい言い回しを使って説明しているな」という文が出てくる箇所もあります。そういう場合は、その文が「ほぼそのままの形で問題の選択肢として登場する」のだと思ってください。平易に書き直した結果が、逆に回答の選択を迷わせることになっては本末転倒なので、そう判断したものは、できる限りそのままの文を引用して用いるようにしてあります。

それでは、本書が資格取得の一助となりますことを。合格に向けて、幸運を祈ります。

きたみりゅうじ

■ご注意
本書に記載された内容は、情報の提供のみを目的としています。本書の記載内容については正確な記述に努めて制作をいたしましたが、内容に対してなんらかの保証をするものではありませんので、本書を用いた運用は、必ずお客様自身の責任と判断によって行ってください。これらの情報の運用の結果について、技術評論社および著者はいかなる責任も負いません。
過去シラバスの内容見直しにより、シラバスの構成や表記（名称）が変更されたものがあり、一部書籍の表記と異なるものがあります。ただし、試験で問われる知識や技能の範囲そのものに変更はありません。
著者および出版社は本書の使用による基本情報技術者試験合格を保証するものではありません。
以上の注意事項をご承諾いただいた上で、本書をご利用願います。これらの注意事項をお読みいただかずに、お問い合わせいただいても、技術評論社および著者は対処しかねます。あらかじめ、ご承知おきください。

●本文中に記載されている製品などの名称は、各発売元または開発メーカーの商標または製品です。なお、本文中には、®、™などは明記していません。

学習の手引き

試験対策の勉強は、次の流れで行うのがオススメです

① 解説書を1回完読して、用語や計算に慣れる

読む！

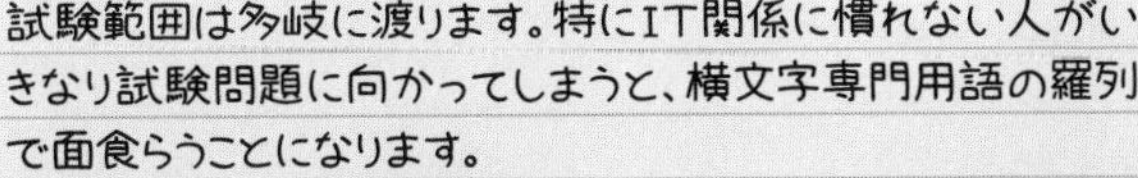

試験範囲は多岐に渡ります。特にIT関係に慣れない人がいきなり試験問題に向かってしまうと、横文字専門用語の羅列で面食らうことになります。

そこで、とにかく一冊を通して読むことにより、チンプンカンプンだった世界を「あ、なんか聞いたことあるかも」という世界に持っていきましょう。

② 過去問題を実際に解いてみる

試す！

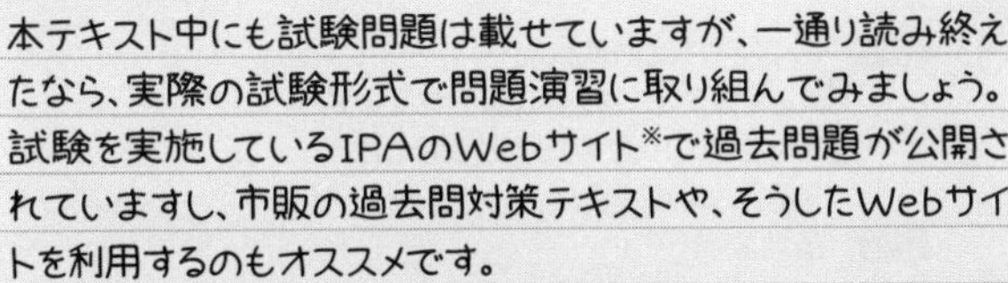

本テキスト中にも試験問題は載せていますが、一通り読み終えたなら、実際の試験形式で問題演習に取り組んでみましょう。

試験を実施しているIPAのWebサイト※で過去問題が公開されていますし、市販の過去問対策テキストや、そうしたWebサイトを利用するのもオススメです。

本試験では過去問から多く出題される傾向があるため、この演習は欠かせません。直近3年分(計6回分)くらいを目安にすると良いです。

単なる用語の暗記問題でしかないものについては、本テキストではあまり重視していないため取り上げてないものも多々あります。
それらについては、この演習を通して暗記してしまいましょう。

③ 苦手な分野を復習する

分析して復習！

問題演習の結果から、自身の得意不得意分野を分析します。

テキストに戻り、項目について理解が足りていなかった場合はその項目を、分野自体が少しあやふやな場合はその章を、全体的に自信がない場合は一冊まるごと再読すると良いでしょう。

章と章が相互に関連するものも多いため、読む回数を重ねる度、以前はわからなかったものが理解しやすくなっていることも多いはずです。これによって知識の穴を埋めていきましょう。

②に戻って繰り返し

満点を目指すと大変なので、8割程度の正解率になるよう勉強範囲を取捨選択するのも良いと思いますよ！

※情報処理推進機構(IPA) Webサイト　https://www.ipa.go.jp

CONTENTS

Chapter 3 コンピュータの回路を知る 72

Chapter 4 デジタルデータのあらわし方 102

Chapter 5 CPU（Central Processing Unit） 122

Chapter 10 ファイル管理 270

Chapter 11 データベース 294

Chapter 14 システム開発 492

2 解説

メインの解説となる部分です。イラストをふんだんに使い、またわかりやすい例などをあげていますので、イメージをつかみやすく、理解しやすい解説となっています。もし、難しく理解できないという箇所がありましたら、何度もイラストをみてイメージをつかんでいただくと理解できると思います。

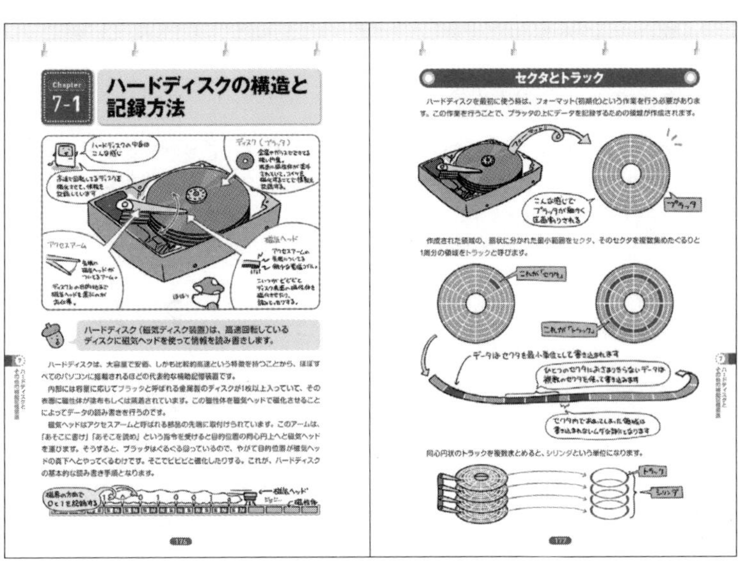
Chapter 7-1 ハードディスクの構造と記録方法

ハードディスク（磁気ディスク装置）は、高速回転しているディスクに磁気ヘッドを使って情報を読み書きします。

ハードディスクは、大容量で安価、しかも比較的高速という特徴を持つことから、ほぼすべてのパソコンに搭載されるほどの代表的な補助記憶装置です。

内部には容量に応じてプラッタと呼ばれる金属製のディスクが1枚以上入っていて、その表面に磁性体が塗布もしくは蒸着されています。この磁性体を磁気ヘッドで磁化させることによってデータの読み書きを行うのです。

磁気ヘッドはアクセスアームと呼ばれる部品の先端に取付けられています。このアームは、「あそこに書け」「あそこを読め」という指令を受けると目的位置の同心円上へと磁気ヘッドを運びます。そうすると、プラッタはぐるぐる回っているので、やがて目的位置が磁気ヘッドの真下へとやってくるわけです。そこでビビビと磁化したりする。これが、ハードディスクの基本的な読み書き手順となります。

セクタとトラック

ハードディスクを最初に使う時は、フォーマット（初期化）という作業を行う必要があります。この作業を行うことで、プラッタの上にデータを記録するための領域が作成されます。

作成された領域の、扇状に分かれた最小範囲をセクタ、そのセクタを複数集めたぐるりと1周分の領域をトラックと呼びます。

同心円状のトラックを複数まとめると、シリンダという単位になります。

3 過去問題と解説

実際に基本情報技術者試験とその初級試験にあたるITパスポート試験で出題された過去問題と解説です。実際に試験ではどのように出題されているか参考にしてください。

解説は、情報技術者試験の講師などを務めている金子則彦氏によります。

問題番号の下に記されている記号は、それぞれ左のようになります。

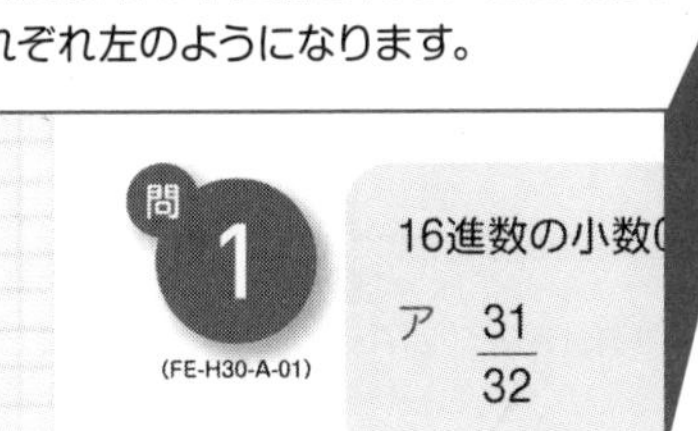

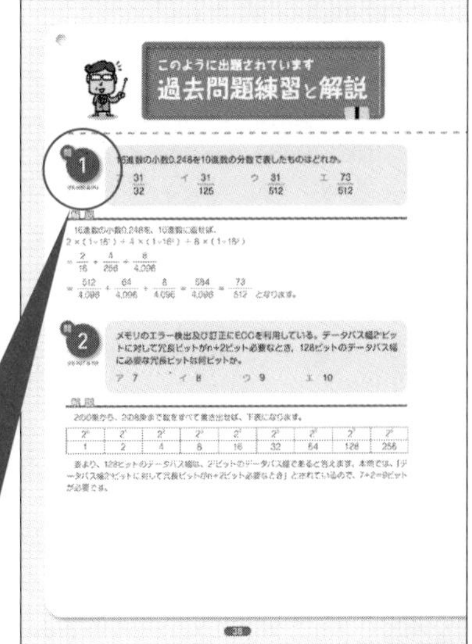
このように出題されています
過去問題練習と解説

問1 16進数の小数0.248を10進数の分数で表したものはどれか。

ア 31/32　イ 31/125　ウ 31/512　エ 73/512

問2 メモリのエラー検出及び訂正にECCを利用している。データバス幅2^nビットに対して冗長ビットが$n+2$ビット必要なとき、128ビットのデータバス幅に必要な冗長ビットは何ビットか。

ア 7　イ 8　ウ 9　エ 10

2^0	2^1	2^2	2^3	2^4	2^5	2^6	2^7	2^8
1	2	4	8	16	32	64	128	256

基本情報技術者試験とは？

① 基本情報技術者試験の位置づけ

基本情報技術者試験は、国家資格である情報処理技術者試験の12区分の1つであり、基本的知識や技能を問うレベル（レベル2）に位置づけられています。

② 受験資格・年齢制限・受験料

基本情報技術者試験に限らず、情報処理技術者試験はすべて受験者に関する制限がありません。学歴や年齢を問わず誰でも受験できます。令和6年4月～8月の基本情報技術者試験の受験者比率（学生：社会人）は、25.1%：74.9%です。また、学生のうち大学生が最も多く受験しています。受験料は7,500円（税込）です。

③ 試験内容

2023年4月から、試験制度が大幅に変わりました。受験者は、科目A試験と科目B試験の両方を受験しなければなりません。また、科目A試験と科目B試験の両方とも合格基準に達すると合格です。

科目A試験		
	問題数	60問（全問解答必須）
	出題形式	4肢選択式（4つの選択肢から1つを選択します）
	試験時間	90分
	合格基準	60%（1,000点満点の600点）

科目B試験		
	問題数	20問（全問解答必須）
	出題形式	多肢選択式（いくつの選択肢から1つを選択します）
	試験時間	100分
	合格基準	60%（1,000点満点の600点）

注：科目A試験と科目B試験の間に、最長10分間の休憩を取ることが可能です。

④ 受験案内

試験方式	CBT（Computer Based Testing：コンピュータを利用して実施する試験）方式 試験機関が用意したPCを利用して試験機関の会場において、受験します。
採点方式	IRT（Item Response Theory：項目応答理論）に基づく方式 解答結果に基づいて配点を算出する仕組みであり、旧制度のような、例えば“設問1　20点”のような明確な採点基準がありません。
試験会場	受験者が申込み時に指定した会場
試験日	受験者が申込み時に指定した日
試験時刻	受験者が申込み時に指定した時刻
来場時刻	試験開始時刻の5分前まで。この時刻に遅れた場合は受験できません。
必携品	試験会場に、本人確認書類（運転免許証、顔写真付きマイナンバーカードなど）を持参しなければなりません。

令和4年12月に公表されたサンプル問題は、下記のような出題割合になっていました。本番の試験でも、類似した出題割合になると予想されます。

科目A試験：

問番号	出題分野	問題数	出題割合
問1～41	テクノロジ系	41	68%
問42～48	マネジメント系	7	12%
問49～60	ストラテジ系	12	20%
合　計		60	100%

科目B試験：

問番号	出題分野	問題数	出題割合
問1～16	アルゴリズム・プログラム系	16	80%
問17～20	情報セキュリティ系	4	20%
合　計		20	100%

⑤ 受験者数などの統計情報

	R03年秋	R04年春	R04年秋	R05年春	R05年秋	R06年春
応募者	60,529	53,796	63,828	64,311	76,463	58,132
受験者	52,879	46,072	55,548	56,219	65,392	49,207
合格者	21,190	18,235	19,798	29,085	28,193	21,095
合格率	40.10%	39.60%	35.60%	51.70%	43.10%	42.90%

注："R06年春" の欄は、5カ月分の数値です。

⑥ 令和5年7月度の得点分布

評価点	科目A試験	科目B試験	評価点	科目A試験	科目B試験
900～1,000点	6名	97名	550～599点	1,333名	1,210名
850～899点	28名	193名	500～549点	854名	1,028名
800～849点	129名	388名	450～499点	534名	837名
750～799点	565名	665名	400～449点	297名	728名
700～749点	1,174名	1,027名	350～399点	130名	437名
650～699点	1,811名	1,243名	300～349点	48名	272名
600～649点	1,991名	1,478名	0～299点	16名	347名
			合　計	8,916名	9,950名

⑦ 令和6年4月～8月の最年少及び最年長の合格年齢

	10才以下	11才	12才	13才	14才	…	71才	72才	73才	74才	75才以下
応募者	5	1	1	5	13	…	0	0	3	2	2
受験者	5	1	1	5	12	…	0	0	2	1	2
合格者	1	0	0	1	8	…	0	0	1	0	0

Chapter 0

コンピュータは電気でものを考える

いやいや、えっと、
コンピュータが
動くためには電気が
必要ですよね？

これは、
コンピュータが
電気でものを
考えるからです

正確に言うと、
電気のオンオフで
ものを考える

だから、ただ
話しかけてみても
何も答えられない
わけ…

Chapter 0-1 ちょびっと、だけど広がる世界

コンピュータは単純な信号を大量に組み合わせることで、複雑な内容を表現しています。

普通に考えると「1と0であらわせるもの」なんていったら、「そんなの1と0だけ、たいして何もあらわせやしない！」と思いがちです。でも、限られたパターンを繰り返すことで情報を伝える術がある…というのは上のイラストでも示している通り。手旗信号やモールス信号とか、もっと遡れば狼煙（ノロシ）だってそうですよね。

え？ それにしたって限界がある？ 単純な文字や合い言葉は伝えられても、写真や音楽、動画みたいな複雑なもんどうやって伝えるのよ？

そうですね、もっともな疑問です。モールス信号でモナリザの肖像画写真を送りましたなんて話、聞いたことないですものね。

でも、コンピュータは、それすらも1と0で表現して送っちゃうんです。どれだけ複雑な情報であろうとも、ひたすらそれを1と0に分解して分解して、大量の1と0に並べ替えて表現する。単純な信号しか解さないかわりに、高速に大量の1と0を処理することのできる機械。それがコンピュータというわけなのですね。

たとえばこんな感じで広がる世界…

しかし、「高速に大量の1と0を処理して表現するんですよ」と言ったところで、ワタクシわけがわからんでございますとなるのが正直なところだと思います。

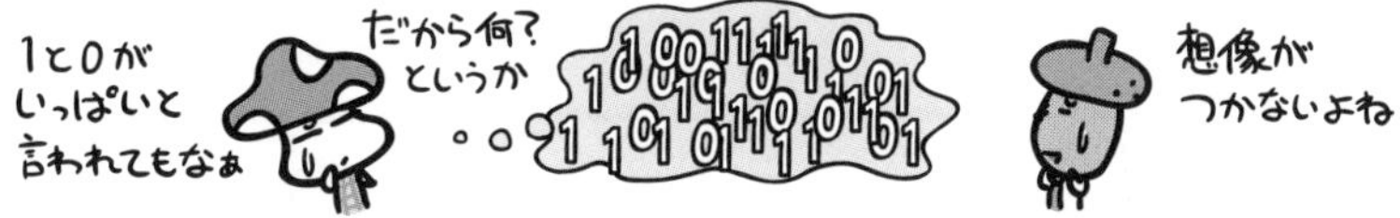

詳しくは次章から順をおって見ていきますが、「わけがわからん」まま引っ張り続けるというのも無理があるので、ここでは例え話をひとつだけご紹介。

ちなみにこの、「オン」と「オフ」しかあらわせない最小の単位…

これをコンピュータの世界ではbit（ビット）と呼びます。

Chapter 1

「n進数」の扱いに慣れる

「n進数」という言葉があります

このnは、「いくつになったら桁があがりますよ」と示す数字のこと

えぬ
n進数
ここに数字がくる

たとえば私たちは、普段数を数える時に0～9という10個の数字を使います

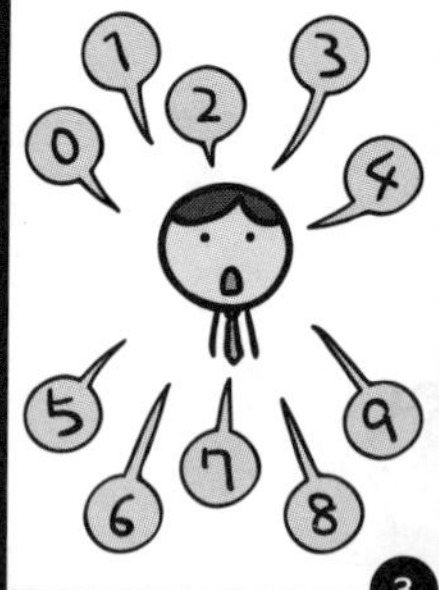

使う数字は10個ですが、あらわせる数はもっとたくさんありますよね?

そう、くわしく見ると「1の位」「10の位」と、10倍ごとに桁を増やしながら数を表現しています

使える数字は0～9なので、足りない時は桁をあげて表現するわけですね

これを10進数といいます

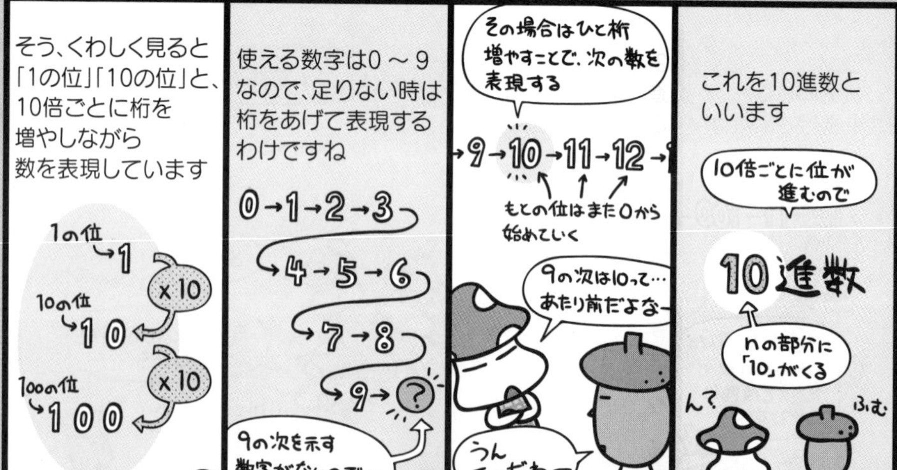

それでは問題、コンピュータが使える数字には、何がありましたっけ?
え〜〜と
ハイハイハイ!
0と1!!
オフ
オン
9
そう、0と1だけです
ちなみにビットという単位でした
フフフン
あー スゴイスゴイ
パチパチ
10
でも、使える数字が2個だけであっても、あらわせる数はもっとありますよね?
0→1→?
え?
ん?
11
この場合
1の次を示す数字がないわけだから…
0→1→?
あ、そっか
ピコリン
12

そう、これも同じく桁をあげてやればいいのです
→1→10→11→100→
もとの位はまた0から始めていく
使える数字の数がちがうだけでやることは同じわけですよ
うんうん なるほどなるほど
13
2倍ごとに位が進むことになるので、これを2進数といいます
2倍ごとに位が進むので
2進数
nの部分に「2」がくる
ふむ
14
コンピュータの世界では、このような2進数を使って数をあらわします
あ、どもコンニチハ
ニシンっす
ぽわゎゎん
ん?
15
そうそうニシンがね――…って
なんだよニシンって
なんでここでニシンなんだよ
……
16

Chapter 1-1

よく使われるn進数

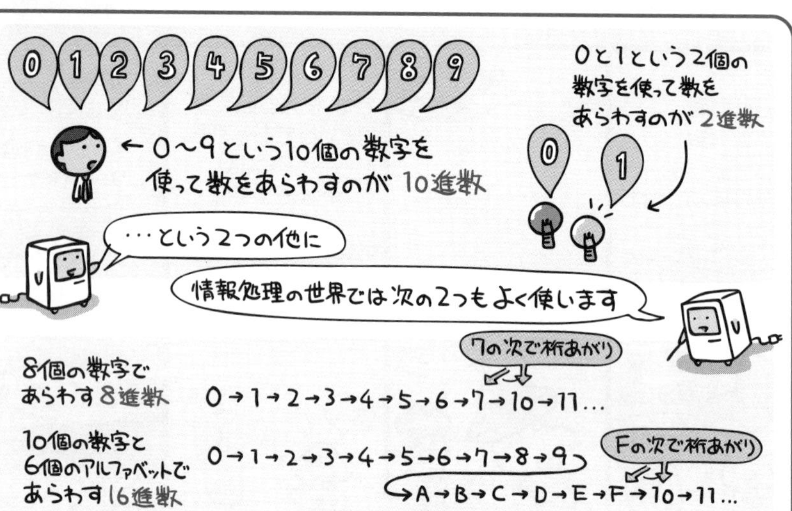

10進数、2進数、8進数、16進数の4つが情報処理でよく使われるn進数として挙げられます。

「コンピュータといえば2進数！」はもう基本中の基本となるわけですが、その他にも、よく使われるn進数として8進数や16進数などがあります。…いや、8進数は正直あまり使いませんけど、でも情報処理の世界ではよく出てくるので無視できません。

え？そもそもなんでそんなに色んな数の数え方を併用しなきゃいけないんだ？

ですよね。至極まっとうな疑問だと思います。

えっとですね、基本は2進数なのです。しかし、0と1しか使えない表記で常に数を表現していたら、いちいち桁数が嵩んで仕方ありません。だから、ある程度まとまった区切りの数をひと桁であらわすことができて、かつコンピュータと相性が良いn進数表記が必要となる。それが8進数と16進数ってわけなのです。

え？なんでこれらがコンピュータと相性がいいとなるか？

それは、「8は2^3」「16は2^4」というところに答えが潜んでいるのですが…。

というところを話し始めるとややこしくなってきますので、まずは基本の2進数から、じっくりと見ていくことにいたしましょう。

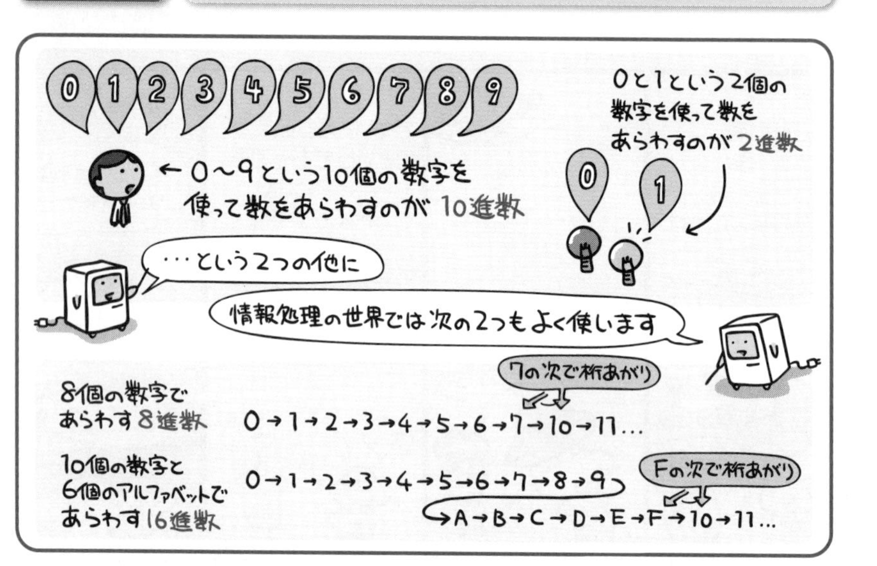

2進数であらわす数値を見てみよう

2進数の2という数字は「桁が進む数」をあらわしています。「2になるごとに桁が進む数え方」という感じ。これは同時に「使える数字の数」だと思って差し支えありません。つまり2進数だと使える数字の数は2個。それで収まらない時は、どんどん桁をあげていく。10進数だと、使える数字の数は10個で、収まりきらなきゃ桁あがり。16進数なら16個使えて…とそんな感じ。

さて、それでは実際に2進数で数を数えた時、それぞれの数値はどんな書き方になるのでしょうか。細かく順をおって見ていきましょう。

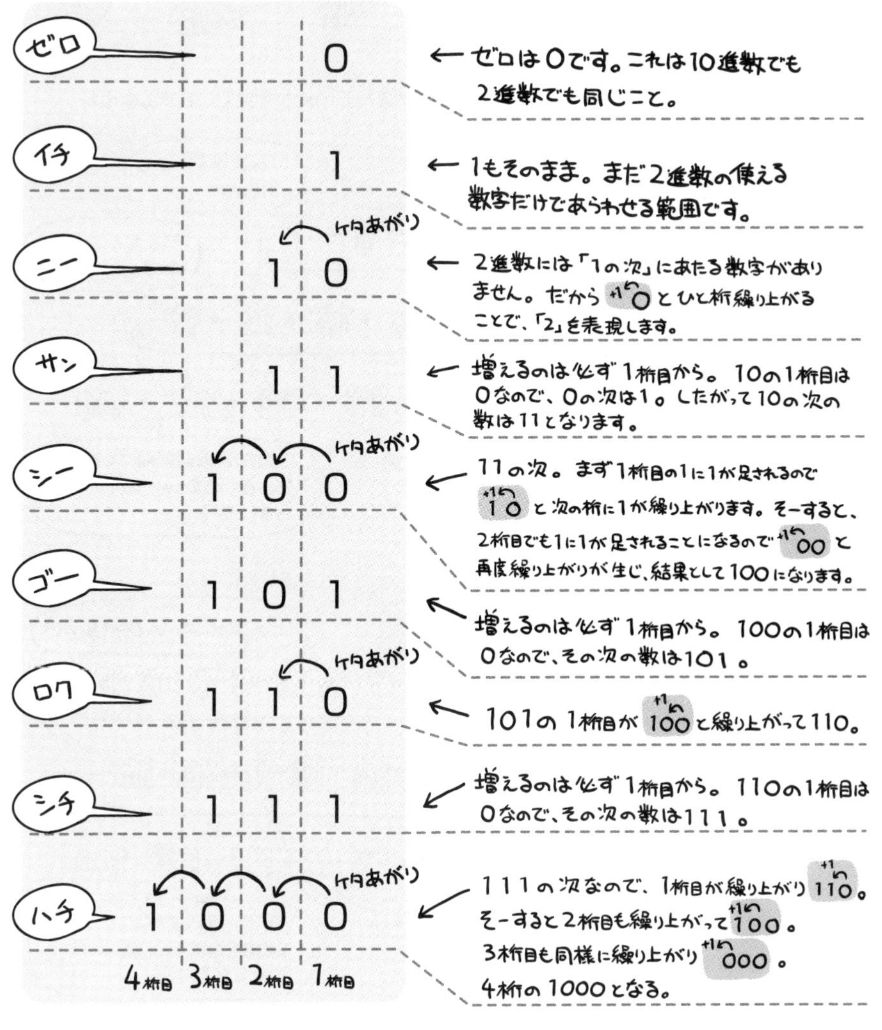

8進数と16進数だとどうなるか

8進数と16進数も基本は同じです。それぞれの桁ごとに使える数字が、8進数では0 ～7、16進数では0 ～ 9 ～ A ～ Fと変化するだけで、「使える数字の数で収まりきらなくなったら桁があがる」ことに違いはありません。

ではこちらも同じく、それぞれどのように数字が進んでいくかを見ていきましょう。

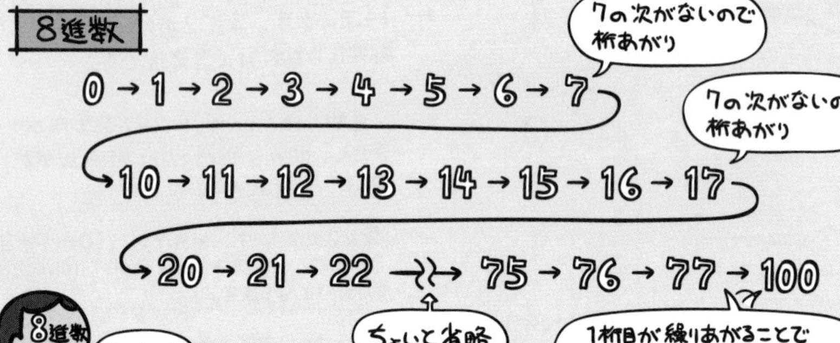

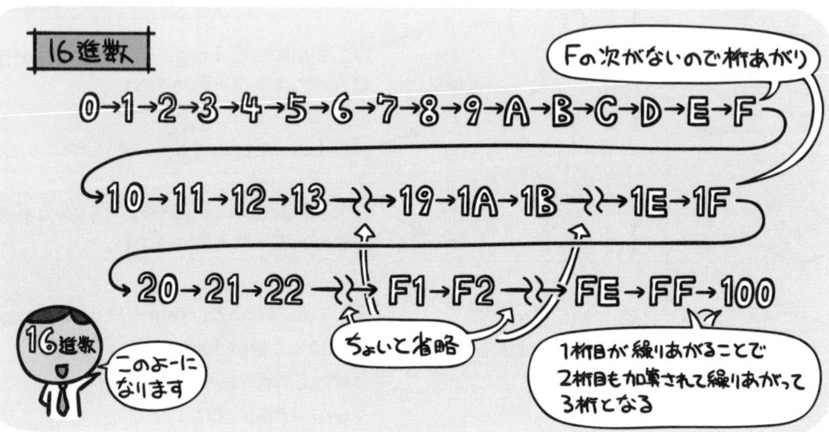

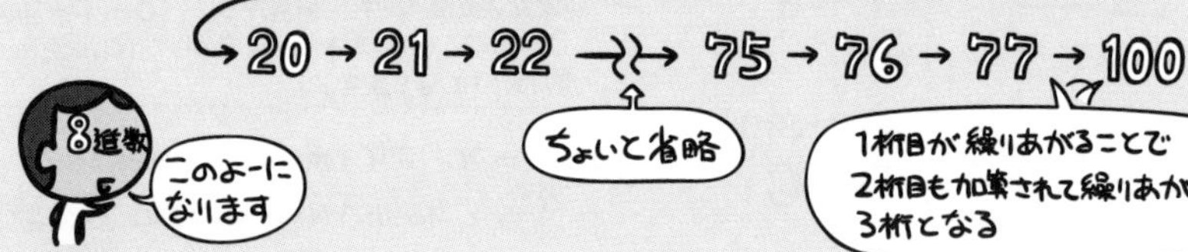

ちなみになんでこの2つがコンピュータと相性のいいn進数なのかというと…、

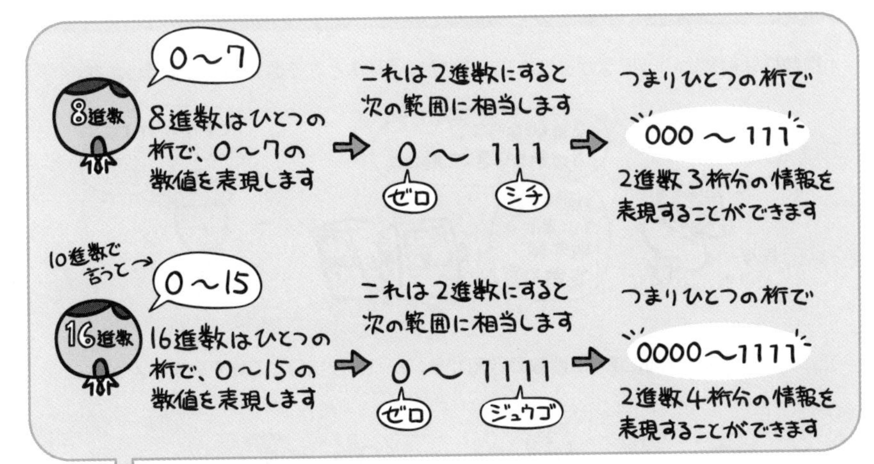

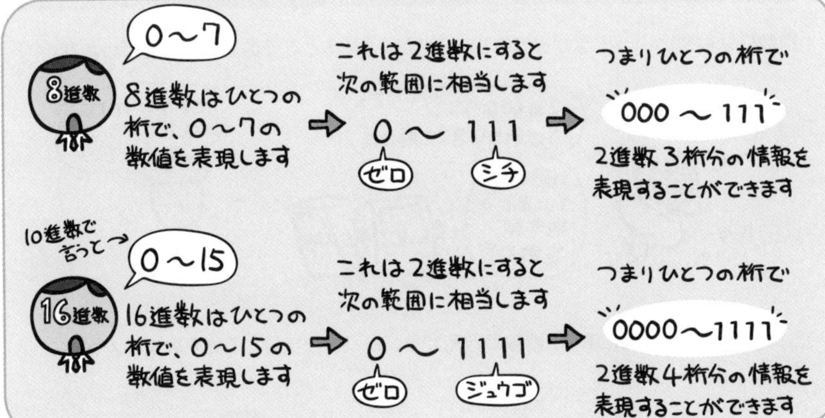

オン
オフ
2進数のひと桁は電球いっこ分の情報に相当します
「電球いっこ分」とは…
1ビット のこと
つまり
8進数 は 3ビット
16進数 は 4ビット
…の情報をひと桁で表現できる

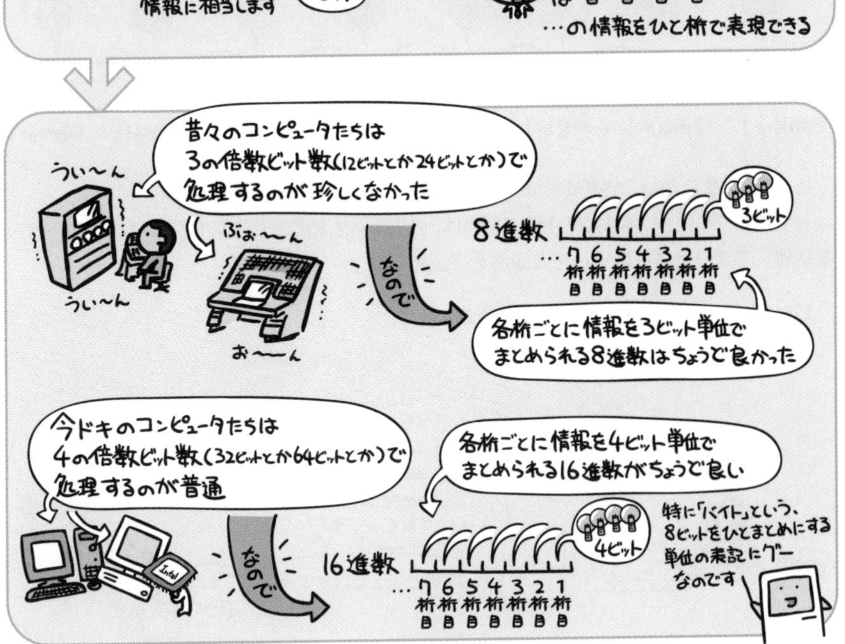

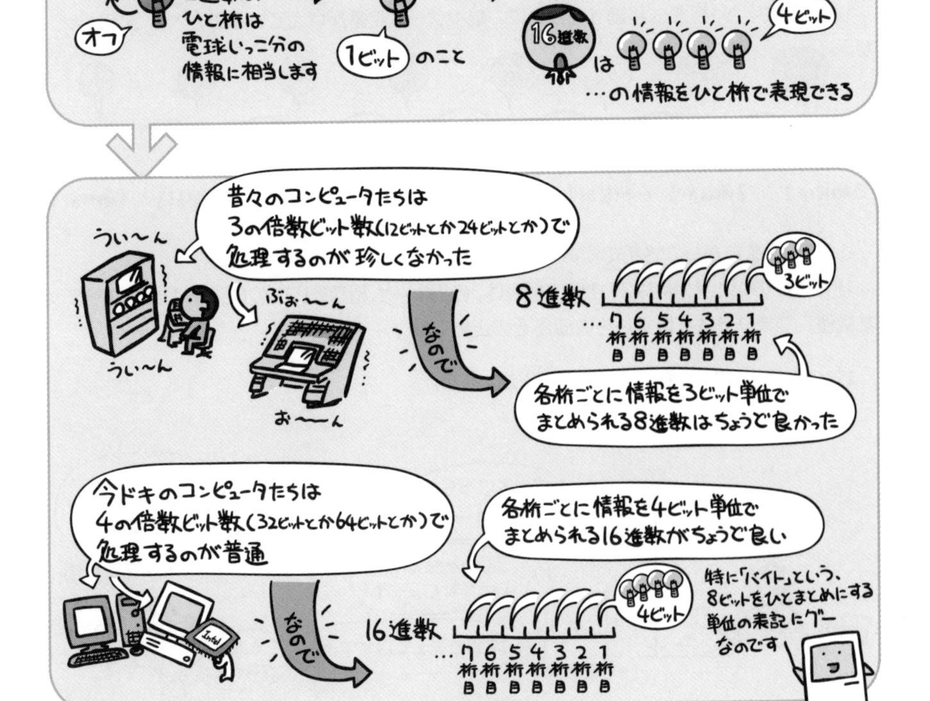

…と、いうわけなのでした。

基数と桁の重み

n進数には基数という概念があります。これは、「基本となる数」のことを示します。

たとえば、3ページ前にある2進数の数値から、いくつか抜粋して見てみましょう。

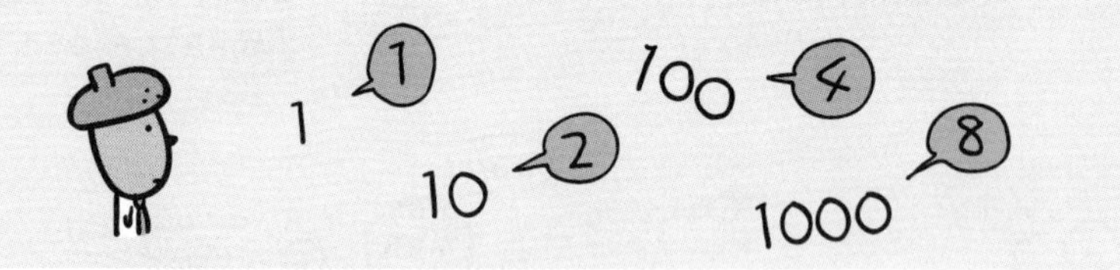

1という数字が1桁左へ移動するごとに、倍々ゲームで値が増えているのがわかるでしょうか。

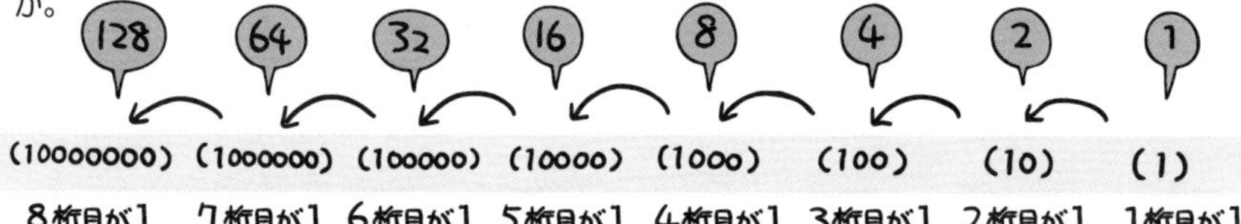

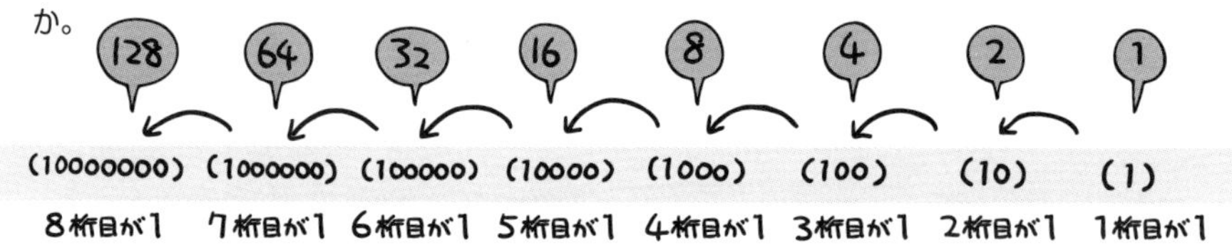

これを、2進数が持つ各桁の重みといいます。

1桁目は2の0乗、2桁目は2の1乗、3桁目は2の2乗…と、桁ごとに「2の(桁数−1)乗」を行なった数値、つまり基数を累乗した数値がその正体です。

ちょっとここで10進数に立ち返ってみましょう。

そう、三百三十二.五mですね。三三二.五mではありません。

私たちは10進数であれば、自然と各桁の重みを使って、その表記の示す値を認識できるようになっているのです。

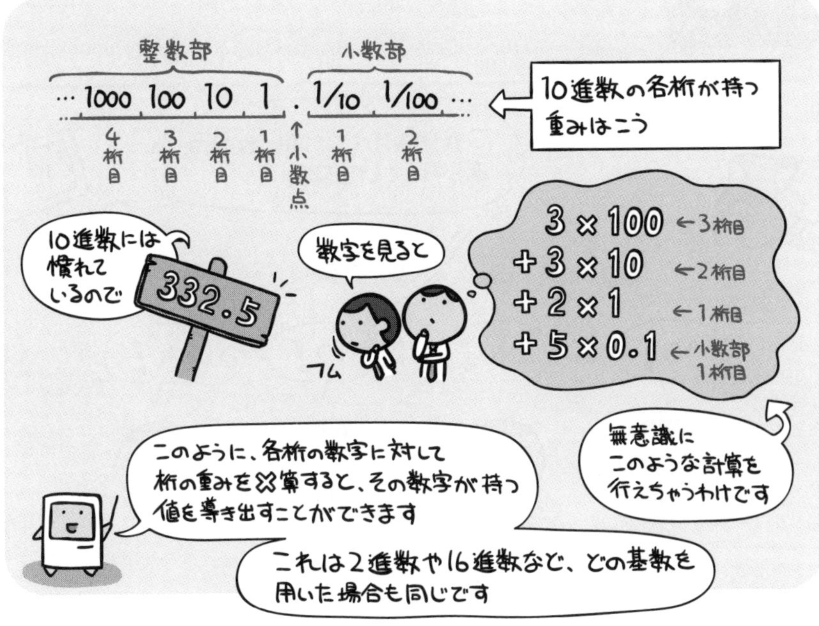

n進数が持つ各桁の重みというのは、次のような法則で決まります。

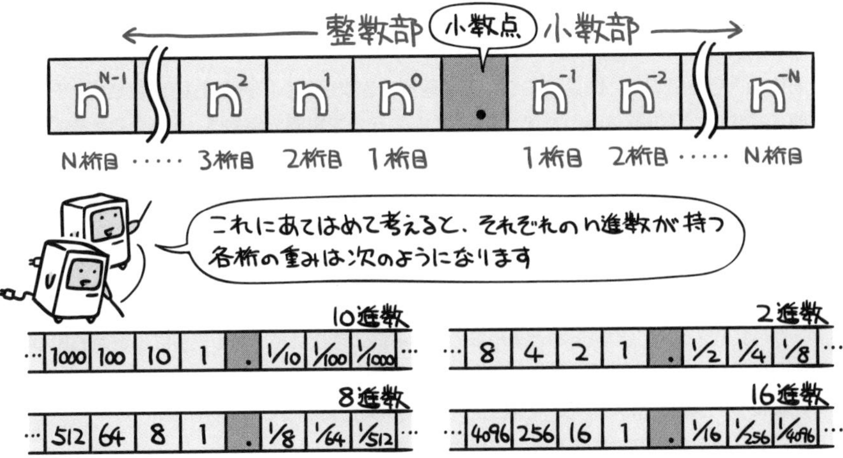

で、これがわかるようになると何なのだと言いますと、基数と基数の変換…たとえば2進数を10進数に変換するといったことが簡単にできるようになるわけです。

詳しくは次節にて。それでは次ページへレッツゴー。

Chapter 1-2

基数変換

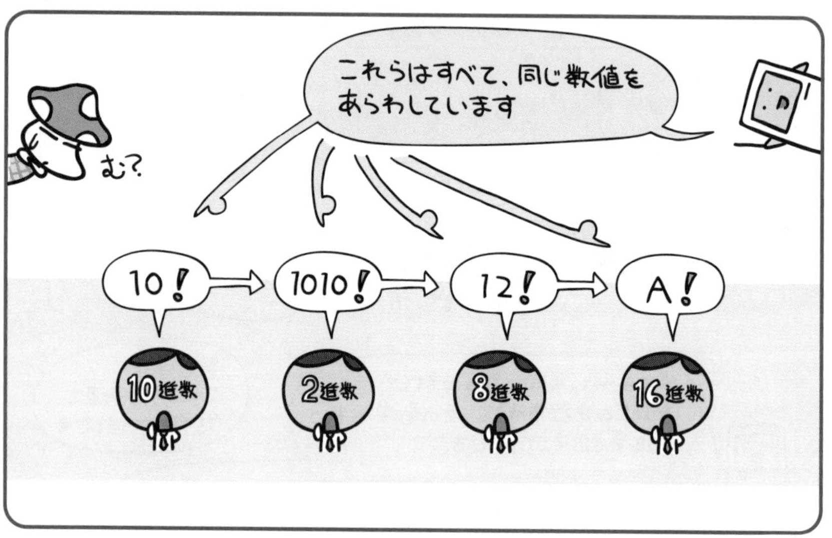

ある基数であらわした数値を、別の基数表現に置き換えることを基数変換といいます。

前節の内容を読んで、「n進数については理解できました」「2進数も16進数もバッチリ完璧超人です！」と(たぶん)なったアナタ。しかし、それを実際に使おうと思ったら、そこには壁が立ちはだかってたりするからまぁ大変、なのであります。

たとえば「181」という10進数の数値を、2進数であらわしたいと思ったとします。

あれ?…となるわけです。

10や20であれば、2進数で1から順に書いてみればどのような表記になるかわかるでしょう。50くらいまでならそれでなんとかなるかもしれません。

しかし100を越えてきたら、もうそんなのじゃ追いつきませんよね。さらに小数点も加わってきたとしたら?

悠長に1から書き出してたら、それだけで試験時間が終わってしまいます。

そこで必要になるのが基数変換というやつです。

前節でふれた「各基数の桁の重み」を用いると、2進数と10進数、8進数や16進数が相互に変換できるようになるのです。

n進数から10進数への基数変換

それではまず、n進数を10進数に基数変換するやり方を見てみましょう。

n進数の例として、ここでは2進数を用います。
2進数の「1101.011」という数値が10進数だといくつになるか、実際に計算してみましょう。

1101.011

2進数

フムフム

10進数

?

コレ!

重みをかけると10進数になるのでそれを合計すれば良いのです

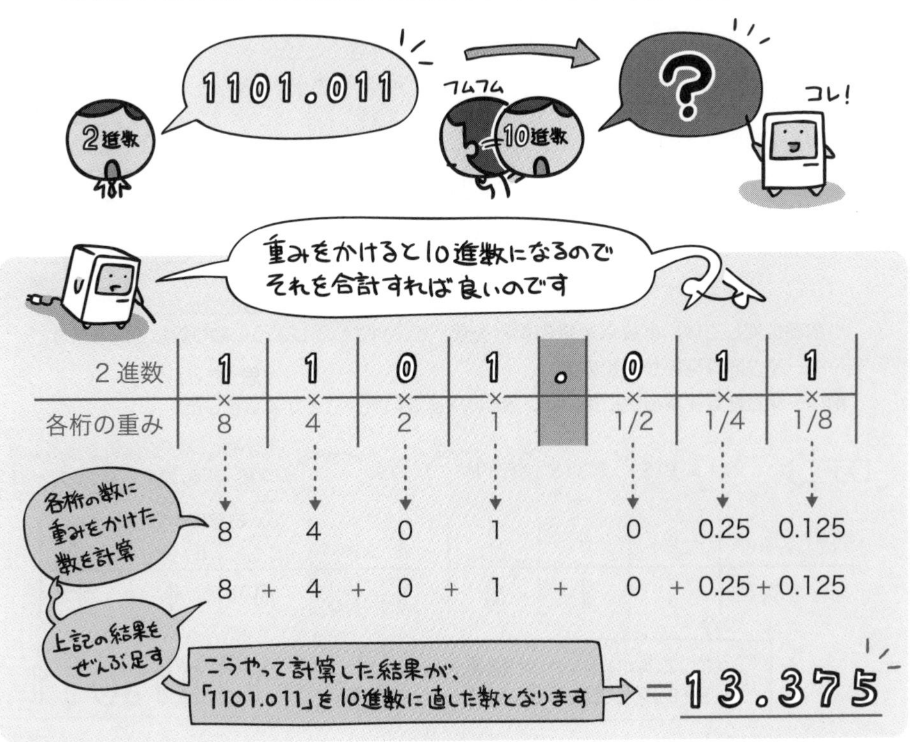

2 進数	1	1	0	1	.	0	1	1
	×	×	×	×		×	×	×
各桁の重み	8	4	2	1		1/2	1/4	1/8

各桁の数に重みをかけた数を計算

8　4　0　1　0　0.25　0.125

8 + 4 + 0 + 1 + 0 + 0.25 + 0.125

上記の結果をぜんぶ足す

こうやって計算した結果が、「1101.011」を10進数に直した数となります ＝ **13.375**

10進数からn進数への基数変換（重みを使う方法）

続いては先ほどの逆、10進数をn進数に基数変換するやり方を見ていきたいと思います。

この場合は2つのやり方があるのですが、まずは先ほどの逆パターンとなる「重みを使う方法」からご紹介。ちょうどさっき算出した「13.375」という10進数がありますから、これを2進数表記に変換してみるとしましょう。

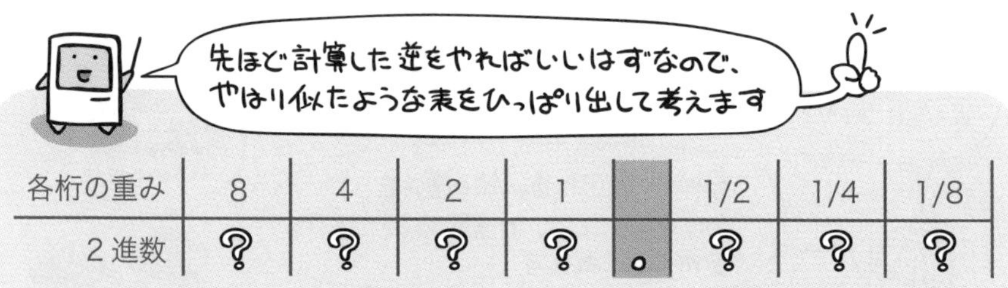

変換は、桁の重みを使って順にわり算していくことで行います。

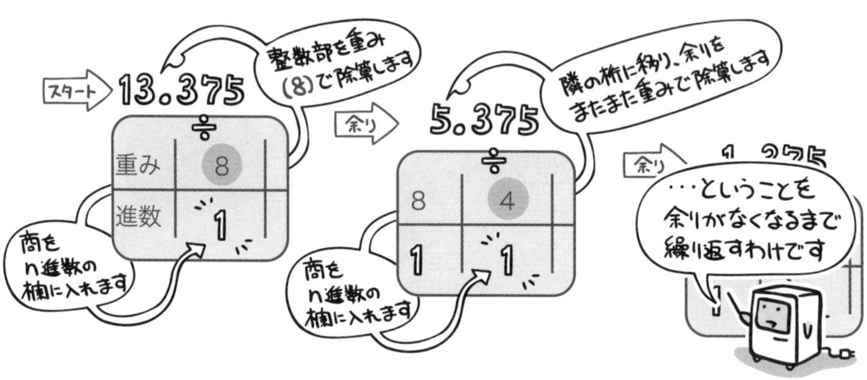

小数部に関しては、小数点以降の重みを使って、やはり同じようにわり算していきます。そんな一連の計算結果が下記の表。

前ページで基数変換の例に用いた、最初の2進数に戻すことができました。

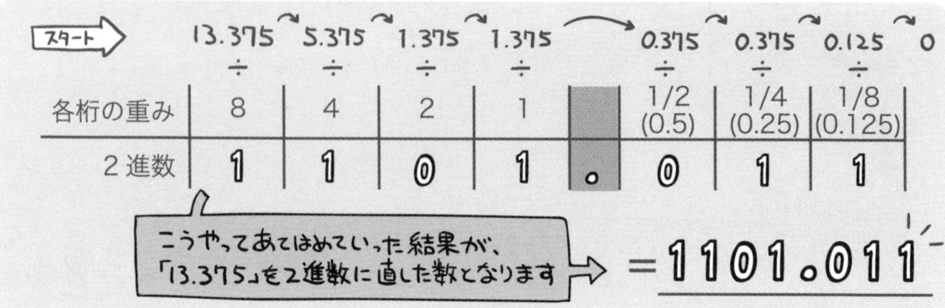

10進数からn進数への基数変換（わり算とかけ算を使う方法）

もう1つの方法は、基数を使って「整数部はわり算」「小数部はかけ算」を行うやり方です。計算方法さえ身につけてしまえば、重みの表を持ち出す手間がない分、手早く計算を済ませることができます。

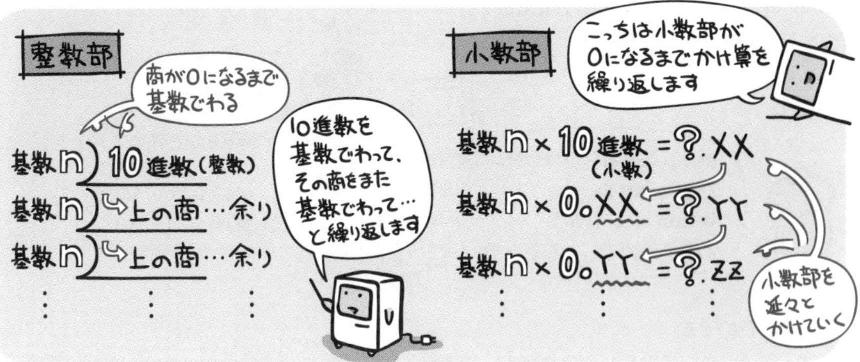

さて、左ページ同様「13.375」という10進数を例に、上記の式をあてはめてみます。すると、次のような計算結果が得られます。

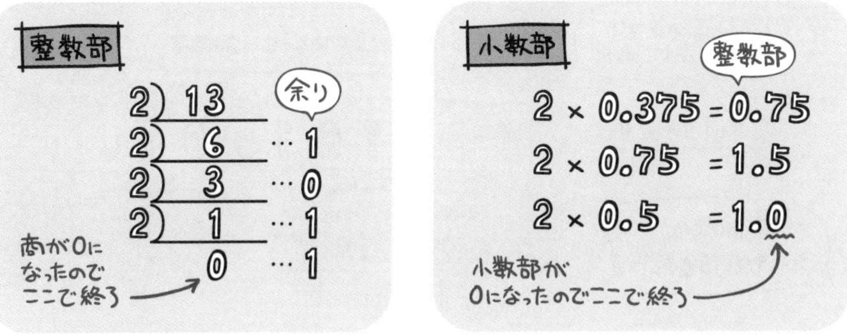

この計算結果をもとに、「整数部は、余りを下から並べ直す」「小数部は、かけ算した結果の整数部分を順に並べる」とすると、基数変換後の数字を得ることができます。

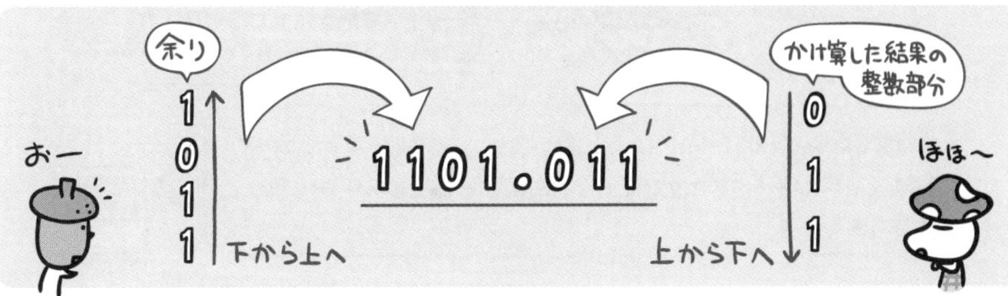

2進数と8進数・16進数間の基数変換

8進数や16進数は「コンピュータと相性が良いn進数表記」というだけあって、2進数からの基数変換をもっと簡単に行うことができます。

…あったのです。

というわけで、8進数にする場合は、2進数を3桁ごとに区切ります(ない桁は0を補う)。そうすると、区切った1つ1つが8進数の1桁にあたるはずなので…。

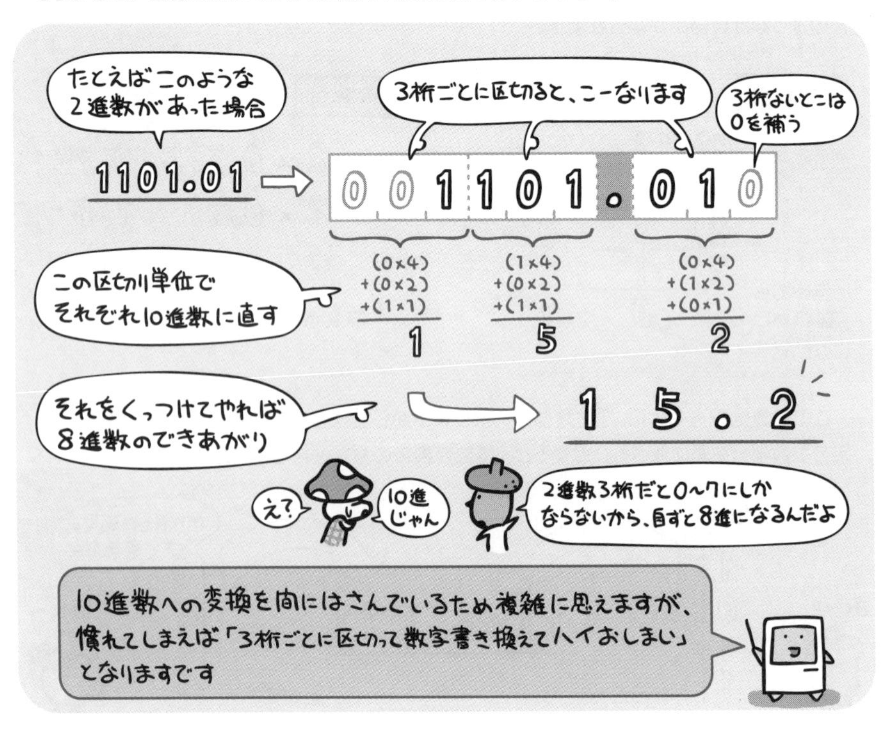

たとえばこのような2進数があった場合

3桁ごとに区切ると、こーなります

3桁ないとこは0を補う

1101.01 → 001 101 . 010

この区切単位でそれぞれ10進数に直す

(0×4)+(0×2)+(1×1) = 1

(1×4)+(0×2)+(1×1) = 5

(0×4)+(1×2)+(0×1) = 2

それをくっつけてやれば8進数のできあがり → 15.2

え?

10進じゃん

2進数3桁だと0〜7にしかならないから、自ずと8進になるんだよ

10進数への変換を間にはさんでいるため複雑に思えますが、慣れてしまえば「3桁ごとに区切って数字書き換えてハイおしまい」となりますです

それじゃあ16進数はと言いますとこちらも同じ理屈。こっちは2進数を4桁ごとに区切り、それを16進数の各桁に対応させます。16進数の場合は、9の次にA ～ Fが来る16進表記になることだけ気をつけましょう。

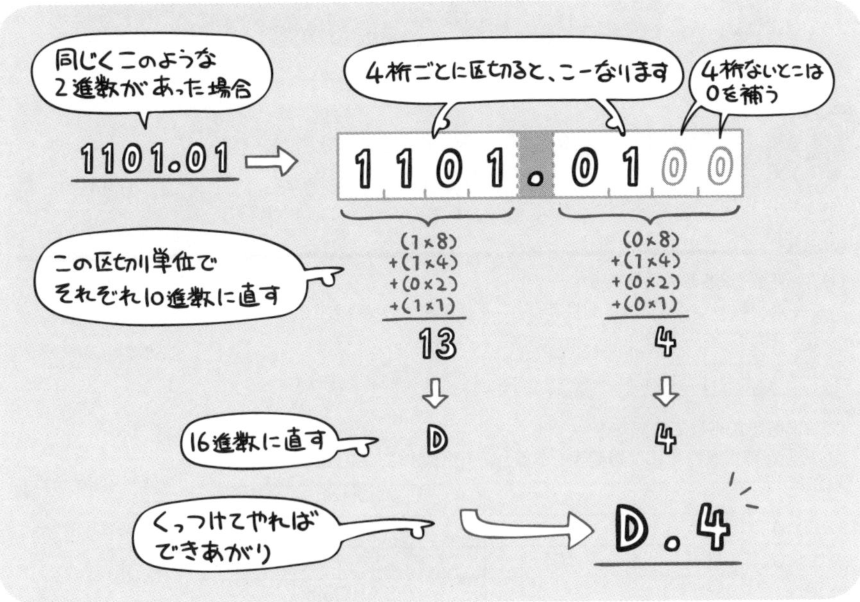

反対に、8進数や16進数を2進数に基数変換する時は、これらと逆の流れで「8進数1桁を2進数3桁に」「16進数1桁を2進数4桁に」と分解します。

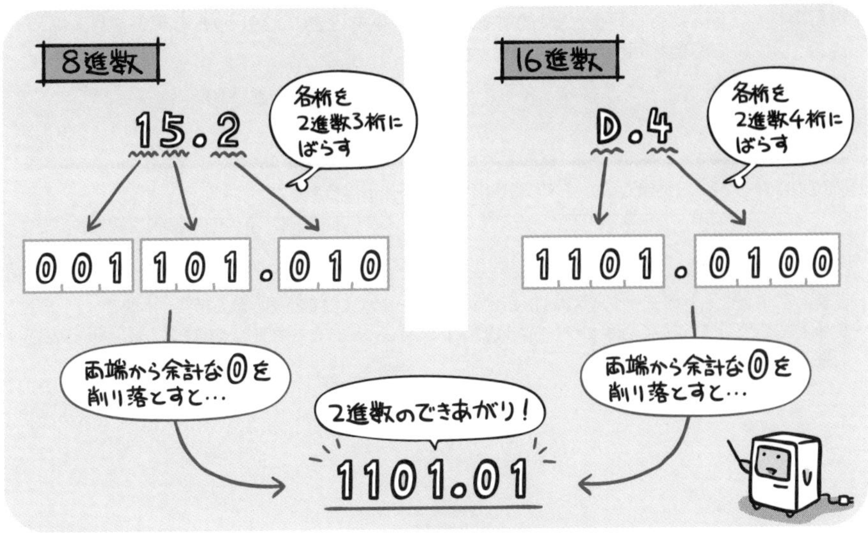

このように出題されています 過去問題練習と解説 Ⅰ

問1 (FE-R05-01)

16進小数0.Cを10進小数に変換したものはどれか。

ア　0.12　　イ　0.55　　ウ　0.75　　エ　0.84

解説

(1) 16 進数を2進数に変換する

16 進小数 0.C を2進数に変換すると、下記のようになります。

0	.	C
0	.	1100

(2) 2進数を10進数で表記する

上記(1)の2進数を10進数で表記すると、下記のようになります。

0000				.	1100			
0	0	0	0	.	1	1	0	0
0	0	0	0	.	2^{-1}	2^{-2}	0	0
0					0.5+0.25=0.75			

問2 (FE-H27-S-10)

メモリのエラー検出及び訂正にECCを利用している。データバス幅2^nビットに対して冗長ビットがn+2ビット必要なとき，128ビットのデータバス幅に必要な冗長ビットは何ビットか。

ア　7　　イ　8　　ウ　9　　エ　10

解説

2の0乗から、2の8乗まで数をすべて書き出せば、下表になります。

2^0	2^1	2^2	2^3	2^4	2^5	2^6	2^7	2^8
1	2	4	8	16	32	64	128	256

表より、128ビットのデータバス幅は、2^7ビットのデータバス幅であると言えます。本問では、「データバス幅2^nビットに対して冗長ビットがn+2ビット必要なとき」とされているので、7+2=9ビットが必要です。

FE-H31-S-01

10進数の演算式7÷32の結果を2進数で表したものはどれか。

ア　0.001011　　イ　0.001101　　ウ　0.00111　　エ　0.0111

解説

7÷32は、0.21875です。0.21875を2進数に置き換えるには、35ページの説明のように、小数部がゼロになるまで、2倍し続けます。

先頭に「0.」を付けて、右式の★部分を上から下へ並べると、0.00111になり、これが0.21875の2進数です。

```
0.21875 × 2 = 0.4375
0.4375  × 2 = 0.875
0.875   × 2 = 1.75
0.75    × 2 = 1.5
0.5     × 2 = 1.0
         ★ ゼロになったので終了
```

(FE-H26-S-01)

次の10進小数のうち，2進数で表すと無限小数になるものはどれか。

ア　0.05　　イ　0.125　　ウ　0.375　　エ　0.5

解説

無限小数とは、小数部が無限に続くものです。10進数の小数を、2進数に変換するには、下記のように10進数の小数部に2をかけます。その小数部がゼロになると有限小数であり、ゼロにならず延々、計算を繰り返すと無限小数です。無限小数については67ページで改めて解説します。

ア
0.05×2 = 0.1
0.1 ×2 = 0.2
0.2 ×2 = 0.4
0.4 ×2 = 0.8
0.8 ×2 = 1.6
0.6 ×2 = 1.2
同じ2になったので循環します。
2進数では、0.000011…です。

イ
0.125×2 = 0.25
0.25 ×2 = 0.5
0.5 ×2 = 1.0
ゼロになったので有限小数です。
2進数では、0.001です。

ウ
0.375×2 = 0.75
0.75 ×2 = 1.5
0.5 ×2 = 1.0
ゼロになったので有限小数です。
2進数では、0.011です。

エ
0.5×2 = 1.0
ゼロになったので有限小数です。
2進数では、0.1です。

正解▶問1:ウ　問2:ウ　問3:ウ　問4:ア

Chapter 2

2進数の計算と数値表現

なんでかというと、
回路をシンプルに
保つため
あれもこれも詰め込むと
GOAL
経路が複雑になる
GOAL
9
するとその分処理が
遅くなってしまう
ひー
GOAL
わーい
GOAL
10
でも
計算できなかったら
遅いとか
いう前に
う〜ん…
使い物に
ならなくて
困るんじゃ
11
いや待ってください、
「知らない」とは
言いましたが
「できない」とは
言ってません
12

そもそも普段使う
コンピュータは、
それらの計算も
こなしてますよね？
3-2=1
12÷4=3
5×3=15
なんせ日本名は
「電子計算機」ですから
13
あれは、中に
複雑な回路が
なくとも解を出せる
仕組みがあるから…
3-2 ? 1
5×3 ? 15
12÷4 ? 3
ヴゥヴ
ヴゥ
14
つまり
「知らない」んだけど
「できる」工夫が
入っているわけです
はーそうかー
でもなー
工夫とか言うけど
つまりはさー
15
おまえ
キミって
バカだねっ
えぇ!?
16

Chapter 2-1 2進数の足し算と引き算

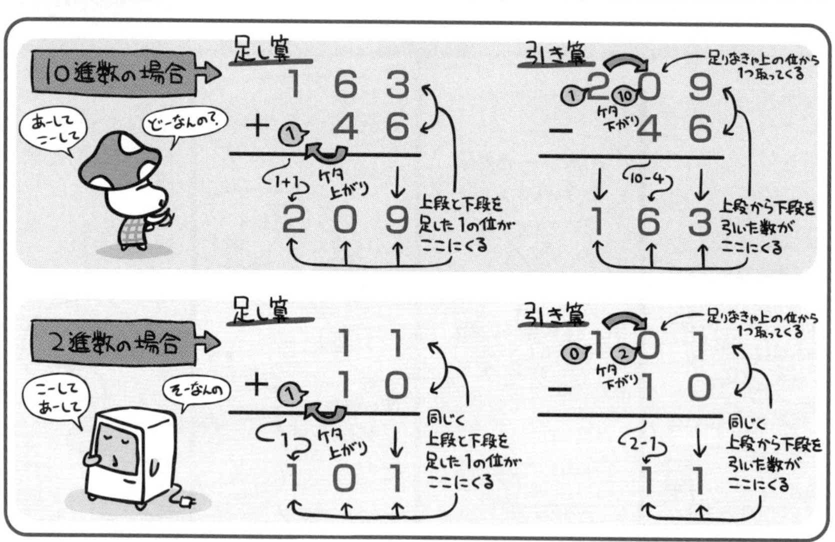

足し算と引き算の基本は10進数も2進数もかわりありません。

「3+2はさあいくつ?」「5−2はさあいくつ?」という、簡単な足し算引き算を聞かれて答えに詰まる人は、多分この本の読者さんにはいないと思います。3+2は5ですし、5−2は3ですよね。カンタンカンタン。

でも、それはあくまでも「10進数なら簡単」という話。じゃあ2進数で「11+10はさあいくつ?」「101−10はさあいくつ?」と聞かれたら? これは思わず「うっ」と答えに詰まってしまう方…居そうです。慣れてないですもんね、2進数。

でも、上のイラストを見ていただければわかるように、10進数だろうが2進数だろうが、足し算引き算の基本は同じなのです。桁が上がったり下がったりする時の数が少々異なるので面食らいますが、違いはホントにそれだけ。計算する手順自体は変わらないんですよね。

ただ…、なるべくシンプルに回路を構成したいですわーというコンピュータの求めに応じて、実はコンピュータには「引き算」という概念が載ってません。じゃあどうやって引き算をするのか。それについては、次ページ以降で詳しく見ていきましょう。

足し算をおさらいしながら引き算のことを考える

2進数の足し算引き算を考える上で、欠かせないのが足し算に対する理解です。

足し算については前ページのイラストでもふれました。あの通りで間違いないのですが、アチラの絵はちょっと詰め込みすぎかな…という感もなきにしもあらず。

そんなわけで、あらためて足し算だけにフォーカスをあて、理解を確実なものにするところからはじめましょう。

それでは練習問題。

2進数の1111と2進数の101。両者を加算すると結果はいくつになるでしょうか？

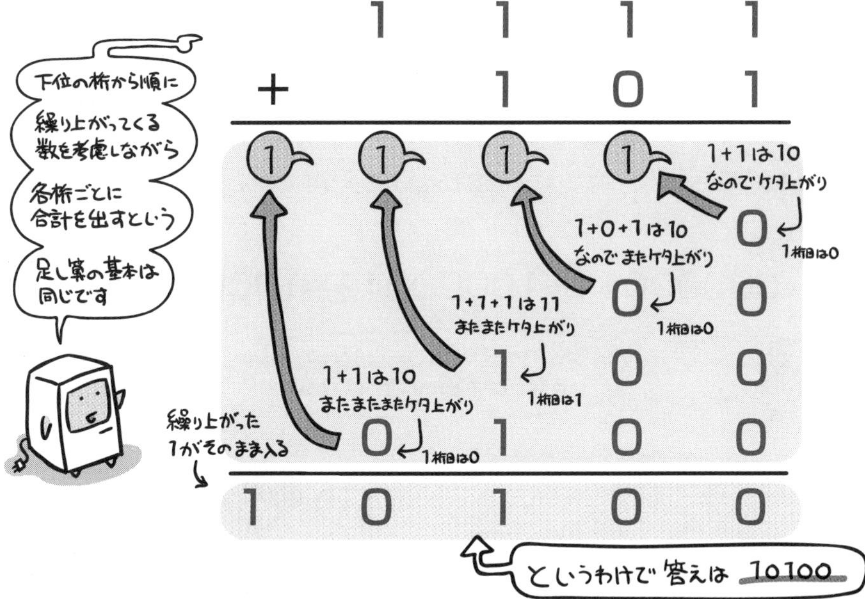

さてさて、ここでクイズです。

「引き算」という概念がないものに「引き算」を行わせたい場合、どうすれば引き算をさせることができるでしょうか。

いやいや、実はキノコが正解なのです。

仮に5−3という計算をさせたい場合、5+(−3)という計算ができれば、足し算を使って引き算と同じ結果を得ることができるはず。つまり引き算を知らなくとも、「負の数」を表現することができれば、足し算の回路だけで両方できるようになるのです。

負の数のあらわし方

単純に「負の数があらわせればいい」と考えれば、やり方は様々です。もっとも単純なところでは、「先頭の1ビットは符号にするね」と決めてしまう方法があります。

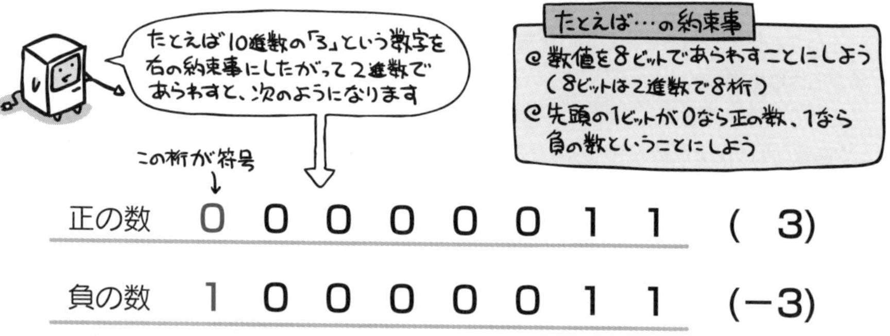

ところがこれだと、「足し算だけで引き算も済ませちゃうぜイェイ」という目的が果たせません。

00000011+10000011=10000110

3と-3を足したら0にならないと
いけないはずなのにそうなってない

そこで出てくるのが補数という表現方法です。

補数とは、言葉の通り「補う数」という意味。補数の種類には、「その桁数での最大値を得るために補う数」と「次の桁に繰り上がるために補う数」という2つの補数が存在します。…と書いただけじゃよくわかんないと思うので、10進数の数字を例に実際の数字を見てみましょう。

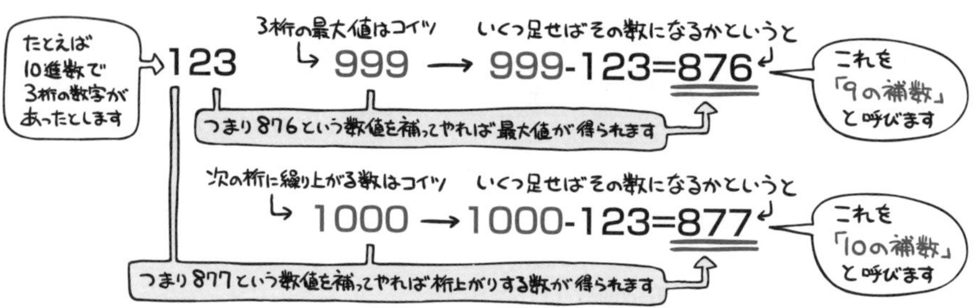

このような10進数でいうところの「9の補数」と「10の補数」と同じものが、2進数にもあるわけです。2進数では、「1の補数」と「2の補数」という2つの補数を使います。

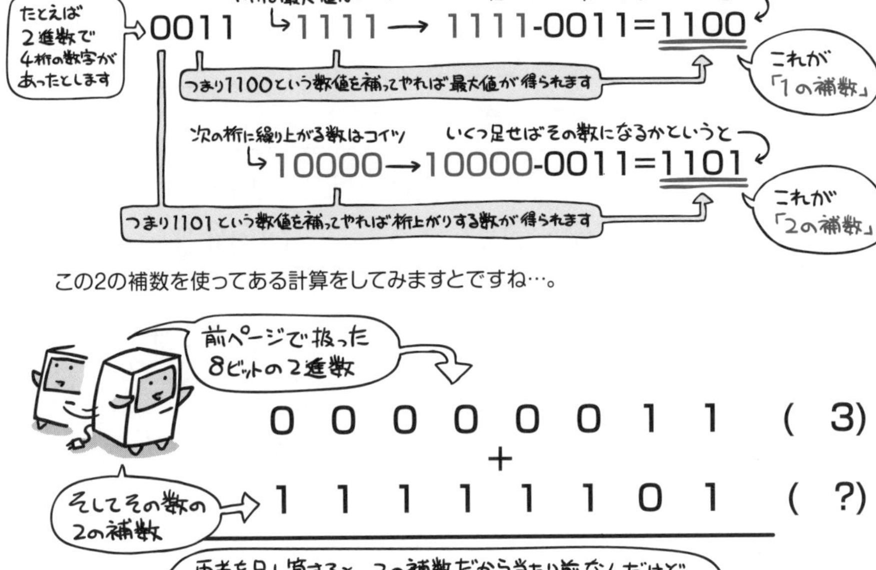

この2の補数を使ってある計算をしてみますとですね…。

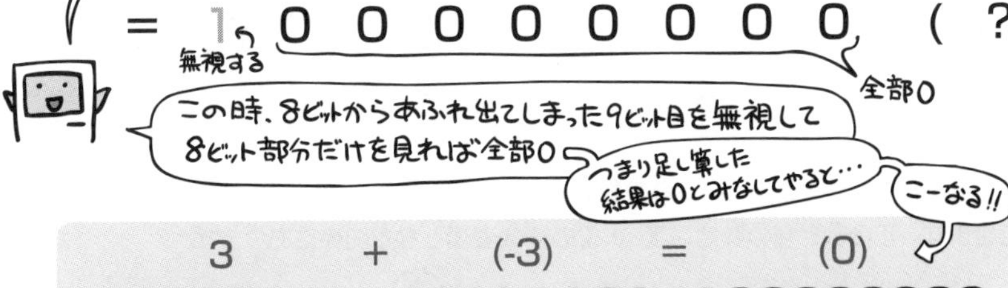

3 + (-3) = (0)

00000011+11111101=100000000

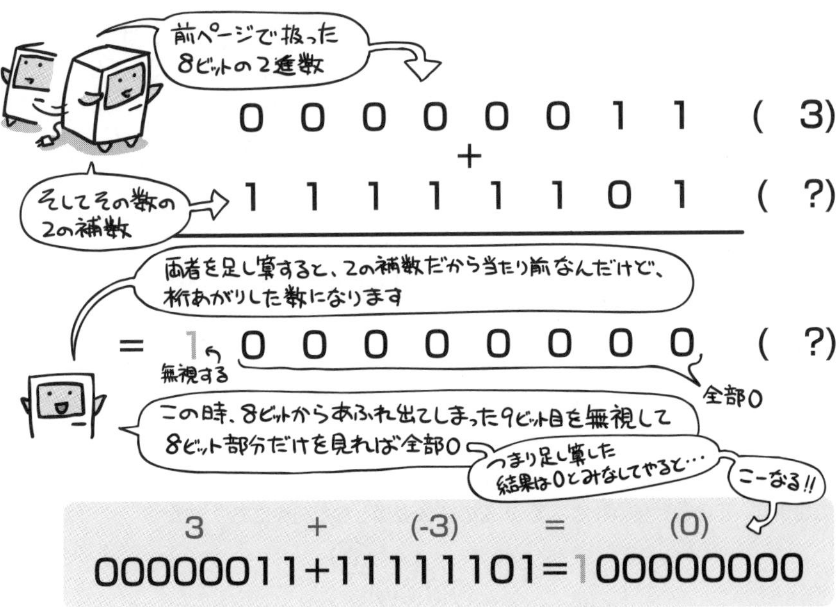

このように、ある数値に対する2の補数表現は、そのままその数値の負の値として使えるというわけなのです。このことから、コンピュータは負の数をあらわすのに2の補数を使います。2の補数は、次のようにすると簡単に求めることができます。

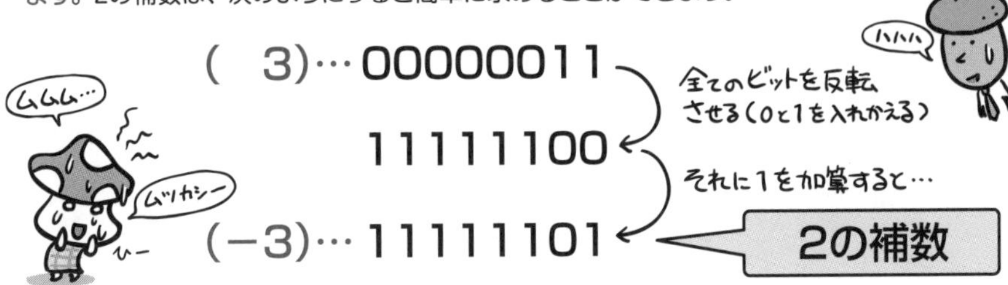

引き算の流れを見てみよう

それでは実際に例を用いて、引き算の流れを見てみることにしましょう。
3ページ前に出ている「5−3」という式の場合、どうなるかを見てみます。

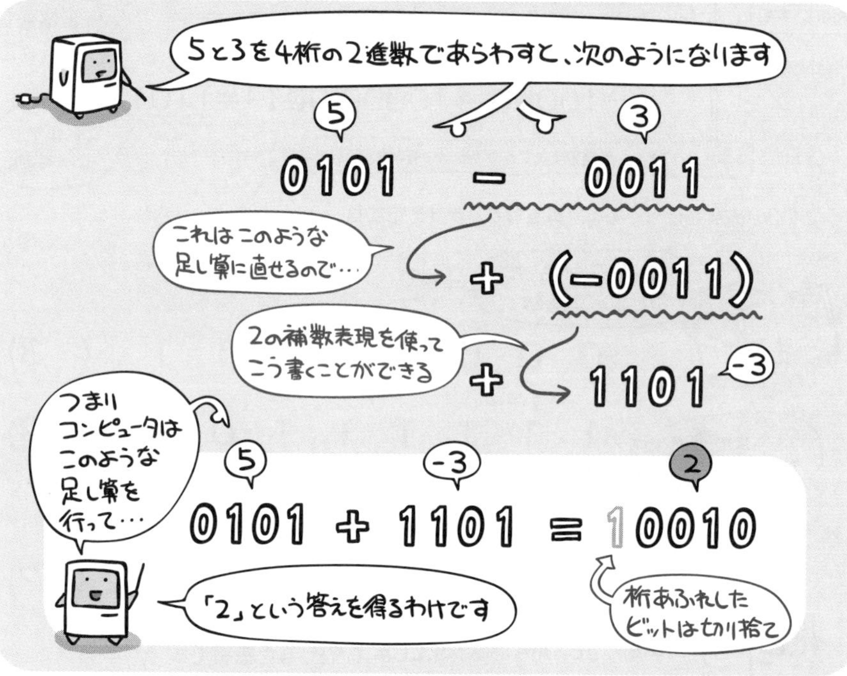

ちなみに、2の補数を用いて負の数をあらわす場合も、1ビット目は符号として扱うことができます。正の数と負の数は、互いに2の補数表現となる関係にあります。

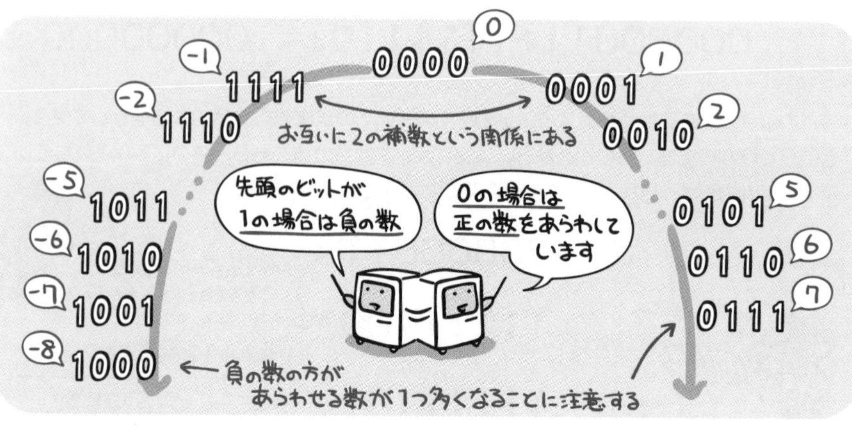

このように出題されています 過去問題練習と解説 I

(FE-H21-A-02)

2進数の1.1011と1.1101を加算した結果を10進数で表したものはどれか。

ア 3.1　　イ 3.375　　ウ 3.5　　エ 3.8

解説

1.1011と1.1101を加算すると、下記のようになります。

```
     1.1 0 1 1
 +   1.1 1 0 1
 -------------
   1 1.1 0 0 0
```

2進数の11.1を10進数にすると、下記のようになります。

1	1	.	1
2^1	2^0	.	2^{-1}
2	1		0.5

正解は、2+1+0.5=3.5です。

(FE-H20-S-03)

負数を2の補数で表すとき，すべてのビットが1であるnビットの2進数“1111…11”が表す数値又はその数式はどれか。

ア −(2n−1−1)　　イ −1　　ウ 0　　エ 2n−1

解説

2の補数とは，負の数の表現方法の一つであり，2進数の各ビットを反転させて1加算したものです。こうすれば，正負が逆の数値になります。

例えば，10進数の3を4ビットの2進数で表現すれば，0011です。これを各ビット反転させると1100になり，それに1加算すれば，1101になり，これがマイナス3になります。

解説 次ページへ続く

正解▶問1：ウ

4ビットの2進数のすべてを，2の補数と10進数で表現すると，以下のとおりになります。

1111	→	マイナス1	0111	→	プラス7
1110	→	マイナス2	0110	→	プラス6
1101	→	マイナス3	0101	→	プラス5
1100	→	マイナス4	0100	→	プラス4
1011	→	マイナス5	0011	→	プラス3
1010	→	マイナス6	0010	→	プラス2
1001	→	マイナス7	0001	→	プラス1
1000	→	マイナス8	0000	→	ゼロ

上記からわかるように，nビットの2進数“1111…11”は，−1になります。

(FE-H30-S-01)

ある整数値を，負数を2の補数で表現する2進表記法で表すと最下位2ビットは“11”であった。10進表記法の下で，その整数値を4で割ったときの余りに関する記述として，適切なものはどれか。ここで，除算の商は，絶対値の小数点以下を切り捨てるものとする。

ア　その整数値が正ならば3　　**イ　その整数値が負ならば−3**
ウ　その整数値が負ならば3　　**エ　その整数値の正負にかかわらず0**

解説

具体例を考えるとわかりやすいので、下記の「3ビットの2進数」の例を想定します。

111	→ マイナス1 (▼)	011	→ プラス3 (▲)
110	→ マイナス2	010	→ プラス2
101	→ マイナス3	001	→ プラス1
100	→ マイナス4	000	→ ゼロ

問題文の「負数を2の補数で表現する2進表記法で表すと最下位2ビットは“11”」であるケースは、上記の（▼）（▲）です。それぞれについて、問題文の<10進表記法の下で，その整数値を4で割ったときの余り、（中略）ここで，★★除算の商は，絶対値の小数点以下を切り捨てるものとする>を計算して、各選択肢に当てはめてみます。

ア　★その整数値が正ならば3
　マイナス1（▼）… 上記★の条件に該当しません。
　プラス3（▲）… 3÷4=0.75　上記★★の下線部より、0.75の小数点以下が切り捨てられて、商は「0」、余りは「3」<0×4+3=3>です。したがって、本選択肢が正解です。

イ　●その整数値が負ならば−3
　マイナス1（▼）… −1÷4=−0.25　上記★★の下線部より、0.25の小数点以下が切り捨てられて、商は「0」、◆◆余りは「−1」<0×4+（−1）=−1>です。したがって、誤りです。
　プラス3（▲）… 上記●の条件に該当しません。

ウ　◆その整数値が負ならば3
　上記◆の下線部は、上記●の下線部と同じですので、上記◆◆の下線部より、本選択肢は誤りです。

エ　その整数値の正負にかかわらず0
　上記ア〜ウの各選択肢で検討したように、マイナス1（▼）とプラス3（▲）の両方とも、余りが「0」になることはありません。

正解▶問2：イ　問3：ア

Chapter 2-2 シフト演算と、2進数のかけ算わり算

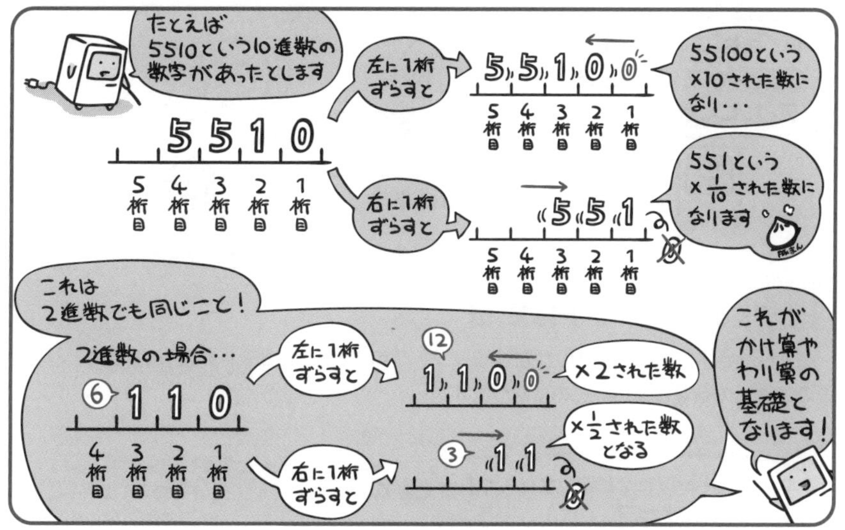

2進数をあらわすビット列を、左もしくは右にずらす操作をシフト演算と呼びます。

10進数の数字に対して、「10倍」とか「1/10倍」するとどうなるかというのは、たいてい迷わずパッと答えが出てくるものです。5510を10倍すれば55100ですし、1/10倍すれば551。なにも難しいことはありません。

このように、桁が増えたり減ったりするというのは、その数が「○倍される」という結果と直結しているわけです。

この時、「○倍」の○にどんな数字が入ることになるか。それは、1章でふれた基数と桁の重み（P.30）にしたがって決まります。10進数であれば桁の増減によって「10倍」もしくは「1/10倍」されることになり、2進数であれば「2倍」もしくは「1/2倍」されることになる…というわけですね。

さて、コンピュータはビットの並びを2進数として扱います。つまり、ビットの並びをまとめて左にずらしたり、右にずらしたりすることで、元の値の2倍や1/2倍という計算が簡単にできるということになる。

この操作をシフト演算と呼びます。

コンピュータはこのシフト演算を使って、かけ算やわり算を行います。

論理シフト

シフト演算の中で、符号を考慮せずに行うシフト操作が論理シフトです。

符号を考慮しないというのは、「最上位のビットも含めてなんも考えずにシフトしちゃうからね」ってことです。

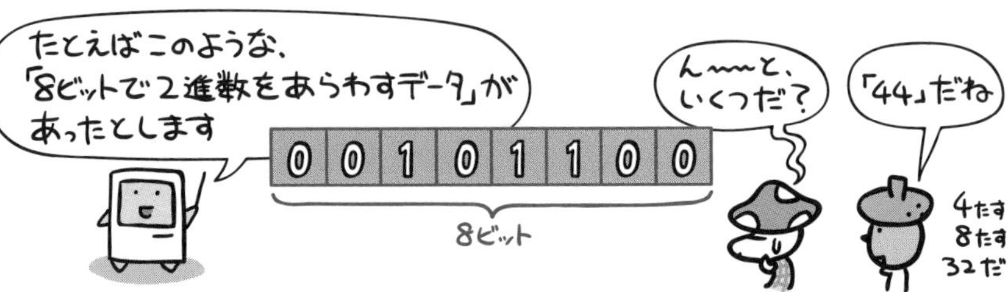

左論理シフトは2^n倍

ビット列全体を左にずらすのが左論理シフトです。ずらしたビット数をnとすると、シフト後の数は元の数を2^n倍したものになります。

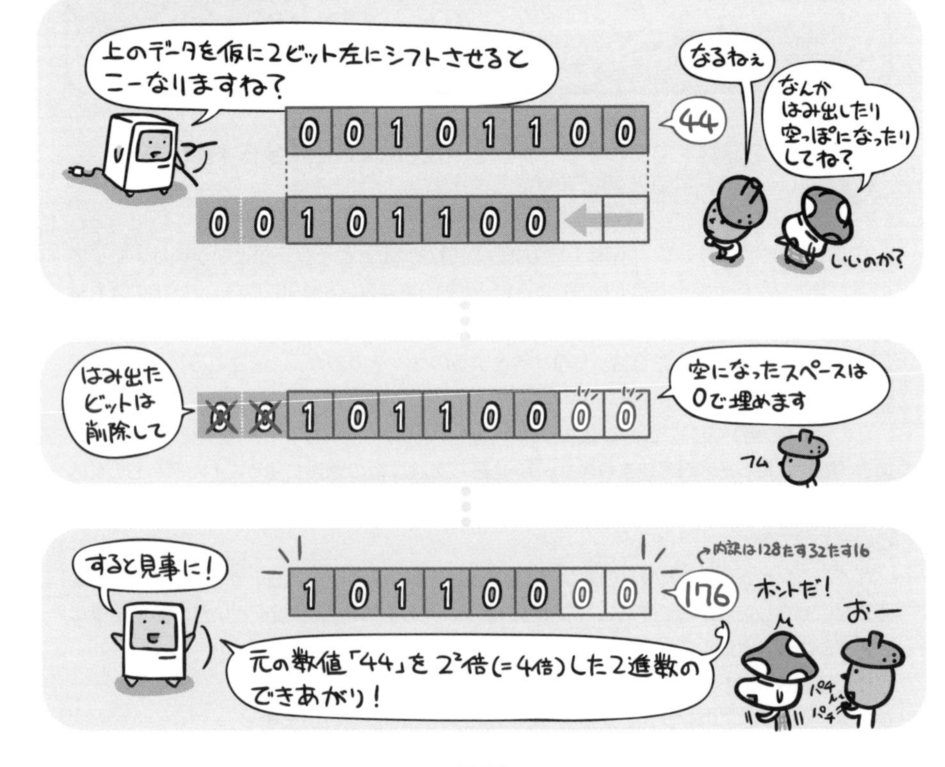

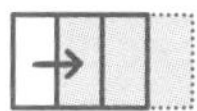

右論理シフトは1/2^n倍

ビット列全体を右にずらすのが右論理シフトです。ずらしたビット数をnとすると、シフト後の数は元の数を1/2^n倍したものになります。

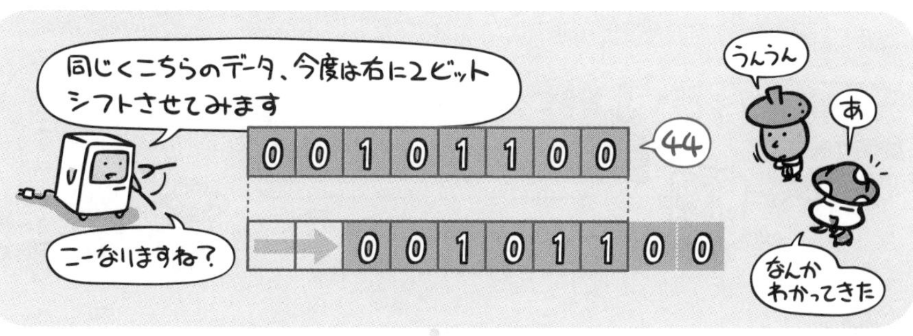

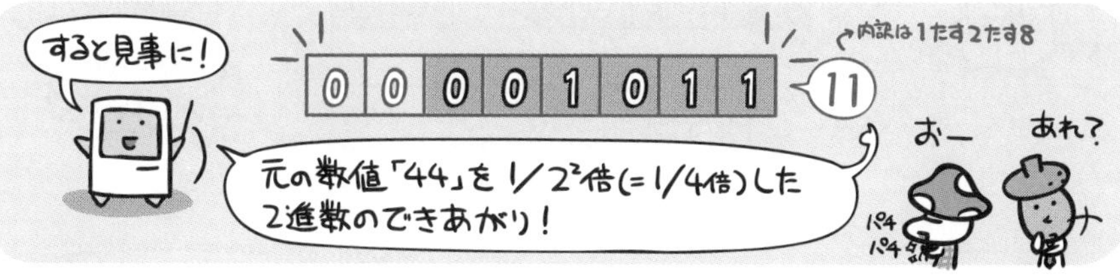

右とか左とかにずらした時、はみ出した数字が 1 だったりしても問題にはならないの？

これはいい質問です。

1がはみ出した時というのは、それぞれ次のような意味を持っています。

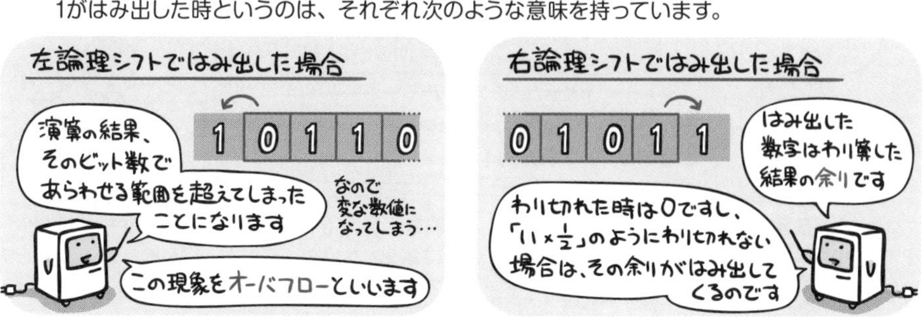

算術シフト

いっぽう、符号を考慮して行うシフト演算が算術シフトです。

算術シフトでは、先頭の符号ビットを固定にして、それ以降のビットだけを左右にシフト操作します。

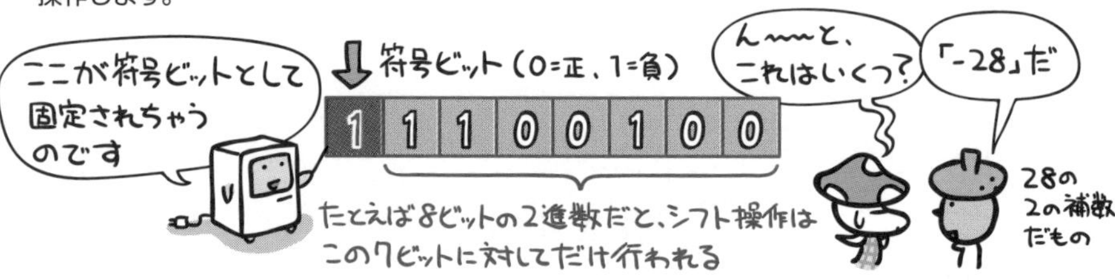

左算術シフトは符号つきで2^n倍

算術シフトの場合も、左にずらすと2^n倍になる基本は変わりません。

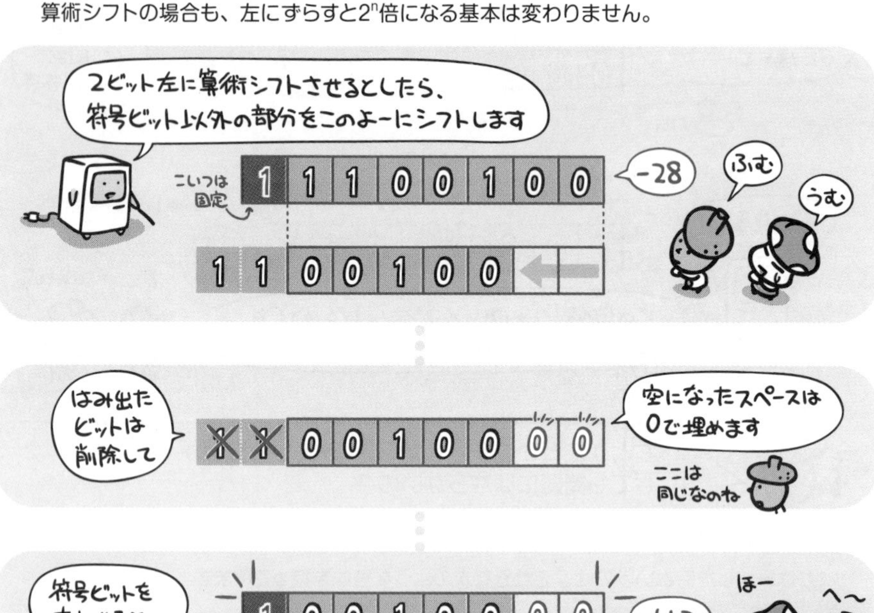

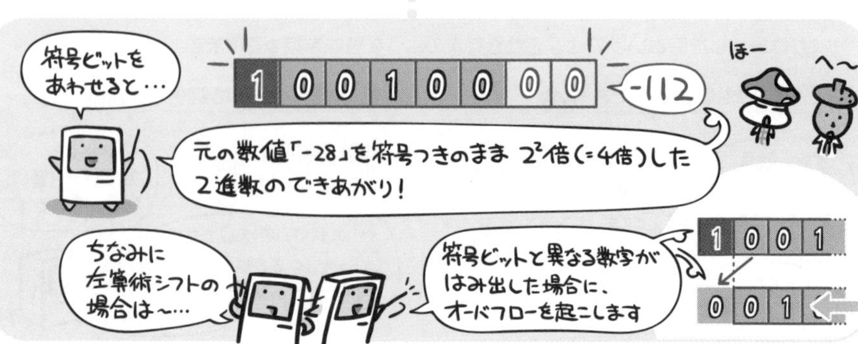

右算術シフトは符号つきで$1/2^n$倍

続いては右算術シフト。これも、右にずらすと$1/2^n$倍になるんですよーという基本は変わりません。ただ、空いたビットを「何で埋めるのか」は注意が必要です。

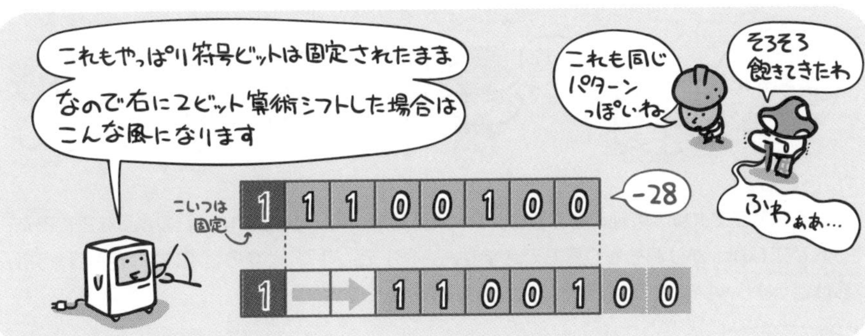

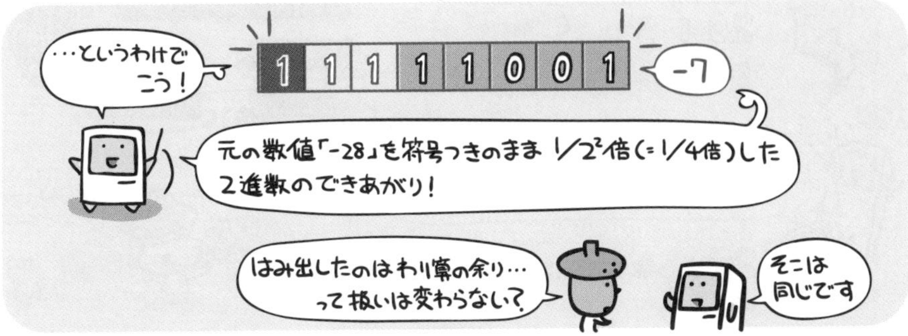

空になったスペースは符号ビットで埋めて

1 1 1 1 1 0 0 1 0 0

はみ出たビットは削除します

あ!? ありゃ?

な、なんかちがってるよ!?

ん?

こっちは他のと変化なしだけど…

そう!

右算術シフトで空いたスペースに入るのは

0決めうちじゃなくて符号ビットなのです

そうじゃないと左にシフトさせたらすぐオーバフローですよ

だから正の数(符号ビットが0)の場合は0が入り…

0 0 0 1 1 0

負の数(符号ビットが1)の場合は1が入る

1 1 1 1 1 0

ほー

…というわけでこう!

1 1 1 1 1 0 0 1

-7

元の数値「-28」を符号つきのまま$1/2^2$倍(=1/4倍)した2進数のできあがり!

はみ出したのはわり算の余り…って扱いは変わらない?

そこは同じです

かけ算とわり算を見てみよう

…というわけで、ここまで見てきたシフト演算を使ってコンピュータはかけ算やわり算をするわけですが、

そうなんですよね。単純に考えるとシフト演算では、「2、4、8、16…」のような2^nにあたる数字でしか、かけ算もわり算もできません。「3」とか「7」とかの、半端な数字で行う計算はどうすりゃいいの?という壁にぶち当たります。

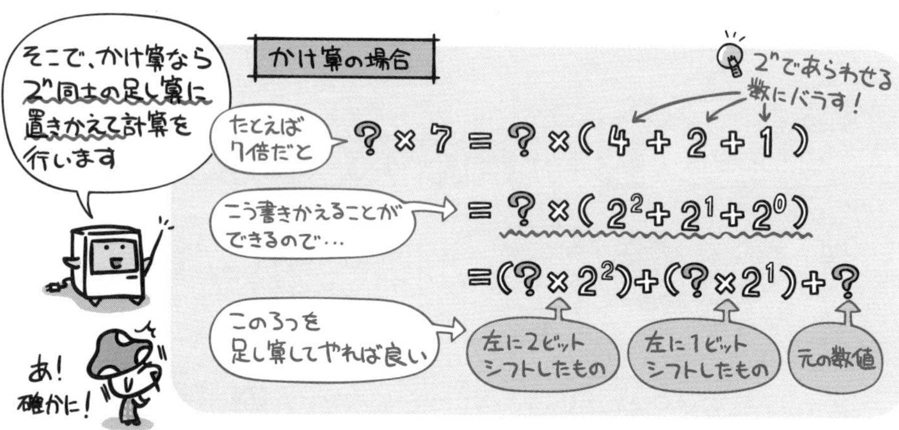

一方のわり算。わり算も基本は同じなのですが、こちらはまず「わり算って何?」というところから整理する必要があります。

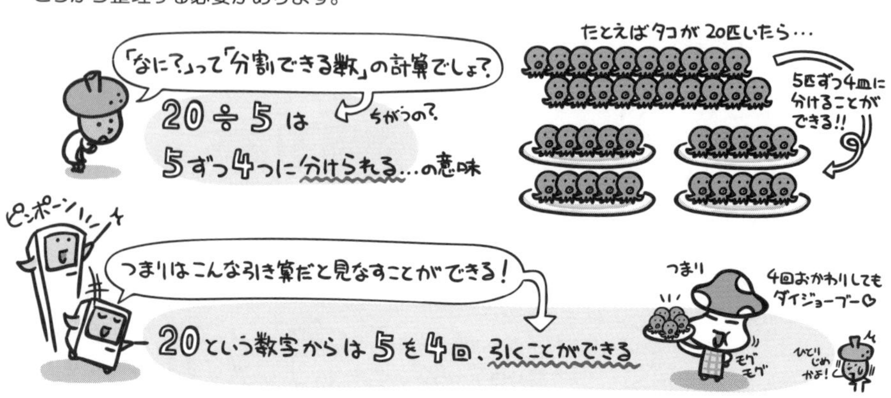

わり算の場合

たとえば15を3でわりますよという場合

15 ÷ 3

これを2進数に直すとこーなる

1111 ÷ 11

じゃあ元の数字 1111 から 11 は何回引けるかというと…

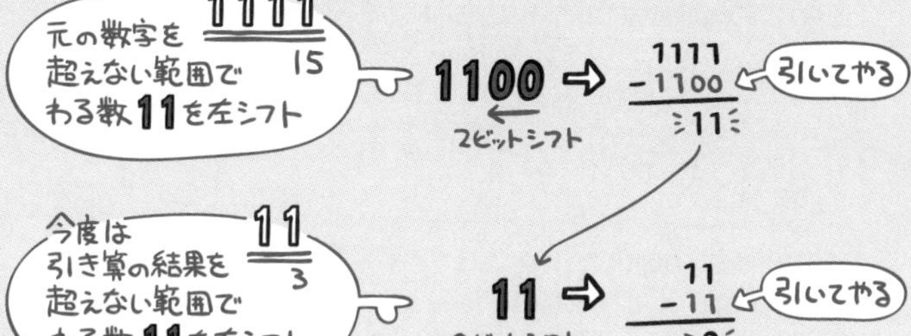

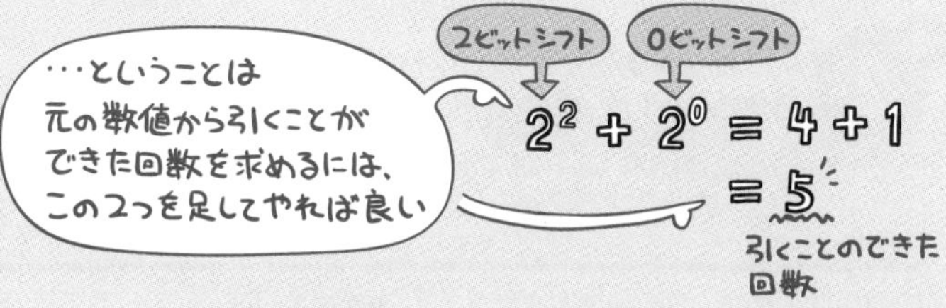

2ビットシフト　0ビットシフト

…ということは元の数値から引くことができた回数を求めるには、この2つを足してやれば良い

$2^2 + 2^0 = 4 + 1$

$= 5$

引くことのできた回数

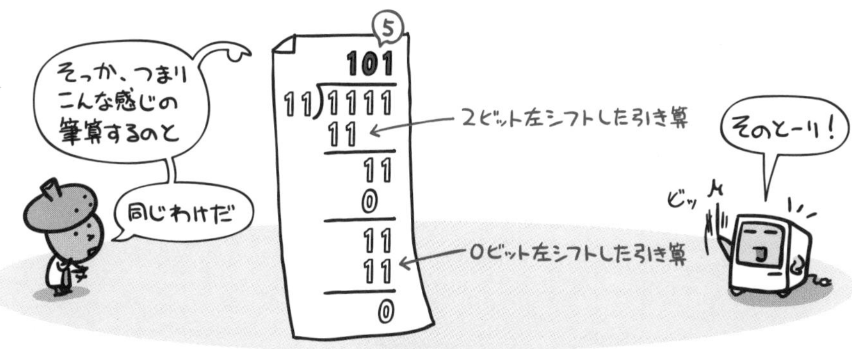

このように出題されています
過去問題練習と解説

問1 (FE-H24-A-01)

8ビットの2進数11010000を右に2ビット算術シフトしたものを，00010100から減じた値はどれか。ここで，負の数は2の補数表現によるものとする。

ア 00001000　イ 00011111　ウ 00100000　エ 11100000

解説

2進数11010000を右に2ビット算術シフトすると、下図のように、11110100になります。

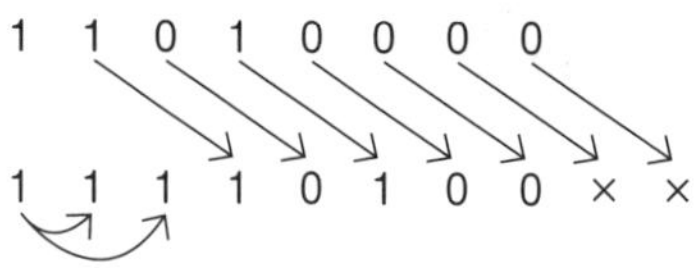

11110100を00010100から減じた値を求めるには、00010100に、11110100をマイナスにしたものを足せばよいので、まず11110100をマイナスにしたものを求めます。問題文は「負の数は2の補数表現による」としているので11110100の2の補数をとります。11110100を全ビット反転して1を足すと、00001100になります。00010100 + 00001100 = 00100000です。

問2 (FE-H25-A-02)

32ビットのレジスタに16進数ABCDが入っているとき，2ビットだけ右に論理シフトした値はどれか。

ア 2AF3　イ 6AF3　ウ AF34　エ EAF3

解説

(1) 16 進小数ABCDを2進数に変換すると、右表のようになります。

A	B	C	D
1010	1011	1100	1101

(2) 右上表を2ビットだけ右に論理シフトすると、右上表の全ビットが右に2桁ずれて左端に「00」が足され、右表のようになります。

2	A	F	3
0010	1010	1111	0011

(FE-H28-S-01)

数値を2進数で格納するレジスタがある。このレジスタに正の整数xを設定した後，“レジスタの値を2ビット左にシフトして，xを加える”操作を行うと，レジスタの値はxの何倍になるか。ここで，あふれ（オーバフロー）は，発生しないものとする。

ア 3　　イ 4　　ウ 5　　エ 6

解説

本問は、「正の整数」を前提としていますので、本問のシフトは、符号を考慮しない論理シフトです。具体例を想定すると考えやすくなるので、ここでは、レジスタは8ビットを格納でき、xは10進数の「2」(2進数の「00000010」とします。そこで、「レジスタの値を2ビット左シフトして、xを加える」という文は、<レジスタの値「00000010」を2ビット左シフトして、「00001000」になり、「00001000」にx「00000010」を加えて、「00001010」(10進数の「10」)になる>に書きかえられます。したがって、レジスタの値は、10進数の「2」から「10」の5倍になっています。

(FE-H24-S-02)

非負の2進数$b_1b_2 \cdots b_n$を3倍にしたものはどれか。

ア $b_1b_2 \cdots b_n0+b_1b_2 \cdots b_n$　　イ $b_1b_2 \cdots b_n00-1$

ウ $b_1b_2 \cdots b_n000$　　エ $b_1b_2 \cdots b_n1$

解説

ア $b_1b_2 \cdots b_n0$は、全ビットを左に1ビット論理シフトしているので、元の数の2倍になります。$b_1b_2 \cdots b_n$は、元の数ですので、$b_1b_2 \cdots b_n0$と$b_1b_2 \cdots b_n$を足すと、元の数の3倍になります。

イ $b_1b_2 \cdots b_n00$は、全ビットを左に2ビット論理シフトしているので、元の数の4倍になります。したがって、当選択肢は、元の数の4倍マイナス1です。

ウ $b_1b_2 \cdots b_n000$は、全ビットを左に3ビット論理シフトしているので、元の数の8倍になります。

エ $b_1b_2 \cdots b_n1$は、全ビットを左に1ビット論理シフトして、1を足しているので、元の数の2倍プラス1になります。

正解▶問1:ウ　問2:ア　問3:ウ　問4:ア

Chapter 2-3

小数点を含む数のあらわし方

コンピュータの中では、固定小数点数で整数をあらわし、浮動小数点数で実数（小数を含む数）をあらわします。

たとえば「2進数を8桁であつかおうぜ（つまり8ビット）」と決めて、その中のどの位置を小数点の位置と決めてしまうかというのが、固定小数点数というやつです。最初の5桁を整数部分にして、残り3桁を小数扱いにしようとか、そんな感じになるわけですね。わかりやすいですし、処理も速い方法です。

ただ、このやり方だと「0.00000000034」とか、「120000000000」なんかの値はどうなるでしょう。数値の中身はほとんど0しかないくせして、桁数だけはやたらと必要なこれらの数字。それは「やたらとビット数が必要だ」ということでもあります。実際、これらを8ビットであらわせるかといったら…無理ですよね、桁数が入りきらないですもの。

そこで浮動小数点数。

こいつは小数を「符号 仮数×基数^{指数}」の形式で格納することによって、「すっごく小さな数」や「すっごく大きな数」を、限られたビット数で表現してくれるのです。

なんだかよくわかんないですか？「固定小数点数が整数をあらわす」ってのもよくわかんないですしね。というわけで、次ページ以降にレッツゴーなのです。

固定小数点数

固定小数点数は、「ビット列のどの位置に小数点があるか」を暗黙的了解として扱う表現方法です。

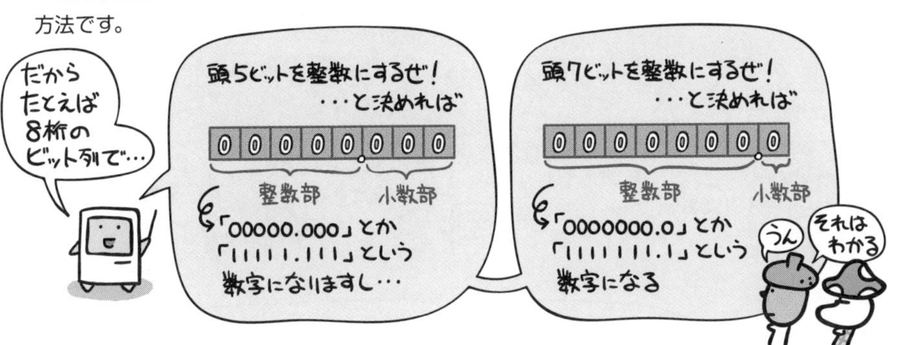

ですから、「最下位ビットの右側を小数点とするね」と決めちゃえば小数部分に割くビット数は0となり、整数だけを扱うことになります。

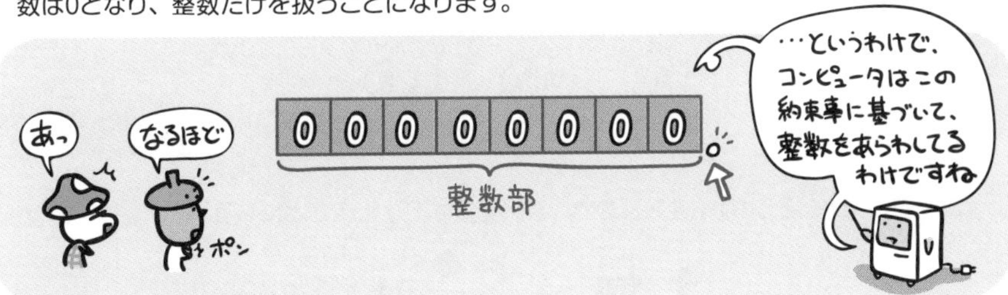

8ビットの固定小数点数であらわせる整数の範囲は、次のようになります。

符号なし

00000000.

	2進数	10進数
最小	00000000	0
	00000001	1
	～ ⋮ ～	～ ⋮ ～
	11111110	254
最大	11111111	255

nビットで表現できる範囲は…

$0 \sim 2^{n}-1$

符号あり

±0000000.

	2進数	10進数
最小	10000000	−128
	10000001	−127
	～	～
0	00000000	0
	～	～
	01111110	+126
最大	01111111	+127

nビットで表現できる範囲は…

$-2^{(n-1)} \sim 2^{(n-1)}-1$

浮動小数点数

浮動小数点数はというと、こちらは指数表記を用いて数値を扱う表現方法です。

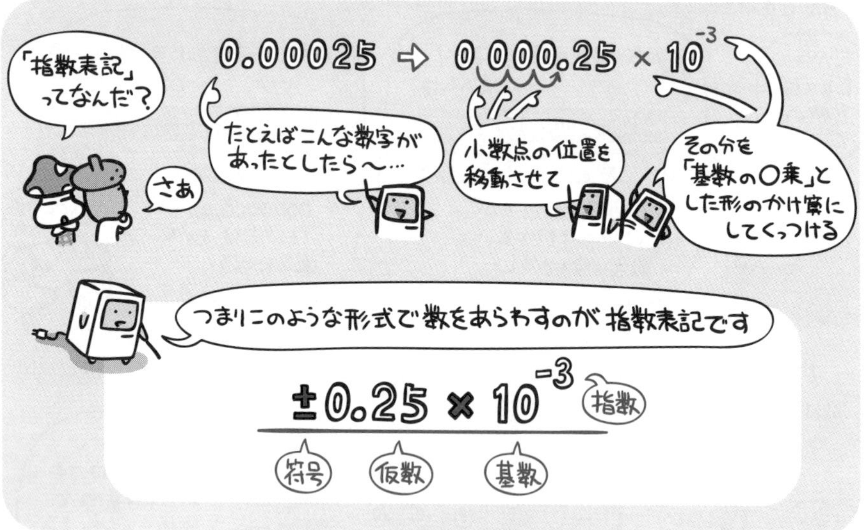

コンピュータで扱うのは2進数なので、当然基数は「2」ってことになる。

固定部分はいちいち覚えておく必要ないですよね。

なのでコンピュータは浮動小数点数として、残りの可変部分（符号、仮数、指数）の値をビットに割り当てて、数を表現します。

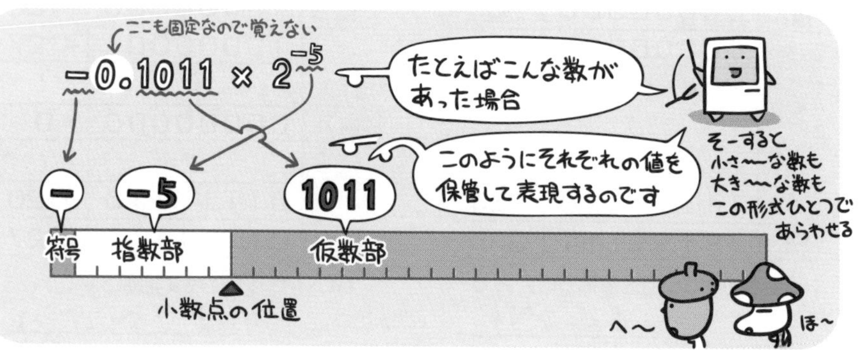

浮動小数点数の正規化

さて、それでは指数表記された次の数値を見てください。説明を簡略化するため、ここでは10進数を使っています。

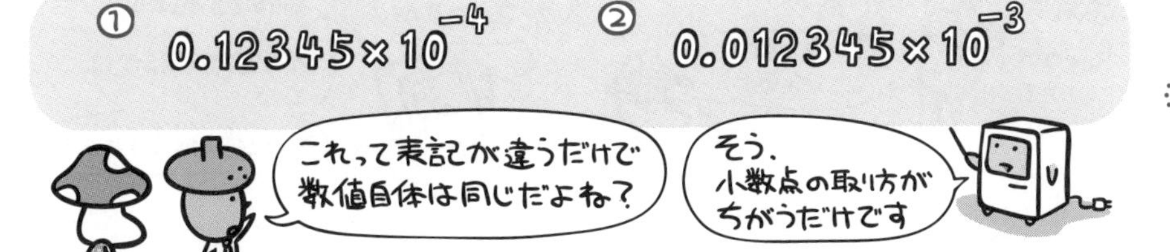

この仮数部を、それぞれ5桁の枠にはめこんで保管しなきゃいけないとします。元の値をちゃんと保持できるのはどちらでしょうか。

このように、ある数をあらわす際の「指数と仮数の組み合わせ」には、色んなパターンがあるものです。どれも間違いではありません。でも「限られたビット数の中でより多くの桁数を保持しよう」と思えば、「なんでもいいよ」とはいかないわけですね。

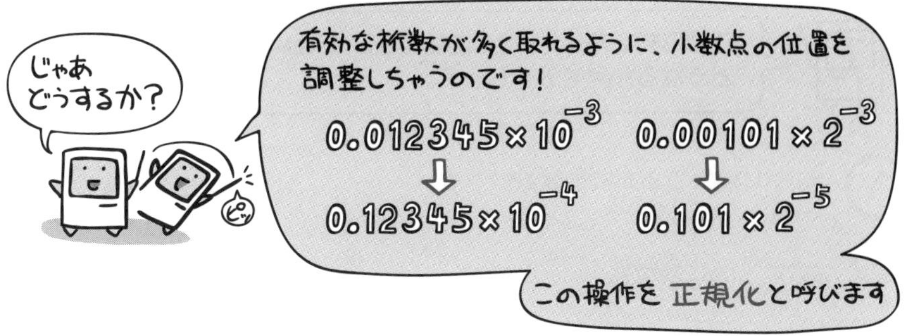

正規化によって有効な桁数を多く取ることができると、その分誤差が減るので、精度の高い計算を行うことができます。

円周率みたいに延々と続く数字の時も、下の方の位まで計算に使える

よく使われる浮動小数点数形式

続けて今度は、実際に使われている浮動小数点数の形式を、いくつか具体的に見ていきましょう。

32ビットの形式例

ひとつ目は、ごくごくシンプルな浮動小数点数形式をご紹介。

全体は32ビットで構成されていて、指数部の値が負の場合は2の補数を使ってあらわす形。仮数部には、0.Mと正規化したMの部分が入ります。

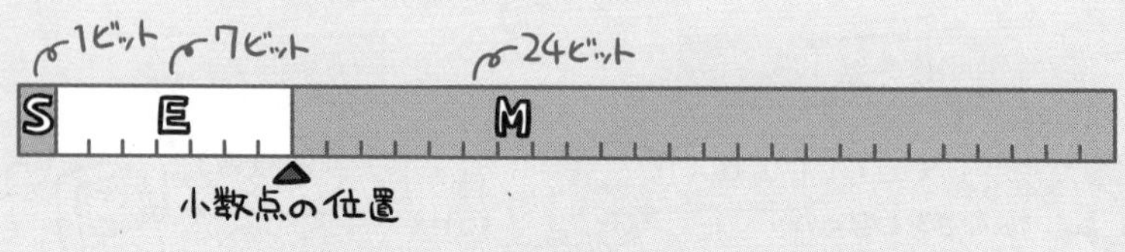

S：仮数部の符号（0：正 、1：負）

E：指数部（2を基数とし、負の数は2の補数で表現）

M：仮数部（2進数　絶対値表示）

この形式を用いて、10進数の0.375という数字をあらわすとどうなるか見てみましょう。

① まずはじめに、0.375を2進数に直します。

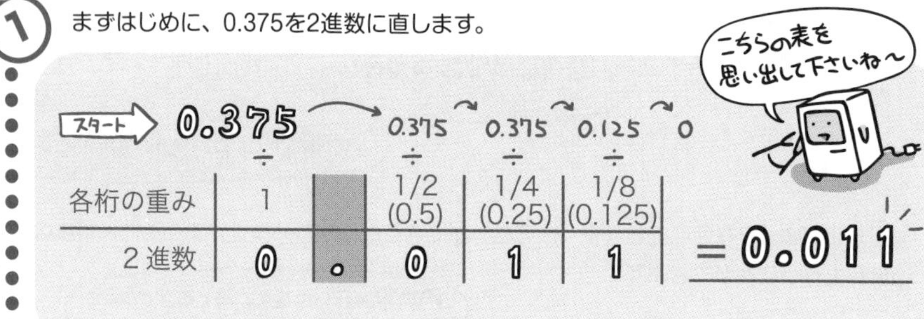

各桁の重み	1		1/2 (0.5)	1/4 (0.25)	1/8 (0.125)
2 進数	0	.	0	1	1

= 0.011

算出した2進数0.011を、0.Mの形式に正規化します。

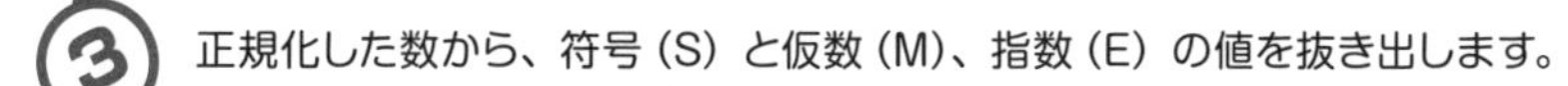

正規化した数から、符号（S）と仮数（M）、指数（E）の値を抜き出します。

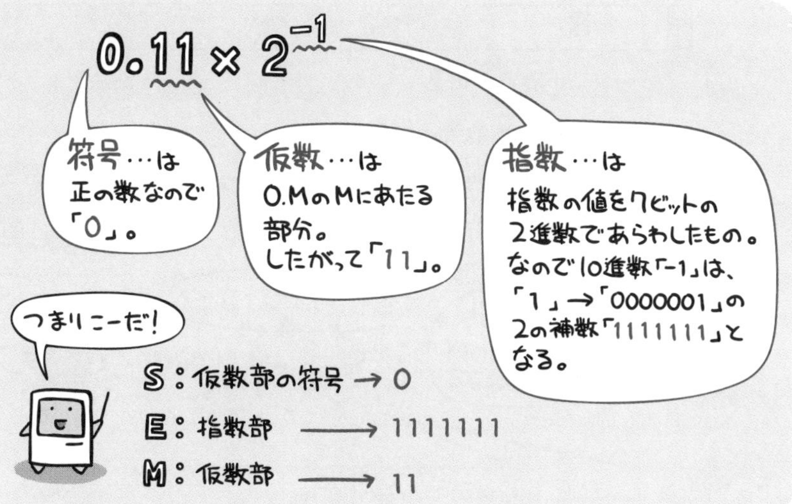

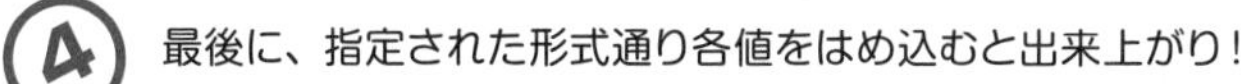

最後に、指定された形式通り各値をはめ込むと出来上がり！

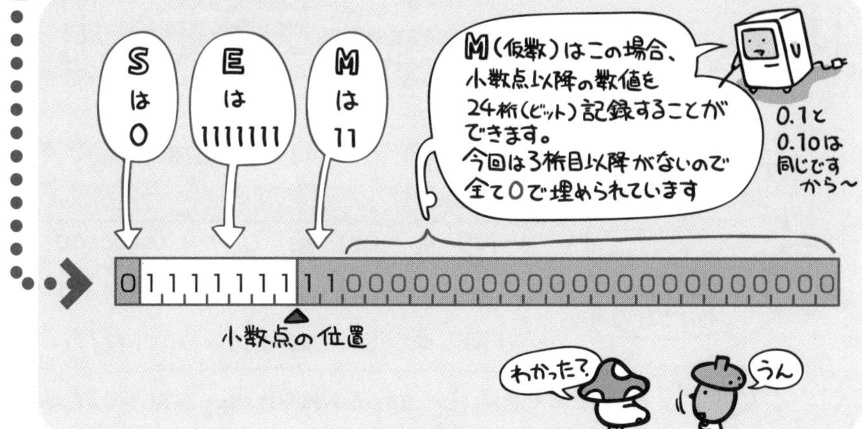

IEEE754の形式例とバイアス値

もうひとつは、IEEE（米国電子電気技術者協会）により規格化された、IEEE754という浮動小数点数の形式をご紹介。32ビットや64ビット、128ビットの形式などがありますが、その中の32ビットを例として取り上げます。

全体を32ビットで構成するのは先の例と同じですが、ビット数の内訳や指数部のあらわし方、正規化の方法などが違っています。

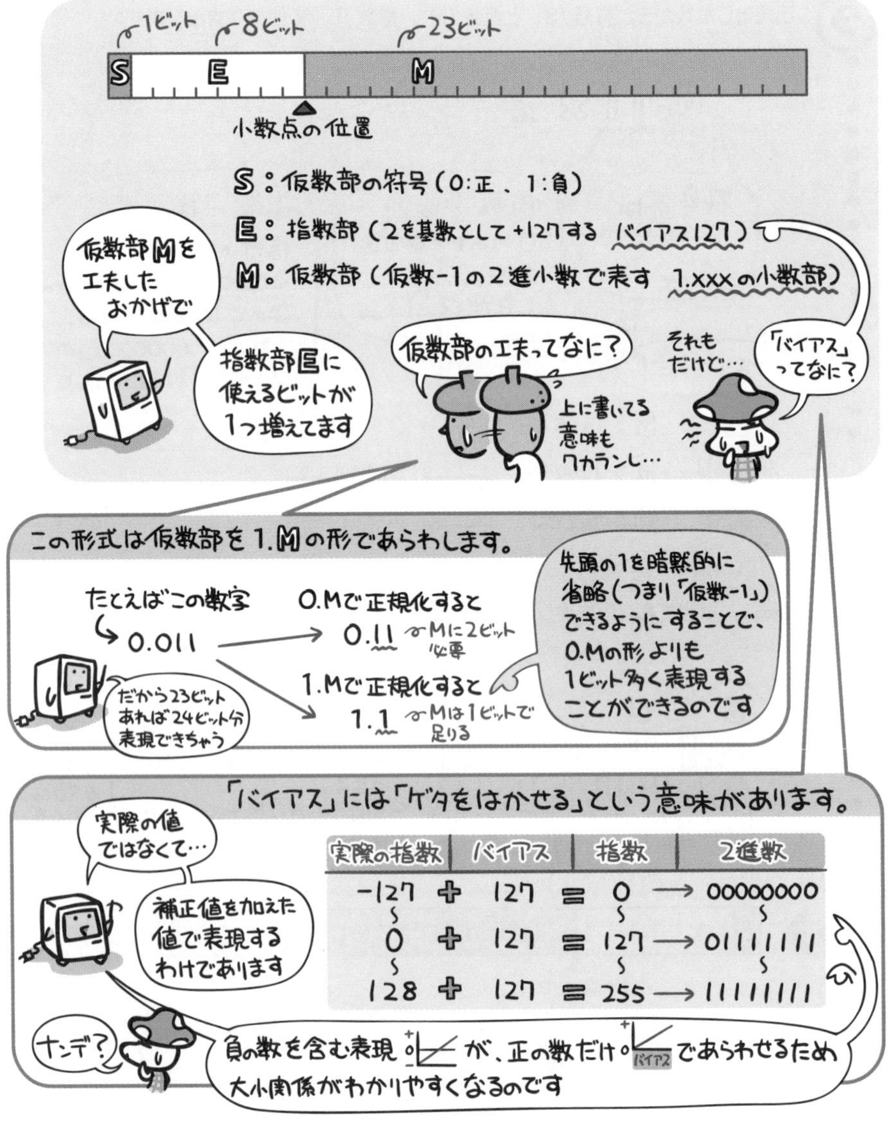

実際の指数	バイアス	指数	2進数
−127 ＋	127 ＝	0 →	00000000
～		～	～
0 ＋	127 ＝	127 →	01111111
～		～	～
128 ＋	127 ＝	255 →	11111111

この形式を用いて、またまた10進数の0.375という数字をあらわすとどうなるか見てみましょう。

① 0.375を2進数にすると0.011。これを1.Mの形に正規化します。

② 正規化した数から、符号（S）と仮数（M）、指数（E）の値を抜き出します。

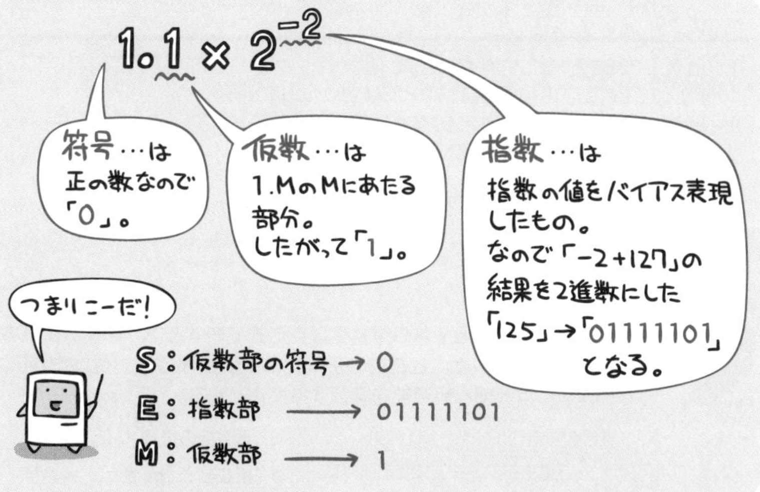

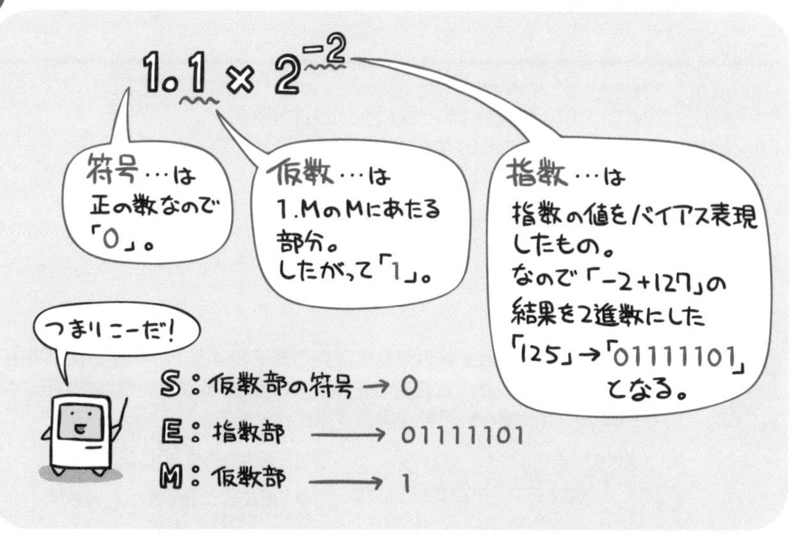

③ 最後に、指定された形式通り各値をはめ込むと出来上がり！

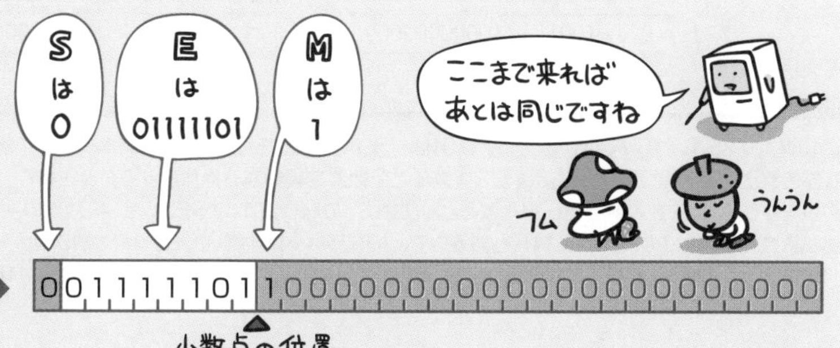

このように出題されています 過去問題練習と解説 Ⅰ

(FE-H23-A-2)

10進数 −5.625 を，8ビット固定小数点形式による2進数で表したものはどれか。ここで，小数点位置は，3ビット目と4ビット目の間とし，負数は2の補数表現を用いる。

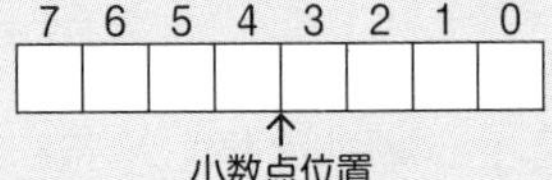

ア　01001100　　イ　10100101
ウ　10100110　　エ　11010011

解説

(1) 10進数 5.625を2進数に変換する

10進数の5は2進数の101、10進数の0.625は2進数の0.101です。

(2) 2進数のプラス101.101をマイナスに変換する

小数点位置を3ビット目と4ビット目の間とし、8ビットでプラス101.101を表現すると「0101.1010」になります。

「負数には2の補数表現を用いる」との指定が問題文にありますので、0101.1010を全ビット反転して1010. 0101とし、それに1を加算して「1010. 0110」になります。

(FE-H18-S-04)

数値を図に示す16ビットの浮動小数点形式で表すとき，10進数0.25を正規化した表現はどれか。ここでの正規化は，仮数部の最上位けたが0にならないように指数部と仮数部を調節する操作とする。

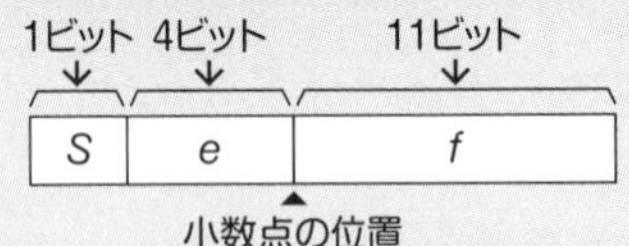

S：仮数部の符号 (0:正, 1:負)

e：指数部 (2を基数とし, 負数は2の補数で表現)

f：仮数部 (2進数 絶対値表示)

	S	e	f
ア	0	0001	10000000000
イ	0	1001	10000000000
ウ	0	1111	10000000000
エ	1	0001	10000000000

解説

10進数0.25は、2進数では0.01です。0.01はプラスなので、符号部は0です。本問での正規化は、「仮数部の最上位けたが0にならないように指数部と仮数部を調節する操作とする」とされています。

したがって、2進数0.01を、正規化すると、0.1×2^{-1}になります。ただし、e：指数部の注に、「指数部が負数の場合は2の補数で表現」とあるので、指数部は−1ではなく、1111になります。

仮数部は、問題の図より、小数点の位置が最上位の左側にあるので、0.1の1になり、11ビットで示せば10000000000です。

正解 ▸ 問1：ウ　問2：ウ

Chapter 2-4

誤差

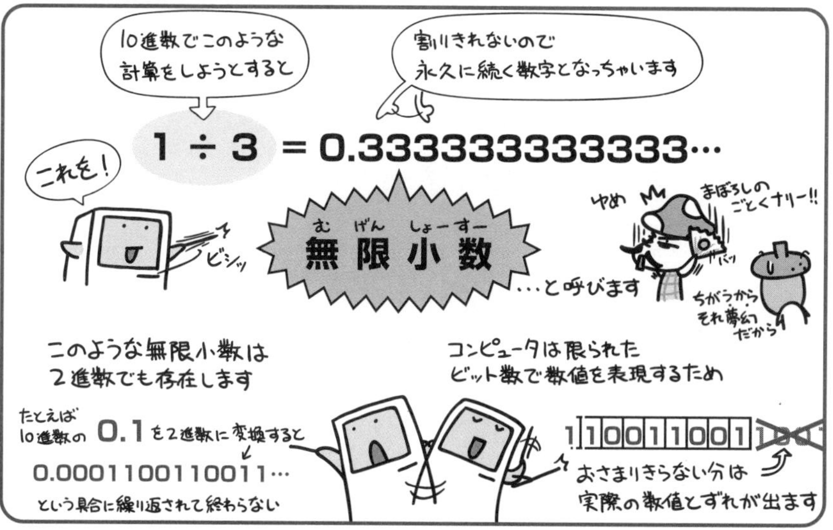

実際の数値と、コンピュータ内部で表現できる数値との間に生じたずれを、誤差と呼びます。

先の節でも述べた通り、コンピュータは8ビットとか、32ビットとか、あらかじめ決められたビット数の範囲で数をあらわします。そうすると、当然そこには「表現できる数の範囲」というのが決まってくることになる。たとえば8ビットの固定小数点数なのに「9桁の2進数を扱ってくれたまえ」なんて言われても「そらアンタ無茶な」というわけですね。

それに加えて、「2進数だから表現に困る数値」というのもあったりします。

10進数で1÷3を計算したら、0.33333333…と永久に続く数字になっちゃうのは誰しもが知る通り。これを無限小数と言います。そして、2進数で10進数の0.1をあらわそうとした時も、これと同じことになるのです。実際に計算してみるとわかりますが、0.0001100110011…と、延々繰り返されてばかりで終わりゃしない。

これらの数値をどう扱うかというと、「極力それに近い値」で済ませるしかありません。つまり実際の値との間に誤差が生じてしまうわけです。

…というわけで、「どんな時にどんな誤差が生じるか」を見ていきましょう。

けたあふれ誤差

演算した結果が、コンピュータの扱える最大値や最小値を超えることによって生じる誤差がけたあふれ誤差です。

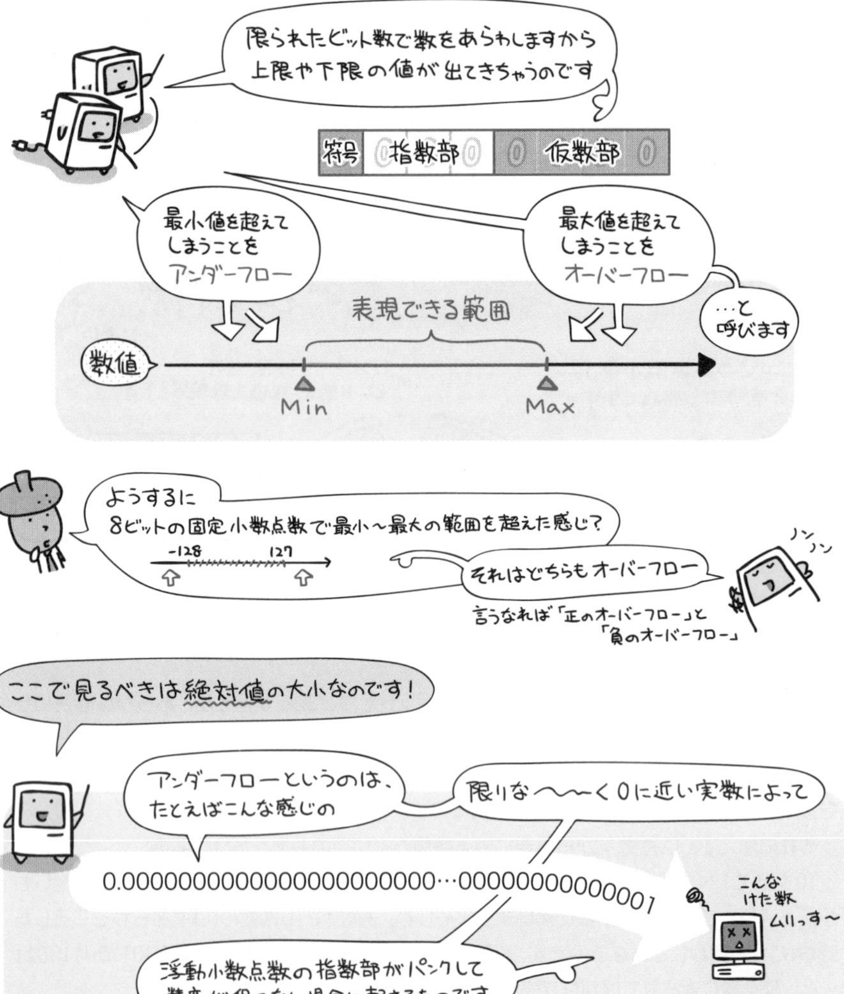

情報落ち

絶対値の大きな値と絶対値の小さな値の加減算を行った時に、絶対値の小さな値が計算結果に反映されないことによって生じる誤差が情報落ちです。

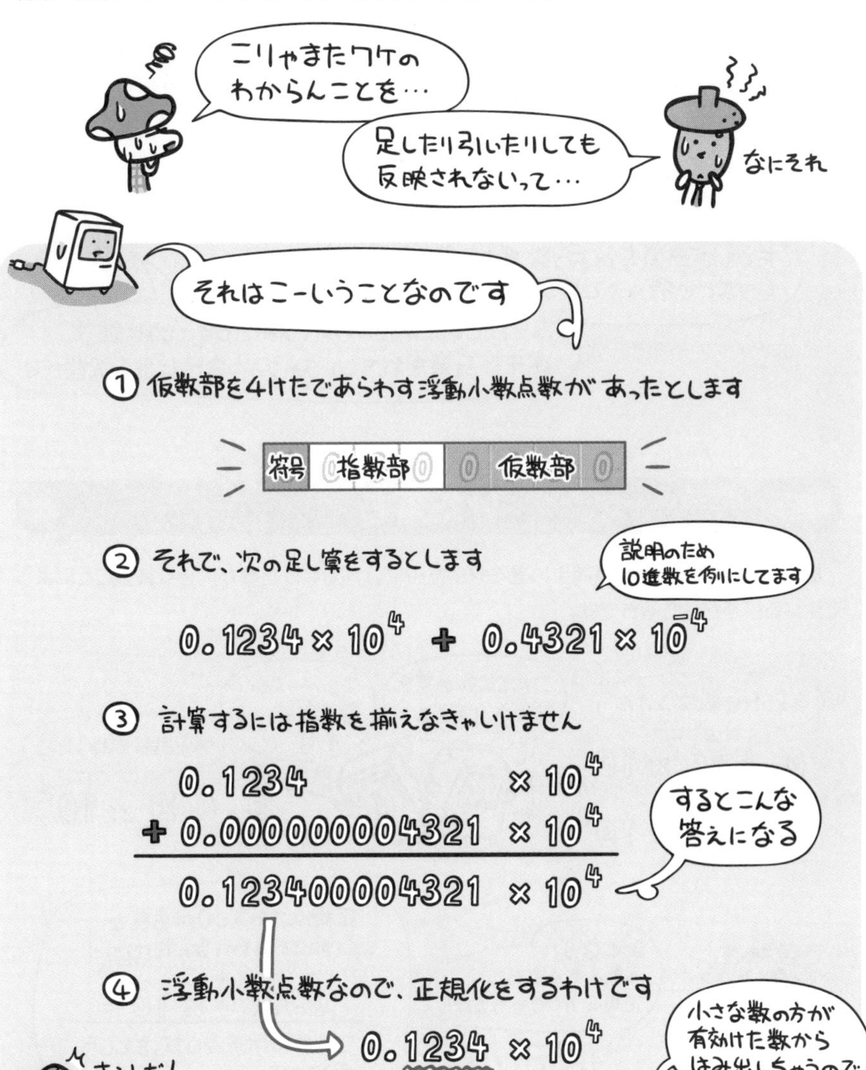

打切り誤差

計算処理を、完了まで待たずに途中で打ち切ることによって生じる誤差が打切り誤差です。

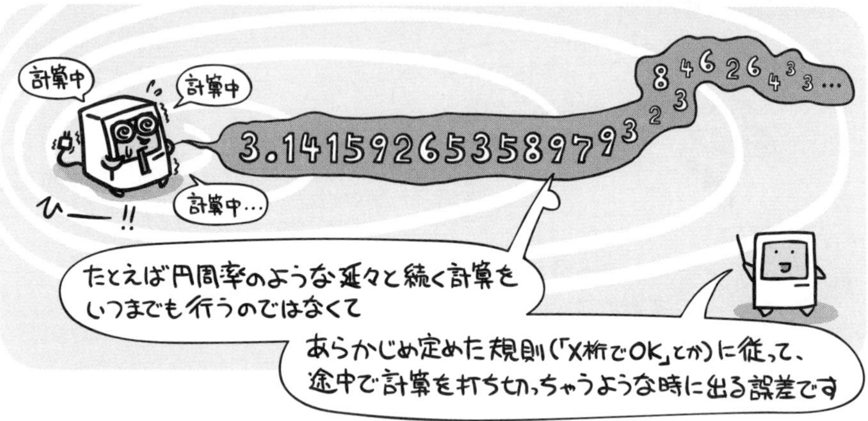

けた落ち

絶対値がほぼ等しい数値同士の差を求めた時に、有効なけた数が大きく減ることによって生じる誤差がけた落ちです。

丸め誤差

表現できる桁数を超えてしまったがために、最小桁より小さい部分について、四捨五入や切上げ、切捨てなどを行うことによって生じる誤差が丸め誤差です。

このように出題されています
過去問題練習と解説

問1 (FE-H27-S-02)

桁落ちの説明として，適切なものはどれか。

ア　値がほぼ等しい浮動小数点数同士の減算において，有効桁数が大幅に減ってしまうことである。

イ　演算結果が，扱える数値の最大値を超えることによって生じるエラーのことである。

ウ　浮動小数点数の演算結果について，最小の桁よりも小さい部分の四捨五入，切上げ又は切捨てを行うことによって生じる誤差のことである。

エ　浮動小数点数の加算において，一方の数値の下位の桁が結果に反映されないことである。

解説

ア　桁落ちの説明です。
イ　オーバーフローの説明です。
ウ　丸め誤差の説明です。
エ　情報落ちの説明です。

正解▶問1：ア

Chapter 3

コンピュータの回路を知る

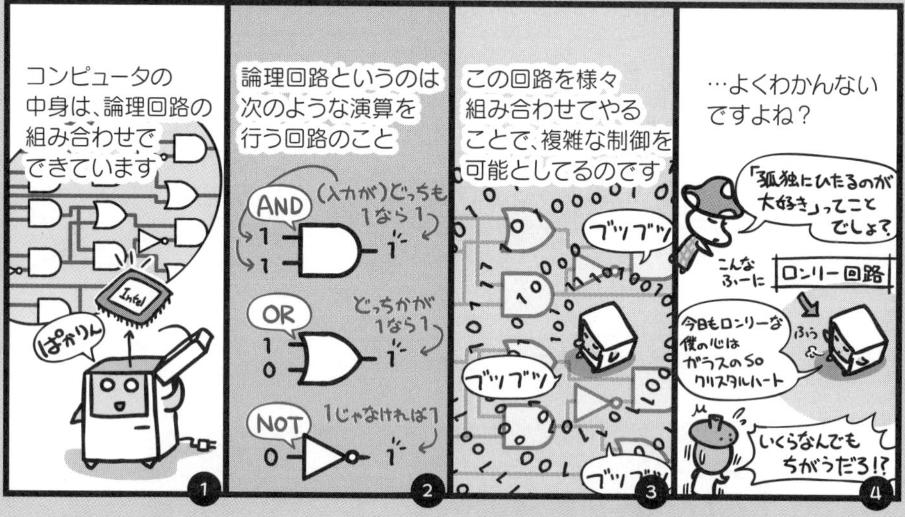

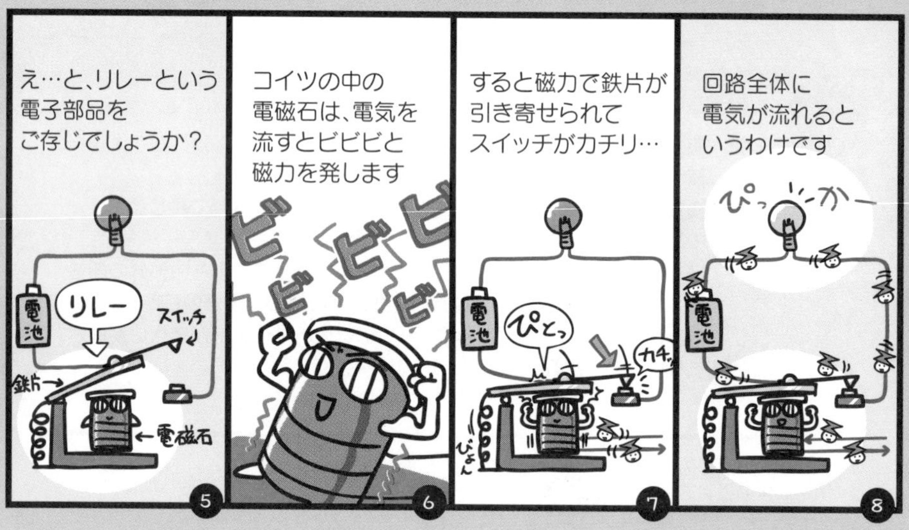

半加算器

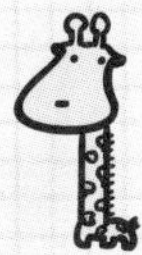

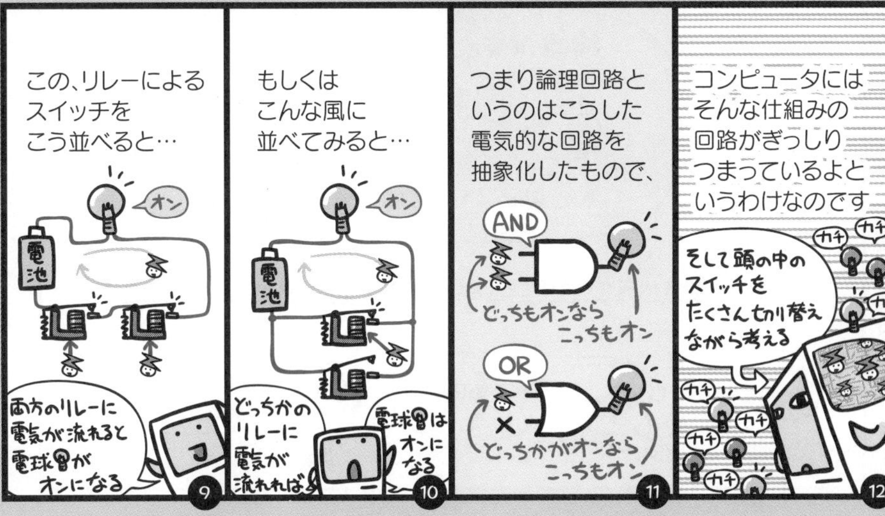
この、リレーによる
スイッチを
こう並べると…
オン
電池
両方のリレーに電気が流れると電球が
オンになる
9
もしくは
こんな風に
並べてみると…
オン
電池
どっちかのリレーに電気が流れれば
電球は
オンに
なる
10
つまり論理回路と
いうのはこうした
電気的な回路を
抽象化したもので、
AND
どっちもオンなら
こっちもオン
OR
×
どっちかがオンなら
こっちもオン
11
コンピュータには
そんな仕組みの
回路がぎっしり
つまっているよと
いうわけなのです
そして頭の中のスイッチをたくさん切り替えながら考える
カチ
12

さて、電気の
オンが1で
オフが0なのは
これまでにも
述べてきた通り
1
0
13
だから、電気を
制御できるのなら、
1と0を使った
ビットの演算処理も
できるはず…
1
あ〜〜
なんとなく
理屈はわかる
でも
どうやって？
14
そう、
「どうやって？」
ぶらっく
ぼ〜っくす
15
その理屈を
学ぶことが、
「回路を知る」と
いうことなのです
ちなみに昔のコンピュータは
何千個
何万個
という
リレーを
使って
計算したり
してました
バババ
バチバチババババ
あのマス目が
全部スイッチだから
うるさいのなんの
16

Chapter 3-1 論理演算とベン図

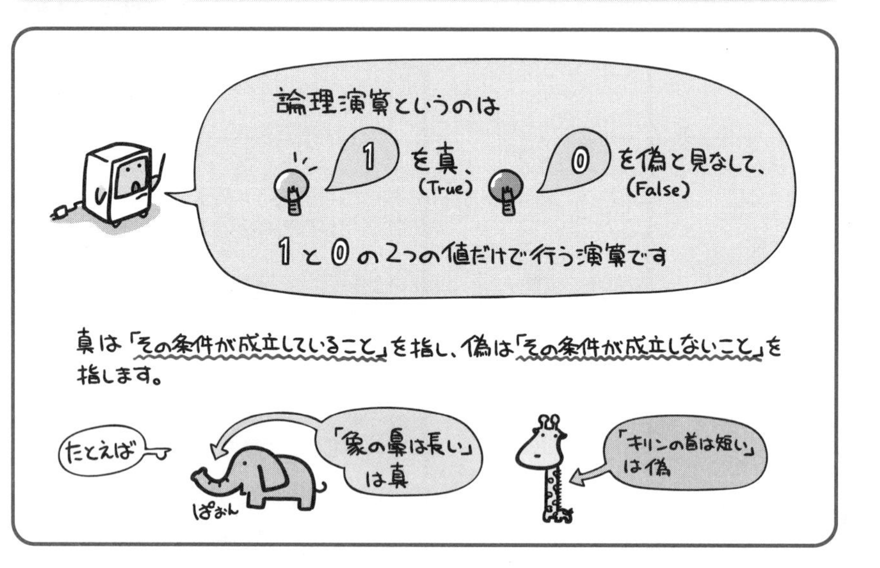

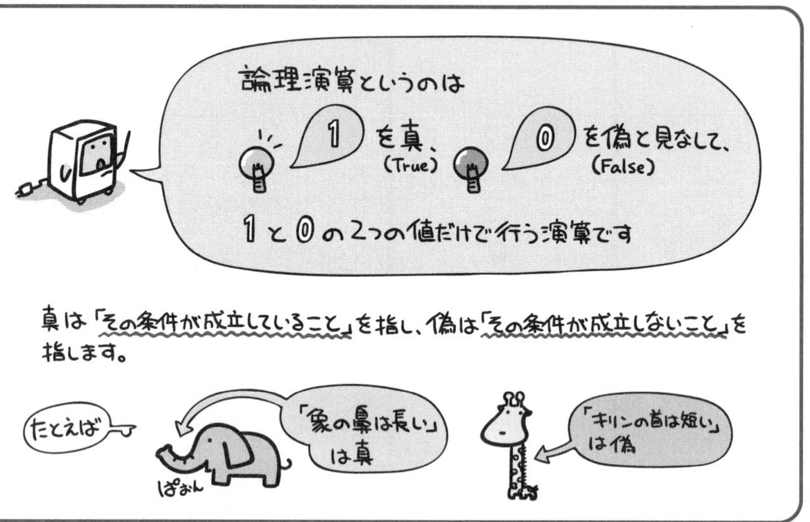

コンピュータは、この論理演算をビットの演算に用いることで、様々な処理を実現しています。

論理回路のことを知るためには、論理演算をまず知らなきゃはじまりません。論理演算というのは、「AND」「OR」「NOT」に代表される真偽値を用いた演算のこと。

こう書くと「なにか難しいこと言ってるなー」と思われるかもしれませんが、論理演算自体は特に難しい話ではありません。昔々に「Aという条件に合致するグループ(つまりAが真)とBという条件に合致するグループ(つまりBが真)、双方を満たす集合はどれだ?」みたいな勉強やりませんでした?まさにアレが論理演算なのです。

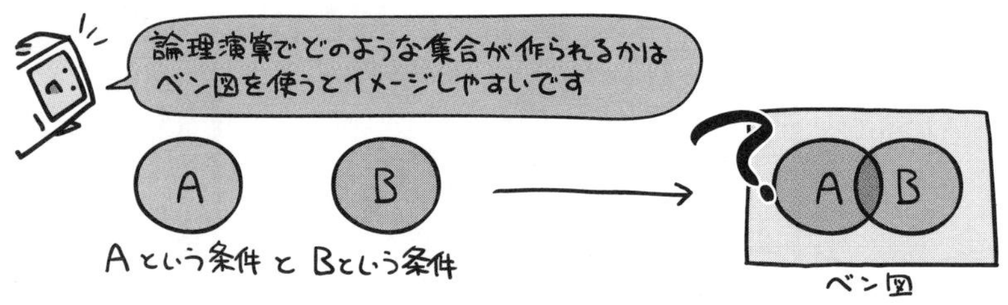

ベン図は集合をあらわす図なのです

「ベン図」とか言われても、昔学校で習ったかもしれんけど覚えてない…という人のために、まずはベン図を軽くおさらいしておきましょう。

ベン図というのは集合（グループ）同士の関係を、図として視覚的にあらわしたものです。

ん? 難しい? たとえば下記の会社員軍団を見てください。

「スーツを着ている人」と「ネクタイをしめている人」でグループ分けしてみると次のようになります。

これをベン図であらわしてみましょう。円で囲った条件ごとにグループが形成されていて、複数の条件に合致するところは円と円が重なり合っているのがわかります。

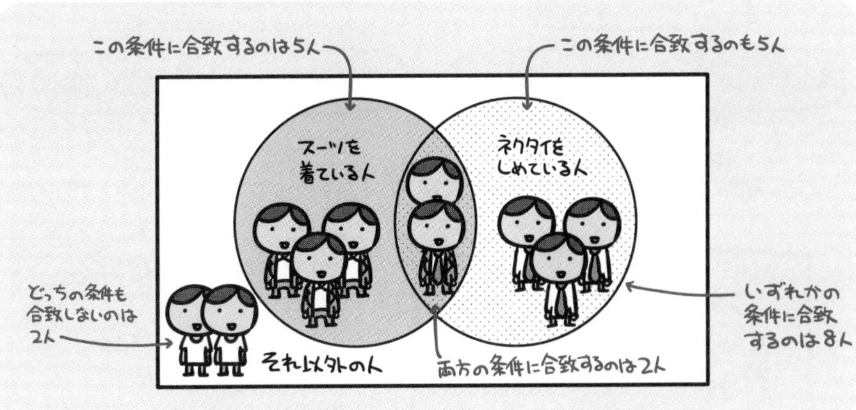

このようにして、集合同士の関係をあらわすのがベン図。論理演算を使うと、この図の中から任意のグループを取り出すことができるのです。

論理積（AND）は「○○かつ××」の場合

論理演算の論理積（AND）では、2つある条件の、両方が合致するものを真とみなします。先の例でいえば下記の範囲が該当することになります。

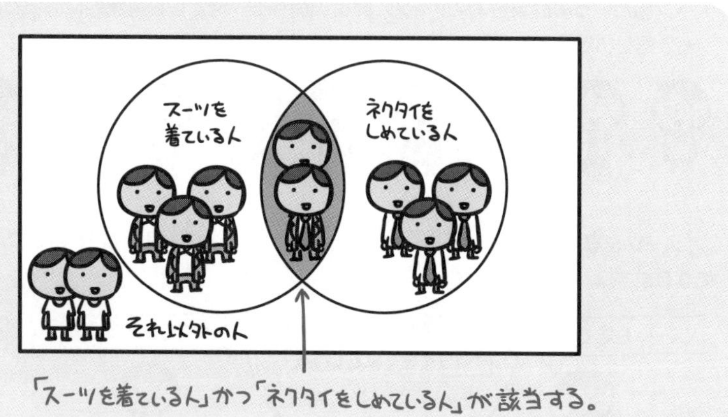

つまり「Aという入力」と「Bという入力」という集合が仮にあった場合、

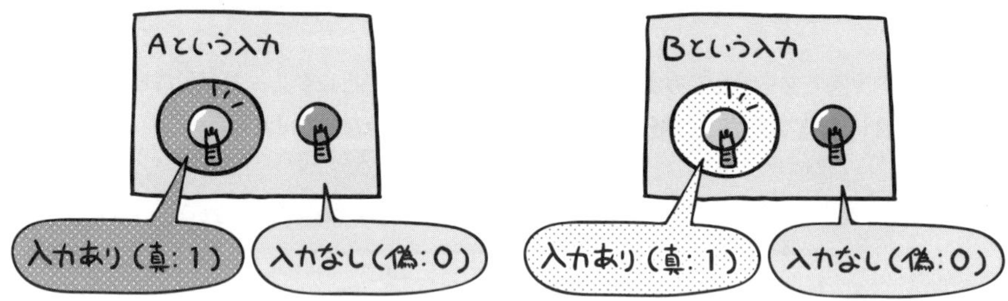

2つの集合の論理積(AND)を求めた結果、「真：1」となるのは次に示す範囲となるわけです。

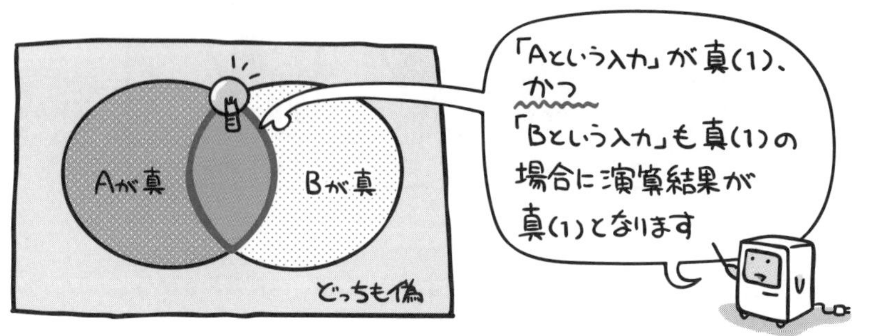

論理和（OR）は「○○または××」の場合

論理演算の論理和（OR）では、2つある条件の、いずれかが合致するものを真とみなします。先の例でいえば下記の範囲が該当することになります。

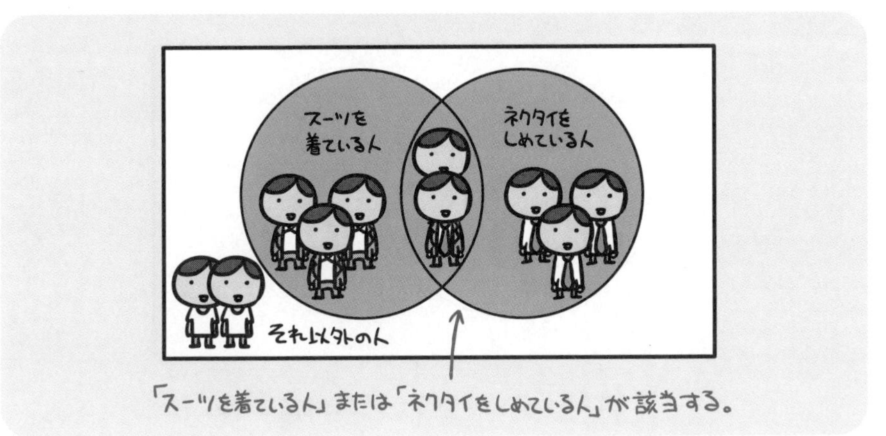

つまり「Aという入力」と「Bという入力」という集合が仮にあった場合、

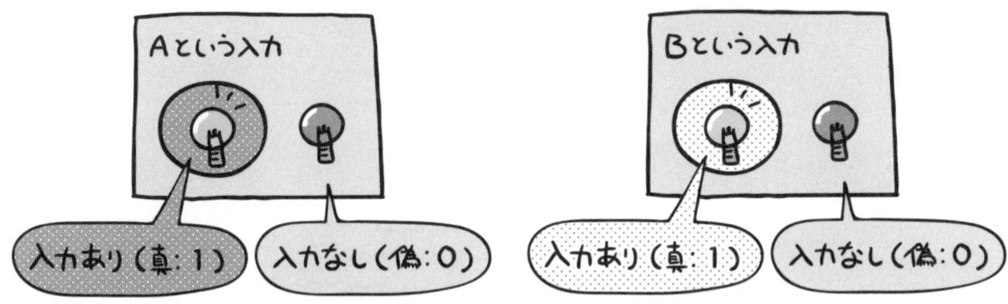

2つの集合の論理和（OR）を求めた結果、「真:1」となるのは次に示す範囲となるわけです。

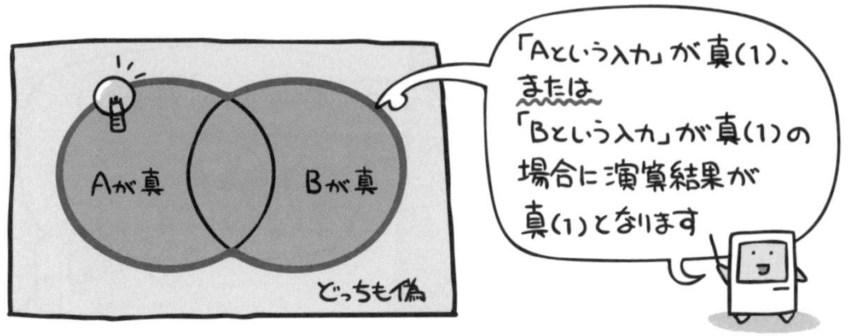

3 コンピュータの回路を知る

否定（NOT）は「○○ではない」の場合

論理演算の否定（NOT）では、ある条件の「合致しない」ものを真とみなします。たとえば「スーツを着ている人」を条件とすると、下記の範囲が該当することになります。

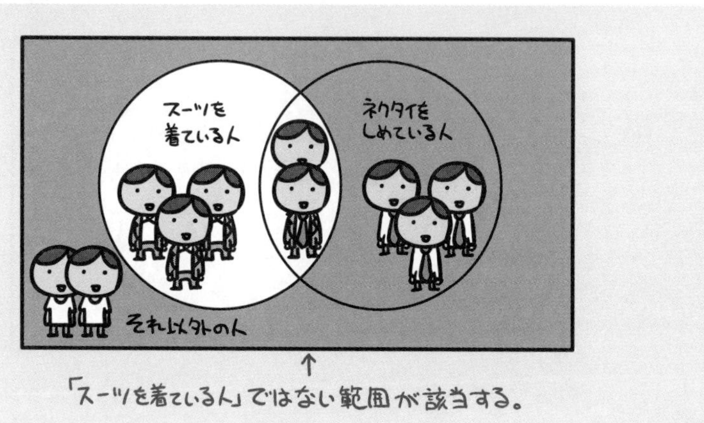

これまでの2つと違い、否定（NOT）は1つの条件を対象として、真偽値の状態を反転させる演算です。つまり「Aという入力」という集合が仮にあった場合、

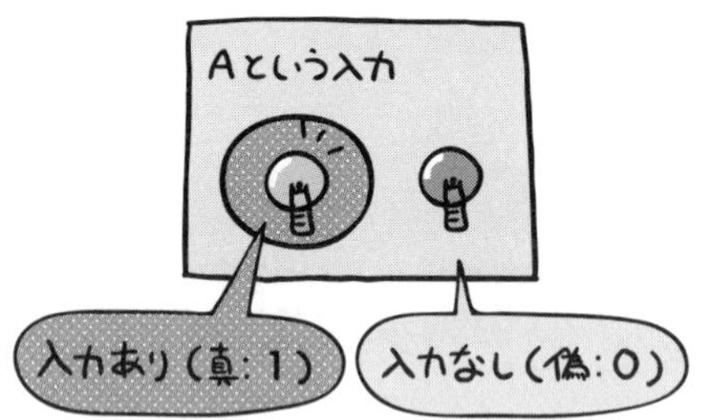

否定（NOT）を求めた結果「真：1」となるのは、次に示す範囲となるわけです。

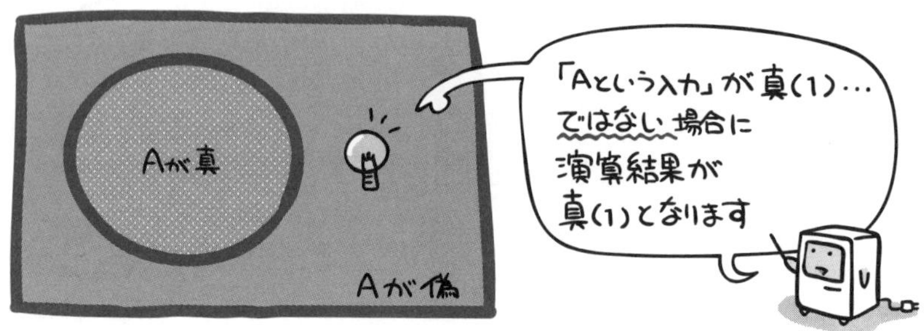

このように出題されています
過去問題練習と解説 I

(FE-H26-S-03)

論理式 $\overline{A}\cdot\overline{B}\cdot C+A\cdot\overline{B}\cdot C+\overline{A}\cdot B\cdot C+A\cdot B\cdot C$ と恒等的に等しいものはどれか。ここで，・は論理積，+は論理和，$\overline{A}$はAの否定を表す。

ア　$A\cdot B\cdot C$　　イ　$A\cdot B\cdot C+\overline{A}\cdot\overline{B}\cdot C$

ウ　$A\cdot B+B\cdot C$　　エ　C

解説

論理式 $\overline{A}\cdot\overline{B}\cdot C+A\cdot\overline{B}\cdot C+\overline{A}\cdot B\cdot C+A\cdot B\cdot C$ をベン図で書くと、下記のようになります。

$\overline{A}\cdot\overline{B}\cdot C$

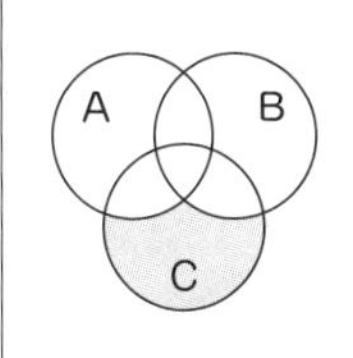

+
論理和

$A\cdot\overline{B}\cdot C$

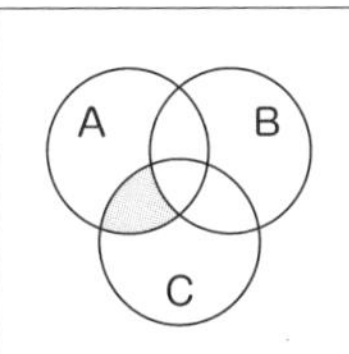

+
論理和

$\overline{A}\cdot B\cdot C$

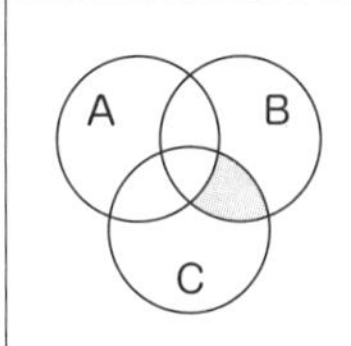

+
論理和

$A\cdot B\cdot C$

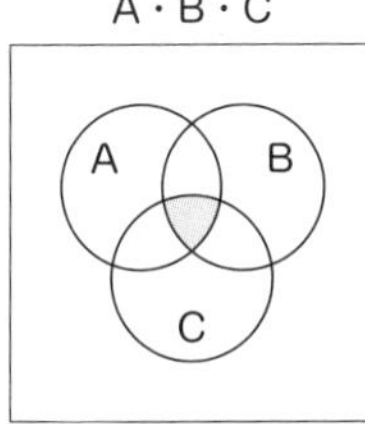

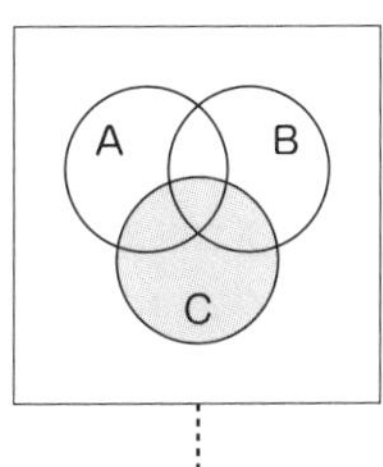

これは、Cと同じですので、選択肢エが正解です。

正解▶問1：エ

Chapter 3-2

論理回路と基本回路

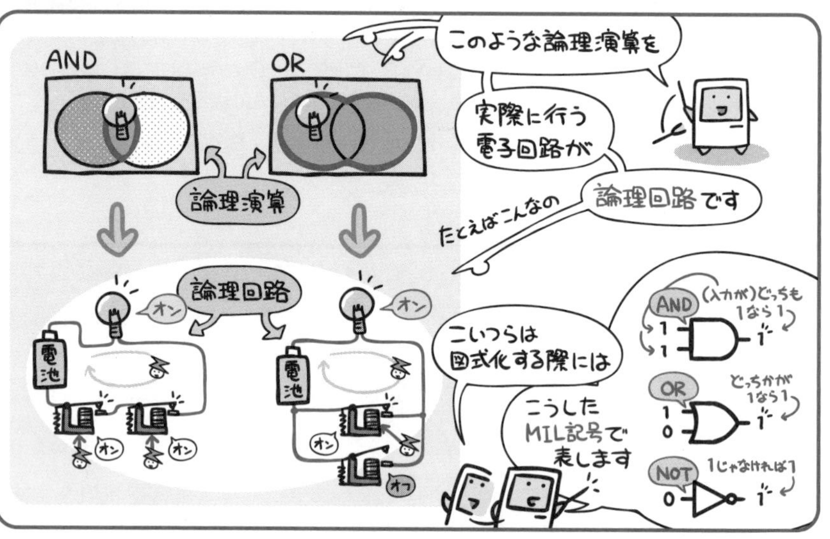

論理演算する回路が論理回路。基本はやっぱり、論理積（AND）、論理和（OR）、否定（NOT）の3つです。

コンピュータが論理演算をするためには、実際にそれを行う電子回路が必要です。そりゃそうですよね、実際に電気を制御できなきゃ絵に描いた餅と同じ。何の役にも立ちません。

そこで、たとえば上のイラストにあるような回路が組まれたりするわけです。あ、今ドキは、こんなかさばるリレーじゃなくて、半導体による回路が主流です。なのであくまでも上記回路は「原始的な回路例」として受け止めてくださいね。

コンピュータはこうした論理回路の集合体です。これらの電子回路を複数組み合わせることで複雑な制御を実現しているわけです。

さて、どうやって？

…それはまだ置いといて。

本節では欲張らずに、まずは基本となる3つの回路、「論理積回路（AND回路）」「論理和回路（OR回路）」「否定回路（NOT回路）」について学んでいきましょう。

これら3つの回路は、基本回路とも呼ばれています。

論理積回路（AND回路）

入力がどちらも「1」だった時に、「1」を出力するのが論理積回路（AND回路）です。

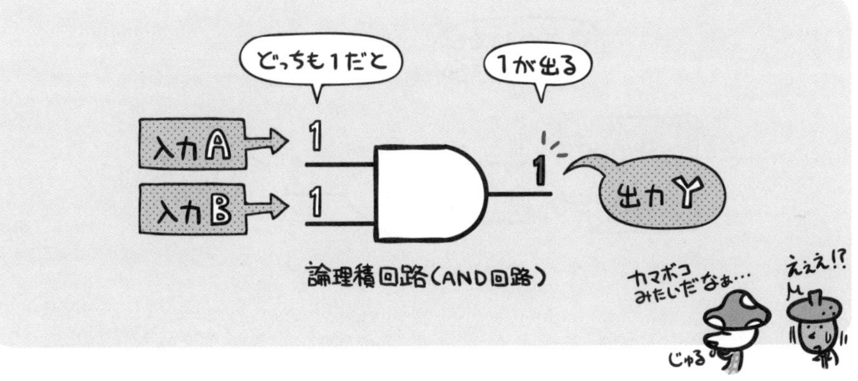

ちなみに論理演算は、論理式という式であらわすことができます。
論理積（AND）を示す演算記号は「・」なので、この場合の式は次のようになります。

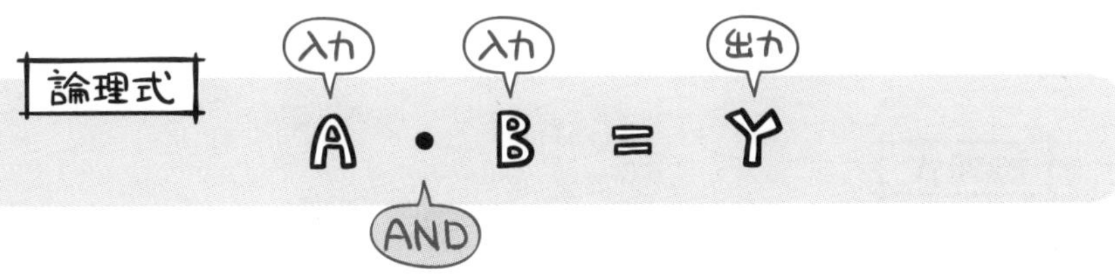

この時、入力としてA、Bが取り得る値の組み合わせは全部で4パターン。これに、対応する出力Yをくっつけて表としてまとめたものが真理値表です。
「どの入力時に、どんな値が得られるか」を知るための一覧表みたいなものですね。
そんなわけで、論理積回路（AND回路）の真理値表は次のようになります。

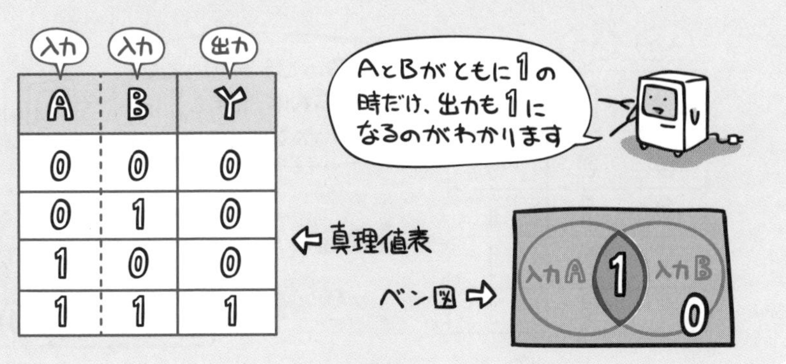

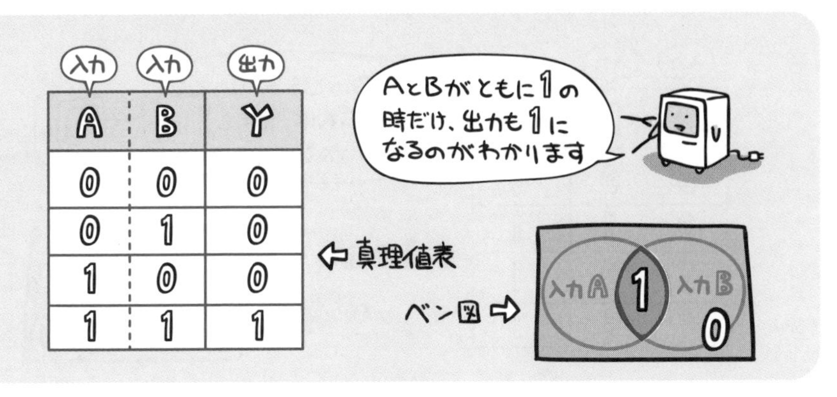

A（入力）	B（入力）	Y（出力）
0	0	0
0	1	0
1	0	0
1	1	1

論理和回路（OR回路）

入力がどちらか1つでも「1」だった時に、「1」を出力するのが論理和回路（OR回路）です。

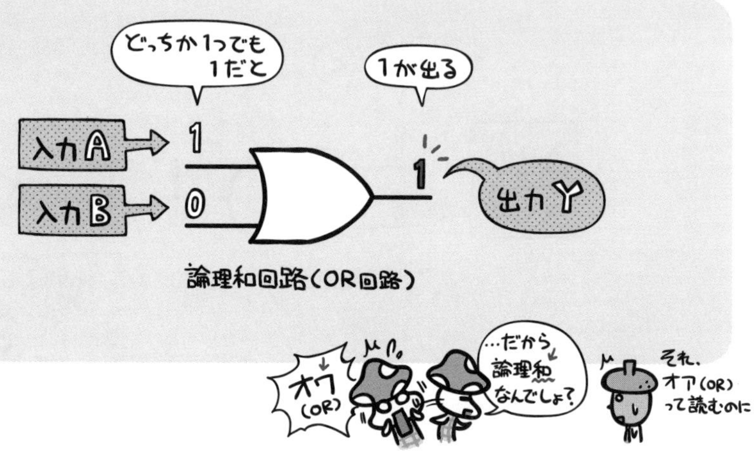

論理和（OR）を示す演算記号は「+」。したがって、この場合の論理式は次のようになります。

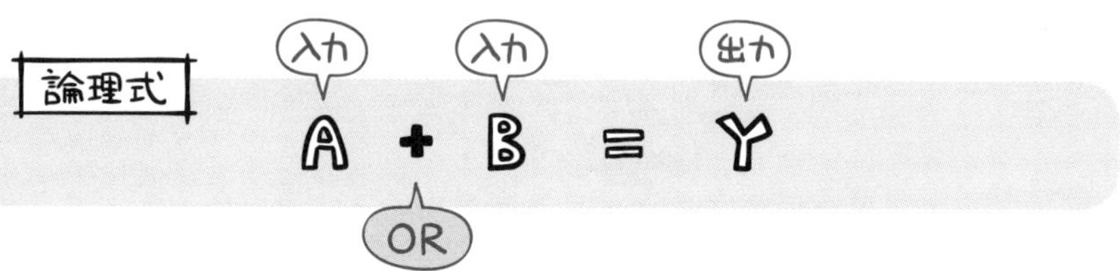

入力としてA、Bが取り得る値の組み合わせは前ページと同じく全部で4パターンです。なので、論理和回路（OR回路）の真理値表は次のようになります。

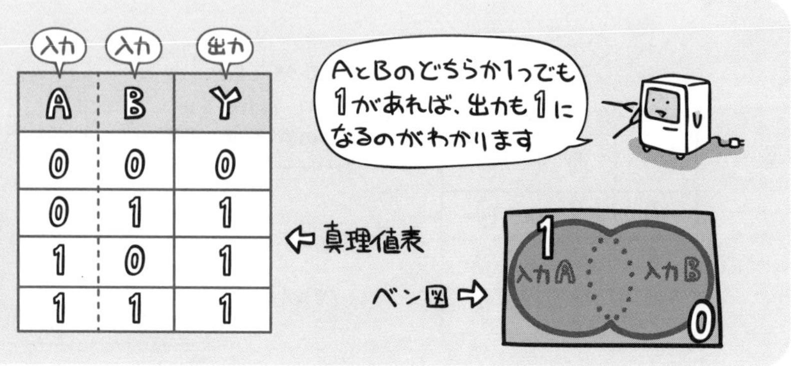

A（入力）	B（入力）	Y（出力）
0	0	0
0	1	1
1	0	1
1	1	1

否定回路（NOT回路）

入力が「0」なら「1」、「1」なら「0」を出力するといった具合に、入力値を反転させて出力するのが否定回路（NOT回路）です。

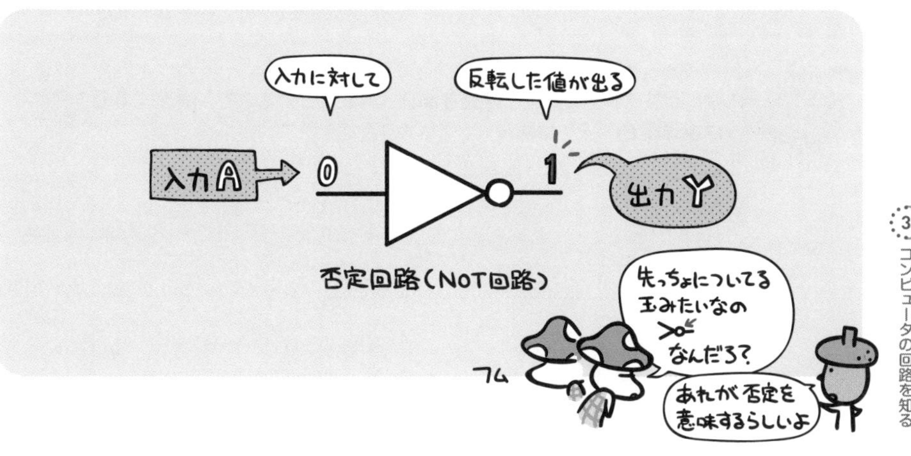

否定（NOT）を式であらわす時は、値の上に「￣」を付加して表現します。したがって、論理式は次のようになります。

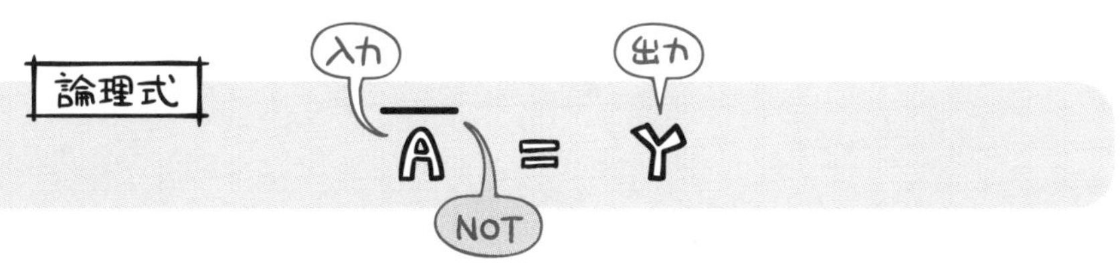

入力としてAが取り得る値は2パターン。
否定回路（NOT回路）の真理値表は次のようになります。

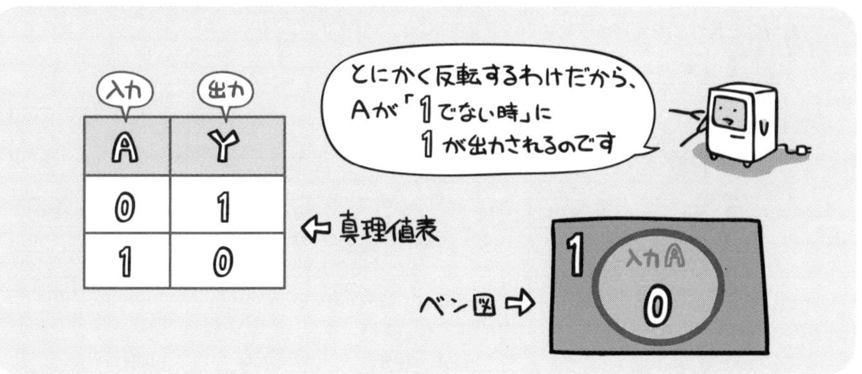

A	Y
0	1
1	0

このように出題されています
過去問題練習と解説

(FE-H29-A-23)

図に示すデジタル回路と等価な論理式はどれか。ここで，論理式中の“・”は論理積を，“+”は論理和，$\overline{X}$はXの否定を表す。

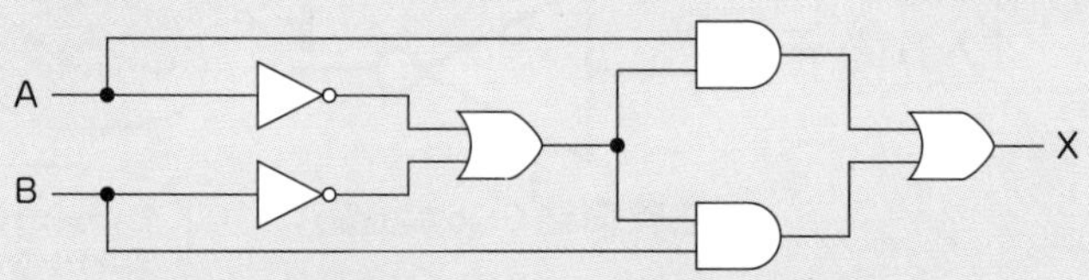

ア　$X = A \cdot B + \overline{A \cdot B}$　　イ　$X = A \cdot B + \overline{A} \cdot \overline{B}$

ウ　$X = A \cdot \overline{B} + \overline{A} \cdot B$　　エ　$X = (\overline{A}+B) \cdot (A+\overline{B})$

解説

問題の図に、C～Gおよび●◆などの記号を付けると下図になります。

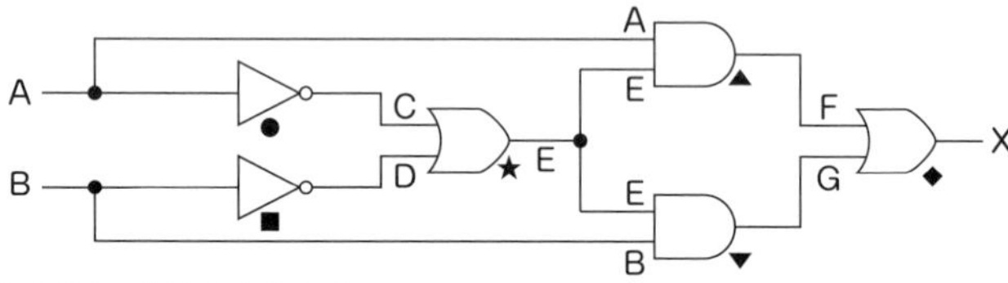

上図を真理値表に置き換えると、下表になります。

A	B	Aの否定 ●=C	Bの否定 ■=D	CとDの 論理和★=E	AとEの 論理積▲=F	BとEの 論理積▼=G	FとGの 論理和◆=X
0	0	1	1	1	0	0	0
0	1	1	0	1	0	1	1
1	0	0	1	1	1	0	1
1	1	0	0	0	0	0	0

各選択肢の論理式を真理値表に置き換えると下記になります。

ア

A	B	$A \cdot B$=H	$\overline{A \cdot B}$=I	H+I=X
0	0	0	1	1
0	1	0	1	1
1	0	0	1	1
1	1	1	0	1

イ

A	B	$A \cdot B$=J	$\overline{A} \cdot \overline{B}$=K	J+K=X
0	0	0	1	1
0	1	0	0	0
1	0	0	0	0
1	1	1	0	1

ウ

A	B	$A \cdot \overline{B}$=L	$\overline{A} \cdot B$=M	L+M=X
0	0	0	0	0
0	1	0	1	1
1	0	1	0	1
1	1	0	0	0

エ

A	B	$\overline{A}$+B=N	A+$\overline{B}$=Q	N・Q=X
0	0	1	1	1
0	1	1	0	0
1	0	0	1	0
1	1	1	1	1

上記の◆のXと一致しているのは、選択肢ウのXです。

正解 ▶ 問1：ウ

基本回路を組み合わせた論理回路

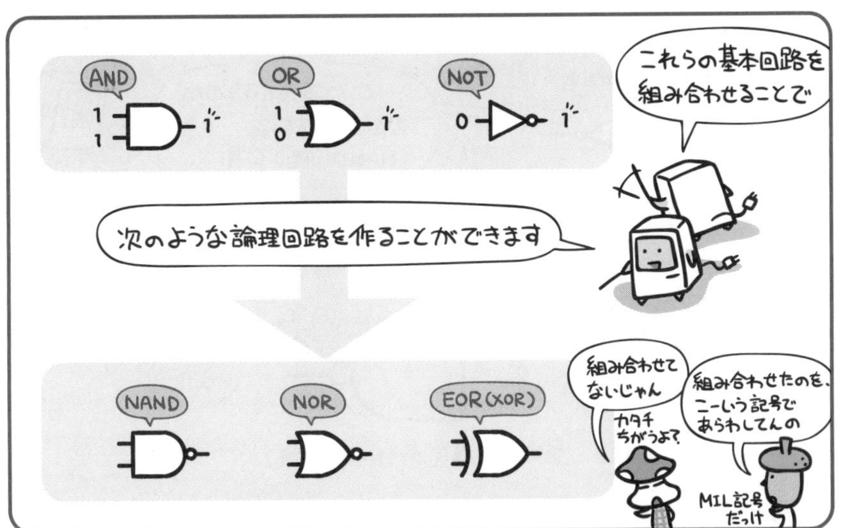

NANDは否定論理積、NORは否定論理和、EOR (XOR)は排他的論理和という論理演算を行う回路です。

論理積回路（AND回路）、論理和回路（OR回路）、否定回路（NOT回路）という3つの基本回路を組み合わせると、さらに様々な論理回路を作り出すことができます。

基本回路3つのベン図を見るとよくわかるのですが、この3つだけだと拾いきれていない集合がたくさんありますよね。たとえば「2つの円が重なっているところ以外を抜き出したい」とか、「2つの円の外側だけを抜き出したい」とか。

上で述べた「さらに様々な論理回路」というのは、そうした拾いきれていない集合を取り出すために使える論理回路なわけです。これはつまり、「より複雑な条件を用いて出力を制御できる」ことに他なりません。

どんなものがあるかというと、代表的なのが否定論理積回路（NAND回路）、否定論理和回路（NOR回路）、排他的論理和回路（EOR回路またはXOR回路）の3つ。

それでは次ページ以降で、これらの論理回路について見ていきましょう。

否定論理積回路（NAND回路）

否定論理積回路（NAND回路）は、論理積（AND）と否定（NOT）とを組み合わせた論理回路です。論理積(AND)の結果を反転させたものが出力となるため、入力がどちらも「1」だった時は「0」が出力され、それ以外の時「1」となります。

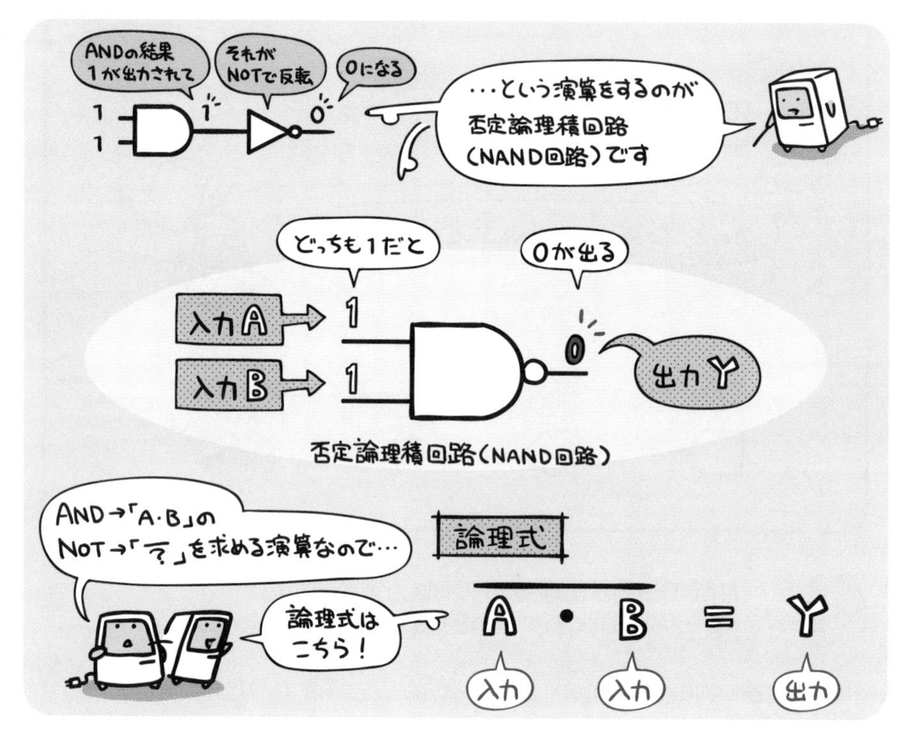

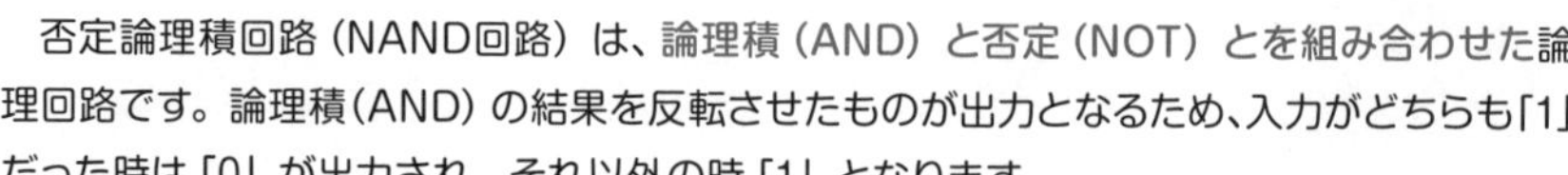

否定論理積回路（NAND回路）の真理値表とベン図は次のようになります。

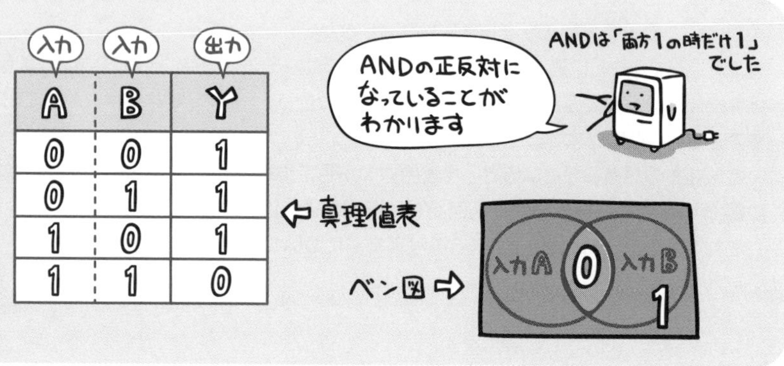

A (入力)	B (入力)	Y (出力)
0	0	1
0	1	1
1	0	1
1	1	0

否定論理和回路（NOR回路）

否定論理和回路（NOR回路）は、論理和（OR）と否定（NOT）とを組み合わせた論理回路です。論理和（OR）の結果を反転させたものが出力となるため、いずれかの入力が「1」だった時は「0」が出力され、入力がどちらも「0」の時に「1」となります。

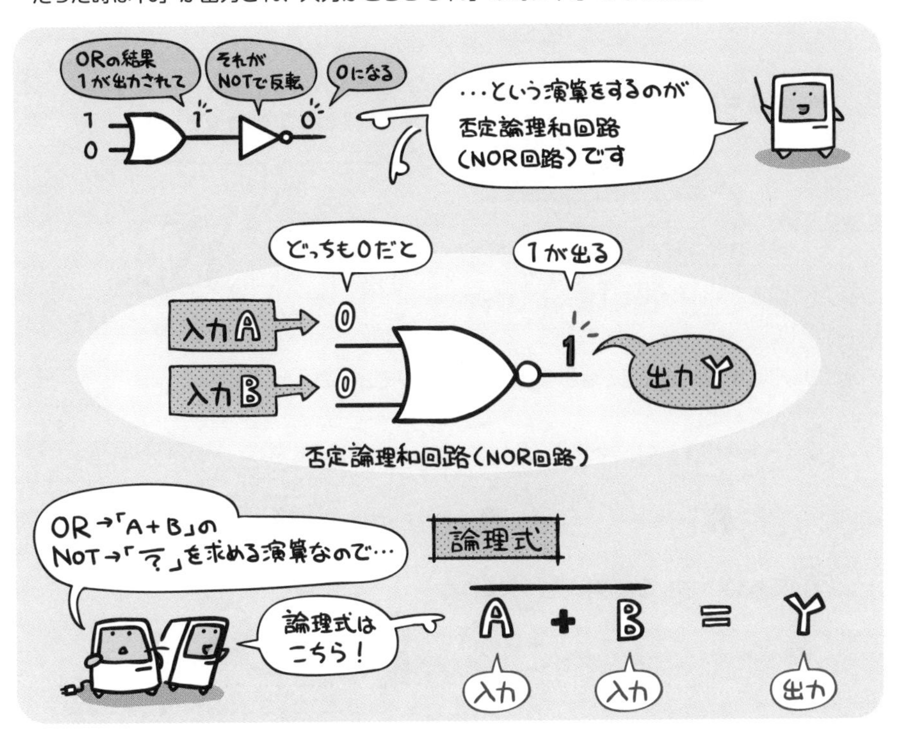

ORの結果
1が出力されて
それが
NOTで反転
0になる
…という演算をするのが
否定論理和回路
（NOR回路）です

どっちも0だと
1が出る
入力A
入力B
出力Y

否定論理和回路（NOR回路）

OR→「A+B」の
NOT→「$\overline{?}$」を求める演算なので…
論理式は
こちら！

論理式

$$\overline{A + B} = Y$$

入力　入力　出力

否定論理和回路（NOR回路）の真理値表とベン図は次のようになります。

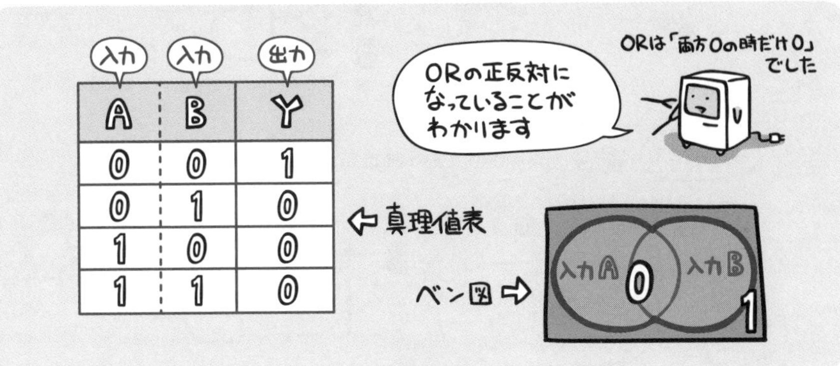

A（入力）	B（入力）	Y（出力）
0	0	1
0	1	0
1	0	0
1	1	0

3 コンピュータの回路を知る

排他的論理和回路（EOR回路またはXOR回路）

3つ目の排他的論理和回路（EOR回路またはXOR回路）は、ちょこっと複雑さが増しています。なので、これについては最初にベン図を確認してみましょう。

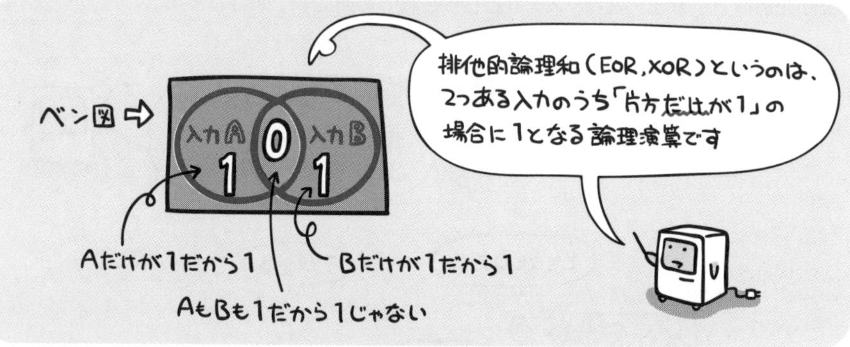

どのように基本回路を組み合わせればこの演算ができるのかというと…、

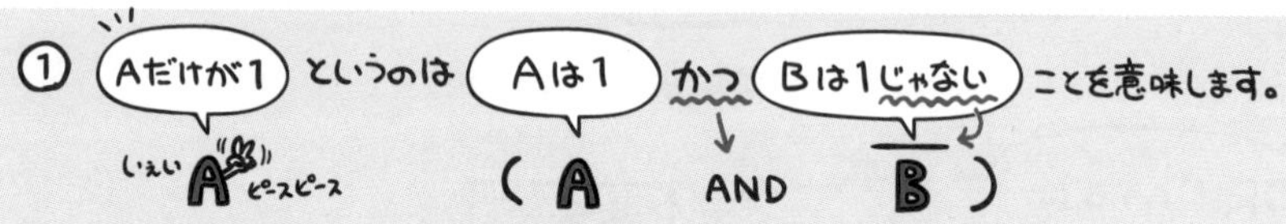

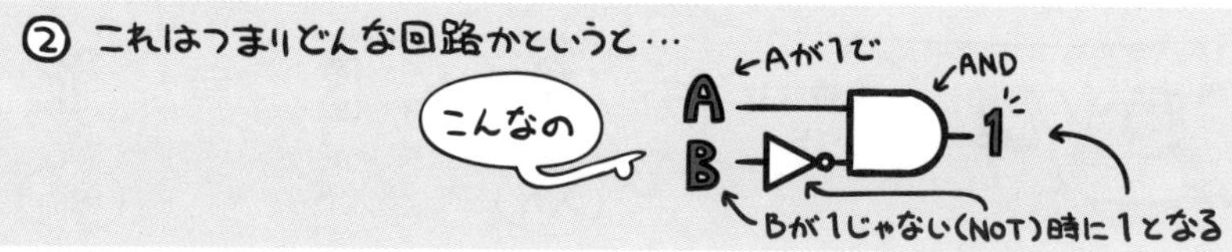

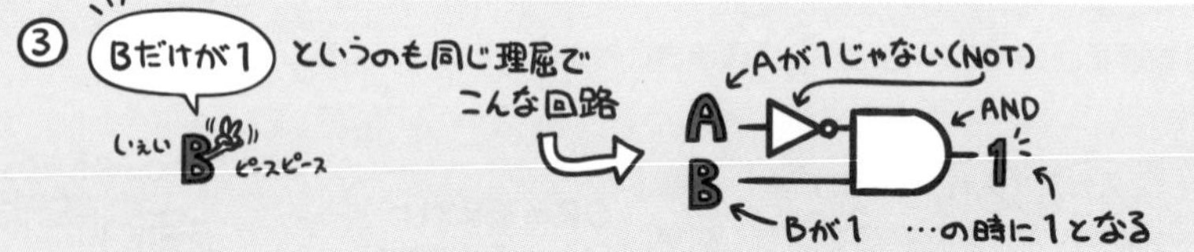

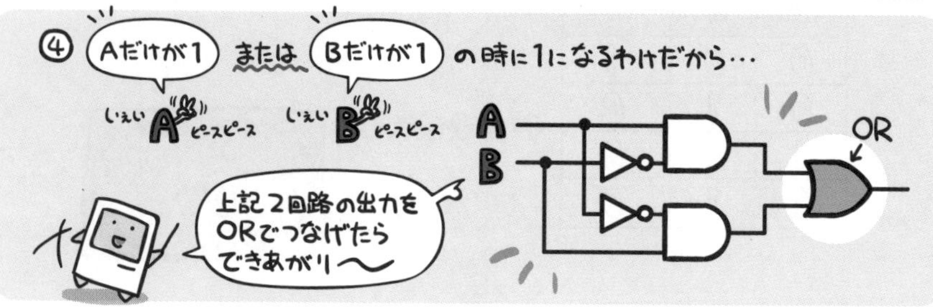

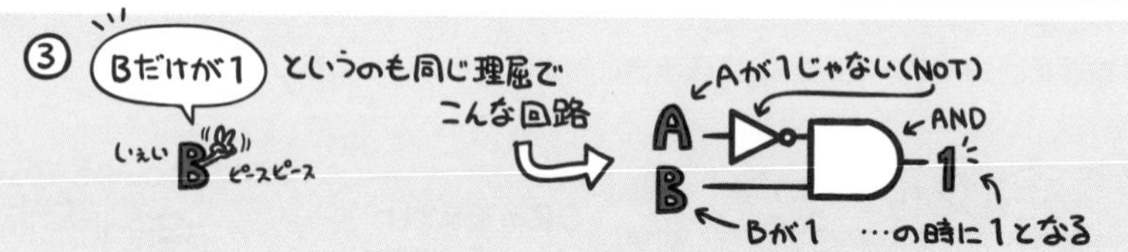

では、中身がなんとなく見えたところでMIL記号と論理式に移りましょう。

排他的論理和回路（EOR回路またはXOR回路）は、次の記号と式であらわされます。

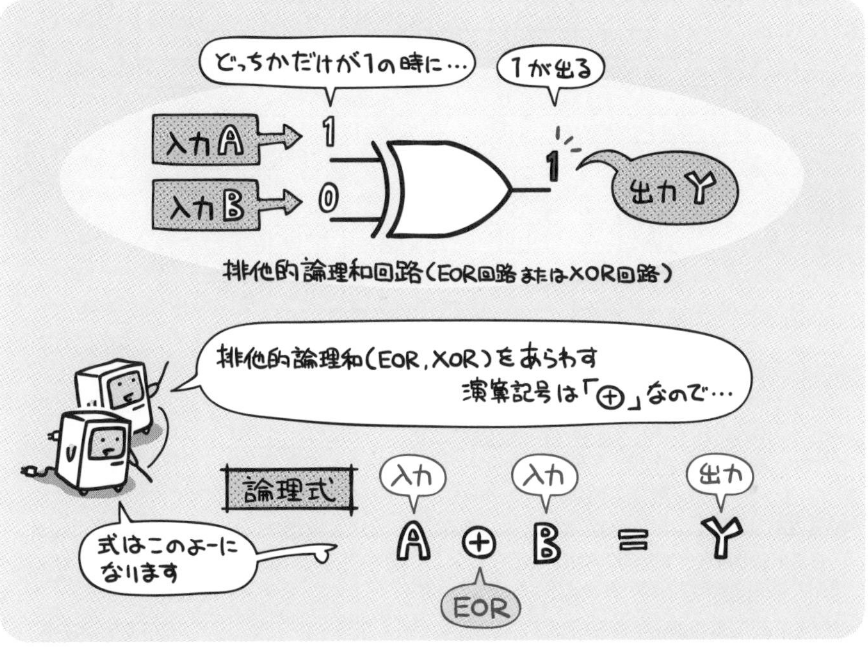

最後に真理値表がこちら。入力が両方とも1の場合は0が出力されるあたりを、うっかり間違えないよう要注意です。

真理値表

A（入力）	B（入力）	Y（出力）
0	0	0
0	1	1
1	0	1
1	1	0

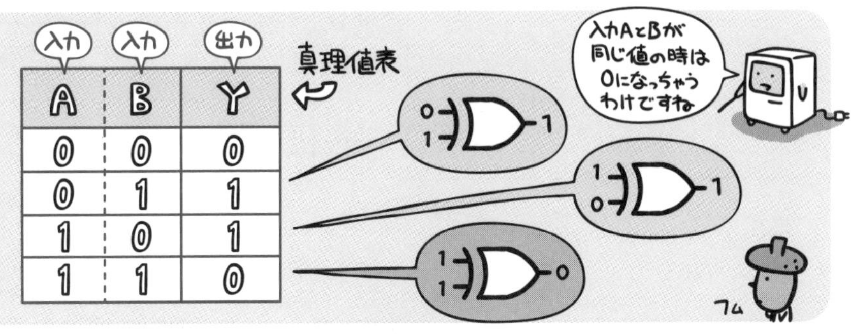

このように出題されています
過去問題練習と解説 I

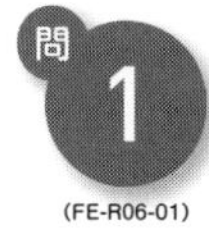

問 1
(FE-R06-01)

X及びYはそれぞれ0又は1の値をとる変数である。X□YをXとYの論理演算としたとき，次の真理値表が得られた。X□Yの真理値表はどれか。

X	Y	X AND (X □Y)	X OR (X □Y)
0	0	0	1
0	1	0	1
1	0	0	1
1	1	1	1

ア

X	Y	X □Y
0	0	0
0	1	0
1	0	0
1	1	1

イ

X	Y	X □Y
0	0	0
0	1	1
1	0	0
1	1	1

ウ

X	Y	X □Y
0	0	1
0	1	1
1	0	0
1	1	1

エ

X	Y	X □Y
0	0	1
0	1	1
1	0	1
1	1	0

解説

各選択肢の真理値表を、“X AND (X□Y)” と“X OR (X□Y)” に当てはめると、下記になります。下記の網掛け部分が問題の真理値表と合致しています。

ア

X	Y	X□Y	X AND (X□Y)	X OR (X□Y)
0	0	0	0	0
0	1	0	0	0
1	0	0	0	1
1	1	1	1	1

イ

X	Y	X□Y	X AND (X□Y)	X OR (X□Y)
0	0	0	0	0
0	1	1	0	1
1	0	0	0	1
1	1	1	1	1

ウ

X	Y	X□Y	X AND (X□Y)	X OR (X□Y)
0	0	1	0	1
0	1	1	0	1
1	0	0	0	1
1	1	1	1	1

エ

X	Y	X□Y	X AND (X□Y)	X OR (X□Y)
0	0	1	0	1
0	1	1	0	1
1	0	1	1	1
1	1	0	0	1

正解▶問1：ウ

Chapter 3-4

半加算器と全加算器

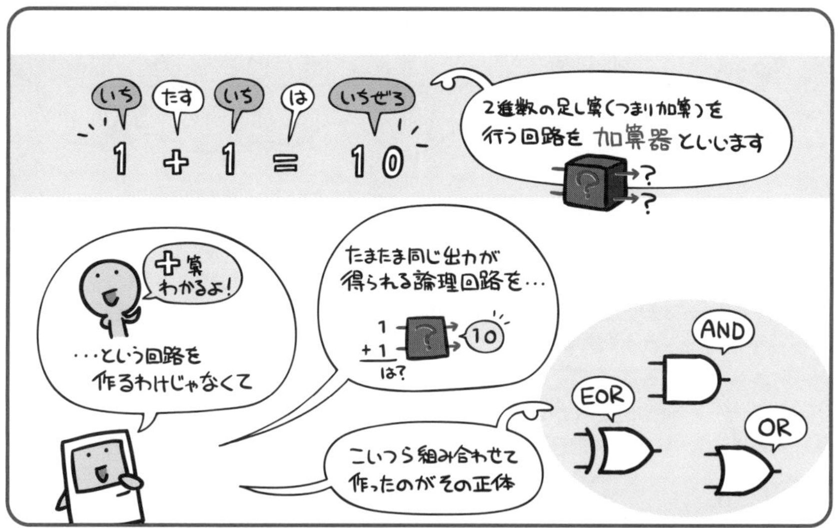

加算器には、下位からの桁上がりを考慮しない半加算器と、それも考慮する全加算器とがあります。

さて、ようやく「記号の説明」ではなくて、実際の計算処理めいた項にまでたどり着きました。これまでに紹介してきた論理回路たちを使って、「どのように2進数の計算処理を行うか」の仕組みにふれるのが本節というわけです。

といっても、「足し算とはどんな概念だから…」なんてことを作り込むわけじゃありません。「（2進数の場合）1と1を足せば10になる」のは明確なんですから、同じ入力を与えた時に、同じ出力が得られるよう論理回路を組み合わせてやれば、擬似的に加算処理が行えますよね…という理屈になってます。

え？ 半加算器と全加算器の役割のちがいというか意味がよくわからない？

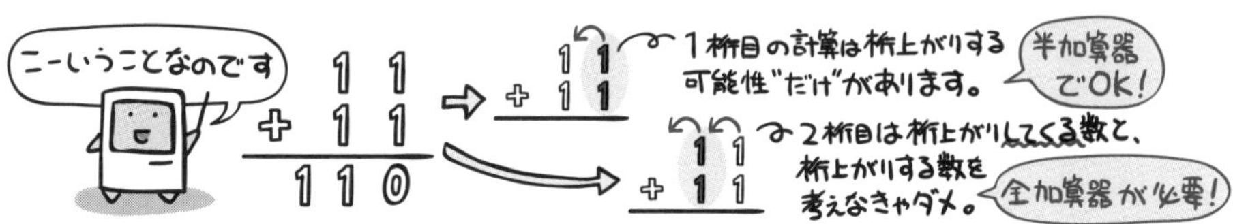

では、半加算器、全加算器というブラックボックスを紐解いていきましょう。

半加算器は、どんな理屈で出来ている？

半加算器を理解するにあたり、まずは2進数の1桁(ビット)同士で行われる足し算に、どんなパターンがあるかを考えてみましょう。

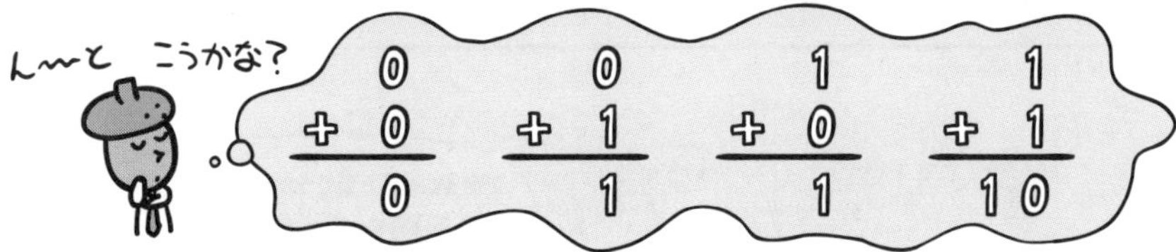

そう、その4つですね。足し算の結果をすべて同じ桁数に揃えてみると、「00、01、01、10」という数字が並びます。

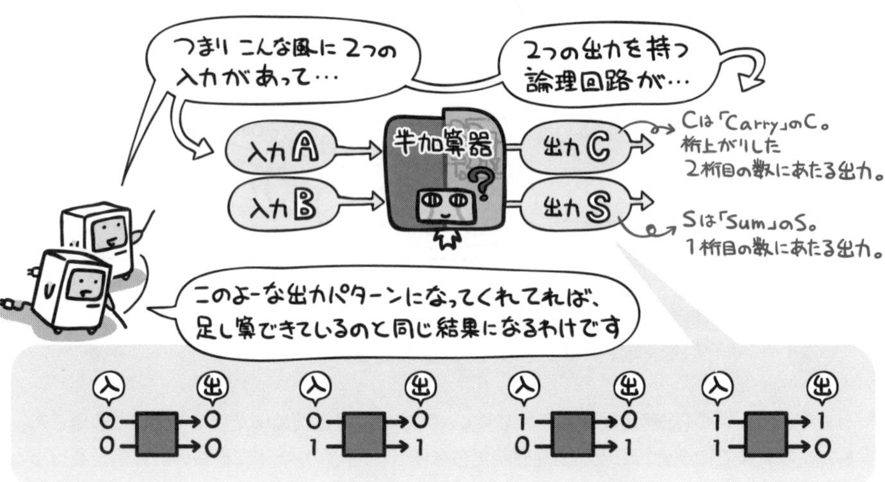

さて、それではここで入力値と、出力C(2桁目の数)と出力S(1桁目の数)との関係を、ちょっと真理値表にまとめてみることにします。

入力A	入力B	出力C
0	0	0
0	1	0
1	0	0
1	1	1

入力A	入力B	出力S
0	0	0
0	1	1
1	0	1
1	1	0

実は出力Cの真理値表は論理積（AND）の真理値表に等しく、出力Sの真理値表は排他的論理和（EOR,XOR）に等しくなっているのです。

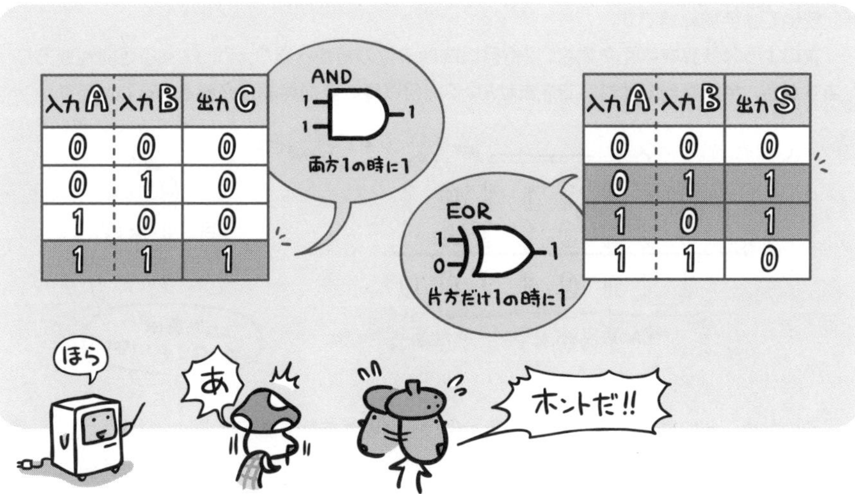

入力A	入力B	出力C
0	0	0
0	1	0
1	0	0
1	1	1

入力A	入力B	出力S
0	0	0
0	1	1
1	0	1
1	1	0

…と、いうわけなので、1桁目と2桁目の出力を得るための回路というのは、次のようになるわけですね。

あとはその2つの回路をくっつけることで、みごと半加算器の出来上がり。

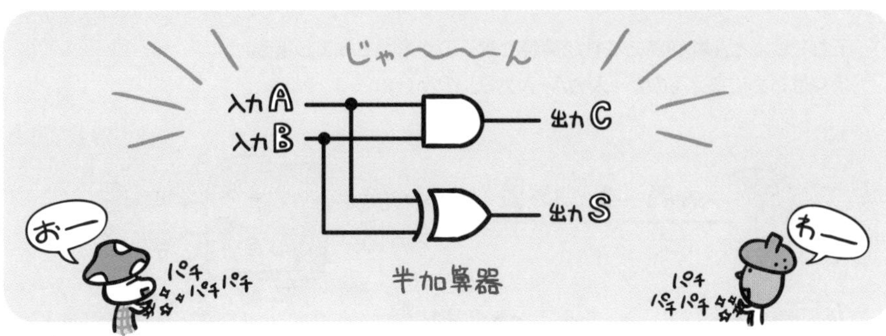

このように、半加算器というのは、論理積回路（AND回路）と排他的論理和回路（EOR回路またはXOR回路）を組み合わせることによって、作ることが出来るのです。

全加算器は、どんな理屈で出来ている?

続いては全加算器です。

次のような計算を考えた場合、2桁目以降は下位の桁から繰り上がってくる可能性がありますから、半加算器では対応できません。2桁目以降は全加算器が必要となるわけです。

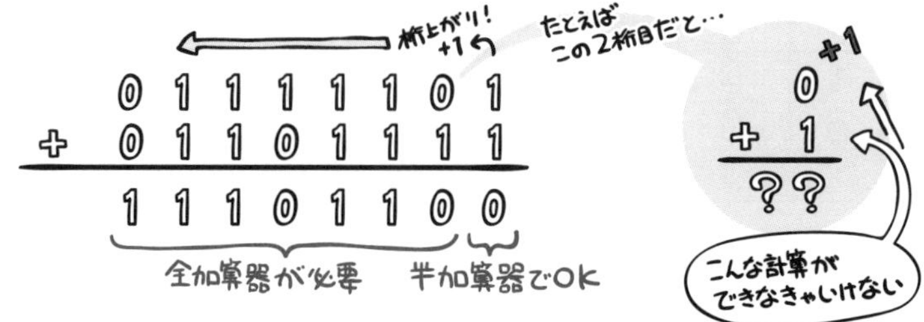

そのため、全加算器は3つの入力を受け付ける必要があります。

「入力A+入力B+入力C'（桁上がりしてきた数）」ができなきゃいけないわけですね。

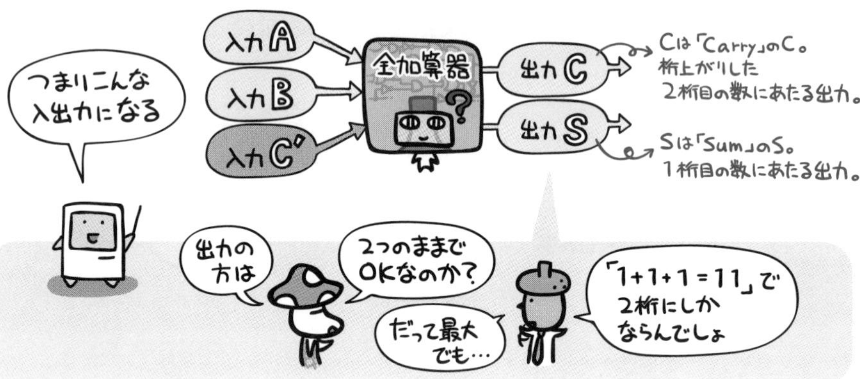

それでは、どんな回路でこれが実現できるのか考えてみましょう。

まずはじめに考えるのが「入力A+入力B」の部分。

はい、その通り。じゃあ今度はその結果に、残りの「+入力C'（桁上がりしてきた数）」という部分の計算をくっつけるには、どうすれば良いでしょうか。

ピンポーン! 普通に足し算で考えると、1桁目にそのまま足すのが常識ですよね。

すると今度は「出力S+入力C'」という足し算をやるわけだ。これに必要な回路はさあなんでしょう？

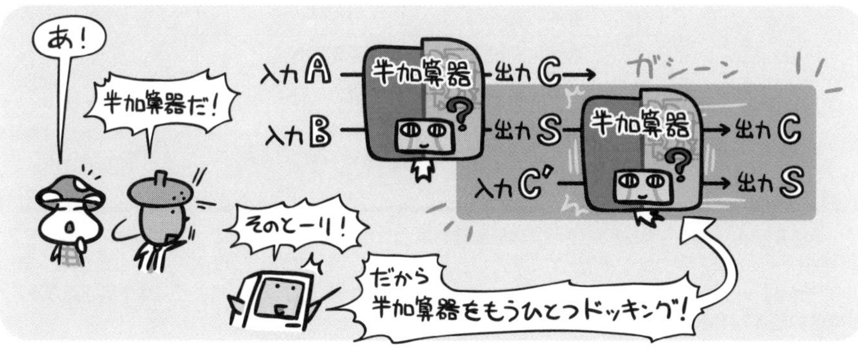

で、最後に出力Cをひとつにまとめれば、全加算器の出来上がり…というわけです。

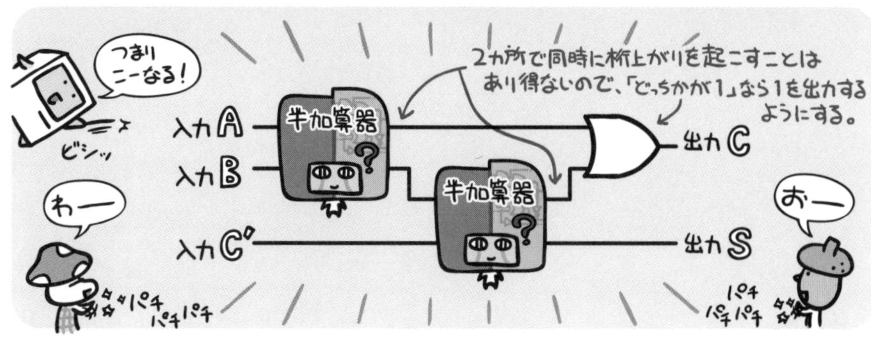

このように、全加算器というのは、半加算器と論理和回路（OR回路）を組み合わせることによって、作ることが出来るのです。

このように出題されています 過去問題練習と解説

(FE-H29-S-22)

図に示す, 1けたの2進数 x と y を加算して, z（和の1桁目）及び c（桁上げ）を出力する半加算器において, A と B の素子の組合せとして, 適切なものはどれか。

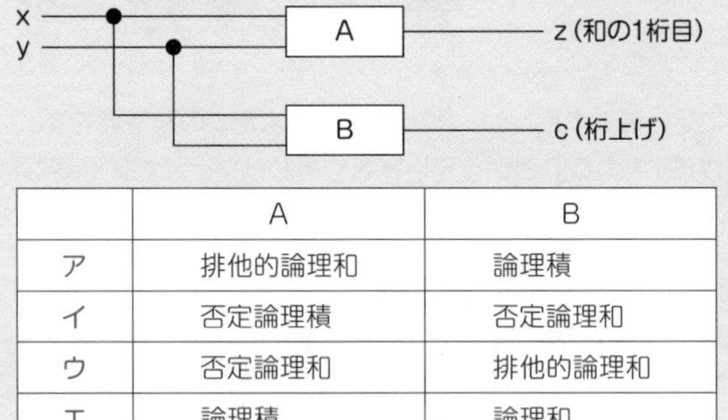

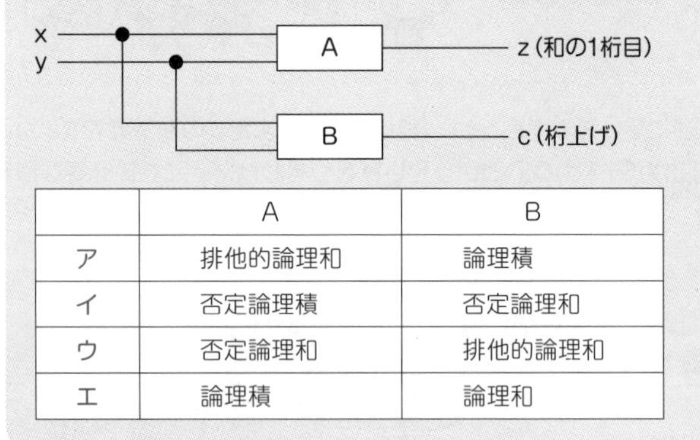

	A	B
ア	排他的論理和	論理積
イ	否定論理積	否定論理和
ウ	否定論理和	排他的論理和
エ	論理積	論理和

解説

半加算器は、排他的論理和回路と論理積回路を組合わせて作られます。

93ページの最下段の図を参照してください。ただし、93ページの最下段の図では、本問の「z（和の1桁目）」と「c（桁上げ）」が、上下逆の「出力C」と「出力S」になっているので、論理積回路が上、排他的論理和回路が下に描かれています。

(AP-R03-A-22)

1桁の2進数A，Bを加算し，Xに桁上がり，Yに桁上げなしの和（和の1桁目）が得られる論理回路はどれか。

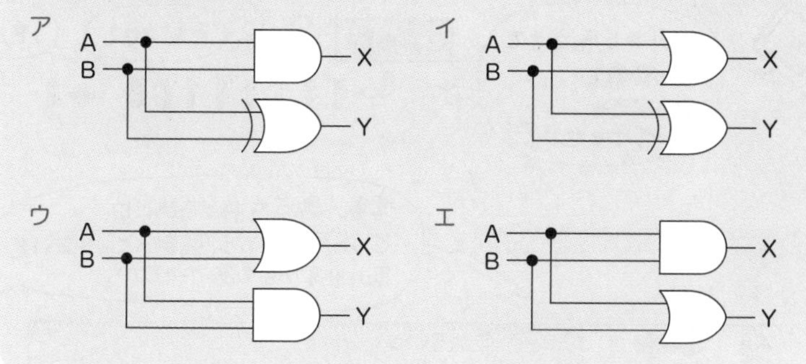

解説

問題文の「1桁の2進数A，Bを加算し，Xに桁上がり，Yに桁上げなしの和（和の1桁目）が得られる論理回路」とは、半加算器のことです。93ページの最下図は、半加算器の回路図であり、選択肢アの回路図と一致します。

正解▶問1:ア　問2:ア

Chapter 3-5 ビット操作とマスクパターン

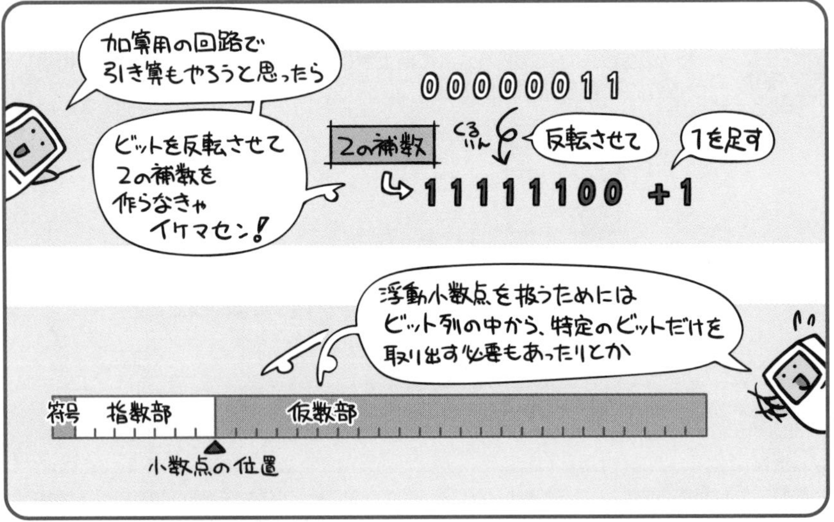

論理演算を用いると、このようなビット操作も簡単に行うことができるのです。

思い返してみれば本書冒頭の「電気のオンオフ」にはじまって、やれ2進数だとか論理演算だ回路だなんだとややこしい話をしながら、ようやく「コンピュータが足し算できる仕組み」というところまでたどり着きました。

たとえば8ビットの2進数同士を足し算できる回路を作りたいと思ったら、半加算器1つと全加算器7つをつなげてやれば出来ちゃう…というところまでは理解できたわけです。たぶん。たぶんきっと理解できたはず!

さて、ここでさらにこれまで習ったことを振り返ってみましょう。「コンピュータは回路をシンプルに保ちたいから、足し算の理屈で引き算もやっちゃうんですよー」という話がありましたよね。つまり、2の補数を作ることができれば、引き算できる回路も「作り方見切ったりー」と言えるはず。

でも、どうやって作るんでしょう?「反転させて1を足す」というけど、反転って具体的にはどんな回路でどうやるの?

実はこれも、論理演算であっさりできちゃったりするんです。

というわけで、具体例についてはいざ次ページへとレッツゴー。

ビットを反転させる

ビットを反転させるには、排他的論理和（EOR,XOR）を用います。

どんな手順になるかというと次の通り。

① 反転させたい元のビット列に対して、「ビットを反転させたい位置に1を入れたビット列」を用意します。

② 2つのビット列で排他的論理和（EOR）をとると、元のビット列を反転させた結果が得られます。

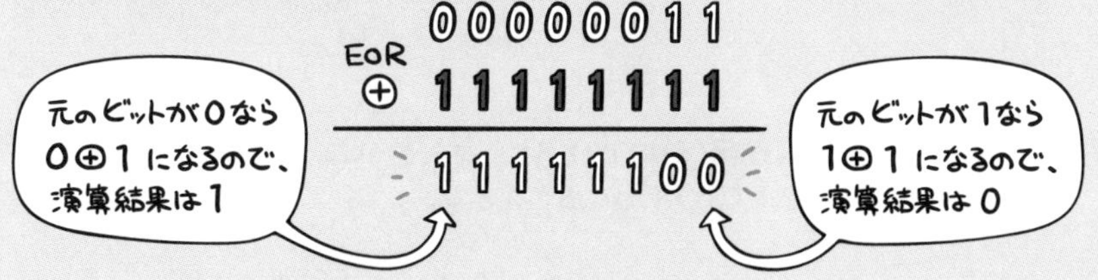

ちなみにこの時用意した、「ビットを反転させたい位置に1を入れたビット列」のことをマスクパターンと呼びます。

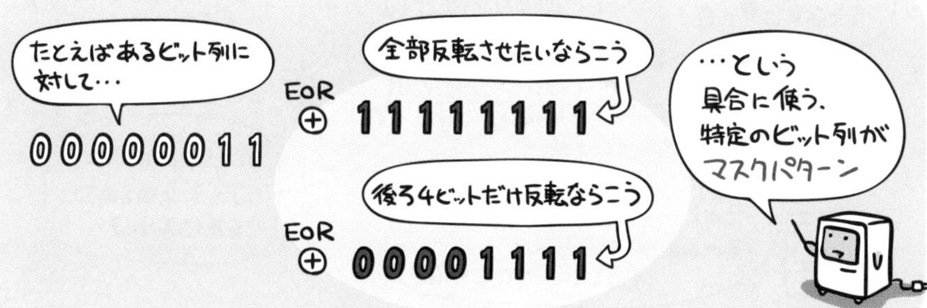

特定のビットを取り出す

ビットを取り出す場合は、論理積（AND）を用います。

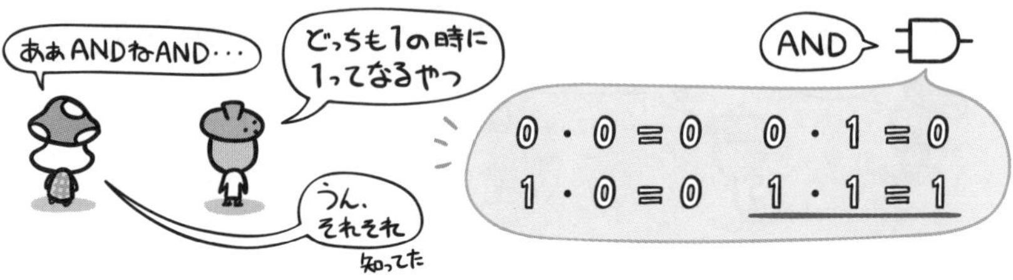

どんな手順になるかというと次の通り。

対象とするビットの指定は、やはり前ページと同じくマスクパターンを使って行うことになります。

① 取り出したい元のビット列に対して、「ビットを取り出したい位置に1を入れたビット列」をマスクパターンとして用意します。

対象となる元のビット列

01101011

取り出したい位置に1を入れたビット列

00001111

今回は後ろの4ビットを取り出すことにする

② 2つのビット列で論理積（AND）をとると、元のビット列からマスクパターンで指定した位置のビットだけが取り出されます。

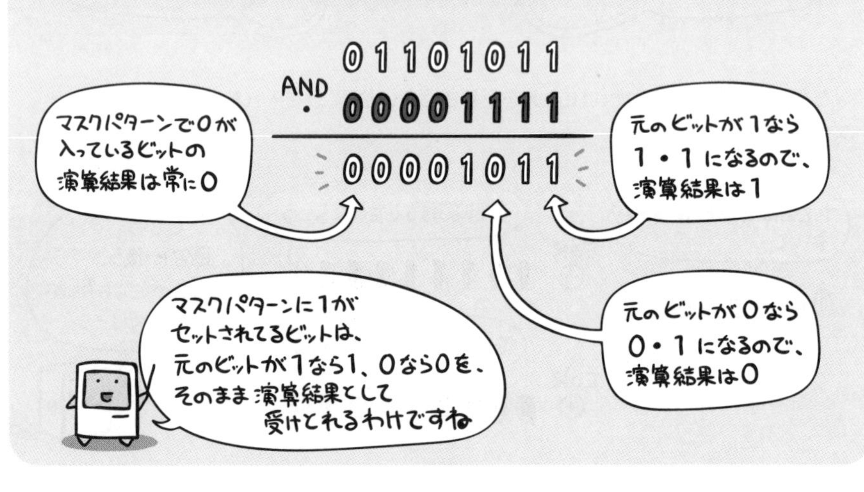

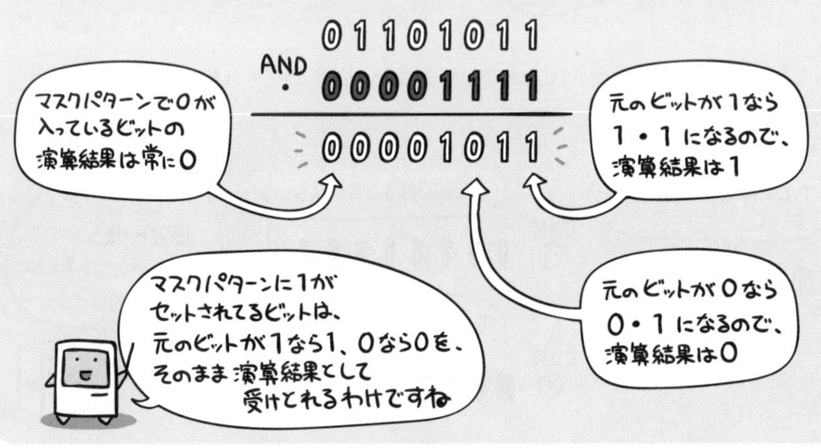

このように出題されています 過去問題練習と解説

問 1

FE-R04-サ-01

負数を2の補数で表すとき，8けたの2進数nに対し，−nを求める式はどれか。ここで，+は加算を表し，OR，XOR は，それぞれビットごとの論理和，排他的論理和を表す。

ア （n　OR　10000000）+ 00000001
イ （n　OR　11111110）+ 11111111
ウ （n　XOR　10000000）+ 11111111
エ （n　XOR　11111111）+ 00000001

解説

2の補数を求めるには、次の2つの操作を行います（「2の補数」がわからない場合は、Chapter2-1を参照してください）。

(1) 全ビットの反転する。　(2) (1) に1を加える。

上記の(1)で排他的論理和を使います。本問の場合、nと11111111の排他的論理和をとると、nの全ビットが反転します。XORを使えば、(n　XOR　11111111) と表現されます。(2) は1を加算するだけなので、+1です。したがって、正解は (n　XOR　11111111) + 00000001 になります。

問 2

(FE-R01-A-02)

8ビットの値の全ビットを反転する操作はどれか。

ア 16進表記00のビット列と排他的論理和をとる。
イ 16進表記00のビット列と論理和をとる。
ウ 16進表記FFのビット列と排他的論理和をとる。
エ 16進表記FFのビット列と論理和をとる。

解説

16進数の00は、2進数の0000 0000です。16進数のFFは、2進数の1111 1111です。ここでは、8ビットの値を1111 0000とします。1111 0000を全ビット反転すると、0000 1111です。

ア 排他的論理和

	0000 0000
XOR	1111 0000
	1111 0000

イ 論理和

	0000 0000
OR	1111 0000
	1111 0000

ウ 排他的論理和

	1111 1111
XOR	1111 0000
	0000 1111

エ 論理和

	1111 1111
OR	1111 0000
	1111 1111

正解▶問1：エ　問2：ウ

Chapter 4

デジタルデータのあらわし方

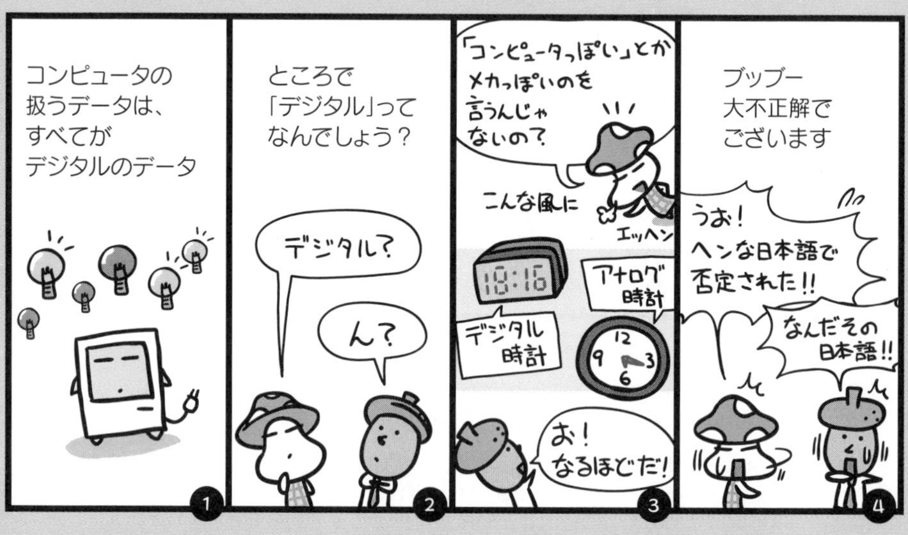

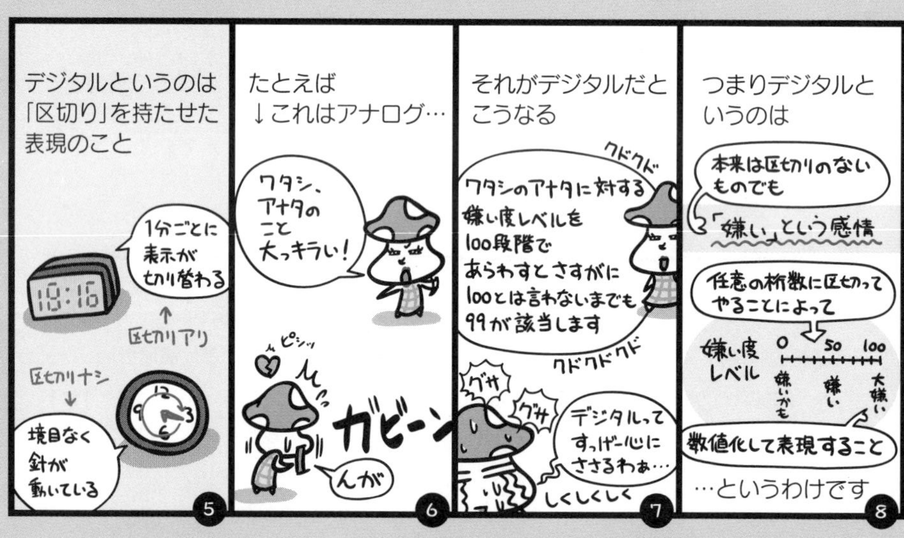

A

でもコンピュータって
絵とか音楽とか
色んなデータ
扱ってんじゃん
あんなのに
区切りとか数値化とか
関係ないだろーに
9
それが
しっかり区切られて
いるんです
ほっ
はっ
あれが？
見えない
よね
10
たとえば電球が
いっぱい集まって
できている
ネオンサインや
電光掲示板
11
遠目で見ると
しっかり絵になって
いるわけですが…
明日の天気
BEER
Glica
12

近くで見ると、
オンとオフしか
表現できない
電球の集まりに
過ぎません
オン
オフ
13
だから、
絵なんだけど
「区切り」がある
わけです
オー
たしかに
14
つまり、
オン（1）とオフ（0）
しかなくても、それが
たくさん集まれば
多様なデータが
表現できる…
プシュー
ガチャガチャ
ガチャガチャガチャ
15
この考え方で
作られているのが、
「デジタルデータ」と
いうやつなのです
CD-ROMの
中身だって、
実は「オン」と「オフ」の
集合なのです
16

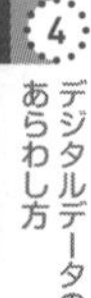

Chapter 4-1 ビットとバイトとその他の単位

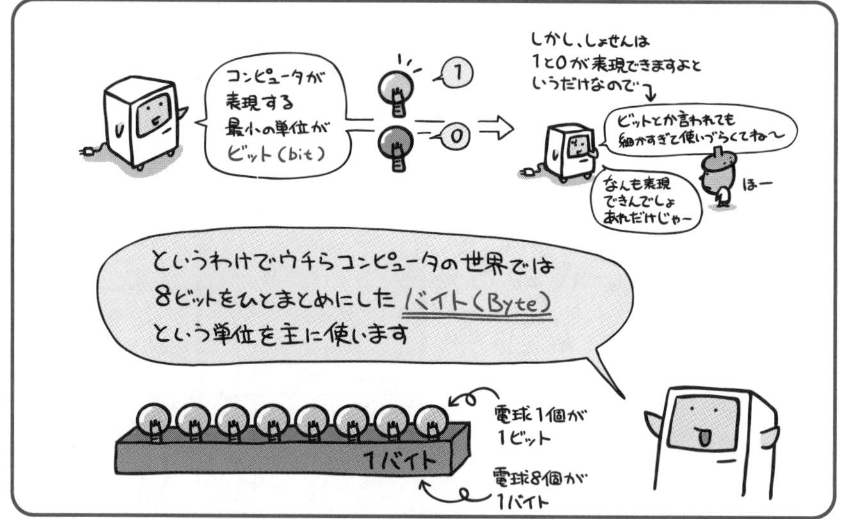

8ビットをひとまとめにした単位を「バイト」と呼びます。メモリの記憶容量などは、主にバイトを用いてあらわします。

ビット（bit）はコンピュータの扱う最小の単位なので、あれもこれもこの単位であらわそうとすると、やたら大きな数字になって扱いに困ります。また、しょせんは1と0が表現できるだけなので、1ビットという情報量だけじゃあ、その中にあまり意味を持たせることもできません。

そこで、ある程度まとまった扱いやすい単位として、8ビットをひとまとめにしたバイト（Byte）という単位が、コンピュータでは主に用いられています。

ビットとバイトには、それぞれ省略形の書き方があります。コンピュータの情報量をあらわす際に、「500b」と末尾に小文字のbが書いてある場合はビット、「500B」と大文字のBが書いてある場合はバイトを示しています。

ちなみに、なんで8ビットなんて一見半端なサイズにまとめたかというと、アルファベット一文字をあらわすのに8ビットくらいがちょうどいい案配だったから。そう、1バイトとは、アルファベット一文字をあらわす単位でもあるのです…が、そのあたりについては本節ではなく、次の節でくわしく触れることにします。

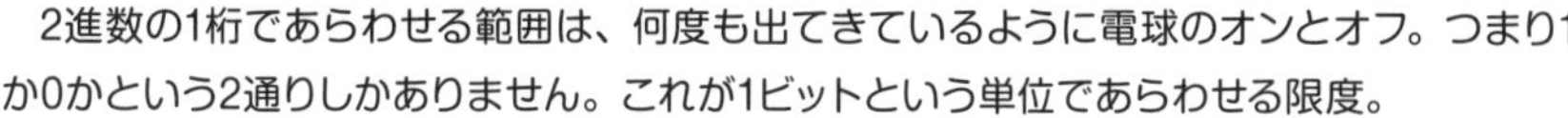

1バイトであらわせる数の範囲

2進数の1桁であらわせる範囲は、何度も出てきているように電球のオンとオフ。つまり1か0かという2通りしかありません。これが1ビットという単位であらわせる限度。

じゃあ2ビット使えばどうなるかというと、4通りに増えます。2ビットだと2進数2桁になるので、2^2個の数を表現できるのです。

同じ理屈で、3ビットあれば2^3個で8通り。4ビットだと2^4個で16通り。

じゃあ8ビット…つまり1バイトだといくつ表現できるかというと、2^8個になるので2×2×2×2×2×2×2×2でなんと256通り。0 ～ 255という数をあらわすことができちゃいます。

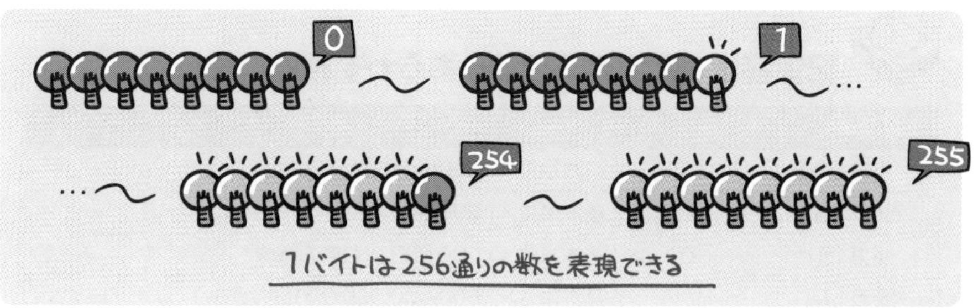

ちなみに負の数を入れると表現できる数値は正と負に2等分されるので、符号ありの場合あらわせる数は次のようになります。

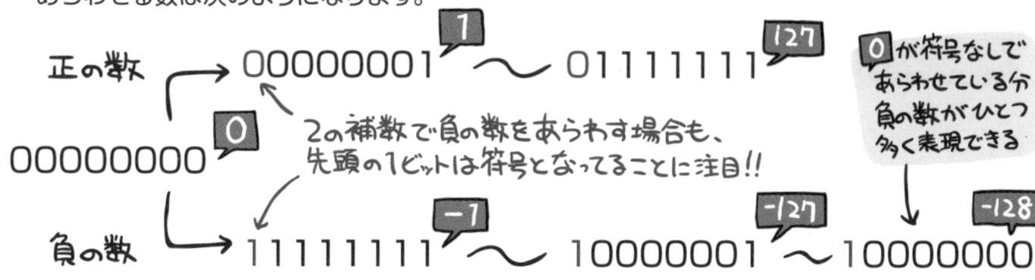

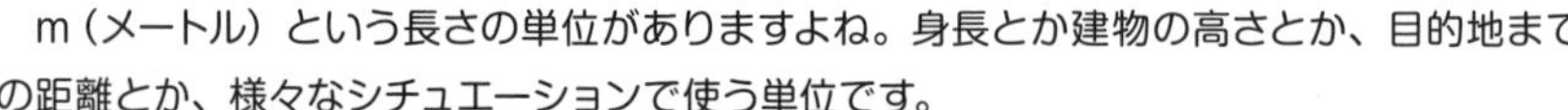

様々な補助単位

m（メートル）という長さの単位がありますよね。身長とか建物の高さとか、目的地までの距離とか、様々なシチュエーションで使う単位です。

ところで、たとえば目的地まで40,000mだった時。ほとんどの人が「あと40,000mだよ」とは言わないと思います。わかりやすいように「あと40kmだよ」と言うのではないでしょうか。

この時の「k」というのが補助単位です。

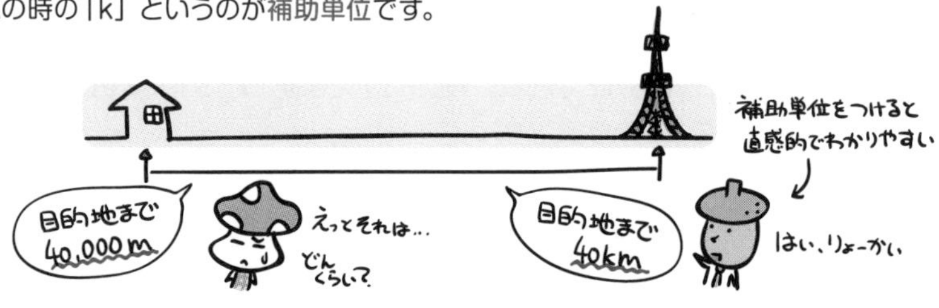

これまでビットだバイトだと小さい基本単位の話をしてきましたが、実際にコンピュータで扱うデータは、もっと大きな情報量になっていることがほとんどです。けれどもその時に、「このデータは1,000,000,000バイトです」なんて言われたらわかりづらくてしょうがないですよね。

そこで、先のkmの例と同様に、コンピュータの世界でも補助単位を使います。補助単位には、記憶容量などでよく使う「大きい数値をあらわす補助単位」と、処理速度などでよく使う「小さい数値をあらわす補助単位」がありますので、どちらも名前を覚えておきましょう。

記憶容量など大きい数値をあらわす補助単位

補助単位	意味	説明
キロ（k）	10^{3}	基本単位×1,000倍の意味
メガ（M）	10^{6}	基本単位×1,000,000倍の意味
ギガ（G）	10^{9}	基本単位×1,000,000,000倍の意味
テラ（T）	10^{12}	基本単位×1,000,000,000,000倍の意味

処理速度など小さい数値をあらわす補助単位

補助単位	意味	説明
ミリ（m）	10^{-3}	基本単位×1/1,000倍の意味
マイクロ（μ）	10^{-6}	基本単位×1/1,000,000倍の意味
ナノ（n）	10^{-9}	基本単位×1/1,000,000,000倍の意味
ピコ（p）	10^{-12}	基本単位×1/1,000,000,000,000倍の意味

このように出題されています
過去問題練習と解説

(IP-H25-A-76)

2バイトで1文字を表すとき，何種類の文字まで表せるか。

ア　32,000　　イ　32,768　　ウ　64,000　　エ　65,536

解説

1バイトは8ビットなので、2バイトは16ビットです。1ビットで表現できるのは、2^1=2種類なので、16ビットで表現できるのは、2^{16}=65,536種類です。

(IP-H23-A-78)

データ量の大小関係のうち，正しいものはどれか。

ア　1kバイト ＜ 1Mバイト ＜ 1Gバイト ＜ 1Tバイト
イ　1kバイト ＜ 1Mバイト ＜ 1Tバイト ＜ 1Gバイト
ウ　1kバイト ＜ 1Tバイト ＜ 1Mバイト ＜ 1Gバイト
エ　1Tバイト ＜ 1kバイト ＜ 1Mバイト ＜ 1Gバイト

解説

1k=10^3 ＜ 1M=10^6 ＜ 1G=10^9 ＜ 1T=10^{12}　です。

なお、k（キロ）、M（メガ）、G（ギガ）、T（テラ）の説明は、106ページを参照してください。

(FE-H30-S-31)

10Mバイトのデータを100,000ビット／秒の回線を使って転送するとき，転送時間は何秒か。ここで，回線の伝送効率を50%とし，1Mバイト=10^6バイトとする。

ア　200　　イ　400　　ウ　800　　エ　1,600

解説

(1) 回線の実効速度
　100,000ビット／秒×50%（回線の伝送効率）＝ 50,000ビット／秒 …（★）

(2) 転送するデータのビット数
　1Mバイト=10^6バイトなので、10Mバイト=10,000,000バイト
　1バイト=8ビットなので、10,000,000バイト=80,000,000ビット …（●）

(3) 転送時間
　80,000,000ビット（●）÷50,000ビット／秒（★）=1,600秒

正解▶問1：エ　問2：ア　問3：エ

Chapter 4-2 文字の表現方法

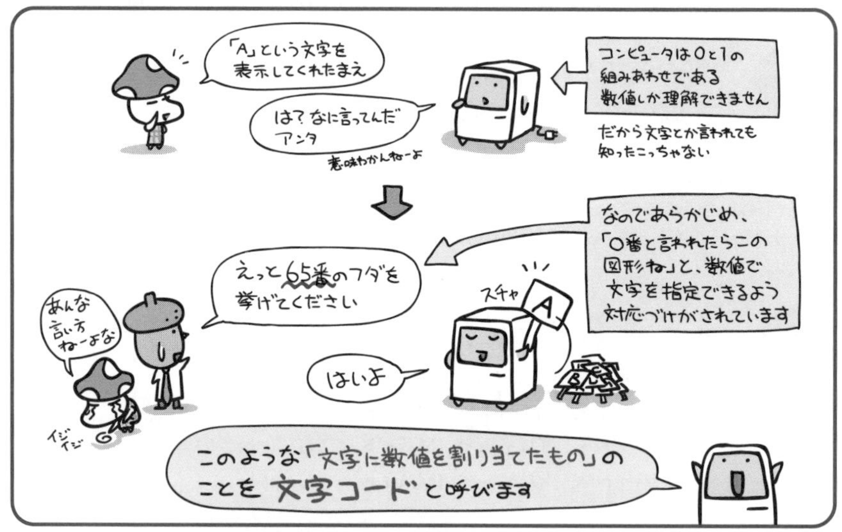

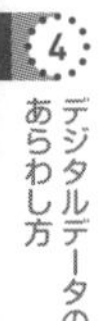

コンピュータは文字に数値を割り当てることで、文字データを表現します。

前節でも書いたように、そもそもバイトという単位には「1文字をあらわすのに事足りるひとまとまりのサイズ」なんて理由がこめられています。

さて、「事足りる」とはどういうことか。それは、「アルファベットそれぞれに数値を対応づけるには、256通りもあれば足りてくれるでしょ」ということに他なりません。実際には8ビット分丸々は使わず、1ビット分は他の用途に使ったりとか色々ありますが、それはとりあえず置いといて。

そんなわけで、コンピュータは文字を「こんな感じの図形ね」くらいにしか思ってなくて、実際には「○番に該当する図形データを表示せよ」と言われてその通りに処理しているだけなのです。文字の意味など知ったこっちゃなし。文字コードとして各文字に割り当てられた数値だけが大事な情報なのです。

ところでこの文字コード。世界中のコンピュータがすべて同じ起源かというとそうでない以上、数値の割り当て方にも方言が出てきます。しかも、ひらがなカタカナ漢字となんでもござれな日本みたいな国だと、たかが256通りですべての文字を網羅できるはずもありません。そのため文字コードには様々な種類が存在しています。

文字コード表を見てみよう

それでは文字コードの例として、もっともポピュラーなASCIIのコード表を見てみましょう。半角の英数字をあらわすために用いる、標準的な文字コードがASCIIコードです。

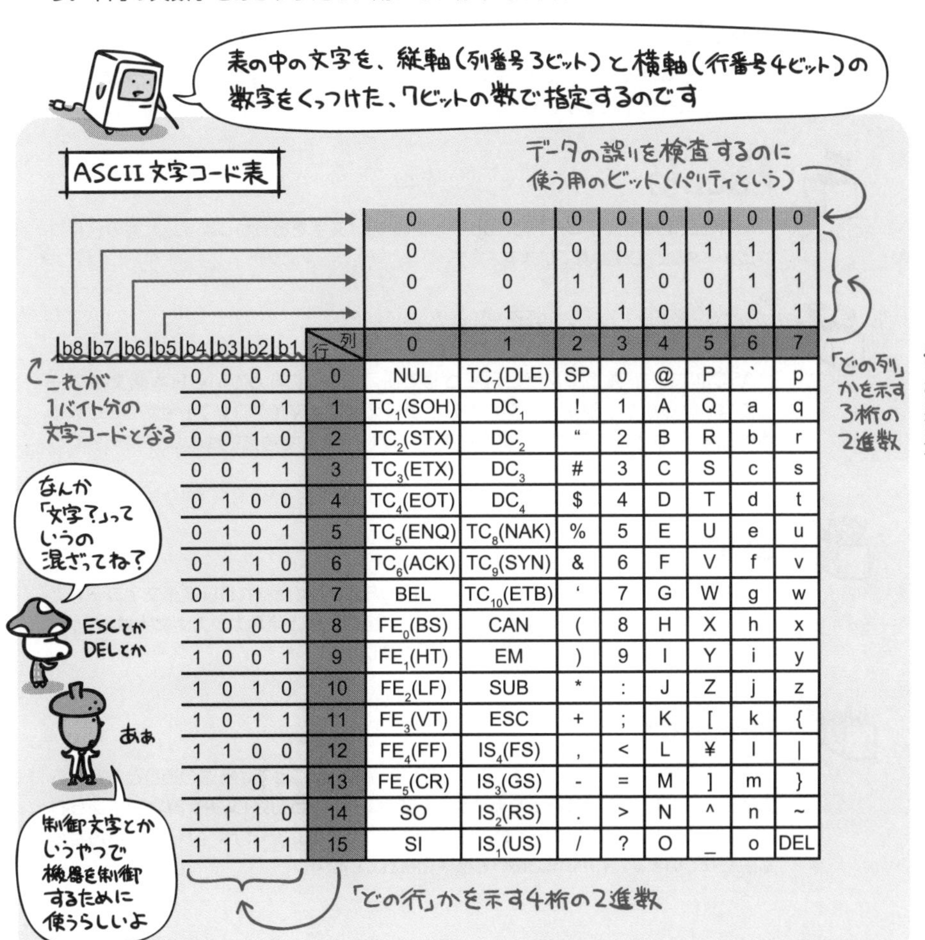

表の中の文字を、縦軸（列番号3ビット）と横軸（行番号4ビット）の数字をくっつけた、7ビットの数で指定するのです

ASCII文字コード表

データの誤りを検査するのに使う用のビット（パリティという）

b8	b7	b6	b5	b4	b3	b2	b1	行＼列	0	1	2	3	4	5	6	7
								b8	0	0	0	0	0	0	0	0
								b7	0	0	0	0	1	1	1	1
								b6	0	0	1	1	0	0	1	1
								b5	0	1	0	1	0	1	0	1
				0	0	0	0	0	NUL	TC_7(DLE)	SP	0	@	P	`	p
				0	0	0	1	1	TC_1(SOH)	DC_1	!	1	A	Q	a	q
				0	0	1	0	2	TC_2(STX)	DC_2	“	2	B	R	b	r
				0	0	1	1	3	TC_3(ETX)	DC_3	#	3	C	S	c	s
				0	1	0	0	4	TC_4(EOT)	DC_4	$	4	D	T	d	t
				0	1	0	1	5	TC_5(ENQ)	TC_8(NAK)	%	5	E	U	e	u
				0	1	1	0	6	TC_6(ACK)	TC_9(SYN)	&	6	F	V	f	v
				0	1	1	1	7	BEL	TC_{10}(ETB)	‘	7	G	W	g	w
				1	0	0	0	8	FE_0(BS)	CAN	(	8	H	X	h	x
				1	0	0	1	9	FE_1(HT)	EM	)	9	I	Y	i	y
				1	0	1	0	10	FE_2(LF)	SUB	*	:	J	Z	j	z
				1	0	1	1	11	FE_3(VT)	ESC	+	;	K	[	k	{
				1	1	0	0	12	FE_4(FF)	IS_4(FS)	,	<	L	¥	l	|
				1	1	0	1	13	FE_5(CR)	IS_3(GS)	-	=	M	]	m	}
				1	1	1	0	14	SO	IS_2(RS)	.	>	N	^	n	~
				1	1	1	1	15	SI	IS_1(US)	/	?	O	_	o	DEL

「どの列」かを示す3桁の2進数

これが1バイト分の文字コードとなる

「どの行」かを示す4桁の2進数

なんか「文字？」っていうの混ざってね？

ESCとかDELとか

あぁ

制御文字とかいうやつで機器を制御するために使うらしいよ

たとえば「A」と「n」を例に見てみると、1バイトの箱の中には、それぞれ次の値が入ることになるわけです。

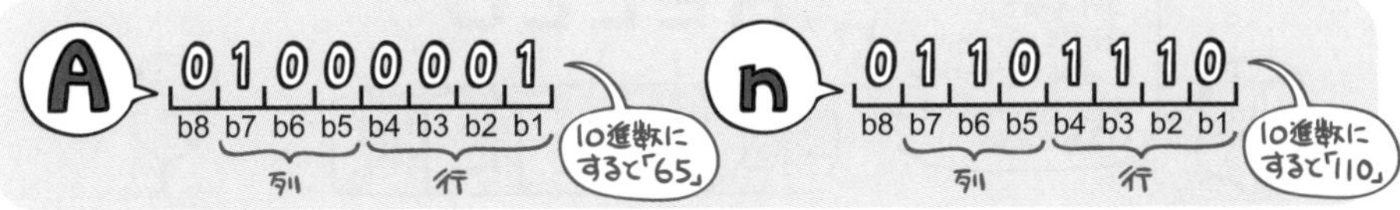

文字コードの種類とその特徴

文字コードの代表的な種類としては、次のようなものがあります。

ASCII（アスキー）

米国規格協会（ANSI）によって定められた、かなり基本的な文字コード。含まれる文字はアルファベットと数字、あといくつかの記号のみで、1文字を7ビットであらわします。

EBCDIC（エビシディック）

IBM社が定めた文字コードで、8ビットを使って1文字をあらわします。大型の汎用コンピュータなどで使われています。

シフトJIS（ジス）コード（S-JIS（エスジス））

ASCIIのコード体系の文字と混在させて使えるようになっている日本語文字コードです。ひらがなや漢字、カタカナなどが扱えます。マイクロソフト社のOSであるWindowsでも使われており、1文字を英数字は1バイト、全角文字は2バイトであらわします。

EUC（イーユーシー）

拡張UNIXコードとも呼ばれ、UNIXというOS上でよく使われる日本語文字コードです。基本的には1文字につき英数字は1バイト、全角文字と半角カタカナ文字は2バイトであらわしますが、補助漢字などでは3バイト使います。

Unicode（ユニコード）

全世界の文字コードをひとつに統一してしまえということで、各国のありとあらゆる文字を1つのコード体系であらわそうとした文字コード。当初は1文字を2バイトであらわす予定でしたが、それでは文字数が足りないということで3バイト、4バイトとどんどん拡張されています。1993年にISOで標準化されています。

たとえばASCIIで「HELLO」という文字列を表現しようとすると、必要なデータ量は5バイトです（バイト単位で文字を扱うため）。各バイトには次のような数値が入っています。

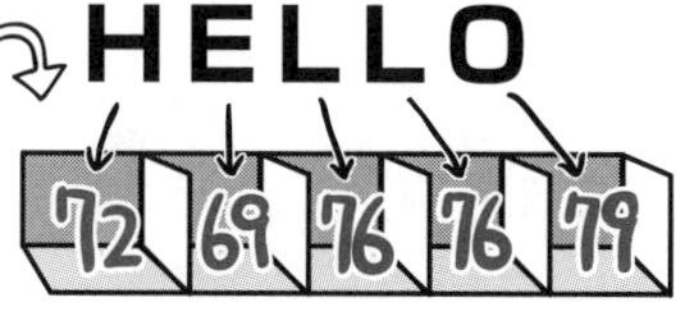

このように出題されています
過去問題練習と解説 Ⅰ

問1 (FE-H18-S-69)

コンピュータで使われている文字符号の説明のうち，適切なものはどれか。

ア　ASCII 符号はアルファベット，数字，特殊文字及び制御文字からなり，漢字に関する規定はない。

イ　EUC は文字符号の世界標準を作成しようとして考案された 16 ビット以上の符号体系であり，漢字に関する規定はない。

ウ　Unicodeは文字の1バイト目で漢字かどうかが分かるようにする目的で制定され，漢字と ASCII符号を混在可能にした符号体系である。

エ　シフトJIS符号はUNIX における多言語対応の一環として制定され，ISO として標準化されている。

解説

ア　ASCIIは、American Standard Code for Information Interface の略であり、ANSI（米国標準規格協会）で定めた、7ビットの文字コード体系です。

イ　EUCは、Extended Unix Code の略であり、拡張 UNIX コードとも呼ばれ、全角文字と半角カタカナ文字を2バイト又は3バイトで表現する文字コード体系です。

ウ　Unicodeは、多国籍文字を扱うために，日本語や中国語などの形の似た文字を同一コードに割り当てた2バイトの文字コード体系です。

エ　シフトJISコードは、現在パソコンの多くで使われている文字コードであり、Microsoft社によって策定されました。この名前は、1バイト仮名を使えるようにするために、JISコードを移動（シフト）させたことに由来します。シフトJISコードは、基本的に8ビットで表現されますが、ある特定された8ビットが来ると、2バイトモードが開始され、16ビットで漢字等の1文字を表現します。

問2 (FE-H24-A-04)

英字の大文字（A ～ Z）と数字（0 ～ 9）を同一のビット数で一意にコード化するには，少なくとも何ビットが必要か。

ア　5　　イ　6　　ウ　7　　エ　8

解説

英字の大文字（A ～ Z）は26種類、数字（0 ～ 9）は10種類あるので、合計36種類の文字種になります。1ビットは2種類の状態（0と1）を表現できます。2ビットは2の2乗で4種類（00と01と10と11）です。2の5乗は32、2の6乗は64なので、36種類の状態を表現するには5ビットでは足らず6ビットが必要です。

正解▶問1：ア　問2：イ

Chapter 4-3

画像など、マルチメディアデータの表現方法

画像や音声はデジタルデータへ変換することで、数値であらわせるようにして扱います。

写真や音声、動画など、自然界にある情報はいずれも連続した区切りのないアナログ情報です。このような情報をコンピュータで扱うためには、情報に区切りを持たせ、数値で表現できるように「デジタルデータへの変換」作業を行う必要があります。

たとえば章頭の漫画でふれたアナログ時計。あれは針が境目なく連続して回っていくからアナログなわけで、カチャリカチャリと秒単位や分単位で数値の書き換えが行われるのはデジタル時計でした。つまり、連続して変化する情報のことをアナログ情報と呼び、ある範囲を規定の桁数で区切って数値化したものをデジタル情報と呼ぶわけですね。

この例でいえば、デジタル時計とは「1分という範囲を60で区切って数値表現したもの」だからデジタル時計なのです。決して「コンピュータっぽい文字だからデジタル時計」ではないわけです。

静止画であれば、点描画のような細かい点の集合と見なした上で、各点の色情報を数値化することでデジタルデータに変換できます。音声なら、微少な時間単位に波形を区切って、その単位ごとの音程を数値化するなどしてデジタル化します。

画像データは点の情報を集めたもの

コンピュータの扱う、代表的な画像データのあらわし方はビットマップ方式です。これは、画像を細かいドットの集まりで表現します。

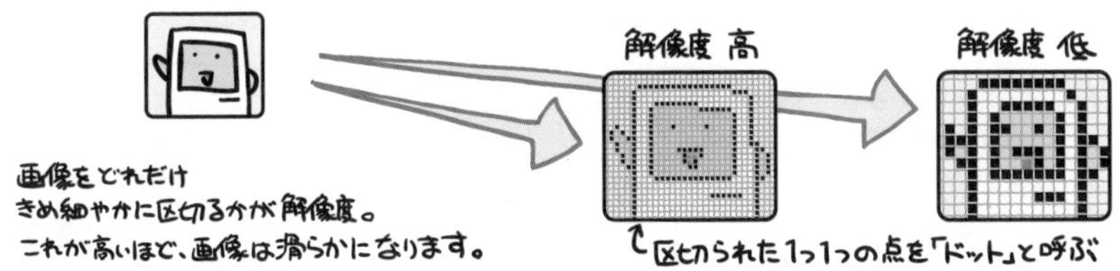

たとえば640×480ドットの画像データだった場合。その画像を構成するドットの数は307,200個です。

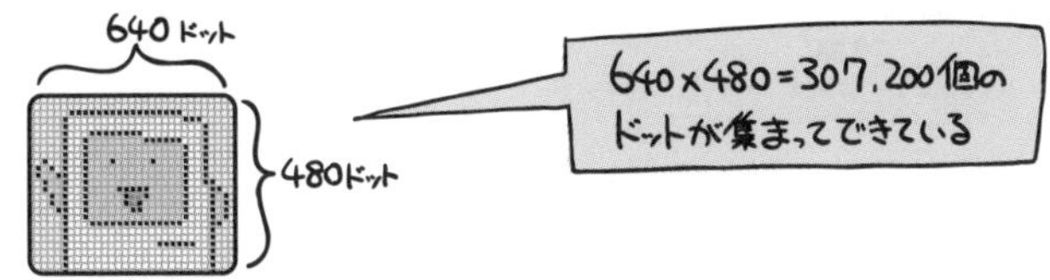

ドットの集まりを絵にするためには、「そのドットは何色か」という情報が必要になります。そんなわけで、ドットひとつひとつに色情報というデータがぶら下がります。

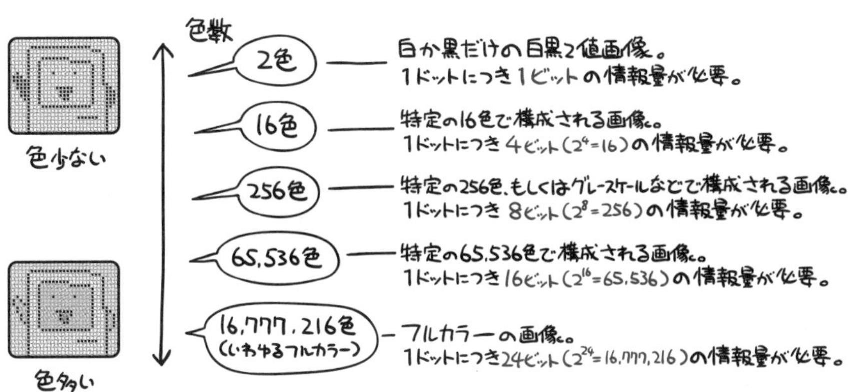

画像をあらわすために必要なデータサイズは、1ドットの色情報を保持するために必要なビット数と、画像全体のドット数とをかけ算することで求められます。

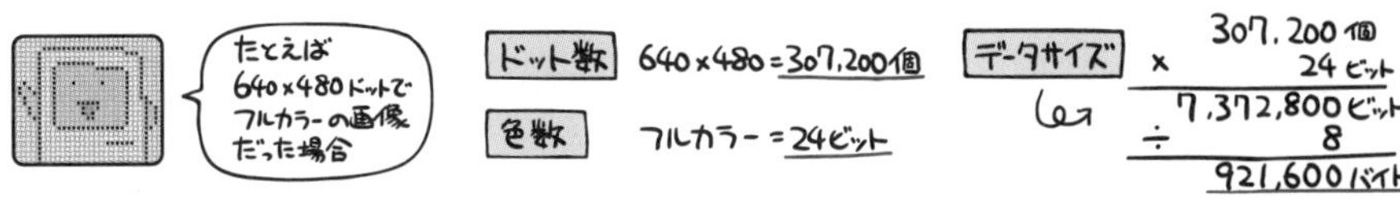

音声データは単位時間ごとに区切りを作る

続いては音声データ。アナログの波形データを、デジタル化して数値表現する代表格はPCM（Pulse Code Modulation）方式です。節の最初でも述べたように、音声を微小な時間単位に区切り、その単位ごとの音程を数値化することで表現します。

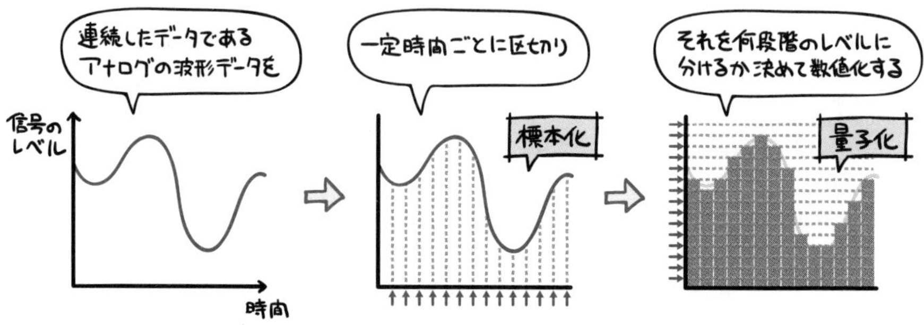

標本化（サンプリング）

アナログデータを一定の時間単位で区切り、その時間ごとの信号レベルを標本として抽出する処理が標本化（サンプリング）です。

まずは時間軸を「無段階の連続したアナログデータ」から、「区切りのあるデジタルデータ」にしてやるわけです。

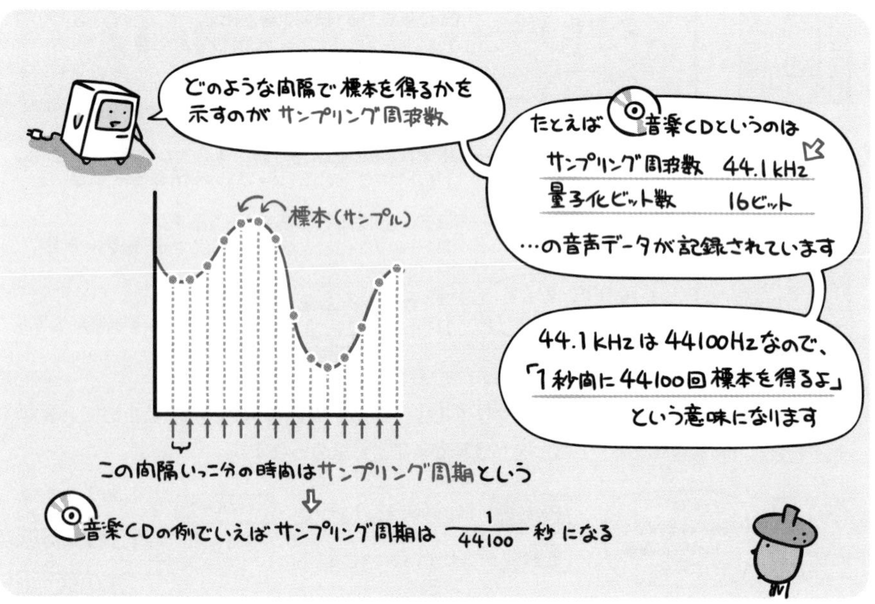

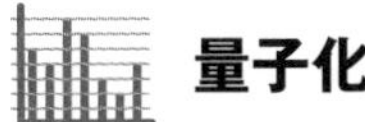

量子化

信号レベルを何段階で表現するか定め、サンプリングしたデータをその段階数に当てはめて整数値に置き換える処理が量子化です。

今度は縦軸の信号レベルを「無段階の連続したアナログデータ」から、「区切りのあるデジタルデータ」にしてやるわけですね。

「標本を何ビットのデータであらわすか?」によって量子化の段階数が決まります(この時のビット数を量子化ビット数という)

255
2
1
0

この場合は8ビット

たとえば8ビットなら0〜255の256段階、16ビットなら0〜65,535の65,536段階となる

各標本をこの段階にあてはめることで、数値化されたデジタルデータとなるわけです

253
252

音楽CDの「量子化ビット数」ってこれのことだったんか…

ふ〜ん

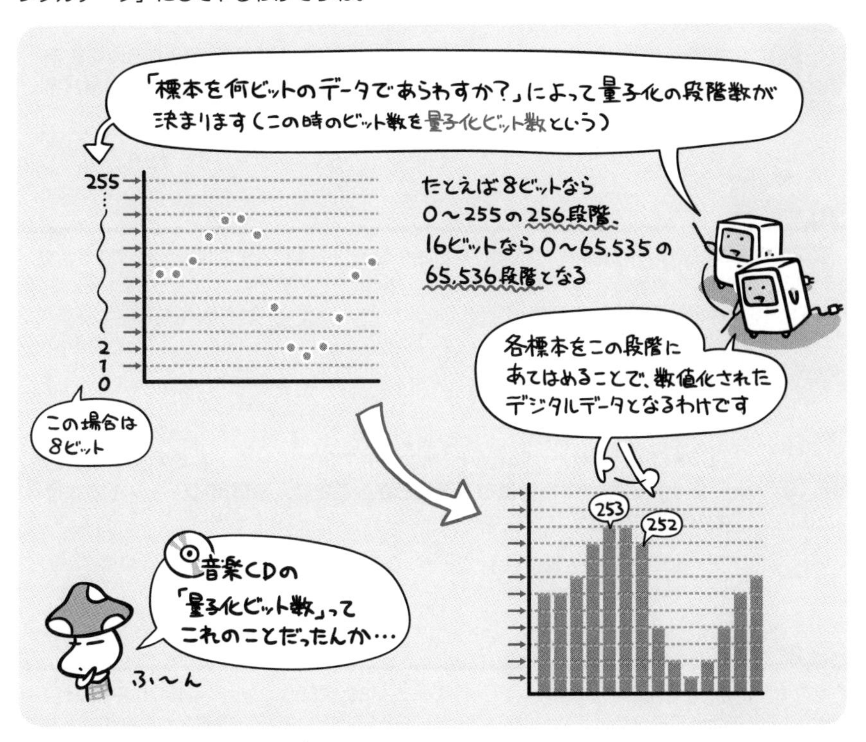

最後に、上記で得た数値を2進数に直す符号化が待ってたりしますが、それはまあ置いといて、以上が音声データをデジタルであらわすおおまかな流れとなります。

サンプリング周期は短く、量子化ビット数は多く…とすることで、より原音に近いデジタルデータを作ることができますが、その分データ量も大きくなります。

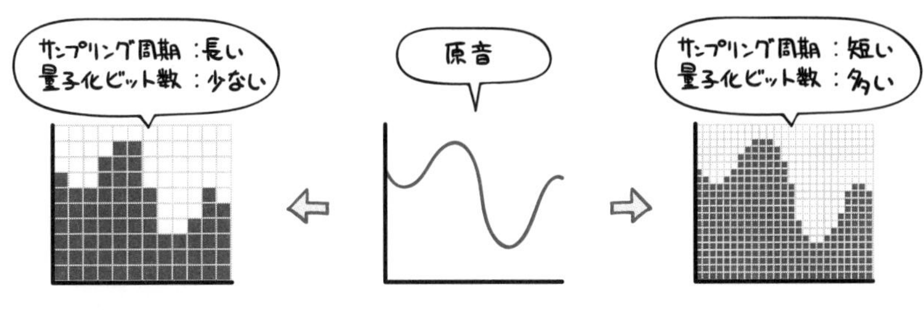

このように出題されています
過去問題練習と解説

(FE-H28-S-12)

表示解像度が1,000×800ドットで，色数が65,536色(2^{16}色)の画像を表示するのに最低限必要なビデオメモリ容量は何Mバイトか。ここで，1Mバイト=1,000kバイト，1kバイト=1,000バイトとする。

ア 1.6　　イ 3.2　　ウ 6.4　　エ 12.8

解説

表示解像度は1,000×800ドットですので、表示される総ドット数は、800,000ドットです。色数が65,536色（2^{16}色）の画像の1ドットを表示するには、16ビットが必要です（=16ビットあれば、2^{16}色の任意の1色を表現できます）。したがって、800,000ドットの各ビットを65,536色で表示しようとすれば、800,000ドット×16ビット／ドット = 12,800,000ビット、12,800,000 ÷ 8 = 1,600,000バイト = 1.6Mバイトが必要です。

(FE-H26-A-25)

800×600ピクセル，24ビットフルカラーで30フレーム／秒の動画像の配信に最小限必要な帯域幅はおよそ幾らか。ここで，通信時にデータ圧縮は行わないものとする。

ア 350kビット／秒　　イ 3.5Mビット／秒
ウ 35Mビット／秒　　エ 350Mビット／秒

解説

ピクセルとドットは同じ単位です。1枚（=1フレーム）800×600ピクセル=480,000ピクセルで24ビットフルカラーの動画像は、480,000×24=11,520,000ビットのデータ量をもちます。1秒間に30フレームの動画像を配信するには、11,520,000×30=345,600,000ビット／秒=345.6Mビット／秒の帯域幅が必要です。

(FE-H28-S-04)

PCM方式によって音声をサンプリング（標本化）して8ビットのデジタルデータに変換し、圧縮せずにリアルタイムで転送したところ、転送速度は64,000ビット／秒であった。このときのサンプリング間隔は何マイクロ秒か。

ア 15.6　　イ 46.8　　ウ 125　　エ 128

解説

PCM（Pulse Code Modulation：パルス符号変調）は、アナログ波形の音声や映像信号をデジタル化（パルス化）し、また逆に元のアナログ波形に戻す方式の1つです。アナログ波形のデジタル化は、

(1) 標本化　(2) 量子化　(3) 符号化の3段階で行われます。本問の場合、次のように計算されます。

(1) 標本化 …サンプリング間隔をXとすると、1秒間に行われるサンプリング回数は、サンプリング間隔の逆数である1／X回になります。

(2) 量子化・符号化 … 本問では、1回でサンプリングした8ビットを、64k ビット／秒で転送するので、1秒間に転送されるビット数は、(1／X) × 8 = 64,000ビットです。
式を整えると、X = 8 ÷ 64,000 = 125 マイクロ秒　になります。

問 4 (FE-H31-S-25)

音声のサンプリングを1秒間に11,000回行い，サンプリングした値をそれぞれ8ビットのデータとして記録する。このとき，512×10^6バイトの容量をもつフラッシュメモリに記録できる音声の長さは，最大何分か。

ア 77　　イ 96　　ウ 775　　エ 969

解説

(1) 1秒間のサンプリング回数
11,000回サンプリングします。

(2) 1秒間の音声信号をデジタル化したときのデータ量
サンプリングした値をそれぞれ8ビット（=1バイト）のデータとして記録するので、
11,000回×1バイト = 11,000バイト／秒　です。

(3) フラッシュメモリに記録できる音声の長さ
512×10^6バイト÷11,000バイト／秒 ≒ 46,545秒 ≒ 775分 です。

問 5 (FE-R06-06)

液晶ディスプレイなどの表示装置において，傾いた直線の境界を滑らかに表示する手法はどれか。

ア アンチエイリアシング　　イ シェーディング
ウ テクスチャマッピング　　エ バンプマッピング

解説

ア アンチエイリアシングは、周辺の画素との平均化演算などを施し，ギザギザを目立たなくする手法です。
イ シェーディングは、立体感を生じさせるため、物体の表面に陰を付ける手法です。
ウ テクスチャマッピングは、物体の表面に柄や模様などを貼り付ける手法です。
エ バンプマッピングは、物体の表面に凹凸があるかのように見せる手法です。

正解▶問1:ア　問2:エ　問3:ウ　問4:ウ
問5:ア

Chapter 4-4

アナログデータのセンシングと制御技術

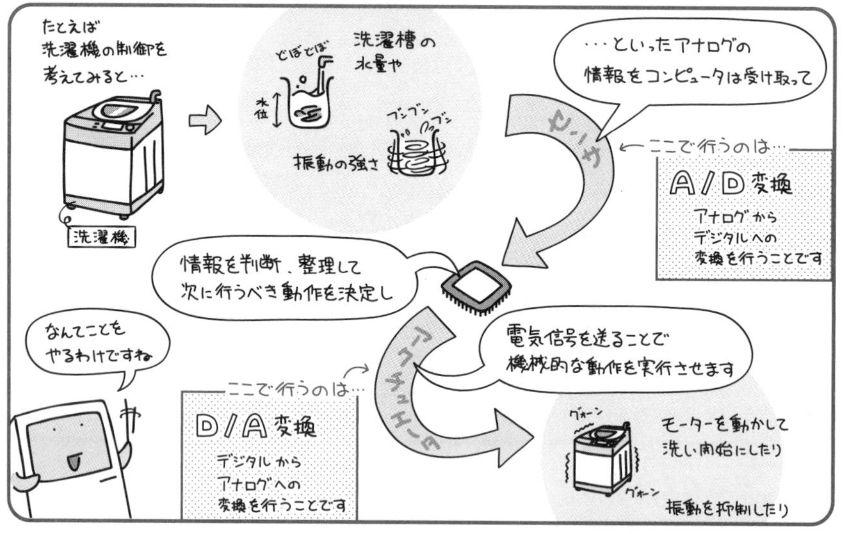

コンピュータは、センサによってアナログ情報を計測し、アクチュエータにより電気信号を物理動作へと変換します。

今どきは身近な家電製品をはじめ、駅の改札機、ATM、ビルのエレベータ、工場の工作機械など、あらゆる機器にコンピュータが組込まれています。

このコンピュータの役割は「機器を制御する」ことです。制御とは、目的に適した動作が実現できるように、機器をコントロールすることです。

自然界を取り巻く様々な情報（温度、圧力、流量、変位、光度など）は、区切りのない連続したアナログ情報で出来ています。コンピュータは、これらのアナログ情報を各種センサから電気信号として受け取ると、適宜必要な処理・判断を行って次の動作を決定し、アクチュエータへと伝えます。このアクチュエータ（モーターや電磁バルブなど）が、受け取った電気信号を物理動作へと変換することにより、機器はコンピュータ制御下で動作を行うわけです。

このような、センサやアクチュエータを用いた組込み技術は、近年盛り上がりを見せている IoT（Internet of Things P.426）デバイスの開発においても欠かせません。

センサとアクチュエータ

前ページでも述べたように、機器の制御は次の三者がセットとなって実現されています。

A/D変換

D/A変換

センサ
（計測）

コンピュータ
（情報処理）

アクチュエータ
（物理動作）

事象を計測するための装置がセンサです。熱や光をはじめとする自然界の様々な情報を量として捉え、電気信号に変換します。

温度センサ
温度を計測します

照度センサ
明るさを計測します

湿度センサ
湿度を計測します

加速度センサ
速度の変化率（加速度）を検出します

方位センサ
地球の磁北（北の方角）を検出します

ジャイロセンサ
（角速度センサ） ⇨角速度
単位時あたりの回転角を検出します
機器の回転・傾き・振動などの制御に用います

GPSセンサ
地球上における位置や高度を検出します

事象ごとに様々なセンサがあるのです
これは一例

電気信号を物理的な動作に変換する装置がアクチュエータです。モーターや電磁石などを利用して、入力信号を直線運動や回転運動などの機械エネルギーに変換します。機器を実際に動かす駆動装置にあたります。

モーターなんかは電気を流すと回転するわけです

その力で羽根を回すとファンになります

こんな感じの棒を用意してみました

モーターの回転運動を加えると…
ここが回ると
こっちも回って
その向きによって前後いずれかに棒が動く直線運動になる

こういった機構を様々組み合わせることで、ロボットのアームやファン、ポンプなど、色んなアクチュエータが作られるわけです

機器の制御方式

機器を制御するにあたり、現在よく使われている制御方式が、次に示すシーケンス制御とフィードバック制御です。それぞれ用途に応じて使い分けたり、両者を組み合わせたりすることによって、目的に適う動作を実現させます。

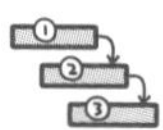

シーケンス制御

あらかじめ定められた順序や条件に従って、制御の各段階を逐次進めていく制御方式です。

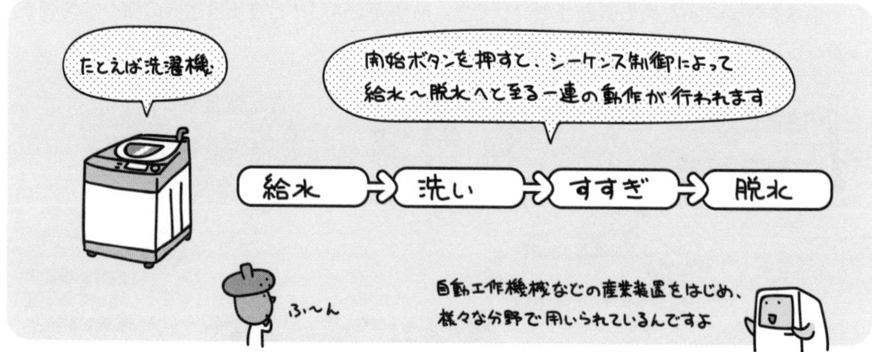

フィードバック制御

現在の状態を定期的に測定し、目標値とのズレを入力側に戻して反映させることで、出力結果を目標値と一致させようとする制御方式です。

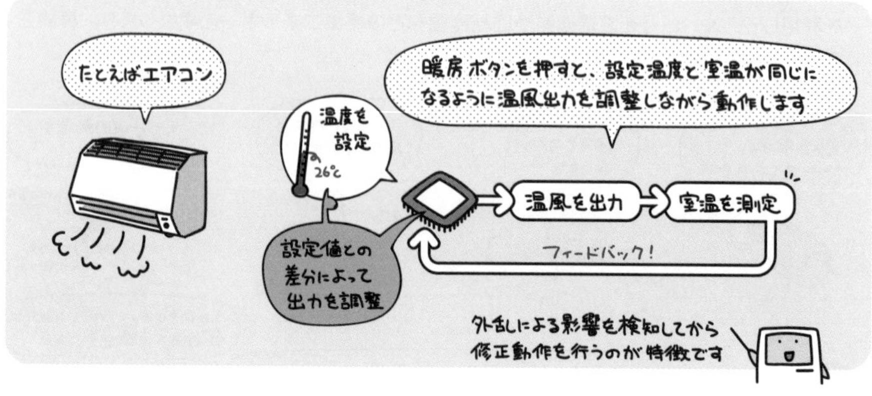

このように出題されています

過去問題練習と解説 Ⅰ

(FE-H30-S-21)

アクチュエータの説明として，適切なものはどれか。

ア　与えられた目標量と，センサから得られた制御量を比較し，制御量を目標量に一致させるように操作量を出力する。
イ　位置，角度，速度，加速度，力，温度などを検出し，電気的な情報に変換する。
ウ　エネルギー発生源からのパワーを，制御信号に基づき，回転，並進などの動きに変換する。
エ　マイクロフォン，センサなどが出力する微小な電気信号を増幅する。

解説

ア　フィードバック制御（120ページを参照）の説明です。
イ　センサ（119ページを参照）の説明です。
ウ　アクチュエータ（119ページを参照）の説明です。
エ　アンプ（増幅器）の説明です。

(FE-H29-A-03)

フィードバック制御の説明として，適切なものはどれか。

ア　あらかじめ定められた順序で制御を行う。
イ　外乱の影響が出力に現れる前に制御を行う。
ウ　出力結果と目標値とを比較して，一致するように制御を行う。
エ　出力結果を使用せず制御を行う。

解説

ア　シーケンス制御（120ページを参照）の説明です。
イ　フィードフォワード制御の説明です。フィードバック制御は、外乱（制御を乱すような外的な作用）の影響が現れた後に、修正を行います。
ウ　フィードバック制御（120ページを参照）の説明です。
エ　フィードバック制御では、出力結果を入力側に戻して、制御を行います。

正解▶問1:ウ　問2:ウ

Chapter 5

CPU (Central Processing Unit)

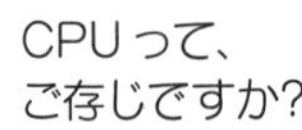

CPUって、
ご存じですか?

これは
「中央処理装置」とも
言われる部品で

その名のとおり、
コンピュータの
中枢として
活躍しています

たとえば人間で
考えてみましょう

人間には
手足があって、
自由に動かすことが
できますよね

目で見て、さわって、
聞いて、考えて…と
することもできる

これは、脳みそが
体を制御したり、
思考したりできる
からなわけです

コンピュータで
この脳みそにあたる
部品がCPU

中には制御装置と
演算装置(ALU)が
組み込まれていて…

コンピュータの
各装置を制御したり、
必要な演算を
行ったりする

まさに
「中央(で)処理(する)
装置」ですよと
いうわけです

ただしこのCPU、
人間の脳みそと
違って、指示がなきゃ
実は何もできません

そのため、
プログラムと
いう名の指示書が
必要になる

ひとつひとつ
そこに書かれた
命令を実行して
いくのが、彼の
お仕事なわけですね

とはいえ、それを
読み取るのにも
別の装置の協力が
必要でして…

Chapter 5-1

CPUとコンピュータの5大装置

コンピュータのハードウェアは、大きく分けると これら5つの装置で構成されています。

コンピュータは、プログラムという名のソフトウェアが、ハードウェアに「こう動け」と命令することで動く機械です。

その命令を理解して、必要な演算をしたりと実際の処理を行うのはCPUの役割ですが、CPUだけがあっても用を為しません。実際に手足として働いてくれる様々な装置が必要なわけですね。

ユーザがなにをしたいのか、どんな計算をしたいのか。ユーザからコンピュータへと伝えてもらうためには、入力を受け付ける装置が必要です。

その逆に、演算や処理の結果をユーザに伝えるためには、なんらかの出力装置が必要ですよね。他にも、プログラムや演算結果を記憶するための装置なんかも必要です。

このように、コンピュータは制御装置、演算装置、記憶装置、入力装置、出力装置といった、5つの装置が連携して動いています。これら5つの装置を総称して、コンピュータの5大装置と呼びます。

5大装置とそれぞれの役割

5大装置自体の役割については左ページのイラスト通り。ここでは、それぞれの装置にはどんな機器があって、具体的にどんな動きをしているのかを紹介します。

なお、5大装置のうち記憶装置については、さらに主記憶装置と補助記憶装置に細分化されてますので要注意。

装置名称		代表的な機器とその役割
制御装置	中央処理装置(CPU:Central Processing Unit)	CPUはコンピュータの中枢部分で、制御と演算を行なう装置です。うち制御装置の部分では、プログラムの命令を解釈して、コンピュータ全体の動作を制御します。
演算装置		CPUはコンピュータの中枢部分で、制御と演算を行なう装置です。うち演算装置の部分では、四則演算をはじめとする計算や、データの演算処理を行います。この装置は、算術論理演算装置(ALU:Arithmetic and Logic Unit)とも呼ばれます。
記憶装置	主記憶装置	動作するために必要なプログラムやデータを一時的に記憶する装置です。代表的な例としてメモリがあります。コンピュータの電源を切ると、その内容は消えてしまいます。
	補助記憶装置	プログラムやデータを長期に渡り記憶する装置です。長期保存を前提としているので、主記憶装置のようにコンピュータの電源を切ることで内容が破棄されたりするようなことはありません。代表的な例としてハードディスクの他、CD-ROM、DVD-ROMのような光メディア等があります。
入力装置 ❶ ❷ ❸		コンピュータにデータを入力するための装置です。代表的な例として、以下のものがあります。 ❶キーボード:文字や数字を入力する装置です。 ❷マウス:マウス自身を動かすことで、位置情報を入力する装置です。 ❸スキャナ:図や写真などをデジタルデータに変換して入力する装置です。
出力装置 ❶ ❷		コンピュータのデータを出力するための装置です。代表的な例として、以下のものがあります。 ❶ディスプレイ:コンピュータ内部のデータを画面に映し出す装置です。 ❷プリンタ:コンピュータの処理したデータを紙に印刷する装置です。

装置間の制御やデータ(およびプログラム)の流れは次のようになります。

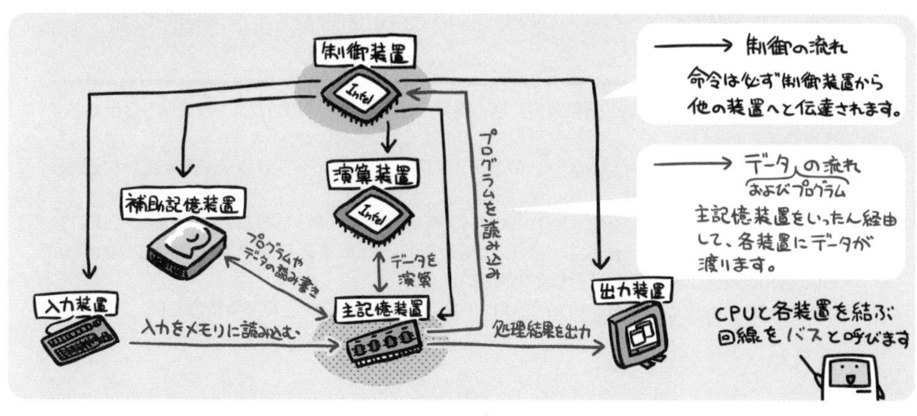

このように出題されています
過去問題練習と解説 I

(FE-H17-S-26)

コンピュータの基本構成を表す図中のa～cに入れるべき適切な字句の組合せはどれか。

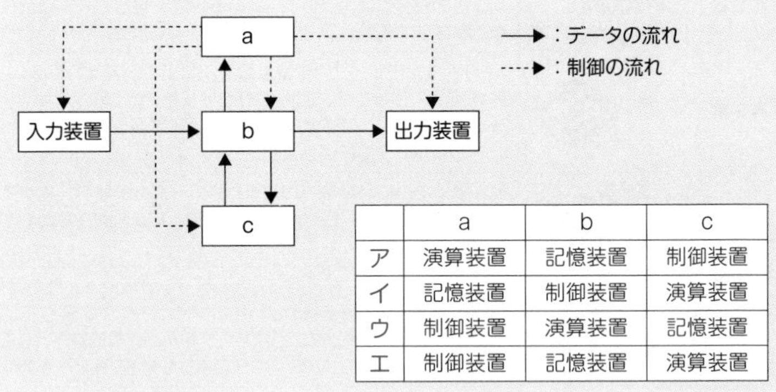

	a	b	c
ア	演算装置	記憶装置	制御装置
イ	記憶装置	制御装置	演算装置
ウ	制御装置	演算装置	記憶装置
エ	制御装置	記憶装置	演算装置

解説

a：制御装置は、文字通り、他の装置を制御します。したがって、点線の矢印の根元側に位置します。
b：記憶装置は、入力装置からデータを受け取り、出力装置にデータを送り出します。
c：演算装置は、記憶装置にあるデータを読み込んで演算を行い、その結果を記憶装置に返します。

(IP-R02-A-65)

PCやスマートフォンなどの表示画面の画像処理用のチップとして用いられているほか，AIにおける膨大な計算処理にも利用されているものはどれか。

ア　AR　　イ　DVI　　ウ　GPU　　エ　MPEG

解説

ア　AR（Augmented Reality：拡張現実）は、現実の映像に、仮想のコンテンツを貼りつけ動かす技術です。
イ　DVI（Digital Visual Interface）は、液晶ディスプレイなどのディスプレイ装置で使われる映像入出力インタフェースです。
ウ　GPU（Graphics Processing Unit）は、「画像処理用のCPUである」と理解して構いません。ただし、GPUは、膨大な並列して実行される計算処理も得意であり、AI（Artificial Intelligence：人工知能）分野でも使われています。
エ　MPEG（Moving Picture Experts Group）は、デジタル動画を圧縮する技術です。

正解▶問1：エ　問2：ウ

Chapter 5-2 ノイマン型コンピュータ

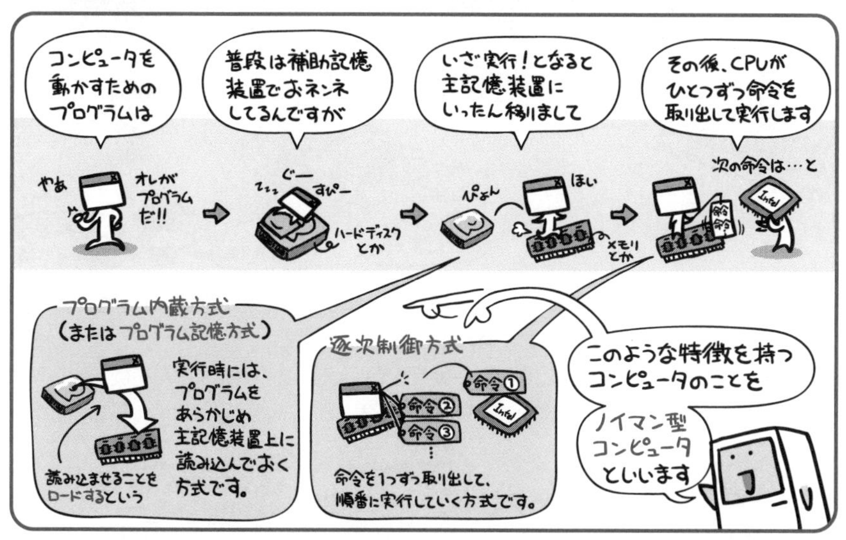

現在、広く利用されているコンピュータは、
ほとんどがこのノイマン型コンピュータです。

コンピュータに処理をさせるためのプログラムは、通常何らかの補助記憶装置におさめられています。ハードディスクとかCD-ROMといったものですね。

CPUが直接やり取りをするのは主記憶装置ですから、プログラムを実行させるためには、その主記憶装置にあらかじめプログラムを移してあげなきゃいけません。そもそも補助記憶装置は、主記憶装置に比べて読み書き速度が普通はかなり遅いもの。ですから、主記憶装置を経由しないと、CPUがどれだけ速くても宝の持ち腐れ状態になっちゃいますものね。

そんなわけで、コンピュータは主記憶装置であるメモリ上にプログラムをロードすることで、実行準備完了となります。CPUとメモリは、プログラムを実行する上で切り離すことのできないナイスタッグを組んでいるのです。

主記憶装置のアドレス

主記憶装置にはプログラムの他にも、処理中の演算結果など、様々なデータが記憶されています。

そう、主記憶装置には色んなデータが記憶できちゃいますから、ちゃんと明確に指定できないと取り出しようがないわけですね。

じゃあ、駅にあるようなコインロッカーはどうでしょう。あれもたくさん荷物を出し入れできますが、その時に困ったりとかするものですか?

主記憶装置もそれと同じなのです。主記憶装置は、一定の区画ごとに番号が割り振られていて、この番号を指定することで、任意の場所を読み書きすることができます。

この番号のことをアドレス(または番地)と呼びます。

このように出題されています 過去問題練習と解説

問 1

(FE-H26-S-09)

主記憶に記憶されたプログラムを，CPUが順に読み出しながら実行する方式はどれか。

ア　DMA制御方式　　イ　アドレス指定方式

ウ　仮想記憶方式　　エ　プログラム格納方式

解説

ア　DMA 制御方式のDMA は、Direct Memory Access の略であり、CPUを介さずに、システムバスなどに接続されたデータ転送専用のハードウェアによって、主記憶装置と入出力装置の間でデータを直接転送する方式のことです。

イ　アドレス方式については、138ページの「5-4 機械語のアドレス指定方式」を参照してください。

ウ　仮想記憶については、259ページを参照してください。

エ　プログラム格納方式は、プログラム内蔵方式とも言われ、主記憶装置にデータ・プログラムの両方とも格納する方式です。ノイマン型コンピュータの特徴の1つです。

正解▶問1:エ

Chapter 5-3 CPUの命令実行手順とレジスタ

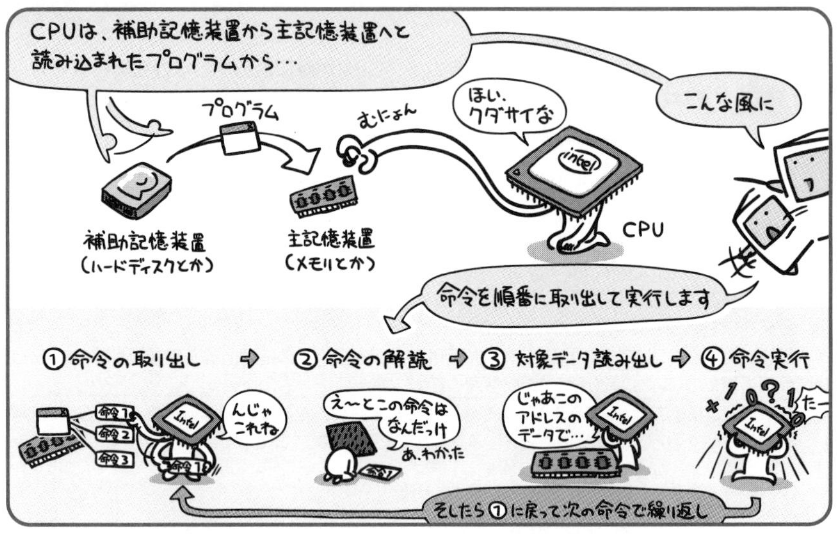

CPUが命令を実行するために取り出した情報は、
レジスタと呼ばれるCPU内部の記憶装置に保持します。

お使いメモなんかもそうですが、「ちょっとアナタ、コレとアレとソレ買ってきて、駅前のスーパーで、わかった?」という言葉の中には、色んな命令が詰まっています。言われたものを買うためには指定のスーパーまで行かなきゃ駄目ですし、その中に行けば、指定の品をそれぞれ探さなきゃいけません。

主記憶装置にロードされたプログラムもこれと同じ。一見単純に見える命令であっても、紐解けば、そこにはたくさんの命令がつまっていたりするのです。なので、CPUはこれを順番に取り出して、解読しながら1つずつ処理していく…。

でもちょっと待ってください。

「取り出して」と言いますが、取り出した命令はどこに覚えておくのでしょうか。それに、「次はどの命令を取り出す」というのも、多分どこかに覚えていないと処理に困りますよね。

その役割を果たすのが、CPU内部にあるレジスタという記憶装置です。

それではレジスタの種類と、それらが命令を実行する流れの中で、どのように使われるのかを見ていきましょう。

レジスタの種類とそれぞれの役割

レジスタには、次のような種類があります。

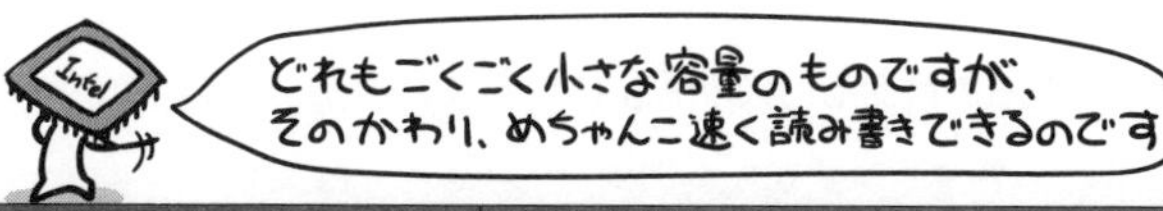

名称	役割
プログラムカウンタ	次に実行するべき命令が入っているアドレスを記憶するレジスタ。
命令レジスタ	取り出した命令を一時的に記憶するためのレジスタ。
インデックス（指標）レジスタ	アドレス修飾に用いるためのレジスタで、連続したデータの取り出しに使うための増分値を保持する。
ベースレジスタ	アドレス修飾に用いるためのレジスタで、プログラムの先頭アドレスを保持する。
アキュムレータ	演算の対象となる数や、演算結果を記憶するレジスタ。
汎用レジスタ	特に機能を限定していないレジスタ。一時的な値の保持や、アキュムレータなどの代用に使ったりする。

で、CPUの中がどんな感じになるのかというと、次の図のようになるわけです。

図を見てもわかりますが、あるレジスタで別のレジスタを代用したりとかもあるので、必ずしも上の表のレジスタがすべてのっかってるというわけではありません。

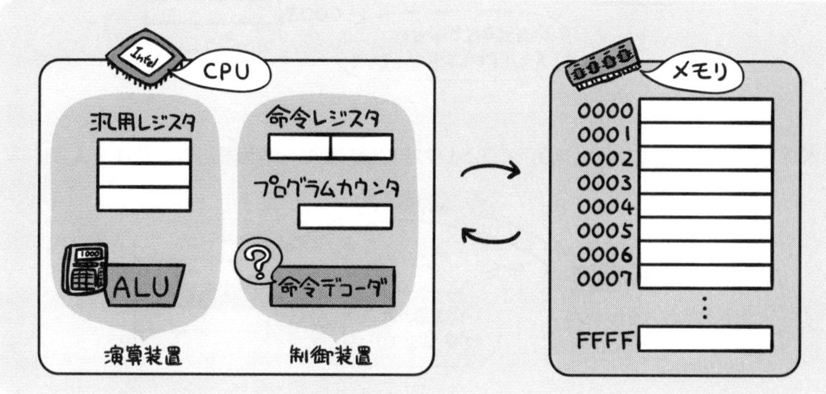

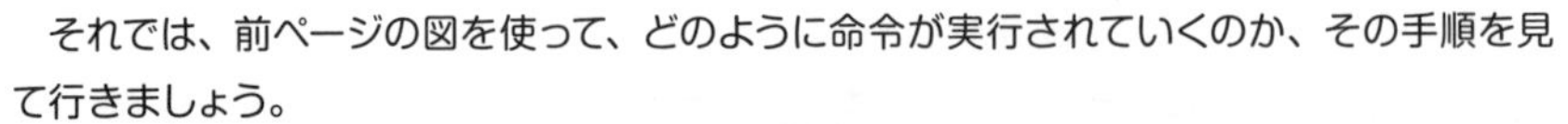

命令の実行手順その①「命令の取り出し(フェッチ)」

それでは、前ページの図を使って、どのように命令が実行されていくのか、その手順を見て行きましょう。

まずは1番目。最初に行われるのは命令の取り出し（フェッチと言う）作業です。

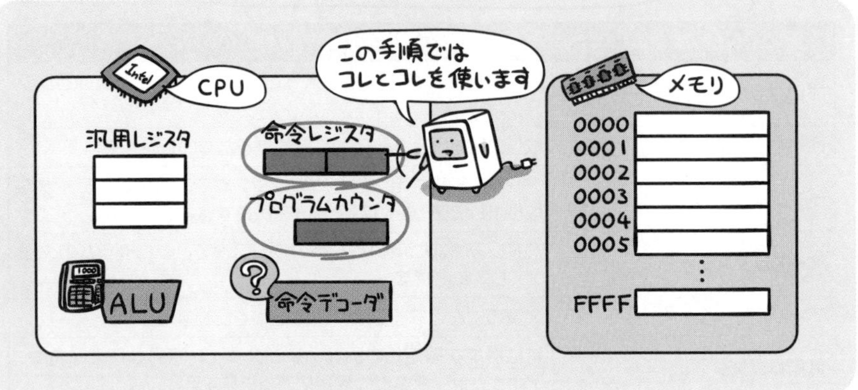

取り出すべき命令がどこにあるかは、プログラムカウンタが知っています。

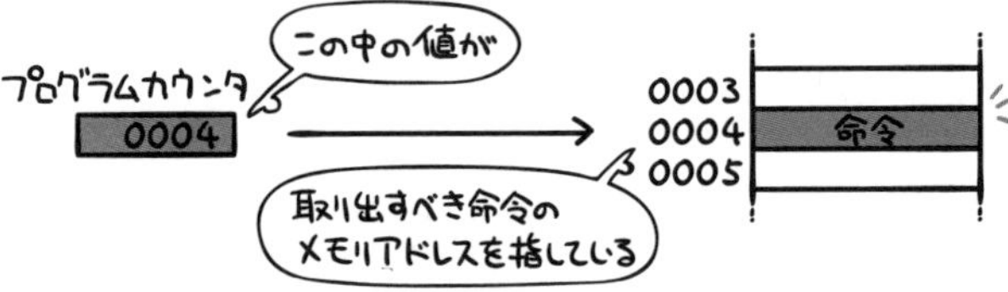

なので、プログラムカウンタの示すアドレスを参照して命令を取り出し、それを命令レジスタに記憶させます。

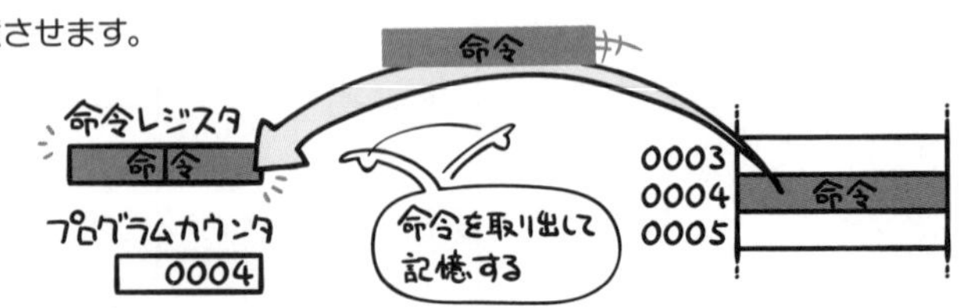

取り出し終わったら、次の命令に備えてプログラムカウンタの値を1つ増加させます。

命令の実行手順その②「命令の解読」

続いて2番目。今度は、先ほど取り出した命令の解読作業に入ります。

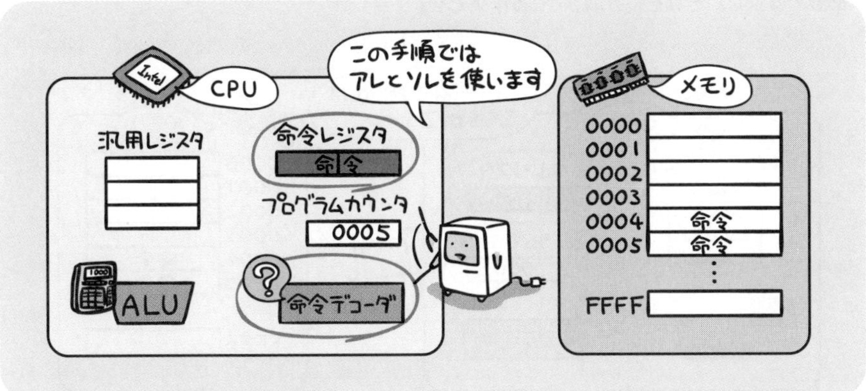

命令レジスタに取り出した命令というのは、次の構成で出来ています。

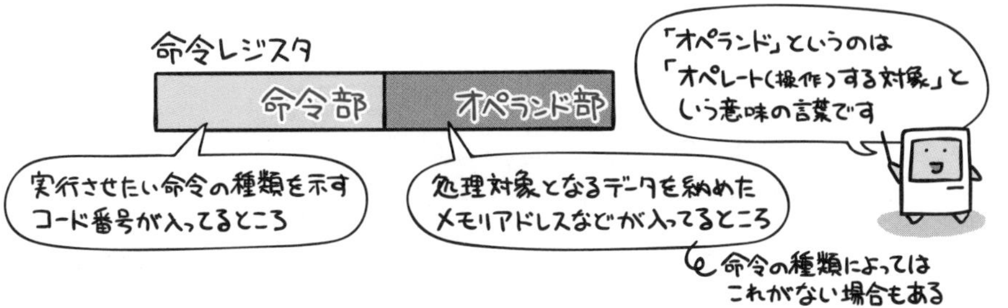

この、命令部の中身が命令デコーダへと送られます。

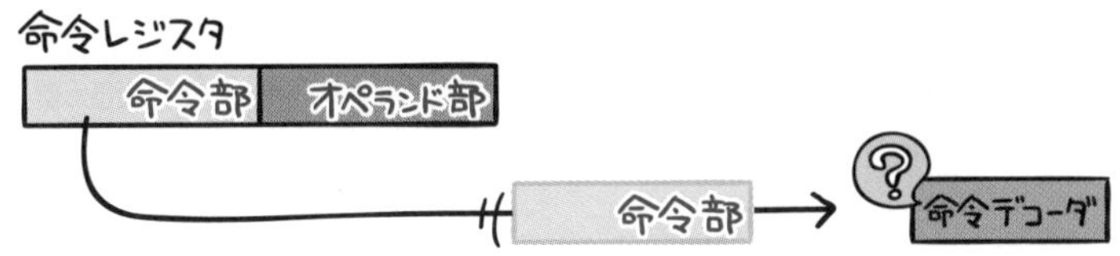

命令デコーダは、命令部のコードを解読して、必要な装置に「おい出番だぞ」と、制御信号を飛ばします。

命令の実行手順その③「対象データ(オペランド)読み出し」

では3番目。仮に命令が加算などの演算処理だったとすると、その演算の元となる数値が必要ですよね。それを読み取ってくる作業です。

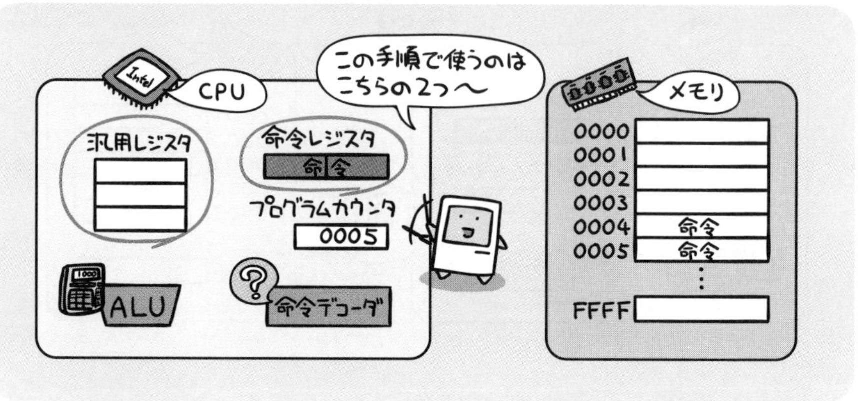

処理の対象となるデータ（オペランド）は、命令レジスタのオペランド部を見ると、在りかがわかるようになっています。

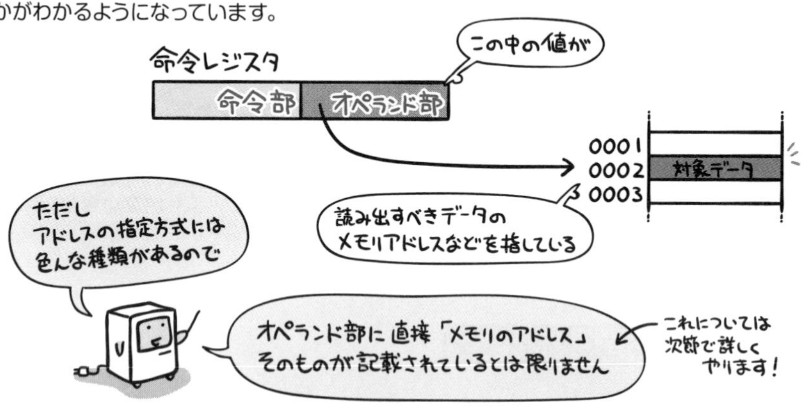

というわけでこの手順では、オペランド部を参照して対象データを読み出し、それを汎用レジスタなどに記憶させます。

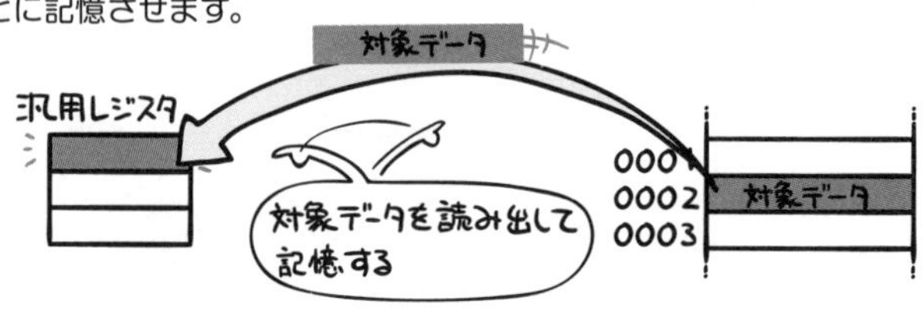

命令の実行手順その④「命令実行」

それでは最後の手順。もうここまで来たら、あとは命令を実行するだけです。仮に命令が演算処理だったとすると、演算装置がえいやと計算して終了です。

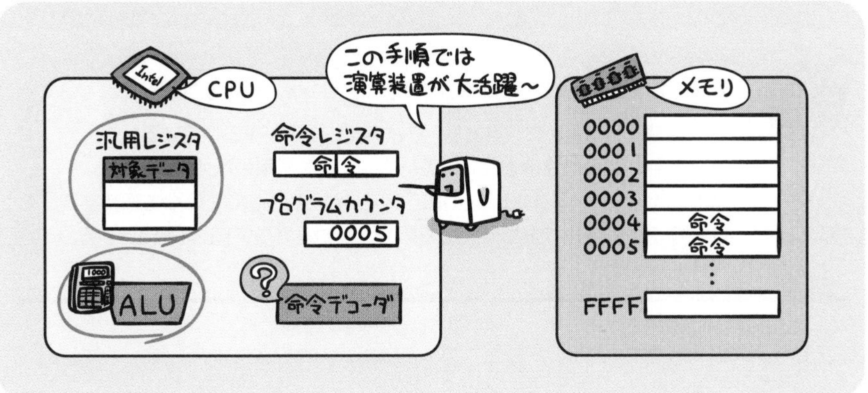

というわけで実行はこんな感じ。汎用レジスタから処理対象のデータを取り出して演算…。

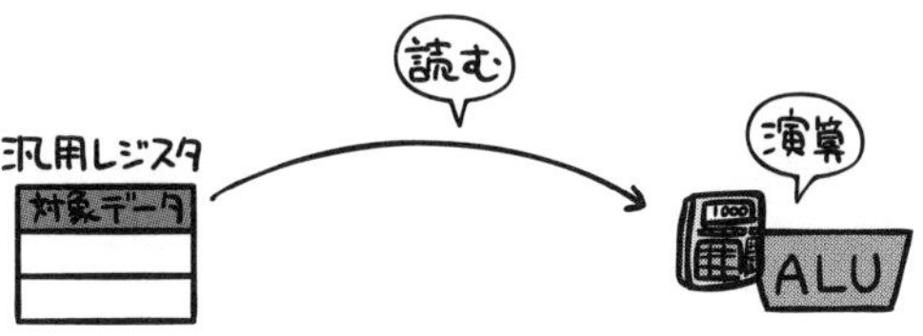

その後、演算結果を書き戻して終了です。

終わったら、また実行手順①に戻って一連の手順を繰り返します。

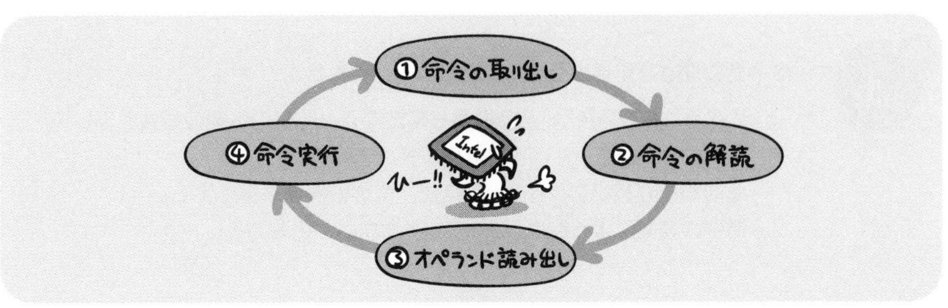

このように出題されています 過去問題練習と解説

問1 (FE-H23-A-10)

CPU のプログラムレジスタ（プログラムカウンタ）の役割はどれか。

ア　演算を行うために，メモリから読み出したデータを保持する。
イ　条件付き分岐命令を実行するために，演算結果の状態を保持する。
ウ　命令のデコードを行うために，メモリから読み出した命令を保持する。
エ　命令を読み出すために，次の命令が格納されたアドレスを保持する。

解説

ア　汎用レジスタの役割です。
イ　フラグレジスタの役割です。
ウ　命令レジスタの役割です。
エ　プログラムレジスタの役割です。

問2 (FE-H18-S-18)

コンピュータの命令実行順序として，適切なものはどれか。

ア　オペランド読出し → 命令の解読 → 命令フェッチ → 命令の実行
イ　オペランド読出し → 命令フェッチ → 命令の解読 → 命令の実行
ウ　命令の解読 → 命令フェッチ → オペランド読出し → 命令の実行
エ　命令フェッチ → 命令の解読 → オペランド読出し → 命令の実行

解説

コンピュータの命令実行順序を詳しく説明すると、下記の6ステージになります。

（1）命令フェッチ … 命令の取り出し
（2）デコード … 命令の解読
（3）オペランドのアドレス計算 … 命令の対象となるレジスタや値などのアドレス計算
（4）オペランドフェッチ … 命令の対象となるレジスタや値などの読出し
（5）命令の実行 … オペランドを含めた命令を実行
（6）演算結果の格納 … 演算結果をメモリやレジスタに格納

本問では、上記のうち、（1），（2），（4），（5）を例示しています。

問3 (FE-H19-S-18)

命令語に関する記述のうち，適切なものはどれか。

ア　オペランドの個数は，その命令で指定する主記憶の番地の個数と等しい。
イ　一つのコンピュータでは，命令語長はすべて等しい。
ウ　命令語長が長いコンピュータほど，命令の種類も多くなる。
エ　命令の種類によっては，オペランドがないものもある。

解説

ア　オペランドの個数と、その命令で指定する主記憶の番地の個数には関連がありません。
イ　一つのコンピュータでの命令語長は、2～8バイトなど様々な場合が多く、命令語長が等しいとは言い切れません。
ウ　命令語長が長いコンピュータほど命令の種類も多くなるとは言えません。
エ　命令の種類によっては，オペランドがないものもあります。例えば、CASLⅡのRPUSHやRET命令にはオペランドがありません。

(FE-H30-S-09)

図はプロセッサによってフェッチされた命令の格納順序を表している。aに当てはまるものはどれか。

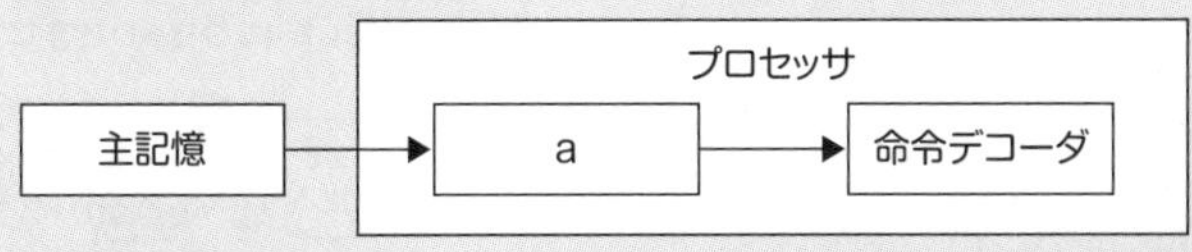

ア　アキュムレータ　　イ　データキャッシュ
ウ　プログラムレジスタ（プログラムカウンタ）　　エ　命令レジスタ

解説

132～133ページに説明されているとおり、①:主記憶からフェッチされた命令は、命令レジスタ（空欄a）に格納され、②：その命令は、命令レジスタ（空欄a）から命令デコーダに転送されて、解読されます。

(FE-H30-A-10)

割込み処理の終了後に，割込みによって中断された処理を割り込まれた場所から再開するために，割込み発生時にプロセッサが保存するものはどれか。

ア　インデックスレジスタ　　イ　データレジスタ
ウ　プログラムカウンタ　　エ　命令レジスタ

解説

割込み処理の終了後に、割込みによって中断された処理を割り込まれた場所（★主記憶装置上のアドレス）から再開するためには、プロセッサは割込み発生時に、上記★の下線部のアドレスを保存しなければなりません。上記★の下線部のアドレスを記憶しているのは、プログラムカウンタ（131ページを参照）です。

正解▶問1：エ　問2：エ　問3：エ　問4：エ　問5：ウ

Chapter 5-4

機械語のアドレス指定方式

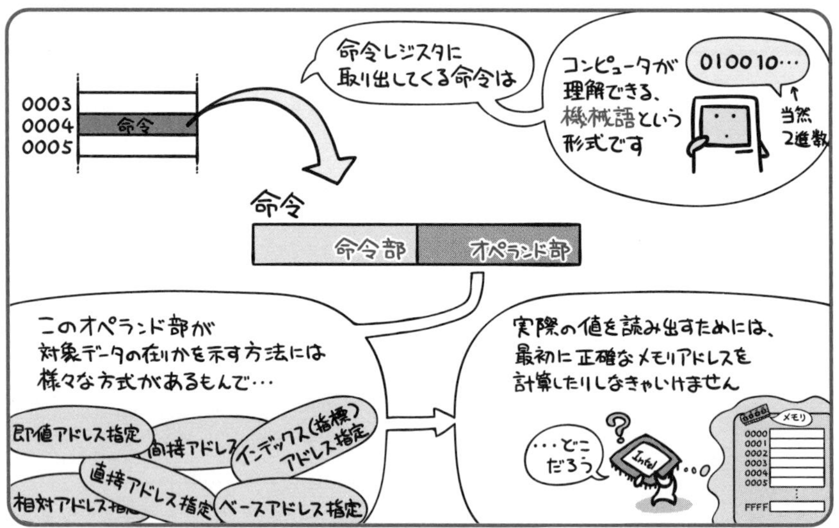

計算によって求めた主記憶装置上のアドレスを実効アドレス(もしくは有効アドレス)と呼びます。

コンピュータに指示を伝えるためには、コンピュータの理解できる言葉で命令を伝えなければいけません。それが機械語。0と1とで構成された命令語です。命令レジスタに取り出していた命令も、もちろん機械語で出来ています。

これまでにも出てきていたように、この命令ってやつは「命令部」と「オペランド部」で構成されています。オペランド部って何を指していたか覚えてますか?そう、「処理の対象となるデータの在りかを示している」んでしたよね。メモリのアドレスとか。

つまり命令は「何を(オペランド部) どうしろ(命令部)」という記述になっているのです。

ただ、「何を(オペランド部)」の部分。実は命令の種類によっては、必ずしもここに「メモリのアドレス」が入っているとは限りません。ある基準値からの差分が入っていたりすることもあれば、対象データが入っているメモリアドレスが入っているメモリアドレスが書かれてある…なんていうややこしいことになっていることもある。

このように何らかの計算によってアドレスを求める方式を、アドレス修飾(もしくはアドレス指定)と呼びます。具体的にどんな方式があるのか、見ていきましょう。

即値アドレス指定方式

オペランド部に、対象となるデータそのものが入っている方式を即値アドレス指定方式と呼びます。

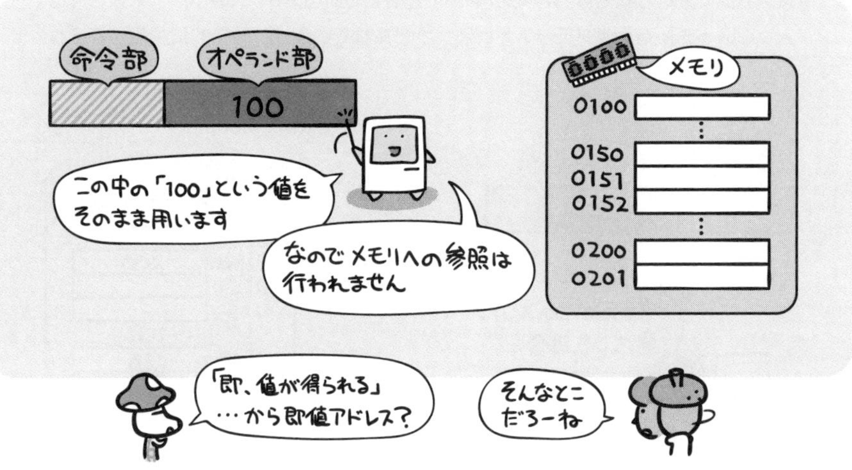

直接アドレス指定方式

オペランド部に記載してあるアドレスが、そのまま実効アドレスとして使える方式を直接アドレス指定方式と呼びます。

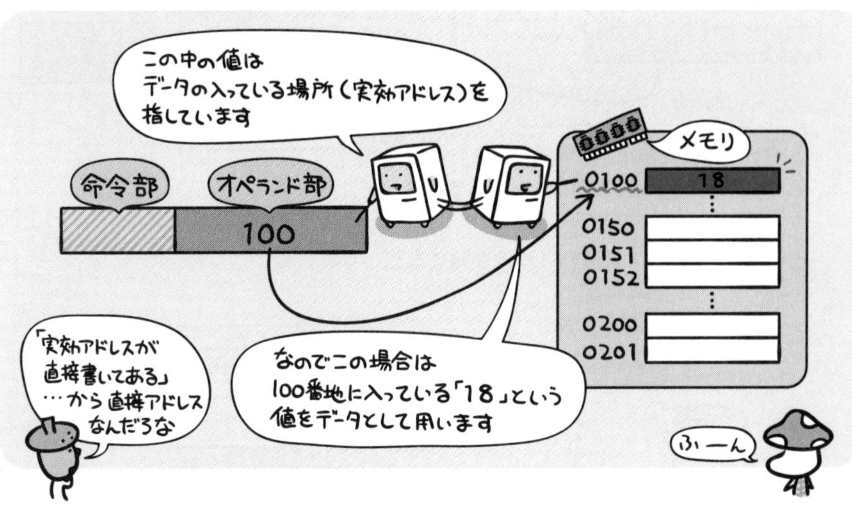

間接アドレス指定方式

さて、ここから少しずつややこしい方式が出てきますので、ちょっと詳細に見ていくといたしましょう。

間接アドレス指定方式では、オペランド部に記載してあるアドレスの中に、「対象となるデータが入っている箇所を示すメモリアドレス」が記されています。間接的に指定してるわけですね。

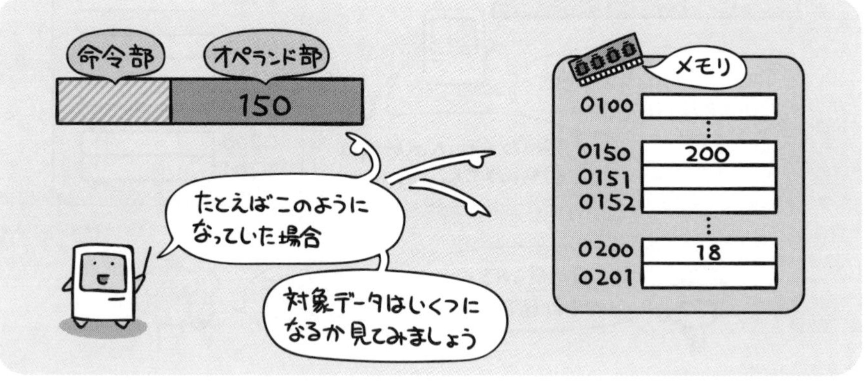

オペランド部の指し示す先には、「対象となるデータが入っている箇所を示すメモリアドレス」が記されているわけですから…、

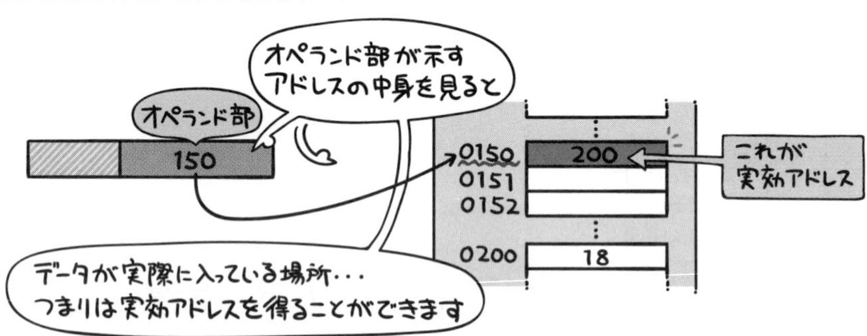

…というわけで、その実効アドレスを参照すると、

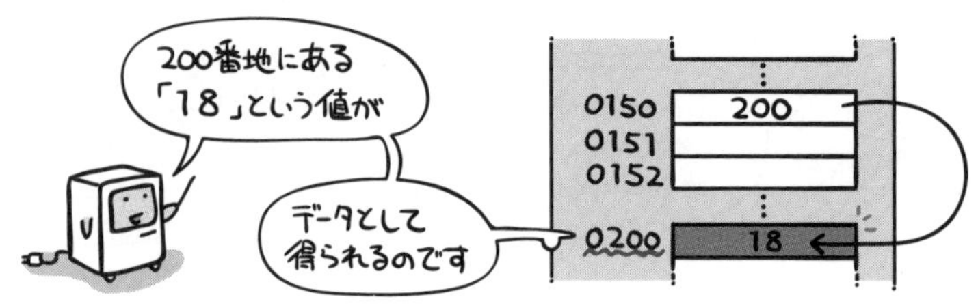

インデックス（指標）アドレス指定方式

インデックス（指標）アドレス指定方式では、オペランド部の値に、インデックス（指標）レジスタの値を加算することで実効アドレスを求めます。

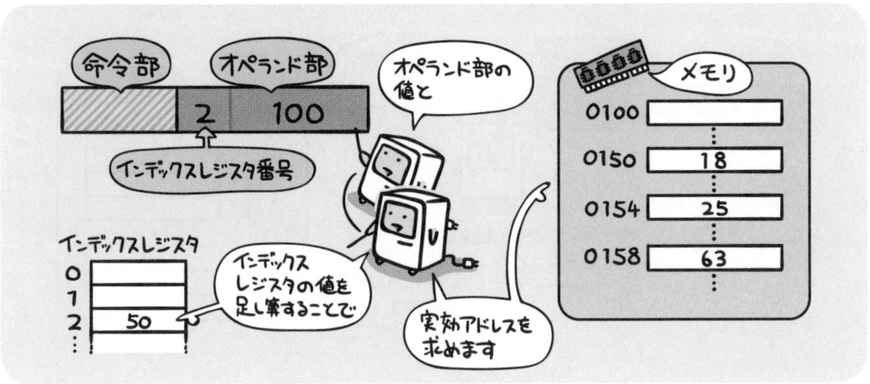

インデックスレジスタというのはなにかというと、連続したアドレスを扱う時に用いるレジスタです。配列型（P.616）のデータ処理などで使います。

オペランド部に含まれているインデックスレジスタ番号は、インデックスレジスタ内のどの値を使用するかを示しています。

インデックスレジスタの値とオペランド部の値をあわせることで、実効アドレスが決まります。

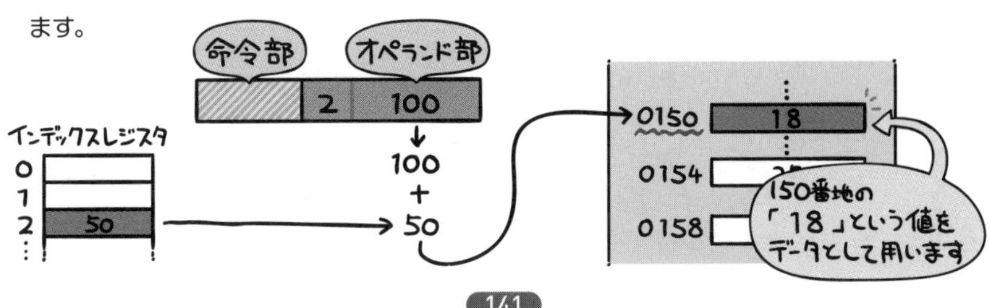

ベースアドレス指定方式

続いて今度はベースアドレス指定方式。この方式では、オペランド部の値に、ベースレジスタの値を加算することで実効アドレスを求めます。

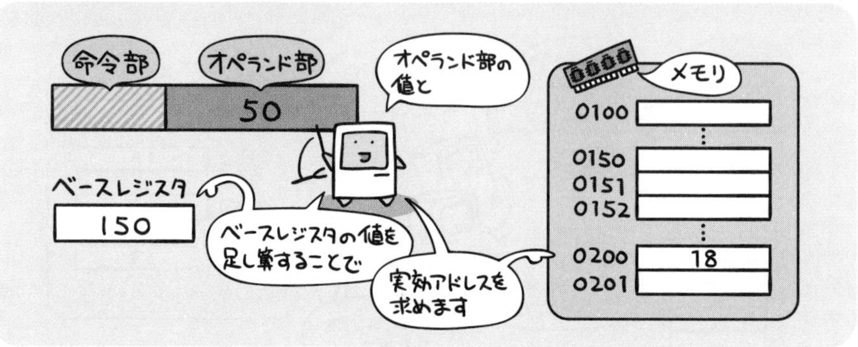

ベースレジスタというのは、プログラムがメモリ上にロードされた時の、先頭アドレスを記憶しているレジスタです。

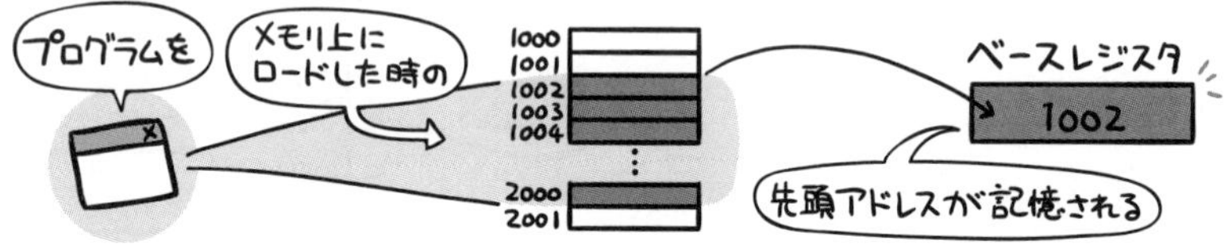

つまりベースアドレス指定方式というのは、プログラム先頭アドレスからの差分をオペランド部で指定する方式なわけです。

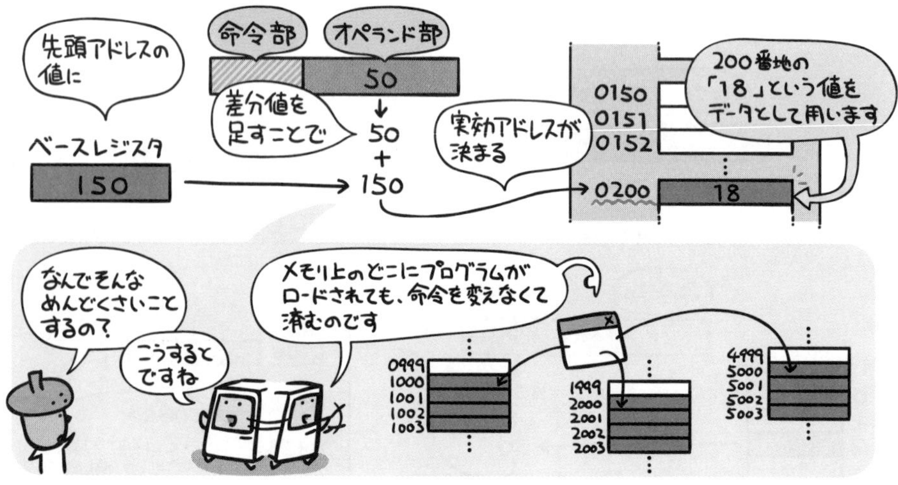

相対アドレス指定方式

最後に紹介するのが相対アドレス指定方式。この方式では、オペランド部の値に、プログラムカウンタの値を加算することで実効アドレスを求めます。

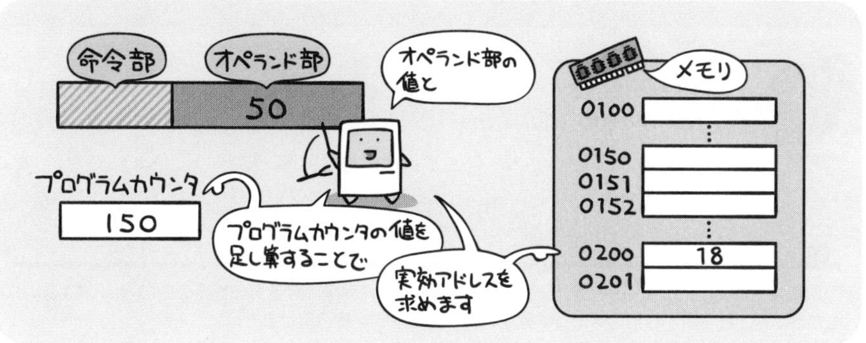

プログラムカウンタに入っているのは、次に実行される命令へのメモリアドレスでした。

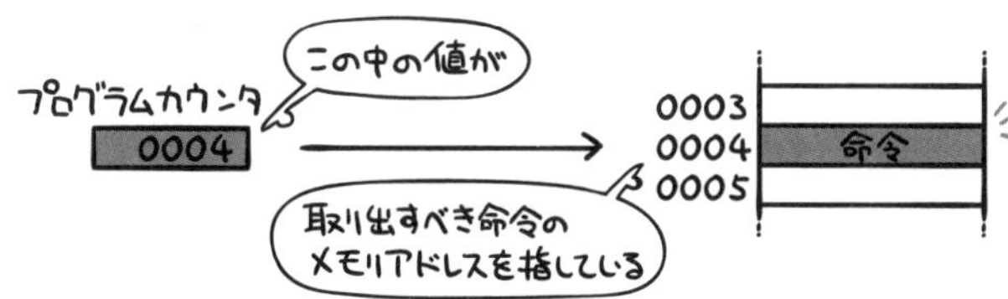

つまり相対アドレス指定方式というのは、メモリ上にロードされたプログラムの中の、命令位置を基準として、そこからの差分をオペランド部で指定する方式なわけです。

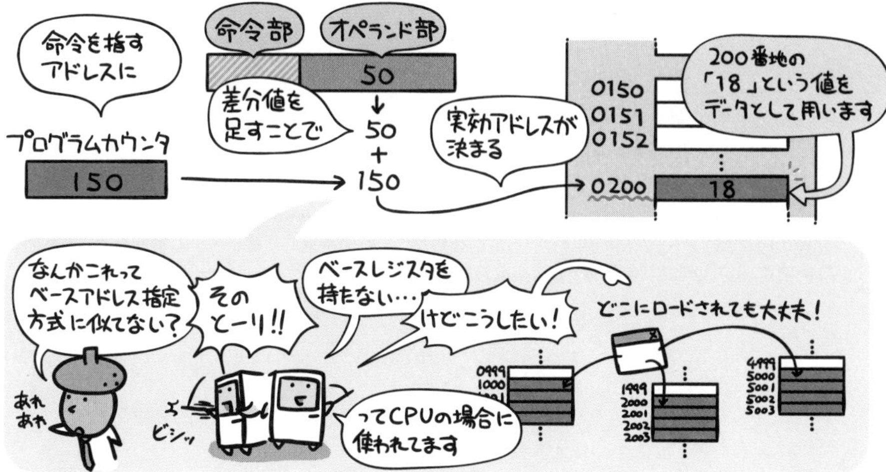

このように出題されています
過去問題練習と解説

(FE-H16-S-17)

アドレス指定方式のうち，命令読出し後のメモリ参照を行わずにデータを取り出すものはどれか。

ア　間接アドレス　　　　イ　指標付きアドレス
ウ　即値オペランド　　　エ　直接アドレス

解説

即値オペランド（アドレス）指定方式では、オペランド部に対象となるデータそのものが入っています。したがって、命令読出し後のメモリ参照を行わずにデータを取り出せます。

(FE-H27-S-09)

主記憶のデータを図のように参照するアドレス指定方式はどれか。

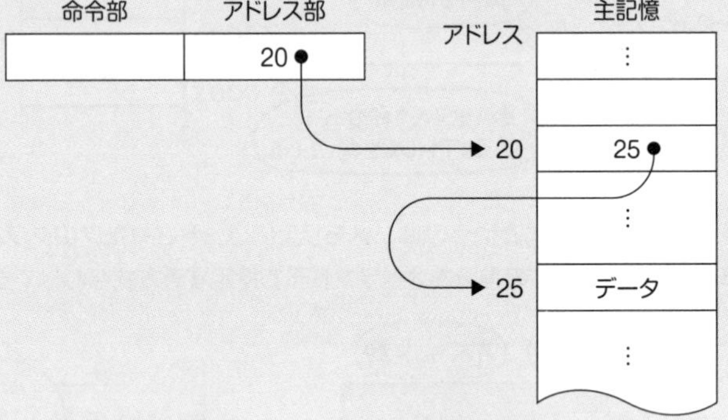

ア　間接アドレス指定　　　イ　指標アドレス指定
ウ　相対アドレス指定　　　エ　直接アドレス指定

解説

問題の図では、アドレス部に入っている番地を参照し、その番地に対象データの番地をさらに参照しています。したがって、間接アドレス指定方式に該当します。

正解▶問1：ウ　問2：ア

Chapter 5-5 CPUの性能指標

CPUの性能は、クロック周波数やCPI、MIPSなどの指標値を用いて評価されます。

コンピュータの処理能力を語る上で欠かせないのがCPUの性能です。当然のことながら、これが高速であればあるほどコンピュータの処理能力は高くなる。なので、「より高速なものが望ましい」となる。

でも、性能を比較しようと思ったら、なにか統一された基準がないと比べようがないですよね。

そんなCPUの性能をあらわすための指標値が、クロック周波数やCPI (Clock cycles Per Instruction)、MIPS (Million Instructions Per Second) といった数値たちです。

クロック周波数というのは周期信号の繰り返し数。コンピュータには、同調をとるための周期信号があるんですけど、これが1秒間で何回チクタクできるかってことをあらわしてます。CPIは、その信号何周期分で1つの命令を実行できるかをあらわしていて、MIPSは1秒間に実行できる命令の数。

簡単に書くとそういうことなのですが、うん、まったくもってこれでは「意味がわからん」ですよね。というわけで、より具体的な話を見ていきましょう。

クロック周波数は頭の回転速度

コンピュータには色んな装置が入っています。それらがてんでバラバラに動いていてはまともに動作しませんので、「クロック」と呼ばれる周期的な信号にあわせて動くのが決まり事になっています。そうすることで、装置同士がタイミングを同調できるようになっているのです。

CPUも、このクロックという周期信号にあわせて動作を行います。

チクタクチクタク繰り返される信号にあわせて動くわけですから、チクタクという1周期の時間が短ければ短いほど、より多くの処理ができる（すなわち性能が高い）ということになります。

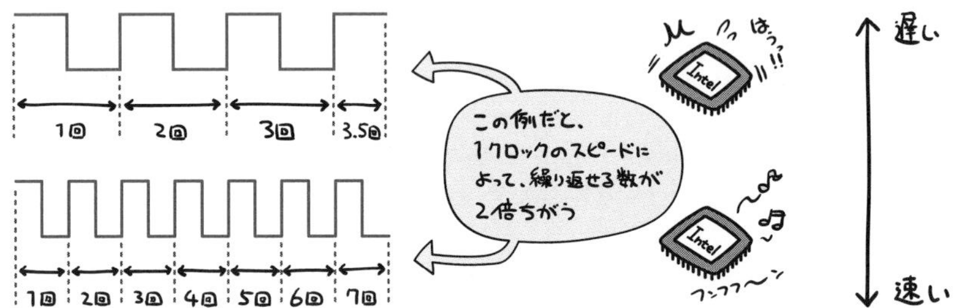

クロックが1秒間に繰り返される回数のことをクロック周波数と呼びます。単位はHz。たとえば「クロック周波数1GHzのCPU」と言った場合は、1秒間に10億回（1Gは10^9=1,000,000,000回）チクタクチクタクと振動していることになります。

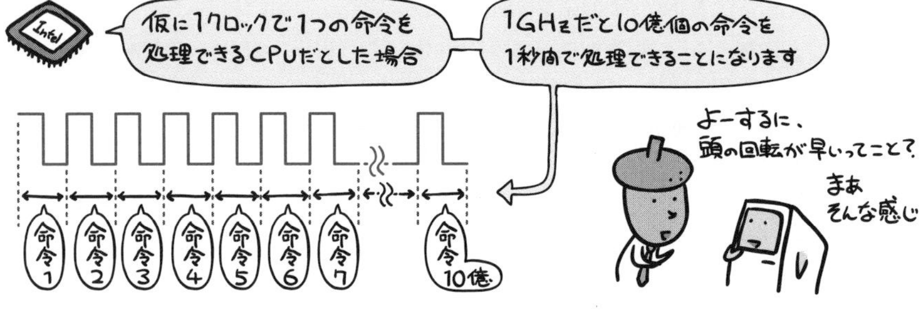

1クロックに要する時間

ここで仮に「クロック周波数1GHzのCPU」があったとします。では、このCPUが1クロックに要する時間は何秒になるでしょうか。

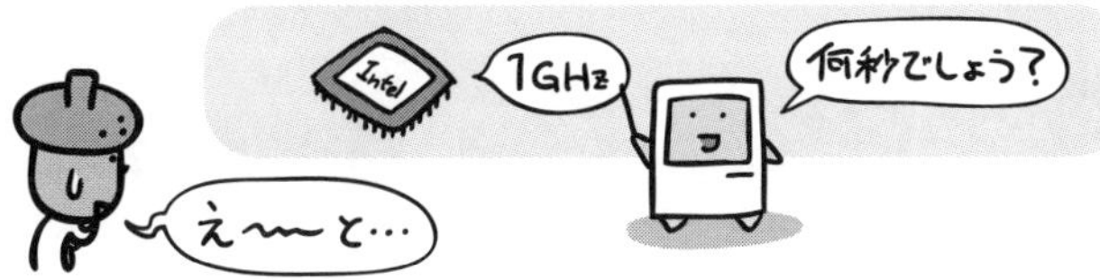

大きな数字だと、ややこしく見えがちですよね。じゃあ「クロック周波数4HzのCPU」だとどうでしょうか。4Hzということは、1秒間にクロックが4回繰り返されるということですから…

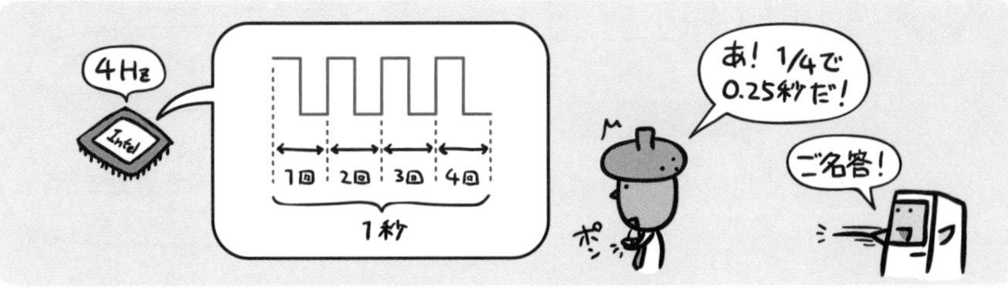

そう、つまりは、クロック周波数で秒数1を割れば、1クロックに要する時間が求められるということです。この時間のことを、クロックサイクル時間と呼びます。

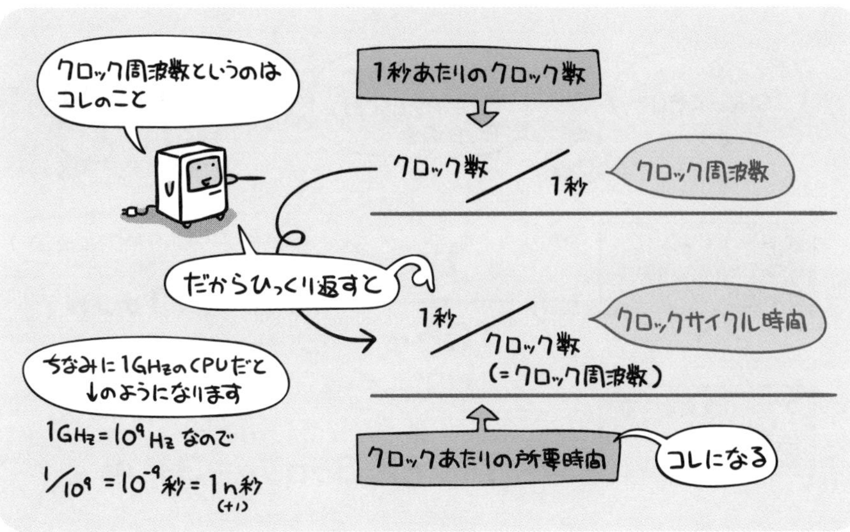

CPI（Clock cycles Per Instruction）

CPI(Clock cycles Per Instruction)というのは名前が示す通り、「1命令あたり何クロックサイクル必要か」をあらわすものです。

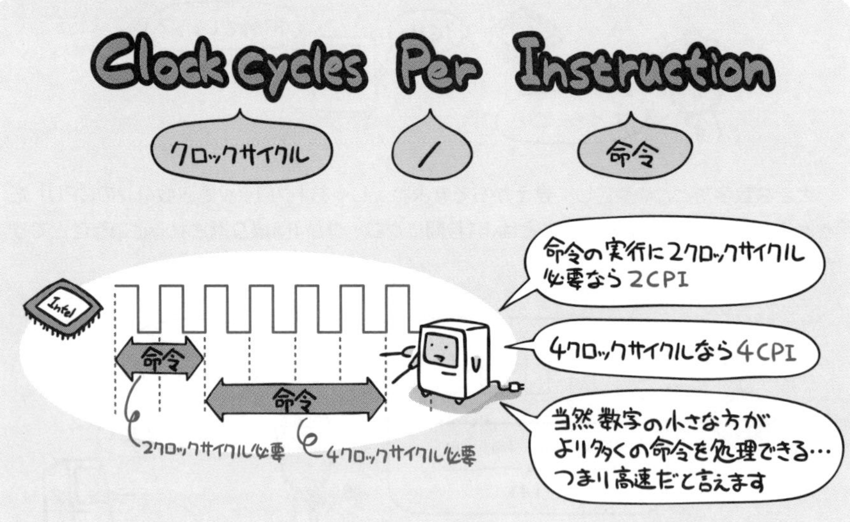

このCPIと前ページのクロックサイクル時間を使うと、命令の実行時間を求めることができます。

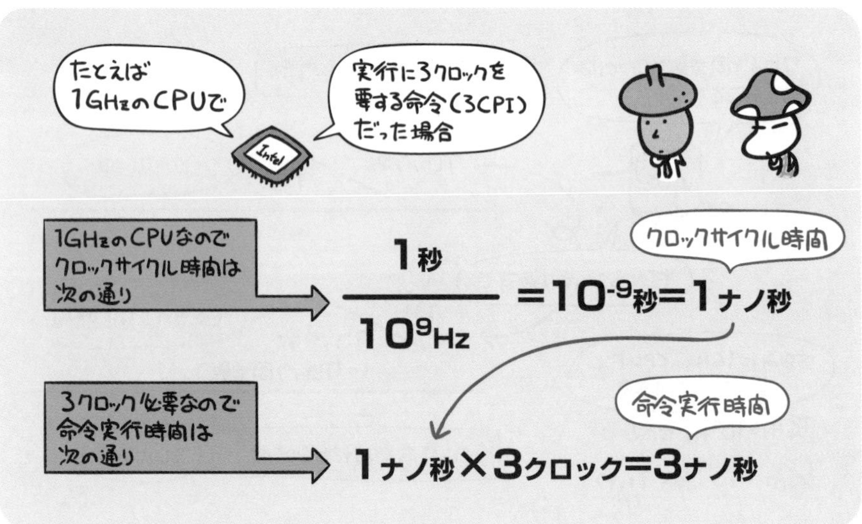

MIPS (Million Instructions Per Second)

一方MIPS (Million Instrucutions Per Second) は、「1秒間に実行できる命令の数」をあらわしたものです。

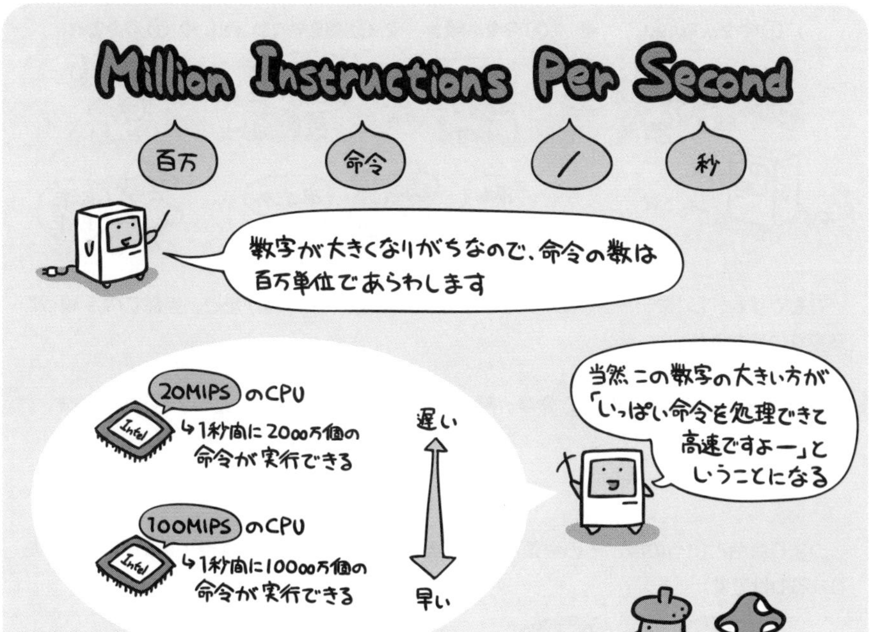

たとえば「1つの命令を実行するのに平均して2ナノ秒かかりますよ」というCPUがあった場合、MIPS値は次のようになるわけです。

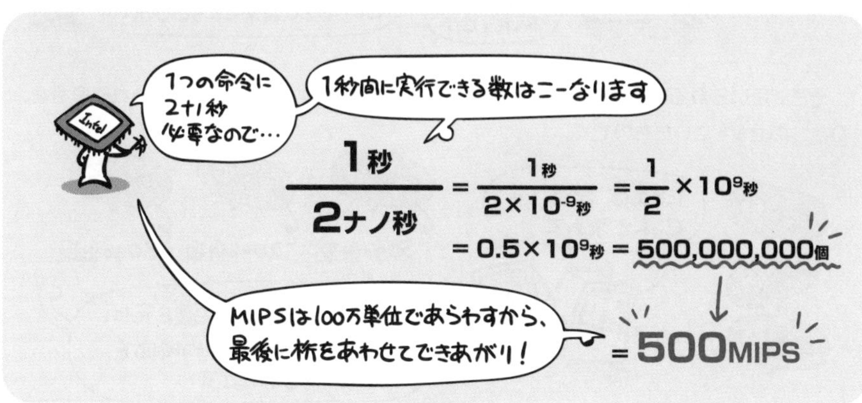

5
CPU (Central Processing Unit)

命令ミックス

ところでCPUの基本的な命令実行手順というのが「命令の取り出し→命令の解読→対象データ読み出し→命令実行」ですよとした流れの話は覚えていますでしょうか。

でもですね、「対象データ読み出し」を必要としない命令なんかだと、当然この手順って必要ないですよね。

つまり命令というのは、その種類によって実行に必要なクロックサイクル数が異なってたりするわけです。

そこで用いられるのが命令ミックスです。命令ミックスというのは、よく使われる命令を、ひとつのセットにしたものです。

5 C.P.U (Central Processing Unit)

たとえば1GHzのCPUが次の命令セットで出来ていた場合、その処理能力は何MIPSになるか計算してみましょう。

命令種別	実行時間（クロック）	出現頻度（％）
命令①	10	60
命令⑤	5	40

まずは

実行に要する平均時間（平均命令実行時間）を求めましょう

このCPUのクロックサイクル時間は…

$$\frac{1\text{秒}}{1\text{GHz}} = 10^{-9}\text{秒} = 1\text{ナノ秒}$$

なので各命令が実行に要する時間は…

命令① ＝10クロック×1ナノ秒

命令⑤ ＝ 5クロック×1ナノ秒

つまりこのCPUの平均命令実行時間は…

(10ナノ秒×0.60)　60％はコレ

+(5ナノ秒×0.40)　40％はコレ

＝8ナノ秒　だから100％だとコレ

これができたら

あとはカンタン

じゃあ1秒に何百万回実行できるか計算すると…

$$\frac{1\text{秒}}{8\text{ナノ秒}} = \frac{1\text{秒}}{8\times10^{-9}\text{秒}}$$

$$= 0.125\times10^{9}\text{秒}$$

$$= 125000000$$

＝125MIPS

こーすることで、より正確な指標値が得られるわけですね

へ～

標準的な命令ミックスとして、科学技術計算で使われるギブソンミックスと、事務計算などで使われるコマーシャルミックスの2つがあります。

このように出題されています
過去問題練習と解説

問1 (FE-H25-A-09)

1件のトランザクションについて80万ステップの命令実行を必要とするシステムがある。プロセッサの性能が200MIPSで，プロセッサの使用率が80%のときのトランザクションの処理能力（件／秒）は幾らか。

ア　20　　イ　200　　ウ　250　　エ　313

解説

200MIPSのプロセッサの使用率が80%の場合、200×0.8=160MIPSの性能を持ちます。160MIPSは、1秒間に160百万ステップの命令を実行できることを意味するので、1件のトランザクションについて80万ステップの命令実行を必要とするシステムでは、160百万÷80万=200件／秒のトランザクションを処理できます。

問2 (FE-H30-A-09)

動作クロック周波数が700MHzのCPUで，命令実行に必要なクロック数及びその命令の出現率が表に示す値である場合，このCPUの性能は約何MIPSか。

命令の種別	命令実行に必要なクロック数	出現率 (%)
レジスタ間演算	4	30
メモリ・レジスタ間演算	8	60
無条件分岐	10	10

ア　10　　イ　50　　ウ　70　　エ　100

解説

(1) 1命令を実行するのに必要な平均クロック数は、下記のように計算されます。
　(4×0.3) ＋ (8×0.6) ＋ (10×0.1) ＝ 1.2 ＋ 4.8 ＋ 1.0 ＝ 7.0 (★)
(2) 動作クロック周波数が700MHzのCPUが1秒間に実行できるクロック数は、下記のように表現できます。
　700MHz →1秒間に700百万クロック (●)
(3) このCPUのMIPS値は、下記のように計算されます。
　700百万クロック (●) ÷ 7.0 (★) ＝ 100百万命令／秒 ＝ 100MIPS

問 3 (FE-R01-A-12)

1GHzのクロックで動作するCPUがある。このCPUは，機械語の1命令を平均0.8クロックで実行できることが分かっている。このCPUは1秒間に平均何万命令を実行できるか。

ア　125　　イ　250　　ウ　80,000　　エ　125,000

解説

1GHzのクロックで動作するCPUは、1秒間に1G回のクロックを発生させます（1Hz=1秒間に1回と覚えてください）。「1命令を平均0.8クロックで実行できる」ということは、「1クロックでは平均1÷0.8=1.25命令を実行できる」と言い替えられます。したがって、1G回のクロックを発生させるCPUでは、1G×1.25=1.25G命令=1,250M命令=125,000万命令を実行できます。

問 4 (FE-H27-A-09)

50MIPSのプロセッサの平均命令実行時間は幾らか。

ア　20ナノ秒　　イ　50ナノ秒　　ウ　2マイクロ秒　　エ　5マイクロ秒

解説

MIPSは、Million Instruction Per Secondの略であり、1秒間に何百万命令を実行できるかを示すプロセッサの性能指標の1つです。したがって、50MIPSのプロセッサは、1秒間に50百万命令を実行できます。言いかえれば、50MIPSのプロセッサの平均命令実行時間は、1÷50百万=0.00000002秒=20×10^{-9}秒=20ナノ秒です。

正解▶問1:イ　問2:エ　問3:エ　問4:ア

Chapter 5-6

CPUの高速化技術

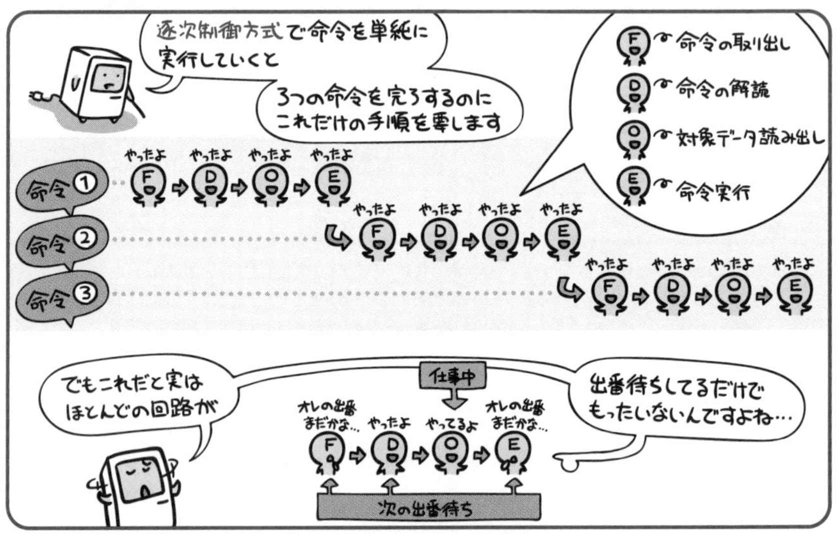

複数の命令を並行して実行させることができれば、回路の遊び時間をなくし、処理効率を高めることができます。

たとえばレストランを想像してみましょう。注文を取ってくる人がいて、その食材を用意する人がいて、調理する人がいて、出来上がった品を席まで運ぶ人がいて…という時に、1品ずつ席に運び終えるまで次の注文を取ってくれないとしたらどうでしょうか。

非効率だなーと思いますよね。「とりあえず注文だけでもどんどん取れよ」と思ってしまいます。この、「非効率で段取り力皆無」なことをしているのが、逐次制御方式として挙げている流れなわけです。

さすがに、1人が同時に複数の注文を取るのは無理でしょうが、次から次へと注文を取って行くことはできるはず。そうすれば、次の食材を用意する係の人だって、次から次へと用意しておくことができるんです。それでこそザ・流れ作業！

つまり「複数の命令を並行して実行」というのは、これと同じことをアンタやりなさいよということなのですね。そうすることで出番待ちしちゃってる無駄をなくし、全体の処理効率を高めることができる。この手法をパイプライン処理と呼びます。

パイプライン処理

さて、それでは実際にパイプライン処理だとどのような動きになるか見てみましょう。

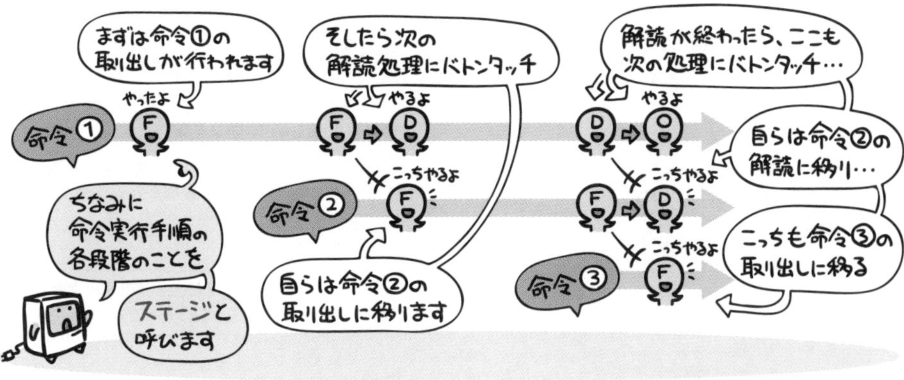

そんな感じでポンポン次の命令へと進むようにすると、全体は次の図のように並行して進むことになります。

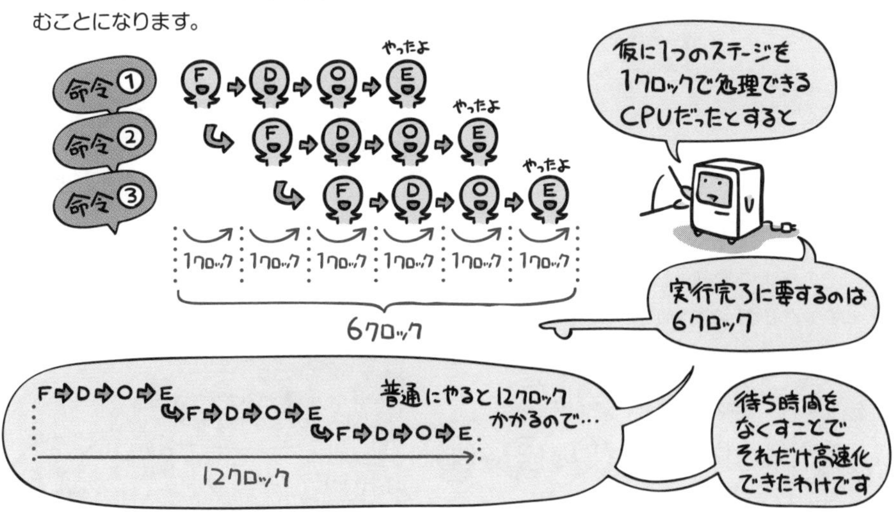

ただし、次から次へと命令を先読みしていってるので、分岐命令などが出てきた場合は、先読み分が無駄になってしまうことがあります。これを分岐ハザードと呼びます。

分岐予測と投機実行

前ページでも軽くふれていますが、処理というのは、えてして「Aの時は命令5を実行する」というように分岐条件が発生するものです。そうすると、この分岐結果が明確になるまで、次の命令を処理開始できないよということになります。

命令を先読みして進めるパイプライン処理にとって、これは困った事態です。

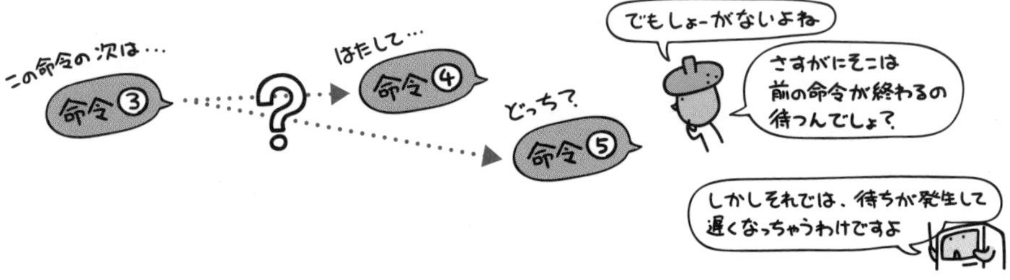

そこで、この分岐が実施されるのか、その場合の次の命令はどれかを予測することで、無駄な待ち時間を生じさせないようにします。これを分岐予測と言います。

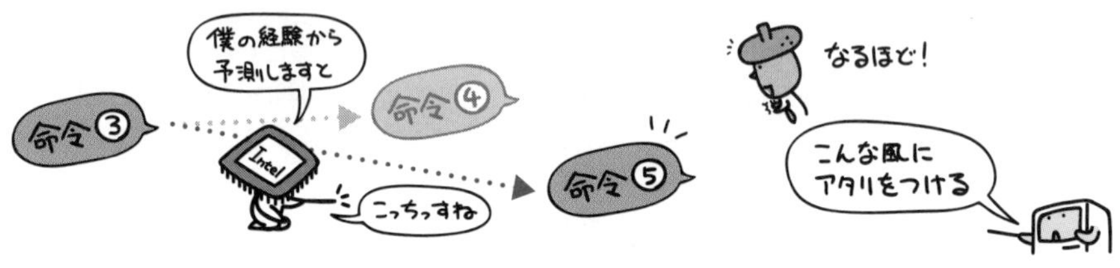

その予測に基づいて、「後々無駄になっちゃうかもしれないけど多分これだから先にやってしまっとこう」と、分岐先の命令を実行開始する手法が投機実行です。

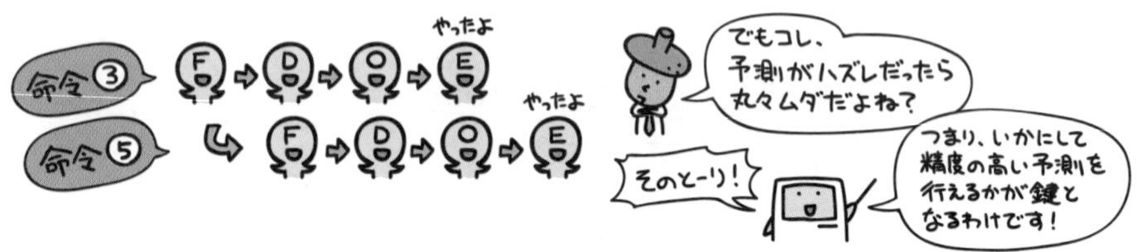

スーパーパイプラインとスーパースカラ

パイプライン処理による高速化をさらに推し進める手法として、スーパーパイプラインやスーパースカラがあります。

スーパーパイプライン

各ステージの中身をさらに細かいステージに分割することで、パイプライン処理の効率アップを図るものです。

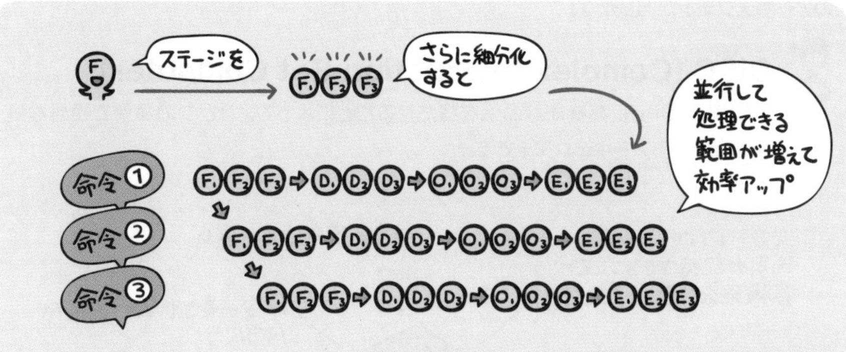

スーパースカラ

パイプライン処理を行う回路を複数持たせることで、まったく同時に複数の命令を実行できるようにしたものです。

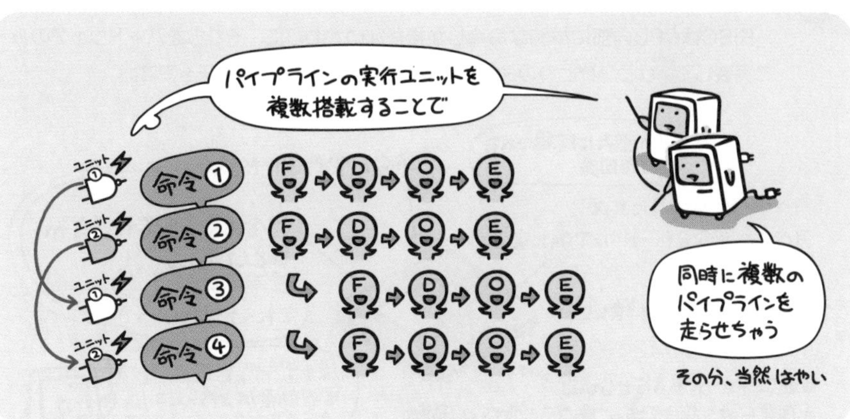

CISCとRISC

ここでCPUのアーキテクチャにも軽くふれておきましょう。アーキテクチャというのは、基本設計とか設計思想とかいう意味の言葉です。

CPUには、高機能な命令を持つCISCと、単純な命令のみで構成されるRISCという2つのアーキテクチャがあります。

CISC (Complex Instruction Set Computer)

CISCはCPUに高機能な命令を持たせることによって、ひとつの命令で複雑な処理を実現するアーキテクチャです。

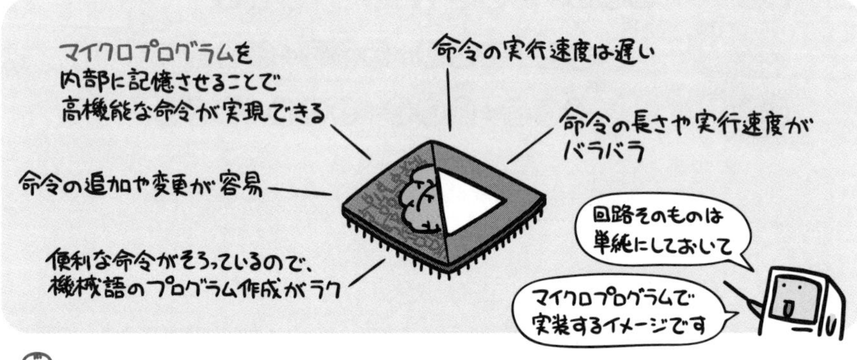

RISC (Reduced Instruction Set Computer)

RISCはCPU内部に単純な命令しか持たないかわりに、それらをハードウェアのみで実装して、ひとつひとつの命令を高速に処理するアーキテクチャです。

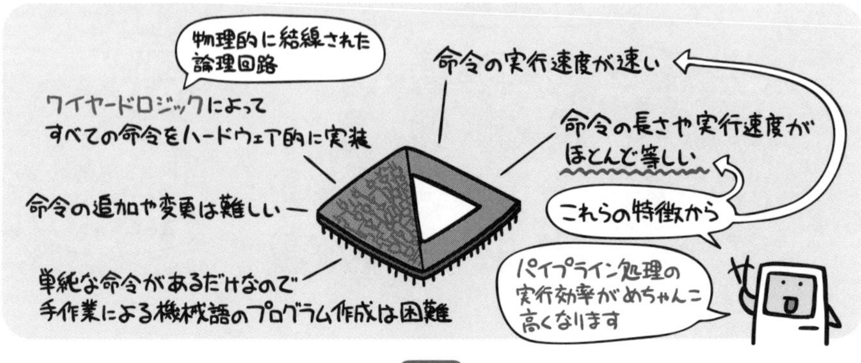

このように出題されています
過去問題練習と解説

問1 (FE-H21-S-11)

プロセッサにおけるパイプライン処理方式を説明したものはどれか。

ア　単一の命令を基に，複数のデータに対して複数のプロセッサが同期をとりながら並列にそれぞれのデータを処理する方式
イ　一つのプロセッサにおいて，単一の命令に対する実行時間をできるだけ短くする方式
ウ　一つのプロセッサにおいて，複数の命令を少しずつ段階をずらしながら同時実行する方式
エ　複数のプロセッサが，それぞれ独自の命令を基に複数のデータを処理する方式

解説

ア　SIMD（Single Instruction stream Multiple Data stream）方式の説明です。
イ　当選択肢の説明には、特別な名前は付けられていません。
ウ　パイプライン処理方式の説明です。
エ　MIMD（Multiple Instruction stream Multiple Data stream）方式の説明です。

問2 (FE-H20-S-17)

スーパスカラの説明はどれか。

ア　処理すべきベクトルの長さがベクトルレジスタより長い場合，ベクトルレジスタ長の組に分割して処理を繰り返す方式である。
イ　パイプラインを更に細分化することによって高速化を図る方式である。
ウ　複数のパイプラインを用いて，同時に複数の命令を実行可能にすることによって高速化を図る方式である。
エ　命令語を長く取り，一つの命令で複数の機能ユニットを同時に制御することによって高速化を図る方式である。

解説

ア　ベクトル型プロセッサの説明です。
イ　スーパパイプラインの説明です。
ウ　スーパスカラの説明です。
エ　VLIW（Very Long Instruction Word）の説明です。

正解▶問1：ウ　問2：ウ

Chapter 6

メモリ

CPUと
タッグを組んで、
大活躍なメモリさん

主記憶装置としての
彼の仕事は、処理に
必要なデータを記憶
しておくこと

CPUの役割が
脳みそだと
するならば…

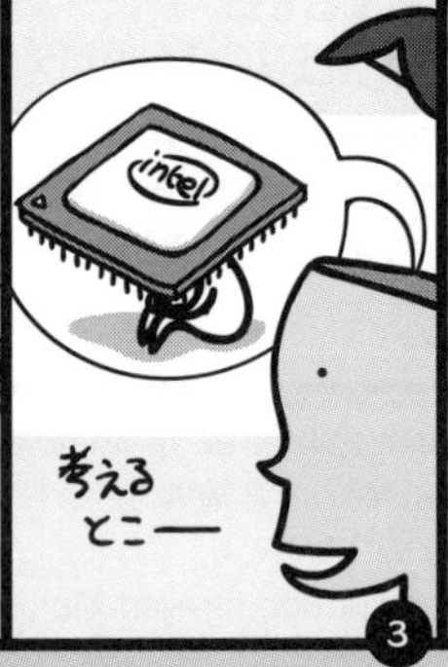

メモリの役割は
書類を広げる
机みたいなものです

ところでこの机、
机が広ければ
たくさんの書類を
広げられますが

机が狭いと
書類もちょびっと
しか広げられません

メモリもやっぱり、
容量が大きいと
たくさんのデータを
展開できて…

容量が小さいと
たいして読み込む
ことができない

机の広さが、
メモリの容量と
イコールになってる
わけですね

絵にしてみると
こんな感じ

9

ですから当然広い
(容量が大きい)方が
一度にたくさん
扱えて効率良く…

10

……ん?

いや、オレの経験から
するとね
机が広かろうが
狭かろうが
使えるスペースって
大体同じになる
はずなのよ

11

ホントだって
この机だって広く
見えて使えるのは
まん中だけで〜…
片づけろよ
スパン

12

ちなみに
ここまで述べたのは
RAM(ラム)という種類の
メモリのこと

中身を
読んだり書いたり
できる
でも電源切ったら
内容を忘れちゃう

13

メモリにはこの他の
大分類として、
ROM(ロム)という種類が
あります

中身を読めるけど
書くことはできない
そのかわり
電源切っても内容を
忘れたりしない

14

こっちは、
あらかじめ
決められた動作を
行わせるために
使ったりする

プログラムを書き込んで
工場から出荷するの図

15

家電製品の制御や、
パソコンの電源を
オンにした直後の
起動処理なんかに
利用されています

中にROMが
組み込まれていて
その中のプログラムで
制御してます

16

Chapter 6-1 メモリの分類

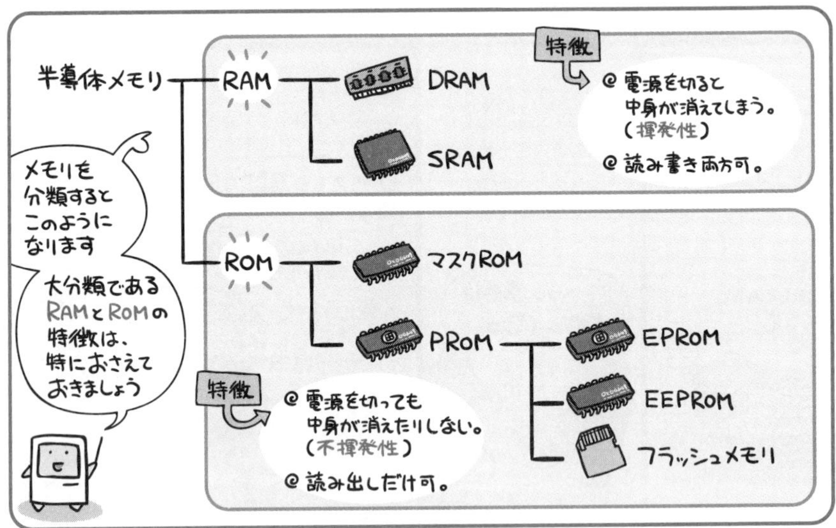

RAMは読み書き可で揮発性、ROMは読み出し専用で不揮発性が特徴です。

これまでにも述べた通り、メモリはコンピュータの動作に必要なデータを記憶する装置です。特に主記憶装置としてのメモリがないと、CPUはデータを読み出すことができません。

通常、このような用途には、RAM (Random Access Memory) が用いられます。

RAMは読み書きが自由にできるという特徴を持ちますが、その中身は電源を切ると消去されて後に残りません。この性質を揮発性と呼びます。

一方、家電製品のように「決められた動作を行うだけの特定用途向けコンピュータ」の場合はROM (Read Only Memory) を用います。

ROMは基本的には読み出し専用のメモリです。そのため、動作に必要なプログラムやデータは、あらかじめメモリ内に書き込まれた状態で工場から出荷されます。決められた動作を行うだけなので、これで事足りてしまうわけですね。

この時書き込まれた内容は、電源の状態に関係なく消えることはありません。この性質を不揮発性と呼びます。

RAMもROMも、その下ではさらにいくつかの種類に分かれています。

RAMの種類いろいろ

RAMとはその名の通り、「ランダムに読み書きできるメモリ」のこと。

RAMはさらに、主記憶装置に使われるDRAMとキャッシュメモリに使われるSRAMの2種類に分かれます。

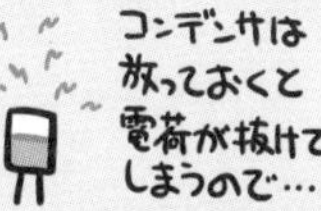

DRAMとSRAMは、それぞれ次のような特徴を持っています。

DRAM (Dynamic RAM)

安価で容量が大きく、主記憶装置に用いられるメモリです。ただ読み書きはSRAMに比べて低速です。記憶内容を保つためには、定期的に内容を再書き込みするリフレッシュ動作が欠かせません。

まとめ

使用する回路	リフレッシュ動作	速度	集積度	価格	主な用途
コンデンサ	必要	低速	高い	安価	主記憶装置

SRAM (Static RAM)

DRAMに比べて非常に高速ですが価格も高く、したがって小容量のキャッシュメモリとして用いられるメモリです。記憶内容を保持するのに、リフレッシュ動作は必要ありません。

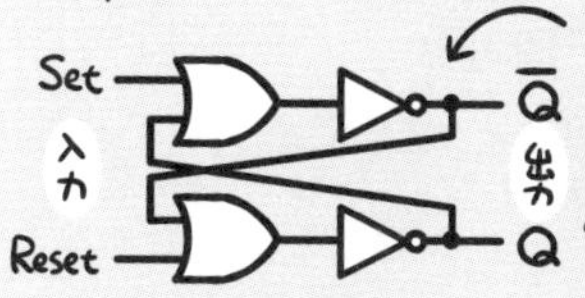
Set
入力
Reset
Q̄
出力
Q
SRAMは
フリップフロップ
回路という
こんな回路を
使ってビット情報を
覚えます。

まとめ

使用する回路	リフレッシュ動作	速度	集積度	価格	主な用途
フリップフロップ回路	不要	高速	低い	高価	キャッシュメモリ

ROMの種類いろいろ

ROMもやっぱりその名の通り、「リードオンリー（読み出しだけ）なメモリ」のこと。

ただ、「基本的には読み出しだけ」という話で、実は専用の機器を使うと記憶内容の消去と書き込みができるPROMという種類も存在します。デジタルカメラなどで利用されているメモリカード（SDカードなど）はこの1種。フラッシュメモリと呼ばれます。

ROMの種類と特徴は、それぞれ次のようになります。

マスクROM

普通「ROM」と言ったらコレを指します

読み出し専用のメモリです。製造時にデータを書き込み、以降は内容を書き換えることができません。

PROM（Programmable ROM）

プログラマブルなROM。つまり、ユーザの手で書き換えることができるROMです。下記のような種類があります。

EPROM（Erasable PROM）

紫外線でデータを消去して書き換えることができます。

EEPROM（Electrically EPROM）

電気的にデータを消去して書き換えることができます。

フラッシュメモリ

EEPROMの1種。全消去ではなく、ブロック単位でデータを消去して書き換えることができます。

このように出題されています 過去問題練習と解説

問1 (FE-R04-サ-19)

DRAMの特徴はどれか。

ア　書込み及び消去を一括又はブロック単位で行う。
イ　データを保持するためのリフレッシュ操作又はアクセス操作が不要である。
ウ　電源が遮断された状態でも，記憶した情報を保持することができる。
エ　メモリセル構造が単純なので高集積化することができ，ビット単価を安くできる。

解説

ア　DRAMを主記憶装置として利用するような一般的な場合には、書込み及び消去は、アドレス(番地)単位で行われます。
イ　データを保持するためのリフレッシュ動作が必要です。
ウ　電源が遮断されると、記憶した情報は失われます。
エ　そのとおりです。

問2 (FE-H29-A-21)

コンデンサに蓄えた電荷の有無で情報を記憶するメモリはどれか。

ア　EEPROM　　イ　SDRAM　　ウ　SRAM　　エ　フラッシュメモリ

解説

SDRAM (Synchronous DRAM) は、DRAMの1種であり、メモリのバスが一定周期のクロック周波数に同期して動作し、従来のDRAMより高速にデータを読み書きします。DRAMは、コンデンサに蓄えた電荷の有無で情報を記憶します。

問3 (FE-H31-S-21)

メモリセルにフリップフロップ回路を利用したものはどれか。

ア　DRAM　　イ　EEPROM　　ウ　SDRAM　　エ　SRAM

解説

SRAMはフリップフロップ回路を、またDRAMとSDRAMはコンデンサを、利用しています。

正解▶問1:エ　問2:イ　問3:エ

(FE-H30-S-22)

フラッシュメモリに関する記述として，適切なものはどれか。

ア　高速に書換えができ，CPU のキャッシュメモリに用いられる。
イ　紫外線で全データを一括消去ができる。
ウ　周期的にデータの再書込みが必要である。
エ　ブロック単位で電気的にデータの消去ができる。

解説

ア　SRAMに関する記述です。
イ　EPROMに関する記述です。
ウ　DRAMに関する記述です。
エ　フラッシュメモリに関する記述です。

(FE-H23-A-12)

組込みシステムのプログラムを格納するメモリとして，マスクROMを使用するメリットはどれか。

ア　紫外線照射で内容を消去することによって，メモリ部品を再利用することができる。
イ　出荷後のプログラムの不正な書換えを防ぐことができる。
ウ　製品の量産後にシリアル番号などの個体識別データを書き込むことができる。
エ　動作中に主記憶が不足した場合，補助記憶として使用することができる。

解説

ア　EPROMを使用するメリットです。
イ　マスクROMを使用するメリットです。
ウ　PROMを使用するメリットです。
エ　ハードディスクやSSDを使用するメリットです。

(FE-H26-A-12)

コンピュータの電源投入時に最初に実行されるプログラムの格納に適しているものはどれか。ここで，主記憶のバッテリバックアップはしないものとする。

ア　DRAM　　イ　HDD　　ウ　ROM　　エ　SRAM

解説

コンピュータの電源投入時に最初に実行されるプログラムは、基本的にROMに格納されています。ただし、本問がいうプログラムを「IPL（Initial Program Loader）」であると解釈し、パソコンを想定すれば、「パソコンの電源が投入されるとBIOS（Basic Input Output System）が起動され、BIOSがHDD（Hard Disk Drive）のマスタブートレコードにあるIPLに処理を引き継ぎ、IPLが基本ソフトウェア（OS）を主記憶装置に読み込む」と説明している書籍もあり、このように解釈すれば、IPLはHDDにあることになり、正解が変わってしまいます。

正解▶問4：エ　問5：イ　問6：ウ

Chapter 6-2 主記憶装置と高速化手法

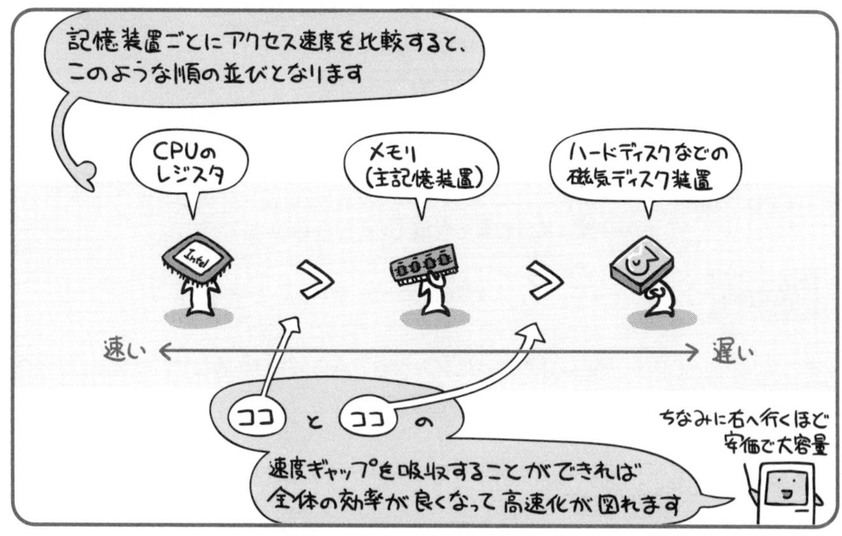

記憶装置間の速度ギャップを埋めて、
待ち時間によるロスを防ぐための手法がキャッシュです。

レジスタとメモリ、メモリとハードディスクの間には、「越えられない壁」といっていいくらいの速度差があります。

ですから、CPUはメモリへの読み書きが発生すると待たされることになりますし、メモリはハードディスクへの読み書きが発生すると以下同文。

「じゃあ全部高速なレジスタとかメモリにしちゃえばいいじゃないか」

思わずそう言いたくなりますよね。でも、一般に記憶装置は高速であるほど1ビット当たりの単価が高くなってくるので、速いのは高すぎてちょびっとしか使えないのです。それが自然の理というやつなのです、しくしく。

そこで出てくるのがキャッシュ。

装置間の速度ギャップを緩和させるために用いる手法で、レジスタとメモリの間に設けるキャッシュメモリや、メモリとハードディスクの間に設けるディスクキャッシュなどがあります。

キャッシュメモリ

CPUは、コンピュータの動作に必要なデータやプログラムをメモリ（主記憶装置）との間でやり取りします。しかしCPUに比べるとメモリは非常に遅いので、読み書きの度にメモリへアクセスしていると、待ち時間ばかりが発生してしまいます。

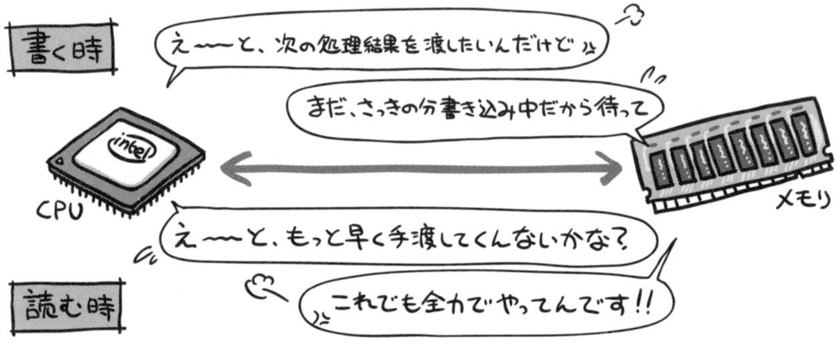

そこでメモリとCPUの間に、より高速に読み書きできるメモリを置いて、速度差によるロスを吸収させます。これをキャッシュメモリと呼びます。

① 主記憶装置から読み込んだデータは、キャッシュメモリにも保持されます。

② なので同じデータを読む時は、高速なキャッシュメモリから取得することができます。

CPUの中にはこのキャッシュメモリが入っていて、処理の高速化が図られています。

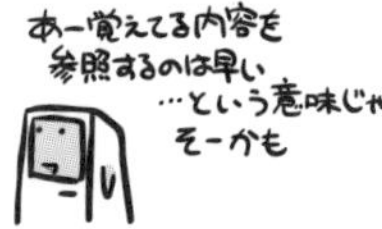

キャッシュというのはひとつではなくて、1次キャッシュ、2次キャッシュ…と、重ねて設置することができる装置です。

CPUに内蔵できる容量はごく小さいものになりますから、「それより低速だけど、その分容量を大きく持てる」メモリをCPUの外側にキャッシュとして増設したりすると、よりキャッシュ効果が期待できるわけです。この時用いるのがSRAMです。

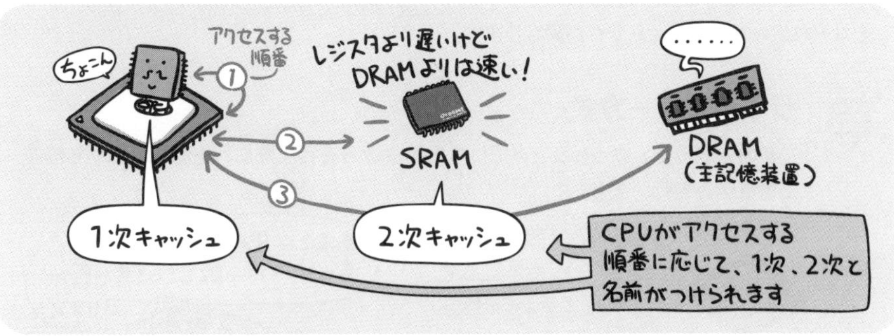

このキャッシュメモリと同じ役割を、主記憶装置と磁気ディスク装置の間で担うのがディスクキャッシュです。ディスクキャッシュは、専用に半導体メモリを搭載したり、主記憶装置の一部を間借りするなどして実装します。

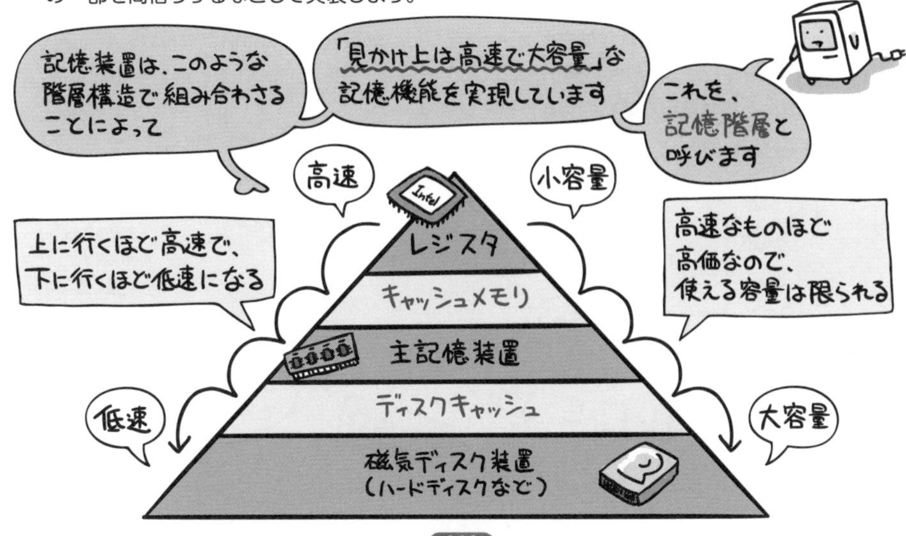

主記憶装置への書き込み方式

キャッシュメモリは読み出しだけじゃなくて、書き込みでも使われます。ただし、読み出しと違って書き込みの場合は、「書いて終わり」とはいきません。更新した内容をどこかのタイミングで主記憶装置にも反映してあげなきゃダメなのです。

主記憶装置を書き換える方式には、ライトスルー方式とライトバック方式の2つがあります。それぞれ書き換えのタイミングが異なります。

ライトスルー方式

この方式では、キャッシュメモリへの書き込みを行う際に、主記憶装置へも同時に書き込みを行います。

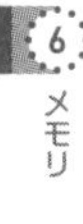

ライトバック方式

この方式では、普段はキャッシュメモリにしか書き込みを行いません。

キャッシュメモリから追い出されるデータが発生した際に、その内容を主記憶装置へと書き戻して更新内容を反映させます。

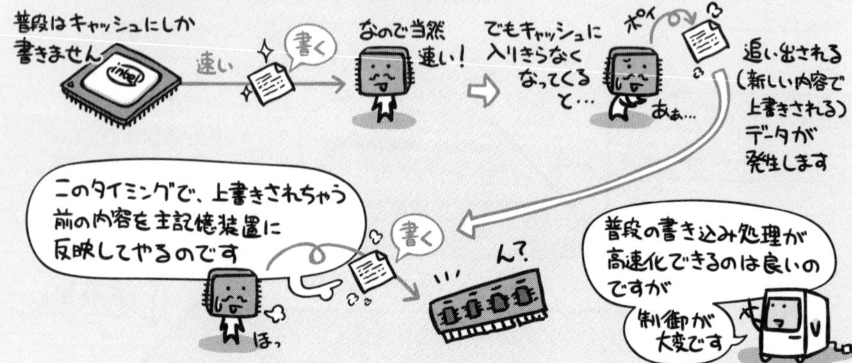

ヒット率と実効アクセス時間

キャッシュメモリの容量は小さなものですから、目的とするデータが必ずそこに入っているとは限りません。この「目的とするデータがキャッシュメモリに入っている確率」のことをヒット率と呼びます。

要するに「仮に80%の確率でキャッシュの中身がヒットしてくれるなら、キャッシュになくて主記憶装置に読みに行かないといけない確率は残りの20%ですよ」ということです。

キャッシュメモリを利用したコンピュータの平均的なアクセス時間（実効アクセス時間）は、ヒット率を使って次のように求めることができます。

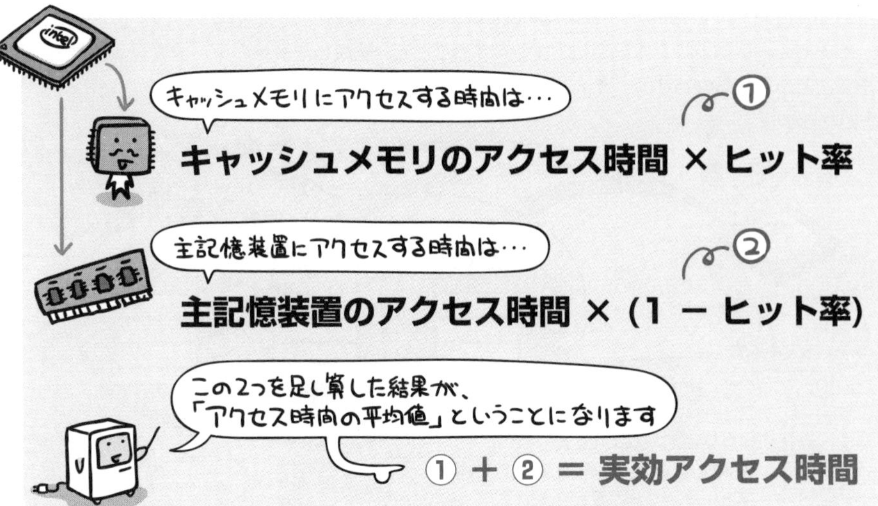

6 メモリ

メモリインタリーブ

主記憶装置へのアクセスを高速化する手法として、キャッシュメモリ以外にあげられるのがメモリインタリーブです。

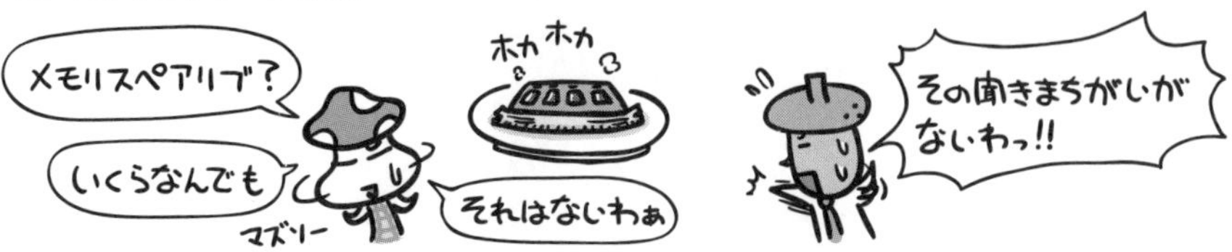

この手法では、主記憶装置の中を複数の区画（バンク）に分割します。

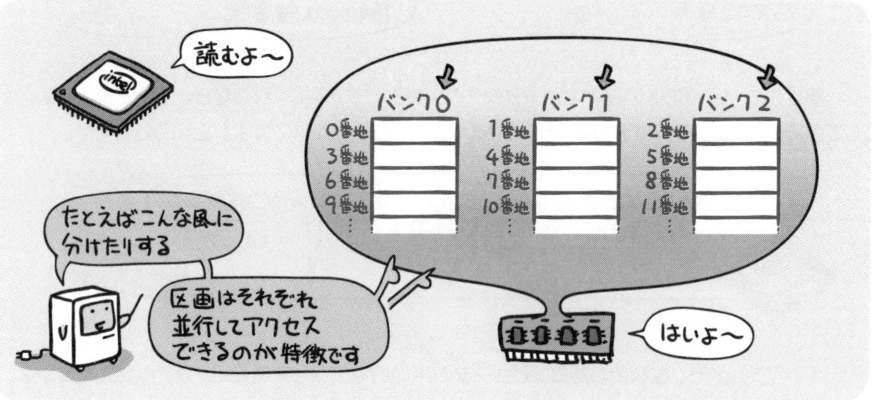

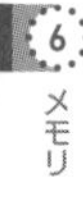

主記憶装置内の番地は、分割した区画を横断するように割り当てられています。

そのため、複数バンクを同時にアクセスすることで、連続した番地のデータを一気に読み出すことができるのです。

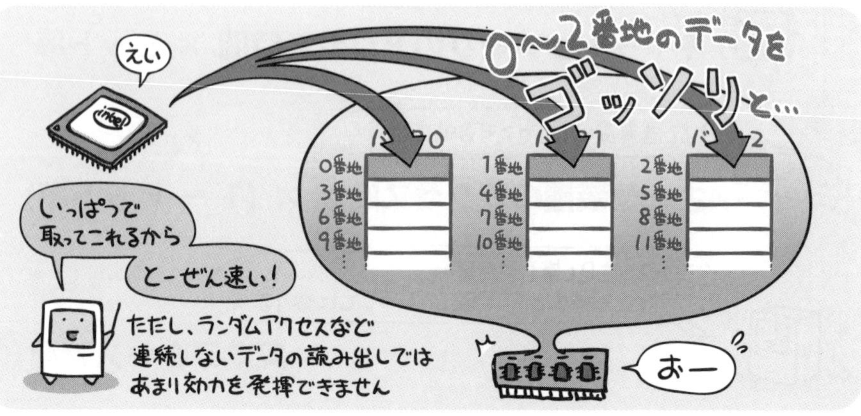

このように出題されています
過去問題練習と解説

(FE-R06-03)

図に示す構成で，表に示すようにキャッシュメモリと主記憶のアクセス時間だけが異なり，他の条件は同じ2種類のCPU　XとYがある。
あるプログラムをCPU　XとYとでそれぞれ実行したところ，両者の処理時間が等しかった。このとき，キャッシュメモリのヒット率は幾らか。ここで，CPU以外の処理による影響はないものとする。

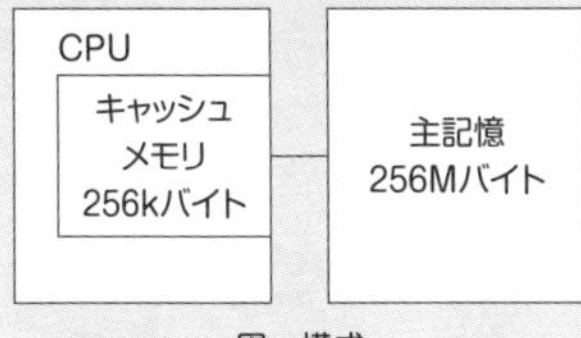

図　構成

表　アクセス時間

単位　ナノ秒

	CPU X	CPU Y
キャッシュメモリ	40	20
主記憶	400	580

ア　0.75
イ　0.90
ウ　0.95
エ　0.96

解説

CPU　XとYの処理時間が等しかったので、キャッシュメモリのヒット率をHとすると、CPU　Xの処理時間40×H+400×(1−H) ＝ CPU　Yの処理時間20×H+580×(1−H) の式が成立します。この式を解くと、H=0.90になります。

(FE-R05-03)

コンピュータの高速化技術の一つであるメモリインタリーブに関する記述として，適切なものはどれか。

ア　主記憶と入出力装置，又は主記憶同士のデータの受渡しをCPU経由でなく直接やり取りする方式
イ　主記憶にデータを送り出す際に，データをキャッシュに書き込み，キャッシュがあふれたときに主記憶へ書き込む方式
ウ　主記憶のデータの一部をキャッシュにコピーすることによって，レジスタと主記憶とのアクセス速度の差を縮める方式
エ　主記憶を複数の独立して動作するグループに分けて，各グループに並列にアクセスする方式

解説

ア　DMA (Direct Memory Access) に関する記述です。
イ　ライトバック方式 (170ページ参照) に関する記述です。
ウ　キャッシュメモリに関する記述です。
エ　メモリインタリーブ (172ページ参照) に関する記述です。

正解▶問1：イ　問2：エ

Chapter 7

ハードディスクとその他の補助記憶装置

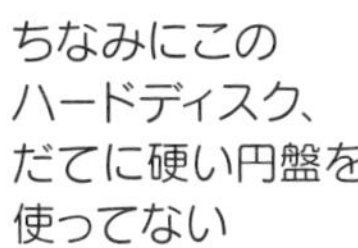

ちなみにこの
ハードディスク、
だてに硬い円盤を
使ってない

9

この円盤は強度と
平滑性をいかして、
すんごい高速で
回転してるのです

10

その通り

すごく精密なので、
衝撃には気をつけ
なきゃいけません

11

どれぐらい精密
かというと…

12

ハードディスクの
精密さをあらわすの
によく使われるのが
このたとえ話

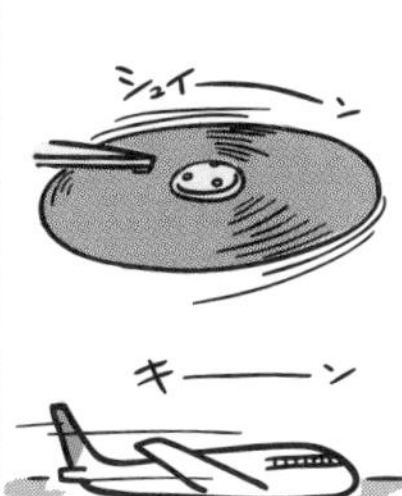

13

中の円盤と
読み取りヘッドとの
隙間は10nmとか
しかありません

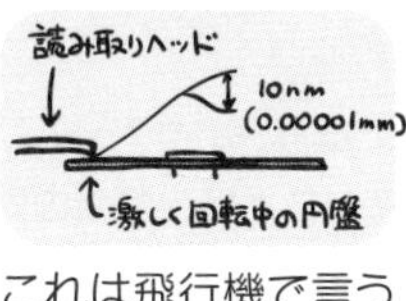

これは飛行機で言う
と…

14

だから当然
ちょっとした衝撃
でも…

15

16

Chapter 7-1 ハードディスクの構造と記録方法

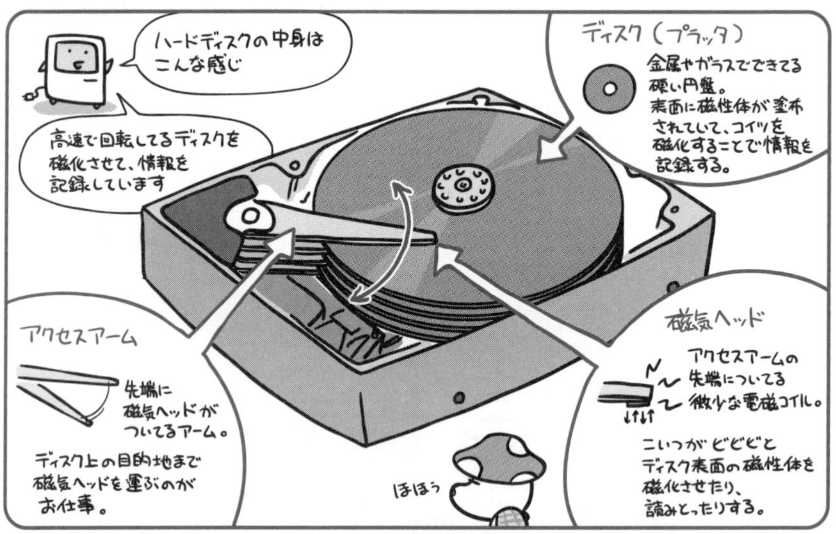

ハードディスク（磁気ディスク装置）は、高速回転しているディスクに磁気ヘッドを使って情報を読み書きします。

ハードディスクは、大容量で安価、しかも比較的高速という特徴を持つことから、ほぼすべてのパソコンに搭載されるほどの代表的な補助記憶装置です。

内部には容量に応じてプラッタと呼ばれる金属製のディスクが1枚以上入っていて、その表面に磁性体が塗布もしくは蒸着されています。この磁性体を磁気ヘッドで磁化させることによってデータの読み書きを行うのです。

磁気ヘッドはアクセスアームと呼ばれる部品の先端に取付けられています。このアームは、「あそこに書け」「あそこを読め」という指令を受けると目的位置の同心円上へと磁気ヘッドを運びます。そうすると、プラッタはぐるぐる回っているので、やがて目的位置が磁気ヘッドの真下へとやってくるわけです。そこでビビビと磁化したりする。これが、ハードディスクの基本的な読み書き手順となります。

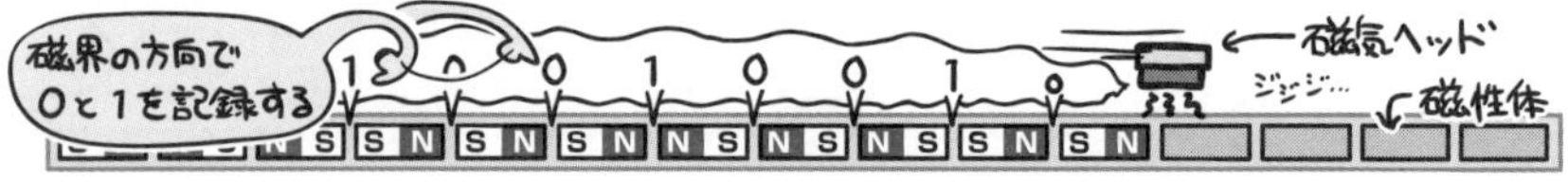

7 ハードディスクとその他の補助記憶装置

セクタとトラック

ハードディスクを最初に使う時は、フォーマット(初期化)という作業を行う必要があります。この作業を行うことで、プラッタの上にデータを記録するための領域が作成されます。

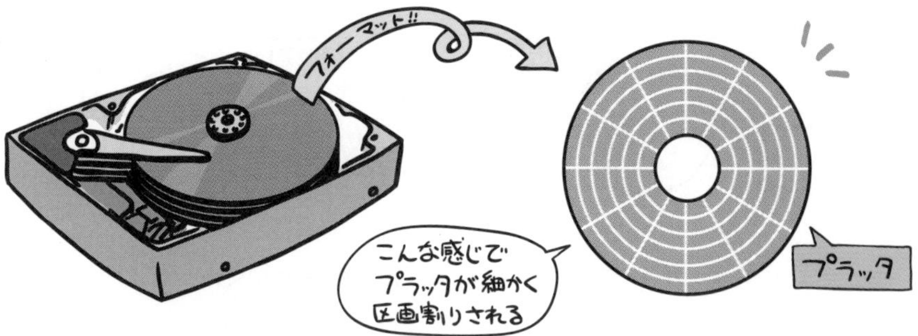

作成された領域の、扇状に分かれた最小範囲をセクタ、そのセクタを複数集めたぐるりと1周分の領域をトラックと呼びます。

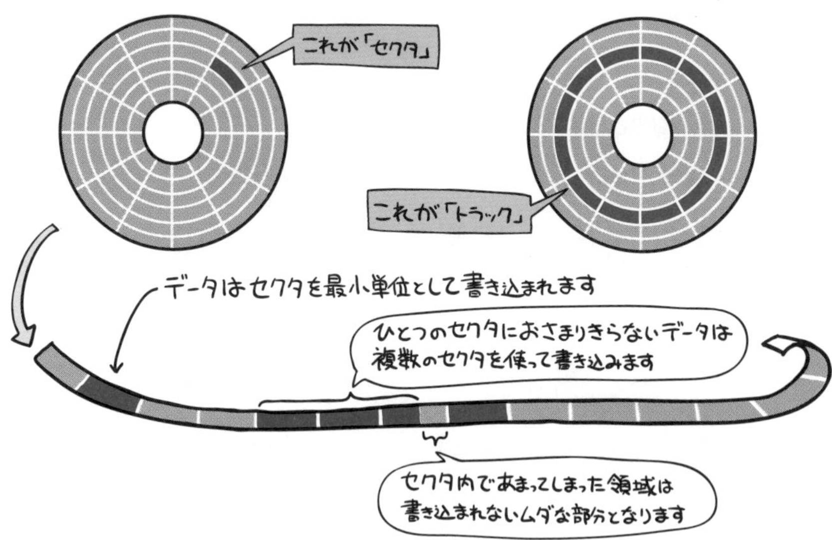

同心円状のトラックを複数まとめると、シリンダという単位になります。

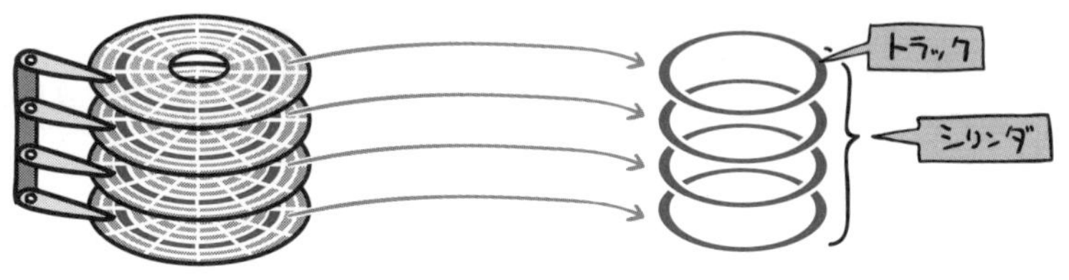

7 ハードディスクとその他の補助記憶装置

ハードディスクの記憶容量

セクタとトラック、シリンダの関係がわかっていると、ハードディスクの仕様表から記憶容量を算出することができます。

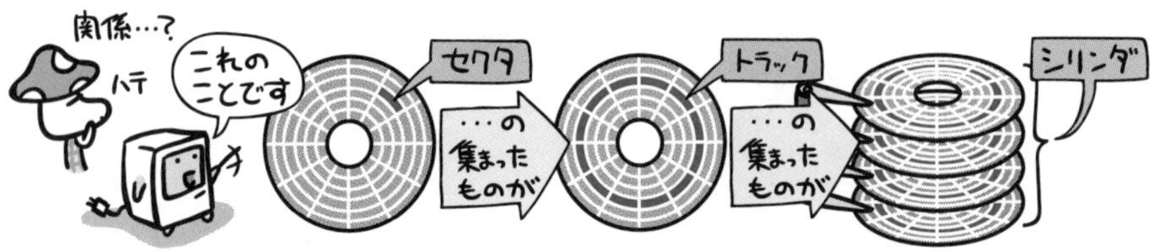

たとえば次の仕様のハードディスクがあった時、その総容量はいくつになるか計算してみましょう。

シリンダ数	1,500
1シリンダあたりのトラック数	20
1トラックあたりのセクタ数	40
1セクタあたりのバイト数	512

1セクタに要するバイト数は512バイト。これが40個集まって1トラックとなるわけですから、1トラックあたりの容量は次の式で計算できます。

そのトラックが20個集まってシリンダを形成するわけですから、その容量はというと…

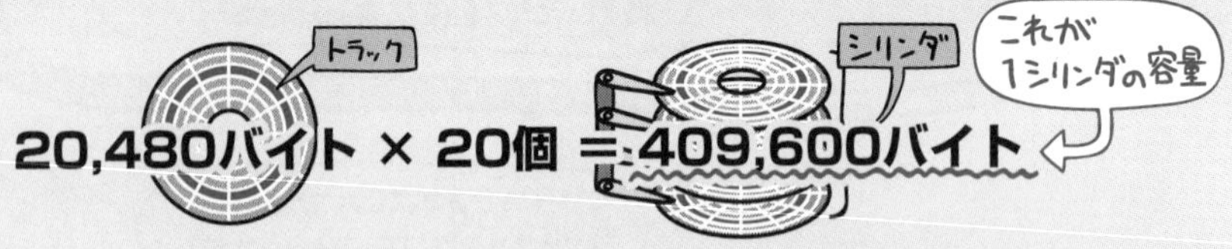

このハードディスクには1,500個のシリンダがあるので、総容量は下記となります。

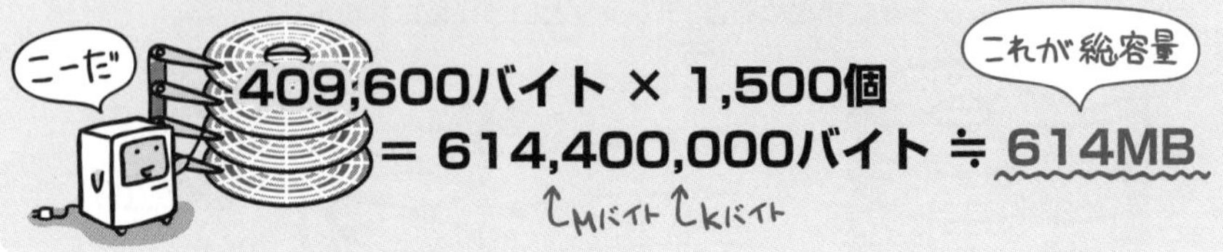

ファイルはクラスタ単位で記録する

ハードディスクが扱う最小単位はセクタですが、基本ソフトウェアであるOSがファイルを読み書きする時には、複数のセクタを1ブロックと見なしたクラスタという単位を用いるのが一般的です。

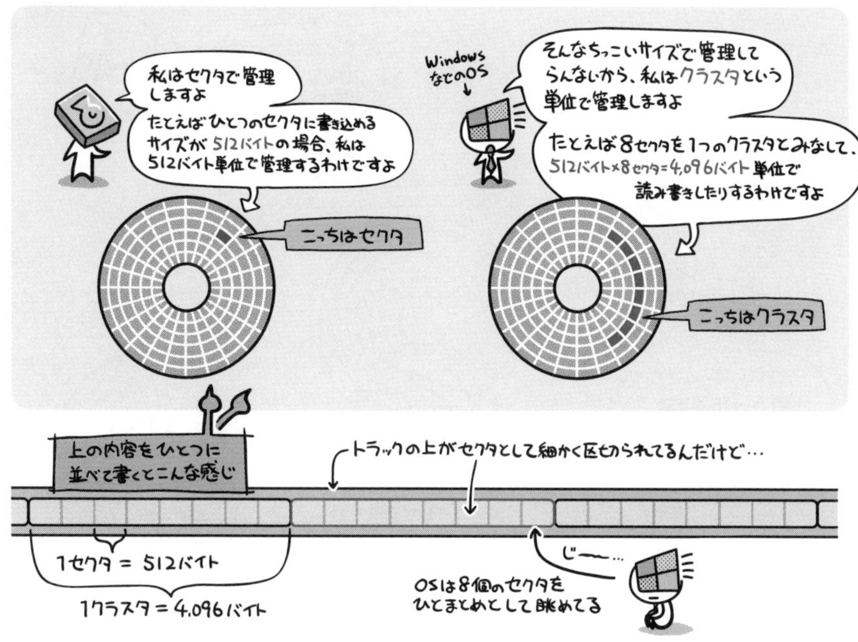

OSはクラスタ単位でファイルを読み書きするために、クラスタ内であまった部分については、使用されないムダな領域となってしまいます。

データへのアクセスにかかる時間

「データへアクセスする」というのは、実際にデータを書き込んだり、書き込み済みのデータを読み込んだりする作業のこと。ハードディスクはこれらの作業を、次の3ステップで行います。

たとえばこんな感じでデータを読むわけだ

① シーク（位置決め）

アクセスアームを動かして、磁気ヘッドを目的のデータが書かれているトラック位置まで運びます

② サーチ（回転待ち）

ディスクの回転にともない、目的のデータが磁気ヘッドの位置まで回ってくるのを待ちます

③ データ転送

セクタに書かれたデータを読み込みます

①〜②のこの区間を待ち時間と呼びます

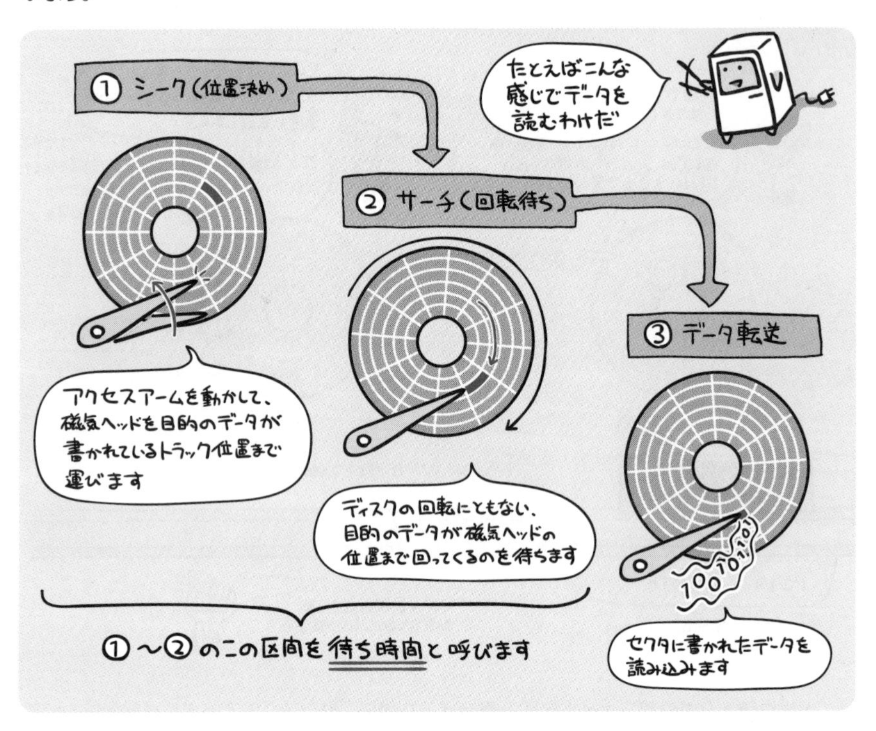

したがって、データへのアクセスにかかる時間というのは、これら3ステップそれぞれの時間を合計して求めることができます。

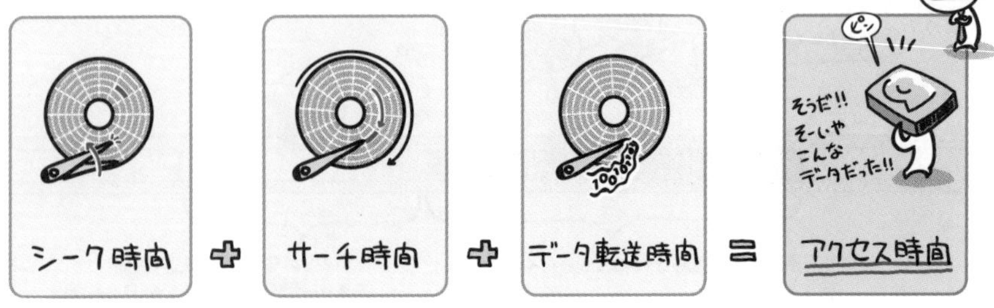

それでは、次の例を使ってアクセス時間を計算してみましょう。

回転速度	5,000回転/分
平均シーク時間	20ミリ秒
1トラックあたりの記憶容量	15,000バイト

このハードディスクから5,000バイトのデータを読み出す場合のアクセス時間はいくつでしょう

計算に用いる「シーク時間」と「サーチ時間」は、ともに平均値を使います。平均シーク時間は上の表に出ていますので、平均サーチ時間を求めてあげましょう。

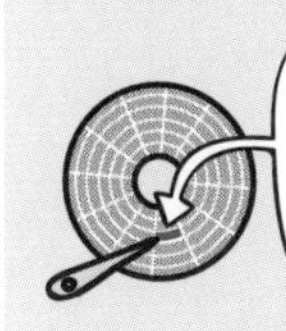

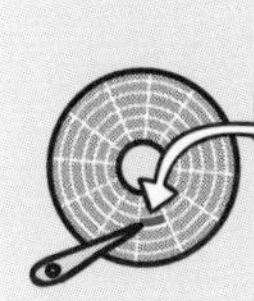

たまたま磁気ヘッドの真下に読み込み位置があって、待ち時間0で済んじゃう時が最短

たまたま読み込み位置が磁気ヘッドを通過した直後で、また1回転してくるのを待たなきゃいけない時が最長

ディスクが1回転するのに必要な時間は次の通り。

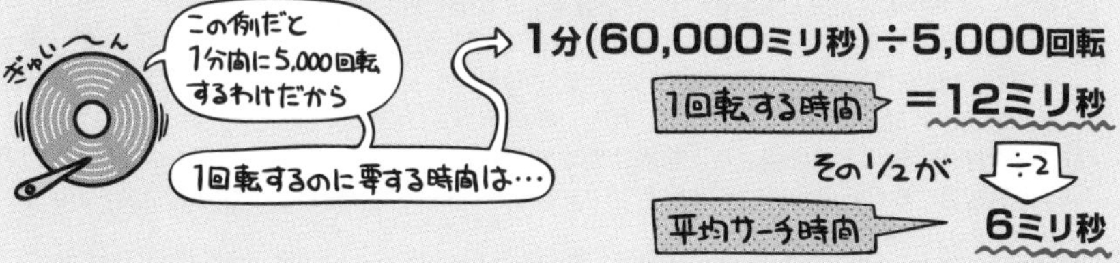

続いてデータ転送時間。ハードディスクが1トラックのデータを転送するのに必要な時間は、ディスクがぐるりと1回転する時間と同じです。このことから、1ミリ秒あたりに転送できるデータ量を計算することができます。

ぐるりと1回転するのが12ミリ秒
その時間に転送できるデータ量が1トラック(この例だと15,000バイト)

つまり1ミリ秒あたりの転送量は…

15,000バイト÷12ミリ秒

=1,250バイト/ミリ秒

ということは、問いにある「5,000バイトのデータを読み出す」ために必要な時間はというと…、

5,000バイト÷1,250バイト=4ミリ秒

あとは、その3つの時間をあわせて、アクセス時間の出来上がり!…というわけです。

20ミリ秒+6ミリ秒+4ミリ秒=30ミリ秒 アクセス時間

このように出題されています
過去問題練習と解説

問1 (AP-R03-A-11)

表に示す仕様の磁気ディスク装置において，1,000バイトのデータの読取りに要する平均時間は何ミリ秒か。ここで，コントローラの処理時間は平均シーク時間に含まれるものとする。

回転数	6,000回転／分
平均シーク時間	10ミリ秒
転送速度	10Mバイト／秒

ア　15.1　　イ　16.0
ウ　20.1　　エ　21.0

解説

本問の条件に従って、下記のように計算します。

(1) 平均位置決め時間（シーク時間）：本問の表より、10ミリ秒です。
(2) 平均回転待ち時間（サーチ時間）：本問の表より、回転数は6,000回転／分（＝100回転／秒）ですので、1回転するのに、1秒÷100回転＝0.01秒＝10ミリ秒かかります。平均回転待ち時間は、半回転分の時間とみなされますので、10ミリ秒÷2＝5ミリ秒です。
(3) データ転送時間：本問の表より、転送時間は10Mバイト／秒であり、本問は「1,000バイトのデータの読取りに要する平均時間」を問うていますので、データ転送時間は、1,000バイト÷10Mバイト／秒＝0.0001秒＝0.1ミリ秒です。
(4) 合計：(1)＋(2)＋(3)＝10＋5＋0.1＝15.1ミリ秒

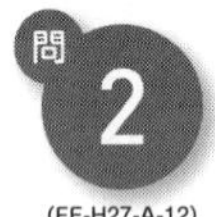

問2 (FE-H27-A-12)

500バイトのセクタ8個を1ブロックとして，ブロック単位でファイルの領域を割り当てて管理しているシステムがある。2,000バイト及び9,000バイトのファイルを保存するとき，これら二つのファイルに割り当てられるセクタ数の合計は幾らか。ここで，ディレクトリなどの管理情報が占めるセクタは考慮しないものとする。

ア　22　　イ　26　　ウ　28　　エ　32

解説

1ブロックは、500バイト×8＝4,000バイトの領域を持ちます。本問のシステムでは、ファイルはブロック単位にしか領域を割り当てられないので、2,000バイトのファイルには、2,000バイト÷4,000バイト＝0.5　→ 少数点以下を切り上げて、1ブロックが必要です。また、同様に、9,000バイトのファイルには、9,000バイト÷4,000バイト＝2.25　→ 少数点以下を切り上げて、3ブロックが必要です。したがって、合計すると、1ブロック＋3ブロック＝4ブロック＝4×8セクタ＝32セクタ が必要です。

正解 ▸ 問1：ア　問2：エ

Chapter 7-2

フラグメンテーション

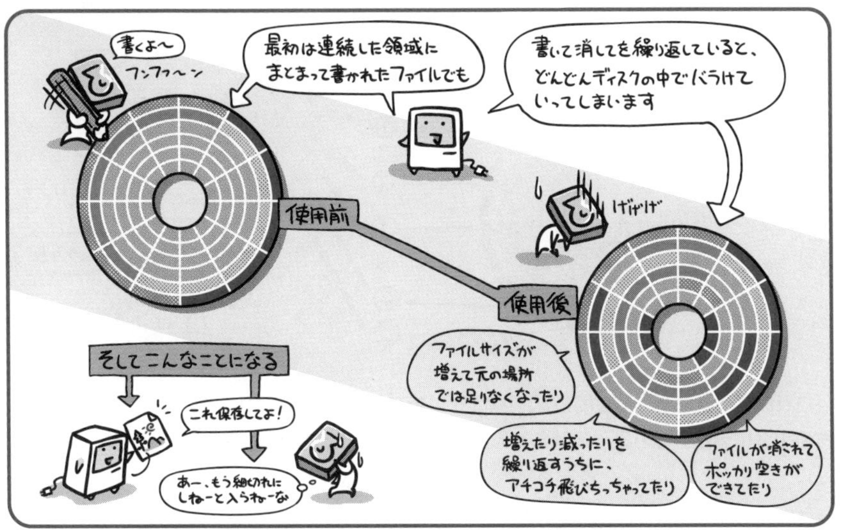

ハードディスクに書き込みや消去を繰り返していくと、連続した空き領域が減り、ファイルが断片化していきます。

ハードディスクの空きが十分にあれば、ファイルは通常、連続した領域に固まって記録されます。こうすることで、データを読み書きする際に必要となるシーク時間（目的のトラックまで磁気ヘッドを動かすのにかかる時間）やサーチ時間（目的のデータが磁気ヘッド位置にくるまでの回転待ち時間）が最小限で済むからです。

しかしファイルの書き込みと消去を繰り返していくと、プラッタ上の空き領域はどんどん分散化していきます。その状態でさらに新しく書き込みを行うと、時には「連続した領域は確保できないから、途中からはあっちの離れた場所へ書くようにするね」なんてことも起こるようになってきます。

こうなると、ファイルをひとつ読み書きするだけでも、あちこちのトラックへ磁気ヘッドを移動させなきゃいけません。当然その度に、回転待ちの時間もかさみます。つまりハードディスクのアクセス速度は遅くなってしまうのです。

このような、「ファイルがあちこちに分かれて断片化してしまう」状態のことをフラグメンテーション（断片化）と呼びます。

デフラグで再整理

前ページでも書いたように、フラグメンテーションを起こすと何が困るかというと、「ファイルをひとつ読み出したいだけなのに、あっちこっちにシークさせられてやたら時間がかかって腹が立つ」…ということが困りものなわけです。

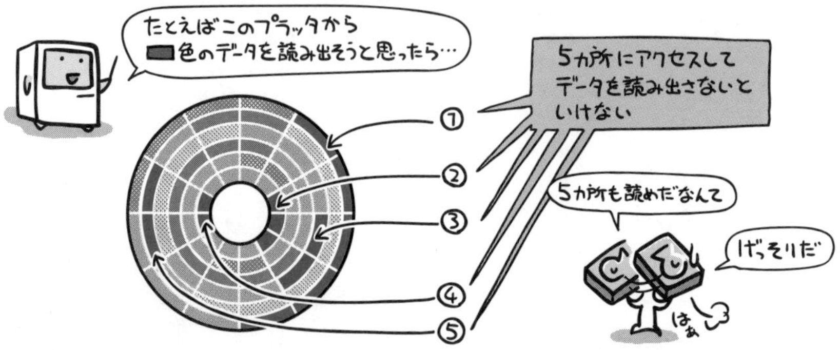

これは書く時もやっぱり同じで、「ファイルをひとつ書き込みたいだけなのに、あっちこっちの領域に分けて書き込みさせられるから時間がかかって腹が立つ」ということになる。

このようなフラグメンテーションを解消するために行う作業をデフラグメンテーション（デフラグ）と呼びます。デフラグは、断片化したファイルのデータを連続した領域に並べ直して、フラグメンテーションを解消します。

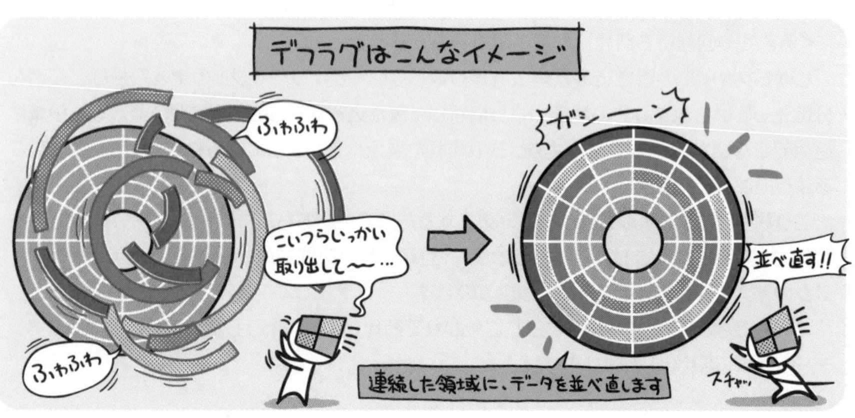

このように出題されています
過去問題練習と解説

問 1

(FE-H31-S-15)

アプリケーションの変更をしていないにもかかわらず，サーバのデータベース応答性能が悪化してきたので，表のような想定原因と，特定するための調査項目を検討した。調査項目cとして，適切なものはどれか。

想定原因	調査項目
・同一マシンに他のシステムを共存させたことによる負荷の増加 ・接続クライアント数の増加による通信量の増加	a
・非定型検索による膨大な処理時間を要するSQL文の発行	b
・フラグメンテーションによるディスクI/Oの増加	c
・データベースバッファの容量の不足	d

ア　遅い処理の特定
イ　外的要因の変化の確認
ウ　キャッシュメモリのヒット率の調査
エ　データの格納状況の確認

解説

ア　遅い処理は「非定型検索」だと想定しています。
イ　外的要因の変化とは「同一マシンに他のシステムを共存させたこと」や「接続クライアント数の増加である」と想定しています。
ウ　データベースバッファとキャッシュメモリが同じものであると想定しています。
エ　調査項目cの想定原因である「フラグメンテーション」は、本来は連続して配置されるべきデータがハードディスクの中でバラバラに断片化されて記録されている状態を指します。したがって、「データの格納状況の確認」によって、どの程度フラグメンテーションが発生しているのかをチェックします。

正解▶問1：エ

Chapter 7-3

RAIDはハードディスクの合体技

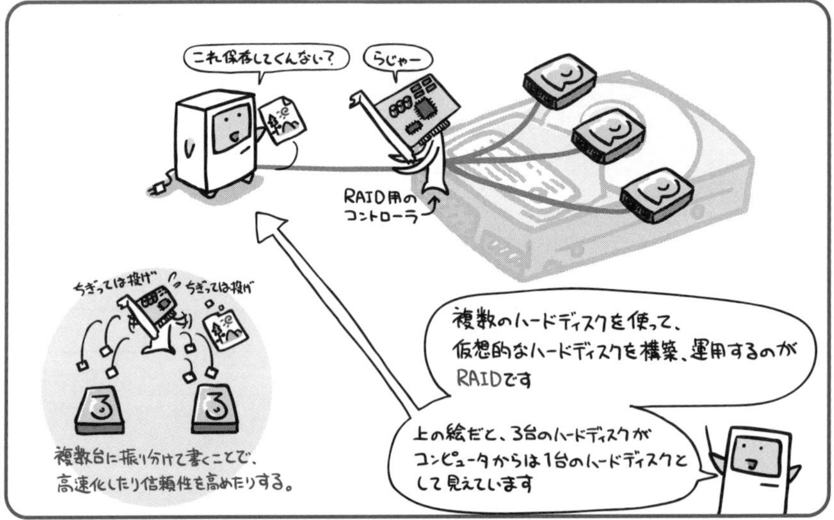

RAID（レイド）は複数のハードディスクを組み合わせることで、ハードディスクの速度や信頼性を向上させます。

複数のハードディスクを論理的にひとつにまとめて（つまり仮想的なひとつのハードディスクにして）運用する技術をディスクアレイと呼びますが、RAIDはその代表的な実装手段のひとつです。

その主な用途はハードディスクの高速化や信頼性向上など。RAIDはRAID0からRAID6までの7種類に分かれていて、求める速度と信頼性に応じて各種類を組み合わせて使えるようにもなっています。

ちなみに、RAIDの種類の中で一般的に使われているのは、高速化を実現するRAID0と、信頼性を高めるRAID1、そしてRAID5です。それらの特徴については次ページを見てください。

RAIDの代表的な種類とその特徴

RAID0（ストライピング）

RAID0では、ひとつのデータを2台以上のディスクに分散させて書き込みます。

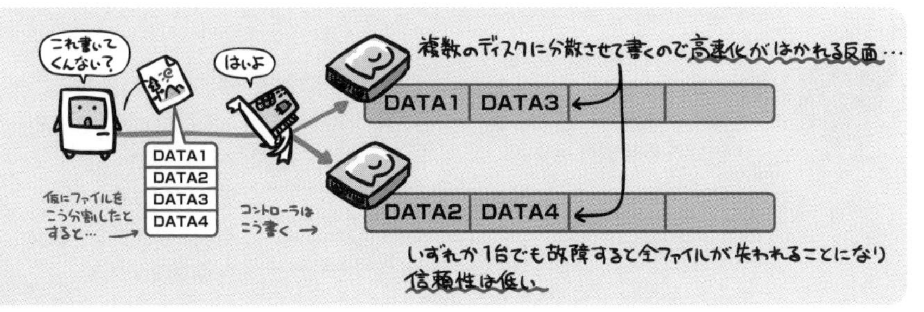

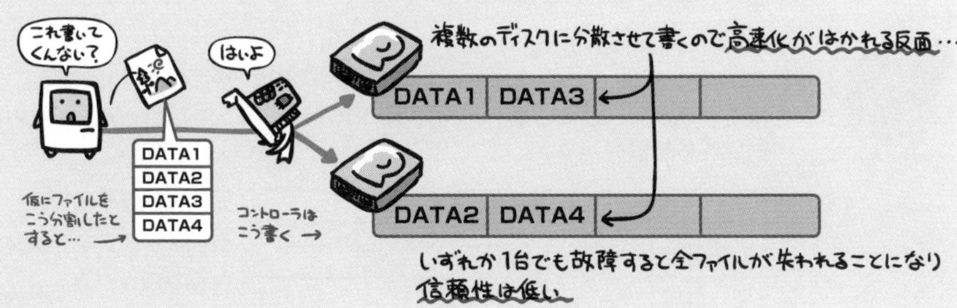

RAID1（ミラーリング）

RAID1では、2台以上のディスクに対して常に同じデータを書き込みます。

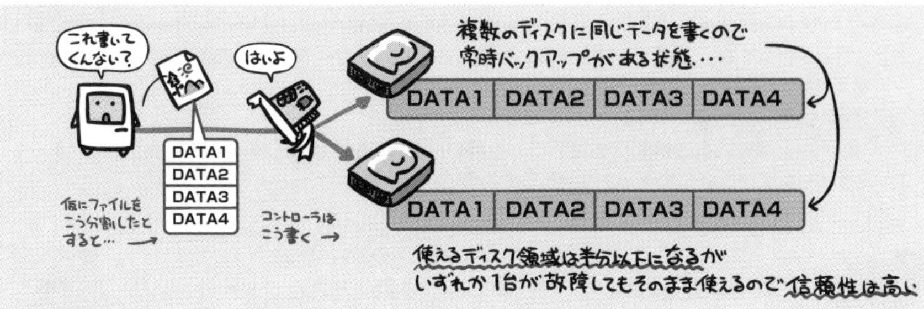

RAID5

RAID5では、3台以上のディスクを使って、データと同時にパリティと呼ばれる誤り訂正符号も分散させて書き込みます。

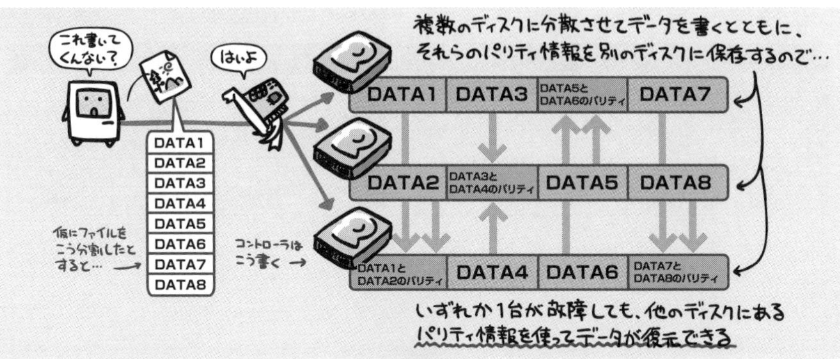

このように出題されています 過去問題練習と解説 Ⅰ

問1 (FE-H27-S-11)

図に示すように，データを細分化して複数台の磁気ディスクに格納することを何と呼ぶか。ここで，b_0 ～ b_{15}はデータがビットごとにデータディスクに格納される順番を示す。

制御装置			
b_0	b_1	b_2	b_3
b_4	b_5	b_6	b_7
b_8	b_9	b_{10}	b_{11}
b_{12}	b_{13}	b_{14}	b_{15}
データディスク1	データディスク2	データディスク3	データディスク4

ア　ストライピング
イ　ディスクキャッシュ
ウ　ブロック化
エ　ミラーリング

解説

ア　ストライピングは、187ページを参照してください。ストライプ→しま模様→データの細分化と覚えればよいでしょう。
イ　ディスクキャッシュは、169ページを参照してください。
ウ　ブロック化の1例は、「補助記憶装置に、複数のレコードをまとめて読み書きすること」です。
エ　ミラーリングは、187ページを参照してください。

問2 (FE-R01-A-15)

RAIDの分類において，ミラーリングを用いることで信頼性を高め，障害発生時には冗長ディスクを用いてデータ復元を行う方式はどれか。

ア　RAID1　　イ　RAID2　　ウ　RAID3　　エ　RAID4

解説

ミラーリングを用いるのは、RAID1です。RAID0 ～ 5は、複数の磁気ディスク装置へのデータおよび冗長ビットの記録方法などの組合せによって、下表のように整理されます。

	RAID0	RAID1	RAID2	RAID3	RAID4	RAID5
ストライピング	する	しない	する	する	する	する
ミラーリング	しない	する	しない	しない	しない	しない
ストライピング単位	ブロック	－	ビット	ビット	ブロック	ブロック
データ訂正符号	－	－	ハミング	パリティ	パリティ	パリティ
同上のディスク位置	－	－	固定	固定	固定	分散

正解▶問1:ア　問2:ア

Chapter 7-4 ハードディスク以外の補助記憶装置

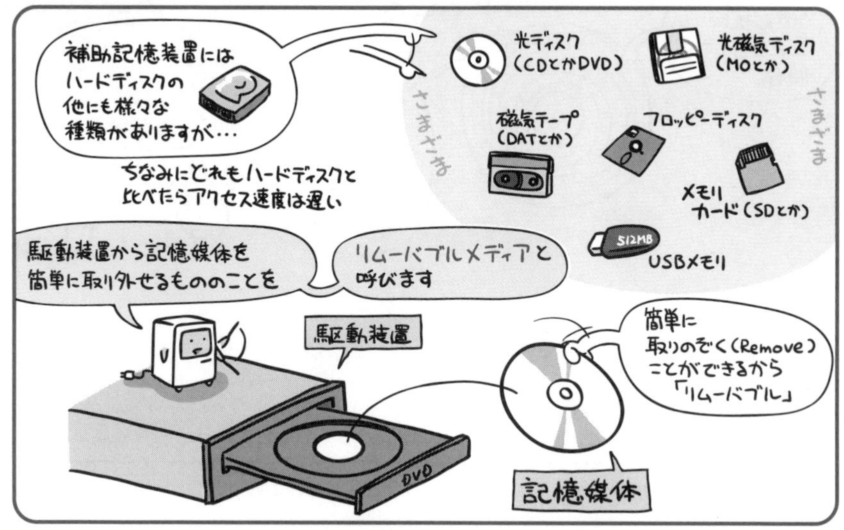

リムーバブルメディアは、バックアップ用途やソフトウェアの配布媒体として広く利用されています。

記憶媒体であるディスクが装置の中にがっちり固定されて働くハードディスクと違って（だからハードディスクは固定ディスク装置とも言われる）、CD-ROMなどの光ディスクに代表されるリムーバブルメディアたちは、バックアップ用途やソフトウェアの配布媒体として活躍する補助記憶装置です。

「このデータは大事だから予備を作ってどっかに保管しておきましょう」とか、「このソフトウェアをDVD-ROMにプレスして広く販売しちゃいましょう」とかいう時に大活躍！ってことですね。

ひと昔前はリムーバブルメディアといえば磁気で記録するフロッピーディスクが主流でした。しかし、たった1Mバイト程度しか記憶容量を持たない上に、ペラペラで耐久性も今ひとつ。そのため、コンピュータの扱うデータ量が「テキスト中心から、画像や音声も含む」などと肥大化して行くに従い、徐々に廃れてしまいました。

本試験では、各媒体の特徴が問われます。読み書きに用いるのは光か磁気か、光の波長はどのような特徴を持つかなど、媒体ごとに押さえておきましょう。

光ディスク

「レーザ光線によってデータの読み書きを行う」のが光ディスク装置です。

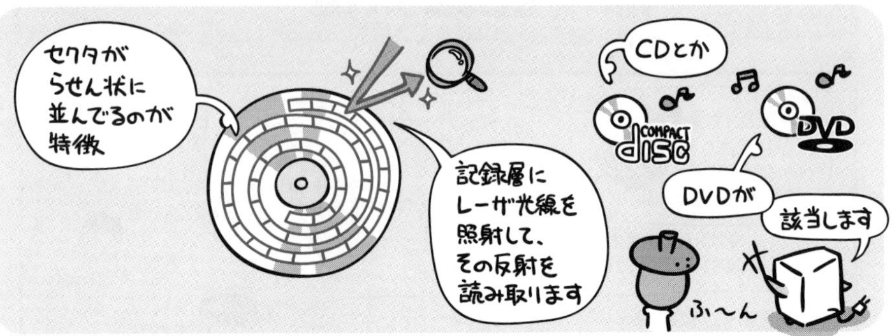

それぞれ次のような特徴があります。

 CD (Compact Disc)	
	音楽用のCDと同じディスクを、コンピュータの記憶媒体として利用したものです。 直径12cmの光ディスクで、記憶容量は650MBと700MBの2種類。安価で大容量なことから、ソフトウェアの配布媒体としても広く使われています。 ディスクの種類には、利用者による書き込みがいっさいできない読込み専用の再生専用型と、一度だけ書き込める追記型、何度でも書き換えができる書換え可能型の3種類があります。
CD-ROM	読込み専用となる、再生専用型のCDです。 ディスク上にはピットという微少な凹みが無数にあり、ここに製造段階でデータを記録します。 レーザ光線を照射すると、凹みのあるなしによって反射率が異なるため、その作用でデータを読込みます。
CD-R	一度だけ書き込める、追記型のCDです。 ディスクの記録層に有機色素が塗られていて、これをレーザ光線で焦がしてピットを作ることで、データを記録します。
CD-RW	何度でも書き換えができる、書換え可能型のCDです。 ディスクの記録層に相変化金属という材料を用い、これをレーザ光線の照射で結晶化、非結晶化させ、その違いによってデータを記録します。

DVD (Digital Versatile Disc)

映像用のDVDと同じディスクを、コンピュータの記憶媒体として利用したものです。
基本的な特徴はCDと同じ光ディスクなので以下同文なのですが、CDよりも波長の短い赤色レーザで記録するため、ピットの高密度化が可能となって、より大容量を実現しています。
記録面が1層のものと2層のもの、かつ両面使うものとそうでないもの…という組み合わせがあり、それぞれ次の記憶容量を持ちます。

片面1層	4.7GB
片面2層	8.5GB

両面1層	9.4GB
両面2層	17GB

DVD-ROM	再生専用型のDVDです。
DVD-R	追記型のDVDです。
DVD-RW	書換え可能型のDVDです。
DVD-RAM	書換え可能型のDVDです。

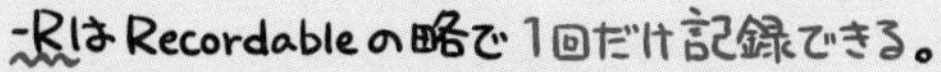

-ROMはRead Only Memoryの略で読むだけ。
-RはRecordableの略で1回だけ記録できる。
-RWはReWritableの略で書き直しができる。

光磁気ディスク（MO：Magneto Optical disk）

「レーザ光線と磁気によってデータの読み書きを行う」のが光磁気ディスク装置です。フロッピーディスクの後継として一時は広く使われていましたが、光ディスクの大容量低価格化の波に押されて、ほとんど見かけなくなりました。

磁気テープ

磁性体が塗布された「テープ状のフィルムに、磁気を使って読み書きを行う」カセット型の記憶媒体が磁気テープ装置です。中でも、ブロックごとにスタート、ストップすることをせず、連続してデータの読み書きを行うものをストリーマと呼びます。

フラッシュメモリ

「EEPROM (P.164) の一種を、補助記憶媒体に転用したもの」がフラッシュメモリです。これを利用した代表的なものにメモリカードやUSBメモリがあります。

コンパクトで、かつ低価格であるため、デジタルカメラや携帯電話などの記録メディアに利用されたり、データの持ち歩きに利用されたりしています。

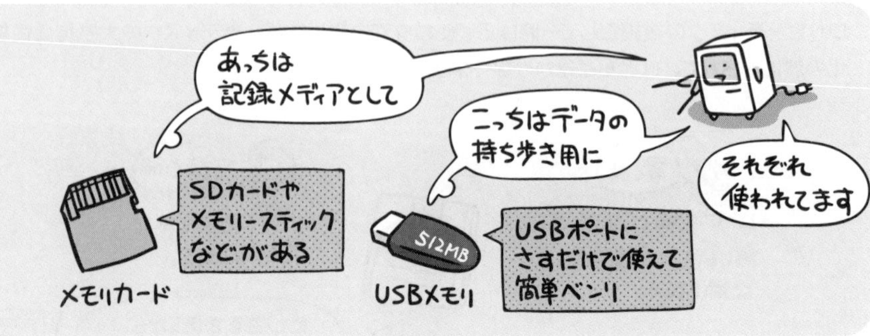

7 ハードディスクとその他の補助記憶装置

SSD (Solid State Drive)

ハードディスクの代替として、近年注目度を増してきているのがSSDです。

SSDは内部にディスクを持ちません。フラッシュメモリを記憶媒体として内蔵する装置です。

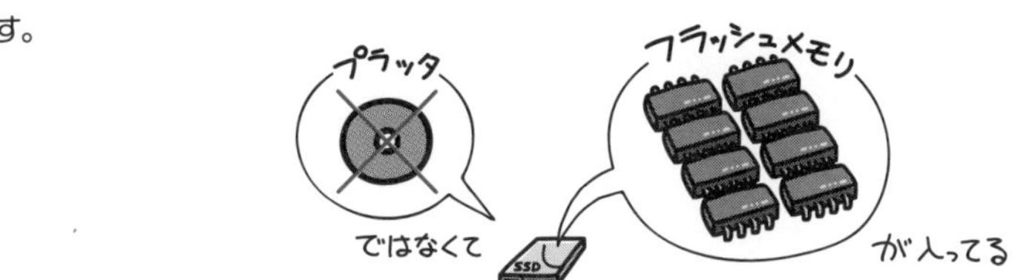

機械的な駆動部分がないため省電力で衝撃にも強く、シークやサーチといった待ち時間もありません。その分高速に読み書きを行うことができます。

ただしSSDには書き込み回数に上限があり、かつハードディスクに比べてビットあたりの単価も高くなります。そのため、完全な置き換えには至っていません。

7 ハードディスクとその他の補助記憶装置

このように出題されています 過去問題練習と解説 Ⅰ

(FE-H20-A-22)

記録媒体の記録層として有機色素を使い，レーザ光によってピットと呼ばれる焦げ跡を作ってデータを記録する光ディスクはどれか。

ア　CD-R　　イ　CD-RW
ウ　DVD-RAM　　エ　DVD-ROM

解説

CD-Rは、記録面に金色や青緑色の有機色素が塗布されています。これにレーザ光を照射し、その有機色素を焦がしてデータを記録します。焦げ跡のことを「ピット」と呼んでいます。

(FE-H20-S-22)

磁気ディスクのバックアップを取るために使用されるストリーマ（テープドライブ）の特徴はどれか。

ア　磁気ディスクの更新の差分をバックアップする場合は，記録データの部分書換え機能が利用できる。
イ　磁気ディスクの読出し速度に合わせて，書込み時の記録密度を変更できる。
ウ　データの書込み速度を向上させるために，複数の書込みヘッドを使用している。
エ　データの読み書きを連続して行い，ブロックごとにスタート，ストップさせることはしない。

解説

ア　ストリーマは、テープの読み出し、テープへの書き出しをする装置です。基本的に、テープは途中から読んだり、書いたりはせず、最初から読み書きします。したがって、記録データの部分的な書換えはされません。
イ　ストリーマの書込み時の記録密度は変更できません。また、多くのストリーマの書込み速度は、磁気ディスクの読出し速度よりも高速です。
ウ　ストリーマの書込みヘッドは、1つしかありません。
エ　ストリーマは、データの記録媒体として磁気テープを用いる外部記憶装置です。磁気テープ装置は、1ブロックを読み書きするたびに、テープを停止させますが、ストリーマはテープを止めず連続して読み書きできます。

(IP-R02-A-79)

次の①～④のうち，電源供給が途絶えると記憶内容が消える揮発性のメモリだけを全て挙げたものはどれか。

① DRAM　② ROM　③ SRAM　④ SSD

ア ①，②　イ ①，③　ウ ②，④　エ ③，④

解説

DRAMとSRAMは、揮発性メモリです。ROMとSSDは、不揮発性メモリです。①～④の用語説明は、下記のページを参照してください。

①：DRAM … 163ページ　②：ROM … 164ページ
③：SRAM … 163ページ　④：SSD … 193ページ

(IP-H29-A-67)

フラッシュメモリの説明として，適切なものはどれか。

ア 紫外線を利用してデータを消去し，書き換えることができるメモリである。
イ データ読出し速度が速いメモリで，CPUと主記憶の性能差を埋めるキャッシュメモリによく使われる。
ウ 電気的に書換え可能な，不揮発性のメモリである。
エ リフレッシュ動作が必要なメモリで，主記憶によく使われる。

解説

ア 当選択肢の説明に該当するのは、EPROMです。
イ 当選択肢の説明に該当するのは、SRAMです。
ウ そのとおりです。
エ 当選択肢の説明に該当するのは、DRAMです。

正解▶問1：ア　問2：エ　問3：イ　問4：ウ

Chapter 8

その他のハードウェア

コンピュータは、キーボードやディスプレイなどといっしょじゃないと働けないキカイです

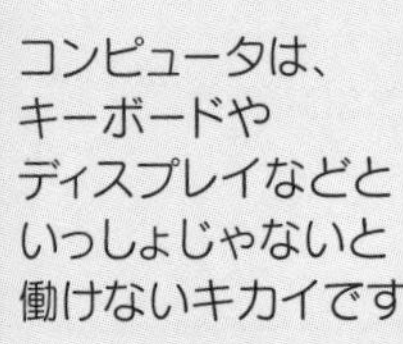

そう、確かに演算したりなんかは単独でもできる

じゃあコイツに「1＋1」をやらせてみてください

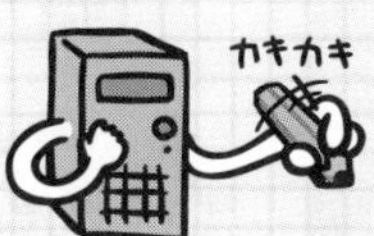

カキカキ

・・・・・・・
いくつに
なりましたか？
あ
あ
・・・・・
ディスプレイが
ないんだから、
結果見ること…
できませんよね？
考えたり
計算したり
記憶
したり
…した結果は、
何らかの
出力が
あるから
確認できる
いや
まったくで
ごもっとも
たはは
というわけで
1コマ目の言葉、
ご理解いただけ
ましたでしょうか？
要するに
キーボードや
ディスプレイが
いかに
大事かって
ことだよね

いえ、それもまた
ちょっと
ちがうのです
んて?
え?
入力や出力に
決まったカタチは
ありません
こいつらは
たまたま
よく目に
するもの
だから
例にした
だけ
その時々の用途に
合う入出力装置が
大事ですよという
話なのです
たとえば音がメインなら
入力
出力
必ずしも
キーボードは
必要じゃない
あ〜〜なるほど
ねえ
・・・・・
つまり
調子が悪くなると
叩いて直してた…
動けコイツ
バシ!
テレビ
とかね
あれもひとつの
入力だって
ことか
ギラリン
ちがう
だろ

Chapter 8-1

入力装置

入力装置はこちらの意志を伝える道具。
処理に必要なデータをコンピュータに与える機器たちです。

コンピュータは単に電卓代わりにと計算だけさせる道具ではなく、文字や画像、音楽、動画など、様々なデータを処理させることのできる機械です。しかし、どれを処理させるにしても、そのために必要なデータを与えてやらなければコンピュータは一切なにもしてくれません。

この、「処理に必要となるデータ」をコンピュータに入力してあげるのが入力装置の役割です。代表的なところでは文字を入力するキーボードと、位置情報を伝えるマウス。もしくはマウスの代わりに使うポインティングデバイスとして、最近のノートパソコンでは一般的になったトラックパッドなどがあります。

あ、ポインティングデバイスというのは、画面内の特定の位置を指し示すために使う機器のことです。マウスやトラックパッドの他、銀行のATMや駅の券売機にあるようなタッチパネル（画面をさわって操作できるやつ）もこれにあたります。

キーボードとポインティングデバイス

それではどのような入力装置があるかを詳しく見ていきましょう。
入力装置の代表格といえばなんといっても、まずはキーボードです。

キーボード	
キーボード 	パソコンにはほぼ標準装備されている、文字や数字を入力するための装置。

続いての代表格といえばマウス。その他、位置情報を入力するポインティングデバイスには、次のような種類があります。

マウス	マウス自身を動かすことで、その移動情報を入力して画面内の位置を指し示す装置。
トラックパッド	パッド上で指を動かすことで、その移動情報を入力して画面内の位置を指し示す装置。ノートパソコンでマウスの代わりに搭載されていることが多い。
タッチパネル	画面を直接触れることで、画面内の位置を指し示す装置。銀行のATMや駅の券売機等で使われていることが多い。
タブレット	パネル上で専用のペン等を動かすことにより、位置情報を入力する装置。絵を描く用途に使われることが多い。大型のものはディジタイザと呼ばれ、図面作成用途に用いられる。
ジョイスティック	スティックを前後左右に傾けることで位置情報を入力する装置。これを使うとゲームがアツい。

読み取り装置いろいろ

入力装置は、「指示を与える」ばかりではありません。「処理対象とするデータそのものを入力する」ことも入力装置の大事な役割です。

イメージスキャナ	絵や写真を画像データとして読み取るための装置。 単にスキャナとも呼ばれる。
OCR (Optical Character Reader)	印字された文字、もしくは手書き文字などを解析して文字データとして読み取る装置。 はがきの郵便番号欄などは、これで読み取っている。 OCR オーシーアールの「シー」は 文字(キャラクタ)を示す「シー」なのです なるほど
OMR (Optical Mark Reader)	マークシートの塗り潰し位置を読み取る装置。 試験の答案や、アンケートの集計などで使われている。 OMR じゃあオーエムアールの「エム」はというと… マークの「エム」だ!
キャプチャカード	ビデオデッキなどの映像機器から、映像をデジタルデータとして取り込むための装置。
デジタルカメラ	要するにカメラ。 フィルムの代わりに、CCD(Charge Coupled Device:電荷結合素子)などを使って、画像をデジタルデータとして記録する装置。
バーコードリーダ	バーコードを読み取るための装置。 コンビニエンスストアでピッピピッピと読み取らせているのをよく見かける。

バーコードの規格

バーコードには、様々な規格が存在します。昔から使われている縦縞模様のバーコードはもちろん、近年目にする機会の増えた小さな四角（セルと言う）の集合体のようなものもバーコードの一種です。前者を1次元バーコード、後者を2次元コードと呼びます。

ここでは代表的なJANコードとQRコードについて、特徴をおさえておきましょう。

JANコード

世界共通の商品識別コードです。白黒の帯によって、13桁(標準タイプ)または8桁(短縮タイプ)の数字列を表現します。

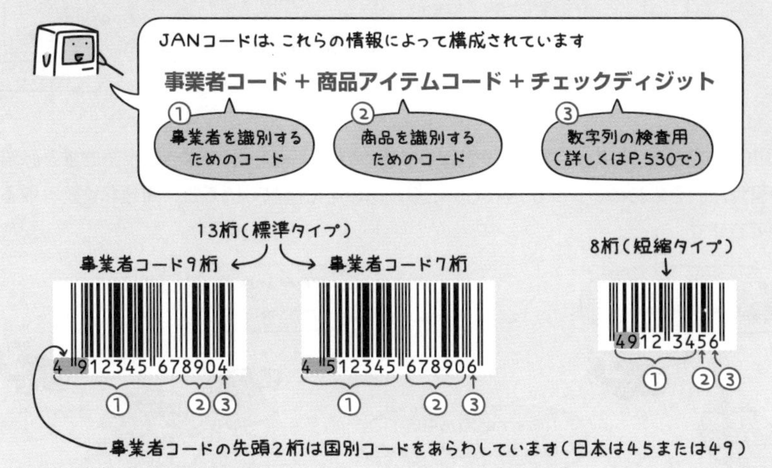

QRコード

縦と横、2次元の図形パターンによって情報をあらわす2次元コードです。格納できる情報量は非常に多く、数字だけなら最大7,089文字、漢字・かなだと最大1,817文字を表現することができます。

3個の検出用シンボルによって、回転角度と読取り方向が認識可能です。

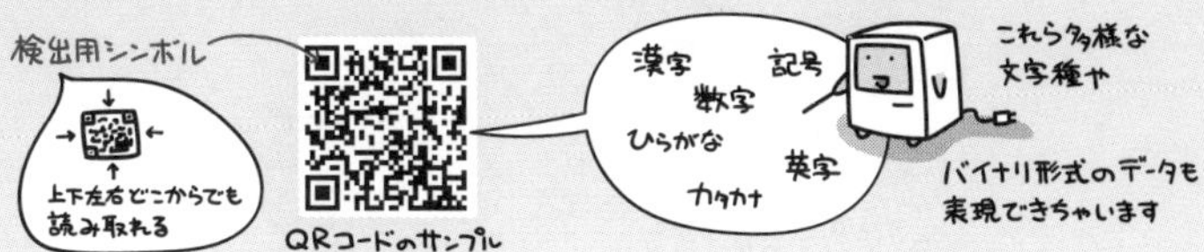

RFID (Radio Frequency IDentification)

ICタグ(RFID)は、電磁界や電波を使って読み取りを行う、非接触型のスキャンシステムです。電子情報を記録したRFタグを商品に貼り付けておき、専用のリーダーを用いてその内容を読み取ります。

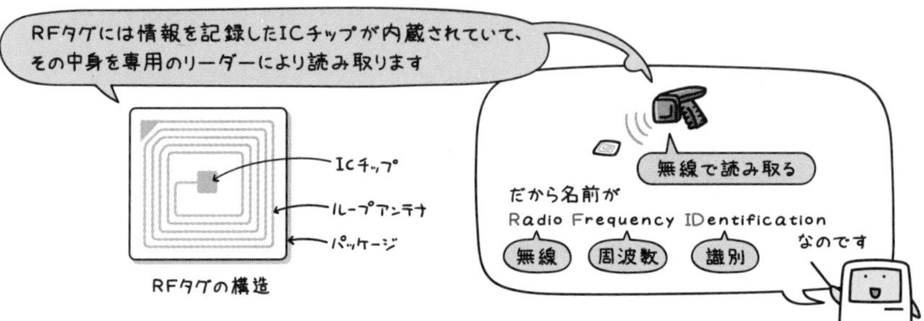

RFIDはアンテナによって情報をやり取りするため、バーコードのように視認できる必要がありません。そのため、タグが汚れていたり、箱の中に隠れていても、問題なく読み取ることができます。

身近なところでは、交通系ICカードなんかにも、同じ技術が用いられています。

このように出題されています 過去問題練習と解説

(FE-H20-S-26)

入力装置の中で，ポインティングデバイスに分類され，CAD システムの図形入力などに使用されるものはどれか。

ア　OCR　　イ　OMR

ウ　イメージスキャナ　　エ　タブレット

解説

タブレットは、センサが付いている板状の装置の上で、ペン型の装置を動かし、マウスと同じように画面操作を可能にした装置です。建築設計，航空写真からの地図作製等で利用されています。本書のイラストは、タブレットを使って作成されています。

(FE-H19-A-70)

QRコードの特徴はどれか。

ア　3個の検出用シンボルで，回転角度と読取り方向が認識できる。

イ　最大で英数字なら126文字，漢字なら64文字を表すことができる。

ウ　バイナリ形式を除いた文字をコードで表現することができる。

エ　プログラム言語であり，携帯電話で実行できる。

解説

QR (Quick Response) コードは、携帯電話で情報を読み取るのに多く使用されている2次元コードです。3個の検出用のシンボルがあり、どの方向からでも読み取れ、英数・漢字・かな・バイナリ形式のコードを扱えます。

正解▶問1：エ　問2：ア

Chapter 8-2

ディスプレイ

ディスプレイは出力装置のひとつ。
コンピュータからの出力を画面上に映し出します。

出力装置は、コンピュータ内部の処理結果を外部に出力するための装置です。

ディスプレイはそのうちのひとつで、見た目は家庭用のテレビと酷似しており、コンピュータの出力結果を画面上に映す（出力する）のが仕事です。

家庭用テレビが大型のブラウン管テレビから薄型の液晶テレビへと変遷したように、ディスプレイの世界もかつて主流であったブラウン管方式のCRTディスプレイはなりを潜め、現在では薄型で省電力の液晶ディスプレイが主流となっています。

解像度と、色のあらわし方

前ページでも書いたように、ディスプレイは表示面を格子状に細かく区切り、その格子ひとつひとつの点（ドット）を使って画像を表現します。つまりディスプレイに表示されている内容は、どれだけ滑らかに見えても、点の集まりに過ぎないのです。

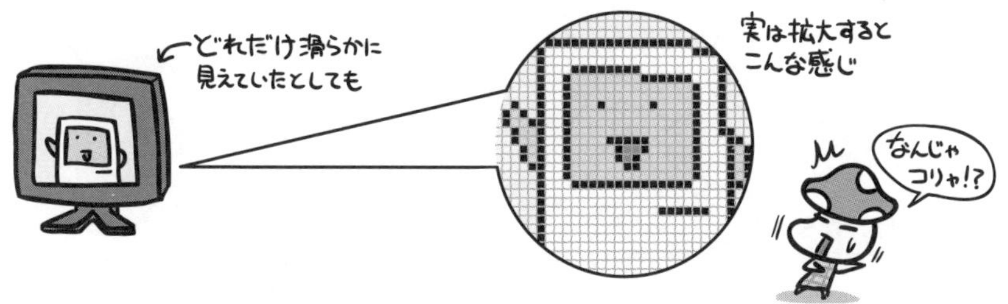

この時、ディスプレイをどれだけ細かく区切るかによって、表示される画面の滑らかさが決まります。この、ディスプレイが表示するきめ細かさのことを解像度と呼びます。

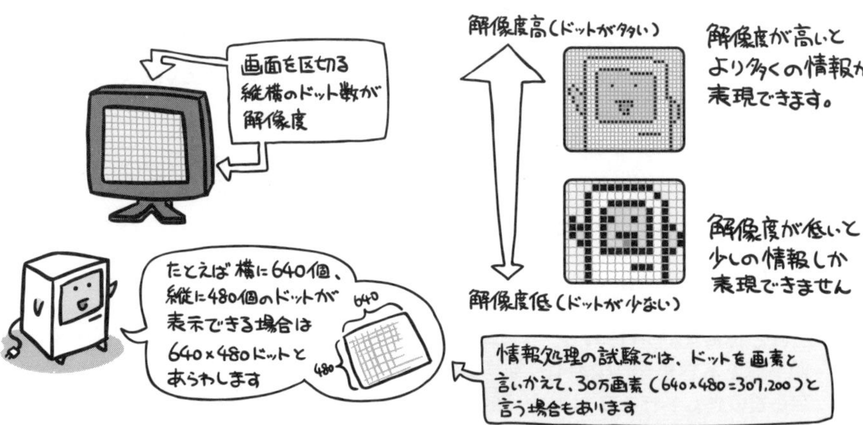

ディスプレイは、ひとつひとつのドットを表現するために、1ドットごとにRGB3色の光を重ねて色を表現します（RはRed、GはGreen、BはBlueの頭文字）。

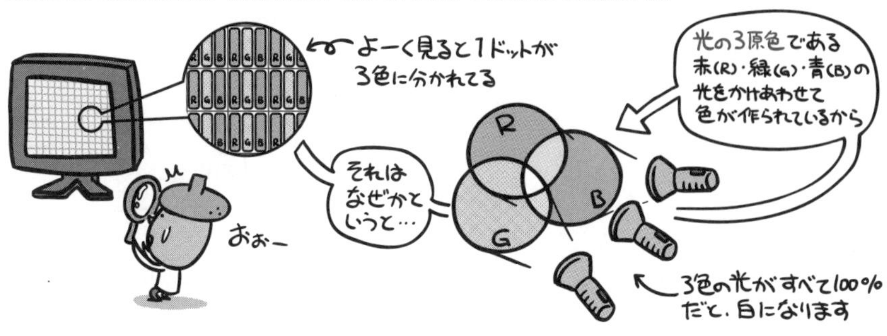

VRAM（ビデオRAM）の話

コンピュータは、画面に表示させる内容を、VRAM（ビデオRAM）という専用のメモリに保持します。

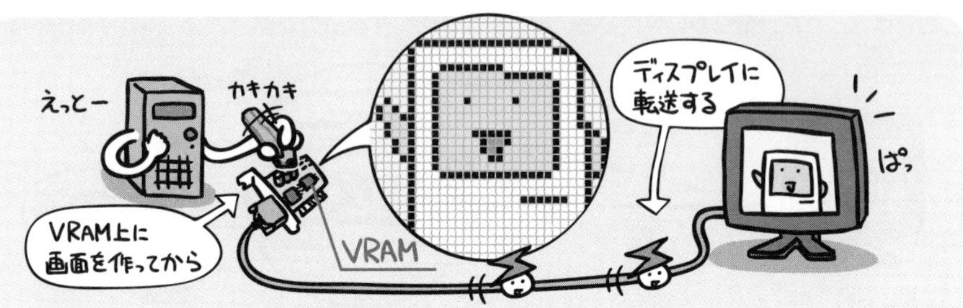

ですから、VRAMの容量によって、扱うことのできる解像度と色数が決まります。

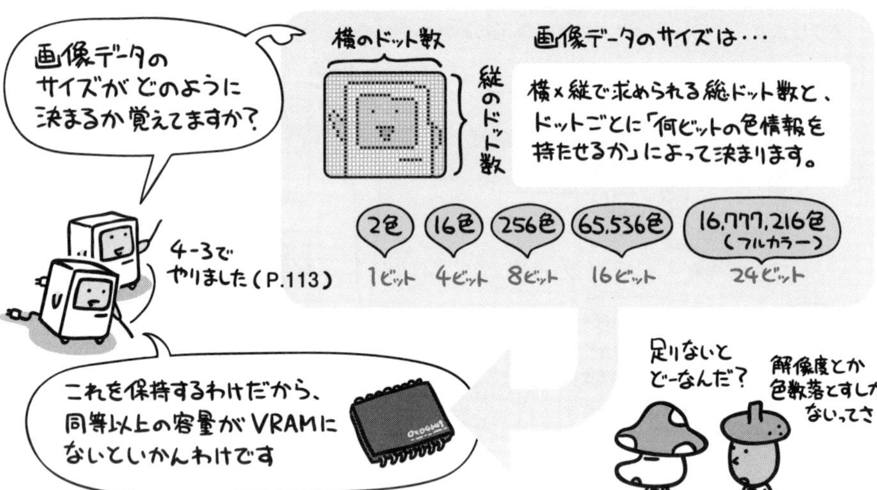

たとえばここに、1024×768ドットの表示能力を持つディスプレイがあります。

このディスプレイで65,536色を表示させたいという場合、必要なVRAMの容量は約何Mバイトになるでしょうか。

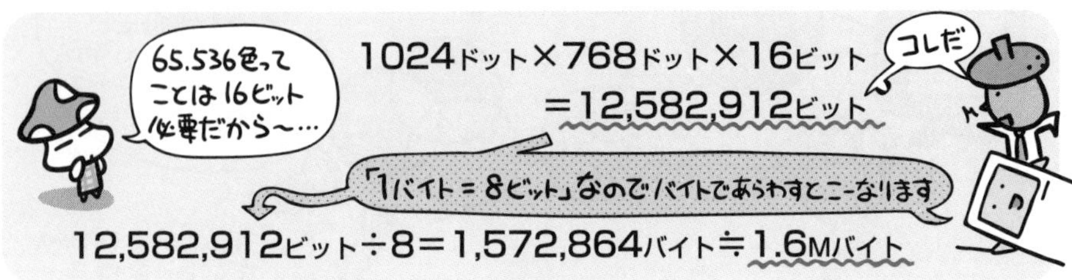

ディスプレイの種類と特徴

ディスプレイには次のような種類があります。

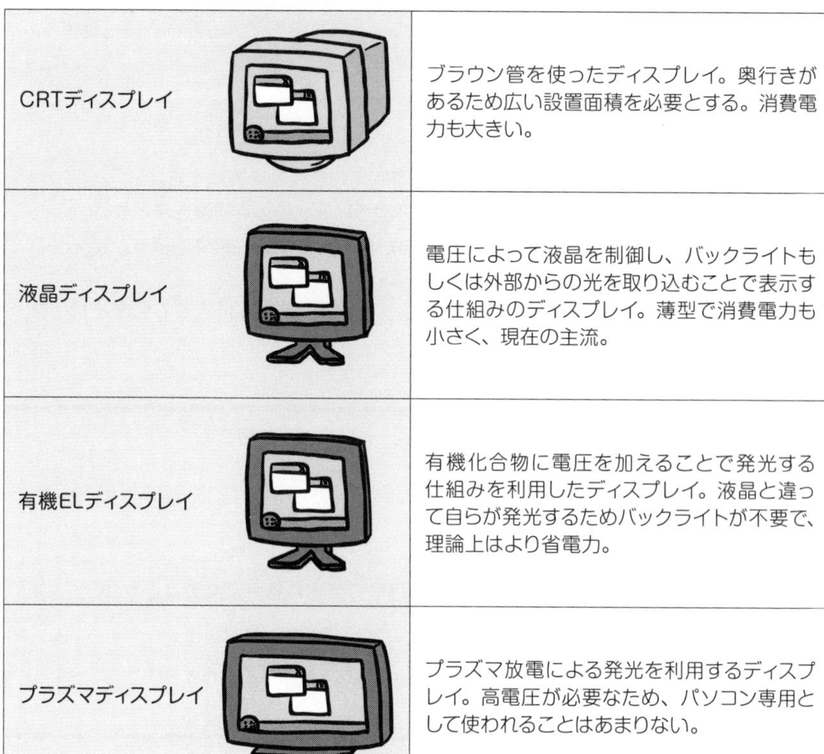

種類	特徴
CRTディスプレイ	ブラウン管を使ったディスプレイ。奥行きがあるため広い設置面積を必要とする。消費電力も大きい。
液晶ディスプレイ	電圧によって液晶を制御し、バックライトもしくは外部からの光を取り込むことで表示する仕組みのディスプレイ。薄型で消費電力も小さく、現在の主流。
有機ELディスプレイ	有機化合物に電圧を加えることで発光する仕組みを利用したディスプレイ。液晶と違って自らが発光するためバックライトが不要で、理論上はより省電力。
プラズマディスプレイ	プラズマ放電による発光を利用するディスプレイ。高電圧が必要なため、パソコン専用として使われることはあまりない。

このように出題されています 過去問題練習と解説

問1 (FE-H24-S-14)

プラズマディスプレイの説明として，適切なものはどれか。

ア　ガス放電によって発生する光を利用して映像を表示する。
イ　自身では発光しないので，バックライトを使って映像を表示する。
ウ　電極の間に有機化合物を挟んだ構造で，これに電気を通すと発光することを利用して映像を表示する。
エ　電子銃から電子ビームを発射し，管面の蛍光体に当てて発光させ，文字や映像を表示する。

解説

ア　プラズマディスプレイの説明です。　イ　液晶ディスプレイの説明です。
ウ　有機ELディスプレイの説明です。
エ　CRT (Cathode Ray Tube)、いわゆるブラウン管の説明です。

問2 (FE-H22-S-13)

自発光型で，発光ダイオードの一種に分類される表示装置はどれか。

ア　CRT ディスプレイ　　イ　液晶ディスプレイ
ウ　プラズマディスプレイ　　エ　有機 EL ディスプレイ

解説

自発光型で，発光ダイオードの一種に分類される表示装置は、有機 EL ディスプレイです。

問3 (FE-H31-S-11)

96dpiのディスプレイに12ポイントの文字をビットマップで表示したい。正方フォントの縦は何ドットになるか。ここで，1ポイントは1／72インチとする。

ア　8　　イ　9　　ウ　12　　エ　16

解説

(1) 12ポイントをインチに換算した数
12ポイント×1／72インチ≒0.167インチ
(2) 12ポイントの正方フォントの縦のドット数
0.167インチ×96dpi (dot per inch：1インチ当たりのドット数) ≒16ドット

正解▶問1：ア　問2：エ　問3：エ

Chapter 8-3

プリンタ

処理結果をプリント（印刷）する装置だからプリンタ。代表的な出力装置のひとつです。

出力装置といえばパッと頭に思い浮かぶのがこのプリンタ。ガシガシ印刷してペッと紙を吐き出すあたりが、いかにも「出力」という感じでわかりやすい装置です。

同じく代表的な出力装置としてディスプレイがありますが、ディスプレイがRGB（Red、Green、Blue）の組み合わせで色を表現するのに対して、プリンタはCMYK（Cyan:シアン、Magenta:マゼンタ、Yellow:イエロー、blacK:ブラック）という4色の組み合わせで色を表現します。

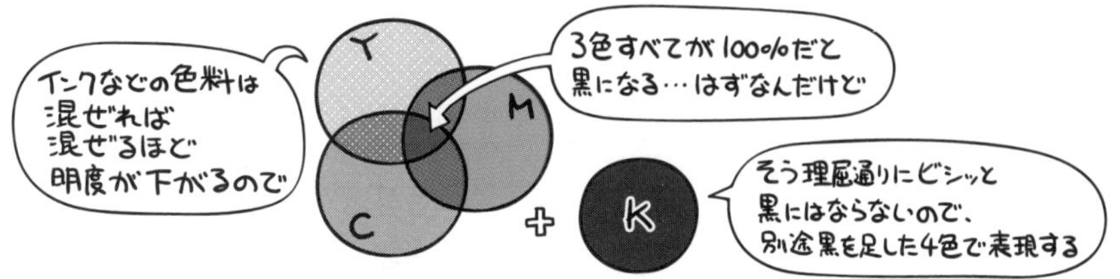

8 その他のハードウェア

プリンタの種類と特徴

プリンタは、その印字方式によって様々な種類に分かれます。
ここでは代表的な次の3種類を紹介します。

<table>
<tr>
<td>ドットインパクト
プリンタ
</td>
<td>印字ヘッドに多数のピンが内蔵されていて、このピンでインクリボンを打ち付けることによって印字するプリンタです。
物理的に叩きつけるわけですから印字音は大きく、その印字品質もあまり高くありません。しかし、複写式の伝票印刷に使用できる唯一のプリンタであるため、事務処理分野では重宝されています。
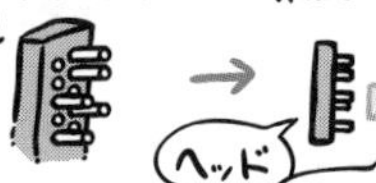
</td>
</tr>
<tr>
<td>インクジェット
プリンタ
</td>
<td>印字ヘッドのノズルから、用紙に直接インクを吹き付けて印刷するプリンタです。インクのにじみなど印字先の紙質に左右される面もありますが、基本的には音も静かで、かつ高速。高品質のカラー印刷を安価に実現することができるとあって、個人用途のプリンタとして普及しています。
最近では基本のCMYKだけでなく、ライトシアンなどを加えた多色表現を可能としたモデルが出ており、写真並みの高画質印刷を可能としています。

</td>
</tr>
<tr>
<td>レーザプリンタ
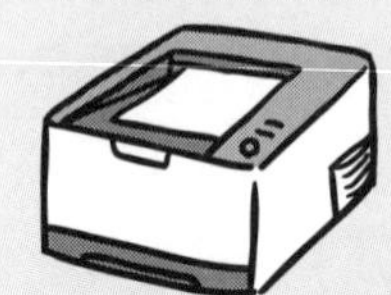</td>
<td>レーザ光線を照射することで感光体上に1ページ分の印刷イメージを作成し、そこに付着したトナー(顔料などの色粒子からなる粉)を紙に転写することで印刷するプリンタ。基本的にはコピー機と同じ原理です。ページ単位で印刷するため非常に高速で、音も静か。粉を定着させる方式であるため、インクがにじむようなこともなく、もっとも高品質な印字結果を得ることができます。ビジネス用途のプリンタとして普及しています。

</td>
</tr>
</table>

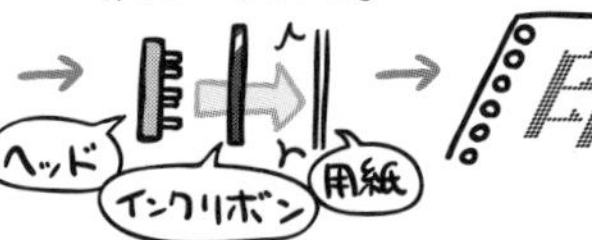

プリンタの性能指標

プリンタの性能は、印字品質とその速度によって評価することができます。

プリンタの解像度

印字品質をはかる指標が解像度です。プリンタの場合は、「1インチあたりのドット数」を示すdpi (dot per inch) を用いてあらわします。

ディスプレイの節 (P.205) でも述べたように、この数値が大きいほどきめの細かい表現ができるので、高精細な印字結果を得ることができます。

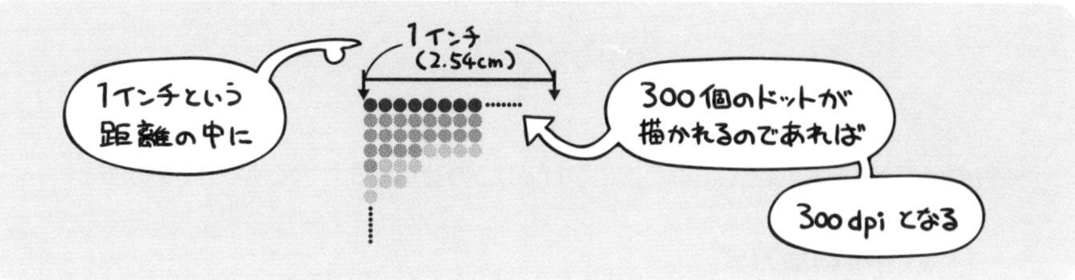

プリンタの印字速度

印字速度をあらわす指標には、「1秒間に何文字印字できるか」をあらわすcps(character per second) と「1分間に何ページ印刷できるか」をあらわすppm (page per minute) の2つがあります。

プリンタの印字方式により、いずれか最適な方を用いてあらわします。

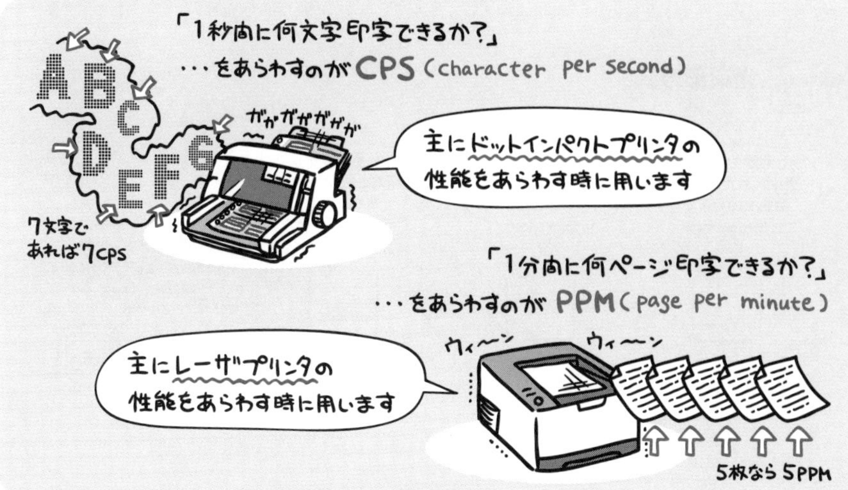

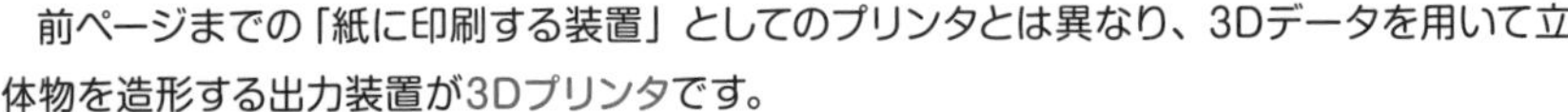

3Dプリンタ

前ページまでの「紙に印刷する装置」としてのプリンタとは異なり、3Dデータを用いて立体物を造形する出力装置が3Dプリンタです。

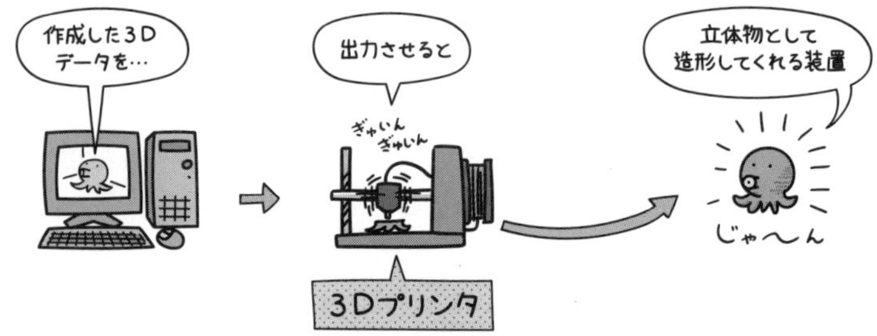

一般向けの3Dプリンタとしては、次に挙げる2つの造形方式がよく使われています。

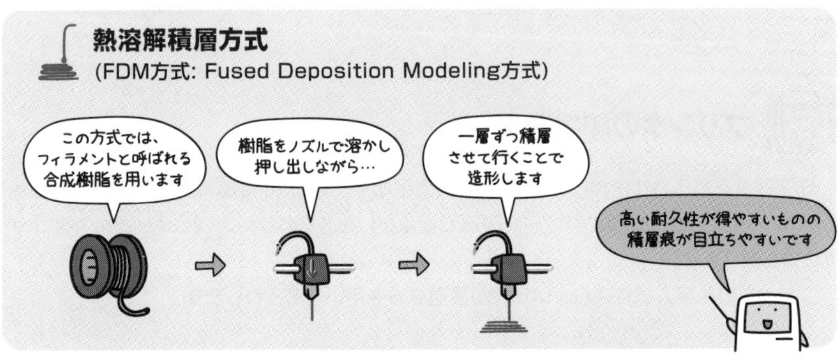

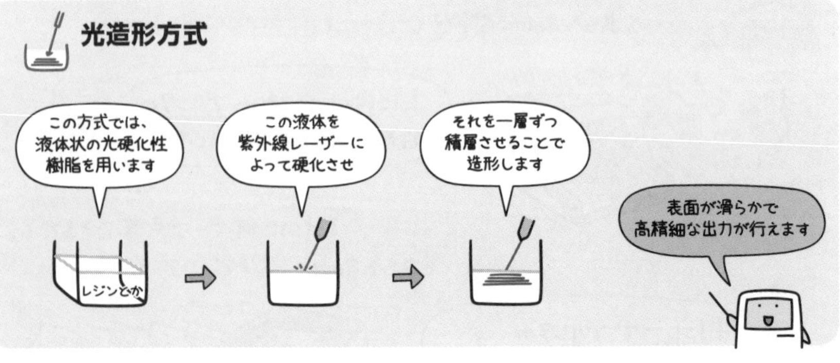

このように出題されています 過去問題練習と解説

問1

(FE-H20-A-26)

レーザプリンタの性能を表す指標として，最も適切なものはどれか。

ア　1インチ（2.54cm）当たりのドット数と1分間に印刷できるページ数

イ　1文字を印字するのに使われる縦横のドット数と1秒間に印字できる文字数

ウ　印字する行の間隔と1秒間に印字できる行数

エ　印字する文字の種類と1秒間に印字できる文字数

解説

レーザプリンタは、ページ単位で印刷します。したがって、選択肢アの後半の「1分間に印刷できるページ数」がヒントになっています。これをPPM（Page Per Minute）といいます。選択肢アの前半の「1インチ（2.54cm）当たりのドット数」は、dpi（dot per inch）といいます。

正解▶問1：ア

(FE-H20-S-25)

解像度600dpiのスキャナで画像を読み込み，解像度300dpiのプリンタで印刷すると，印刷される画像の面積は元の画像の何倍になるか。

ア　1/4　　イ　1/2　　ウ　2　　エ　4

解説

dpiはdot per inchの略であり、1インチを何個の点の集まりとして表現するかを表す単位です。

(1) 1インチ四方画像（600dpi）のドット数

□ 600dpi　　600×600=360,000ドット

600dpi

(2) 360,000ドットを300dpiのプリンタで印刷した場合の大きさ

300dpi

300dpi　(300×2)×(300×2)=360,000ドット

300dpi ×2

印刷される画像の面積は、元の画像の4倍になります。

正解▶問2：エ

Chapter 8-4 入出力インタフェース

コンピュータと様々な周辺機器をつなぐために定められている規格。それが入出力インタフェースです。

入出力インタフェースの規格には、「ケーブルや端子などの差し込み口の形状」や「ケーブルの種類」、「ケーブルの中を通す信号のパターン」など、細々とした内容が定められています。この規格を守ることで、異なるメーカーのキーボードに買いかえても問題なく交換できたり、プリンタとスキャナのようにまったく異なる用途の機器も同じケーブルを共用できたりといった互換性が保たれているのです。

たとえばAC100Vの電気コンセント。あれは日本全国どこにいっても同じ形をしています。そして、電気製品はすべてコンセントにささる形の電気プラグを持っています。これらが問題なくつながるのも、つまりは「AC100Vコンセント」という入出力インタフェースをみんなが守っているからということなのです。

コンピュータの入出力インタフェースには様々なものがありますが、周辺機器との接続で現在もっともポピュラーなのは「USB」という規格です。この規格では、コンピュータに周辺機器をつなぐと自動的に設定が行われるプラグ・アンド・プレイ（差し込めば使えるという意味）という仕組みが利用できます。

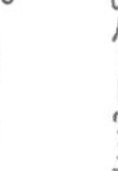

パラレル（並列）とシリアル（直列）

入出力インタフェースは、データを転送する方式によってパラレルインタフェースとシリアルインタフェースに分かれます。

パラレルは並列という意味で、複数の信号を同時に送受信します。一方シリアルは直列という意味で、信号をひとつずつ連続して送受信します。

ワタクシ、電気信号でゴザイマス

ワタクシひとつで、1bitという
最小単位のデータを伝えることがデキマス

パラレルインタフェース

よーい
よーい
よーい
よーい
ゴー
ゴー
ゴー
ゴール
ゴール
ゴール
ゴール

パラレルは複数の信号をまとめて同時に送ります

シリアルインタフェース

よーい
ゴー
ゴー
ゴー
ゴール

シリアルは信号をひとつずつ送ります

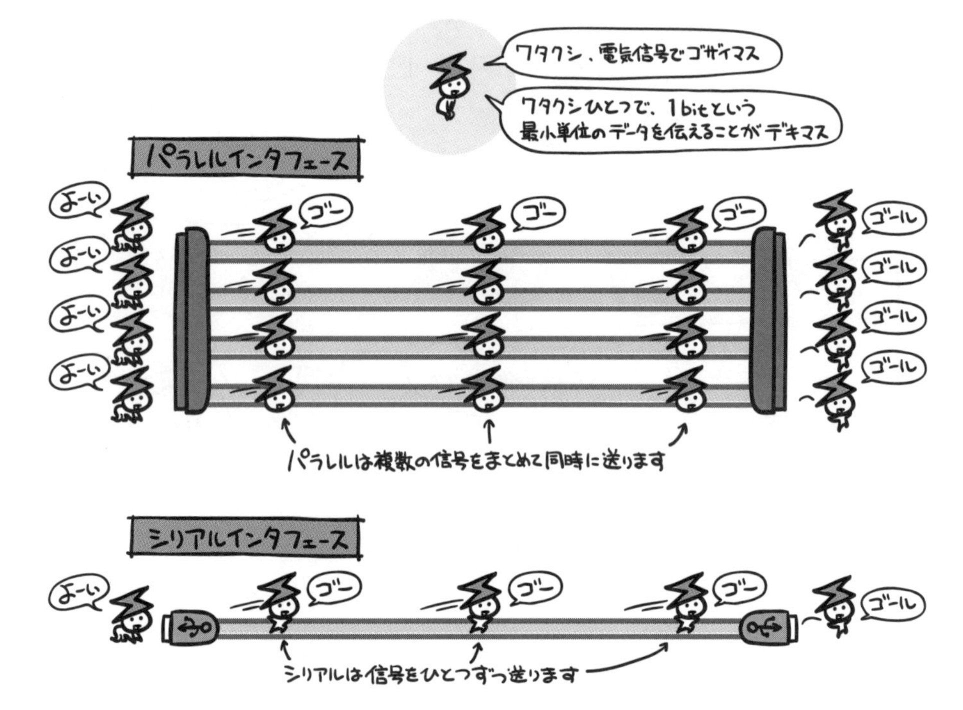

当初は複数の信号を1回で送れるパラレルインタフェースが高速とされていました。しかし高速化を突き進めていくにつれ信号間のタイミングを取ることが難しくなり、現在はシリアルインタフェースで高速化を図るのが主流となっています。

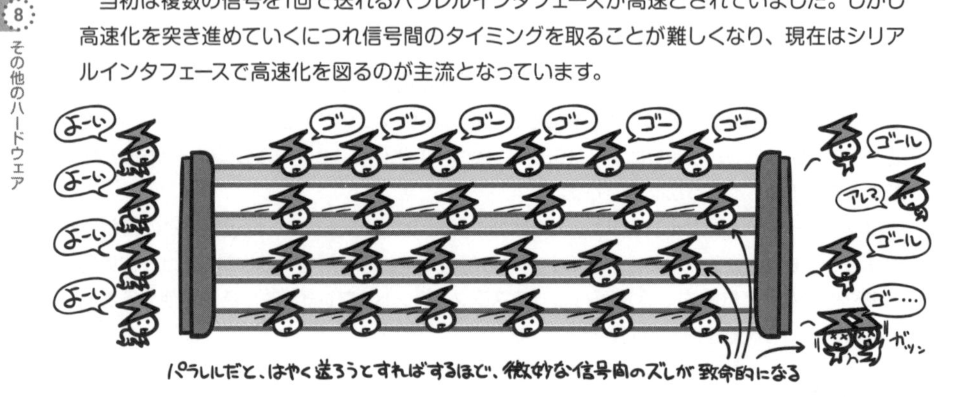

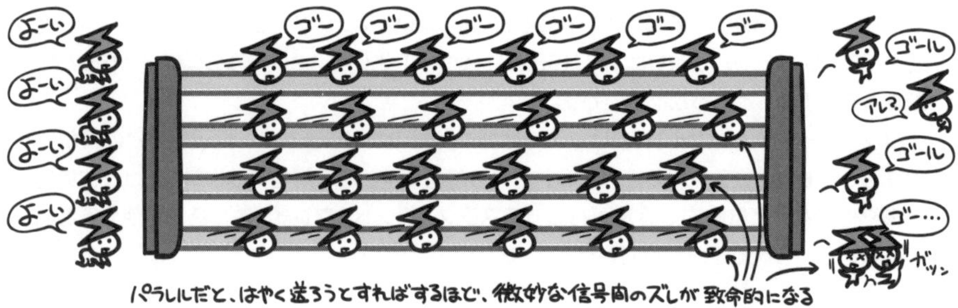

パラレルインタフェース

パラレルインタフェース方式の規格としては、IDE（Integrated Drive Electronics）やSCSI（Small Computer System Interface）などが挙げられます。

いずれも主流がシリアルインタフェース方式へと移っていったことで、その役割を終えつつあります。

IDE（Integrated Drive Electronics）

内蔵用ハードディスクを接続するための規格として使われていたインタフェースです。

当初は、「最大2台までのハードディスクを接続できる」という規格でしたが、後にCD-ROMドライブなどの接続にも対応したEIDE（Enhanced IDE）として拡張され、広く普及しました。EIDEでは、「最大4台までの機器（ハードディスクやCD-ROMドライブなど）」を接続することができます。

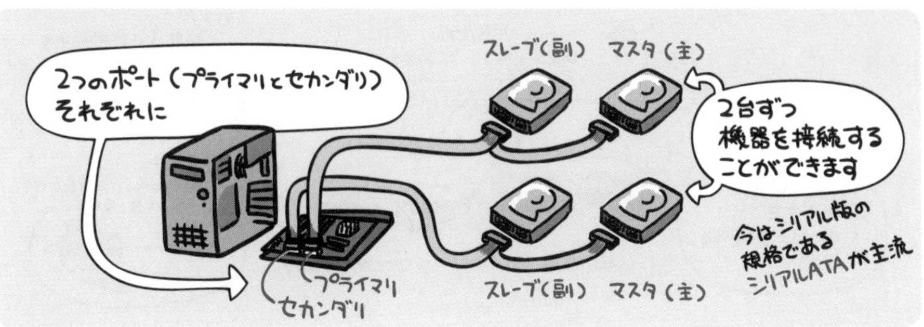

SCSI（Small Computer System Interface）

ハードディスクやCD-ROM、MOドライブ、イメージスキャナなど、様々な周辺機器の接続に使われていたインタフェースです。

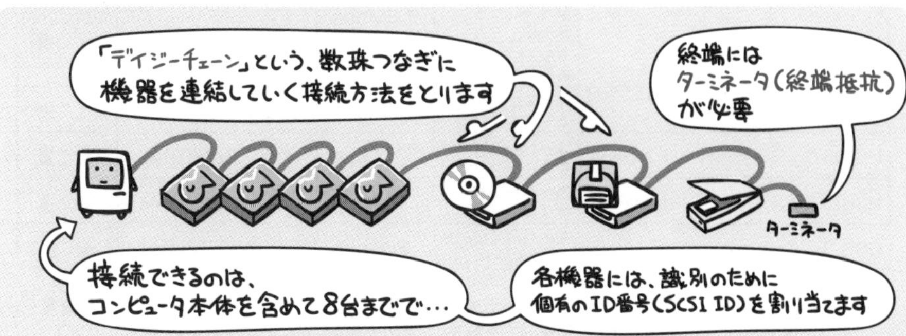

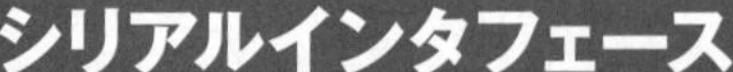

シリアルインタフェース

シリアルインタフェース方式の規格として、特に代表的なのが「USB」と「IEEE1394」です。周辺機器をつなぐためのインタフェースに広く採用されており、どちらも「電源を入れたまま機器を抜き差しできるホットプラグ」と、「周辺機器をつなぐと自動的に設定が開始されるプラグ・アンド・プレイ」に対応しています。

USB（Universal Serial Bus）

パソコンと周辺機器とをつなぐ際の、もっとも標準的なインタフェースです。

Universal（広く行われる;万能の;）とあるように広く使える高い汎用性に主眼が置かれた規格で、キーボードやマウス、スキャナなどの入力装置、プリンタなどの出力装置、外付けハードディスクなどの補助記憶装置と、機器を選ばず利用できるようになっています。

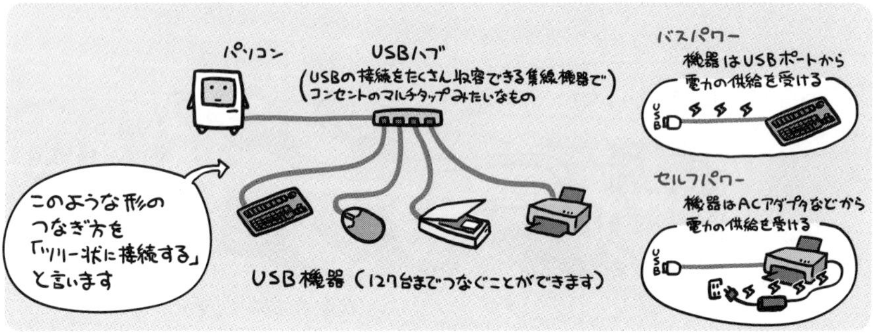

USBには複数の規格があり、各規格で性能もそれぞれ違います。代表的な規格をまとめると次のようになります。

通信方式の「半二重通信」とは、受信と送信を同時に行えず、「全二重通信」とは、受信と送信を同時に行える方式のことです

名称	最大転送速度		最大供給電力	通信方式
USB 1.1	ロースピードモード	1.5Mbps	2.5W (5V×0.5A)	半二重
	フルスピードモード	12Mbps		
USB 2.0	ハイスピードモード	480Mbps	2.5W (5V×0.5A)	半二重
USB 3.0 / 3.1 Gen1 / 3.2 Gen1	スーパースピードモード	5Gbps	4.5W (5V×0.9A)	全二重
USB 3.1 / 3.1 Gen2 / 3.2 Gen2	スーパースピードプラスモード	10Gbps	100W (20V×5A)	全二重
USB 3.2 Gen2×2	スーパースピードプラスモード	20Gbps	100W (20V×5A)	全二重

Type-Cというコネクタのみの対応ですが、USB PD(USB Power Delivery)という給電規格を使うと、機器に最適な電力を自動的に決めて供給することができます(最大100W)

さらにUSBには、複数のコネクタ形状があります。代表的な形状は次の通りです。

名称	対応する規格	コネクタ形状	ピンの数
Type-A	USB 1.1、2.0		4本
	USB 3.0、3.1		9本
Type-B	USB 1.1、2.0		4本
	USB 3.0		9本
Type-C	USB 3.0、3.1、3.2		24本
Mini-A	USB 1.1、2.0		5本
Mini-B	USB 1.1、2.0		5本
Micro-A	USB 1.1、2.0		5本
Micro-B	USB 1.1、2.0		5本
	USB 3.0		10本

※下位互換性が考慮されているため、ほとんどの場合、新しい規格のコネクタでも、古いUSB規格の通信をサポートしています。

コネクタ形状とはここのこと
こっちはコネクタの中が青く着色されてることが多い（推奨なので絶対ではない…）
USBは細かく規格を追うとどんでもなくややこしいので、ここでは代表的なものを紹介しています
種類多すぎだろ
はは…
一時期のAndroidスマホとかで良く使われていたのはコレ

コネクタ形状については、現在はType-Cに統一されていこうとしています。

このType-Cコネクタには、「向きを気にせずに接続できる」「機器に合わせて自動で供給電力を変更できる」などの特徴があります。

IEEE1394（アイトリプルイーイチサンキューヨン）

i.LinkやFireWireという名前でも呼ばれる、主にハードディスクレコーダなどの情報家電やデジタルビデオカメラなどの機器に使われているインタフェースです。

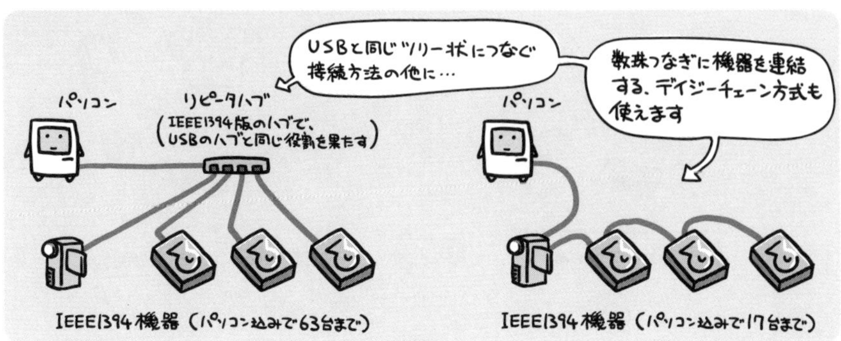

無線インタフェース

入出力インタフェースには、周辺機器との接続にケーブルを使用しない、無線で通信するタイプのものがあります。代表的なものにIrDAとBluetoothがあります。

IrDA（Infrared Data Association）

アイアールディーエー

赤外線を使って無線通信を行う規格です。携帯電話やノートパソコン、携帯情報端末などによく使われています。赤外線で通信を行うといえばテレビのリモコンなどを思い浮かべますが、赤外線という点が共通しているだけで、IrDAとの互換性はありません。

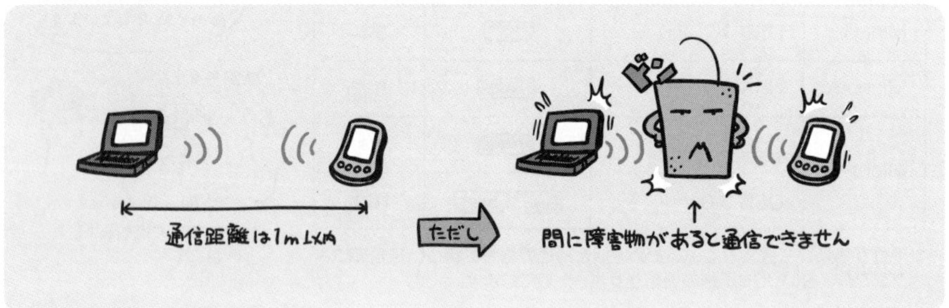

Bluetooth

ブルートゥース

2.4GHzの電波を使って無線通信を行う規格です。携帯電話やノートパソコン、携帯情報端末の他、キーボードやマウス、プリンタなど様々な周辺機器をワイヤレス接続することができます。

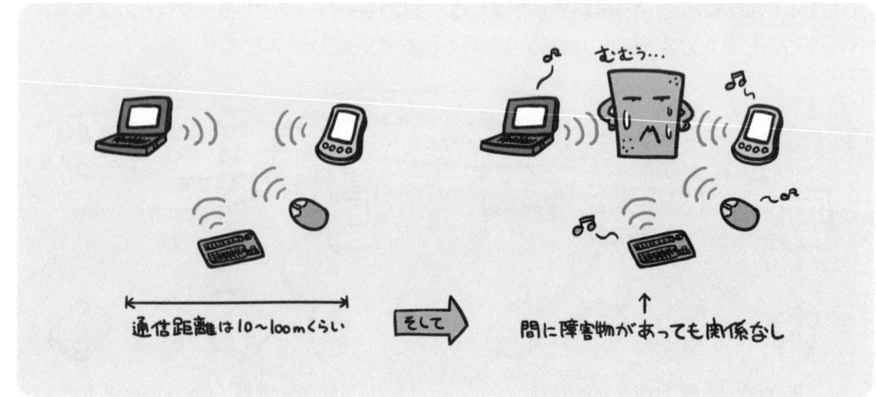

このように出題されています
過去問題練習と解説

(AP-R03-A-10)

USB Type-Cのプラグ側コネクタの断面図はどれか。ここで，図の縮尺は同一ではない。

ア　　イ

ウ　　エ

解説

選択肢ア～エは、下記のプラグ側コネクタの断面図です。

ア　USB2.0のType-A　　イ　USB3.0のType-C（Type-Cは、USB2.0にはありません）
ウ　USB2.0のMini-B（Mini-Bは、USB3.0にはありません）　　エ　USB2.0の Micro-B

なお、参考となる図を、右記に掲載します。

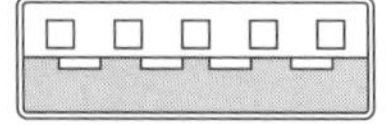

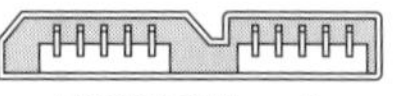

USB3.0のType-A　　USB3.0のMicro-B

(FE-R01-A-14)

次に示す接続のうち，デイジーチェーンと呼ばれる接続方法はどれか。

ア　PCと計測機器とをRS-232Cで接続し，PCとプリンタとをUSBを用いて接続する。

イ　Thunderbolt接続ポートが2口ある4Kディスプレイ2台を，PCのThunderbolt接続ポートから1台目のディスプレイにケーブルで接続し，さらに，1台目のディスプレイと2台目のディスプレイとの間をケーブルで接続する。

ウ　キーボード，マウス及びプリンタをUSBハブにつなぎ，USBハブとPCとを接続する。

エ　数台のネットワークカメラ及びPCをネットワークハブに接続する。

解説

デイジーチェーンは、217ページ最下段の図で説明されているとおり、機器を数珠つなぎに連結する接続方法です。選択肢イは、「PC ←(接続)→ ディスプレイ ←(接続)→ ディスプレイ」という状況を説明していますので、デイジーチェーンに該当します。

正解▶問1：イ　問2：イ

Chapter 9

基本ソフトウェア

前にも書きましたが、コンピュータはソフトウェアなしでは働けません

1

たとえばアナタは、コンピュータでなにがしたいですか？

2

なるほど、それだとワープロソフトやゲームソフトが必要になるわけです

3

ところで、コンピュータって5大装置が連携して動くわけですけど

4

ワープロやゲームがあればこれらの装置が使えるかというと…

5

いっさいなんの面倒も見てくれなかったり

6

つまり他の誰かが

7

…なんてことをして、5大装置とワープロやゲーム等ソフトウェアとの仲立ちをしてやらんといかんのです

8

その役目を
担いますのが
我らが「OS」さん
天が呼ぶ 地が呼ぶ
人が呼ぶ…
仲立ちせよとオレを呼ぶ
ひゅるるるる～
9
OSは、
ハードウェアと
ソフトウェアたちの
仲立ち役として…
はい どっちも
どっちも――
はい
まったまった――
はいっ!!
スタートおぅぅ!!
10
入力を解釈しては
ソフトウェアに
届け…
はい! 「A」押されました
「A」キタよ「A」!!
はい
クリックキタ
11
出力は噛み砕いて
ハードウェアを
制御してと大活躍
はい! コレ
保存ね 保存!
画面
コレ!
はいコレ!
12

このように、
コンピュータを
コンピュータとして
使えるように
するのがOSの役目
13
基本的な
制御や管理を担当
するので、
「基本ソフトウェア」
に分類されます
応用ソフトウェア
ココ
ミドルウェア
基本ソフトウェア
ハードウェア
14
一方、「コンピュータ
でなにをするか」を
実現するのが、
「アプリケーション」
と呼ばれる
ソフトウェア
アップリケっしょ?
これ?
15
こっちは
「応用ソフトウェア」
に分類されてます
う～～む
なぜアップリケ…
いやあのね
16

Chapter 9-1 OSの仕事

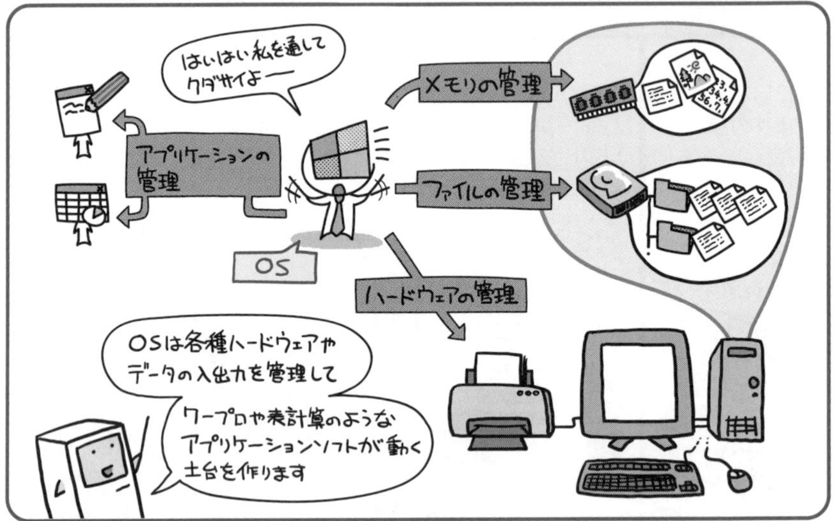

OSとはオペレーティングシステム(Operating System)の略。コンピュータの基本動作を実現する「基本ソフトウェア」です。

コンピュータは様々なハードウェアが連携して動きます。メモリは編集中のデータを保持していますし、ハードディスクには作成したファイルが保存されています。キーボードを叩けば文字が入力されて、マウスを動かせば画面内の矢印(カーソル)が動いて…と。

ところで誰がそれを制御してくれるのでしょうか。

そう、「ワープロソフトを使って文章を作りたい」「表計算ソフトを使って集計を行いたい」という前に、そもそも誰かがコンピュータをコンピュータとして使えるようにする必要があるのです。

その役割を担うのがOS。コンピュータの基本的な機能を提供するソフトウェアで、基本ソフトウェアとも呼ばれます。

OSは、コンピュータ内部のハードウェアや様々な周辺機器を管理する他、メモリ管理、ファイル管理、そしてワープロソフトなどのアプリケーションに「今アナタが動作して良いですよ」と実行機会を与えるタスク管理などを行います。

ソフトウェアの分類

OSの細かい話へと降りる前に、ソフトウェアの分類について整理しておきましょう。

すでに「OSは基本ソフトウェア」で「アプリケーションは応用ソフトウェア」だと述べていますが、ソフトウェアというのは大きく分けると、「応用ソフトウェア」と「システムソフトウェア」の2つに分かれます。

あれ? 基本ソフトウェアはどこいった?
それはシステムソフトウェアに含まれているのです!
表にするとこんな感じ

応用ソフトウェア
ワープロや表計算などの各種アプリケーションソフト
システムソフトウェア
ミドルウェア
データベース管理ソフトウェアや各種開発支援用ソフトウェアなど
基本ソフトウェア
OSや言語プロセッサ、各種サービスプログラムなど
ハードウェア
ミドル…ウェア?
フム
ナイスミドルのおめし物?

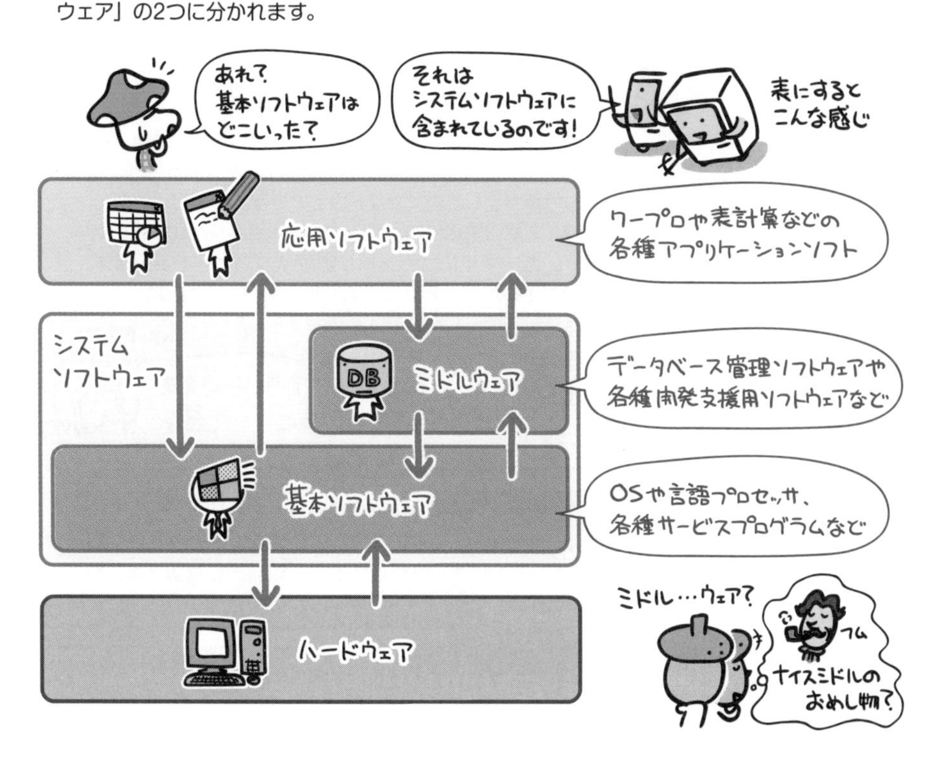

ミドルウェアというのは、ある特定の用途に特化して、基本ソフトウェアと応用ソフトウェアとの間の橋渡しをするためのソフトウェアです。

「多数の応用ソフトウェアが使うであろう機能…なんだけど基本ソフトウェアが有しているわけではないもの」を、標準化されたインタフェースで応用ソフトウェアから利用できるようにしたものなんかが該当します。

基本ソフトウェアは3種類のプログラム

基本ソフトウェアは、さらに細かく3つのプログラムに分けることができます。

基本ソフトウェア

これが
OSの中核

制御プログラム

ハードウェアを管理して、応用ソフトウェアやミドルウェアから、コンピュータが効率的に利用できるようにと、縁の下の力持ちとして働くソフトウェアです。

一般にこのプログラムのことをカーネル（Kernel）と呼びます。カーネルには、メモリ管理やプロセス管理などに機能を限定したマイクロカーネルと、多くの機能を網羅したモノリシックカーネルがあります。

このよ～な管理を
するわけです

- ジョブ管理 P.233
- タスク管理 P.237
- 記憶管理 P.247 P.259
- データ（ファイル）管理 P.270

言語処理プログラム（言語プロセッサ）

C言語やJavaなどのプログラミング言語で書かれたプログラムを、コンピュータが理解できる機械語に翻訳するプログラムです。

サービスプログラム

コンピュータの機能を補う、補助的なプログラムのことで、ユーティリティとも呼ばれます。たとえばファイル圧縮プログラムなどが該当します。

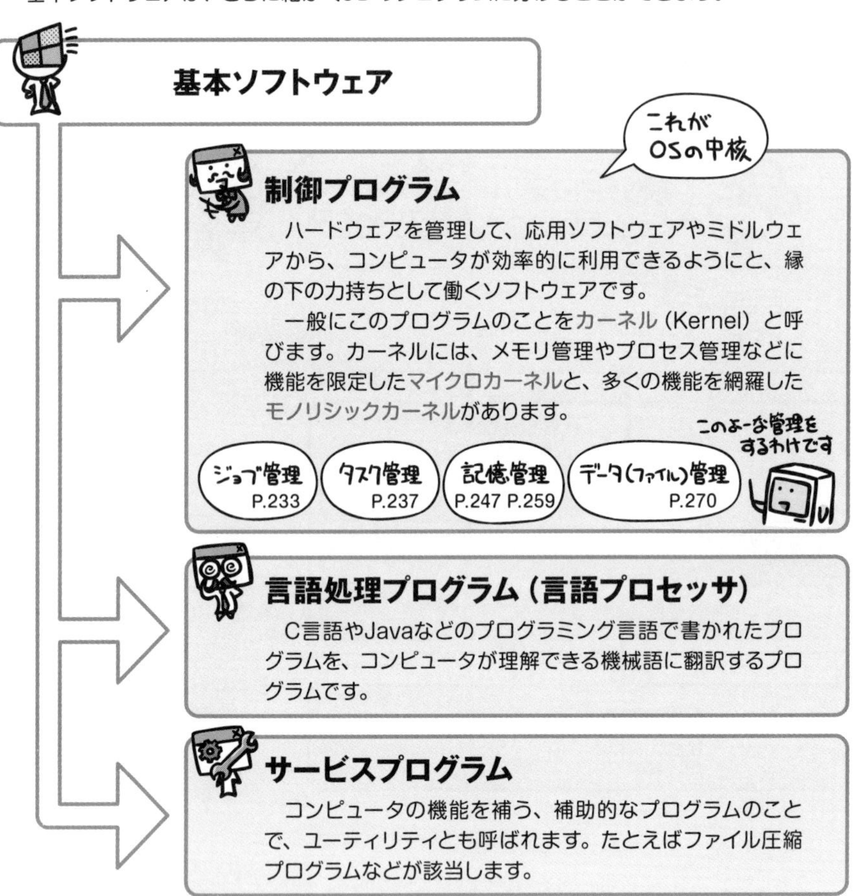

OSを広い意味で解釈すると「OS＝基本ソフトウェア」になりますが、狭い意味に限定すると、「基本ソフトウェアの核である制御プログラムこそがOS」という扱いになります。

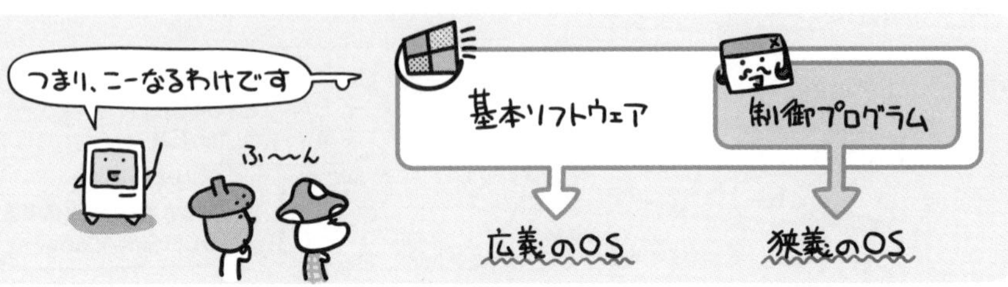

代表的なOS

OSとして有名なのはMicrosoft社のWindowsですが、その他にも様々な種類が存在します。

Windows(ウィンドウズ)	現在もっとも広く使われている、Microsoft社製のOSです。GUI（グラフィックユーザインタフェース）といって、マウスなどのポインティングデバイスを使って画面を操作することで、コンピュータに命令を伝えます。
Mac OS(マックオーエス)	グラフィックデザインなど、クリエイティブ方面でよく利用されているApple社製のOSです。GUIを実装したOSの先駆けとしても知られています。
MS-DOS(エムエスドス)	Windowsの普及以前に広く使われていたMicrosoft社製のOSです。CUI（キャラクタユーザインタフェース）といって、キーボードを使って文字ベースのコマンドを入力することで、コンピュータに命令を伝えます。
UNIX(ユニックス)	サーバなどに使われることの多いOSです。大勢のユーザが同時に利用できるよう考えられています。
Linux(リナックス)	UNIX互換のOSです。オープンソース（プログラムの元となるソースコードが公開されている）のソフトウェアで、無償で利用することができます。

OSによる操作性の向上

コンピュータを使うためには、そのためのインタフェースが必要です。

たとえば次の画面を見てください。これは、現在広く使われているOSである、Windowsの画面を模したものです。

OSによって、このような操作画面が表示されています

実行中のアプリケーション本体です

マウスなどのポインティングデバイスを使って矢印（カーソル）を動かし、指示を伝えます

アイコンをダブルクリックするとアプリケーションが実行されます

実行中のアプリケーションがバーの上に表示されてます

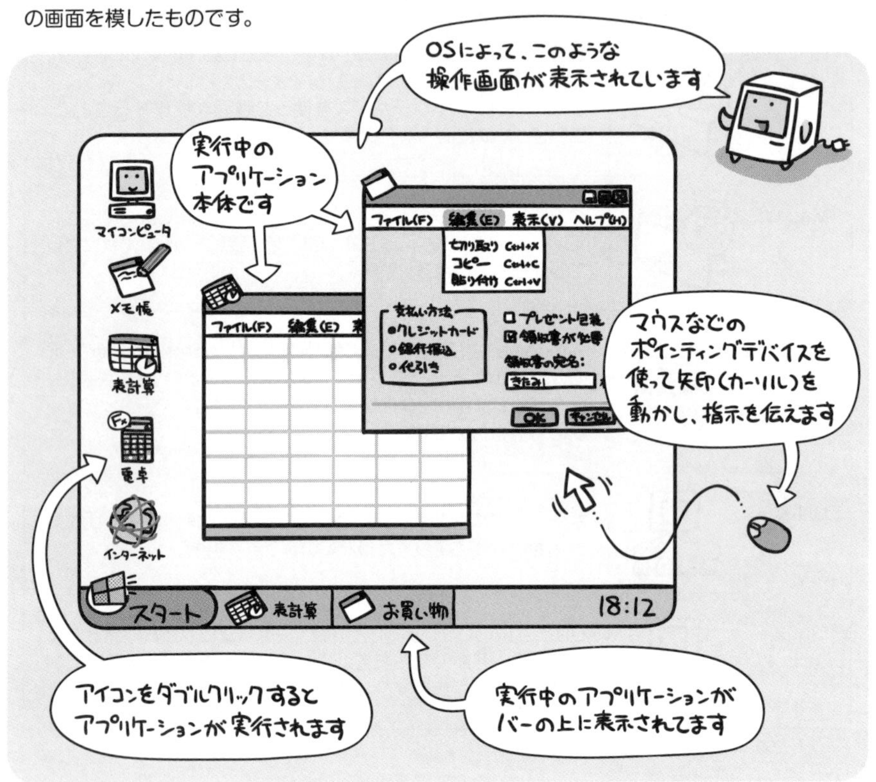

このOSでは、GUI（Graphical User Interface）という、「画面にアイコンやボタンを表示して、それを視覚的に操作することで命令を伝える操作方式」を採用しています。

OSは、「Operating System（＝機械操作システム）」という名が示す通り、裏側の制御だけではなく、このような「コンピュータを操作するための表層的なインタフェース部分」も担当しています。

API（Application Program Interface）

続いては、OSとアプリケーションとの、接点部分を見てみましょう。

OSは、自身が管理することによって、ハードウェアの違いや入出力などをすべてブラックボックス化します。したがって、各アプリケーションが、直接それらを意識することはありません。

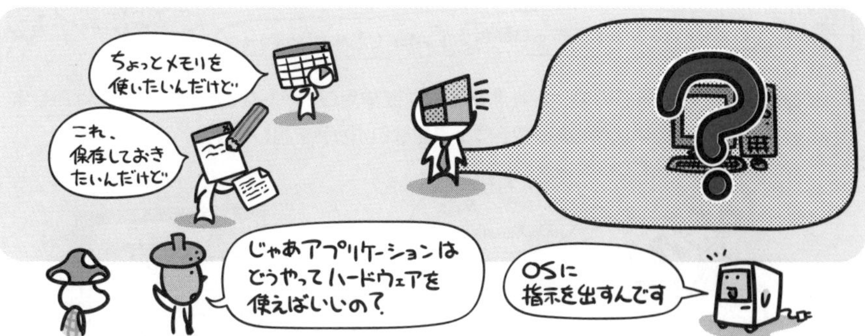

そのためOSは、ハードウェアの利用も含めて、自身が持つ各種機能を、アプリケーションから呼び出せる仕組みを用意しています。このために設けられたインタフェースをAPI（Application Program Interface）と呼びます。

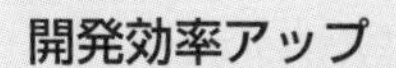

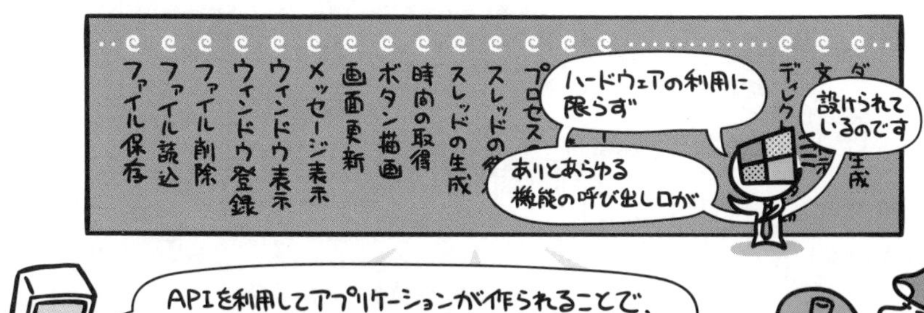

開発効率アップ

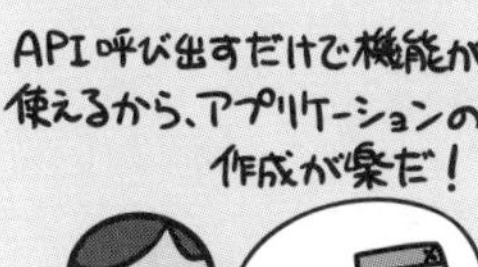

操作性の統一

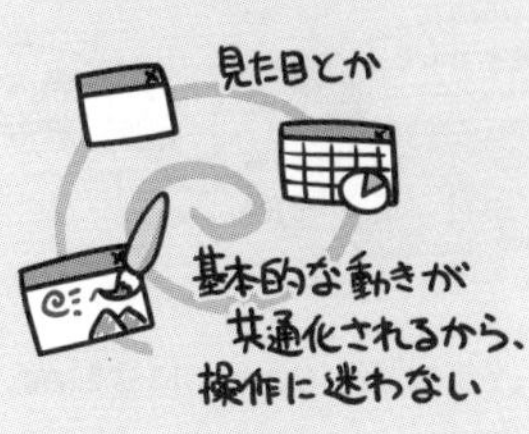

互換性の確保

ソフトウェアによる自動化（RPA）

人手不足の解消などを目的として、業務改革を進めるために活用されつつあるのがRPAです。RPAとは、以下の英文の略語です。

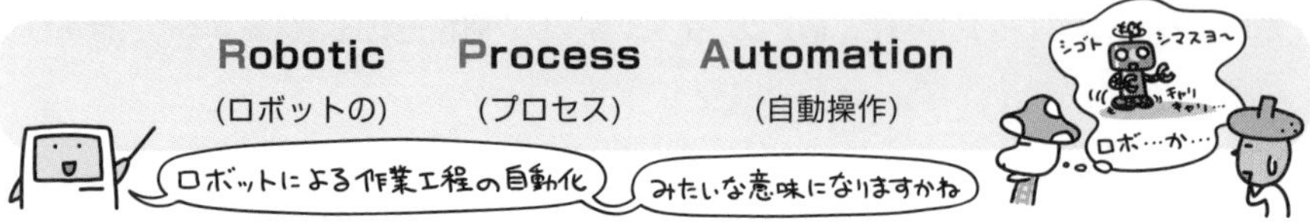

Robo（ロボ）とあるものの、これは物理的な産業用ロボットなどを指すものではありません。コンピュータの中に閉じたソフトウェア的なロボットを指します。

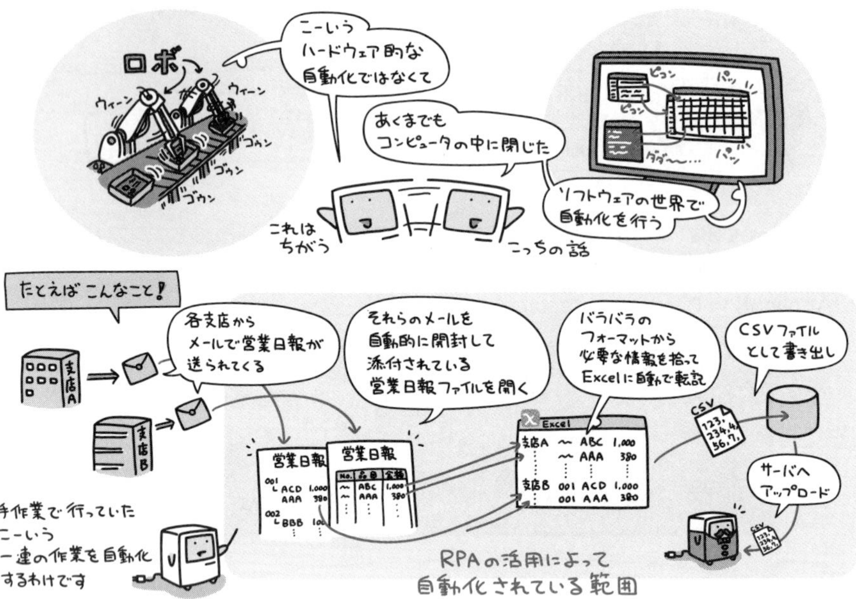

機械化以前の各工場では、工員さんたちが手作業で様々な作業を行っていました。それらは産業用ロボットの登場によって自動化が進み、生産性を飛躍的に向上させました。同様の効果を、ソフトウェアの世界にもたらすためのテクノロジーがRPAなわけです。

需要の高まりを反映してか、近年はWindows 11やMac OSなどのOSでも、RPA機能を実現するソフトウェアが標準で搭載されています。

このように出題されています 過去問題練習と解説

問1

(FE-H20-S-29)

OSにおけるAPI (Application Program Interface) の説明として，適切なものはどれか。

ア　アプリケーションがハードウェアを直接操作して，各種機能を実現するための仕組みである。

イ　アプリケーションから，OSが用意する各種機能を利用するための仕組みである。

ウ　複数のアプリケーション間でネットワークを介して通信する仕組みである。

エ　利用者の利便性を図るために，各アプリケーションのメニュー項目を統一する仕組みである。

解説

APIは、アプリケーションソフトウェアがOSの各種機能を利用するためのインターフェースです。

正解▶問1：イ

問 2

(FE-R01-A-62)

自社の経営課題である人手不足の解消などを目標とした業務革新を進めるために活用する，RPAの事例はどれか。

ア　業務システムなどのデータ入力，照合のような標準化された定型作業を，事務職員の代わりにソフトウェアで自動的に処理する。

イ　製造ラインで部品の組立てに従事していた作業員の代わりに組立作業用ロボットを配置する。

ウ　人が接客して販売を行っていた店舗を，ICタグ，画像解析のためのカメラ，電子決済システムによる無人店舗に置き換える。

エ　フォークリフトなどを用いて人の操作で保管商品を搬入・搬出していたものを，コンピュータ制御で無人化した自動倉庫システムに置き換える。

解説

RPAは、230ページにある、メールで受信した営業日報をCSVファイルに変換して、アップロードする説明のように、「業務システムなどのデータ入力、照合のような標準化された定型作業を、事務職員の代わりにソフトウェアで自動的に処理すること」を指す用語です。

正解▶問2：ア

Chapter 9-2 ジョブ管理

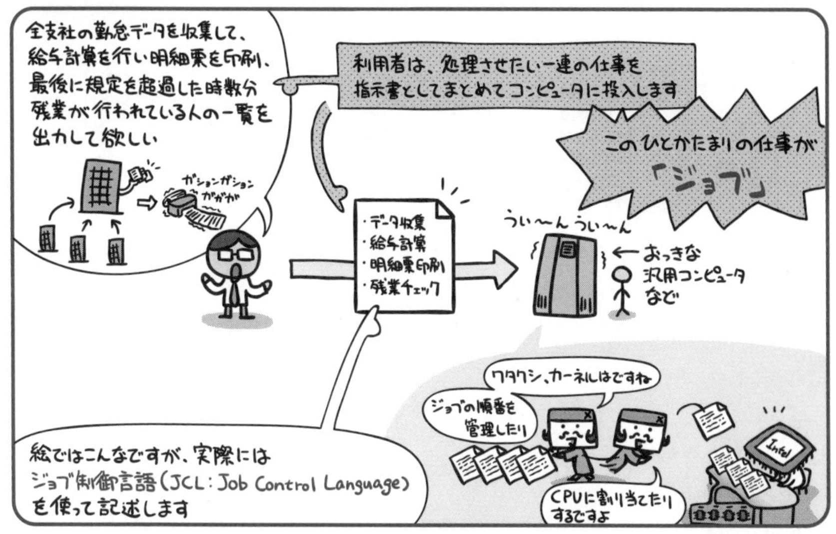

利用者から見た仕事の単位がジョブ。ジョブを効率良く処理していけるように、OSは実行スケジュールを管理します。

すごく時間のかかる処理を、ずーっと利用者が終了まで待ってなきゃいけないとしたら、その間の人件費はバカになりません。また、前の人が処理を終わってくれないと、次の人がコンピュータに指示を出せないとしたら？ やっぱりそれも使いづらいですよね。「終わったよ」と聞いてから指示を投入するまでは待ち時間も生じるでしょうから、コンピュータを連続して働かせられない分ムダが生じてしまいます。

というわけで利用者が待たされなくて済むように、時間のかかる処理を、まとめてコンピュータにやらせておく処理の仕方を「バッチ処理（P.677）」といいます。このバッチ処理を次々登録しておいて、コンピュータを遊ばせずにキリキリ働かせる仕組みがジョブ管理というわけです。

汎用コンピュータ…ということでちょっと想像し難いかもしれませんが、実はWindowsでも「バッチファイル」という、イラストの指示書に似た仕組みがあります。これは、ファイルの中にコマンドを列挙しておくと、OSがそこに書かれた内容を順番に実行していってくれるというもの。このバッチファイルをたくさん登録して、自動実行させていける仕組み…が、つまりはジョブ管理だと思えば良いでしょう。

ジョブ管理の流れ

それでは、ジョブ管理の具体的な流れを見てみましょう。

ジョブ管理は、カーネルが持つ機能のひとつです。この機能で利用者との間を橋渡しするのがマスタスケジューラという管理プログラム。利用者はこの管理プログラムに対して、ジョブの実行を依頼します。

マスタスケジューラは、ジョブの実行をジョブスケジューラに依頼します。自身は実行状態の監視に努め、必要に応じて各種メッセージを利用者に届けます。

依頼を受け取ったジョブスケジューラは、次の流れで、ジョブを実行していきます。

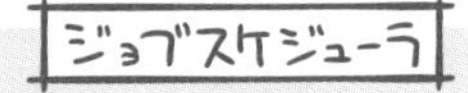

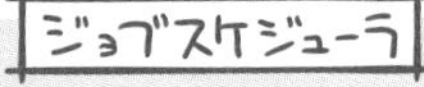

リーダ

依頼されたジョブを入力して、ジョブ待ち行列に登録します。

イニシエータ

優先度の高いジョブをもってきて、ジョブステップに分解します。

CPUや主記憶装置など、ハードウェア資源が空くのを待って、ジョブステップを割り当て、その実行をタスク管理に依頼します。

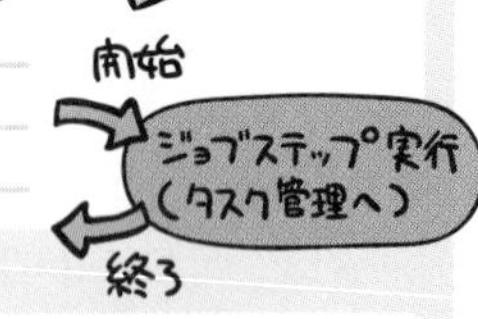

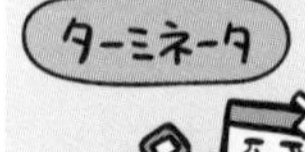

実行を終えたジョブに割り当てられていたハードウェア資源を解放して、ジョブの結果を、出力待ち行列に登録します。

ライタ

優先度の高いものから順に、ジョブ結果を出力します。

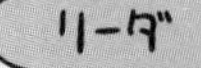

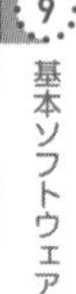

スプーリング

CPUと入出力装置とでは、処理速度に大きな差があります。

そこで、入出力データをいったん高速な磁気ディスクへと蓄えるようにして、CPUが入出力装置を待たなくて済むようにする。たとえば印刷データを磁気ディスクに書き出したら、CPUはさっさと次の処理に移っちゃう。

そうすれば当然その分、無駄な待ち時間は削減できますよね。

こうした、「低速な装置とのデータのやり取りを、高速な磁気ディスクを介して行うことで処理効率を高める方法」をスプーリングと呼びます。

スプーリングを利用すると、CPUの待ち時間を削減することができるので、単位時間あたりに処理できる仕事量を増やすことができます。

このように出題されています
過去問題練習と解説

(FE-H22-S-19)

システム全体のスループットを高めるため，主記憶装置と低速の出力装置とのデータ転送を，高速の補助記憶装置を介して行う方式はどれか。

ア　スプーリング　　イ　スワッピング
ウ　ブロッキング　　エ　ページング

解説

スプーリングは、スループットを高めるため、主記憶装置と低速の入出力装置とのデータ転送を磁気ディスクを介して行う方式です。

(FE-H30-A-17)

スプーリング機能の説明として，適切なものはどれか。

ア　あるタスクを実行しているときに，入出力命令の実行によってCPUが遊休（アイドル）状態になると，他のタスクにCPUを割り当てる。
イ　実行中のプログラムを一時中断して，制御プログラムに制御を移す。
ウ　主記憶装置と低速の入出力装置との間のデータ転送を，補助記憶装置を介して行うことによって，システム全体の処理能力を高める。
エ　多数のバッファから成るバッファプールを用意し，主記憶装置にあるバッファにアクセスする確率を上げることによって，補助記憶装置のアクセス時間を短縮する。

解説

ア　ディスパッチャ（240ページを参照）機能の説明です。
イ　割込み処理（244ページを参照）の説明です。
ウ　スプーリング（235ページを参照）機能の説明です。
エ　ディスクキャッシュ（167ページを参照）機能のような説明です。

正解▶問1：ア　問2：ウ

Chapter 9-3 タスク管理

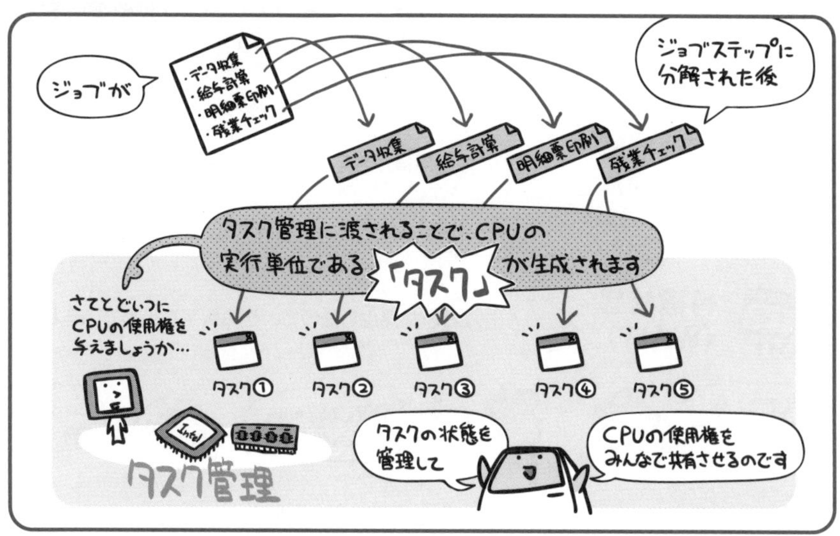

コンピュータから見た仕事の単位がタスク。ジョブステップの実行準備が整うことで、タスクが生成されます。

タスクというのは、コンピュータが「実行中のプログラムです」と識別する仕事の単位。プロセスとも言われます。厳密に言うと違ったりするのですが、情報処理試験的には「同じもの」扱いなので、「実行中のプログラムだー」ってことでいいのです。

だからすごく単純に言ってしまうと、タスクというのは、コンピュータでコマンド叩いたりアプリケーションのアイコンをダブルクリックしたりして、プログラムがメモリにロードされて実行状態に入る、あれのことなのです。明示的にコマンド叩いて実行させるか、ジョブステップ解釈してコンピュータが裏で実行させるかの違いだけで、どっちも「プログラムが実行状態に入る」ことに違いはありません。

で、目の前のコンピュータを思い浮かべてみれば、そうやって動いているプログラムってひとつだけじゃないですよね。色んなプログラムが実行状態にあると思います。しかも、マウスをさわれば反応があるし、キーボードを叩けば文字が出る…。

CPUは決して複数のことを同時に処理できるわけではありません。タスク管理の働きによって、CPUの使用権をタスク間で持ち回りさせたり、割り込みを処理したりすることで実現できているのです。

タスクの状態遷移

生成されたタスクには、次の3つの状態があります。

実行可能状態（READY）

いつでも実行が可能な、CPUの使用権が回ってくるのを待っている状態。生成直後のタスクは、この状態になって、CPUの待ち行列に並んでいます。

実行状態（RUN）

CPUの使用権が与えられて、実行中の状態。

待機状態（WAIT）

入出力処理が発生したので、その終了を待っている状態。

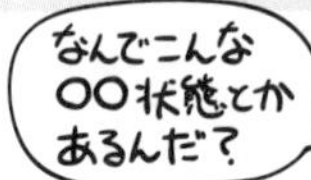

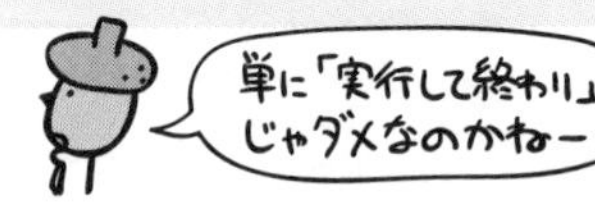

生成されたタスクは、即座に実行される…というわけではありません。プログラムの処理が実行されるためには、CPUの使用権が必要です。この使用権をタスク間で効率よく回すことができるように、各状態を行ったり来たりすることになるのです。

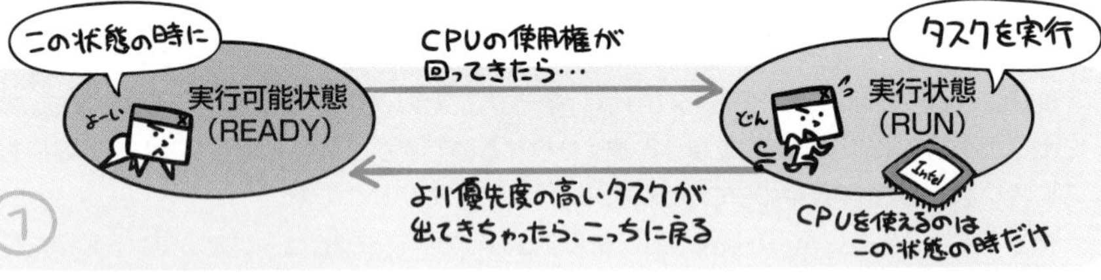

これをひとつの図であらわすと、次のようになります。

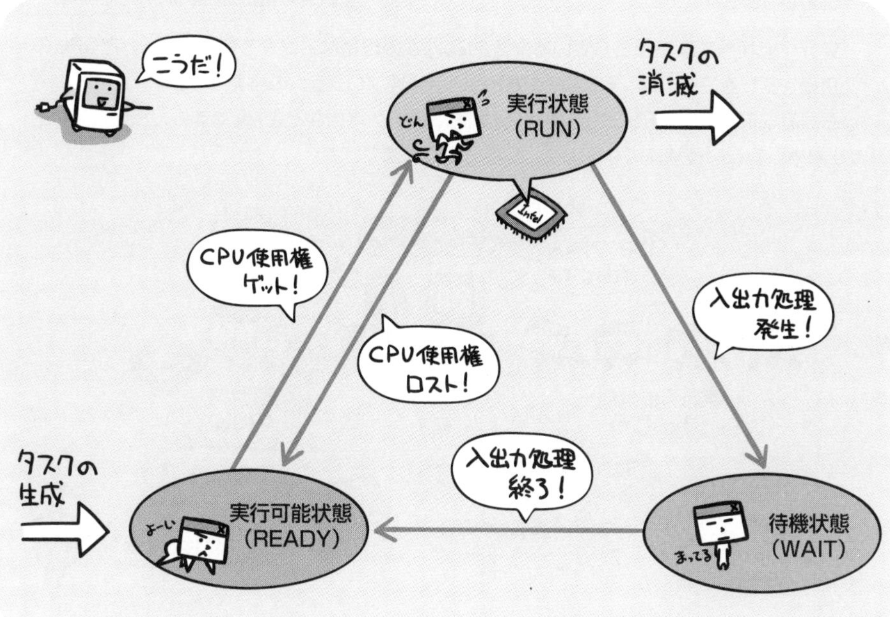

CPUの使用権は、「実行可能状態」で待っているタスクしか得ることができません。だから、入出力処理で「待機状態」になったタスクが元の「実行状態」へ戻るためには、必ず一度「実行可能状態」を経由する必要があります。

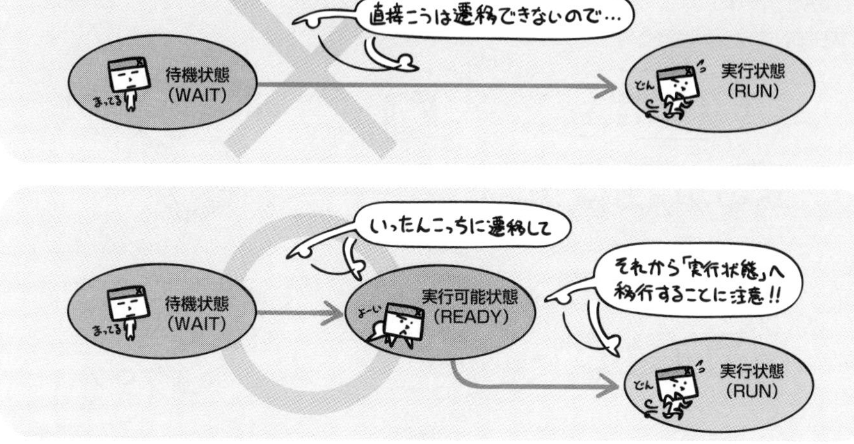

ディスパッチャとタスクスケジューリング

実行可能状態で順番待ちしているタスクに、「次の出番はアンタだぜブラザー」とCPUの使用権を割り当てるのは、ディスパッチャという管理プログラムの役割です。

ちなみにディスパッチャというのは、日本語に訳すと「(係などを)派遣する人」「(バスなどの)配車係」という意味になります。役割そのまんまですね。

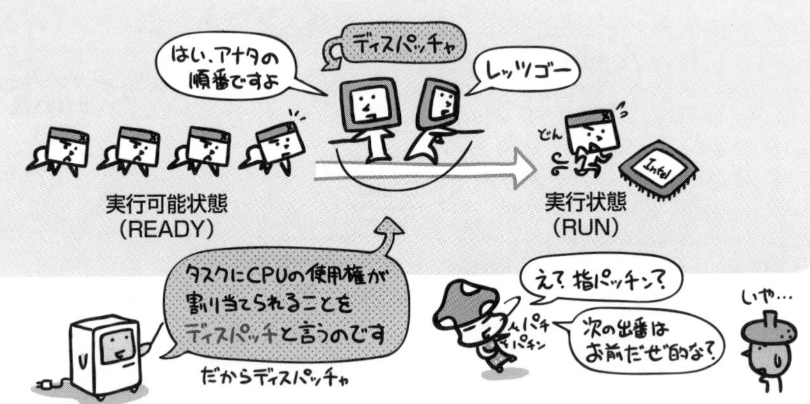

この時、「どのタスクに使用権を割り当てるのか」を決めるためには、タスクの実行順序を定める必要があります。これをタスクスケジューリングと呼びます。

タスクスケジューリングには様々な方式がありますが、中でも次の3つが代表的です。

到着順方式

実行可能状態になったタスク順に、CPUの使用権を割り当てる方式です。タスクに優先度の概念がないので、実行の途中でCPU使用権が奪われることはありません(これをノンプリエンプションと言う)。

優先順（プライオリティ順）方式

タスクにそれぞれ優先度を設定し、その優先度が高いものから順に実行していく方式です。実行中のタスクよりも優先度の高いものが待ち行列に追加されると、実行の途中でCPU使用権が奪われます（これをプリエンプションと言う）。

ラウンドロビン方式

CPUの使用権を、一定時間ごとに切り替える方式です。

実行可能状態になった順番でタスクにCPU使用権が与えられますが、規定の時間内に処理が終わらなかった場合は、次のタスクに使用権が与えられ、実行中だったタスクは待ち行列の最後に回されます。

9
基本ソフトウェア

マルチプログラミング

タスク管理の役割は、CPUの有効活用に尽きます。つまり、CPUの遊休時間を最小限にとどめることが大事なわけです。

「遊休時間」ってなに？

CPUが遊んじゃってて使われてない時間のことです

アイドルタイムとも言います

たとえばコチラを見てください

プログラム？

CPUで処理　入出力処理　CPUで処理　入出力処理　CPUで処理

プログラムA ⇨ 10ms　40ms　15ms　40ms　15ms

処理開始から終わるまで全部で120ミリ秒かかるプログラム

プログラムというものは

CPUによる処理と

入出力処理とかが

繰り返されながら動きます

当然こっちの時に、CPUは働いてません

入出力中…

ぐーぐー

つまり上の例で言うと、120ミリ秒かかるタスクの中で、なんと80ミリ秒もの間、CPUは仕事をせずに遊んじゃっているのです!!

ドドーン!

な

なんだってー!!

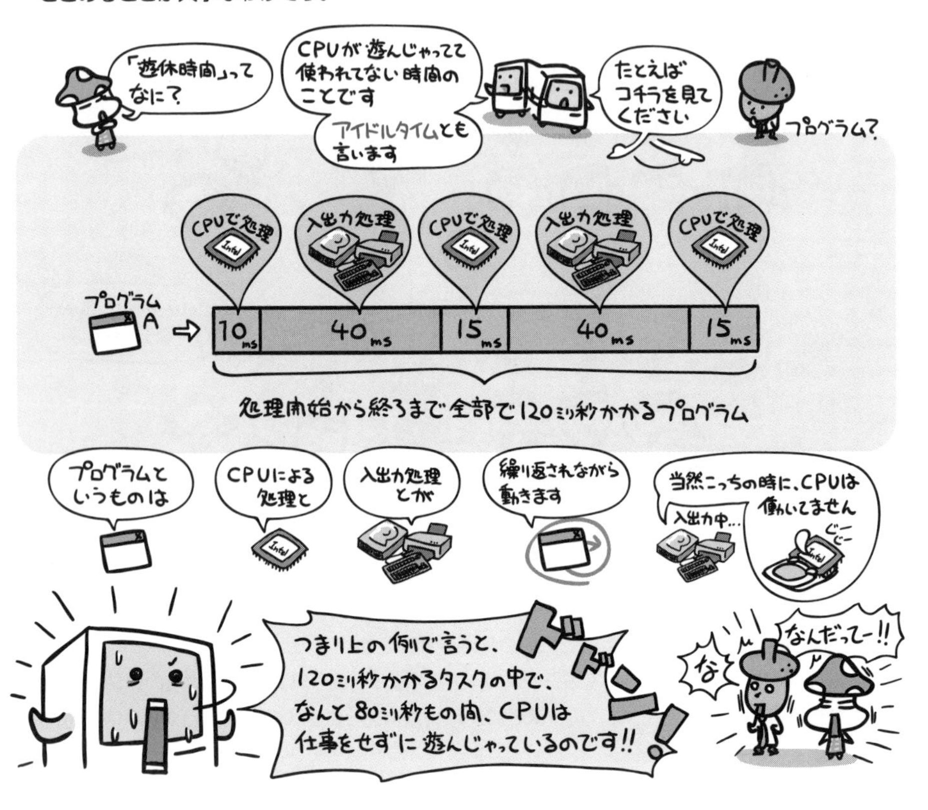

マルチ（多重）プログラミングというのは、複数のプログラムを見かけ上同時に実行してみせることで、こうした遊休時間を減らし、CPUの利用効率を高めようとするものです。

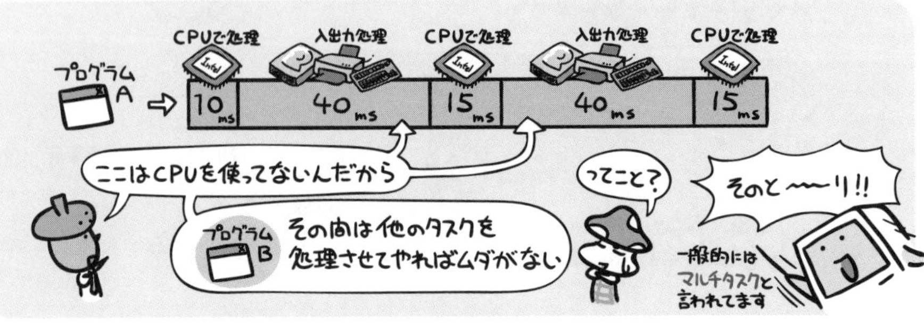

たとえば次のようなタスクを2つ実行した場合、どのように効率アップするかを見てみましょう。

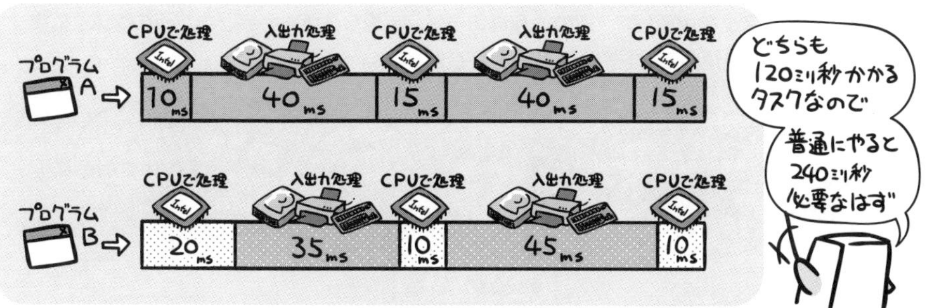

プログラムAはプログラムBよりも優先度が高く、かつ互いの入出力処理は競合しないものとします。

というわけで、まずは優先度の高いプログラムA。その実行の流れをタイムチャートにはめ込むと、次のようになります。

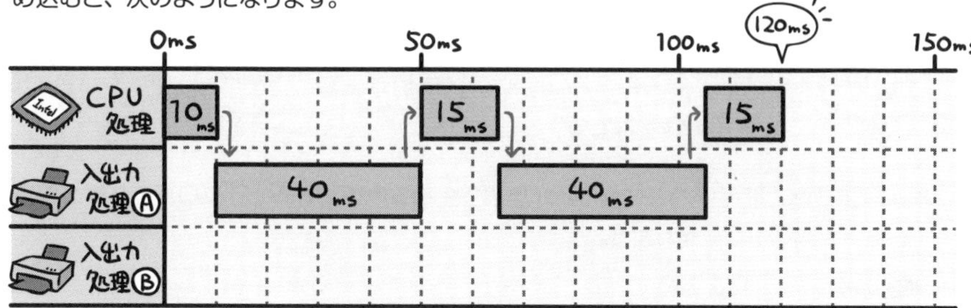

続いて、プログラムB。CPUがアイドル状態になってしまっている場所に、プログラムBのCPU処理を突っ込んでやりましょう。

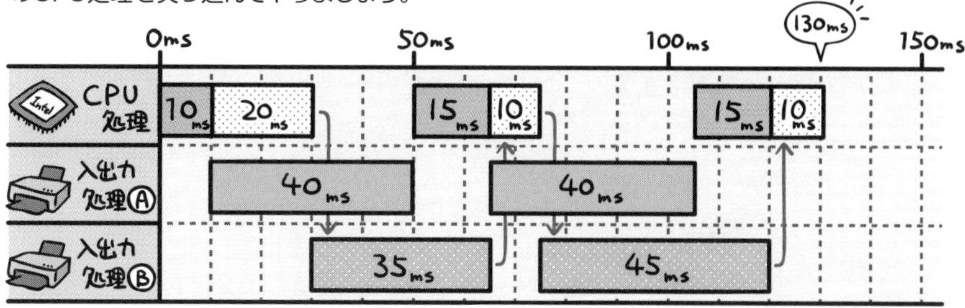

本来は240ミリ秒かかるはずの2つのタスクが、これであれば130ミリ秒で終了できることがわかります。CPUの遊休時間も、2つあわせて160ミリ秒あったところが、50ミリ秒に短縮できました。しかもこの図を見る限り、もっと他のタスクも突っ込めてしまいそうです。

これがマルチプログラミングの効果です。そして、こうした効率アップを実現するために、タスク管理が行われているのですよ…というわけなのです。

割込み処理

実行中のタスクを中断して、別の処理に切り替え、そちらが終わるとまた元のタスクに復帰する…という処理のことを割込み処理と呼びます。

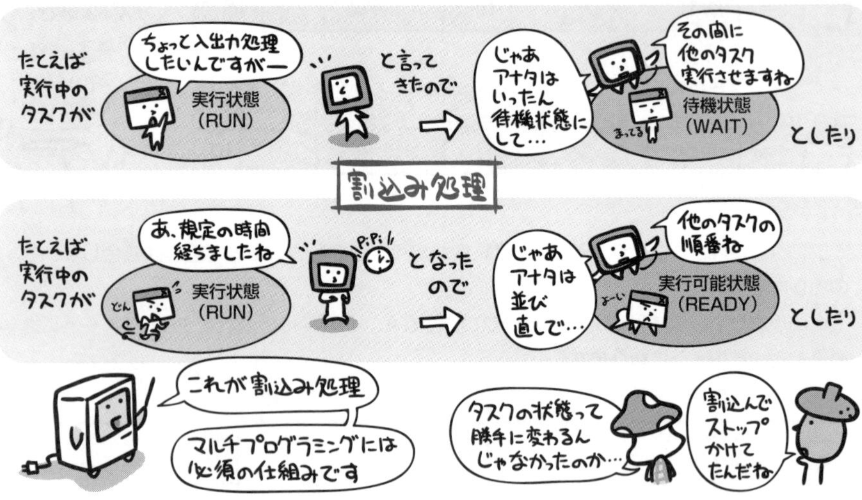

割込み処理は、実行中のプログラムが原因で生じる内部割込みと、プログラム外の要因で生じる外部割込みに分かれます。

区分	種類	説明
内部割込み		
	プログラム割込み	ゼロによる除算や桁あふれ(オーバーフロー)、仮想記憶(P.259)において存在しないページへのアクセス(ページフォルト)が生じたり、書き込みできない主記憶装置に書き込もうとした記憶保護例外などの場合に生じる割込み。
	SVC (Super Visor Call)割込み	入出力処理を要求するなど、カーネル呼び出し命令が発行された時に生じる割込み(「Super Visor」とはカーネルの意味)。
外部割込み		
	入出力割込み	入出力装置の動作完了時や中断時に生じる割込み。
	機械チェック割込み	電源の異常や主記憶装置の障害など、ハードウェアの異常発見時に生じる割込み。
	コンソール割込み	オペレータ(利用者)による介入が行われた時に生じる割込み。
	タイマ割込み	規定の時間を過ぎた時に生じる割込み。

このように出題されています 過去問題練習と解説

問1 (FE-R01-A-18)

優先度に基づくプリエンプティブなスケジューリングを行うリアルタイムOSで，二つのタスクA，Bをスケジューリングする。Aの方がBよりも優先度が高い場合にリアルタイムOSが行う動作のうち，適切なものはどれか。

ア　Aの実行中にBに起動がかかると，Aを実行可能状態にしてBを実行する。
イ　Aの実行中にBに起動がかかると，Aを待ち状態にしてBを実行する。
ウ　Bの実行中にAに起動がかかると，Bを実行可能状態にしてAを実行する。
エ　Bの実行中にAに起動がかかると，Bを待ち状態にしてAを実行する。

解説

選択肢ウの説明のような動作を「プリエンプション」（241ページ）といいます。

問2 (FE-H30-A-16)

三つのタスクの優先度と，各タスクを単独で実行した場合のCPUと入出力（I/O）装置の動作順序と処理時間は，表のとおりである。優先度方式のタスクスケジューリングを行うOSの下で，三つのタスクが同時に実行可能状態になってから，全てのタスクの実行が終了するまでの，CPUの遊休時間は何ミリ秒か。ここで，CPUは1個であり，1CPUは1コアで構成され，I/Oは競合せず，OSのオーバヘッドは考慮しないものとする。また，表中の( )内の数字は処理時間を示すものとする。

優先度	単独実行時の動作順序と処理時間（単位ミリ秒）
高	CPU(3) → I/O(5) → CPU(2)
中	CPU(2) → I/O(6) → CPU(2)
低	CPU(1) → I/O(5) → CPU(1)

ア　2　　イ　3　　ウ　4　　エ　5

解説 次ページへ続く

正解▶問1：ウ

解説

各タスク名を、優先度が高=A、中=B、低=C、1ミリ秒を1マスとして、処理時間の経過を整理すると、下図になります。

A	CPU	CPU	CPU				■	■	CPU	CPU	■			
				I/O	I/O	I/O	I/O	I/O						

B	待ち	待ち	待ち	CPU	CPU		■	■			■	CPU	CPU	
						I/O	I/O	I/O	I/O	I/O	I/O			

C	待ち	待ち	待ち	待ち	待ち	CPU	■	■			■			CPU
							I/O	I/O	I/O	I/O	I/O			

上図の黒く塗った箇所が、CPUの遊休時間であり、合計2+1=3ミリ秒になります。

(FE-H25-S-11)

MPUの割込みには外部割込みと内部割込みがある。外部割込みの例として，適切なものはどれか。

ア　0で除算をしたときに発生する割込み
イ　ウォッチドッグタイマのタイムアウトが起きたときに発生する割込み
ウ　未定義命令を実行しようとしたときに発生する割込み
エ　メモリやデバイスが存在しない領域にアクセスしたときに発生する割込み

解説

選択肢イはタイマ割込みに該当し、外部割込みに分類されます。選択肢イ以外は、すべて内部割込みに分類されます。

(FE-R04-サ-10)

外部割込みの原因となるものはどれか。

ア　ゼロによる除算命令の実行
イ　存在しない命令コードの実行
ウ　タイマーによる時間経過の通知
エ　ページフォールトの発生

解説

ア・イ・エ　プログラム割込み（内部割込み：244ページ参照）の原因となるものです。
ウ　タイマ割込み（外部割込み）の原因となるものです。

正解▸問2：イ　問3：イ　問4：ウ

Chapter 9-4

実記憶管理

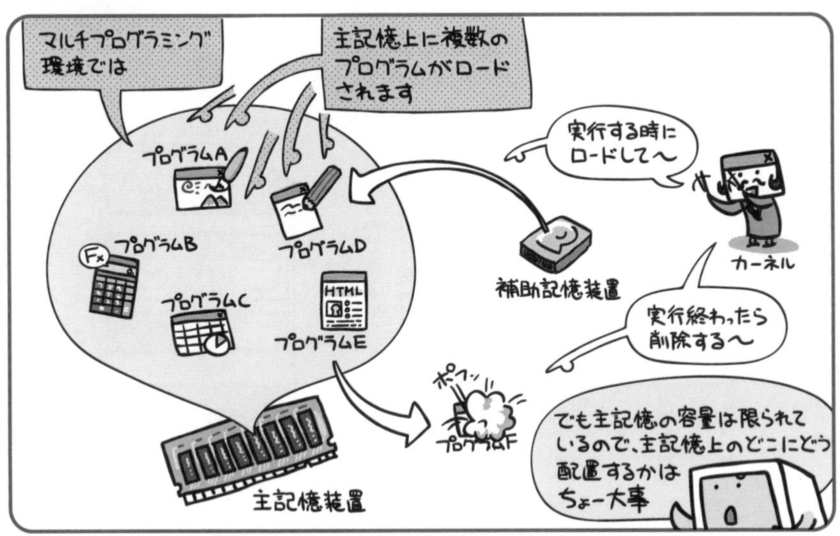

限られた主記憶空間を、効率良く使えるようプログラムに割り当てるのが、実記憶管理の役割です。

プログラム内蔵方式(P.127) をとる現在のコンピュータでは、プログラムを主記憶上にロードしてから実行することになります。マルチプログラミング環境だと、このプログラムが同時に複数実行されることになりますから、当然主記憶の上にはそれらがすべてロードされることになる。

でも、たとえばレゴブロックの板を想像してみてください。本当であればこの板、ブロックを10列並べられる大きさだったとします。ところが次のように並べちゃったとしたら…、

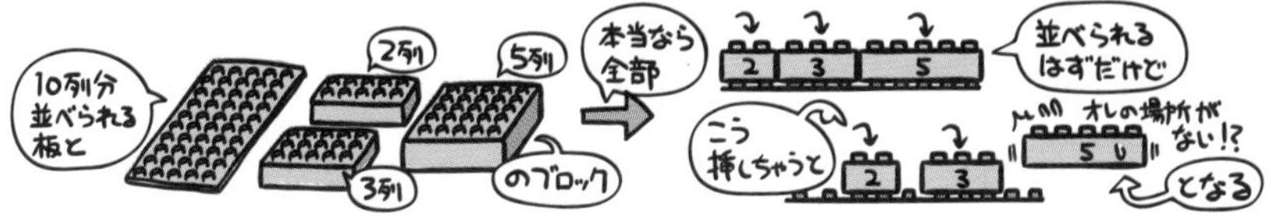

おわかりでしょうか。この板が主記憶であり、各ブロックがロードされるプログラムたちです。主記憶の容量が十分にあったとしても、プログラムをロードした時の割り当て方がへっぽこだと、その容量は活用できなくなってしまうのです。

固定区画方式

固定区画方式は、主記憶に固定長の区画（パーティション）を設けて、そこにプログラムを読込む管理方式です。

全体を単一の区画とする単一区画方式と、複数の区画に分ける多重区画方式があります。

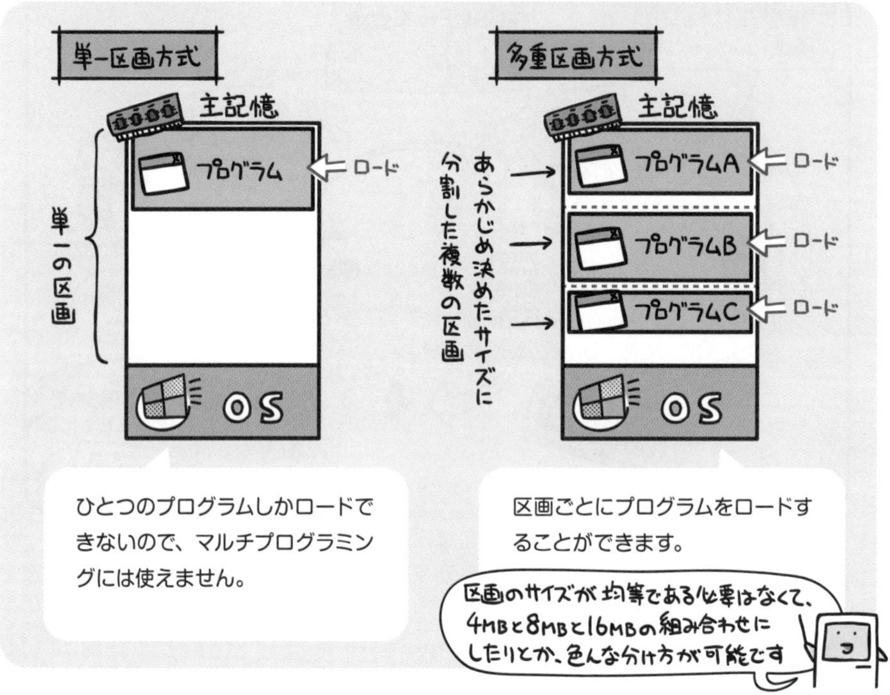

単一区画方式

主記憶

単一の区画

プログラム ⇐ ロード

OS

ひとつのプログラムしかロードできないので、マルチプログラミングには使えません。

多重区画方式

主記憶

あらかじめ決めたサイズに分割した複数の区画

プログラムA ⇐ ロード

プログラムB ⇐ ロード

プログラムC ⇐ ロード

OS

区画ごとにプログラムをロードすることができます。

区画のサイズが均等である必要はなくて、4MBと8MBと16MBの組み合わせにしたりとか、色んな分け方が可能です

単純な仕組みなので記憶管理は簡単で済みますが、プログラムを読込んだ後、区画内に生じた余りスペースは使用することができず、区画サイズ以上のプログラムを読込むこともできません。したがって、主記憶の利用効率は、あまりよくありません。

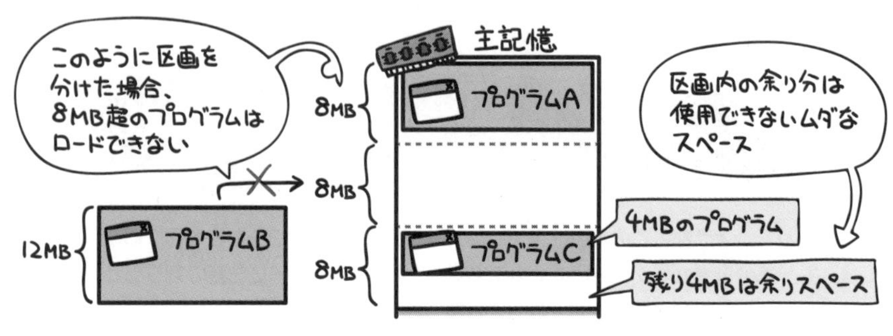

可変区画方式

一方、主記憶を最初に固定長で区切ってしまうのではなく、プログラムをロードするタイミングで必要なサイズに区切る管理方式が可変区画方式です。この方式では、プログラムが必要とする大きさで区画を作り、そこにプログラムをロードします。

当然これだと区画内に余剰スペースは生じませんから、固定区画方式よりも主記憶の利用効率は良くなります。

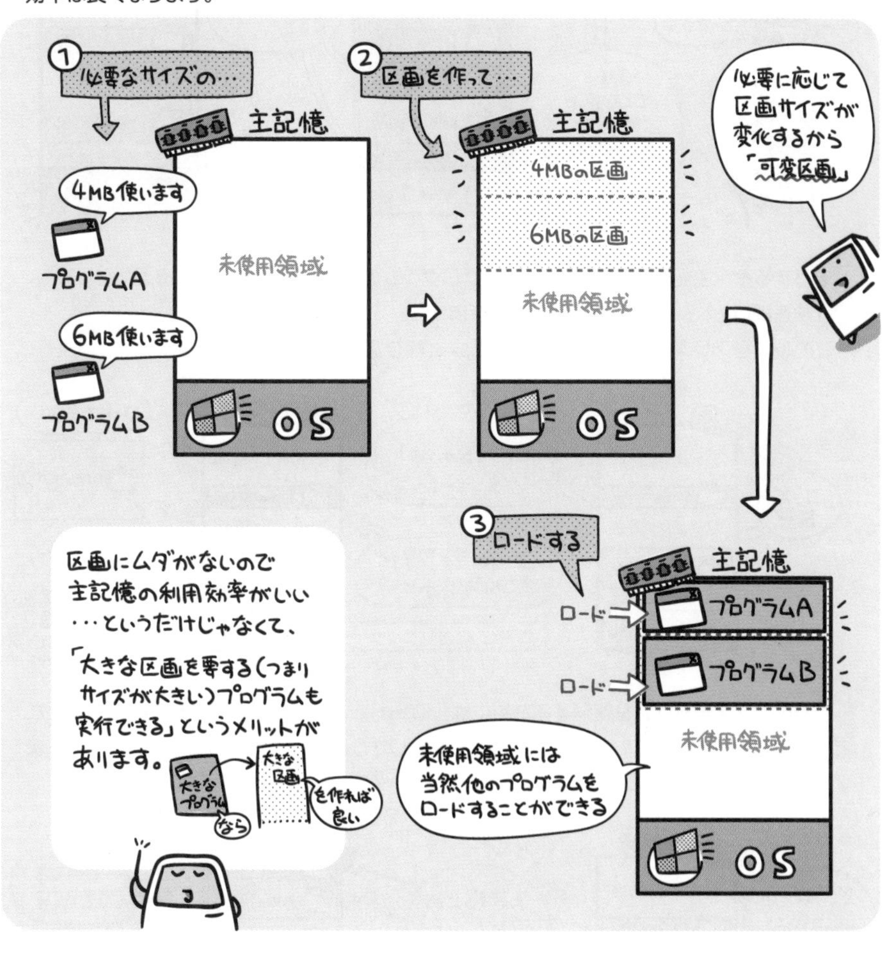

さて、これだと一見パーフェクトでもう問題なっしんぐ！…てな案配に見えますが、これはこれで新たな問題が出てきちゃったりするんだから、実に世の中は侮れません。

フラグメンテーションとメモリコンパクション

可変区画方式だと、主記憶上にプログラムを隙間なく詰め込んで実行することができるわけですが、必ずしも詰め込んだ順番にプログラムが終了するとは限りません。

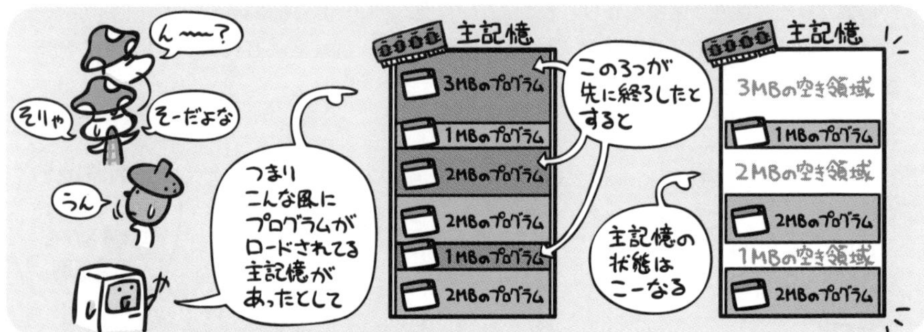

そうすると、主記憶の空き容量自体がプログラムの実行に足るサイズであったとしても、それを連続した状態で確保することができません。

この現象をフラグメンテーション（断片化）と呼びます。

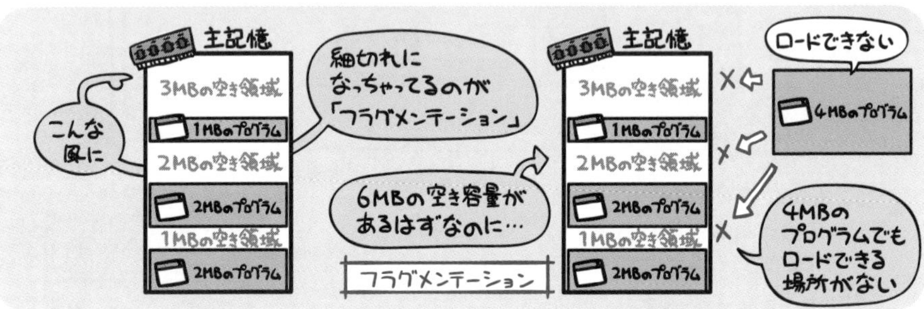

フラグメンテーションを解消するためには、ロードされているプログラムを再配置することによって、細切れ状態にある空き領域を、連続したひとつの領域にしてやる必要があります。この操作をメモリコンパクション、もしくはガーベジコレクションと呼びます。

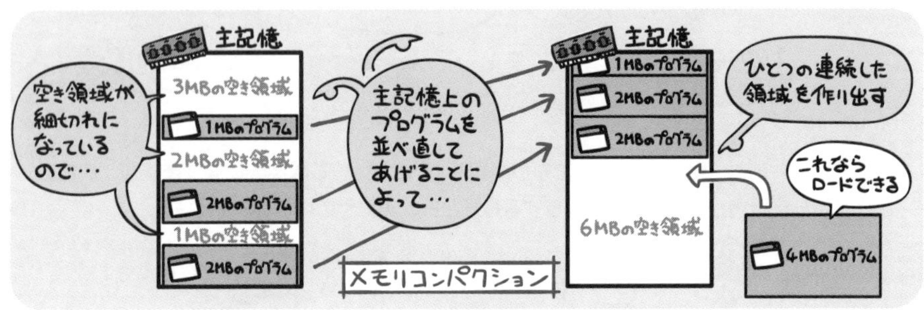

オーバーレイ方式

どれだけ区画を効率良く配置できるようにしても、そもそも実行したいプログラムのサイズが主記憶の容量を超えていたら、ロードしようがありません。

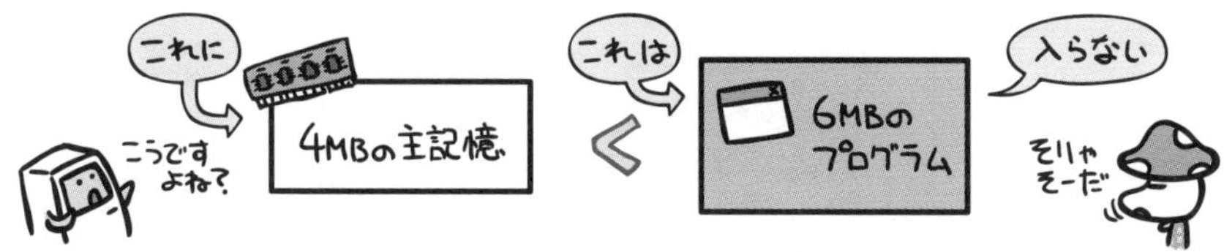

これを可能にするための工夫がオーバーレイ方式です。

この方式では、プログラムをセグメントという単位に分割しておいて、その時に必要なセグメントだけを主記憶上にロードして実行します。

たとえばプログラムの持つ機能別でこんな風にセグメント分けして…

セグメントA（プログラム全体の制御）
セグメントB（社員の給与計算）
セグメントC（稼動時間集計）
セグメントD（給与明細の印刷）

それぞれの機能がこんな関係だったとすると

セグメントA（プログラム全体の制御）
セグメントB（社員の給与計算）
セグメントD（給与明細の印刷）
セグメントC（稼動時間集計）

給与明細は算出した結果を印刷するだけ

給与の計算は稼動時間を集計してから行う

給与計算の時は
・セグメントA
・セグメントB
・セグメントC
…の3つをロード

ロード セグメントA（プログラム全体の制御）
ロード セグメントB（社員の給与計算）
ロード セグメントC（稼動時間集計）

給与明細の印刷なら
・セグメントA
・セグメントD
…の2つをロードする

ロード セグメントA（プログラム全体の制御）
ロード セグメントD（給与明細の印刷）

これなら主記憶の方が小さくてもロードできる！

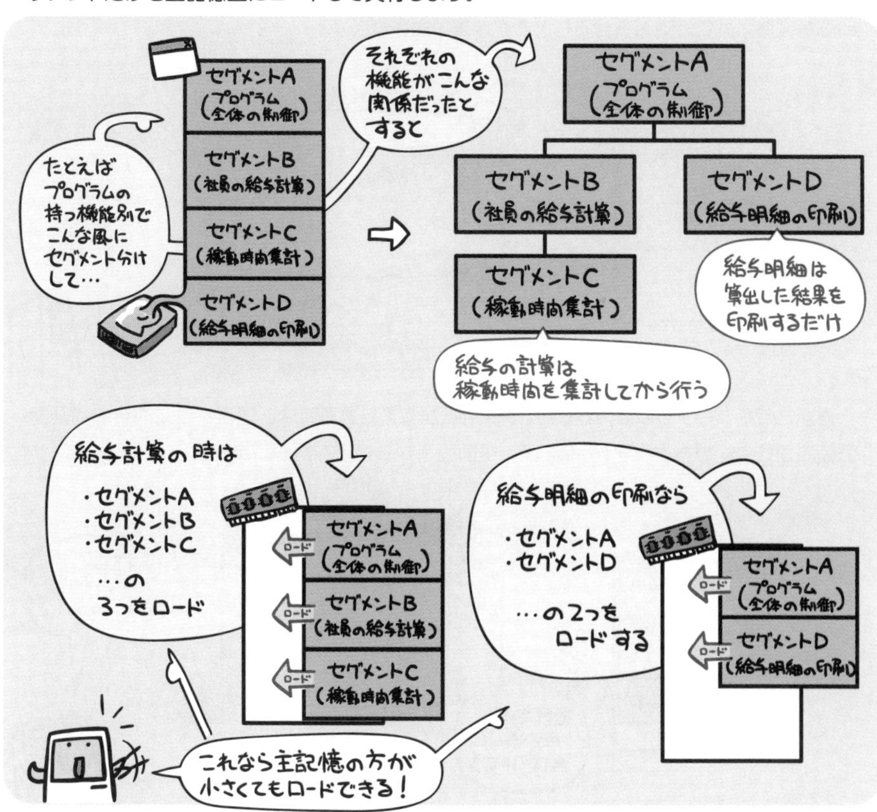

プログラムというのは複数の機能が組み合わさった集合体です。しかし常にその全機能が使われているわけではありません。だから、処理の過程で必要とされる機能だけを主記憶上へロードすることにしてやれば、占有する場所を減らすことができますよ…というわけなのです。

スワッピング方式

マルチプログラミング環境では、優先度の高いプログラムによる割込みなどが発生した場合、現在実行中のものをいったん中断させて切り替えを行うわけですが…、

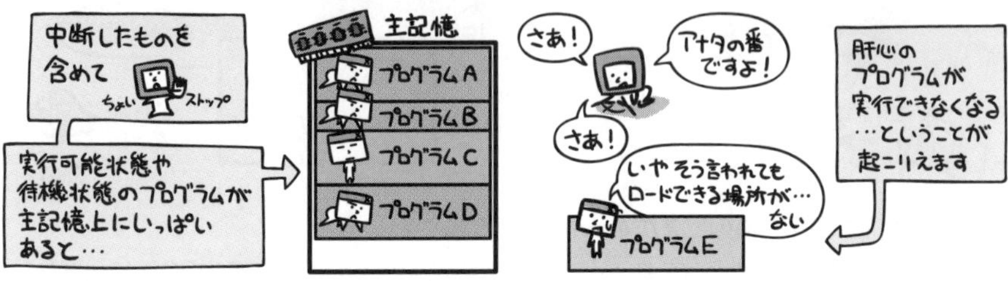

このような時は、優先度の低いプログラムが使っていた主記憶領域の内容を、いったん補助記憶装置に丸ごと退避させることで空き領域を作ります。

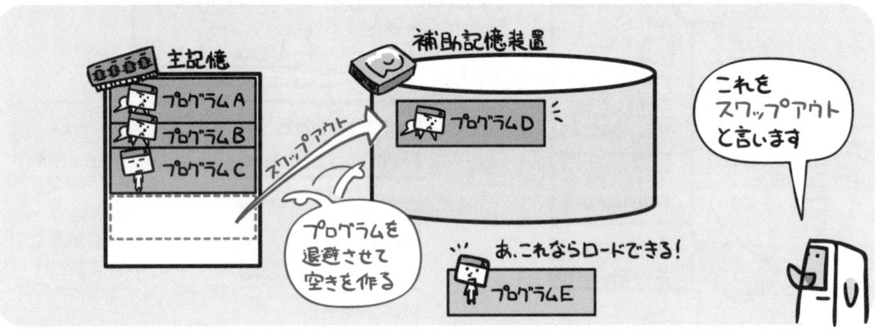

退避させたプログラムに再びCPUの使用権が与えられる時は、退避させた内容を補助記憶装置から主記憶へとロードし直して、中断箇所から処理を再開します。

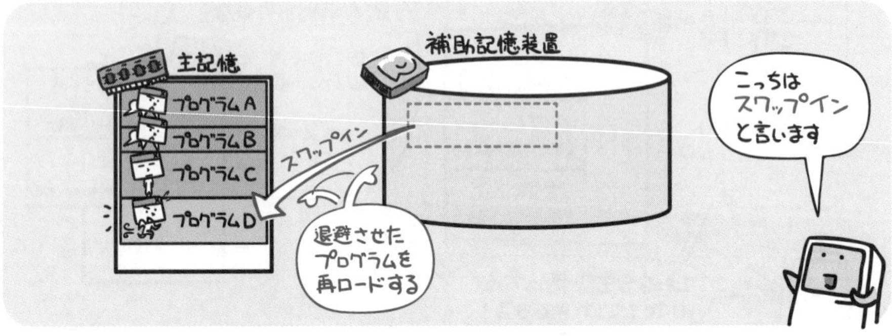

スワップアウトとスワップインをあわせた、このような処理のことをスワッピングと呼びます。スワッピングが発生すると、主記憶の代用として低速な補助記憶装置へのアクセスを行うことになるので、処理速度が極端に低下します。

このように出題されています 過去問題練習と解説

問1 (AP-R02-A-16)

記憶領域の動的な割当て及び解放を繰り返すことによって，どこからも利用できない記憶領域が発生することがある。このような記憶領域を再び利用可能にする機能はどれか。

ア　ガーベジコレクション　　イ　スタック
ウ　ヒープ　　エ　フラグメンテーション

解説

ア　ガーベジコレクションは、主記憶装置のフラグメンテーションを解消するために行われます。メモリコンパクションともいいます。
イ　スタックは、後入先出法が適用されるデータ構造です。
ウ　ヒープは、親要素が子要素よりも小さい（あるいは大きい）という条件を満たすデータ構造です。
エ　フラグメンテーションは、主記憶装置の未使用の部分がバラバラに存在し、断片化している現象です。

問2 (FE-H14-A-29)

スワッピングに関する記述として，適切なものはどれか。

ア　仮想記憶の構成単位であるページを，主記憶から補助記憶に書き出したり，補助記憶から主記憶に読み込んだりする。
イ　システム資源全体の利用率の向上などのために，主記憶と補助記憶の間でプロセスを単位として領域の内容を交換する。
ウ　主記憶上に分散した空き領域を移動して，連続した大きな空き領域を生成する。
エ　プログラムを機能ごとにモジュールに分割し，実行時に必要なモジュールだけをロードする。

解説

ア　ページング方式に関する記述です。
イ　スワッピングに関する記述です。
ウ　メモリコンパンクションに関する記述です。
エ　オーバレイに関する記述です。

正解▸問1：ア　問2：イ

再配置可能プログラムとプログラムの4つの性質

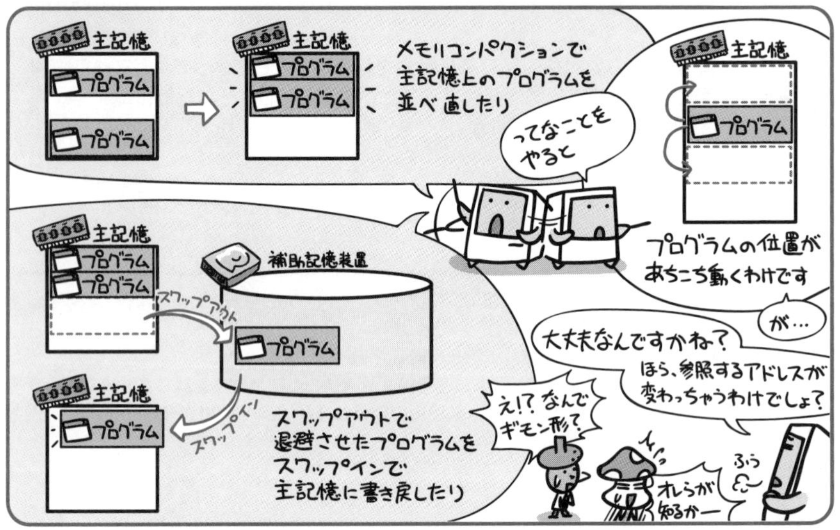

再配置可能プログラムなら、
主記憶上のどこに配置しても問題なく実行できます。

記憶管理の話に入って、プログラムが主記憶上をあっちこっち移動するようになってきました。しかしちょっと待ってください。ここでグググーっとさかのぼって5章のCPUの話を思い出してみてください。

CPUって、事あるごとにメモリアドレスをレジスタへと読込んでいましたよね?

だから、「次の命令取り出すぜ!」と思った時に、主記憶上でプログラム全体が別の場所へと移動させられていたら…。当然次の命令が納められているメモリアドレスも変化してるはずで、これは困ったことになりそうです。

そこで思い出して欲しいのが、「5-4 機械語のアドレス指定方式」で学んだベースアドレス指定方式(P.142)です。

ベースアドレス指定方式では、「プログラムが主記憶上にロードされた時の、先頭アドレスからの差分」を使って命令やデータの位置を指定していました。だからどこにロードされたとしても、実行に問題なっしんぐという話…でしたよね?

このような性質を持つプログラムを、再配置可能プログラムと呼びます。よい機会なので、他の性質(再使用可能、再入可能、再帰的)とあわせて見ていきましょう。

再配置可能（リロケータブル）

主記憶上の、どこに配置しても実行することができるという性質を、再配置可能（リロケータブル）と言います。

再使用可能（リユーザブル）

主記憶上にロードされて処理を終えたプログラムを、再ロードすることなく、繰り返し実行できる（そして毎回正しい結果を得ることができる）という性質を再使用可能（リユーザブル）と言います。

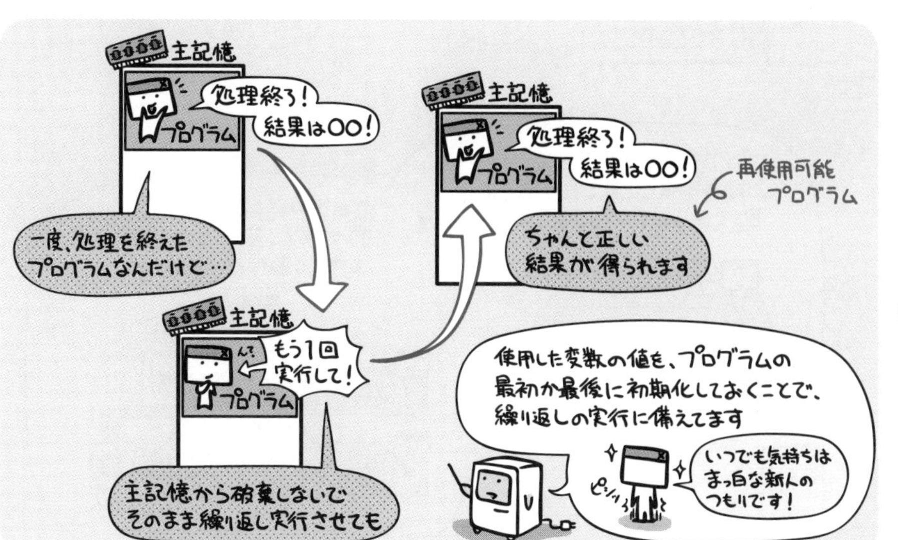

再入可能（リエントラント）

再ロードすることなく繰り返し実行できる再使用可能プログラムにおいて、複数のタスクから呼び出しても、互いに干渉することなく同時実行できるという性質を再入可能（リエントラント）と言います。

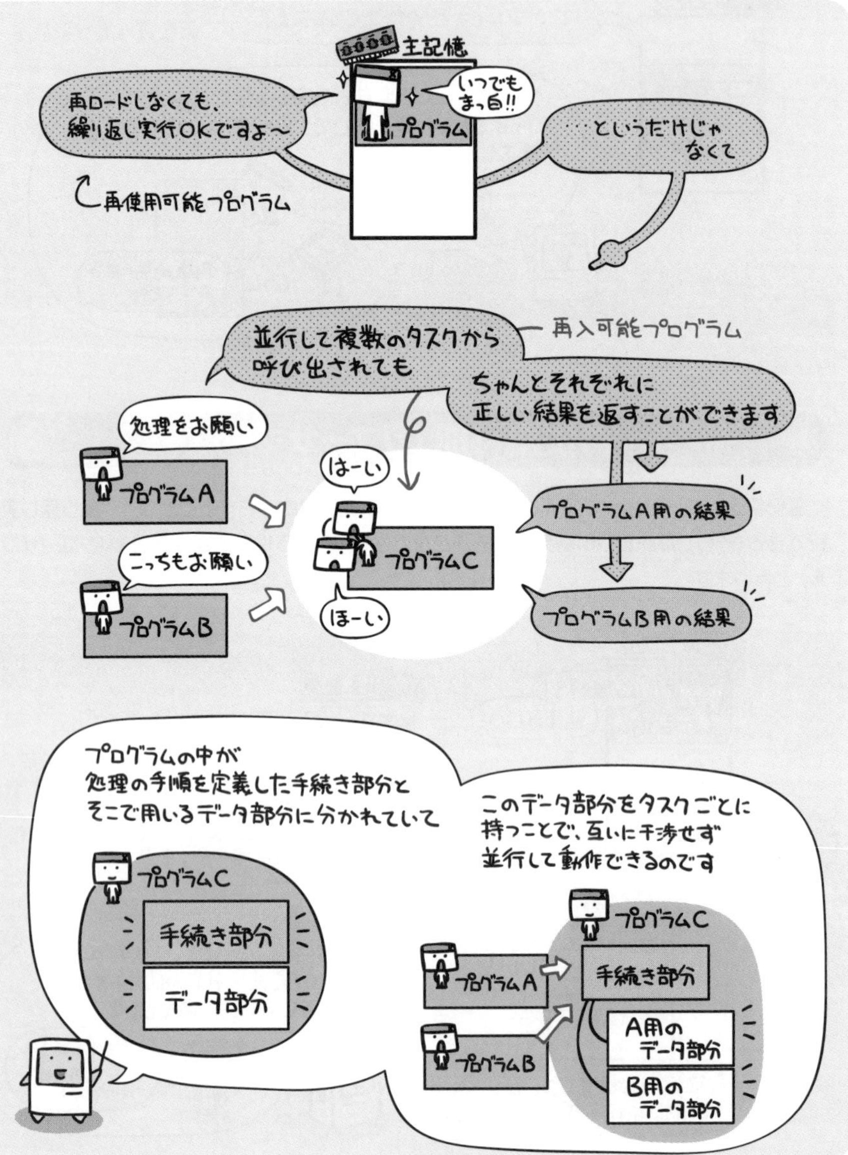

9 基本ソフトウェア

再帰的（リカーシブ）

実行中に、自分自身を呼び出すことができるという性質を再帰的（リカーシブ）と言います。

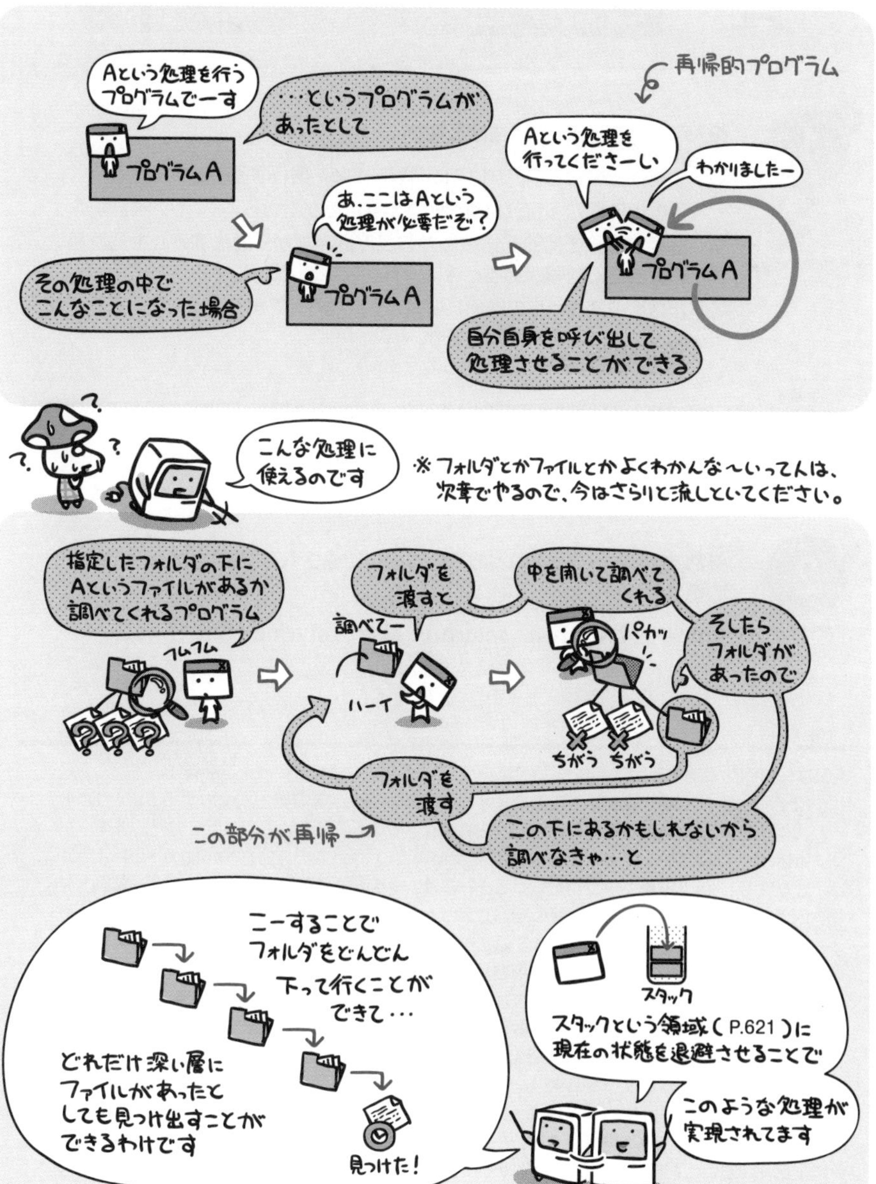

9 基本ソフトウェア

このように出題されています
過去問題練習と解説

(FE-H27-S-07)

再入可能プログラムの特徴はどれか。

ア　主記憶上のどこのアドレスに配置しても，実行することができる。
イ　手続の内部から自分自身を呼び出すことができる。
ウ　必要な部分を補助記憶装置から読み込みながら動作する。主記憶領域の大きさに制限があるときに，有効な手法である。
エ　複数のタスクからの呼出しに対して，並行して実行されても，それぞれのタスクに正しい結果を返す。

解説

ア　再配置可能プログラムの特徴です。
イ　再帰的プログラムの特徴です。
ウ　仮想記憶に関する記述です。
エ　再入可能プログラムの特徴です。

(FE-R04-サ-08)

自然数nに対して，次のとおり再帰的に定義される関数f(n)を考える。f(5)の値はどれか。

f(n) : if　n≦1　then　return 1　else　return n+f(n−1)

ア　6　　イ　9　　ウ　15　　エ　25

解説

f(5)は、f(n)のnに5を指定するケースです。そこで、下記のようにトレースできます。

①：f(5)：if　5≦1（偽）　then　（真の場合）~~return 1~~　else（偽の場合）return 5+f(5−1=4)
　上記より、5+f(4)★が戻り値として返されます。そのf(4)を下記②のように実行します。
②：f(4)：if　4≦1（偽）　then　（真の場合）~~return 1~~　else（偽の場合）return 4+f(4−1=3)
　上記より、4+f(3)◆が戻り値として返されます。そのf(3)を下記③のように実行します。
③：f(3)：if　3≦1（偽）　then　（真の場合）~~return 1~~　else（偽の場合）return 3+f(3−1=2)
　上記より、3+f(2)●が戻り値として返されます。そのf(2)を下記④のように実行します。
④：f(2)：if　2≦1（偽）　then　（真の場合）~~return 1~~　else（偽の場合）return 2+f(2−1=1)
　上記より、2+f(1)▼が戻り値として返されます。そのf(1)を下記⑤のように実行します。
⑤：f(1)：if　1≦1（真）　then　（真の場合）return 1　else（偽の場合）~~return n+f(n−1)~~
　上記より、1が戻り値として、上記④のf(1)▼に戻されます。
⑥：上記⑤より、上記④の2+f(1)▼は、2+1=3になり、上記③のf(2)●に戻されます。
⑦：上記⑥より、上記③の3+f(2)●は、3+3=6になり、上記②のf(3)◆に戻されます。
⑧：上記⑦より、上記②の4+f(3)◆は、4+6=10になり、上記①のf(4)★に戻されます。
⑨：上記⑧より、上記①の5+f(4)★は、5+10=15になり、関数f(5)を終了します。

正解 ▶ 問1：エ　問2：ウ

Chapter 9-6

仮想記憶管理

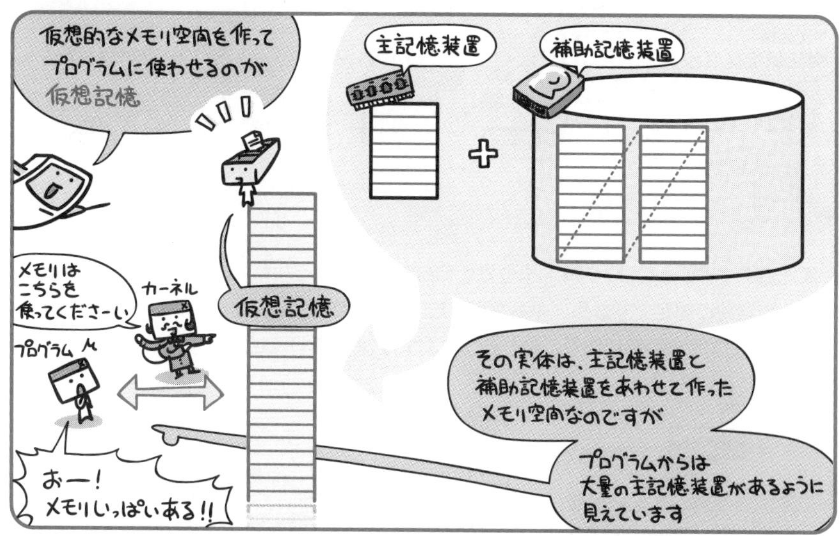

仮想記憶は、主記憶や補助記憶の存在を隠蔽することで、広大なメモリ空間を自由に扱えるようにするものです。

実記憶管理の節では、主記憶のメモリ空間をどのように活用するか学びました。

どのように区画を設けるかとか、区画が細切れになると困っちゃうよとか、そもそも主記憶に入りきらない大きさのプログラムはどうすんのーとか。なんか問題目白押しで「正直めんどくせーなー」ってことをやっていたわけです。

これらはすべて、主記憶装置の持つ物理的な制約によって生まれてくる問題たちです。容量の上限とか、プログラムが配置されている場所とか、そのあたりですね。「だったら、物理的なメモリに直接アクセスするのは止めにして、論理的なメモリ…つまりは仮想のメモリ空間を作って、そっちを使うようにしたら問題消せるんじゃね?」と…実際に考えたかどうかは置いといて、そんな位置づけにあるのが仮想記憶です。

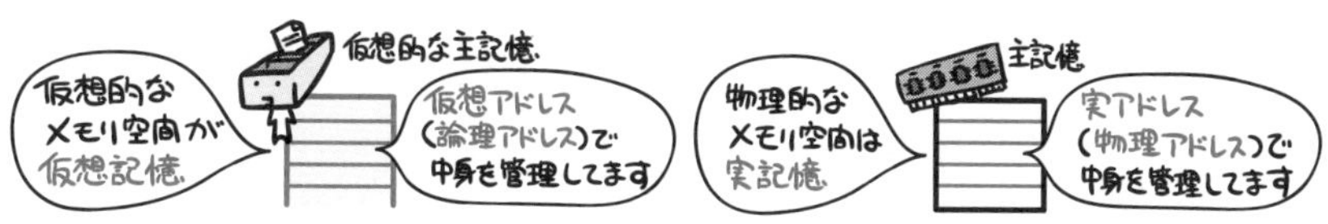

なんで仮想記憶だと自由なの？

それでは、仮想記憶を理解するにあたり、「なぜ仮想記憶にすると物理的な制約から解放されるのか」というところから見ていきましょう。

実記憶の中というのは、バイト単位で仕切られた箱のようなもの。当然この箱は仕切りも含めて物理的に固定ですから、中身を出したり入れたりで生じた半端なスペースは、メモリコンパクションでもしない限り、まとまったスペースにはなりません。

ところが仮想記憶というのは、"仮想的な記憶領域"ですから、物理的な実体というものがありません。

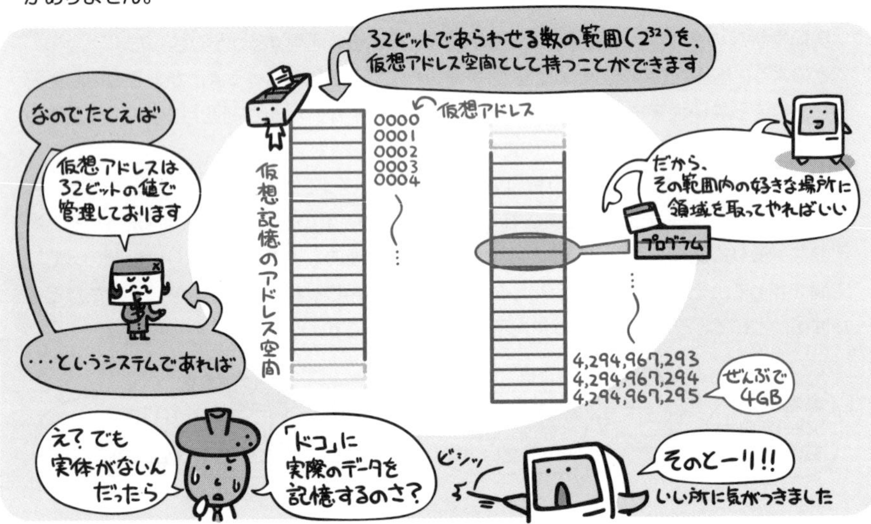

実際のデータはというと、実記憶上に記憶されます。

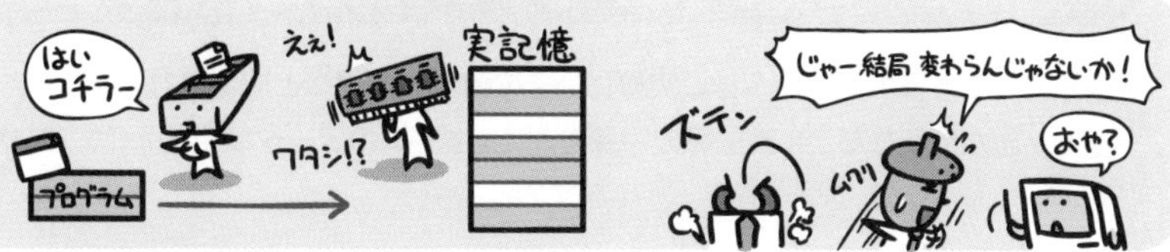

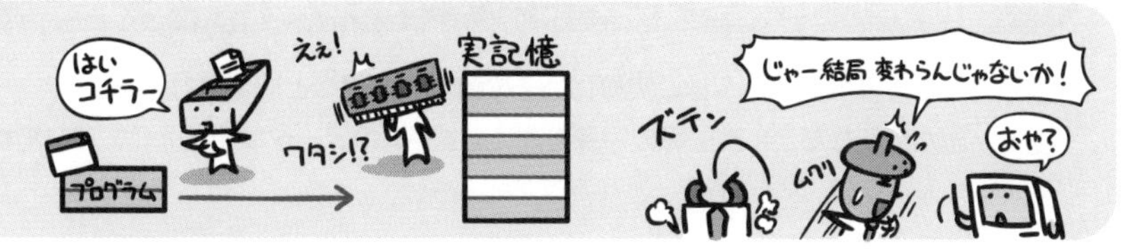

いえいえ、それが大違いなのですよ。

仮想記憶というのはつまるところ、「実記憶などの物理的な存在を隠蔽して、仮想空間にマッピング（対応付けとか割り当てという意味）してみせる」ための技術なのです。

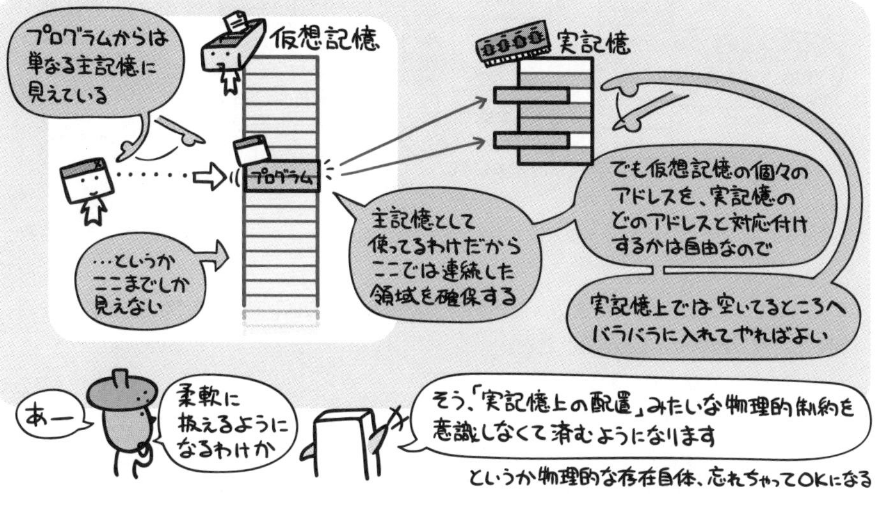

この時、仮想アドレスから実アドレスへの変換処理は、メモリ変換ユニット（MMU:Memory Management Unit）というハードウェアが担当します。この仕組みを、動的アドレス変換機構（DAT:Dynamic Address Translator）と呼びます。

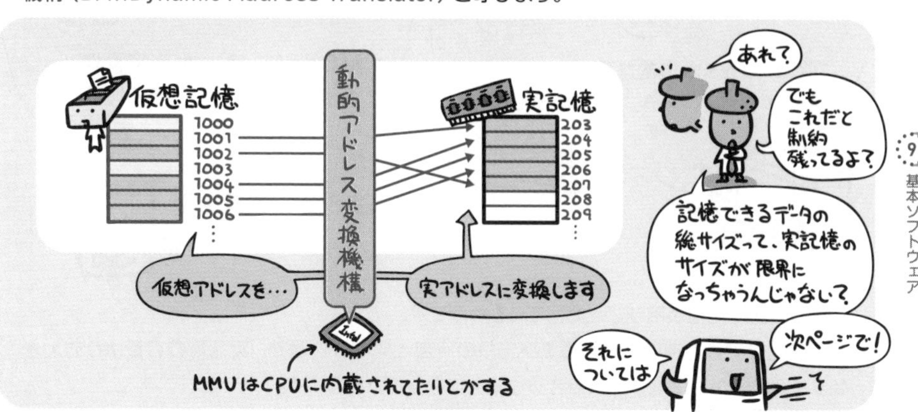

9 基本ソフトウェア

実記憶の容量よりも大きなサイズを提供する仕組み

仮想記憶に置かれたデータは、実際にはその裏で実記憶へと記憶されます。

ふむ、確かにこれだと、実記憶の容量を超えるサイズのデータは扱えそうにありません。

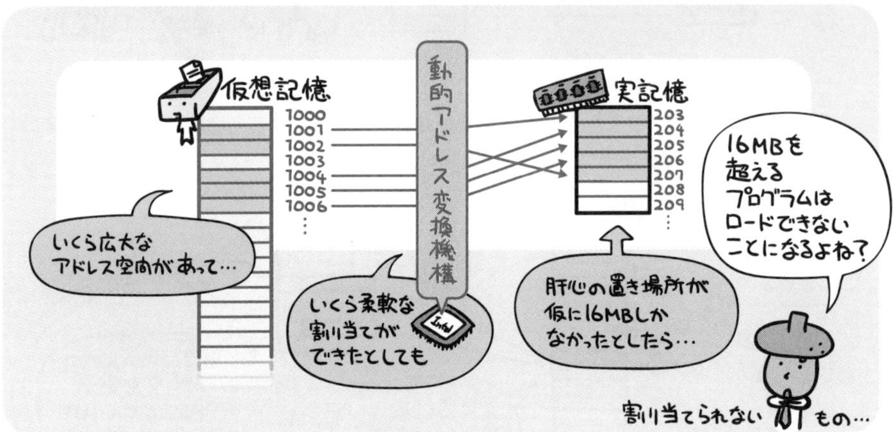

しかしちょっと待ってください。仮想記憶の特徴というのは、「実記憶“など”の存在を隠蔽して、マッピングしてみせる」こと。

…“など”ってなんでしょう?

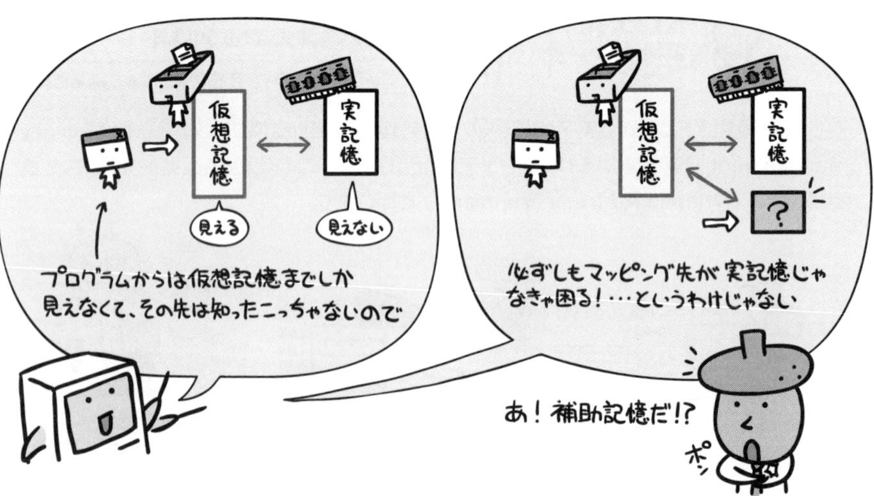

そう、補助記憶装置がここで出てくるわけです。

仮想記憶では、補助記憶装置もメモリの一部と見なすことで、実記憶の容量よりも大きなサイズの記憶空間を、提供できる仕組みになっているのです。

本試験では、特にこの点がクローズアップされていて、仮想記憶＝「主記憶として使うことのできる見かけ上の容量を拡大させる仕組み」という使われ方が良く出題されています。

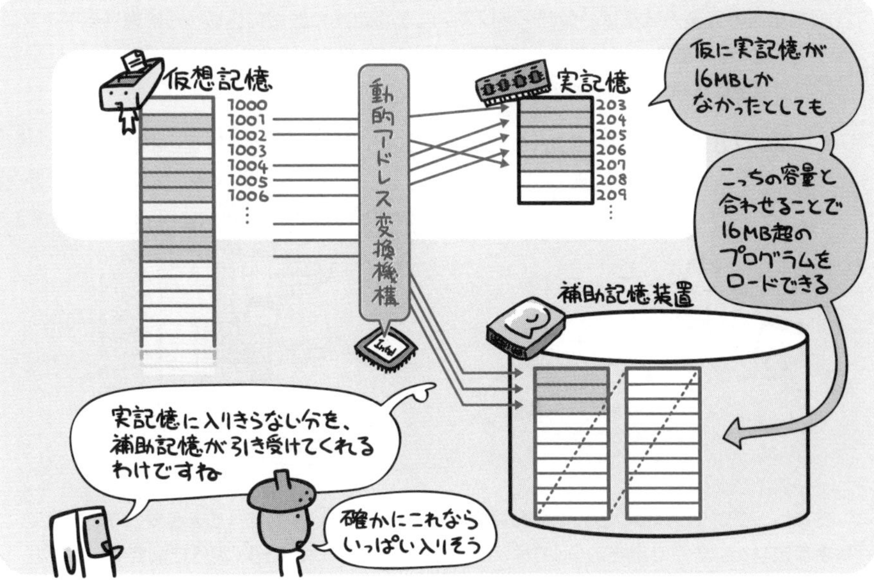

仮想記憶という言葉の印象が悪いのか、このような仕組みの話は、どうしても「難しい」ことのように受け取られがちです。でも、実は私たちの身のまわりで、こうした「仮想記憶的なこと」というのは普通に使われてたりするものです。

たとえば下の、本屋さんの例を見てください。

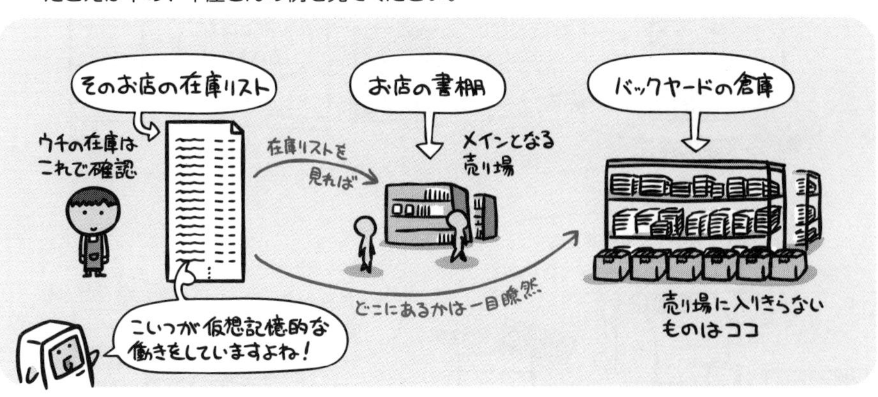

「どこになにがあるか」をわかりやすく整理するイメージと仮想記憶とのつながり、ご理解いただけましたでしょうか？

それでは次ページからは、この仕組みがどう実装されているか…という話を見ていきましょう。

ページング方式

仮想記憶の実装方式には、仮想アドレス空間を固定長の領域に区切って管理するページング方式と、可変長の領域に区切って管理するセグメント方式の2つがあります。

ここでは主に本試験で問われるページング方式について見ていきましょう。

ページング方式では、プログラムを「ページ」という単位に分割して管理します。

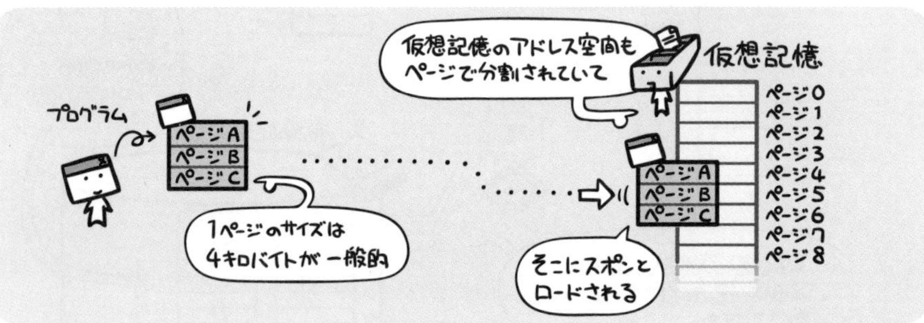

ただし、プログラムというのは色んな機能があるので、いつもすべてを必要とするわけではありません。そこで現在のOSでは、デマンドページングという「実行に必要なページだけを実記憶に読込ませる」方法が主流になっています。

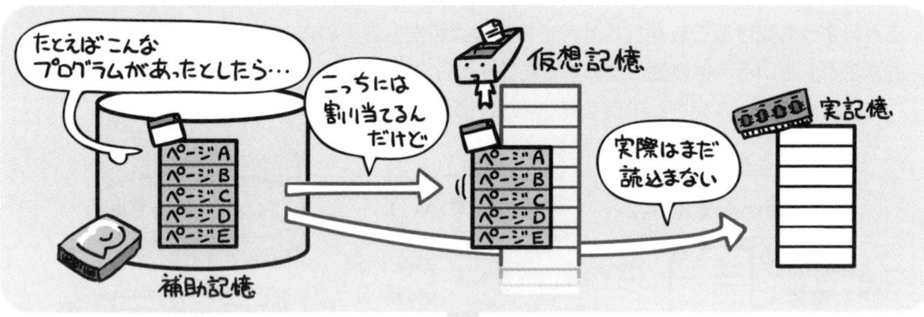

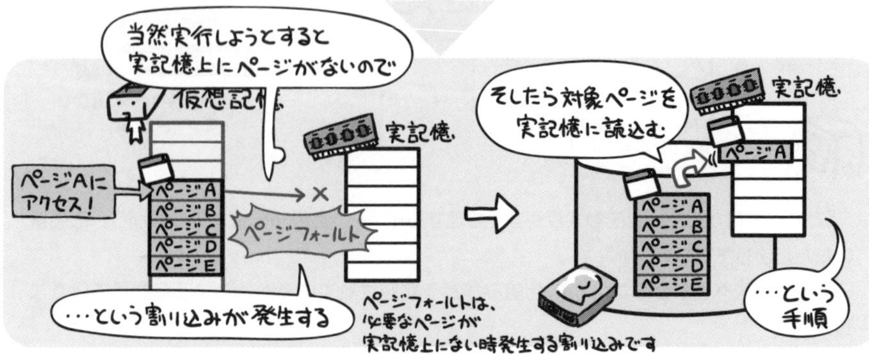

9
基本ソフトウェア

仮想記憶と実記憶との対応付けは、ページテーブルという表によって管理されます。この表によって、仮想ページ番号が実記憶上のどのページと結びついてるかが確認できるわけです。目的のページが実記憶上にないと判明したら、補助記憶から実記憶へとそのページが読込まれます。

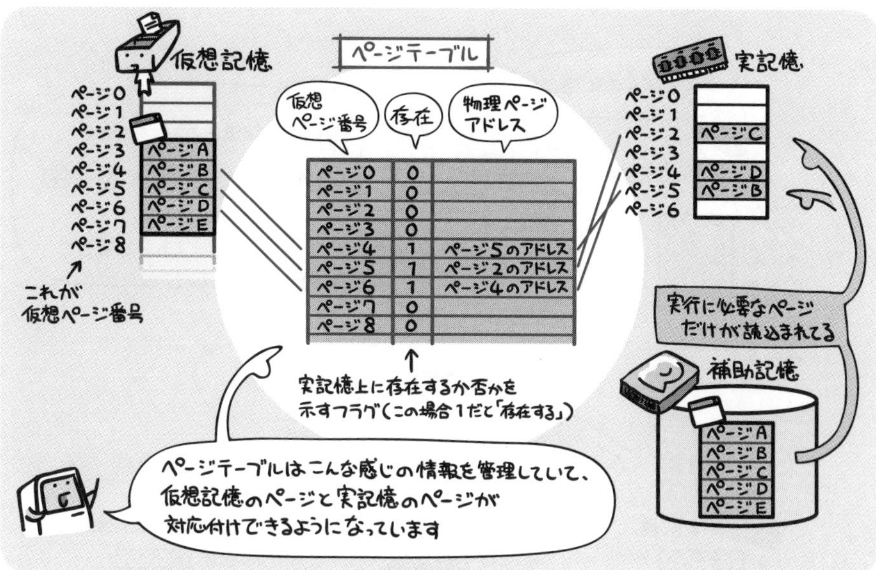

補助記憶から実記憶へのページ読込みをページインと言います。

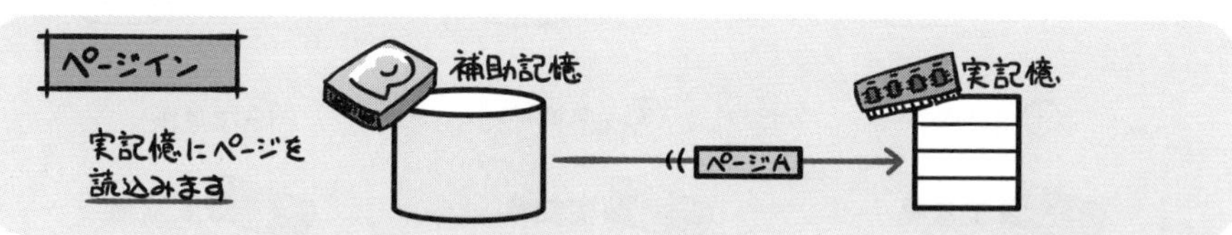

ページインしようとしたら、すでに実記憶がいっぱいでした…という場合、いずれかのページを補助記憶に追い出して空きを作らなければいけません。

実記憶から補助記憶へとページを追い出すことをページアウトと言います。

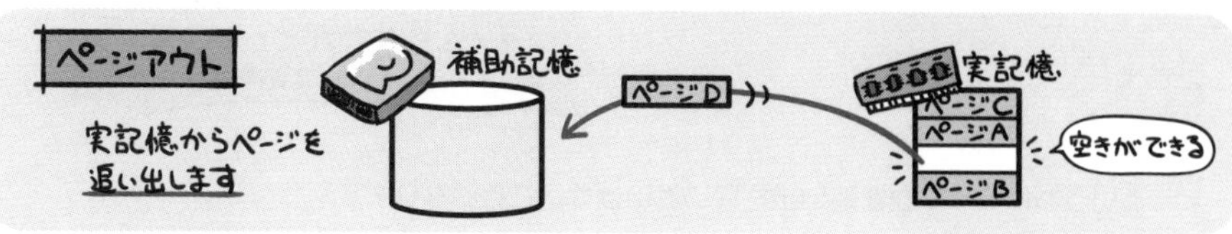

実記憶の容量が少ないと、上記のようにページの置換えを必要とする頻度が高くなり、システムの処理効率が極端に低下することがあります。この現象をスラッシングと呼びます。

ページの置き換えアルゴリズム

前ページで述べたように、ページインしようとした時に実記憶に空きがなければ、いずれかのページをページアウトさせて空きを作る必要が出てきます。

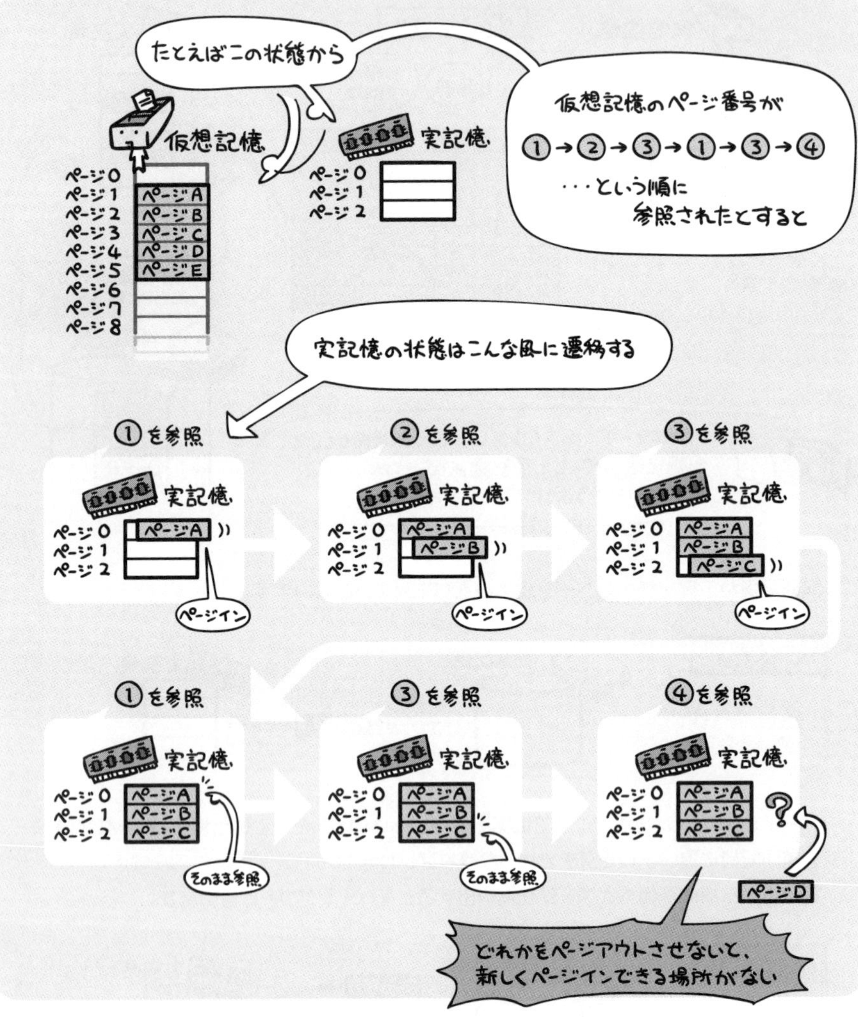

…というわけでなにかを追い出さないといけないことになります。

でも、やみくもになにか追い出せばいい、というわけでもありません。ページアウトさせたものがさして間を置かずに再度必要になる場合だと、せっかく追い出したものをページインし直す羽目になって効率が悪いからです。

したがって、「何をページアウトさせるか」の判断が大事になってきます。

それを決定するための置き換えアルゴリズムが次のものたち。それぞれ、どのページがページアウトの対象となるのか、よーく理解しておきましょう。

FIFO (First In First Out) 方式

最初に (First In) ページインしたページを、追い出し対象にします。

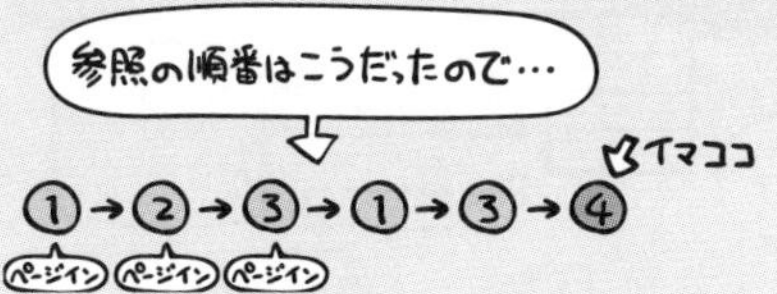

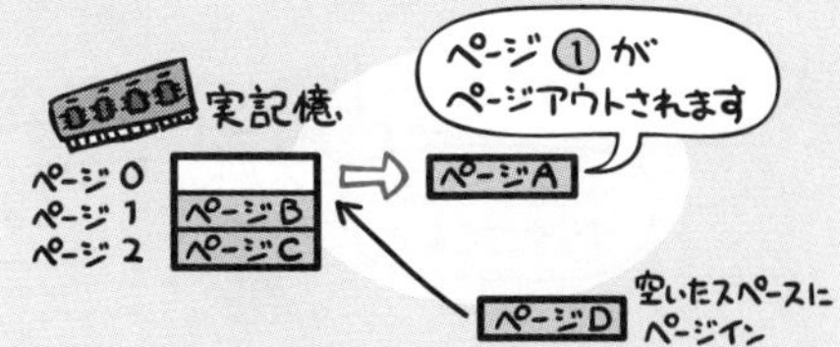

LIFO (Last In First Out) 方式

最後に (Last In) ページインしたページを、追い出し対象にします。

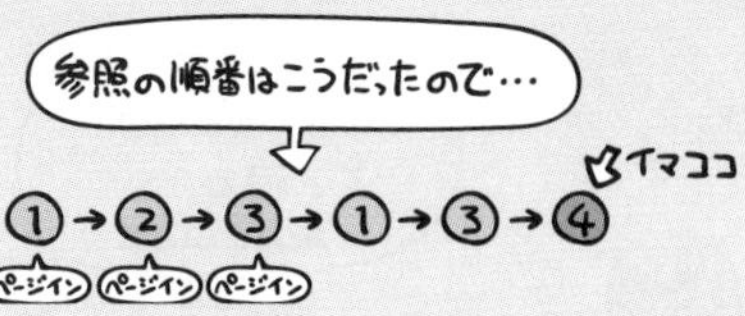

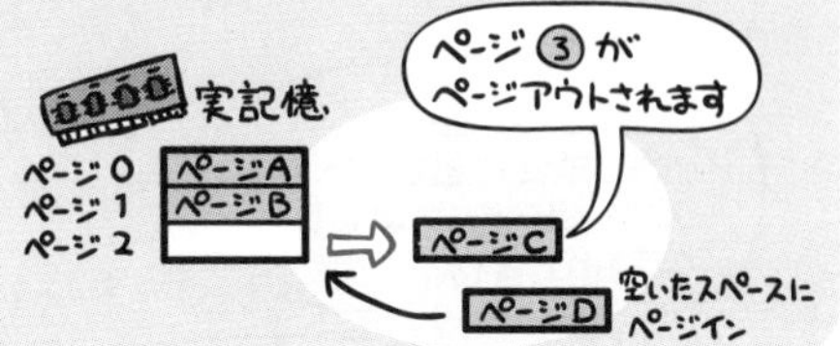

LRU (Least Recently Used) 方式

もっとも長い間参照されてないページを、追い出し対象にします。

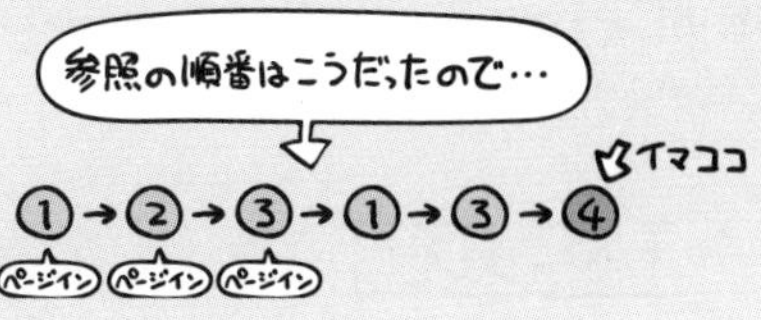

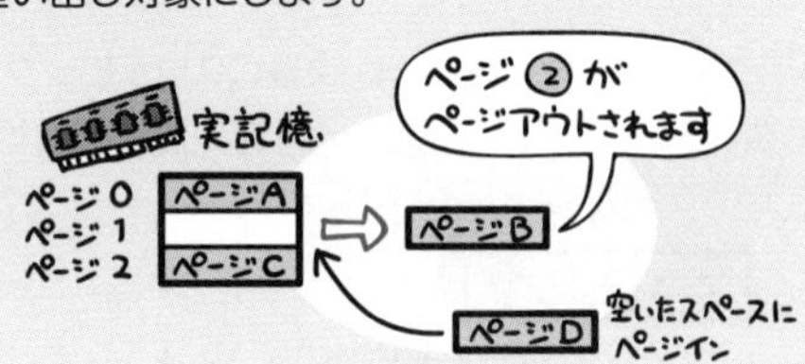

LFU (Least Frequently Used) 方式

もっとも参照回数の少ないページを、追い出し対象にします。

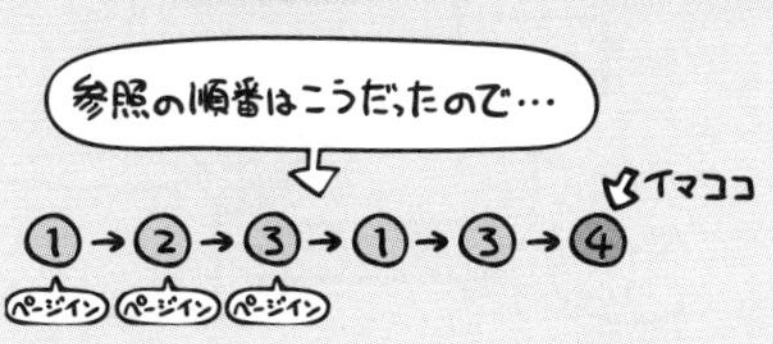

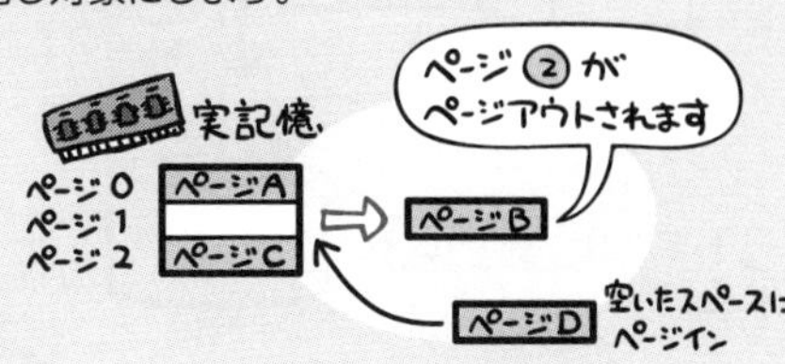

ページングとスワッピング

さて、補助記憶装置に実記憶(主記憶装置)の内容を退避させたり、ひっぱり出してきたりとなりますと、自ずと気になってくるのが…、

…ということです。

広義のスワッピングは、補助記憶装置と主記憶装置とでメモリ内容を出し入れすること全般を指しますから、この場合両者に違いはありません。

ただし、本試験内では狭義のスワッピングを採用しており、「プロセス単位で領域の出し入れを行うのがスワッピング」として、明確にページングと区別しています。

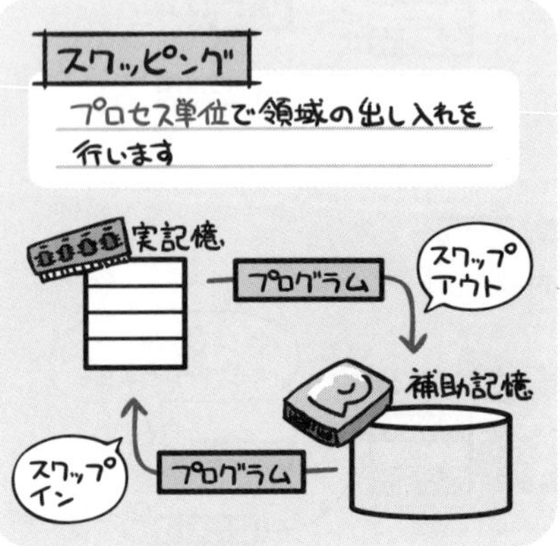

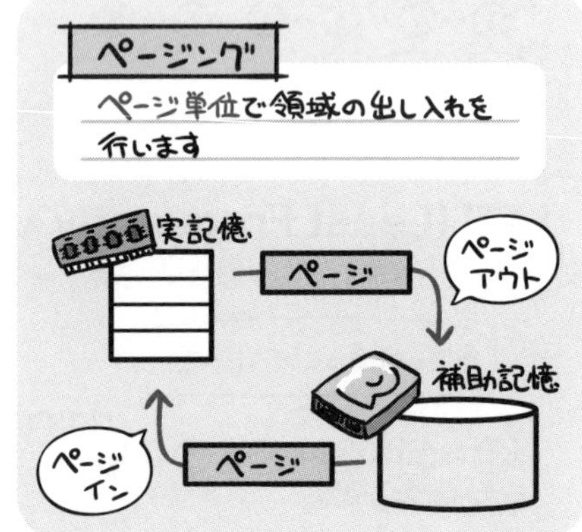

このように出題されています
過去問題練習と解説

問1 (AP-R03-A-19)

仮想記憶方式における補助記憶の機能はどれか。

ア　主記憶からページアウトされたページを格納する。
イ　主記憶が更新された際に，更新前の内容を保存する。
ウ　主記憶と連続した仮想アドレスを割り当てて，主記憶を拡張する。
エ　主記憶のバックアップとして，主記憶の内容を格納する。

解説

主記憶にあるページは、ページアウトの際に、補助記憶に格納されます。265ページを参照してください。

問2 (FE-H27-S-20)

ページング方式の仮想記憶において，ページ置換えアルゴリズムにLRU方式を採用する。主記憶に割り当てられるページ枠が4のとき，ページ1，2，3，4，5，2，1，3，2，6の順にアクセスすると，ページ6をアクセスする時点で置き換えられるページはどれか。ここで，初期状態では主記憶にどのページも存在しないものとする。

ア　1　　イ　2　　ウ　4　　エ　5

解説

LRUは、Least Recently Used の略であり、「最近、最も使われていないもの」といった意味です。仮想記憶方式でのLRUアルゴリズムは、読み込まれてから、最も長く使われていないページをページアウトします。LRUで、問題文が指定するページ読込み順序を実行すると下図のようになります（最も長く使われていないページに、*を付けています）。

主記憶装置のページ枠

	1	2	3	4	
1	1*	−	−	−	
2	1*	2	−	−	
3	1*	2	3	−	
4	1*	2	3	4	
5	5	2*	3	4	← 1を置き換え
2	5	2	3*	4	← 2は主記憶にあるので*のみ移動
1	5	2	1	4*	← 3を置き換え
3	5*	2	1	3	← 4を置き換え
2	5*	2	1	3	← 2は主記憶にあるので変化なし
6	6	2	1*	3	← 5を置き換え

ページ6をアクセスする時点で置き換えられるページは、5です。

正解▶問1：ア　問2：エ

Chapter
10
ファイル管理

けれども、
なんにも考えず
データをだらだら
記録しただけだと…
カリカリカリカリ
カリカリ カリカリ
9
ねーねー
この間あずけた
データくれない？
いいよー
10
どこからどこまで
かな？
持ってっちゃってよ
んが!?
11
…ってなことに
なっちゃう
わかんねーよ
そんなの…
わはは
じょーだん
じょーだん
12
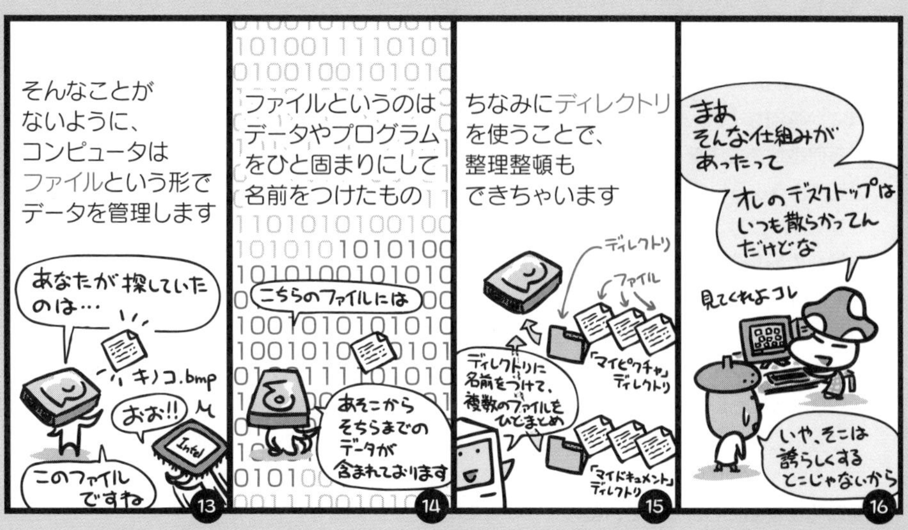
そんなことが
ないように、
コンピュータは
ファイルという形で
データを管理します
あなたが探していた
のは…
キノコ.bmp
おお!!
このファイル
ですね
13
ファイルというのは
データやプログラム
をひと固まりにして
名前をつけたもの
こちらのファイルには
あそこから
そちらまでの
データが
含まれております
14
ちなみにディレクトリ
を使うことで、
整理整頓も
できちゃいます
ディレクトリ
ファイル
「マイピクチャ」
ディレクトリ
ディレクトリに
名前をつけて、
複数のファイルを
ひとまとめ
「マイドキュメント」
ディレクトリ
15
まあ
そんな仕組みが
あったって
オレのデスクトップは
いつも散らかってん
だけどな
見てくれよコレ
いや、そこは
誇らしくする
とこじゃないから
16

Chapter 10-1

ファイルとは文書のこと

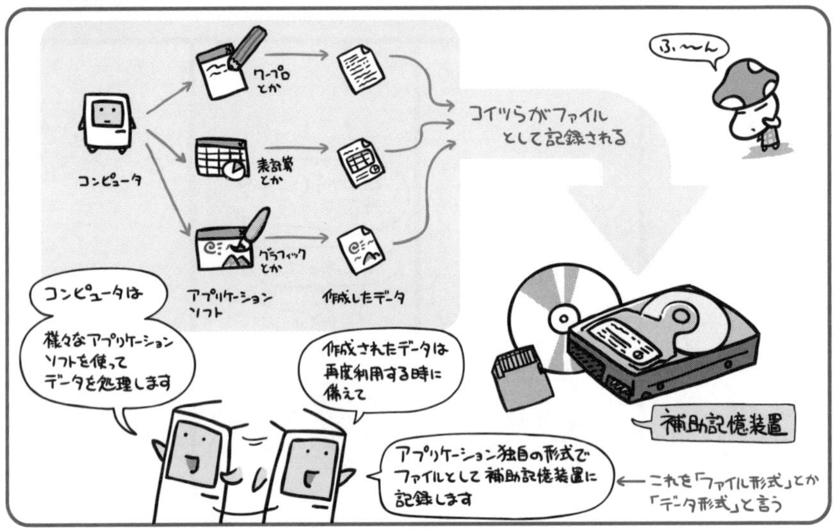

アプリケーションソフトで作った文書(データ)は、ファイルとして補助記憶装置に記録されます。

ファイルはデータをひとつの固まりとして記録するために使う入れ物…というか単位です。なにか特別な「ファイル」という媒体があるわけじゃなくて(昔はあったんですが)、「何番地から何番地までのデータは、○○という名前のファイルですから、読み込む時はその単位で区切るようよろしく」と名目上分けているだけでなのです。

ファイルには、文字や画像といった実データの他に、多くの場合アプリケーションソフト独自の編集情報(文字の大きさや印刷のために必要な情報などなど)も記録されています。このようなファイルは独自フォーマットのファイル形式といって、そのファイルを作成したアプリケーションソフト以外では読み込めません。

一方、共通フォーマットとされるファイル形式もあります。多種多様な環境でデータのやり取りを行いたい場合は、それらのファイル形式でデータを記録します。

ちなみにアプリケーションソフト自体も、普段はどこかにしまわれていないと、いざ使いたいとなった時に呼び出せません。なので実はそれらも、プログラムというファイル形式で補助記憶装置にしまわれているのです。

データの種類と代表的なファイル形式

共通フォーマットとして広く利用されているファイル形式には下記があります。

表の中に「圧縮」だとか「不可逆」だ「可逆」だとわけのわからん言葉が出てきていますが、圧縮とはデータのサイズをぎゅっと小さく縮めることで、不可逆というのはその時にいくつか情報が欠けちゃってもとに戻せなくなること。可逆はその反対です。なんでそーなるのって理屈部分は次ページでくわしくふれていきます。

テキスト形式

文字コードと、改行やタブなど一部の制御文字のみで作られるファイル形式です。文字を扱うアプリケーションソフトであれば、まず間違いなく読み書きすることができます。

CSV形式

基本的にはテキスト形式なのですが、個々のデータである文字や数字をカンマ(,)で区切り、行と行を改行で区切ることで、表形式のデータを保存することに特化したファイル形式です。

PDF

画像が埋め込まれた書類を、コンピュータの機種やOSの種類に依らず、元の通りに再現して表示することができる電子文書のファイル形式です。文書配布時における標準的なフォーマットとなっています。

画像用のファイル形式

ビットマップ BMP	画像を圧縮せずにそのまま保存するファイル形式です。画質は一切劣化しませんが、ファイルサイズは大きくなります。
ジェーペグ JPEG	写真を保存するのに向いている画像圧縮形式です。圧縮率が高く、フルカラーの画像を扱えるため、デジタルカメラで写真を記録する用途などでも使われています。不可逆圧縮を行うため、圧縮のレベルに応じて画質が劣化します。
ジフ GIF	イラストやアイコンなどの保存に適した画像圧縮形式です。可逆圧縮であるため画質の劣化はありませんが、扱える色数が256色までという制限を持ちます。
ピング PNG	当初はGIFの代替として登場しましたが、フルカラーを扱える上に可逆圧縮であるため画質の劣化もないという、ある意味万能な画像圧縮形式です。ただし単純な圧縮率ではJPEGの方が勝ります。

音声用のファイル形式

エムピースリー MP3	音声を圧縮して保存するファイル形式です。人に聞こえない範囲の信号を削り落とすことでデータ量を削減するなど、不可逆の圧縮を行います。音楽CDレベルの音質を表現できるとされていることから、インターネット上の音楽配信や携帯音楽プレーヤーなどで用いられています。
ミディ MIDI	音声そのものではなく、デジタル楽器の演奏データを保存することのできるファイル形式です。MIDIデータを使うことで、デジタル楽器を演奏させることができます。

動画用のファイル形式

エムペグ MPEG	動画を圧縮して保存するファイル形式で、不可逆圧縮を行います。ビデオCDに使われるMPEG-1、DVDに使われるMPEG-2、インターネット配信や携帯電話で使われるMPEG-4などがあります。

マルチメディアデータの圧縮と伸張

画像や音声、動画などのマルチメディアデータは、そのまま保存すると膨大なデータ量になってしまいます。

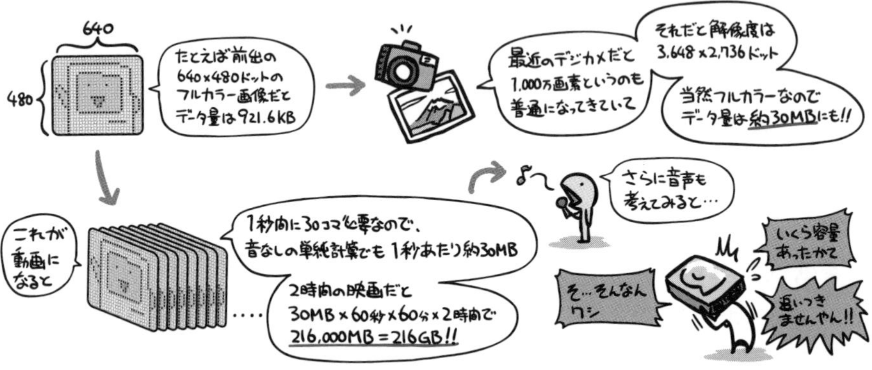

そのため、なんらかの圧縮技術を用いて、データサイズを小さくして保存するのが普通なのです。

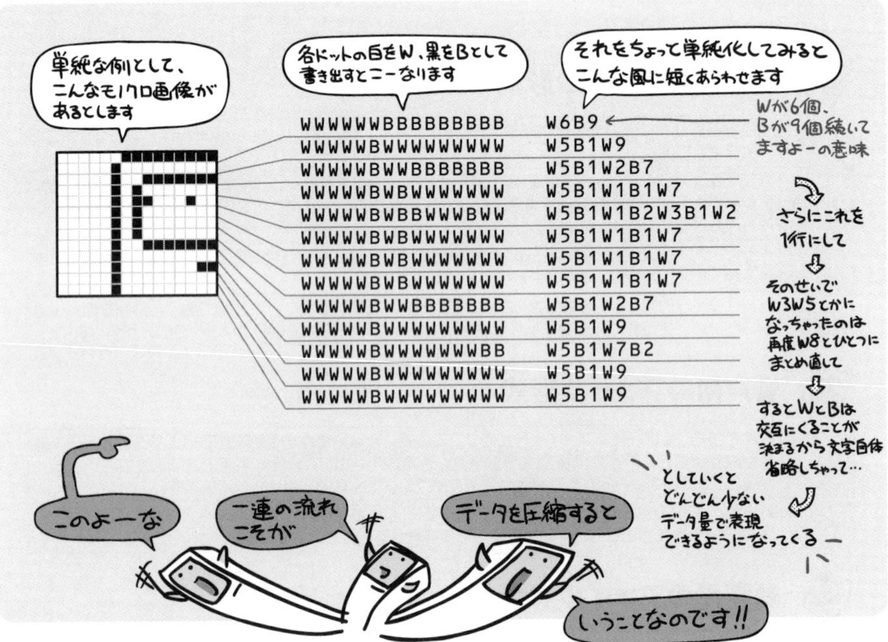

ちなみに動画の場合は

時間軸にそって各コマの
変化があったとこだけを
データとして持つようにしたり

音声の場合は

人間には聞こえない
高い周波数の音を
ばっさり切り落としたり

いかに省略できる繰り返しを見つけるか、
いかに品質を保ったままデータを切り落とせるかが圧縮のミソ

そうして圧縮されたファイルを開く時は、逆方向の伸張という展開作業を行って、元のデータを復元します。

元々のデータを間引く形で圧縮したものは、伸張後も厳密な意味の「元と同じ」データにはなり得ません。このような圧縮方法を不可逆圧縮と呼びます。

このように出題されています
過去問題練習と解説

(FE-H20-A-69)

データ形式としてのCSVに関する記述として，適切なものはどれか。

ア　文字データ，数値データだけでなく，計算式や書式情報も記録できる。データ間の区切りとして，タブを使用する。

イ　文字データ，数値データと改行を含む幾つかの制御文字だけの情報を記録する。データ間の区切り記号として，空白文字，コロン，セミコロンを使用する。

ウ　文字データ，数値データをコンマで区切り，レコード間は改行で区切って記録する。文字データは引用符でくくることもある。

エ　文字データだけでなく，画像や Java アプレットなども記録できる。データ間の区切りの位置にタグと呼ばれるコマンドを挿入する。

解説

CSVは、データ間の区切りとして、コンマを使用します。

CSVは、Comma Separated Valuesの略であり、データ間の区切りとしてコンマを、レコード（行）間の区切りとして、改行を使用します。表計算ソフトのExcelでも、CSV形式のファイルを用いることができます。

(FE-H21-S-30)

静止画データの圧縮符号化に関する国際標準はどれか。

ア　BMP　　イ　GIF　　ウ　JPEG　　エ　MPEG

解説

ア　BMPは、静止画を取り扱いますが、圧縮しません。

イ　GIFは、静止画を取り扱いますし圧縮もしますが、国際標準ではありません。

ウ　JPEGは、Joint Photographic coding Experts Groupの略であり、規格名であり、かつその規格を作った団体名でもあります。

エ　MPEGは、動画を圧縮する国際標準規格です。

問3

(FE-H21-A-29)

64kビット／秒程度の低速回線用の動画像の符号化に用いられる画像符号化方式はどれか。

ア　MPEG-1　　イ　MPEG-2
ウ　MPEG-4　　エ　MPEG-7

解説

MPEGは、Moving Picture Experts Groupの略であり、デジタル動画を圧縮する規格です。JPEGと同様に、規格を制定した標準作成委員会の名前がそのまま規格名にもなっています。

MPEG-1	1.5Mビット／秒程度の圧縮方式であり、主にCD-ROMなどの蓄積型メディアを対象にしています。
MPEG-2	数M ～数十Mビット／秒という広い範囲の圧縮方式であり、DVD-ROMなど蓄積型メディア，放送，通信で共通に利用できる汎用の方式です。
MPEG-4	数十k ～数百kビット／秒という低ビットレートの圧縮方式の一つであり，携帯電子機器などへの利用を対象にしています。
MPEG-7	動画データの圧縮ではなく、XMLを使ったメタデータ記述によるマルチメディアデータの高速な検索を行うための規格です。

問4

(FE-R01-A-24)

H.264/MPEG-4 AVCの説明として，適切なものはどれか。

ア　5.1チャンネルサラウンドシステムで使用されている音声圧縮技術
イ　携帯電話で使用されている音声圧縮技術
ウ　デジタルカメラで使用されている静止画圧縮技術
エ　ワンセグ放送で使用されている動画圧縮技術

解説

H.264/MPEG-4 AVCは、名前のとおり、「MPEG」の一種であり、動画圧縮技術の規格です。動画圧縮技術は、選択肢エにしかありません。MPEGの説明は、273ページの最下段の表を参照してください。

正解▶問1:ウ　問2:ウ　問3:ウ　問4:エ

Chapter 10-2

文書をしまう場所がディレクトリ

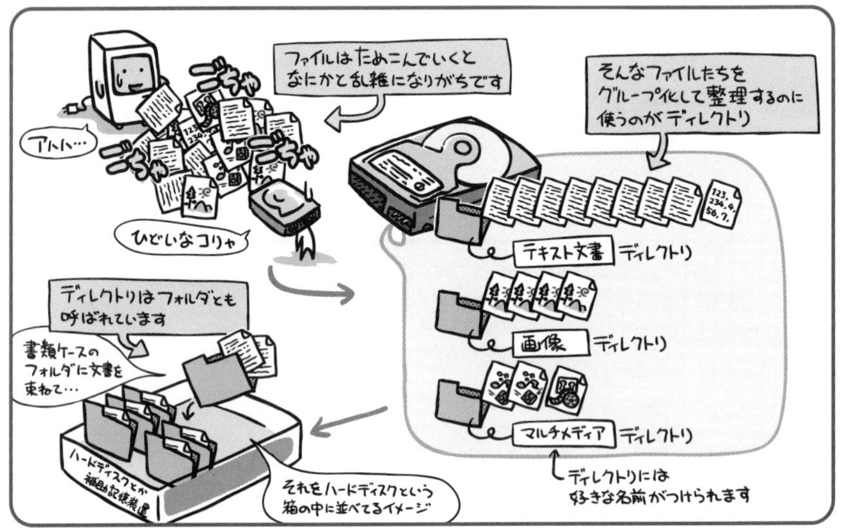

ディレクトリは、ファイルをグループ化して整理するもの。
補助記憶装置の中は、ディレクトリで管理されています。

ファイルが文書ならば、ディレクトリというのはそれを束ねるための フォルダの役割を果たします。というか、ディレクトリのことをフォルダともいいますしね。フォルダといえば書類をまとめて整理するための文房具なわけで、名は体をあらわすの通りなのです。

ハードディスクなど補助記憶装置はたくさんのファイルを保存しておくことができます。言うなれば大きな箱のようなものです。しかし、大きな箱に書類をドンドカ入れてっちゃったら、後で「あれはどこだ」と探すのが大変になってしまうように、ハードディスクの中も乱雑に散らかって「あのファイルはどこだ」ということになってしまいます。

それを防いでくれるのがディレクトリ。箱の中に書類をただポンと放り込むのではなく、用途別でフォルダにまとめておくなどすることで、「あれはどこだ?」と迷わなくて済むようになるのです。

ルートディレクトリとサブディレクトリ

ディレクトリには、ファイルだけじゃなくて、他のディレクトリも入れることができます。そうすることで、補助記憶装置全体に階層構造(ツリー構造)を持たせて管理することができるのです。

たとえばこんな、JPEGの写真データが5つ入ったディレクトリがあったとしたら…

旅行写真

伊豆1.jpg
伊豆2.jpg
札幌1.jpg
札幌2.jpg
琵琶湖.jpg

ディレクトリを追加して、写真データを旅行ごとにまとめたりとかができる

旅行写真

伊豆旅行
札幌旅行
琵琶湖.jpg
伊豆1.jpg
伊豆2.jpg
札幌1.jpg
札幌2.jpg

このような「他のディレクトリに含まれるディレクトリ」のことをサブディレクトリと言います

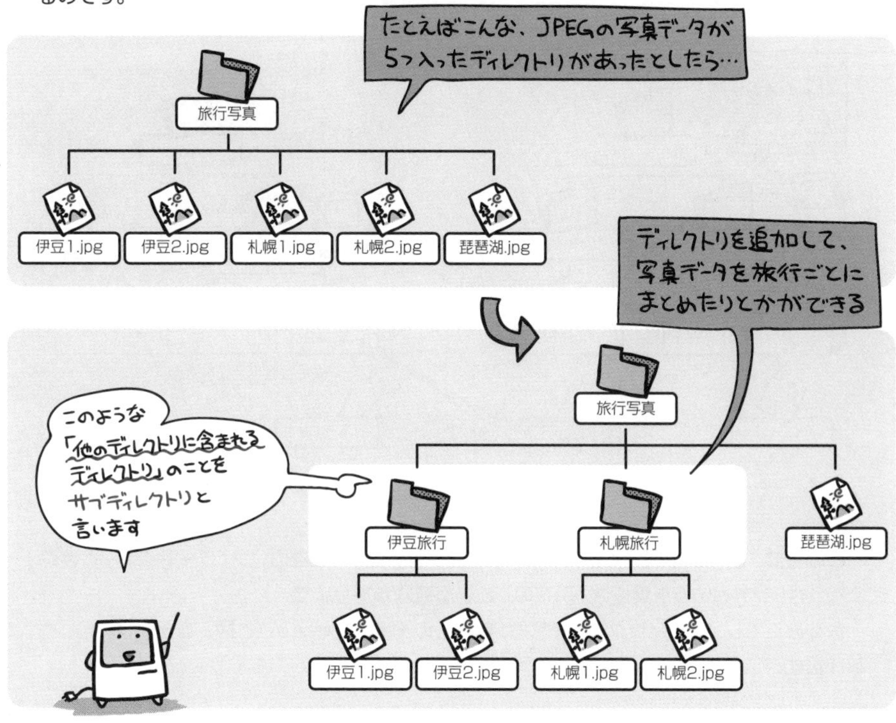

階層構造の一番上位に位置するディレクトリはルートディレクトリと呼びます。

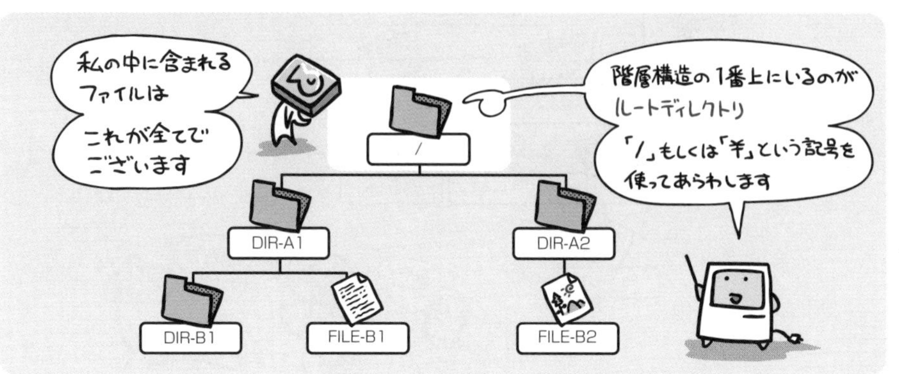

10 ファイル管理

カレントディレクトリ

ディレクトリを開いて確認できる範囲は、そのディレクトリに含むファイルとサブディレクトリの一覧です。サブディレクトリの中に何があるかは、さらにそのディレクトリを開いてみなければわかりません。

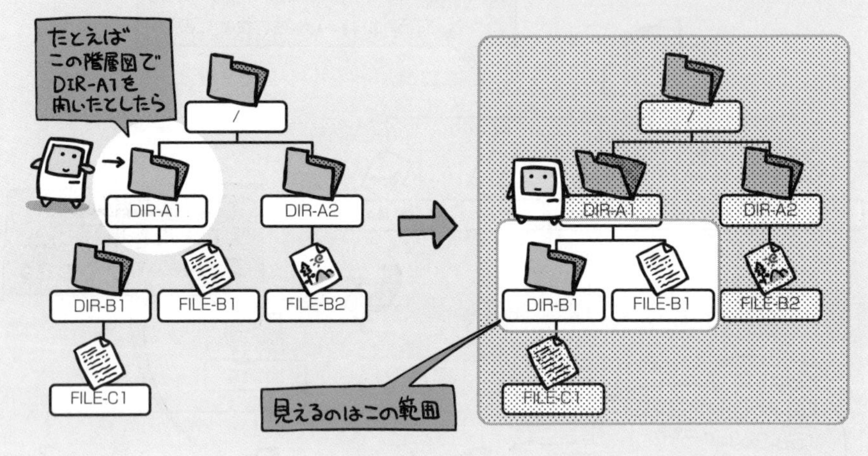

この時に、自分が今開いて作業しているディレクトリのことをカレントディレクトリと言います。カレントという言葉には「現在の」という意味があります。

ちなみにカレントディレクトリを含む1階層上のディレクトリのことは、親ディレクトリと呼びます。

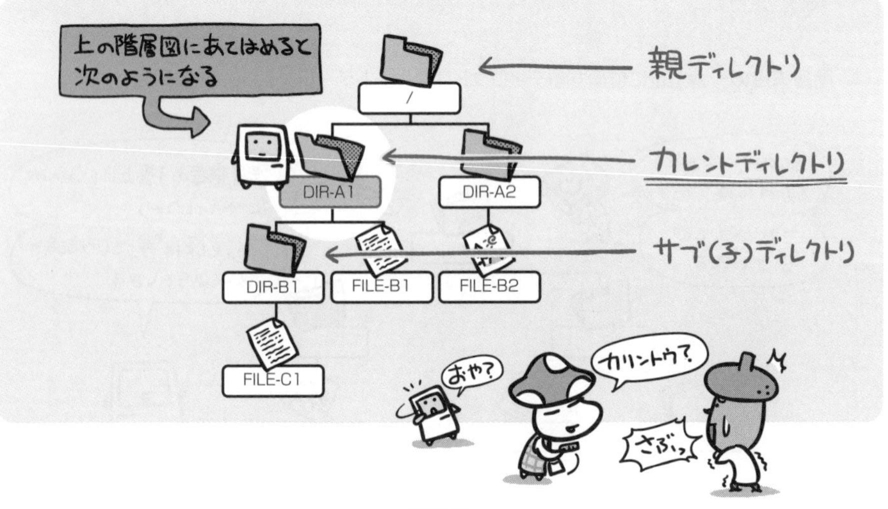

このように出題されています
過去問題練習と解説 Ⅰ

問 1 (FE-H22-S-21)

UNIXの階層的ファイルシステムにおいて，アカウントをもつ一般の利用者がファイルの保存などに使う階層で最上位のものはどれか。

ア　カレントディレクトリ
イ　デスクトップディレクトリ
ウ　ホームディレクトリ
エ　ルートディレクトリ

解説

UNIXの階層的ファイルシステムは、Chapter10-2で説明してあるディレクトリを使っています。本問のカレントディレクトリとルートディレクトリは、その説明と同じ意味で使われます。

デスクトップディレクトリ … デスクトップに表示されるファイルや情報が入っているディレクトリです。ただし、あまり使われない用語です。

ホームディレクトリ … 本問の説明どおりです。

問 2 (FE-R04-サ-17)

三つの媒体A ～ Cに次の条件でファイル領域を割り当てた場合，割り当てた領域の総量が大きい順に媒体を並べたものはどれか。

〔条件〕

(1) ファイル領域を割り当てる際の媒体選択アルゴリズムとして，空き領域が最大の媒体を選択する方式を採用する。

(2) 割当て要求されるファイル領域の大きさは，順に90，30，40，40，70，30（Mバイト）であり，割り当てられたファイル領域は，途中で解放されない。

(3) 各媒体は容量が同一であり，割当て要求に対して十分な大きさをもち，初めは全て空きの状態である。

(4) 空き領域の大きさが等しい場合には，A，B，Cの順に選択する。

ア A，B，C　　イ A，C，B　　ウ B，A，C　　エ C，B，A

解説

90, 30, 40, 40, 70, 30（Mバイト）の順に、各ファイルを媒体A ～ Cに割り当てると右表のようにまとめられます。

右表より、媒体C（110M）、媒体B（100M）、媒体A（90M）の順に総量が大きくなります。

割り当て	媒体A	媒体B	媒体C
①：90Mのファイル	90M	0	0
②：30Mのファイル	90M	30M	0
③：40Mのファイル	90M	30M	40M
④：40Mのファイル	90M	30M+40M=70M	40M
⑤：70Mのファイル	90M	70M	40M+70M=110M
⑥：30Mのファイル	90M	70M+30M=100M	110M

正解▶問1：ウ　問2：エ

Chapter 10-3 ファイルの場所を示す方法

ファイルは、ファイルへのパスを用いてその場所を指し示します

今はずいぶんと事情も変わりましたが、昔はファイルにつける名前なんかも「日本語だと4文字までしか使っちゃだめよ」なんて制約があったりしたものでした。だから、なんでもかんでも同じディレクトリに入れておこうとすると、すぐにファイル名が重複しそうになるのです。ディレクトリさえ違っていれば同じ名前をつけても問題ないので、余計に細々とディレクトリで仕分けするのが常でした。

というのが前置き。

つまりファイルにつけた名前だけじゃ、それがどのファイルを指し示しているかという特定は無理なのです。どこのディレクトリに入っているファイルで、そのディレクトリはどこにあるか、ちゃんとわかるように指示しなくてはいけません。

この「ファイルまでの場所を指し示す経路」のことをパスと言います。

パスには、ルートディレクトリからの経路を書き記す絶対パスと、カレントディレクトリからの経路を書き記す相対パスという2種類の書きあらわし方があります。

絶対パスの表記方法

パスを表記するにあたっては、次の約束事に従います。

① ルートディレクトリは「/」または「¥」であらわす。
② ディレクトリと次の階層との間は「/」または「¥」で区切る。
③ カレントディレクトリは「.」であらわす。
④ 親ディレクトリは「..」であらわす。
（③④）絶対パス表記の場合 この2つはまず関係ありません

絶対パスで表記する場合は、ルートディレクトリからはじまって、目的のファイルに至るまでの経路を書き記さなければなりません。

それでは上記の約束事に従って、ルートディレクトリからの経路を絶対パスとして書き出してみましょう。

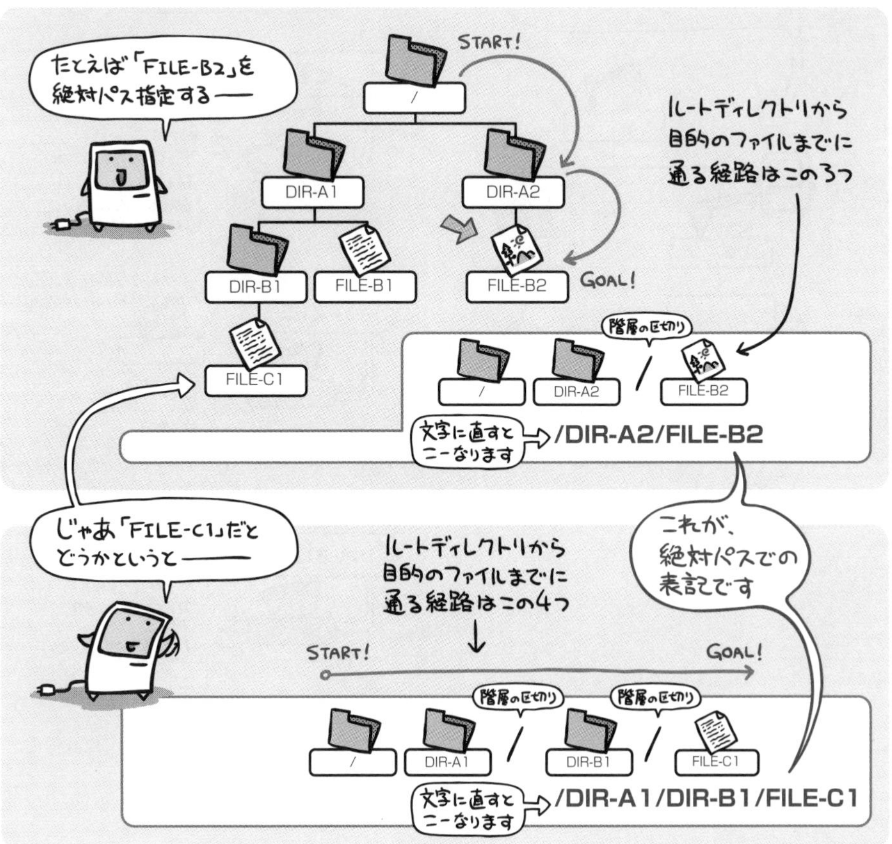

相対パスの表記方法

相対パスにおいても、パスを表記するにあたっては、同じ約束事に従います。

① ルートディレクトリは「/」または「¥」であらわす。 ← 相対パスの場合これは関係ありません
② ディレクトリと次の階層との間は「/」または「¥」で区切る。
③ カレントディレクトリは「.」であらわす。
④ 親ディレクトリは「..」であらわす。

相対パスで表記する場合は、「自分が今どのディレクトリにいるか」が基準となります。そのため目的のファイルに至るまでの経路は、自分がいる位置からの道順を書き記します。

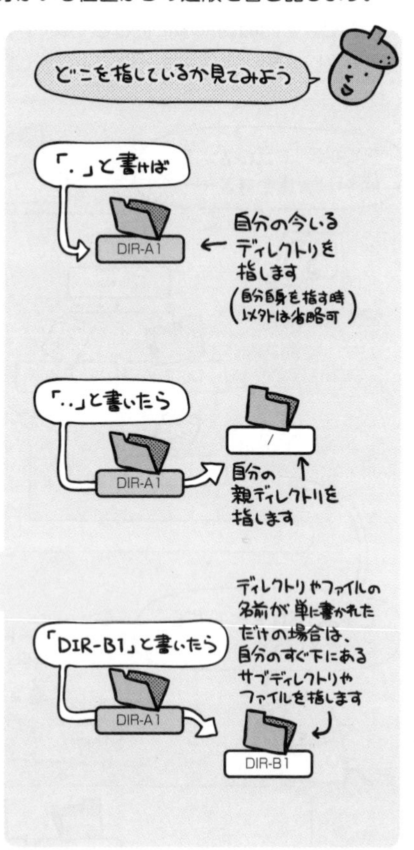

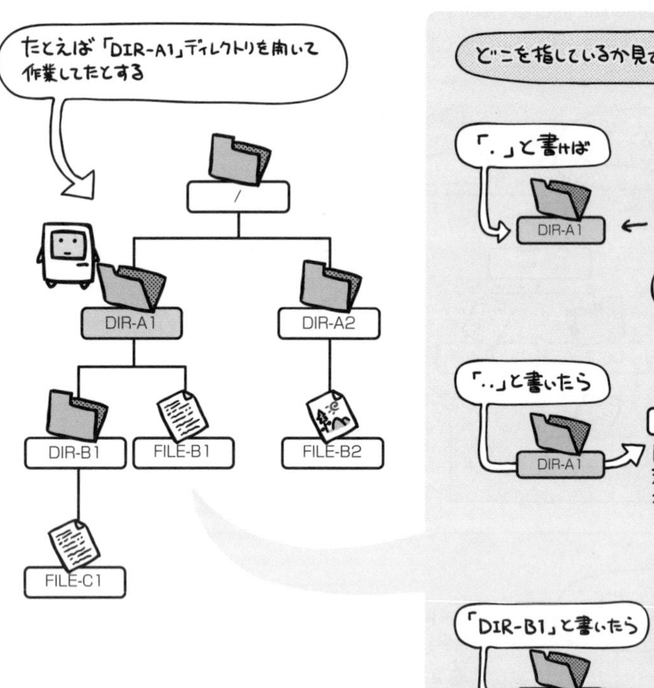

それでは前述の約束事に従って、次に示すファイルまでの経路を相対パスで書き出してみましょう。

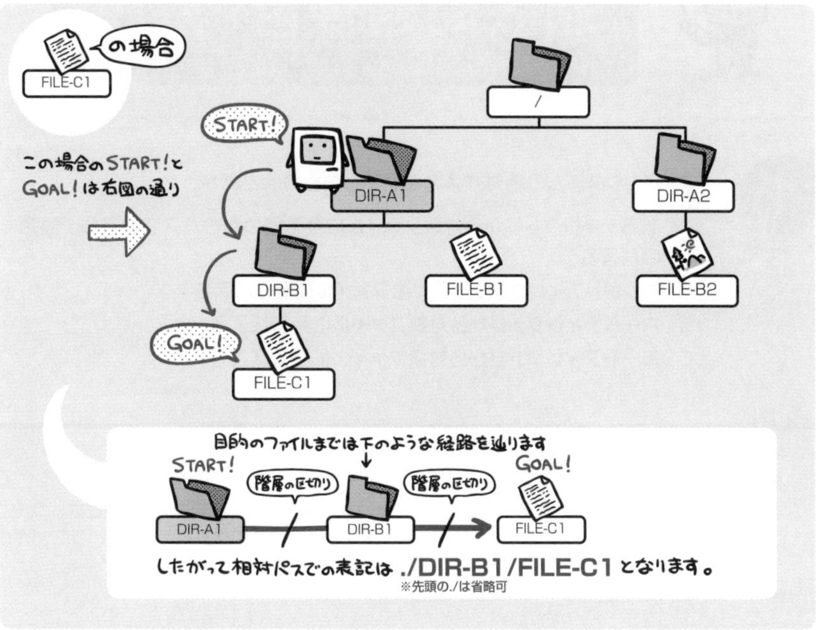

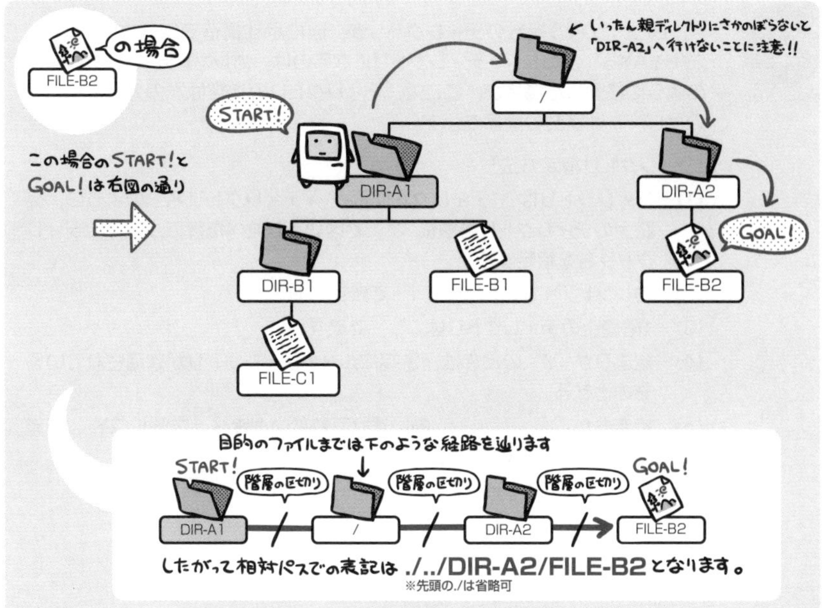

このように出題されています

過去問題練習と解説

(FE-R04-サ-18)

ファイルシステムの絶対パス名を説明したものはどれか。

ア　あるディレクトリから対象ファイルに至る幾つかのパス名のうち，最短のパス名
イ　カレントディレクトリから対象ファイルに至るパス名
ウ　ホームディレクトリから対象ファイルに至るパス名
エ　ルートディレクトリから対象ファイルに至るパス名

解説

ア　本選択肢の説明に、特別な名前はつけられていません。
イ　相対パス名の説明です。
ウ　本選択肢の説明に、特別な名前はつけられていません。なお、ホームディレクトリとは、サーバ上にある、ユーザごとに割当てられたユーザ専用ディレクトリのことです。通常は、ユーザがログインすると、ホームディレクトリを自由に読み書きできるに設定になっています。
エ　絶対パス名の説明です。

(FE-H29-S-18)

A，Bという名の複数のディレクトリが，図に示す構造で管理されている。“¥B¥A¥B”がカレントディレクトリになるのは，カレントディレクトリをどのように移動した場合か。ここで，ディレクトリの指定は次の方法によるものとし，→は移動の順序を示す。

〔ディレクトリ指定方法〕

(1)　ディレクトリは，“ディレクトリ名¥…¥ディレクトリ名”のように，経路上のディレクトリを順に“¥”で区切って並べた後に，“¥”とディレクトリ名を指定する。
(2)　カレントディレクトリは，“.”で表す。
(3)　1階層上のディレクトリは，“..”で表す。
(4)　始まりが“¥”のときは，左端にルートディレクトリが省略されているものとする。
(5)　始まりが“¥”，“.”，“..”のいずれでもないときは，左端に“.¥ ”が省略されているものとする。

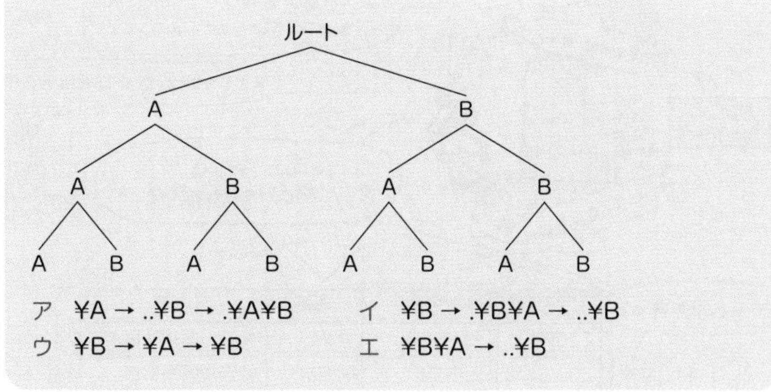

解説

問題の条件にしたがって、ディレクトリを移動してみます。

ア　¥A … 始まりは、¥なので左端にルートディレクトリが省略されています。ルートディレクトリから、1つ下のAに移動します。

..¥B … ..があるので、1つ上の階層のルートディレクトリに戻り、1つ下のBに移動します。

.¥A¥B … .があるので、カレントディレクトリの下のAの、さらに下のBに移動します。そこで、¥B¥A¥Bに移動したことになります。

イ　¥B … 始まりは¥なので、左端にルートディレクトリが省略されています。ルートトディレクトリから、1つ下のBに移動します。

.¥B¥A … .があるので、カレントディレクトリの下のBの、さらに下のAに移動します。そこで、¥B¥B¥Aに移動したことになります。

..¥B … ..があるので、1つ上の階層の¥B¥Bに戻り、1つ下のBに移動します。そこで、¥B¥B¥Bに移動したことになります。

ウ　¥B … 始まりは¥なので、左端にルートディレクトリが省略されています。ルートディレクトリから、1つ下のBに移動します。

¥A … 始まりは¥なので、左端にルートディレクトリが省略されています。ルートディレクトリから、1つ下のAに移動します。

¥B … 始まりは¥なので、左端にルートディレクトリが省略されています。ルートディレクトリから、1つ下のBに移動します。そこで、¥Bに移動したことになります。

エ　¥B¥A … 始まりは¥なので、左端にルートディレクトリが省略されています。ルートディレクトリから、1つ下のB、さらに下のAに移動します。そこで、¥B¥Aに移動したことになります。

..¥B … ..があるので、1つ上の階層の¥Bに戻り、1つ下のBに移動します。そこで、¥B¥Bに移動したことになります。

正解▶問1：エ　問2：ア

Chapter 10-4

汎用コンピュータにおけるファイル

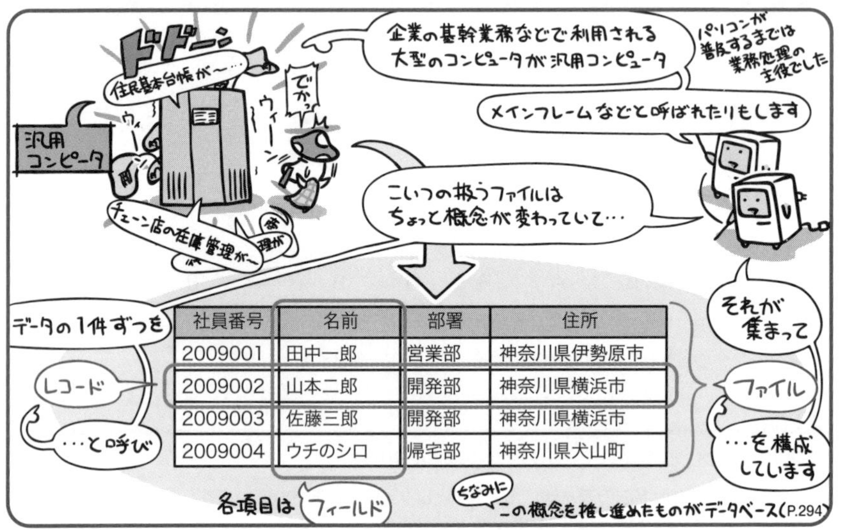

社員番号	名前	部署	住所
2009001	田中一郎	営業部	神奈川県伊勢原市
2009002	山本二郎	開発部	神奈川県横浜市
2009003	佐藤三郎	開発部	神奈川県横浜市
2009004	ウチのシロ	帰宅部	神奈川県犬山町

汎用コンピュータにおけるファイルは、一連のデータをまとめたもの。レコードの集合がファイルなのです。

パソコンを使い慣れている人からすると、本試験の勉強で「あれれ?」となってしまうのがファイルの定義です。「ファイルはレコードの集合?何それ?ウチのパソコンはそんなことないよ?」ってなもんですよね。

パソコンとして一般的に使われているWindowsはもちろん、UNIXなどでも、OSが担当するのはファイルを保存する仕組み的部分（ファイルシステム）までで、その中身には関知しません。だからデータをどのような形式で保存するかは、各アプリケーションにお任せなわけです。したがって、「ファイルはレコードの集合」という考え方もありません。

ところが汎用コンピュータでは、その歴史的な使われ方（プログラムや業務データは、パンチカードなどによりレコード単位で入力していた）から、OS自身が多用なレコード管理機能を持つに至りました。そのため、上記のようなファイルの概念が生じてきたわけですね。

というわけで、こちらの場合はOS自身が「どのようにレコードを格納するか」を定義づけた、ファイル編成法をいくつか用意して、プログラムに提供しています。

ファイルへのアクセス方法

ファイル編成法の種類を見ていく前に、ファイルに対して読み書きを行う際のアクセス方法について、それぞれの特徴を押さえておきましょう。アクセス方法には、順次アクセス、直接アクセス、動的アクセスの3種類があります。

順次アクセス

先頭レコードから順番にアクセスする方法です。シーケンシャルアクセスとも呼ばれます。

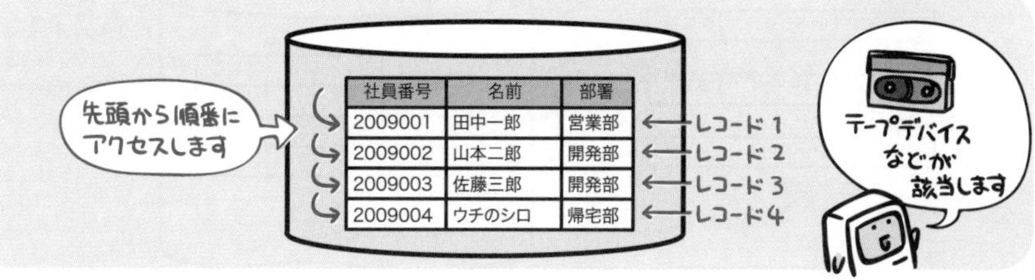

直接アクセス

任意のレコードに直接アクセスする方法です。ランダムアクセスとも呼ばれます。

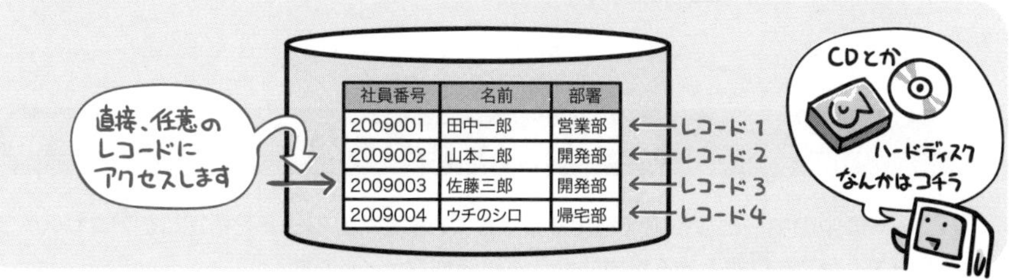

動的アクセス

順次アクセスと直接アクセスとを組み合わせた方法で、任意のレコードに直接アクセスした後、それ以降を順次アクセスで順番に処理します。

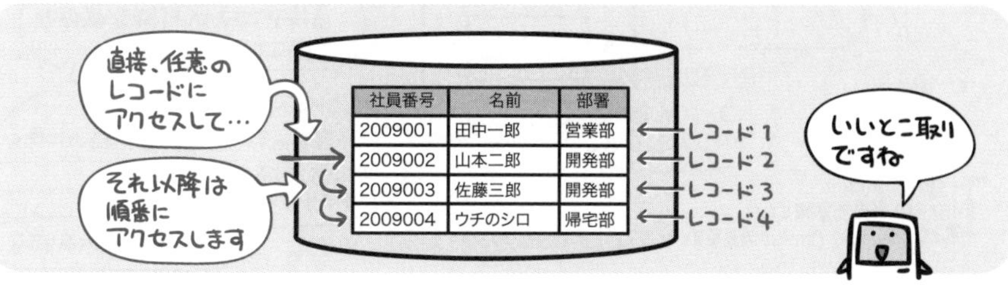

順編成ファイル

それではファイル編成法の中でも、代表的なものをひとつずつ見ていきましょう。

トップバッターは、頭から順番にレコードを記録していく順編成ファイル。もっとも単純な編成法で、順次アクセスのみが可能です。

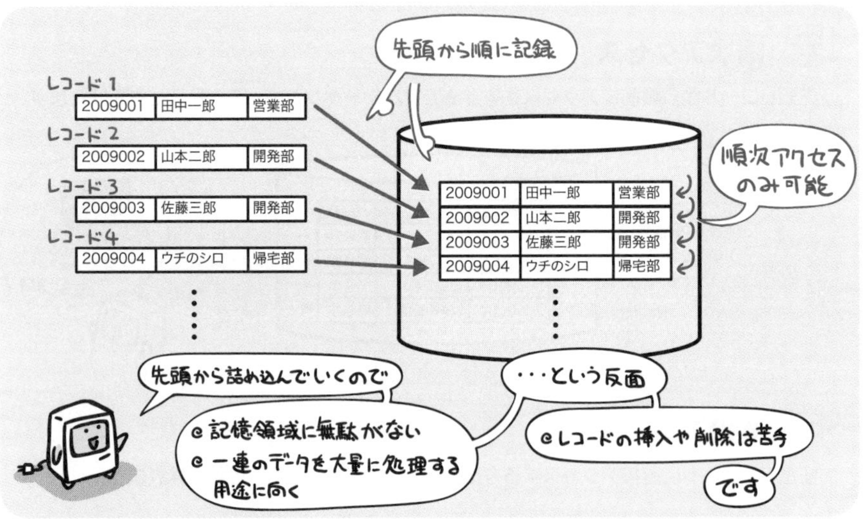

直接編成ファイル

レコードの中のキーとなる値を利用することで、任意のレコードを指定したアクセス…つまり直接アクセスを可能とする編成法が、直接編成ファイルです。

直接アドレス方式と間接アドレス方式があり、それぞれキー値から格納アドレスを求める方法が異なります。

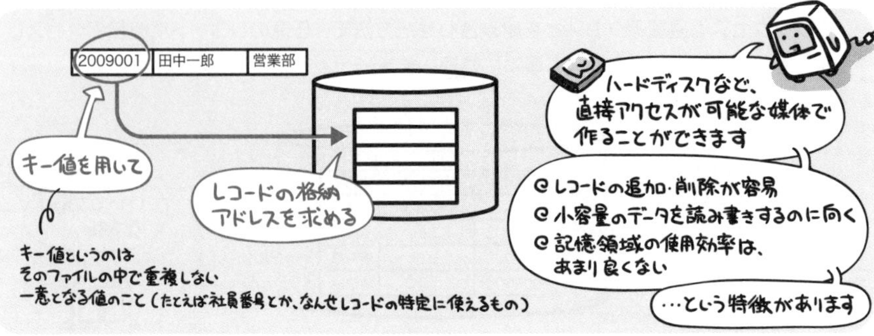

10 ファイル管理

直接アドレス方式

直接アドレス方式は、キー値の内容をそのまま格納アドレスとして用いる方式です。

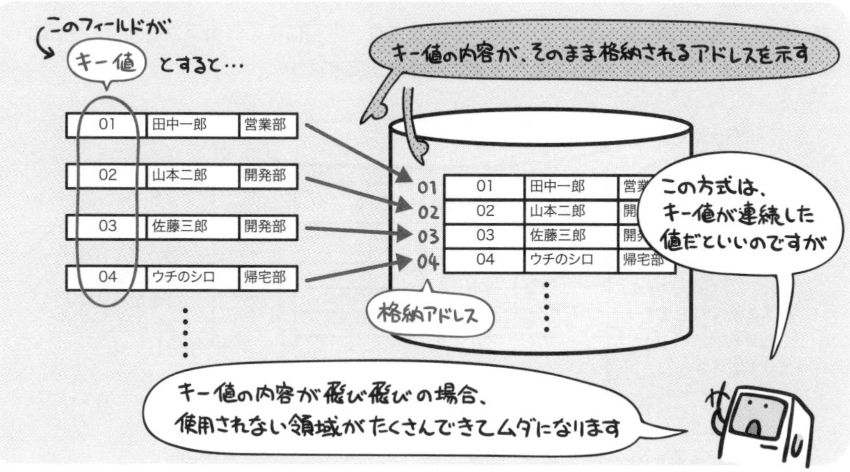

間接アドレス方式

間接アドレス方式は、ハッシュ関数という計算式により、キー値から格納アドレスを算出して用いる方式です。

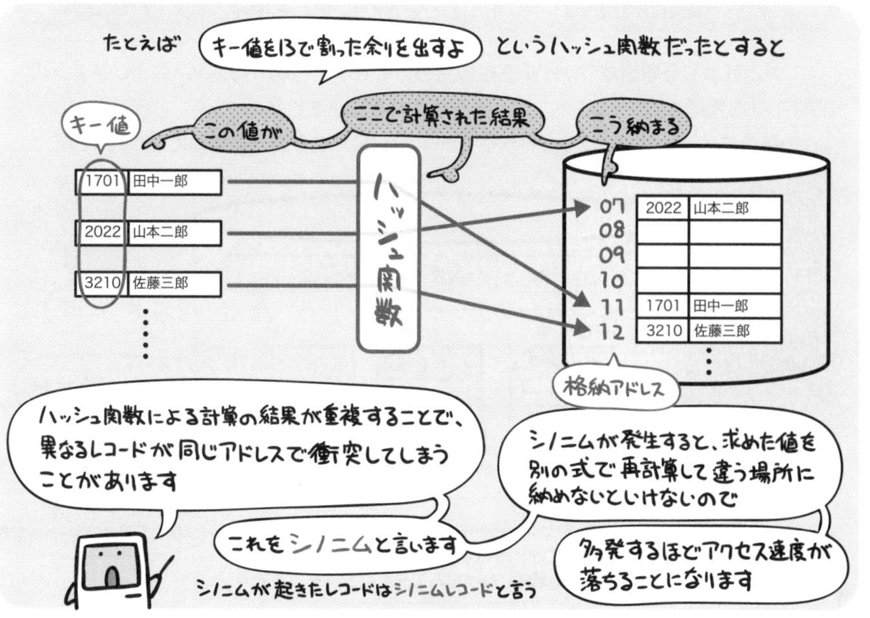

10 ファイル管理

索引編成ファイル

索引を格納する索引域と、レコードを格納する基本データ域、そこからあふれたレコードを格納するあふれ域という3つの領域から構成され、索引による直接アクセスと、先頭からの順次アクセスという、両方の特性を備える編成法です。

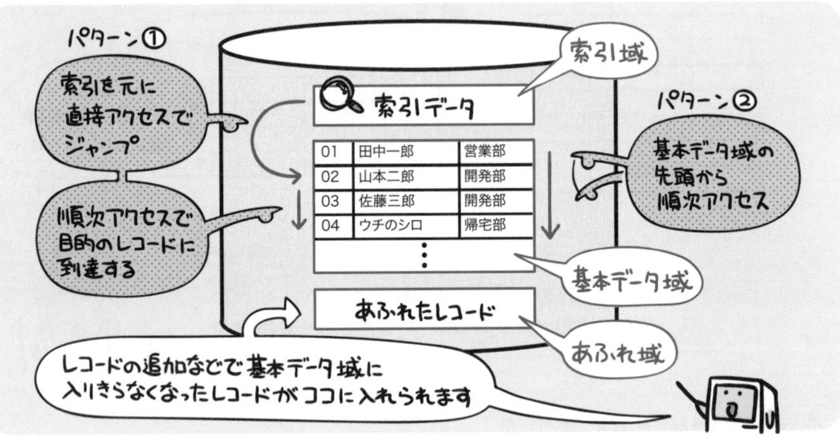

区分編成ファイル

メンバと呼ばれる順編成ファイルを複数持ち、それらを格納するメンバ域と、各メンバへのアドレスを管理するディレクトリ域とで構成される編成法です。

この編成法は、主にプログラムやライブラリ (P.594) を保存する用途に使われています。

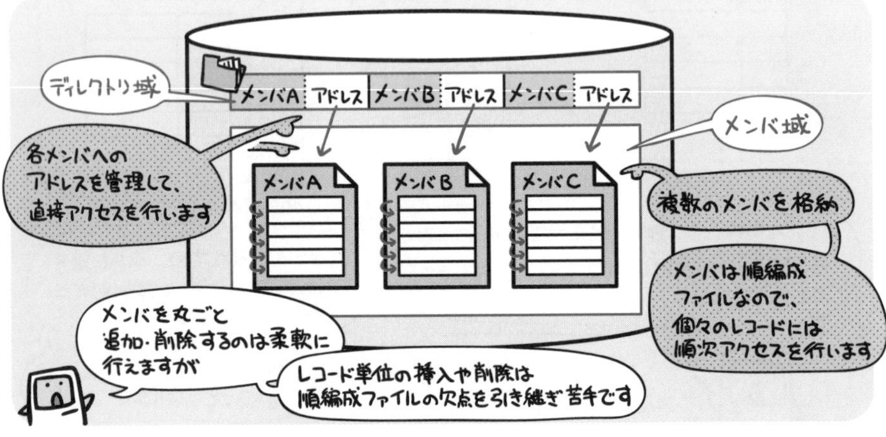

10 ファイル管理

このように出題されています
過去問題練習と解説

問1 (FE-H14-A-34)

順編成ファイルのアクセス方法の特徴として，適切なものはどれか。

ア　直接アクセス記憶装置では使えない。
イ　バッファの個数分だけ先読みできる。
ウ　ページと呼ぶ単位で入出力を行う。
エ　レコードごとに相対アドレスをもつ。

解説

ア　直接アクセス記憶装置（磁気ディスク）でも使えます。
イ　バッファとは、入力されたデータや出力するデータを一時的に記憶しておくための記憶領域のことです。主記憶装置上に作られることが多いです。順編成ファイルにおいても、バッファに格納されたレコード数分だけ先読みできます。
ウ　SQLを使うDBMSに、物理的な入出力の単位を「ページ」と呼んでいるものがあります。順編成ファイルでは、「ページ」という用語は使われません。
エ　レコードごとにアドレスをもつのは、直接編成ファイルです。

問2 (FE-H15-S-35)

直接編成ファイルの特徴に関する記述として，適切なものはどれか。

ア　シーケンシャルアクセスにもランダムアクセスにも適している。
イ　シノニムレコードが発生する可能性がある。
ウ　同一レコードに対して複数のキーを与えることができる。
エ　レコードの挿入はできない。

解説

ア　ランダムアクセスに適しており、シーケンシャルアクセスは可能ですが適してはいません。
イ　直接編成ファイルの間接アドレス方式を採用している場合は、シノニムレコードが発生します。
ウ　同一レコードに対してはユニークな単一のキーを与えます。
エ　レコードの挿入・更新・削除ができます。

正解▶問1：イ　問2：イ

Chapter 11

データベース

企業が業務活動を重ねていくと…

そこには様々なデータが生まれてきます

そしてこれがまた、各々独立してるようでつながってたりとややこしい

なにがややこしいって?

別々に情報があると更新も別々になって内容の不整合が甚だしいのです

そこで出てくるのがデータベース

データベースとはその名のとおり「データの基地」とも言える存在で…

複数のシステムやユーザが扱うデータを一元的に管理します

開発部

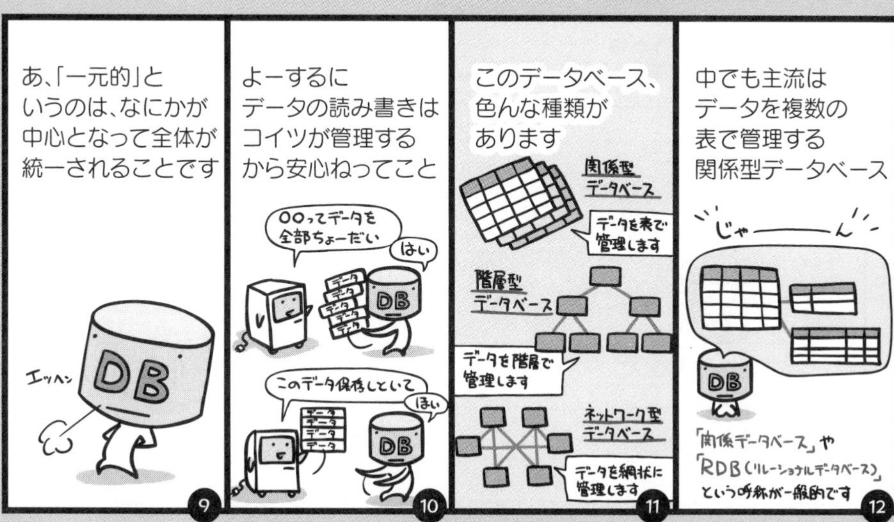
あ、「一元的」と
いうのは、なにかが
中心となって全体が
統一されることです
エッヘン
DB
よーするに
データの読み書きは
コイツが管理する
から安心ねってこと
○○ってデータを
全部ちょーだい
はい
このデータ保存しといて
はい
このデータベース、
色んな種類が
あります
関係型
データベース
データを表で
管理します
階層型
データベース
データを階層で
管理します
ネットワーク型
データベース
データを網状に
管理します
中でも主流は
データを複数の
表で管理する
関係型データベース
じゃ――ん
「関係データベース」や
「RDB(リレーショナルデータベース)」
という呼称が一般的です
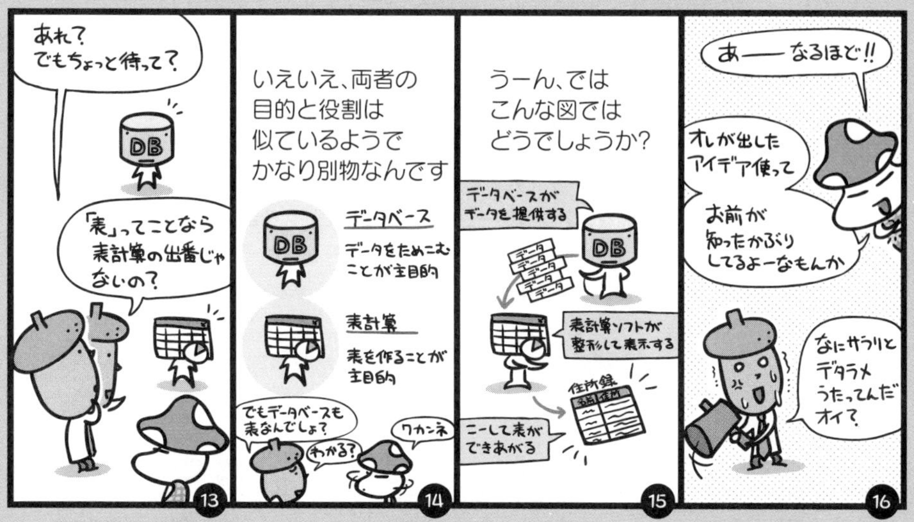
あれ?
でもちょっと待って?
「表」ってことなら
表計算の出番じゃ
ないの?
いえいえ、両者の
目的と役割は
似ているようで
かなり別物なんです
データベース
データをためこむ
ことが主目的
表計算
表を作ることが
主目的
でもデータベースも
表なんでしょ?
わかる?
ワカンネ
うーん、では
こんな図では
どうでしょうか?
データベースが
データを提供する
表計算ソフトが
整形して表示する
住所録
こーして表が
できあがる
あ―― なるほど!!
オレが出した
アイデア使って
お前が
知ったかぶり
してるよーなもんか
なにサラリと
デタラメ
うたってんだ
オイ?

Chapter 11-1 DBMSと関係データベース

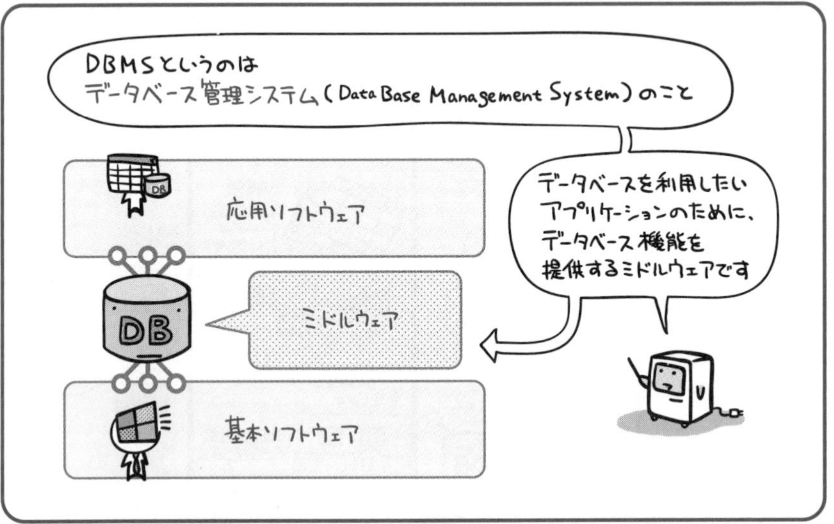

データベース管理システム（DBMS）は、データベースの定義や操作、制御などの機能を持つミドルウェアです。

データベースは、アプリケーションのデータを保存･蓄積するためのひとつの手段です。大量のデータを蓄積しておいて、そこから必要な情報を抜き出したり、更新したりということが柔軟に行えるため、多くのデータを扱うアプリケーションでは欠かすことができません。特に、複数の利用者が大量のデータを共同利用する用途で強みを発揮します。

そうしたデータベース機能を、アプリケーションから簡単に扱えるようにしたのが「データベース管理システム」というミドルウェア。普段アプリケーションは、ファイルの読み書きについてはOS任せで細かいところまで関知しません。あれのデータベース版みたいなもの…と思えば良いでしょう。

データベースにはいくつか種類があります。代表的なのは次の3つ。中でも関係型と呼ばれるデータベースが現在の主流です。

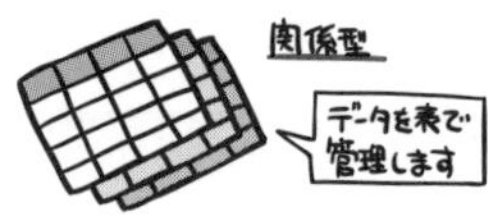

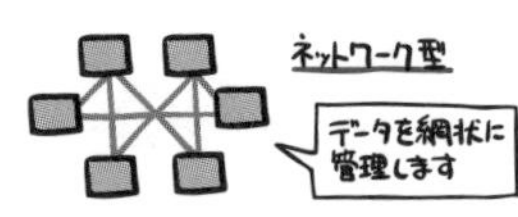

関係データベースは表、行、列で出来ている

関係データベースは表の形でデータを管理するデータベースです。

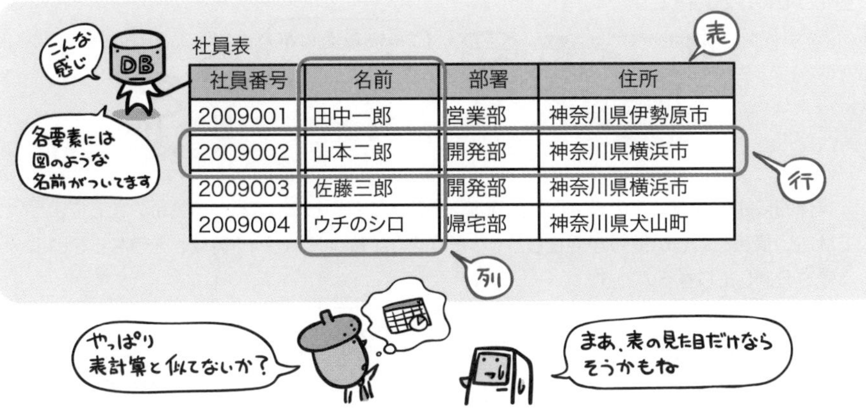

こんな感じ
DB
社員表
表
各要素には図のような名前がついてます
社員番号 | 名前 | 部署 | 住所
2009001 | 田中一郎 | 営業部 | 神奈川県伊勢原市
2009002 | 山本二郎 | 開発部 | 神奈川県横浜市
2009003 | 佐藤三郎 | 開発部 | 神奈川県横浜市
2009004 | ウチのシロ | 帰宅部 | 神奈川県犬山町
行
列
やっぱり表計算と似てないか？
まあ、表の見た目だけならそうかもね

データベースには、データ1件が1つの行として記録されるイメージで、追加も削除も基本的に行単位で行います。この行が複数集まることで表の形が出来上がります。

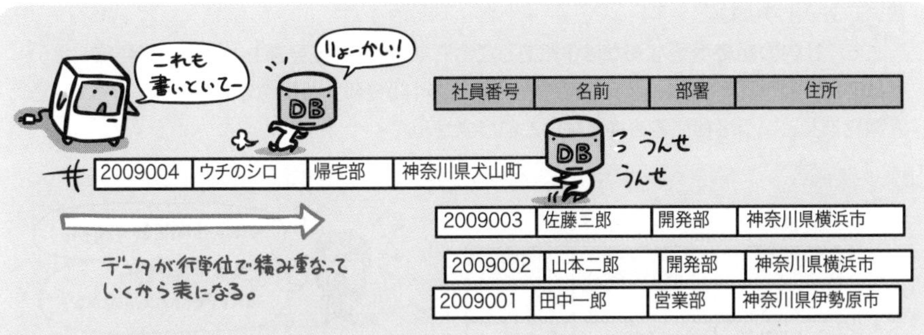

表、行、列には別の呼び名もありますので、ひと通りおさえておきましょう。

表（テーブル）	複数のデータを収容する場所のことです。
行（レコード、組、タプル）	1件分のデータをあらわします。
列（フィールド、属性）	データを構成する各項目をあらわします。

ちなみに、なんで「関係」データベースなのかというと、データの内容次第で複数の表を関係付けして扱うことができるから。

この「関係」のことをリレーションシップと言います。なので、関係データベースは、リレーショナルデータベース（RDB：Relational Database）とも呼ばれます。

表を分ける「正規化」という考え方

関係データベースでは、蓄積されているデータに矛盾や重複が発生しないように、表を最適化するのがお約束です。

具体的には、「ああ、この表は同じ内容をアチコチに書いちゃってるから更新の仕方によっては古い情報と新しい情報が混在しちゃったりするかもなー」という時に、そうならないよう表を分割したりするのです。

これを正規化と呼びます。

たとえば下の表を見てください。この社員表には、社員番号や名前の他に、所属部署が書いてありますよね。

さて、社内の組織変更なんかはよくあることです。仮に「開発部」が「法人開発部」という名前に変わったとしましょう。そうすると、この「開発部」と書いてある行は、すべて「法人開発部」という名前に書き換えないといけません。

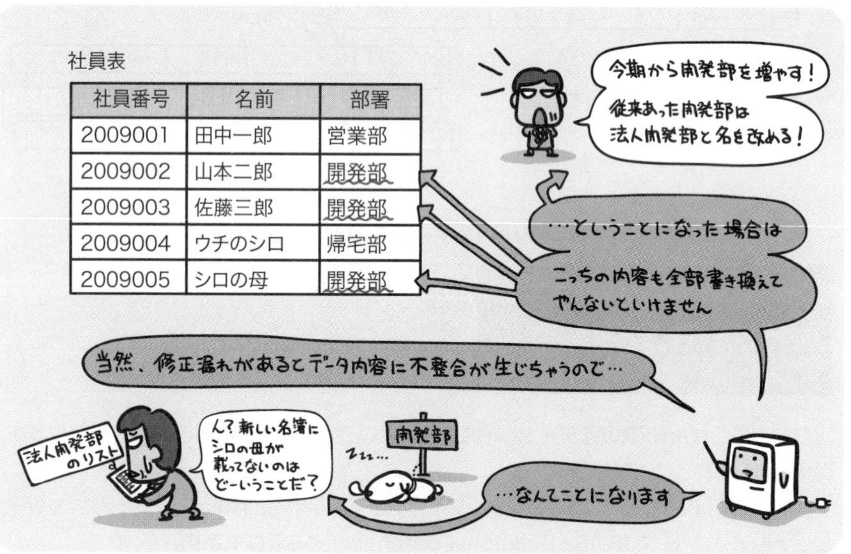
社員表

社員番号	名前	部署
2009001	田中一郎	営業部
2009002	山本二郎	開発部
2009003	佐藤三郎	開発部
2009004	ウチのシロ	帰宅部
2009005	シロの母	開発部

そこで、表をこんな感じに分けてやる。

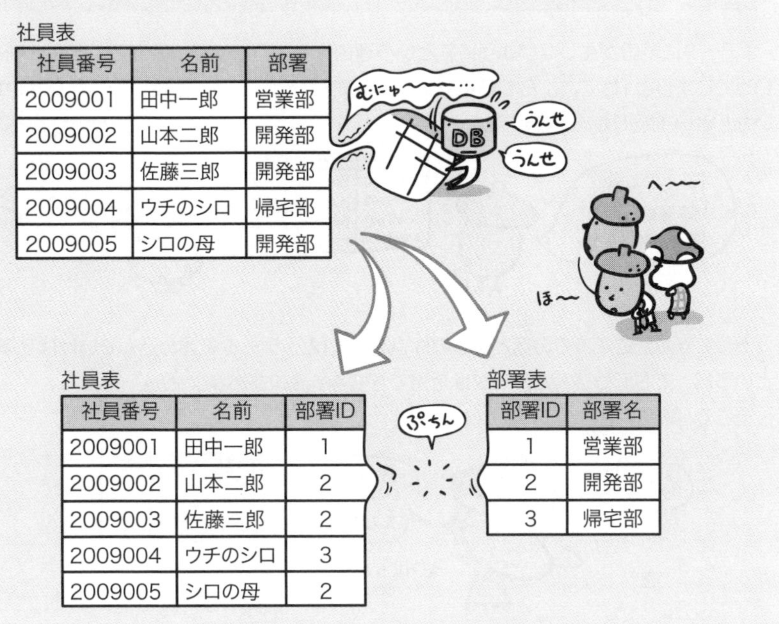

社員表

社員番号	名前	部署
2009001	田中一郎	営業部
2009002	山本二郎	開発部
2009003	佐藤三郎	開発部
2009004	ウチのシロ	帰宅部
2009005	シロの母	開発部

社員表

社員番号	名前	部署ID
2009001	田中一郎	1
2009002	山本二郎	2
2009003	佐藤三郎	2
2009004	ウチのシロ	3
2009005	シロの母	2

部署表

部署ID	部署名
1	営業部
2	開発部
3	帰宅部

部署の名前を書いていた列には、部署IDだけを記録するように変更しています。

これなら、部署名が変更されても部署表を書き換えれば良いだけとなり、データに矛盾が生じる恐れはありません。

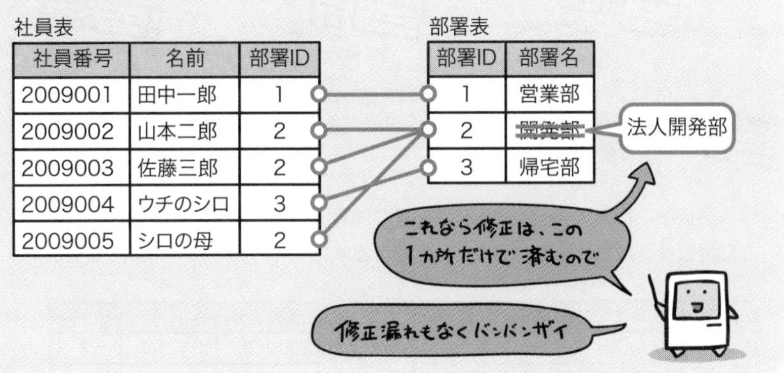

社員表

社員番号	名前	部署ID
2009001	田中一郎	1
2009002	山本二郎	2
2009003	佐藤三郎	2
2009004	ウチのシロ	3
2009005	シロの母	2

部署表

部署ID	部署名
1	営業部
2	~~開発部~~
3	帰宅部

このように、正規化しておくことは、データの矛盾や重複を未然に防ぐことへとつながるわけです。

なお、実際には正規化というのは、このようなざっくりとした話ではなく、いくつかの段階に分けて行われます。それについては長くなるので、詳しくはまた後で。

関係演算とビュー表

「データに矛盾が生じないように」という理由はわかりますが、表がどんどん分割されていってしまうと「はて、こんな細切れになった表がひとつあっても使い物にならないじゃないか」という疑問が出てきます。

社員番号	名前	部署ID
2009001	田中一郎	1
2009002	山本二郎	2
2009003	佐藤三郎	2
2009004	ウチのシロ	3

そうですね。ここまでの話というのは、いわば「どうデータを溜め込んでいけば効率的か」という話。でも溜め込んだデータは活用できなきゃ意味がありません。

そこで、関係演算が出てくるわけですよ。

関係演算というのは、表の中から特定の行や列を取り出したり、表と表をくっつけて新しい表を作り出したりする演算のこと。「選択」「射影」「結合」などがあります。

選択

選択は、行を取り出す演算です。この演算を使うことで、表の中から特定の条件に合致する行だけを取り出すことができます。

社員番号	名前	部署ID
2009001	田中一郎	1
2009002	山本二郎	2
2009003	佐藤三郎	2
2009004	ウチのシロ	3
2009005	シロの母	2

社員番号	名前	部署ID
2009002	山本二郎	2
2009003	佐藤三郎	2
2009005	シロの母	2

特定の部署の行だけを抜き出してみましたよの図

射影

射影は、列を取り出す演算です。この演算を使うことで、表の中から特定の条件に合致する列だけを取り出すことができます。

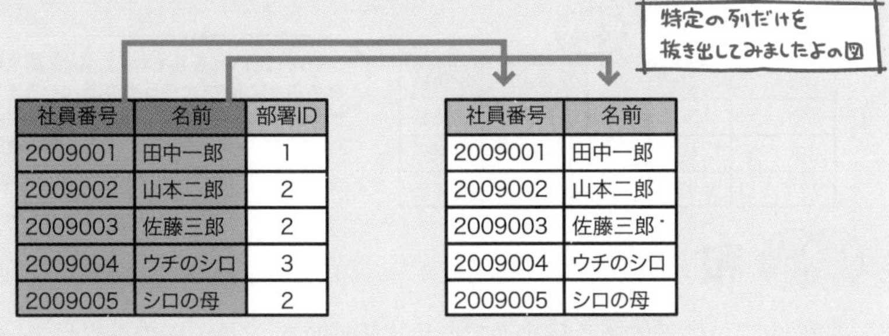

社員番号	名前	部署ID
2009001	田中一郎	1
2009002	山本二郎	2
2009003	佐藤三郎	2
2009004	ウチのシロ	3
2009005	シロの母	2

社員番号	名前
2009001	田中一郎
2009002	山本二郎
2009003	佐藤三郎
2009004	ウチのシロ
2009005	シロの母

結合

結合は、表と表とをくっつける演算です。表の中にある共通の列を介して2つの表をつなぎあわせます。

社員番号	名前	部署ID
2009001	田中一郎	1
2009002	山本二郎	2
2009003	佐藤三郎	2
2009004	ウチのシロ	3
2009005	シロの母	2

部署ID	部署名
1	営業部
2	開発部
3	帰宅部

社員番号	名前	部署ID	部署名
2009001	田中一郎	1	営業部
2009002	山本二郎	2	開発部
2009003	佐藤三郎	2	開発部
2009004	ウチのシロ	3	帰宅部
2009005	シロの母	2	開発部

部署IDを使って表と表をくっつけてみましたよの図

…というわけでありまして、関係演算を用いると、溜め込んだデータを使って様々な表を生み出すことができちゃうのです。

社員番号	名前	部署ID	部署名
2009001	田中一郎	1	営業部
2009002	山本二郎	2	開発部
2009003	佐藤三郎	2	開発部
2009004	ウチのシロ	3	帰宅部

このような、仮想的に作る一時的な表のことをビュー表といいます。

表の集合演算

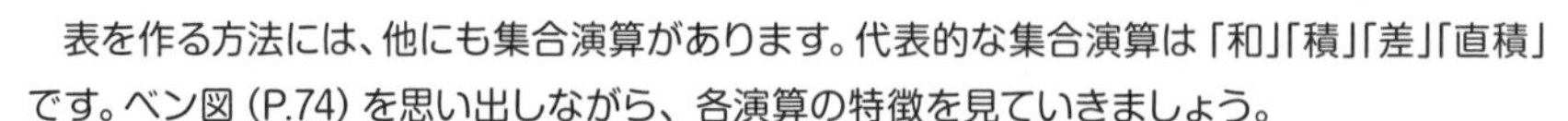

表を作る方法には、他にも集合演算があります。代表的な集合演算は「和」「積」「差」「直積」です。ベン図（P.74）を思い出しながら、各演算の特徴を見ていきましょう。

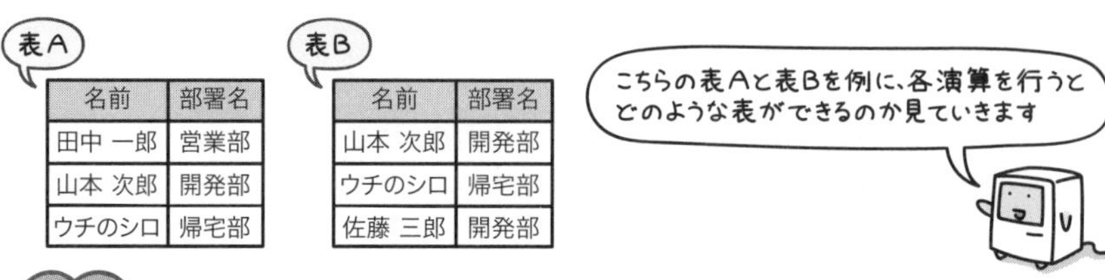

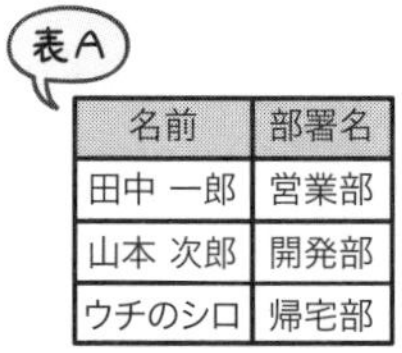

表A

名前	部署名
田中 一郎	営業部
山本 次郎	開発部
ウチのシロ	帰宅部

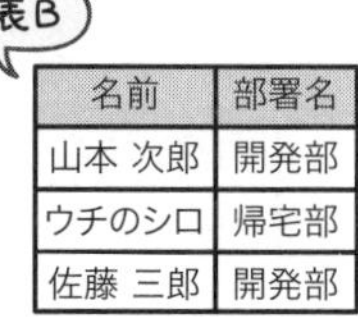

表B

名前	部署名
山本 次郎	開発部
ウチのシロ	帰宅部
佐藤 三郎	開発部

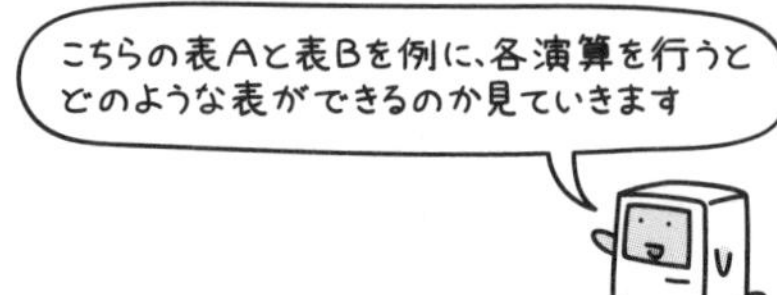

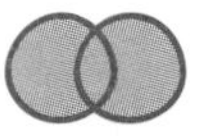

和

和は、2つの表にある行すべてを足す演算です。2つの表で重複しているものは、1つにまとめられます。

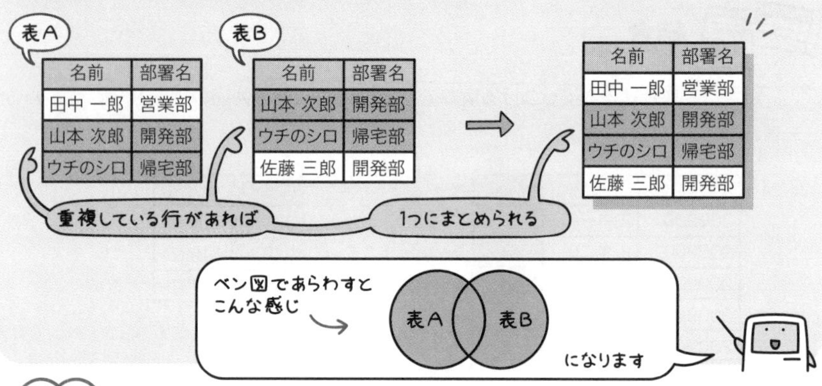

表A

名前	部署名
田中 一郎	営業部
山本 次郎	開発部
ウチのシロ	帰宅部

表B

名前	部署名
山本 次郎	開発部
ウチのシロ	帰宅部
佐藤 三郎	開発部

名前	部署名
田中 一郎	営業部
山本 次郎	開発部
ウチのシロ	帰宅部
佐藤 三郎	開発部

積

積は、2つの表にある行のうち、同じ行のみ取り出す演算です。

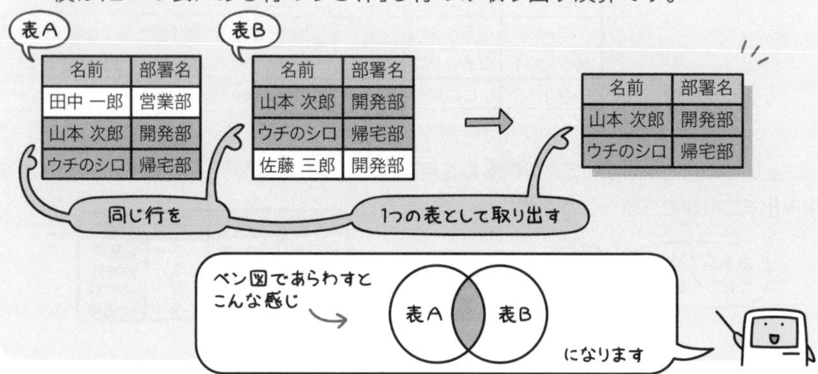

表A

名前	部署名
田中 一郎	営業部
山本 次郎	開発部
ウチのシロ	帰宅部

表B

名前	部署名
山本 次郎	開発部
ウチのシロ	帰宅部
佐藤 三郎	開発部

名前	部署名
山本 次郎	開発部
ウチのシロ	帰宅部

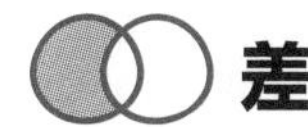

差

差は、2つの表にある行の差を取り出す演算です。片方の表を基準とし、もう一方の表に重複する行があれば、それを取り除きます。

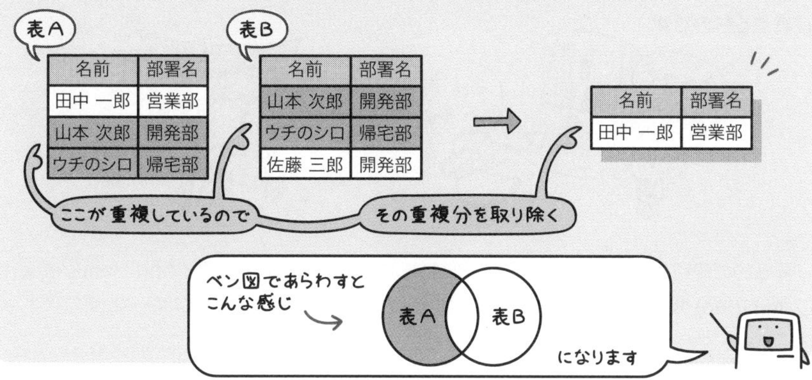

表A

名前	部署名
田中 一郎	営業部
山本 次郎	開発部
ウチのシロ	帰宅部

表B

名前	部署名
山本 次郎	開発部
ウチのシロ	帰宅部
佐藤 三郎	開発部

名前	部署名
田中 一郎	営業部

直積

直積は、2つの表の行すべての組み合わせを取り出す演算です。

これは他と共通の例だとわかりづらいので、ここだけ別の表を用いて演算結果をあらわします。

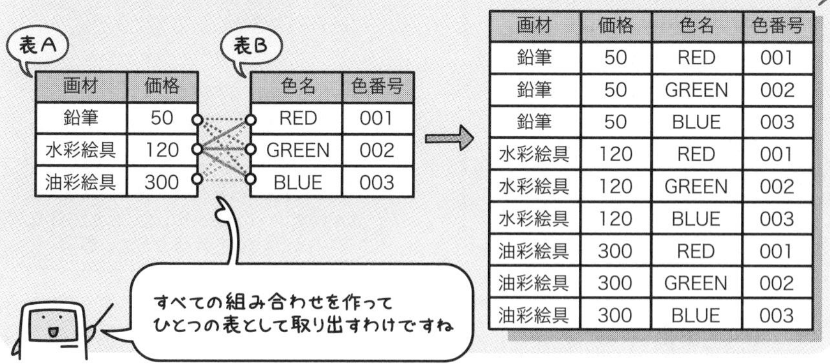

表A

画材	価格
鉛筆	50
水彩絵具	120
油彩絵具	300

表B

色名	色番号
RED	001
GREEN	002
BLUE	003

画材	価格	色名	色番号
鉛筆	50	RED	001
鉛筆	50	GREEN	002
鉛筆	50	BLUE	003
水彩絵具	120	RED	001
水彩絵具	120	GREEN	002
水彩絵具	120	BLUE	003
油彩絵具	300	RED	001
油彩絵具	300	GREEN	002
油彩絵具	300	BLUE	003

「和」「積」「差」の3つの集合演算は、演算対象となる2つの表の列情報が一致している必要があります。「直積」については全要素の組み合わせを取り出すことになるので、そのような縛りはありません。

スキーマ

それではここで、スキーマについて勉強しておきましょう。

スキーマとは、「概要、要旨」といった意味を持つ言葉で、データベースの構造や仕様を定義するものです。

標準的に使用されているANSI/X3/SPARC(Standards Planning And Requirements Committee) 規格では3層スキーマ構造をとっています。これは、外部スキーマ、概念スキーマ、内部スキーマという3層に定義を分けることで、データの独立性を高めています。

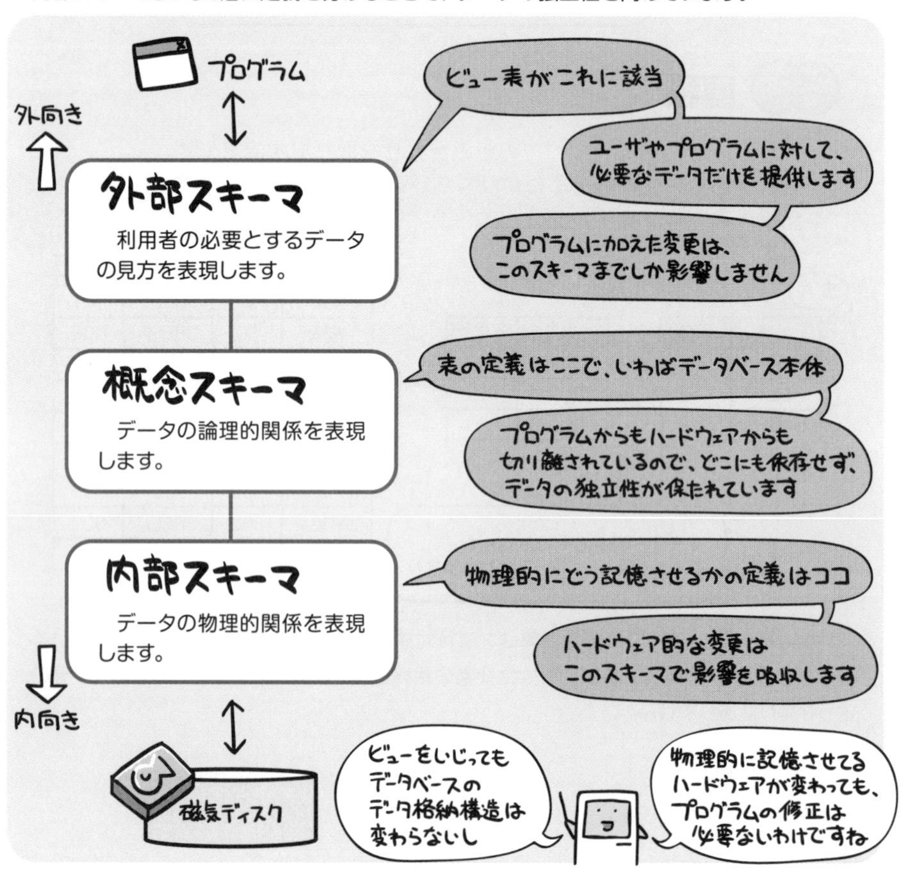

プログラム

外向き

外部スキーマ

利用者の必要とするデータの見方を表現します。

ビュー表がこれに該当

ユーザやプログラムに対して、必要なデータだけを提供します

プログラムに加えた変更は、このスキーマまでしか影響しません

概念スキーマ

データの論理的関係を表現します。

表の定義はここで、いわばデータベース本体

プログラムからもハードウェアからも切り離されているので、どこにも依存せず、データの独立性が保たれています

内部スキーマ

データの物理的関係を表現します。

物理的にどう記憶させるかの定義はココ

ハードウェア的な変更はこのスキーマで影響を吸収します

内向き

磁気ディスク

ビューをいじってもデータベースのデータ格納構造は変わらないし

物理的に記憶させてるハードウェアが変わっても、プログラムの修正は必要ないわけですね

このように出題されています
過去問題練習と解説

問1 (FE-R04-サ-24)

関係モデルにおいて表Xから表Yを得る関係演算はどれか。

X

商品番号	商品名	価格	数量
A01	カメラ	13,000	20
A02	テレビ	58,000	15
B01	冷蔵庫	65,000	8
B05	洗濯機	48,000	10
B06	乾燥機	35,000	5

Y

商品番号	数量
A01	20
A02	15
B01	8
B05	10
B06	5

ア　結合 (join)　　イ　射影(projection)
ウ　選択(selection)　　エ　併合(merge)

解 説

表Yは、表Xの“商品番号”列と“数量”列を取り出した表です。このような列を取り出す関係演算を“射影”といいます（301ページ参照）。

問2 (FE-R04-サ-21)

RDBMSにおけるビューに関する記述のうち，適切なものはどれか。

ア　ビューとは，名前を付けた導出表のことである。
イ　ビューに対して，ビューを定義することはできない。
ウ　ビューの定義を行ってから，必要があれば，その基底表を定義する。
エ　ビューは一つの基底表に対して一つだけ定義できる。

解 説

ア　そのとおりです。ビューを導出表もしくは仮想表と言います。301ページを参照してください。
イ　ビューに対して、ビューを定義できます。
ウ　ビューを定義するには、その前に、その基底表を定義しなければなりません。
エ　ビューは一つの基底表に対して、二つ以上定義できます。

正解▶問1:イ　問2:ア

主キーと外部キー

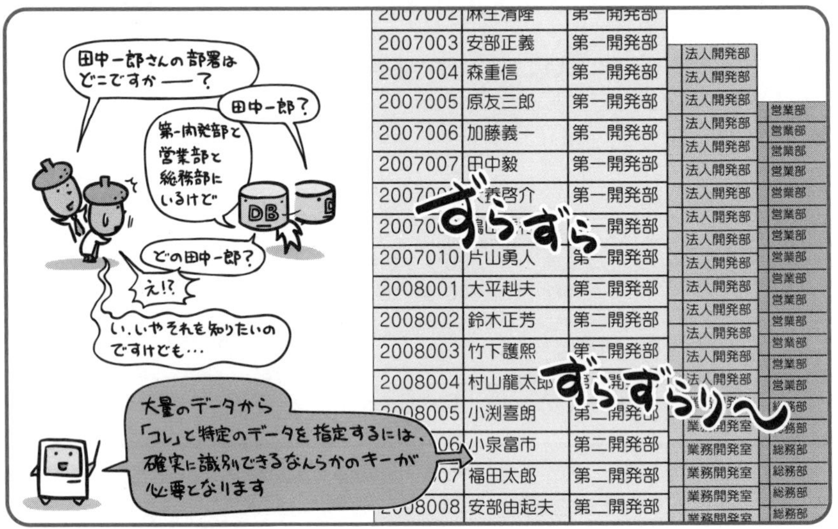

行を特定したり、表と表に関係を持たせたりするためには主キーや外部キーという「鍵となる情報」が必要です。

データベースを扱う場合、そこには行を特定するためのキーが必要になります。たとえば「第一開発部の田中一郎さんが異動になったから部署情報更新しなきゃ」という時は、「第一開発部の田中一郎さん」を示す行がどれか特定できないと内容を書き換えられないですよね。

そのため、データベースの表には、その中の行ひとつひとつを識別できるように、キーとなる情報が必ず含まれています。これを主キーと呼びます。身近なところにある主キー的な例といえば、社員番号や学生番号などがまさにそれ。

え? 個人を識別するなら名前をそのまま使えばいいじゃないか?

いえいえ、あれは可能性が低いとはいえ同姓同名の存在が否定できないので、主キーには使えないのですよ。

それだけではなく、表と表とを関係付けする時にもこの主キーが活躍します。その場合は「よその主キーを参照してますよー」という意味で外部キーという呼び名が出てくるのですが…これについて詳しくはまた後で。

主キーは行を特定する鍵のこと

前ページでもふれたように、表の中で各行を識別するために使う列のことを主キーと呼びます。ようするに主キーというのは、ID番号みたいなのが入った列のこと…と思えば、だいたいの場合正解です。

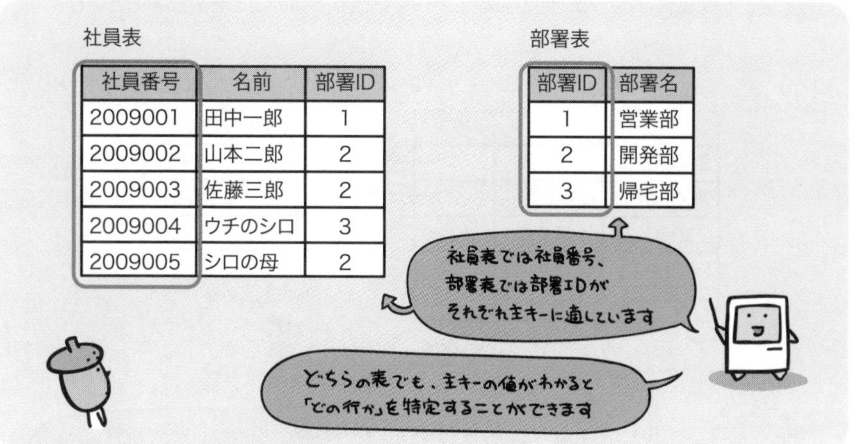

社員表

社員番号	名前	部署ID
2009001	田中一郎	1
2009002	山本二郎	2
2009003	佐藤三郎	2
2009004	ウチのシロ	3
2009005	シロの母	2

部署表

部署ID	部署名
1	営業部
2	開発部
3	帰宅部

たとえばお店で「○○って製品置いてますか?」と聞いた時に、「詳しい型番などわかりますでしょうか」と返されることがありますよね。製品の型番というのは一意であることが保証された主キーなので、それがわかると話が早いわけです。

主キーとできる条件は、「表の中で内容が重複しないこと」と「内容が空ではないこと」の2点。中身が空だと指定しようがないのでダメなのです。

ちなみに、ひとつの列では一意にならないけど、複数の列を組み合わせれば一意になるぞという場合があります。このような複数列を組み合わせて主キーとしたものを複合キーと呼びます。

外部キーは表と表とをつなぐ鍵のこと

関係データベースは、表と表とを関係付けできるところに特色があります。でも、「なにを基準に」関係を持たせるのでしょうか。

ここでも主キーが出てきます。

表と表とを関係付けるため、他の表の主キーを参照する列のことを外部キーと呼びます。

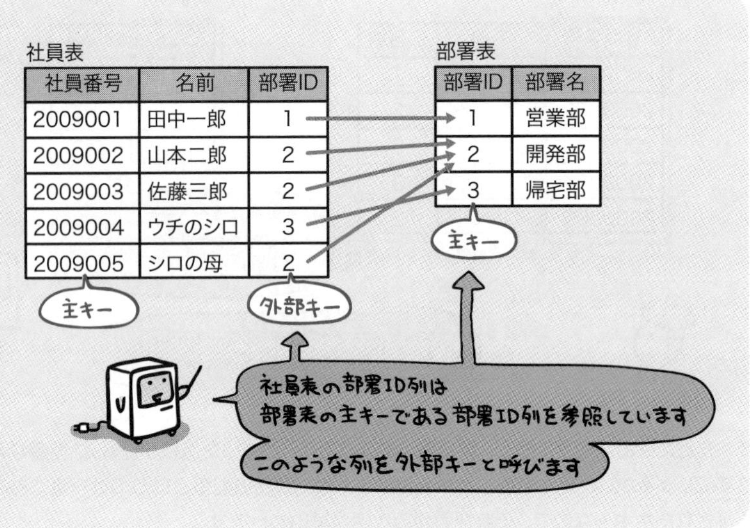

外部キーによって両者が関係付けされていることで…

…というやり取りができるわけです。

このように出題されています
過去問題練習と解説

問 1

(FE-H25-A-30)

関係データベースの主キー制約の条件として，キー値が重複していないことの他に，主キーを構成する列に必要な条件はどれか。

ア　キー値が空でないこと
イ　構成する列が一つであること
ウ　表の先頭に定義されている列であること
エ　別の表の候補キーとキー値が一致していること

解説

主キー制約の条件は、①：キー値が重複していないこと（一意性制約）、②：キー値が空値（NULL）でないこと（非NULL制約）の2つです。

問 2

(FE-H28-S-29)

関係データベースにおいて，外部キーを定義する目的として，適切なものはどれか。

ア　関係する相互のテーブルにおいて，レコード間の参照一貫性が維持される制約をもたせる。
イ　関係する相互のテーブルの格納場所を近くに配置することによって，検索，更新を高速に行う。
ウ　障害によって破壊されたレコードを，テーブル間の相互の関係から可能な限り復旧させる。
エ　レコードの削除，追加の繰返しによる，レコード格納エリアのフラグメンテーションを防止する。

解説

外部キーは、主キーを参照する列です。例えば、売上表の顧客コードが、顧客表の主キーである顧客コードを参照している場合、売上表の顧客コードが外部キーに該当します。この場合、例えば売上表の顧客コードにA100があれば、顧客表の顧客コードにA100は必ず存在しなければなりません。このような制約を「参照整合性制約」といいます。

正解 ▶ 問1：ア　問2：ア

Chapter 11-3 正規化

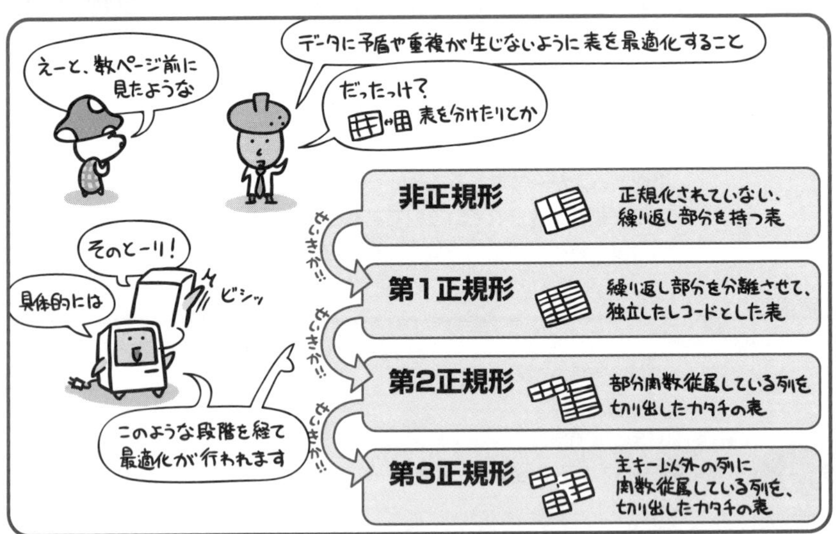

正規化の目的は、データに矛盾や重複を生じさせないこと。
関係データベースでは、第3正規形の表を管理します。

さて、それでは「詳しくは後で」としていた正規化の話を始めるとしましょう。正規化は、データベースで管理する表の設計を行う上で欠かすことができません。

イメージとしては、まず業務で使われてる帳票があるわけです。たとえば受注伝票とか社員のスキルシートとかそんなものですね。これを、データベースで管理するには、どのような形の表が最適かと、整理していく段取りを頭に思い描いてください。

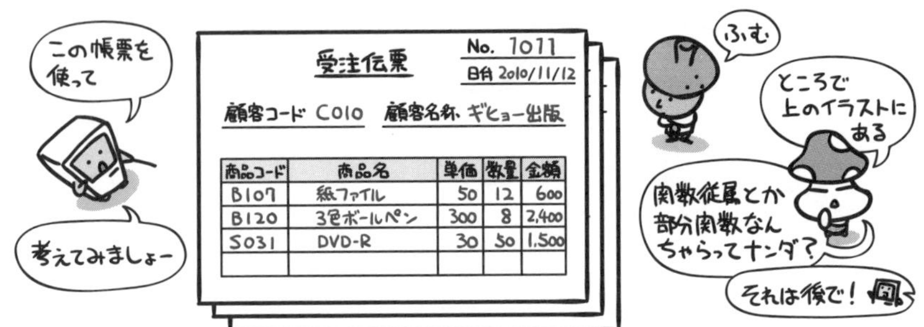

受注伝票　No. 1011
日付 2010/11/12
顧客コード C010　顧客名称 ギヒョー出版

商品コード	商品名	単価	数量	金額
B107	紙ファイル	50	12	600
B120	3色ボールペン	300	8	2,400
S031	DVD-R	30	50	1,500

非正規形の表は繰り返し部分を持っている

この帳票1枚が1件のレコードに相当するとしたら、次の3枚の帳票というのはですね…、

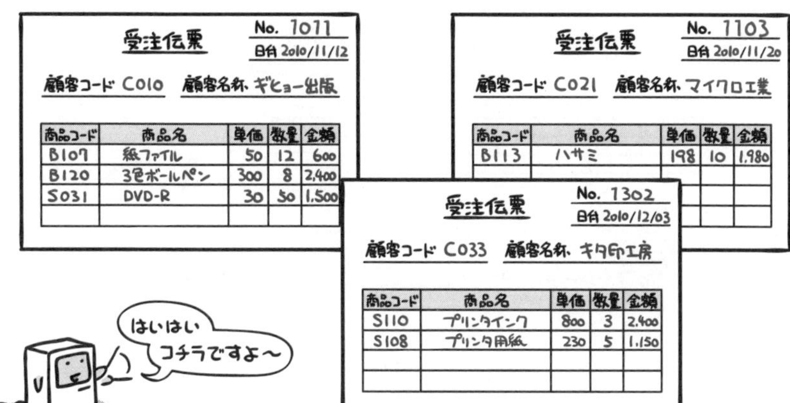
受注伝票　No. 1011　日付 2010/11/12
顧客コード C010　顧客名称 ギヒョー出版

商品コード	商品名	単価	数量	金額
B107	紙ファイル	50	12	600
B120	3色ボールペン	300	8	2,400
S031	DVD-R	30	50	1,500

受注伝票　No. 1103　日付 2010/11/20
顧客コード C021　顧客名称 マイクロ工業

商品コード	商品名	単価	数量	金額
B113	ハサミ	198	10	1,980

受注伝票　No. 1302　日付 2010/12/03
顧客コード C033　顧客名称 キタ印工房

商品コード	商品名	単価	数量	金額
S110	プリンタインク	800	3	2,400
S108	プリンタ用紙	230	5	1,150

レコードとして並べてみると、こんな風になるわけです。

受注No	受注日付	顧客コード	顧客名称	商品コード	商品名	単価	数量	金額	商品コード	商品名	単価	数量	金額					
1011	2010/11/12	C010	ギヒョー出版	B107	紙ファイル	50	12	600	B120	3色ボールペン	300	8	2,400	S031	DVD-R	30	50	1,500
1103	2010/11/20	C021	マイクロ工業	B113	ハサミ	198	10	1,980										
1302	2010/12/03	C033	キタ印工房	S110	プリンタインク	800	3	2,400	S108	プリンタ用紙	230	5	1,150					

帳票の中に繰り返し部分があるので、各レコードの長さがバラバラで、素直な2次元の表になっていません。これが、非正規形の表です。

関係データベースでは、このような表を管理することはできません。

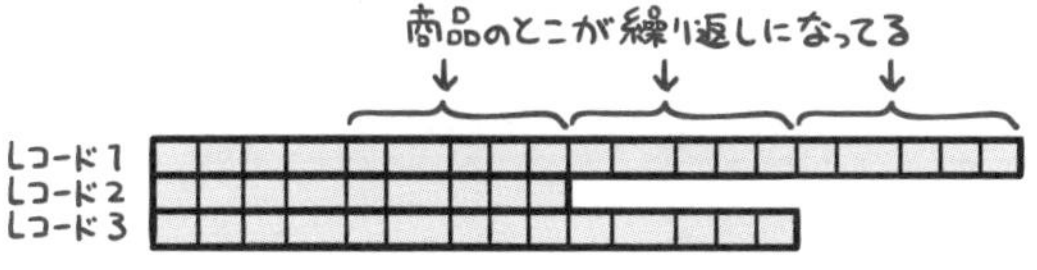

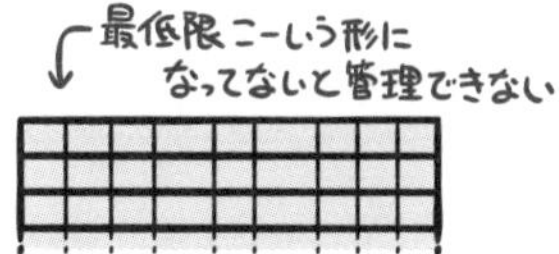

第1正規形の表は繰り返しを除いたカタチ

非正規形の表から、繰り返しの部分を取り除いたものが第1正規形となります。

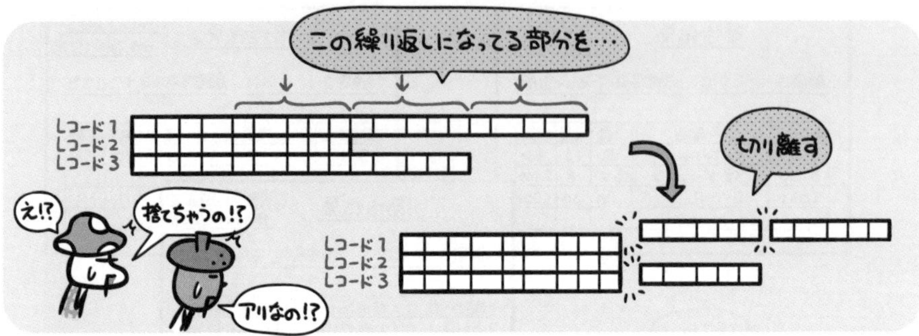

もちろん、そのままデータを捨てちゃイケマセン。切り離したそれぞれのデータを、独立したレコードとして挿入してやるのです。

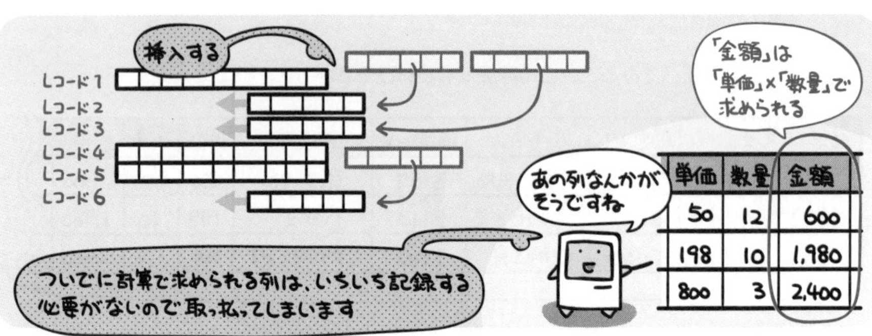

このように正規化を行った結果がこちら。素直な2次元の表ができあがりました。

第1正規形

受注No	受注日付	顧客コード	顧客名称	商品コード	商品名	単価	数量
1011	2010/11/12	C010	ギヒョー出版	B107	紙ファイル	50	12
1011	2010/11/12	C010	ギヒョー出版	B120	3色ボールペン	300	8
1011	2010/11/12	C010	ギヒョー出版	S031	DVD-R	30	50
1103	2010/11/20	C021	マイクロ工業	B113	ハサミ	198	10
1302	2010/12/03	C033	キタ印工房	S110	プリンタインク	800	3
1302	2010/12/03	C033	キタ印工房	S108	プリンタ用紙	230	5

この列の情報が補われて、独立したレコードができている

関数従属と部分関数従属

続いては第2正規形…の話に入る前に、関数従属と部分関数従属について知っておきましょう。

…というわけで話を進めますね。これらの言葉は、表の中における列と列との関係をあらわしたものです。主キーに対して、その項目がどんな関係にあるかをあらわす言葉だと思えばよいでしょう。

主キーが決まれば、列の値が一意に定まる関係

主キー

社員番号	名前	部署
2009001	田中 一郎	営業部
2009002	山本 二郎	開発部

「社員番号」が決まると「名前」が決まる
〃　「部署」が決まる

主キー（複合キー）

学年	組	出席番号	名前
6	3	001	阿部 太郎
6	3	002	伊藤 次郎

「学年」「組」「出席番号」が決まると「名前」が決まる

このような関係を関数従属と呼びます

たとえば、「名前」は「社員番号」に関数従属している、などと使う

複合キーの一部の項目だけで、列の値が一意に定まる関係

レコードの特定は主キー（複合キー）で行うわけだけど・・・

受注No	受注日付	顧客コード	顧客名称	商品コード	商品名	単価	数量
1011	2010/11/12	C010	ギヒョー出版	B107	紙ファイル	50	12
1011	2010/11/12	C010	ギヒョー出版	B120	3色ボールペン	300	8

「受注No.」が決まれば、これら3つの列が決まり

「商品コード」が決まればこれら2つの列が決まる

主キーの一部分に対して関数従属する項目なので

このような関係を部分関数従属と呼びます

第2正規形の表は部分関数従属している列を切り出したカタチ

それでは前ページの内容を踏まえた上で、第2正規形の説明に移りましょう。
第1正規形の表から、部分関数従属している列を切り出したものが第2正規形となります。

受注No	受注日付	顧客コード	顧客名称	商品コード	商品名	単価	数量
1011	2010/11/12	C010	ギヒョー出版	B107	紙ファイル	50	12
1011	2010/11/12	C010	ギヒョー出版	B120	3色ボールペン	300	8
1011	2010/11/12	C010	ギヒョー出版	S031	DVD-R	30	50
1103	2010/11/20	C021	マイクロ工業	B113	ハサミ	198	10
1302	2010/12/03	C033	キタ印工房	S110	プリンタインク	800	3
1302	2010/12/03	C033	キタ印工房	S108	プリンタ用紙	230	5

第1正規形の表から

「受注No」に部分関数従属している列

「商品コード」に部分関数従属している列

この2つを分離させてやるわけですね

というわけで、分離させたのが以下の表たち。
これが、第2正規形の表というわけです。

第2正規形

重複するレコードは必要ないので分離した結果レコード数が減ってる

受注表

受注No	受注日付	顧客コード	顧客名称
1011	2010/11/12	C010	ギヒョー出版
1103	2010/11/20	C021	マイクロ工業
1302	2010/12/03	C033	キタ印工房

受注明細表

受注No	商品コード	数量
1011	B107	12
1011	B120	8
1011	S031	50
1103	B113	10
1302	S110	3
1302	S108	5

商品表

商品コード	商品名	単価
B107	紙ファイル	50
B120	3色ボールペン	300
S031	DVD-R	30
B113	ハサミ	198
S110	プリンタインク	800
S108	プリンタ用紙	230

このようにして3つの表に分けることができました！

第3正規形の表は主キー以外の列に関数従属している列を切り出したカタチ

最後に第3正規形。第2正規形の表から、主キー以外の列に関数従属している列を切り出したものが第3正規形となります。

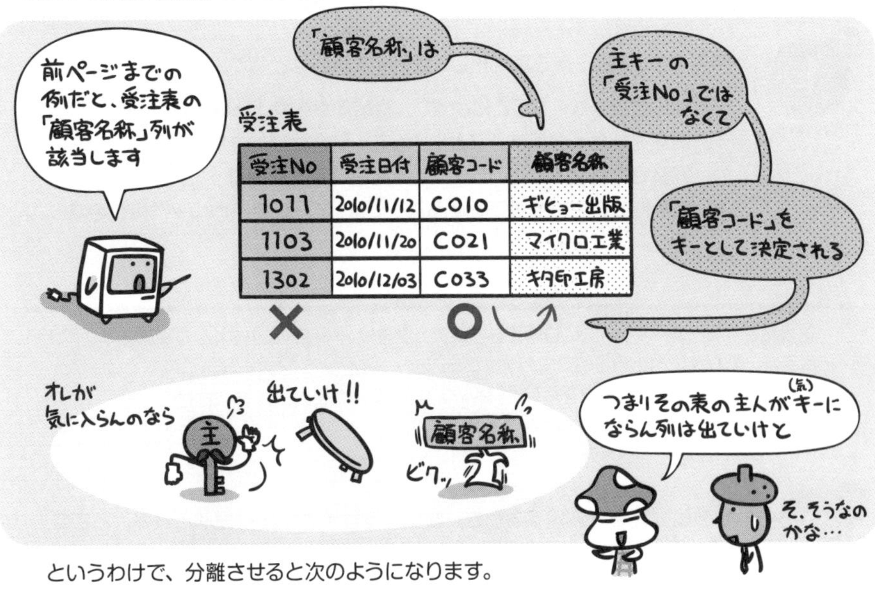

受注No	受注日付	顧客コード	顧客名称
1011	2010/11/12	C010	ギヒョー出版
1103	2010/11/20	C021	マイクロ工業
1302	2010/12/03	C033	キタ印工房

というわけで、分離させると次のようになります。

これが、第3正規形の表というわけです。

第3正規形

受注表

受注No	受注日付	顧客コード
1011	2010/11/12	C010
1103	2010/11/20	C021
1302	2010/12/03	C033

顧客表

顧客コード	顧客名称
C010	ギヒョー出版
C021	マイクロ工業
C033	キタ印工房

商品表

商品コード	商品名	単価
B107	紙ファイル	50
B120	3色ボールペン	300
S031	DVD-R	30
B113	ハサミ	198
S110	プリンタインク	800
S108	プリンタ用紙	230

受注明細表

受注No	商品コード	数量
1011	B107	12
1011	B120	8
1011	S031	50
1103	B113	10
1302	S110	3
1302	S108	5

このような正規化を経ることによって、効率的に管理できる表の構造となるわけですね

このように出題されています 過去問題練習と解説

(FE-H26-A-28)

関係を第3正規形まで正規化して設計する目的はどれか。

ア　値の重複をなくすことによって，格納効率を向上させる。
イ　関係を細かく分解することによって，整合性制約を排除する。
ウ　冗長性を排除することによって，更新時異状を回避する。
エ　属性間の結合度を低下させることによって，更新時のロック待ちを減らす。

解説

ア　正規化をするとデータベースに格納される総データ量は、一般的に少なくなり格納効率が向上しますが、それが正規化の目的ではありません。
イとエ　正規化の目的とは、関連がありません。
ウ　データの重複や矛盾の排除が、正規化の目的です。

(FE-R05-06)

次の関数従属を満足するとき，成立する推移的関数従属はどれか。ここで，“A→B” はBがAに関数従属していることを表し，“A→{B, C}” は，“A→B” かつ “A→C” が成立することを表す。

〔関数従属〕
{注文コード，商品コード} → {顧客注文数量，注文金額}
注文コード → {注文日，顧客コード，注文担当者コード}
商品コード → {商品名，仕入先コード，商品販売価格}
仕入先コード → {仕入先名，仕入先住所，仕入担当者コード}
顧客コード → {顧客名，顧客住所}

ア　仕入先コード → 仕入担当者コード → 仕入先住所
イ　商品コード → 仕入先コード → 商品販売価格
ウ　注文コード → 顧客コード → 顧客住所
エ　注文コード → 商品コード → 顧客注文数量

解説

“A，B，Cは、属性である” とします。推移的関数従属とは、A→B→Cや、B→C→Aのような、3つの属性間に関数従属が成立していることです。

本問の〔関数従属〕の各行に、①～⑤を付けて、次に再掲します。

〔関数従属〕
①：{注文コード，商品コード} → {顧客注文数量，注文金額}
②：注文コード → {注文日，顧客コード，注文担当者コード}
③：商品コード → {商品名，仕入先コード，商品販売価格}
④：仕入先コード → {仕入先名，仕入先住所，仕入担当者コード}
⑤：顧客コード → {顧客名，顧客住所}

関数従属 A → {B，C} を下左図、関数従属{A，B}→{C，D}を下右図のように表現します。

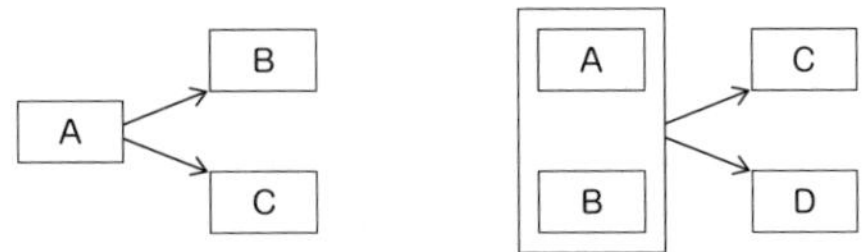

上図のような表現で、〔関数従属〕の①～⑤を書き換えると下図になります。

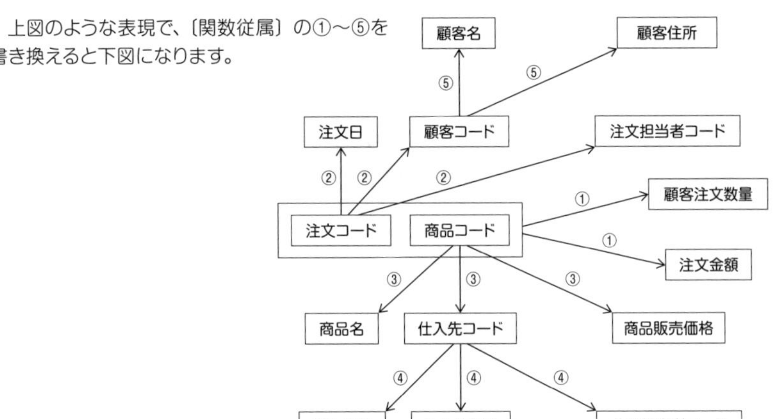

上図の①～⑤を取り除き、選択肢ア～エの関数従属を付け足すと下図になります。

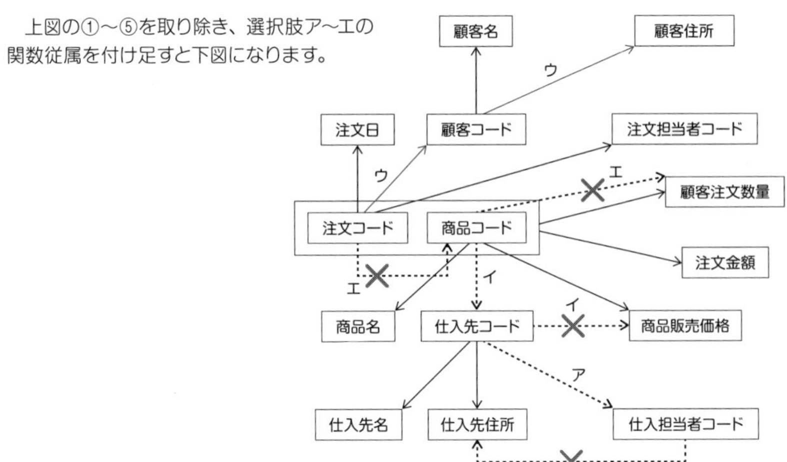

正解▶問1：ウ　問2：ウ

Chapter 11-4 SQLでデータベースを操作する

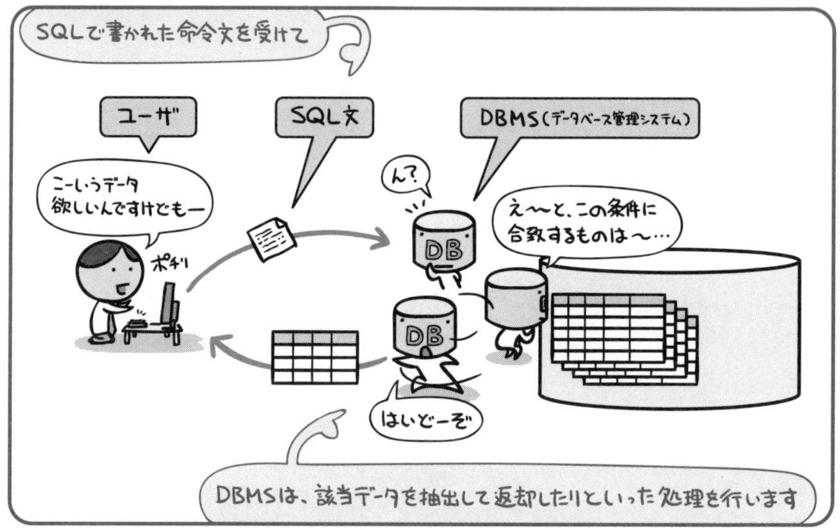

SQL(Structured Query Language)というのは、DBMSへと指示を伝えるために用いる言語のことです。

SQLには、様々な命令文が用意されています。たとえば表を定義(CREATE文)したり、レコードを挿入(INSERT文)したり、削除(DELETE文)したり、時にはレコードの一部を更新(UPDATE文)したりなどなど…。

これらの命令は、スキーマの定義や表の作成といった定義を担当するデータ定義言語(DDL:Data Definition Language)と、データの抽出や挿入、更新、削除といった操作を担当するデータ操作言語(DML:Data Manipulation Language)とに大別することができます。SQLは、この2つの言語によって構成されているというわけです。

SQLが持つ命令の中でもっとも特徴的なのが、様々な条件を付加することで、柔軟にデータを抽出することができるSELECT文でしょう。

データというのは、"ただ貯め込んだだけ"ではあまり意味を持ちません。なんらかの条件付け(たとえば「店舗の時間帯ごとに見る顧客の年齢分布」とか「売上上位10店舗の商品リスト」とか)を行って抽出することで、はじめてデータに意味がくっついてくるわけです。これを担当するのがSELECT文。当然その重要性は大きいわけですね。

本節では、本試験で主に問われるSELECT文について、詳しく見ていきます。

SELECT文の基本的な書式

SELECT文によるデータ抽出の基本は、「どのような条件で」「どの表から」「どの列を取り出すか」です。これらを指定することによって、データベースから多様なデータを取り出すことができるのです。

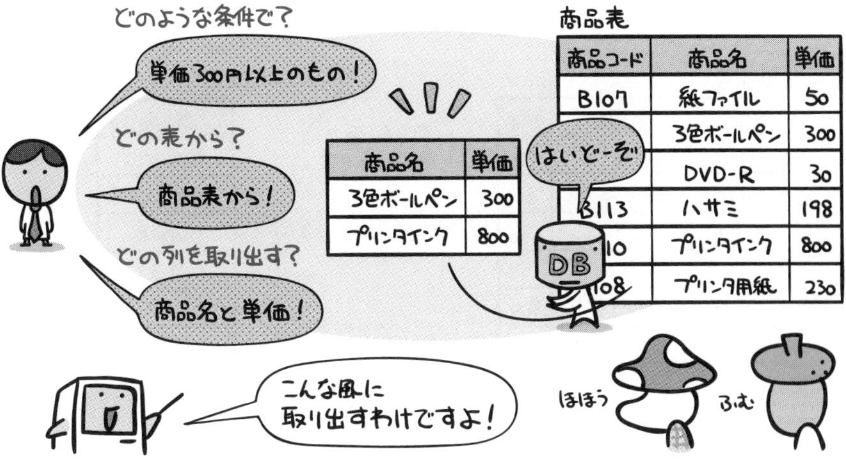

…で、実際の書式がコチラ。基本中の基本となりますので、まずはこの書式の意味を、よーく理解しておきましょう。

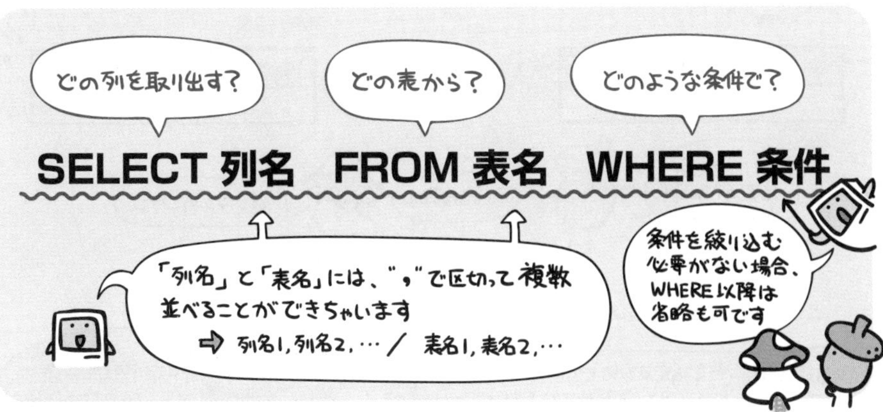

ちなみにさっきの例をSELECT文であらわすと次のようになります。

```
SELECT　商品名,単価　FROM 商品表　WHERE　単価 >= 300
```

ひとつずつ詳しくみていきましょー

特定の列を抽出する（射影）

射影は、表の中から列を取り出す関係演算（P.301）です。SELECT文で射影を行うには、次のように取り出したい列を指定します。

SELECT 商品名 FROM 商品表

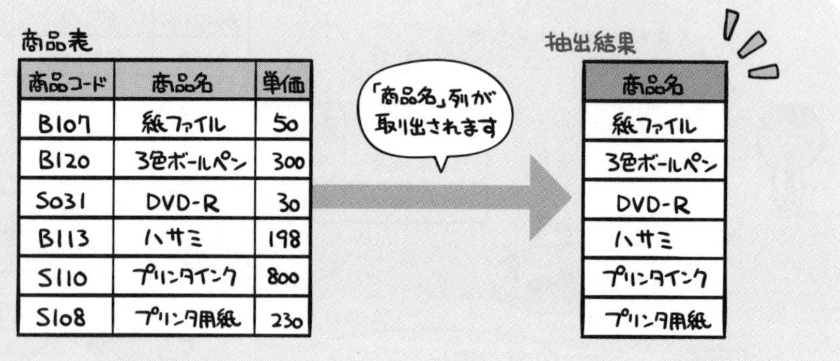

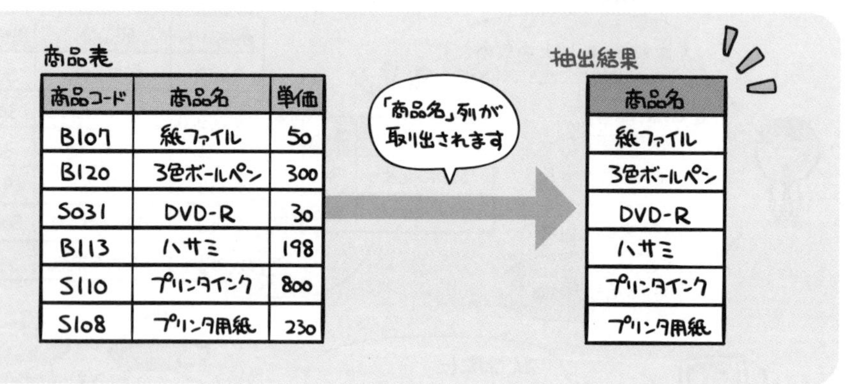

商品コード	商品名	単価
B107	紙ファイル	50
B120	3色ボールペン	300
S031	DVD-R	30
B113	ハサミ	198
S110	プリンタインク	800
S108	プリンタ用紙	230

商品名
紙ファイル
3色ボールペン
DVD-R
ハサミ
プリンタインク
プリンタ用紙

ちなみに列名のところへ＊（アスタリスク）を指定すると…、

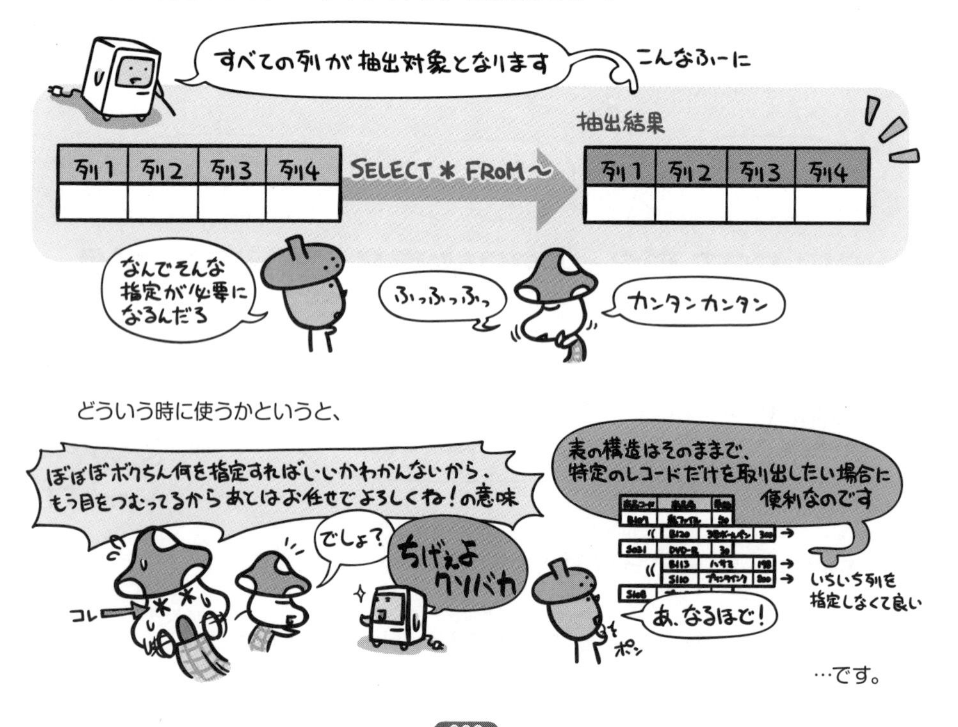

どういう時に使うかというと、

…です。

特定の行を抽出する（選択）

それでは特定のレコード…つまり行を取り出すにはと話をつなぐと、選択という関係演算の話になるわけです。

選択は、表の中から行を取り出す関係演算です。SELECT文で選択を行うには、WHERE句を使って、取り出したい行の条件を指定します。

SELECT ＊ FROM 商品表 WHERE 単価<200

商品表

商品コード	商品名	単価
B107	紙ファイル	50
B120	3色ボールペン	300
S031	DVD-R	30
B113	ハサミ	198
S110	プリンタインク	800
S108	プリンタ用紙	230

抽出結果

商品コード	商品名	単価
B107	紙ファイル	50
S031	DVD-R	30
B113	ハサミ	198

「単価」が200未満の行が取り出されます

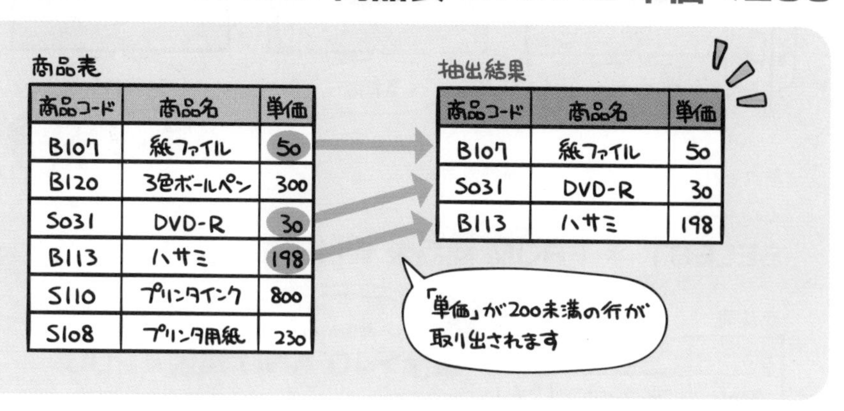

WHERE句には、次の比較演算子を用いて条件を指定することができます。

比較演算子	意味	使用例	
=	左辺と右辺が等しい	単価=200	単価が200である
>	左辺が右辺よりも大きい	単価>200	単価が200よりも大きい
>=	左辺が右辺よりも大きいか等しい	単価>=200	単価が200以上
<	左辺が右辺よりも小さい	単価<200	単価が200未満
<=	左辺が右辺よりも小さいか等しい	単価<=200	単価が200以下
<>	左辺と右辺が等しくない	単価<>200	単価が200ではない

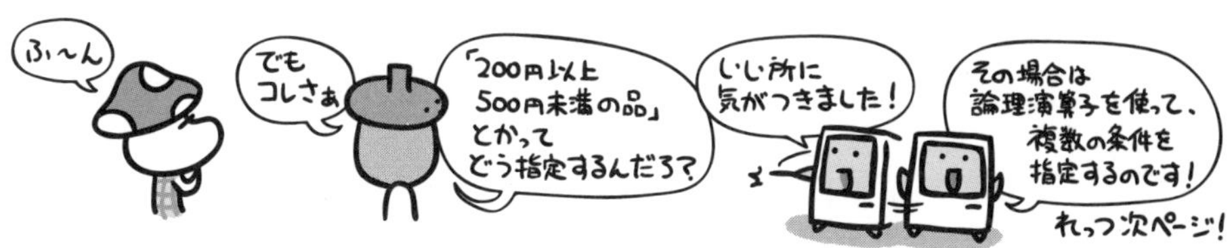

条件を組み合わせて抽出する

複数の条件を組み合わせるには、論理演算子を用います。

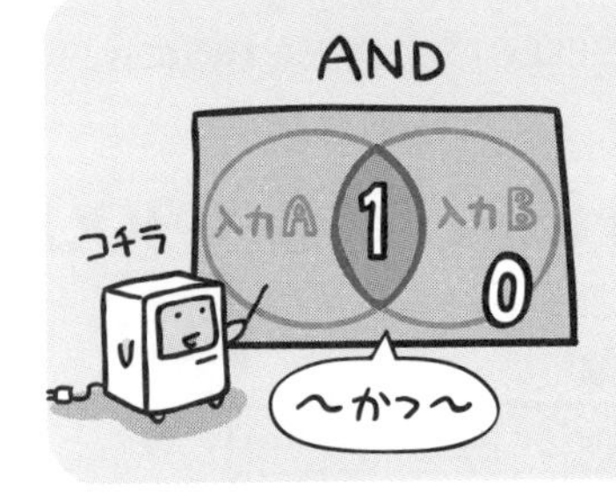

AND

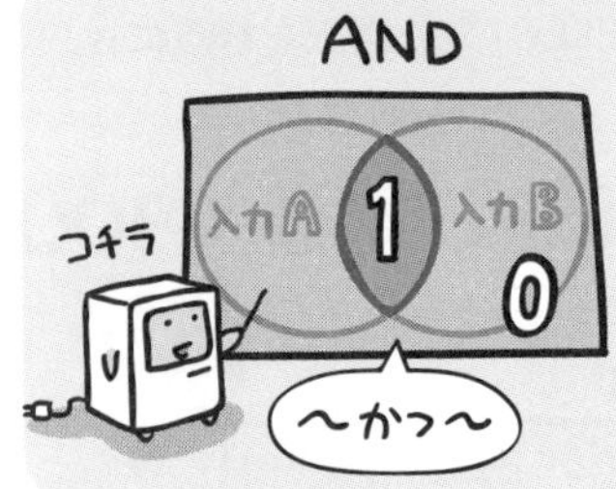

OR

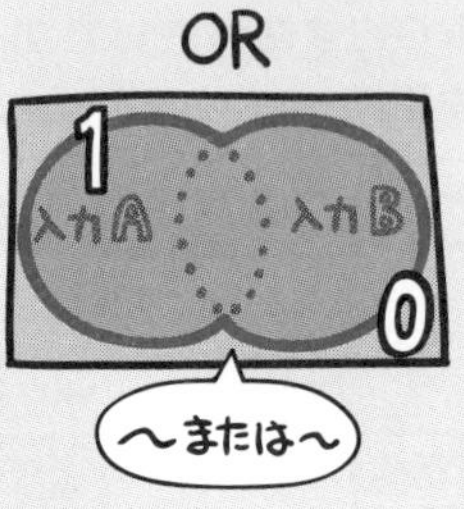

NOT

それぞれ次のように使うことができます。

SELECT ＊ FROM 商品表 WHERE

商品表

商品コード	商品名	単価
B107	紙ファイル	50
B120	3色ボールペン	300
S031	DVD-R	30
B113	ハサミ	198
S110	プリンタインク	800
S108	プリンタ用紙	230

ANDの場合

単価が40より大きいかつ200未満

単価>40 AND 単価<200

抽出結果

商品コード	商品名	単価
B107	紙ファイル	50
B113	ハサミ	198

ORの場合

単価が40未満または200より大きい

単価<40 OR 単価>200

抽出結果

商品コード	商品名	単価
B120	3色ボールペン	300
S031	DVD-R	30
S110	プリンタインク	800
S108	プリンタ用紙	230

NOTの場合

(単価が40未満または200より大きい)ではない

NOT (単価<40 OR 単価>200)

抽出結果

商品コード	商品名	単価
B107	紙ファイル	50
B113	ハサミ	198

ちなみに演算子の優先順位は
NOT>AND>OR
高←→低
の順です

ただし普通の計算と同じくカッコでくくって、その順位を変えることもできます

1+2×10 と (1+2)×10 は違うように
NOT A OR B と NOT (A OR B)も違う

表と表を結合する（結合）

それでは最後の関係演算である、結合を見ていきましょう。

結合は、表と表とをくっつける関係演算です。SELECT文で結合を行うには、FROM句の中にくっつけたい表の名前を羅列して、WHERE句で「どの列を使ってくっつけるか」を指定します。

```
SELECT *
  FROM 受注表, 顧客表
 WHERE 受注表.顧客コード=顧客表.顧客コード
```

くっつけたい表たち

どの列を使ってくっつけるのか

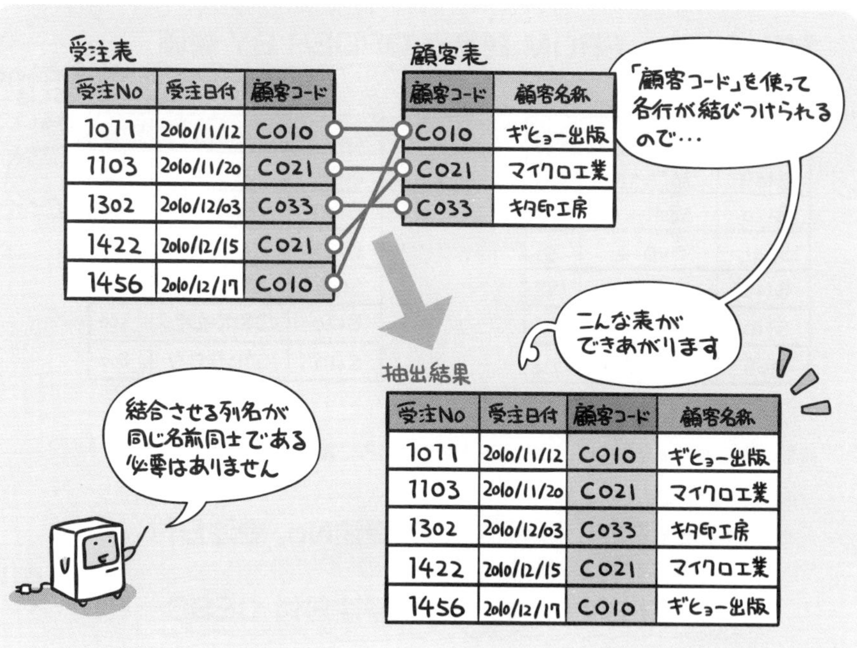

ここでちょっと要注意なのが「表名.列名」という表記です。表名と列名の間にある「.」は所属をあらわしていて、「どの表に属する列か」を表現するために用いられます。

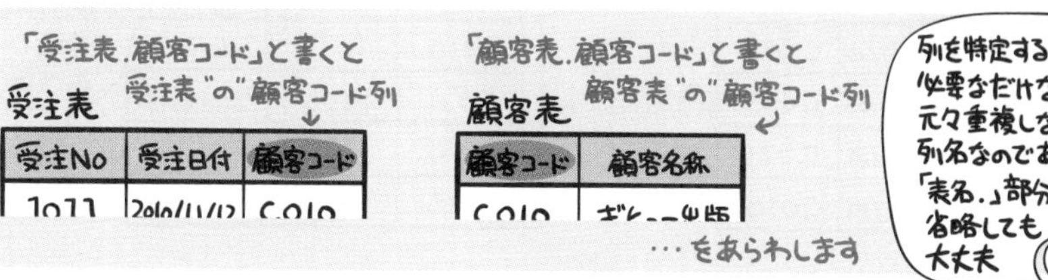

データを整列させる

抽出結果を整列させておきたい場合はORDER BY句を使います。

ORDER BY 列名 ASC(またはDESC)

昇順で並べたい場合はASC(省略可)
降順の場合はDESCを指定

たとえば商品表を単価順で並び替えるには、次のように指定します。

SELECT ＊ FROM 商品表 ORDER BY 単価

商品表

商品コード	商品名	単価
B107	紙ファイル	50
B120	3色ボールペン	300
S031	DVD-R	30
B113	ハサミ	198
S110	プリンタインク	800
S108	プリンタ用紙	230

整列後

商品コード	商品名	単価
S031	DVD-R	30
B107	紙ファイル	50
B113	ハサミ	198
S108	プリンタ用紙	230
B120	3色ボールペン	300
S110	プリンタインク	800

昇順なので
ASCは
省略してる

複数の列で並び替えるには、ORDER BY句の後ろに複数の列を指定します。

SELECT 顧客コード, 受注No, 受注日付
FROM 受注表
ORDER BY 顧客コード, 受注日付 DESC

受注表

受注No	受注日付	顧客コード
1011	2010/11/12	C010
1103	2010/11/20	C021
1302	2010/12/03	C033
1422	2010/12/15	C021
1456	2010/12/17	C010

「顧客コード」で
昇順に並べて

整列後

顧客コード	受注No	受注日付
C010	1456	2010/12/17
C010	1011	2010/11/12
C021	1422	2010/12/15
C021	1103	2010/11/20
C033	1302	2010/12/03

その後
「受注日付」を
降順で
並べる

関数を使って集計を行う

SQLには、データを取り出す際に集計を行う、様々な関数（集合関数と言う）が用意されています。

この集合関数を用いると、列の合計値や最大値、レコードの件数（行数）などを求めることができます。

関数	機能
MAX（列名）	その列の最大値を求めます。
MIN（列名）	その列の最小値を求めます。
AVG（列名）	その列の平均値を求めます。
SUM（列名）	その列の合計を求めます。
COUNT（＊）	行数を求めます。
COUNT（列名）	その列の「値が入っている（空値じゃない）」行数を求めます。

たとえば、「扱っている商品の数を取り出したい」という場合、COUNT関数を使って次のように指定します。

SELECT COUNT(＊) FROM 商品表

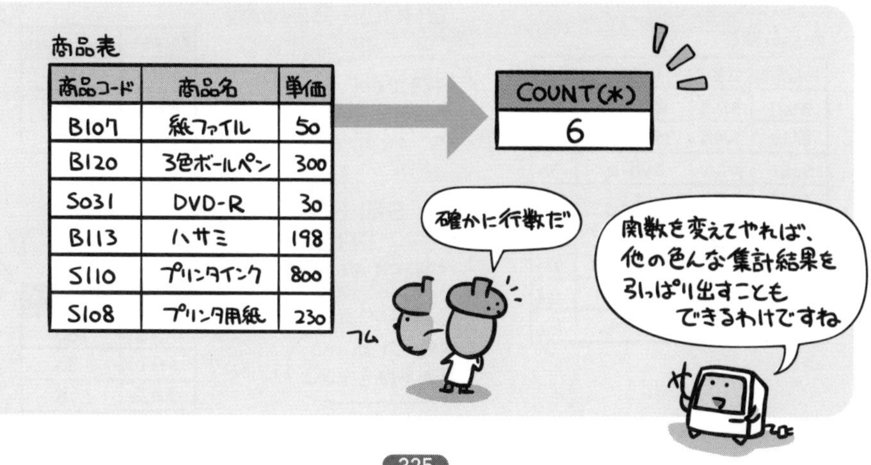

データをグループ化する

グループ化というのは、特定の列を指して、その中身が一致する項目をひとまとめにして扱うことを言います。前ページの集合関数は、このグループ化と組み合わせることで、より威力を発揮するのであります。

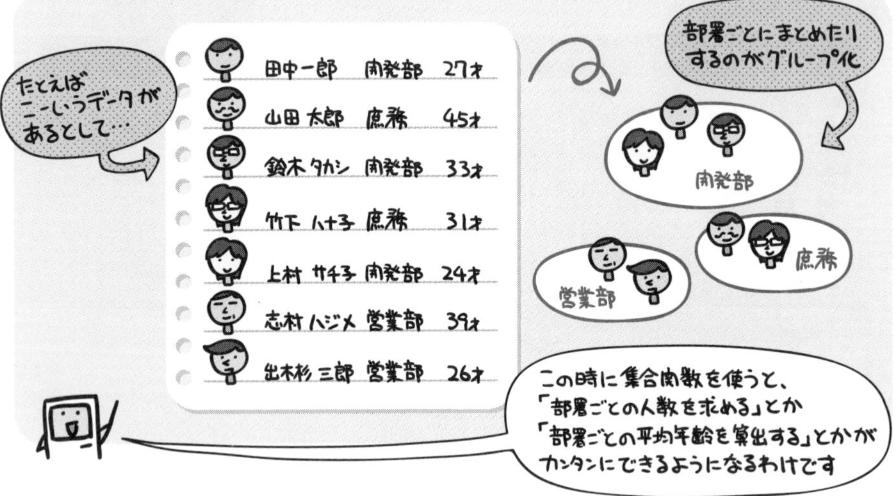

グループ化には、GROUP BY句を使います。実際の例を見て、感覚を掴みましょう。

GROUP BY 列名 ⇐ グループ化したい列名

こういう表があったとすると

商品分類表

商品コード	分類	商品名	単価
B107	文房具	紙ファイル	50
B120	文房具	3色ボールペン	300
S031	メディア	DVD-R	30
B113	文房具	ハサミ	200
S110	消耗品	プリンタインク	800
S108	消耗品	プリンタ用紙	230
B210	文房具	付せん	150
B221	文房具	蛍光ペン	100

```
SELECT 分類, COUNT(*)
  FROM 商品分類表
GROUP BY 分類
```

分類ごとの商品数を求める

分類	COUNT(*)
文房具	5
メディア	1
消耗品	2

```
SELECT 分類, AVG(単価)
  FROM 商品分類表
GROUP BY 分類
```

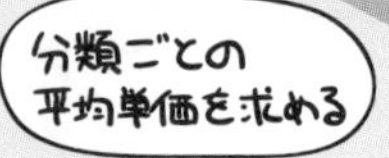

分類	AVG(単価)
文房具	160
メディア	30
消耗品	515

グループに条件をつけて絞り込む

グループ化をした際、これに条件をつけて取り出すグループを絞り込むことができます。「条件をつけて絞り込む」というのは、たとえば次のようなことを指します。

このような絞り込みを行うには、HAVING句を使います。

GROUP BY 列名
HAVING 絞り込み条件　← 抽出する条件

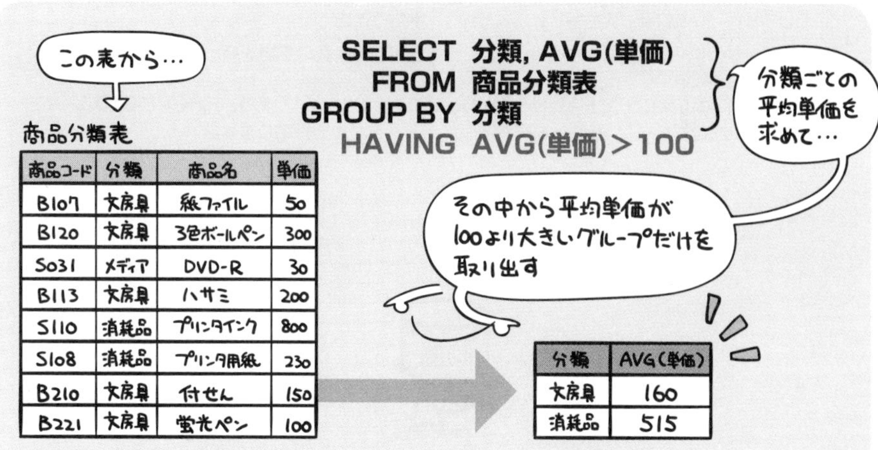


```
SELECT 分類, AVG(単価)
FROM 商品分類表
GROUP BY 分類
HAVING AVG(単価)＞100
```

商品分類表

商品コード	分類	商品名	単価
B107	文房具	紙ファイル	50
B120	文房具	3色ボールペン	300
S031	メディア	DVD-R	30
B113	文房具	ハサミ	200
S110	消耗品	プリンタインク	800
S108	消耗品	プリンタ用紙	230
B210	文房具	付せん	150
B221	文房具	蛍光ペン	100

分類	AVG(単価)
文房具	160
消耗品	515

このように出題されています
過去問題練習と解説 Ⅰ

(FE-R01-A-26)

“得点”表から，学生ごとに全科目の点数の平均を算出し，平均が80点以上の学生の学生番号とその平均点を求める。aに入れる適切な字句はどれか。ここで，実線の下線は主キーを表す。

得点 (学生番号，科目，点数)

〔SQL文〕

```
SELECT 学生番号，AVG(点数)
FROM 得点
GROUP BY [  a  ]
```

ア　科目 HAVING AVG(点数) >= 80
イ　科目 WHERE 点数 >= 80
ウ　学生番号 HAVING AVG(点数) >= 80
エ　学生番号 WHERE 点数 >= 80

解説

本問のSQL文と問題文を関連づけて整理すると、下表になります。

SQL文	問題文
SELECT 学生番号，AVG(点数)	学生番号とその平均点を求める
FROM 得点	“得点”表から
GROUP BY 【aの前半：学生番号】	学生ごとに
【aの後半：HAVING AVG(点数) >= 80】	全科目の点数の平均を算出し，平均が80点以上

上記より、aには「学生番号 HAVING AVG(点数) >= 80」が入ります。GROUP BYは326ページ、HAVINGは327ページ、AVGは325ページに、それぞれ説明があります。

正解▶問1：ウ

Chapter 11-5

トランザクション管理と排他制御

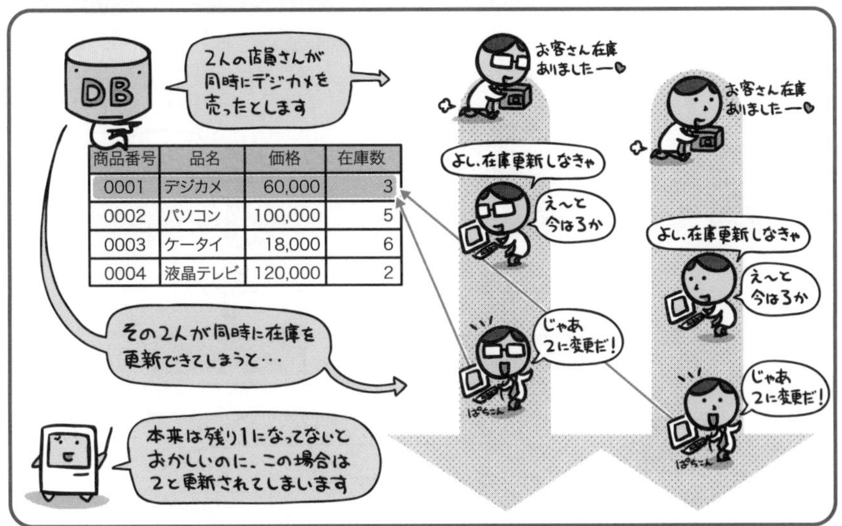

商品番号	品名	価格	在庫数
0001	デジカメ	60,000	3
0002	パソコン	100,000	5
0003	ケータイ	18,000	6
0004	液晶テレビ	120,000	2

データベースを複数の人が同時に変更できてしまうと、内容に不整合が生じる恐れがあります。

データベースは複数の人で共有して使うことのできる便利なものですが、それだけに、利用者が誰も彼も好き勝手にデータを操作できてしまうと、ロクでもない事態に陥りがちだったりします。

たとえばイラストにあるような、複数の人が同じデータを同時に読み書きしてしまいましたという場合。

本来は、在庫がひとつ減って3から2になり、後の人はその在庫数をさらにひとつ減らして1とする…という流れにならなくてはいけません。でも、片方の処理中にもう一方が読み書きしてしまったため、どっちの店員さんにも「今の在庫数は3」と見えてしまいます。結局、後から書いた店員さんのデータには前の店員さんの変更が反映されておらず、在庫数の値はおかしなことになったまま…。

他にも、「ちょうど更新作業中のデータが、別の人によって削除された」なんてことも起こりえます。とにかく誰も彼もが好き勝手に操作している限り、データの不整合を引き起こす要因は枚挙にいとまがないのです。

そうした問題からデータベースを守るのがトランザクション管理と排他制御です。

トランザクションとは処理のかたまり

データベースでは、一連の処理をひとまとめにしたものをトランザクションと呼びます。データベースは、このトランザクション単位で更新処理を管理します。

たとえば前ページのイラストでいえば、次の一連の処理がトランザクションということになります。

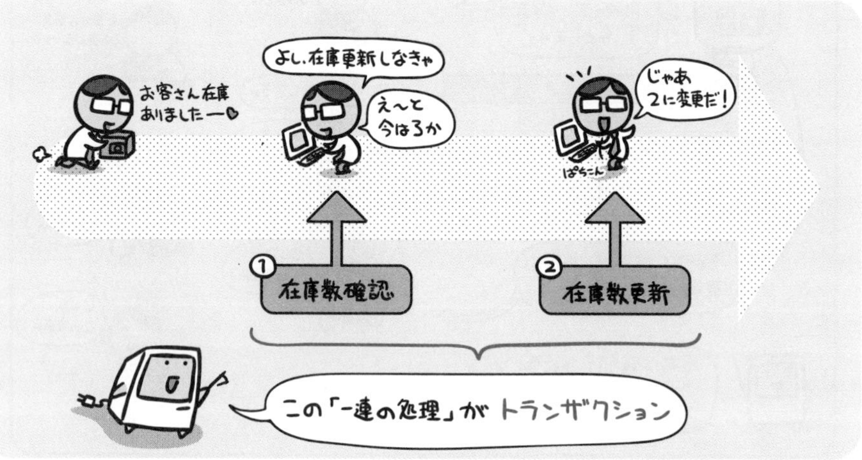

排他制御とはロックする技

一方、排他制御は処理中のデータをロックして、他の人が読み書きできないようにする機能です。つまりトランザクションの間、使用するデータをロックしておけば、誰かに割り込まれてデータの不整合が生じたりする恐れがなくなるわけです。

DB

商品番号	品名	価格	在庫数
0001	デジカメ	60,000	3
0002	パソコン	100,000	5
0003	ケータイ	18,000	6
0004	液晶テレビ	120,000	2

今 編集中だからさわっちゃダメよ

は〜い

ロックする方法には、共有ロックと専有ロックの2種類があります。

共有ロック

各ユーザはデータを読むことはできますが、書くことはできません。

DB

商品番号	品名	価格	在庫数
0001	デジカメ	60,000	3
0002	パソコン	100,000	5
0003	ケータイ	18,000	6
0004	液晶テレビ	120,000	2

ただ今ロックして参照中
←自分も読むだけ（書けない）
ぱちこん
読むことはできるので、在庫数を調べることに問題はありません
3だな

専有ロック

他のユーザはデータを読むことも、書くこともできません。

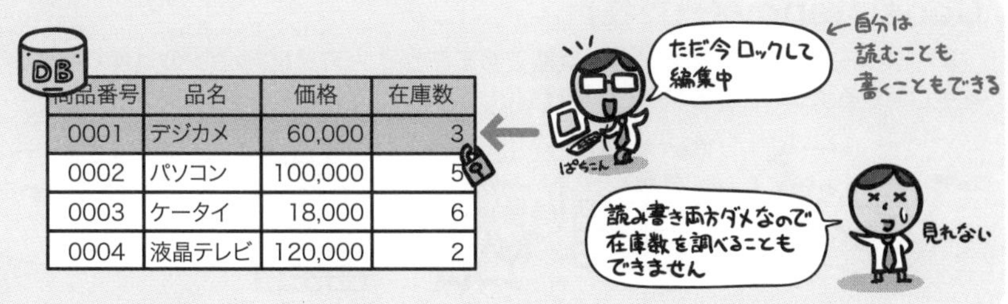

商品番号	品名	価格	在庫数
0001	デジカメ	60,000	3
0002	パソコン	100,000	5
0003	ケータイ	18,000	6
0004	液晶テレビ	120,000	2

ただしロック機能を使う場合には注意しないと、複数のトランザクションがお互いに相手の使いたいデータをロックしてしまい、「お互いがお互いのロック解除を永遠に待ち続ける」という、かなりやるせない現象が起こりえます。これをデッドロックと呼びます。

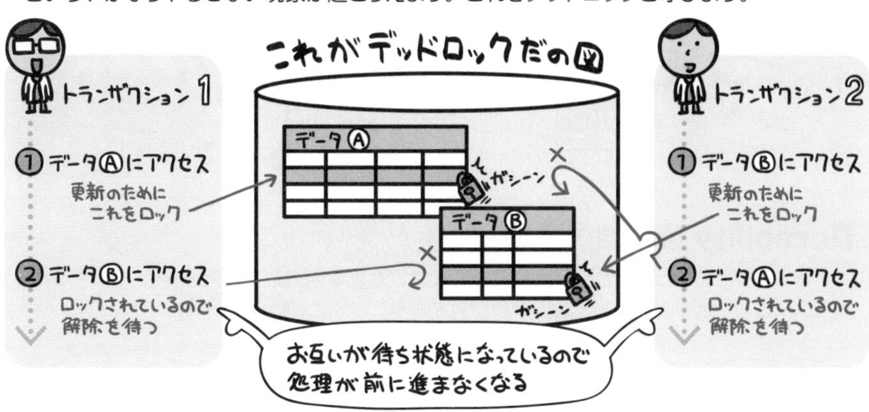

こうなってしまった場合は、いずれかのトランザクションを強制的にキャンセルする必要があります。

トランザクションに求められるACID特性

データベース管理システム（DBMS）では、トランザクション処理に対して次の4つの特性が必須とされます。それぞれの頭文字をとって、ACID特性と呼ばれます。

Atomicity（原子性）

トランザクションの処理結果は、「すべて実行されるか」「まったく実行されないか」のいずれかで終了すること。中途半端に一部だけ実行されるようなことは許容しない。

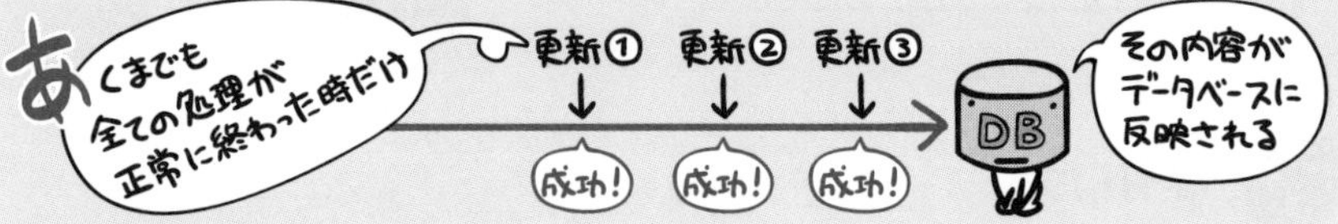

Consistency（一貫性）

データベースの内容が矛盾のない状態であること。トランザクションの処理結果が、矛盾を生じさせるようなことになってはいけない。

Isolation（隔離性）

複数のトランザクションを同時に実行した場合と、順番に実行した場合の処理結果が一致すること。ようするに「排他処理きちんとやって相互に影響させないよーにね」ってこと。

Durability（耐久性）

正常に終了したトランザクションの更新結果は、障害が発生してもデータベースから消失しないこと。つまりなんらかの復旧手段が保証されてないといけない。

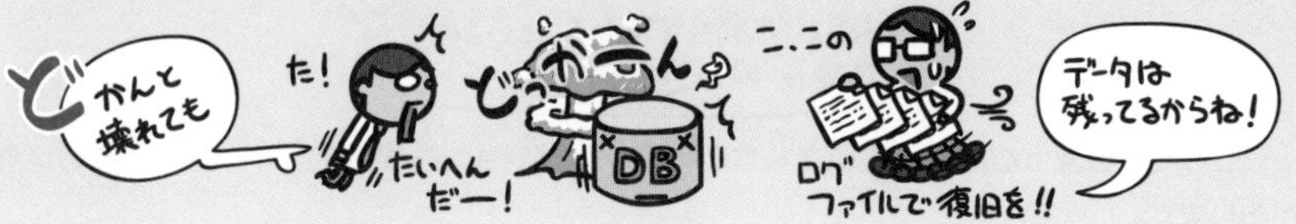

ストアドプロシージャ

データベースを操作する一連の処理手順（SQL文）をひとつのプログラムにまとめ、データベース管理システム（DBMS）側にあらかじめ保存しておくことをストアドプロシージャと呼びます。

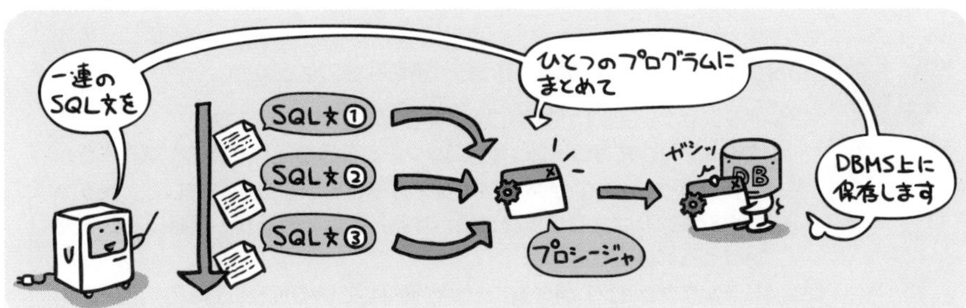

たとえばクライアントサーバシステムにおいて、データベースサーバに保存されたストアドプロシージャは、そのプロシージャ名を指定するだけでクライアントから実行させることができます。

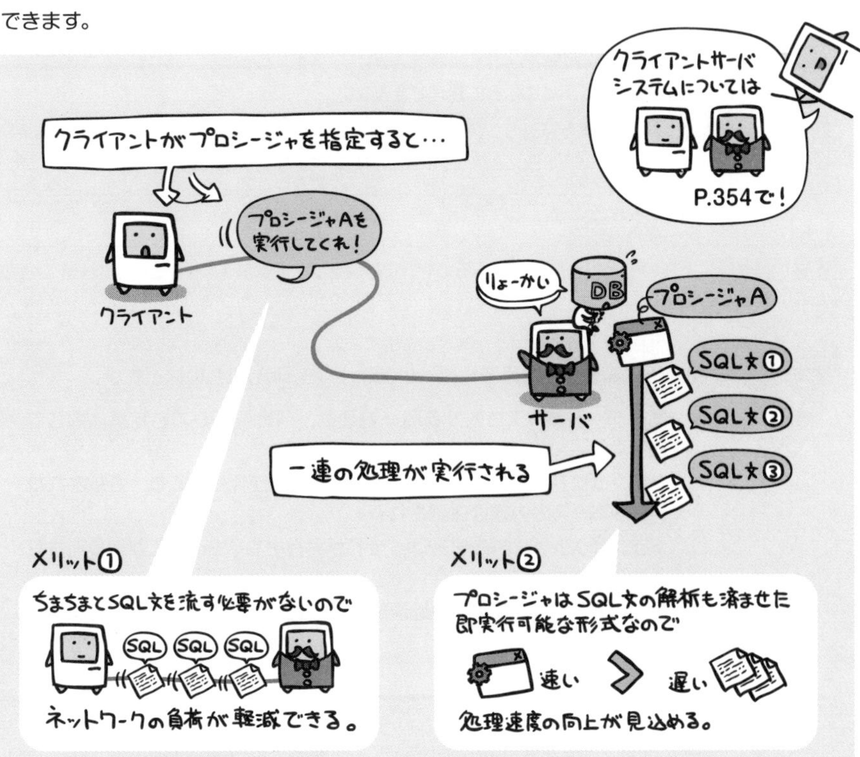

このように出題されています
過去問題練習と解説

問 1
(FE-H27-A-29)

ロックの両立性に関する記述のうち，適切なものはどれか。

ア　トランザクションT_1が共有ロックを獲得している資源に対して，トランザクションT_2は共有ロックと専有ロックのどちらも獲得することができる。

イ　トランザクションT_1が共有ロックを獲得している資源に対して，トランザクションT_2は共有ロックを獲得することはできるが，専有ロックを獲得することはできない。

ウ　トランザクションT_1が専有ロックを獲得している資源に対して，トランザクションT_2は専有ロックと共有ロックのどちらも獲得することができる。

エ　トランザクションT_1が専有ロックを獲得している資源に対して，トランザクションT_2は専有ロックを獲得することはできるが，共有ロックを獲得することはできない。

解説

共有ロックと専有ロックは、下表のように整理できます。

	先行トランザクションが実行済みのロック	後続トランザクションが試みるロック	左記の結果
①	共有ロック	共有ロック	○　成功する
②	共有ロック	専有ロック	×　失敗する
③	専有ロック	共有ロック	×　失敗する
④	専有ロック	専有ロック	×　失敗する

選択肢イは、上表の①と②を記述しているので、正しいです。選択肢ア・ウ・エには、上表に合致しない記述が含まれています。

問 2
(FE-R06-07)

DBMSに実装すべき原子性（atomicity）を説明したものはどれか。

ア　同一データベースに対する同一処理は，何度実行しても結果は同じである。

イ　トランザクション完了後にハードウェア障害が発生しても，更新されたデータベースの内容は保証される。

ウ　トランザクション内の処理は，全てが実行されるか，全てが取り消されるかのいずれかである。

エ　一つのトランザクションの処理結果は，他のトランザクション処理の影響を受けない。

解説

各選択肢は、下記を説明したものです。詳しくは、332ページを参照してください。
ア 一貫性（consistency）　イ 耐久性（durability）　ウ 原子性（atomicity）　エ 隔離性（isolation）

正解▶問1：イ　問2：ウ

Chapter 11-6 データベースの障害管理

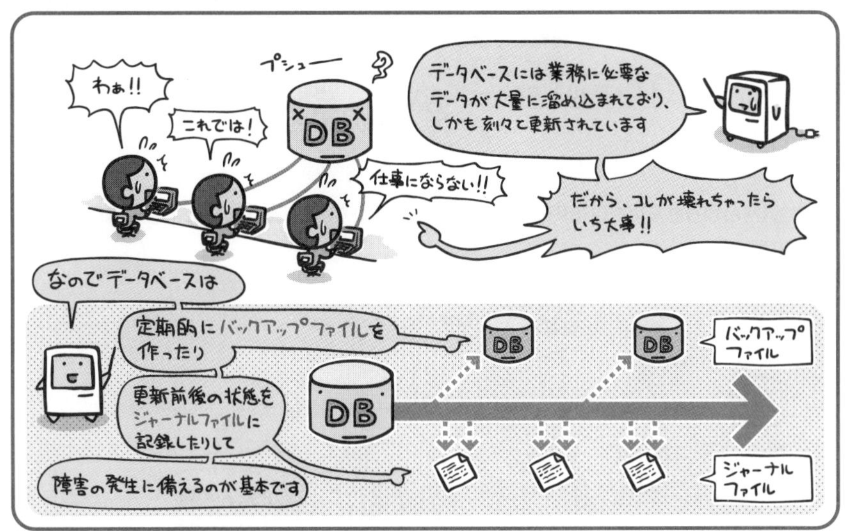

データベースの障害回復には
バックアップファイルやジャーナルファイルを使います。

機械が壊れても代替品を買ってくれば済みますが、壊れたデータには代替品なんてありません。それは困りますよね。データベースは中に納められたデータにこそ価値があるのに。

そんなわけで、データベースは障害の発生に備えて定期的にバックアップを取ることが基本です。1日に1回など頻度を決めて、その時点のデータベース内容を丸ごと別のファイルにコピーして保管するのです。

これなら万が一障害が発生しても、データは守られているから安心安心? いや、まだそうは言えません。だって、バックアップを取ってから、次のバックアップを取るまでの間に更新された内容は保護されていないのですから。

そこで、バックアップ後の更新は、ジャーナルと呼ばれるログファイルに、更新前の状態(更新前ジャーナル)と更新後の状態(更新後ジャーナル)を逐一記録して、データベースの更新履歴を管理するようにしています。

実際に障害が発生した場合は、これらのファイルを使って、ロールバックやロールフォワードなどの障害回復処理を行い、元の状態に復旧します。

コミットとロールバック

前節でも述べたように、データベースは、トランザクション単位で更新処理を管理します。これはどういうことかというと、「トランザクション内の更新すべてを反映する」か、「トランザクション内の更新すべてを取り消す」かの、どちらかしかないということです。

たとえば口座間の銀行振込を見てみましょう。

仮にAさんがBさんに1,000円振り込むとした場合、処理の流れは次のようになります。

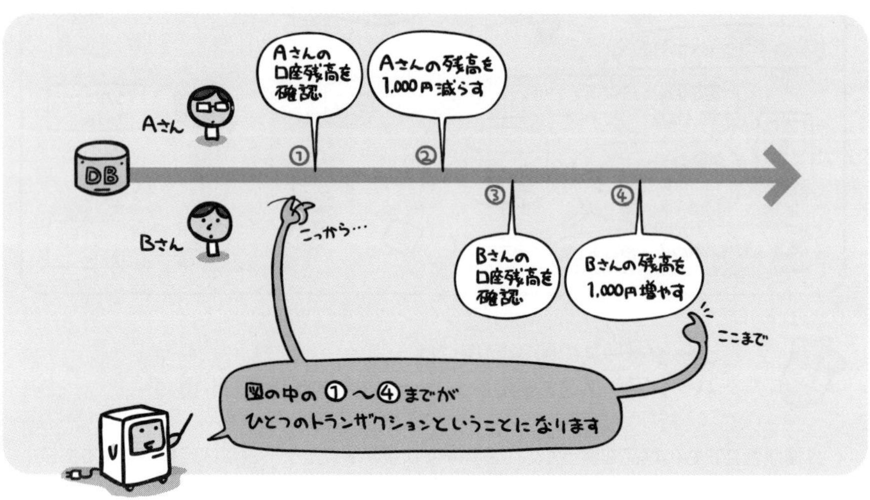

この中で、たとえばどこかの処理がずっこけちゃって、「Aさんの口座は減額されてるのに、Bさんの口座はお金が増えてない」なんてことになると困りますよね。場合によっては「訴えてやる!」なんて言われて、大変なことになりかねません。

そのため、データベースに更新内容を反映させるのは、「すべての処理が問題なく完了しました」というタイミングじゃないといかんわけです。

トランザクションは、一連の処理が問題なく完了できた時、最後にその更新を確定することで、データベースへと更新内容を反映させます。これをコミットと呼びます。

一方、トランザクション処理中になんらかの障害が発生して更新に失敗した場合、そこまでに行った処理というのは、すべてなかったことにしないといけません。

そうじゃないとデータに不整合が生じてしまうからです。

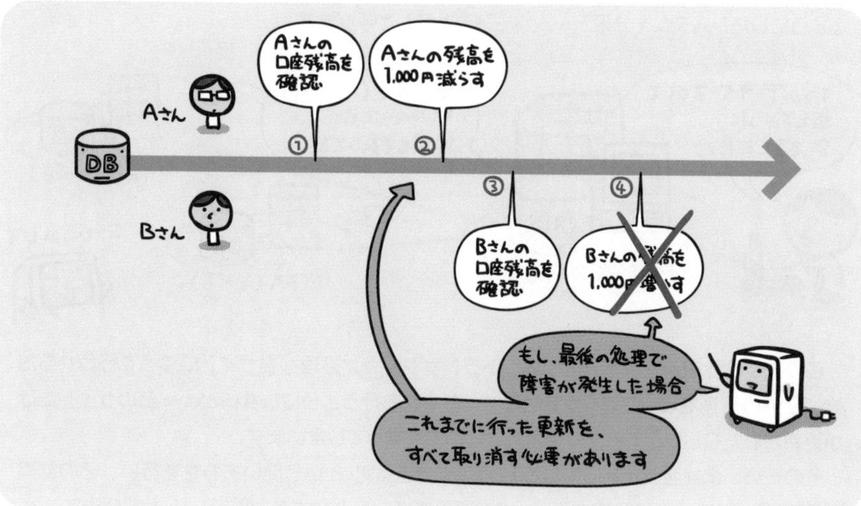

そこでこのような場合には、データベース更新前の状態を更新前ジャーナルから取得して、データベースをトランザクション開始直前の状態にまで戻します。

この処理をロールバックと呼びます。

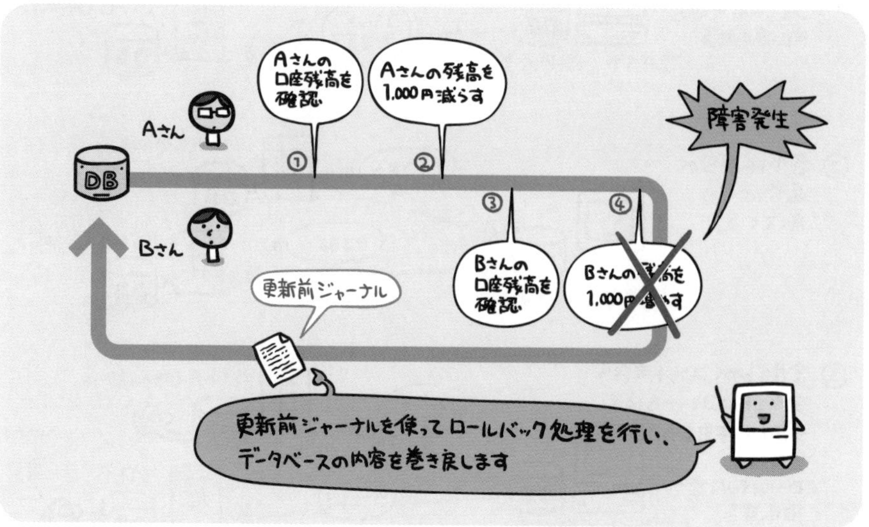

分散データベースと2相コミット

物理的に分かれている複数のデータベースを、見かけ上ひとつのデータベースとして扱えるようにしたシステムを分散データベースシステムと呼びます。

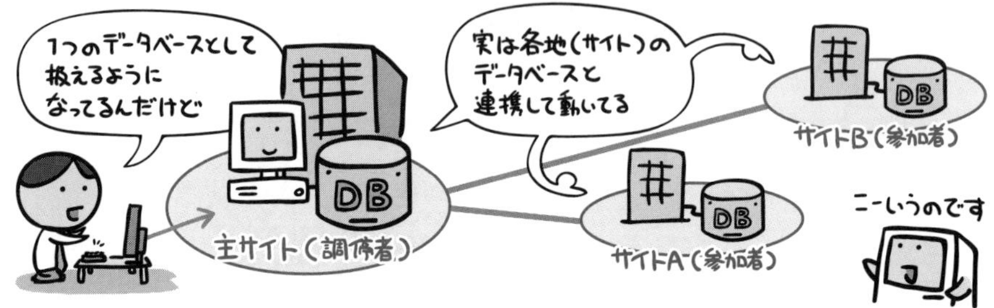

このような分散データベースでは、トランザクション処理が各サイトに渡って行われるため、全体の同期をとってコミットやロールバックを行うようにしないと、一部のサイトだけが更新されたりして、データの整合性がとれなくなってしまいます。

そのため、まず全サイトに対して「コミットできる?」という問いあわせを行い、その結果を見てコミット、もしくはロールバックを行います。この方式を2相コミットと呼びます。

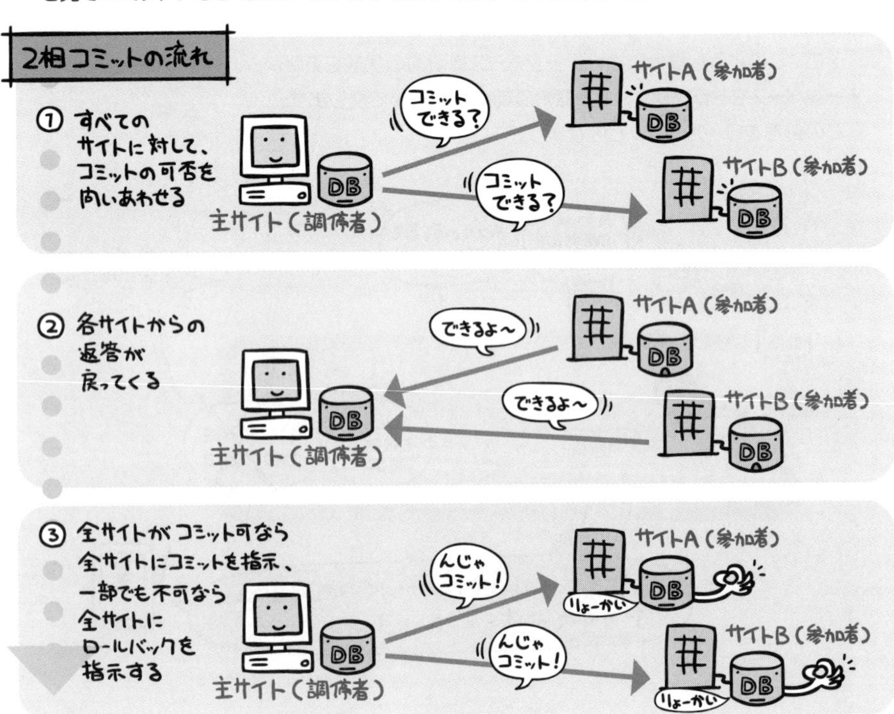

2相コミットの流れ

① すべてのサイトに対して、コミットの可否を問いあわせる

主サイト(調停者)　「コミットできる?」→ サイトA(参加者)
「コミットできる?」→ サイトB(参加者)

② 各サイトからの返答が戻ってくる

サイトA(参加者)「できるよ〜」→ 主サイト(調停者)
サイトB(参加者)「できるよ〜」→ 主サイト(調停者)

③ 全サイトがコミット可なら全サイトにコミットを指示、一部でも不可なら全サイトにロールバックを指示する

主サイト(調停者)「んじゃコミット!」→ サイトA(参加者)「りょーかい」
「んじゃコミット!」→ サイトB(参加者)「りょーかい」

データベースを復旧させるロールフォワード

トランザクションの処理中ではなく、ディスク障害などで突然データベースが故障してしまった場合は、定期的に保存してあるバックアップファイルからデータを復元する必要が出てきます。

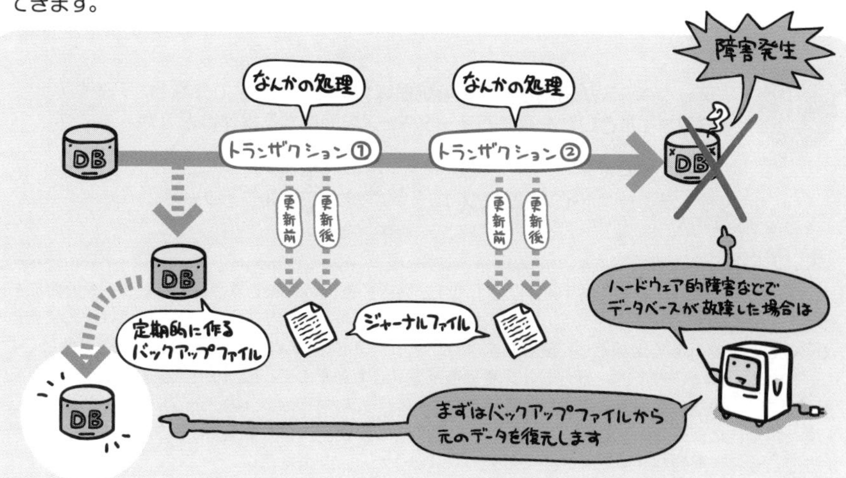

けれどもそれだけだと、バックアップ後に加えられた変更分は失われたままです。そこで、データベースに行った更新情報を、バックアップ以降の更新後ジャーナルから取得して、データベースを障害発生直前の状態にまで復旧させます。

バックアップファイルによる復元から、ここに至るまでの一連の処理をロールフォワードと呼びます。

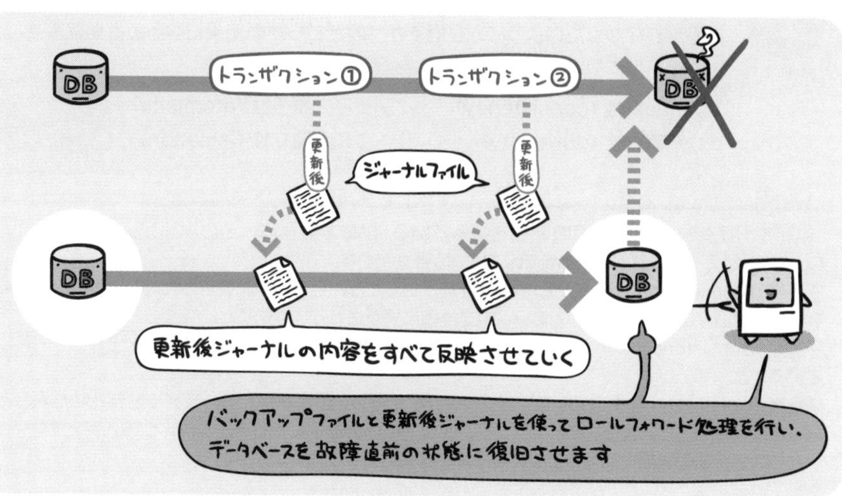

このように出題されています 過去問題練習と解説

(FE-H30-A-30)

データベースが格納されている記憶媒体に故障が発生した場合，バックアップファイルとログを用いてデータベースを回復する操作はどれか。

ア　アーカイブ　　イ　コミット
ウ　チェックポイントダンプ　　エ　ロールフォワード

解説

ア　アーカイブは、一般的には「保存記録」や「公文書」という意味ですが、コンピュータ分野におけるアーカイブは、「データを安全に保存・保管すること」や「複数のファイルを1つのファイルにまとめること」を意味する用語として使われます。　イ　コミットの説明は、336ページを参照してください。　ウ　DBMSは、テーブルの更新を高速化させるために、磁気ディスクのテーブルを直接更新せず、いったん主記憶装置上にあるデータベースバッファキャッシュのテーブルを更新します。そして、定期的にデータベースバッファキャッシュのテーブル更新内容を磁気ディスクのテーブルに更新します。その定期的なタイミングを「チェックポイント」といいます(ただし、データベースバッファキャッシュが満杯になった時などの不定期なタイミングにおいても、データベースバッファキャッシュのテーブル更新内容は、磁気ディスクのテーブルに更新されます。その不定期なタイミングも、「チェックポイント」と呼ばれます)。その「チェックポイント」のときに、DBMSが管理している主記憶装置上のデータ領域（データベースバッファキャッシュを含む）を、ファイルに出力したものが「チェックポイントダンプ」です。　エ　ロールフォワードの説明は、339ページを参照してください。

(FE-R05-07)

トランザクションが，データベースに対する更新処理を完全に行うか，全く処理しなかったのように取り消すか，のどちらかの結果になることを保証する特性はどれか。

ア　一貫性（consistency）　　イ　原子性（atomicity）
ウ　耐久性（durability）　　エ　独立性（isolation）

解説

“トランザクションは、ACID特性を持っている”と言われます。そのACIDとは、Atomicity, Consistency, Isolation, Durability の4つの頭文字です。

原子性（Atomicity）… トランザクションが終了したとき、全データが更新されたか、あるいは全く更新されていないかのどちらかであり、中途半端に更新されていないこと。

一貫性（Consistency）… トランザクションの処理結果がどうであれ、データベース全体は、一貫していること。

隔離性（Isolation）… 複数のトランザクションを並行して動作させても、直列に動作させた場合と同じ結果になること。また、あるトランザクションが更新途中にあるデータは、他のトランザクションからは更新前の状態に見えること。独立性、直列可能性とも言います。

耐久性（Durability）… トランザクションが終了したとき、その後の障害等に影響されず、データの内容が変わらないこと。

問題文は、原子性（atomicity）を説明しています。

(FE-H30-S-29)

トランザクション処理プログラムが，データベース更新の途中で異常終了した場合，ロールバック処理によってデータベースを復元する。このとき使用する情報はどれか。

ア　最新のスナップショット情報　　イ　最新のバックアップファイル情報
ウ　ログファイルの更新後情報　　エ　ログファイルの更新前情報

解説

ロールバック処理で使用される情報は、「ログファイルの更新前情報」です。「ログファイルの更新前情報」は、337ページに書かれている「更新前ジャーナル」と同じものです。

(FE-H26-A-29)

データベースのアクセス効率を低下させないために，定期的に実施する処理はどれか。

ア　再編成　　イ　データベースダンプ
ウ　バックアップ　　エ　ロールバック

解説

再編成は、データベースの構造と内容をそのまま維持しながら、データの物理的な配置を整理することをいいます。
データの挿入・削除・変更を繰り返し行うと、管理情報や物理データの格納場所が断片化します。それによって、記憶効率の低下、アクセス速度の低下など非効率が発生します。それを解消するために、再編成を行います。

ちなみに、データベースダンプとは、データベースに格納されているデータを、別のファイルに書き出して保存することをいいます。

(FE-H29-S-28)

分散データベースシステムにおいて，一連のトランザクション処理を行う複数サイトに更新処理が確定可能かどうかを問い合わせ，全てのサイトが確定可能である場合，更新処理を確定する方式はどれか。

ア　2相コミット　　イ　排他制御
ウ　ロールバック　　エ　ロールフォワード

解説

各選択肢の説明は、次のページを参照してください。

ア　2相コミット…338ページ　　イ　排他制御…330ページ
ウ　ロールバック…336ページ　　エ　ロールフォワード…339ページ

正解▶問1：エ　問2：イ　問3：エ　問4：ア
問5：ア

Chapter 12 ネットワーク

そこで
あらわれたのが
ネットワーク

コンピュータ同士が
つながれていく
ことにより

今まで人の手を
介していたあれこれ
が…

全部コンピュータが
自前でやれて
めでたしめでたし

今じゃ無線有線を
問わず、世界中が
ビュンビュンやり
とりできる時代に
なりました

そんなわけで、
もはや企業活動に
ネットワークは
欠かせないと言って
も過言じゃない

Chapter 12-1 LANとWAN

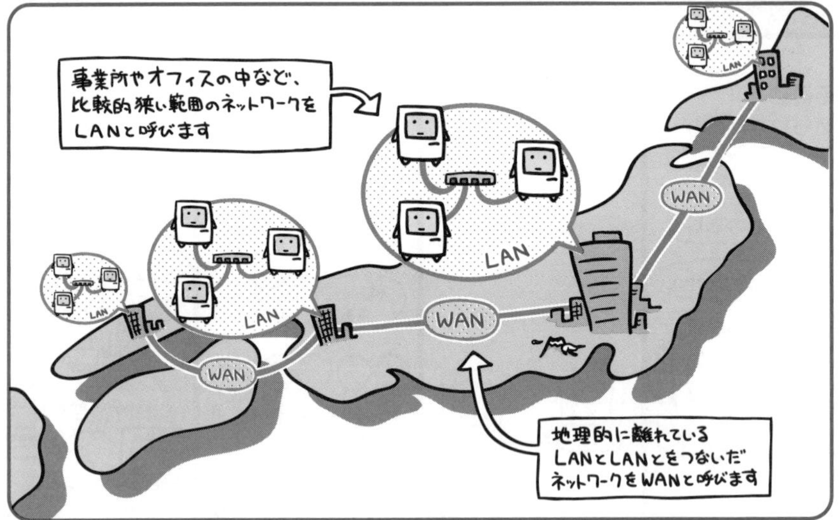

**事業所など局地的な狭い範囲のネットワークをLAN、
LAN同士をつなぐ広域ネットワークをWANと呼びます。**

コンピュータのネットワークを語る上で欠かすことの出来ない用語が、LANとWANです。

LANはLocal Area Network（ローカル・エリア・ネットワーク）の略。最近では自宅に複数のパソコンがあるという家庭も多いですが、そのような家庭で構築する宅内ネットワークもLANになります。

一方、企業などで「東京本社と大阪支社をつなぐ」ような、遠く離れたLAN同士を接続するネットワークがWAN。これはWide Area Network（ワイド・エリア・ネットワーク）の略で、広い意味ではインターネットも、このWANの一種だと言えます。

コンピュータの扱うデジタルデータは、こうしたLANやWANというネットワークを介すことで、距離を意識せずにやり取りすることができます。その利便性から、今ではオフィスや家庭といった枠に関係なく、標準的なインフラとして広く利用されています。

データを運ぶ通信路の方式とWAN通信技術

コンピュータがデータをやりとりするためには、互いを結ぶ通信路が必要です。

もっともシンプルな形は、互いを直接1本の回線で結んでしまうこと。これを専用回線方式と言います。

しかしこれでは1対1の通信しか行えません。やはりネットワークというからには、より多くのコンピュータで自由にやりとりできるようにしたいものです。

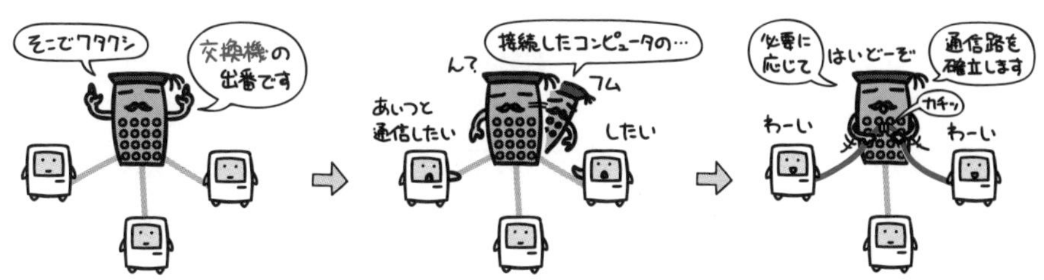

このように、交換機(にあたるもの)が回線の選択を行って、必要に応じた通信路が確立される方式を交換方式と言います。交換方式には、大きく分けて次の2種類があります。

回線交換方式

送信元から送信先にまで至る経路を交換機がつなぎ、通信路として固定します。

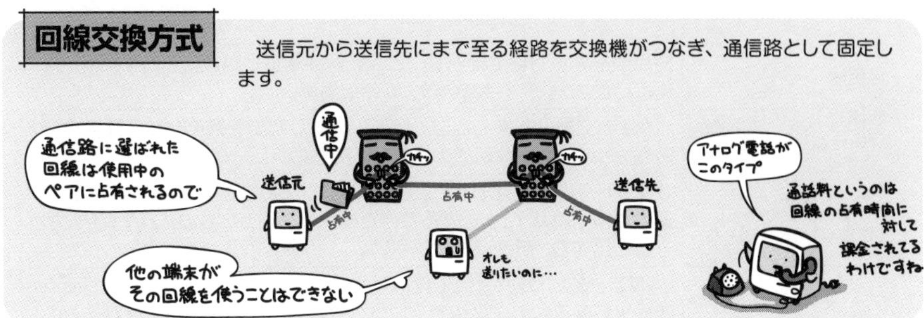

パケット交換方式

パケット（小包の意）という単位に分割された通信データを、交換機が適切な回線へと送り出すことで通信路を形成します。

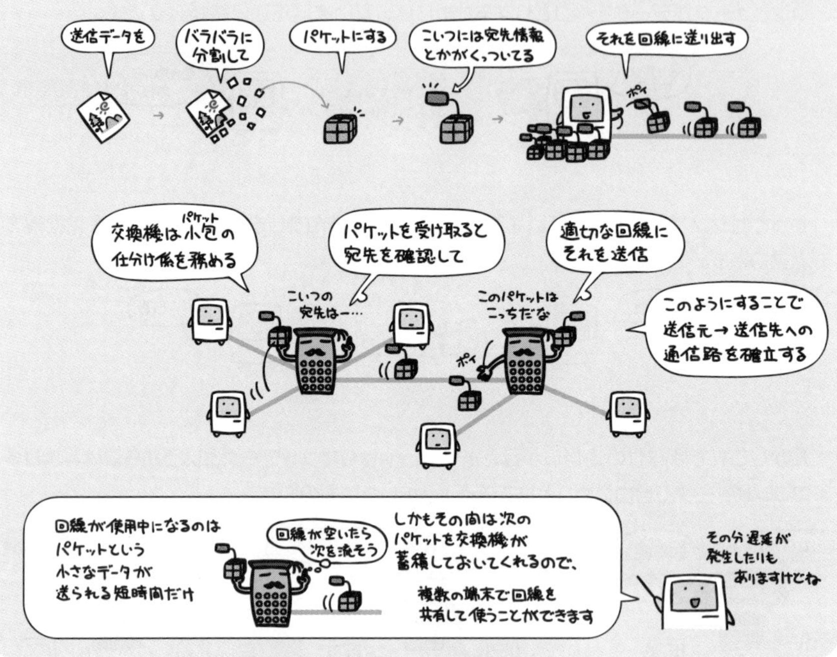

WANの構築で拠点間を接続する場合などを除いて、現在のコンピュータネットワークで用いられるのは基本的にすべてパケット交換方式です。

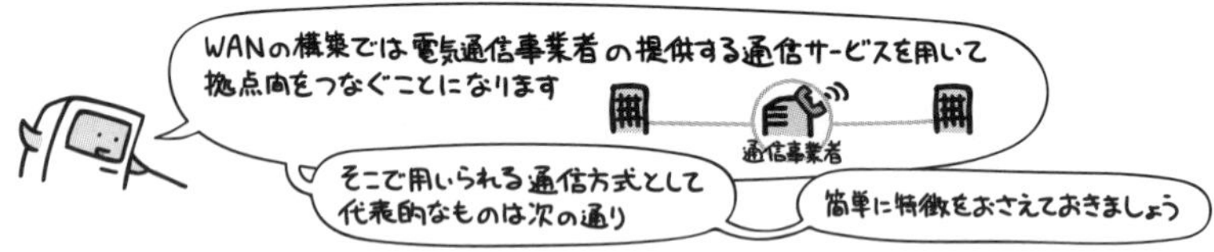

専用線	拠点間を専用回線で結ぶサービス。回線速度と距離によって費用が決まる。セキュリティは高いが、非常に高額。
フレームリレー方式	パケット交換方式をもとに、伝送中の**誤り制御を簡略化して高速化**を図ったもの。データ転送の単位は可変長のフレームを用いる。
ATM交換方式（セルリレー方式）	パケット交換方式をもとに、データ転送の単位を可変長ではなく**固定長のセル（53バイト）**とすることで高速化を図ったもの。パケット交換方式と比べて、伝送遅延は小さい。
広域イーサネット	LANで一般的に使われているイーサネット（P.348）技術を用いて拠点間を接続するもの。高速で、しかも一般的に使用している機器をそのまま使えるためコスト面でのメリットも大きい。WAN構築における近年の主流サービス。

LANの接続形態（トポロジー）

LANを構築する時に、各コンピュータをどのようにつなぐか。その接続形態のことをトポロジーと呼びます。

次の3つが代表的なトポロジーです。

スター型

ハブを中心として、放射状に各コンピュータを接続する形態です。

イーサネットの100BASE-TXや1000BASE-Tという規格などで使われています。

バス型

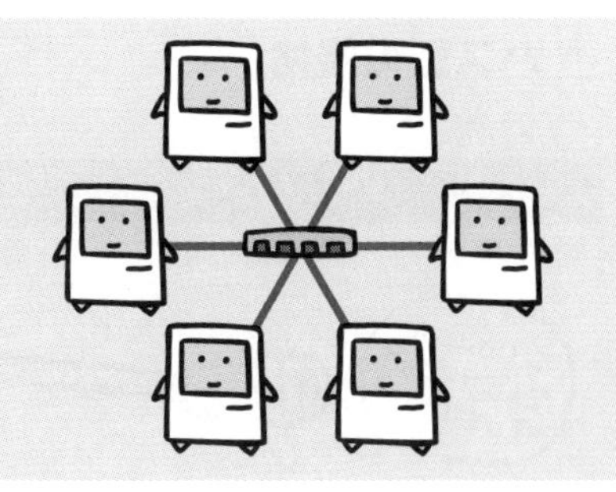

1本の基幹となるケーブルに、各コンピュータを接続する形態です。

イーサネットの10BASE-2や10BASE-5という規格などで使われています。

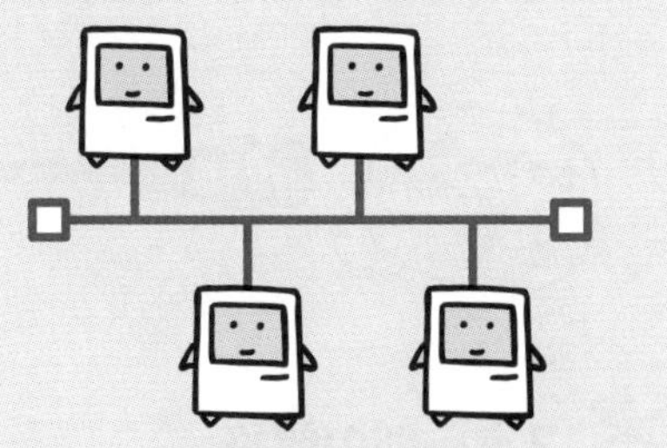

リング型

リング状に各コンピュータを接続する形態です。

トークンリングという規格などで使われています。

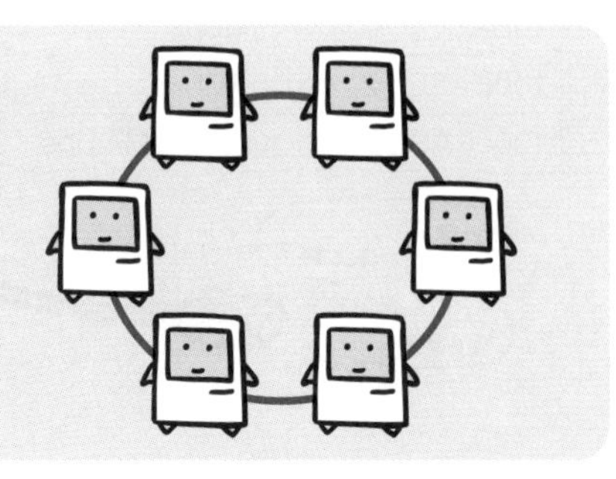

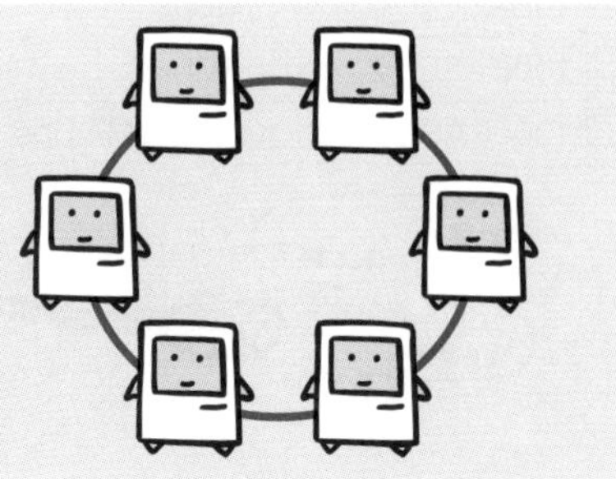

現在のLANはイーサネットがスタンダード 

LANの規格として、現在もっとも普及しているのがイーサネット（Ethernet）です。IEEE（米国電気電子技術者協会）によって標準化されており、接続形態や伝送速度ごとに、次のような規格に分かれています。

伝送速度に使われているbps（bits per second）という単位は、1秒間に送ることのできるデータ量（ビット数）をあらわしています。

バス型の規格

規格名称	伝送速度	伝送距離	伝送媒体
10BASE5	10Mbps	最大500m	同軸ケーブル（Thick coax）

太さ10mmの
こんなケーブルを
使います

規格名称	伝送速度	伝送距離	伝送媒体
10BASE2	10Mbps	最大185m	同軸ケーブル（Thin coax）

太さ5mmの
こんなケーブルを
使います

スター型の規格

規格名称	伝送速度	伝送距離	伝送媒体
10BASE-T	10Mbps	最大100m	ツイストペアケーブル
100BASE-TX	100Mbps	最大100m	ツイストペアケーブル
1000BASE-T	1G（1000M）bps	最大100m	ツイストペアケーブル

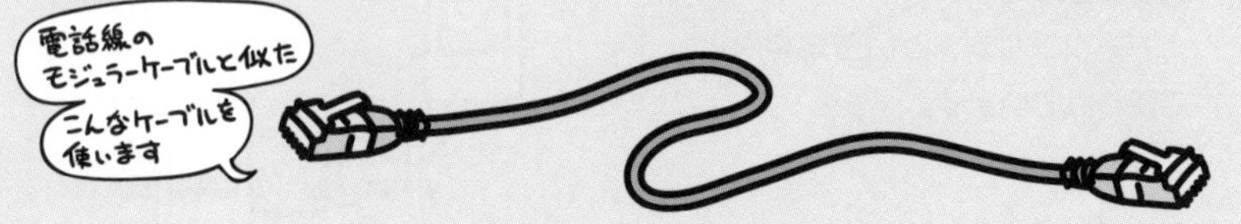

イーサネットはCSMA/CD方式でネットワークを監視する

イーサネットは、アクセス制御方式としてCSMA/CD（Carrier Sense Multiple Access/Collision Detection）方式を採用しています。

CSMA/CD方式では、ネットワーク上の通信状況を監視して、他に送信を行っている者がいない場合に限ってデータの送信を開始します。

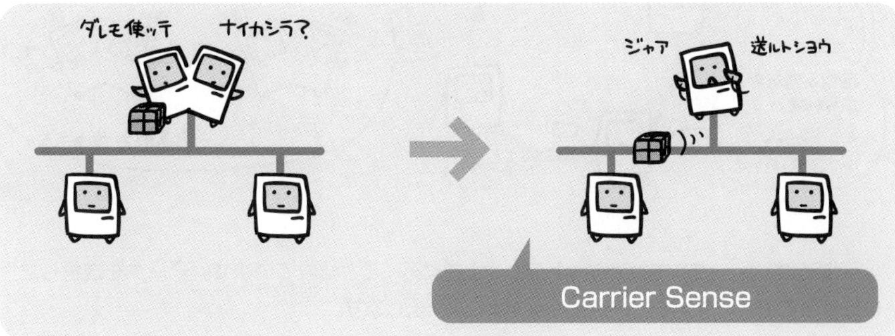

それでも同時に送信してしまい、通信パケットの衝突（コリジョン）が発生した場合は、各々ランダムに求めた時間分待機してから、再度送信を行います。

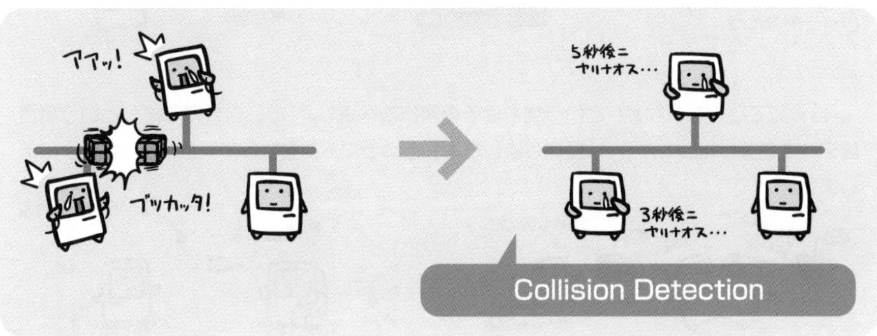

このように通信を行うことで、1本のケーブルを複数のコンピュータで共有することができるのです。

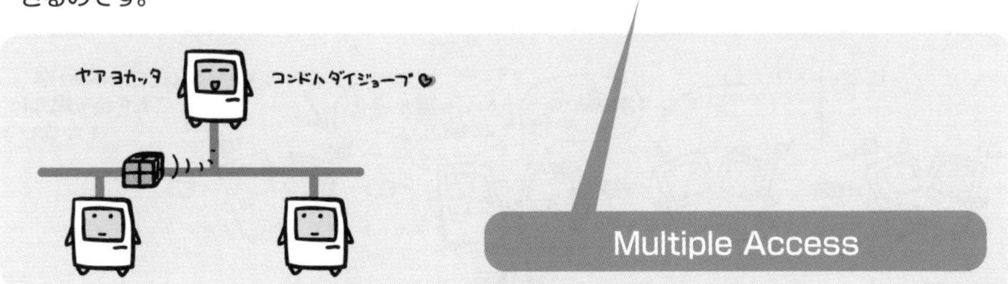

トークンリングとトークンパッシング方式

リング型LANの代表格であるトークンリングでは、アクセス制御方式にトークンパッシング方式を用います。

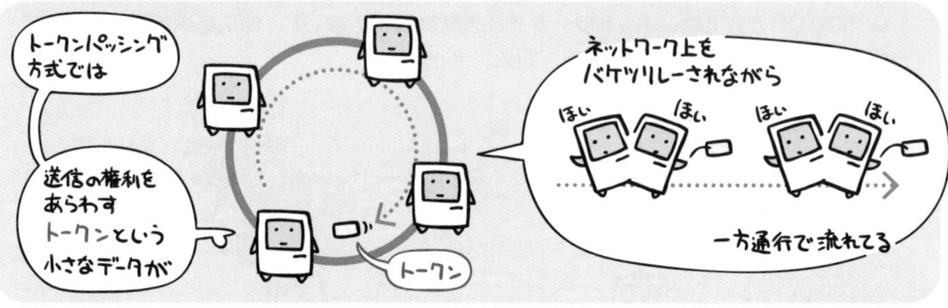

平常時は、トークンだけがネットワーク上をぐるぐると流れています。データを送信したい時は、このトークンにデータをくっつけて次へ流します。

「自分宛てじゃないなぁ」という場合はそのまま次へ流し、「あ、自分宛てだ」という場合はデータを受け取ってから、「受信しましたよ」というマークをつけて再度ネットワークに流します。

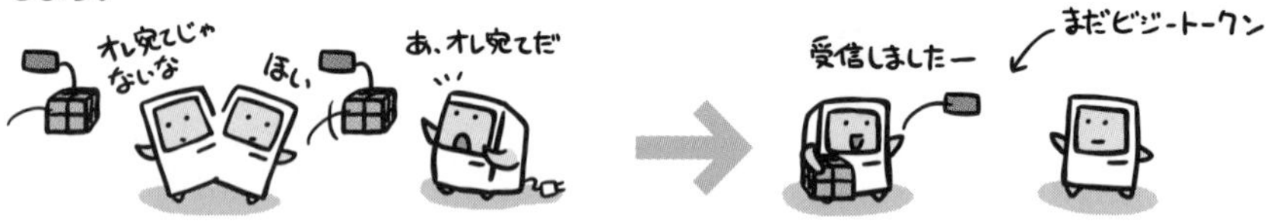

マークが付加されたトークンが送信元に到着すると、送信元はトークンをフリートークンに戻してからネットワークに放流します。これでネットワークは平常時の状態へと戻ります。

線がいらない無線LAN

ケーブルを必要とせず、電波などを使って無線で通信を行うLANが無線LANです。IEEE802.11シリーズとして規格化されています。

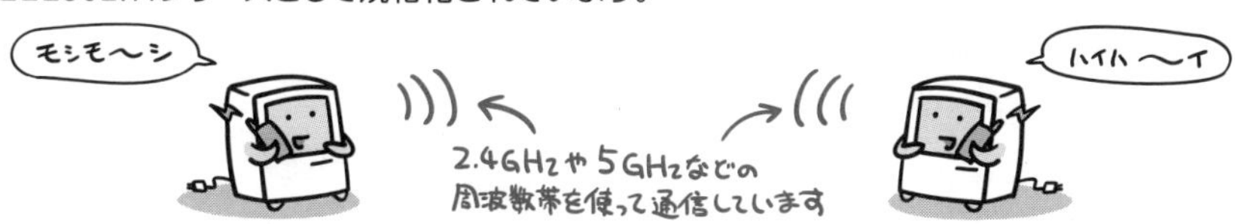

代表的な規格は次の通りです。

名称	周波数	最大通信速度	アンテナ数
IEEE 802.11	2.4GHz	2 Mbps	1本
IEEE 802.11b	2.4GHz	11 Mbps	1本
IEEE 802.11a	5GHz	54 Mbps	1本
IEEE 802.11g	2.4GHz	54 Mbps	1本
IEEE 802.11n (Wi-Fi 4)	2.4GHz/5GHz	600 Mbps	4本
IEEE 802.11ac (Wi-Fi 5)	5GHz	6.9 Gbps	8本
IEEE 802.11ax (Wi-Fi 6)	2.4GHz/5GHz	9.6 Gbps	8本

最大通信速度は、アンテナ数をフルに使った場合の数字なので、使用するアンテナの数が減るとその分通信速度は遅くなります

例えば「n」の場合、アンテナ1本あたりの通信速度は約150Mbpsです
それを4本束ねた場合に、最大通信速度の600Mbpsが出せるというわけですね

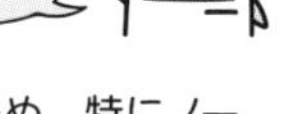

無線なので電波の届く範囲であれば自由に移動することができます。そのため、特にノートパソコンなど、持ち運びできる装置をLANへとつなぐ場合に便利です。

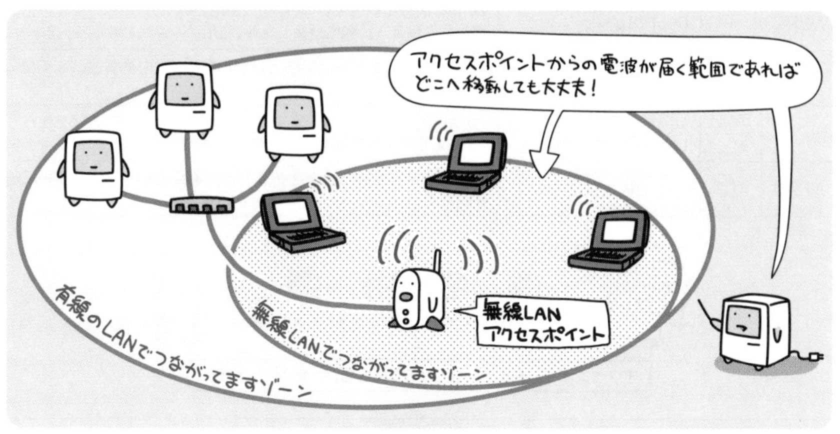

無線LANの通信方法には、前ページのようにアクセスポイントを基地局として用いる方式と、機器同士が直接通信を行う方式があります。

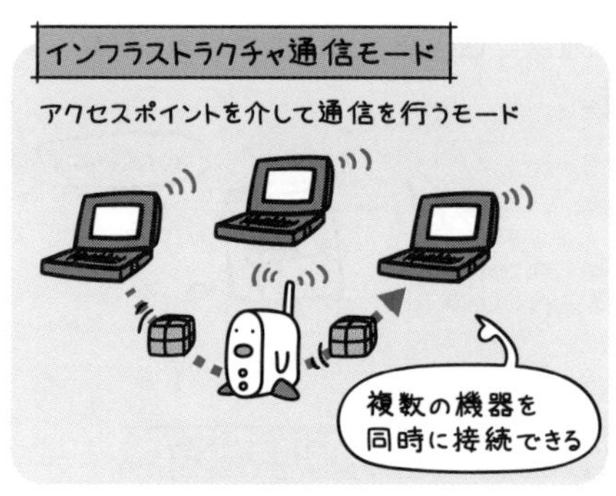

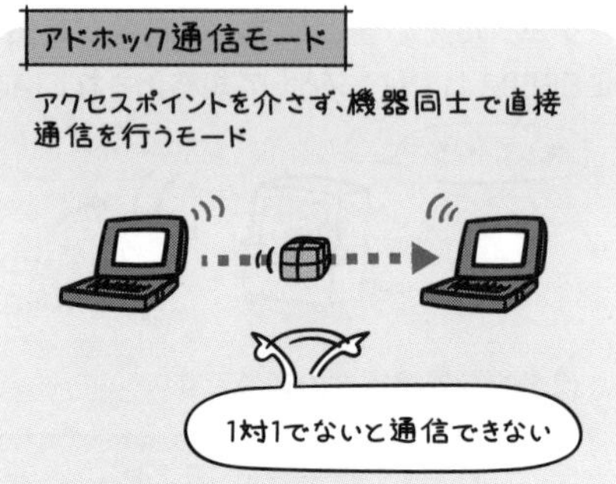

便利である反面、電波を盗聴されてしまう恐れもあるため、通信を暗号化するなど、しっかりとしたセキュリティ対策が必要になります。

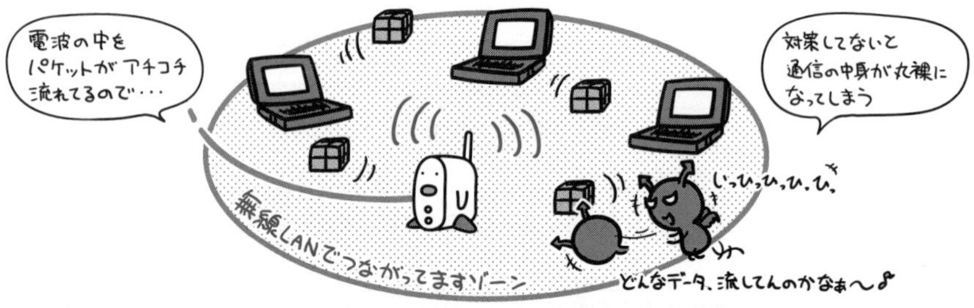

そこでこれらのような暗号化規格を用いてアクセスポイントと接続することになるわけです

暗号化方式		暗号化鍵の鍵長	説明
WEP		64/128ビット	Wi-Fiの暗号化規格として、最初に採用された方式。数分で暗号化が解かれてしまう脆弱性があるため、利用は非推奨となっている。
WPA	TKIP	128ビット	WEPのセキュリティ面を向上させた規格。だが、脆弱性がなくなったわけではないため、利用は推奨されていない。
	AES	128/192/256ビット	
WPA2	TKIP	128ビット	WPAを改良した規格で、現在の主流である規格。AES方式を使うことで、より安全性を高められる。
	AES	128/192/256ビット	
WPA3	AES	128/192/256ビット	WPA2で発見された脆弱性を解消した規格。個人用と企業用の2種類がある。

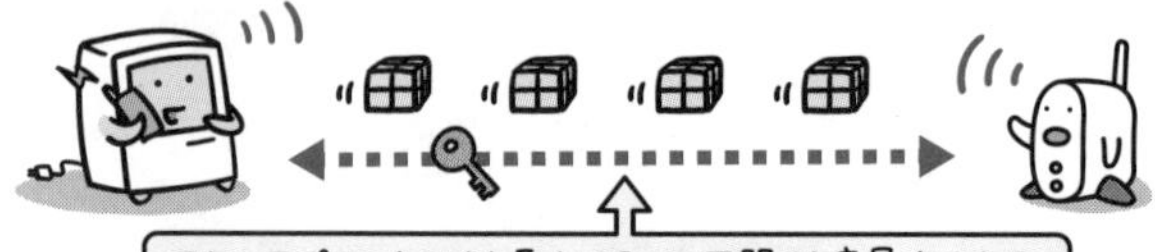

SSID（Service Set IDentifier）は無線LANにつける名前

無線LANは固有の名前を持ちます。これをSSID（もしくはESSID）と言います。

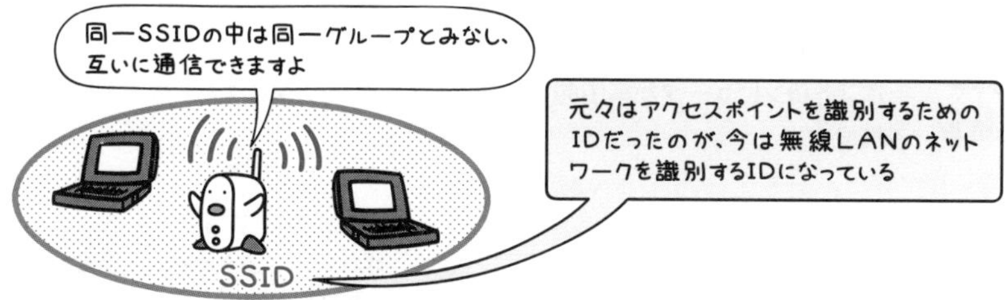

アクセスポイントを置く場合は、アクセスポイントにSSIDを設定します。機器同士が直接通信を行うモードでは、全ての機器に同一のSSIDを設定して使います。

このSSIDを隠して使うSSIDステルスという機能があります。SSIDを隠ぺいすることで、不正利用されるリスクを減少できるとされています。

他にもゲストSSIDという機能によって、インターネットへの接続のみを開放する使い方もあります。この場合利用者は、インターネット以外の…たとえば自宅や企業内の他の端末へはアクセスできないため、安全性を保つことができます。

クライアントとサーバ

ネットワークにより、複数のコンピュータが組み合わさって働く処理の形態にはいくつか種類があります。中でも代表的なのが次の2つです。

集中処理

ホストコンピュータが集中的に処理をして、他のコンピュータはそれにぶら下がる構成です。

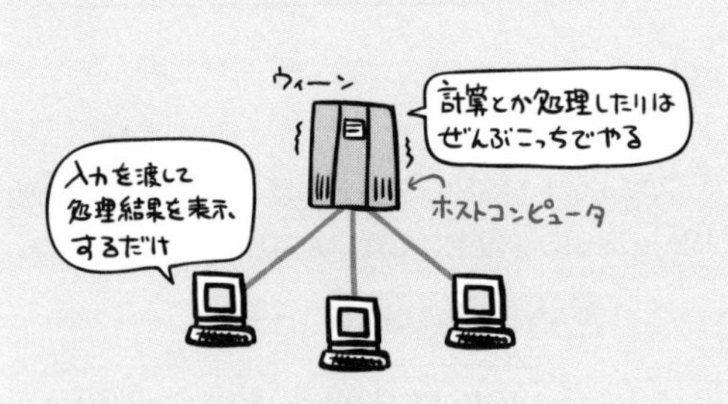

○ 長所はココ！

ホストコンピュータに集中して対策を施すことで…

① データの一貫性を維持・管理しやすい
② セキュリティの確保や運用管理がカンタン

× 短所はココ！

① システムの拡張がタイヘン
② ホストコンピュータが壊れると全体が止まっちゃう

分散処理

複数のコンピュータに負荷を分散させて、それぞれで処理を行うようにした構成です。

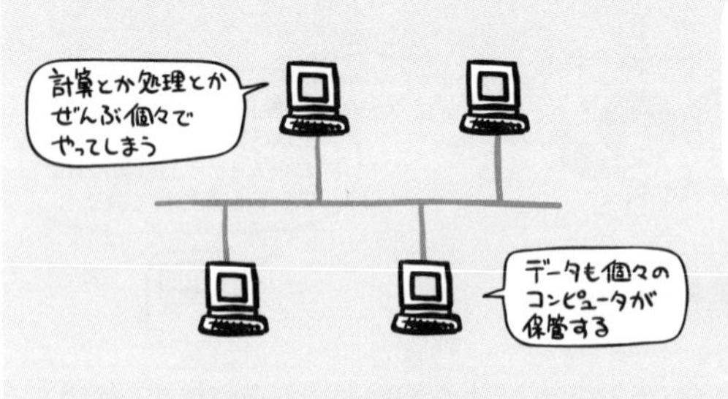

○ 長所はココ！

① システムの拡張がカンタン
② 一部のコンピュータが壊れても全体には影響しない

× 短所はココ！

① データの一貫性を維持・管理しづらい
② セキュリティの確保や運用管理がタイヘン

昔は小型のコンピュータがあまりに非力だったので、大型のコンピュータが処理を担当する「集中処理」が主流でした

しかしコンピュータの性能があがってきたことにより…

というわけで、分散処理ではあるんですが、集中処理のいいところも取り込んだようなシステム形態が出てきました。それが、クライアントサーバシステムです。

クライアントサーバシステム

集中的に管理した方が良い資源（プリンタやハードディスク領域など）やサービス（メールやデータベースなど）を提供するサーバと、必要に応じてリクエストを投げるクライアントという、2種類のコンピュータで処理を行う構成で、現在の主流となっています。

クライアント
サービスを要求する側
サーバ
サービスを提供する側
1カ所で管理すべき資源やサービスは、各種サーバによって管理されています
はいよ
プリントサーバ
はいよ
ファイルサーバ
クライアントは通常の処理は自前で行いますが…
え〜と ブツブツブツ
これ印刷してよ〜
こっちは保存しといて〜
必要に応じてリクエストを投げることで
サーバの管理下にある資源やサービスを利用します
サーバには、たとえばこんなものがあるですよ〜

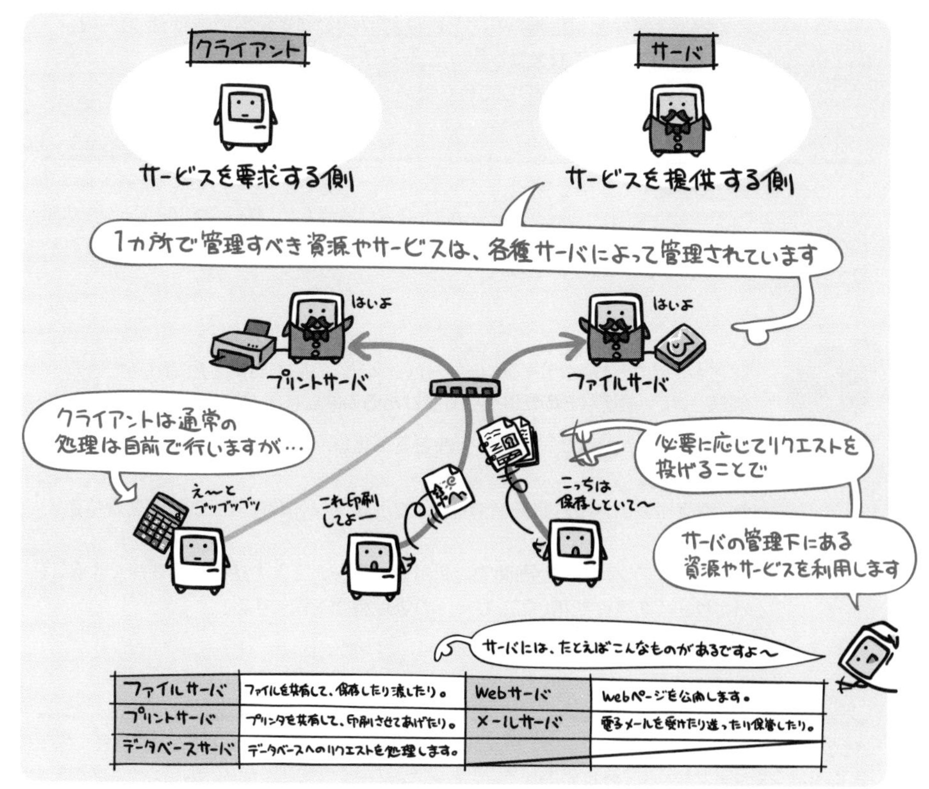

ファイルサーバ	ファイルを共有して、保存したり渡したり。	Webサーバ	Webページを公開します。
プリントサーバ	プリンタを共有して、印刷させてあげたり。	メールサーバ	電子メールを受けたり送ったり保管したり。
データベースサーバ	データベースへのリクエストを処理します。		

ちなみに、「サーバ」や「クライアント」というのは役割を示す言葉であり、そうした名前で専用の機械があるわけではありません。

ですから、サーバ自体がクライアントとして他のサーバに要求を出すこともありますし、1台のサーバマシンに複数のサーバ機能を兼任させることもあります。

このように出題されています
過去問題練習と解説

問1 (FE-R01-A-31)

CSMA/CD方式のLANに接続されたノードの送信動作として，適切なものはどれか。

ア　各ノードに論理的な順位付けを行い，送信権を順次受け渡し，これを受け取ったノードだけが送信を行う。

イ　各ノードは伝送媒体が使用中かどうかを調べ，使用中でなければ送信を行う。衝突を検出したらランダムな時間の経過後に再度送信を行う。

ウ　各ノードを環状に接続して，送信権を制御するための特殊なフレームを巡回させ，これを受け取ったノードだけが送信を行う。

エ　タイムスロットを割り当てられたノードだけが送信を行う。

解説

ア　トークンパッシング方式の説明です。トークンパッシング方式には，トークンバス方式とトークンリング方式の2つがあります。　イ　CSMA/CD 方式の説明です。詳しくは349ページを参照してください。　ウ　トークンリング方式の説明です。　エ　TSS (Time Sharing System) の説明です。

問2 (IP-R02-A-63)

記述a ～ dのうち，クライアントサーバシステムの応答時間を短縮するための施策として，適切なものだけを全て挙げたものはどれか。

a　クライアントとサーバ間の回線を高速化し，データの送受信時間を短くする。

b　クライアントの台数を増やして，クライアントの利用待ち時間を短くする。

c　クライアントの入力画面で，利用者がデータを入力する時間を短くする。

d　サーバを高性能化して，サーバの処理時間を短くする。

ア　a, b, c　　イ　a, d　　ウ　b, c　　エ　c, d

解説

aとd　そのとおりです。b　クライアントの台数を増すと、クライアントの利用待ち時間は長くなります。c　クライアントの入力画面で、利用者がデータを入力する時間を短くしても、クライアントサーバシステムの応答時間は変わりません。クライアントサーバシステムの応答時間は、クライアントからサーバにデータの送信が開始されてから、処理結果がサーバからクライアントに到着するまでの時間です（利用者がデータを入力する時間は含まれません）。

正解 ▶ 問1：イ　問2：イ

Chapter 12-2

プロトコルとパケット

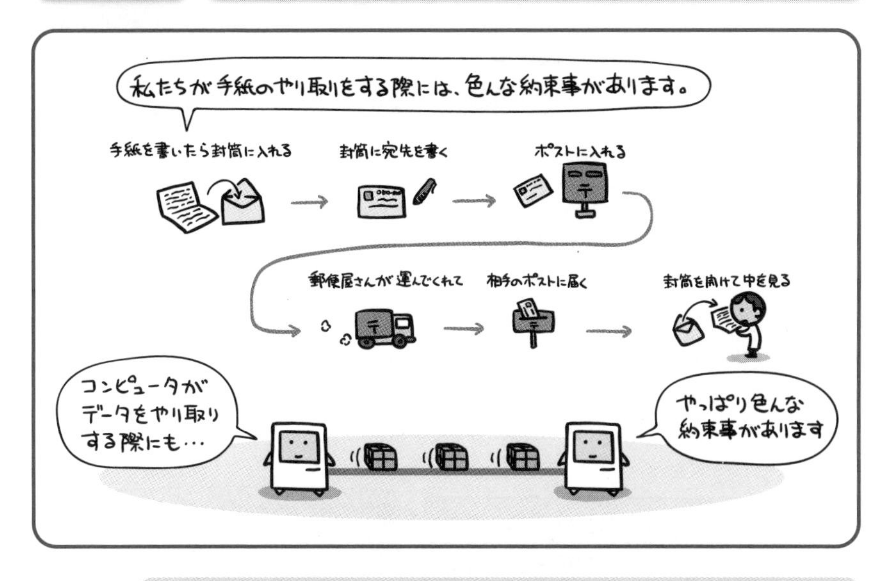

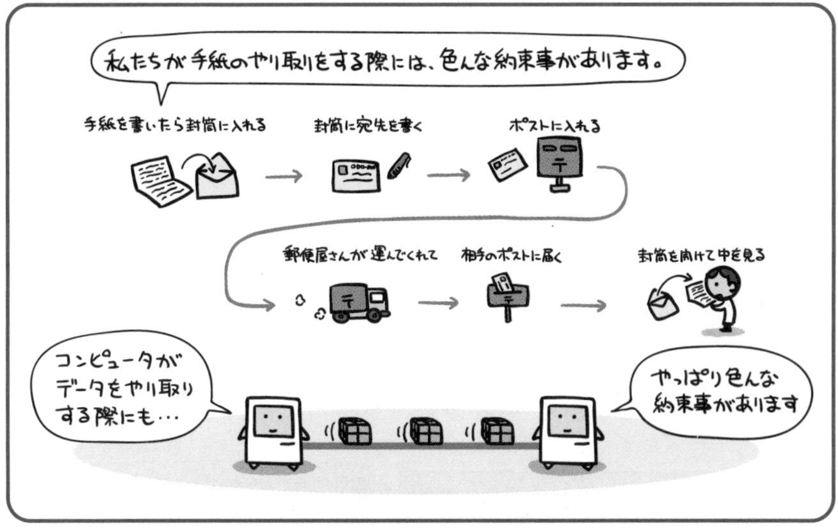

コンピュータは色んな約束事にのっとって、ネットワークを介したデータのやり取りを行います。

私たち人間は、言葉を使って情報を伝達することができます。でも、私は英語でペラペラ話しかけられたって「This is a pen.」くらいしかわかりません。そしてそんなことを話しかけてくる人はまずいません。つまりまるでわからない。これと同様に、英語しか話せない人に日本語で話しかけても、まず通じることはないでしょう。

つまり「言葉で情報を伝達できる」といったって、両方が同じ言語、同じ「言語という約束事」を共有できていないと意味がないわけです。

コンピュータのネットワークもこれと同じことが言えます。

どんなケーブルを使って、どんな形式でデータを送り、それをどうやって受け取って、どのように応答するか。全部共通の約束事が定められています。

考えてみれば、手紙をやり取りするのだって、電話をかけたり受けたりするのだって、全部なんらかの約束事が定められていますよね。

情報をやり取りするためには約束事が必要。その約束事を互いに共有するからこそ、間違いのない形で、相手に情報が送り届けられるのです。

プロトコルとOSI基本参照モデル

ネットワークを通じてコンピュータ同士がやり取りするための約束事。これをプロトコルといいます。

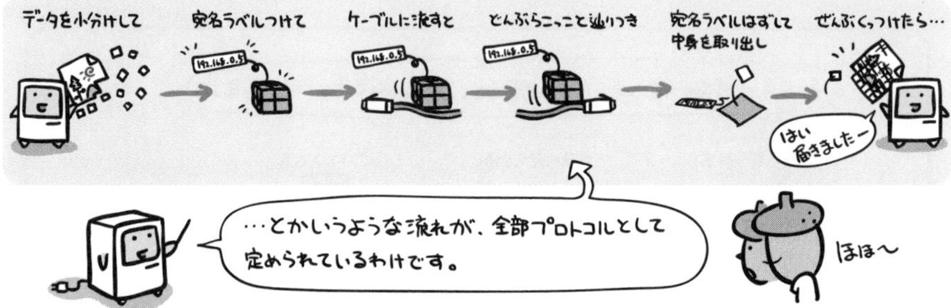

プロトコルには様々な種類があり、「どんなケーブルを使って」「どんなデータ形式で」といったことが、事細かに決まっています。それらを7階層に分けてみたのがOSI基本参照モデル。基本的には、この第1階層から第7階層までのすべてを組み合わせることで、コンピュータ同士のコミュニケーションが成立するようになっています。

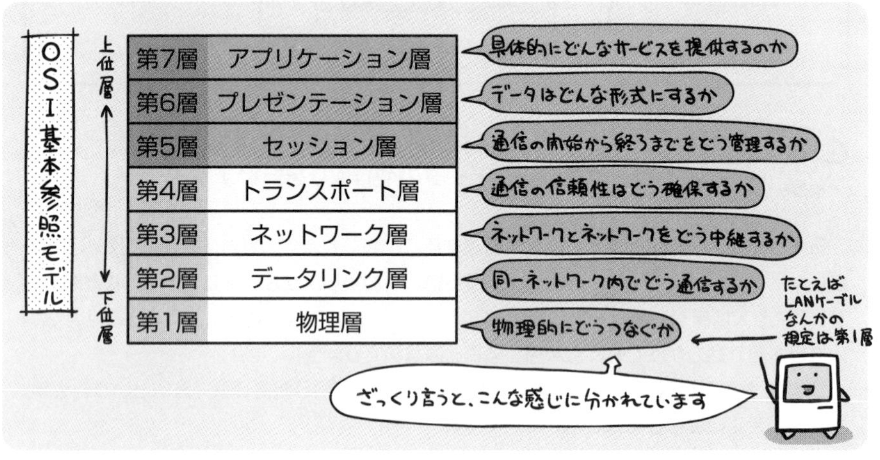

ちなみになんで階層に分けているのかというと、「プロトコルを一部改変したいんだけど、どの機能を差し替えればいいかなー」という時に、これなら一目瞭然だから。

現在は、インターネットの世界で標準とされていることから、「TCP/IP」というプロトコルが広く利用されています。

なんで「パケット」に分けるのか

TCP/IPというプロトコルを使うネットワークでは、通信データをパケットに分割して通信路へ流します。

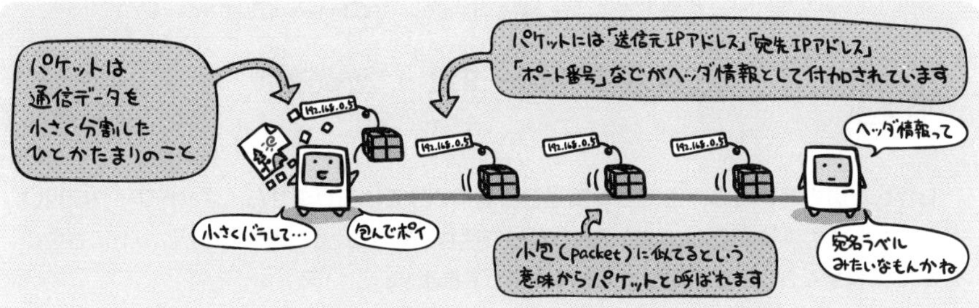

なんでわざわざ分割して流すのかというと、通信路上を流せるデータ量は有限だから。たとえば100BASE-TXのネットワークだと、1秒間に流せるのは100Mbitまでと決まってます。

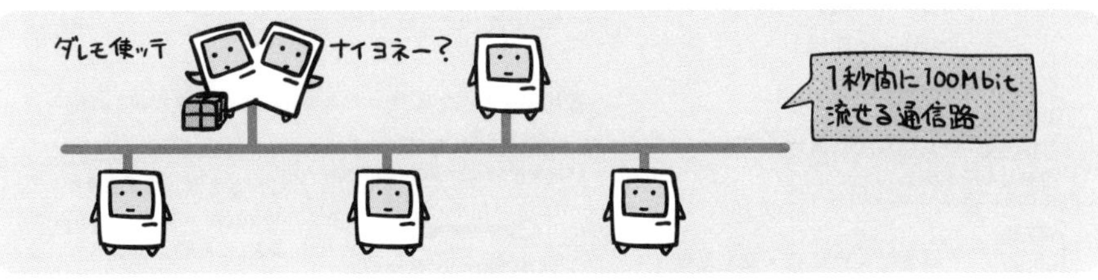

仮にデータを細切れにせず、そのままの形でドカンと流したとすると…。

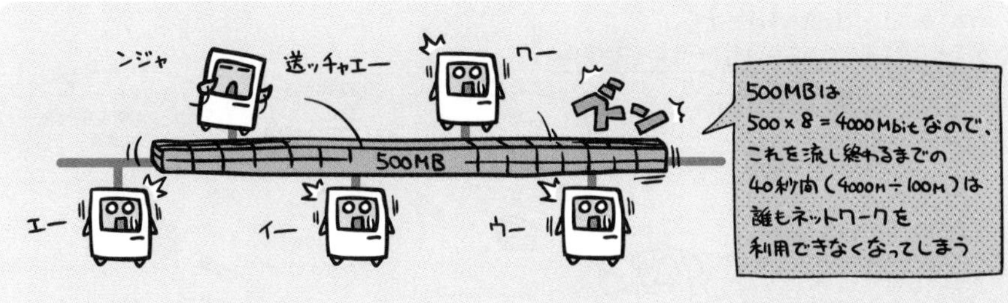

これを避けるために、小さなパケットに分割してから流すようにして、ネットワークの帯域を分け合っているのです。

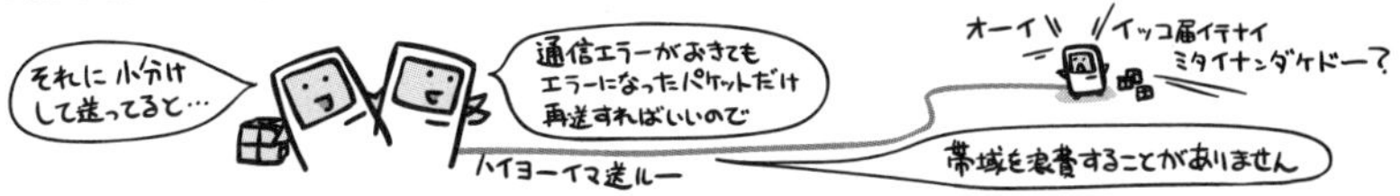

ネットワークの伝送速度

ネットワークの伝送に要する時間は、次の式によって求めることができます。

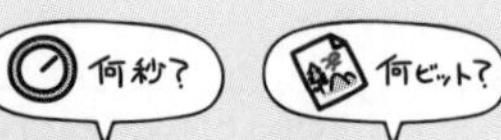

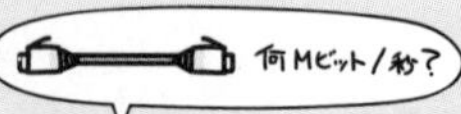

伝送時間 = データ量 ÷ 回線速度

しかし世の中というのは何でも理論通りに動くわけではありません。ネットワークに用いるケーブルは理論値100%の数値が出るわけではないですし、そこを流れるパケットにも色々と制御情報がくっついて元のサイズとは異なってきます。

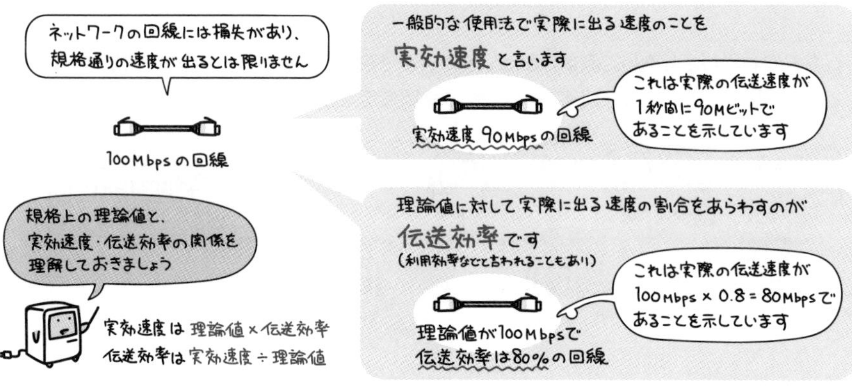

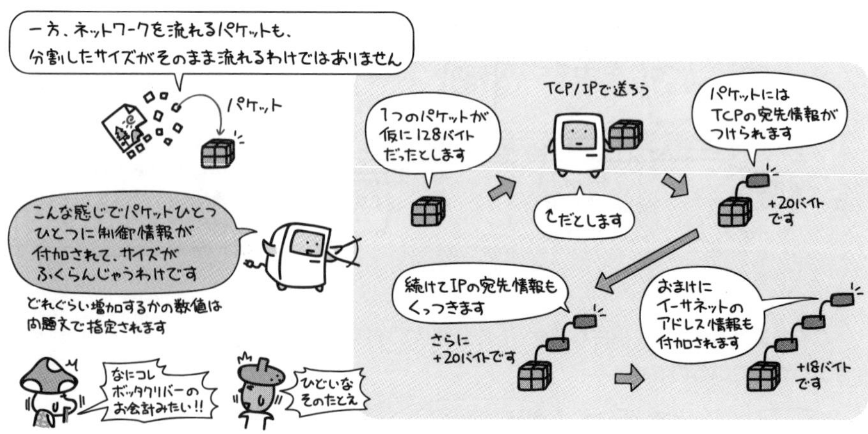

計算問題でこれらの条件が与えられた時は、その数字も加味して計算を行う必要があります。

このように出題されています

過去問題練習と解説

(FE-H27-A-31)

OSI基本参照モデルの第3層に位置し，通信の経路選択機能や中継機能を果たす層はどれか。

ア　セション層　　　　　イ　データリンク層

ウ　トランスポート層　　エ　ネットワーク層

解説

問題文中の「経路選択」や「中継」から、正解を「ネットワーク層」に絞り込みます。

(FE-H25-S-33)

OSI基本参照モデルにおけるネットワーク層の説明として，適切なものはどれか。

ア　エンドシステム間のデータ伝送を実現するために，ルーティングや中継などを行う。

イ　各層のうち，最も利用者に近い部分であり，ファイル転送や電子メールなどの機能が実現されている。

ウ　物理的な通信媒体の特性の差を吸収し，上位の層に透過的な伝送路を提供する。

エ　隣接ノード間の伝送制御手順（誤り検出，再送制御など）を提供する。

解説

ア　ネットワーク層の説明です。
イ　アプリケーション層の説明です。
ウ　物理層の説明です。
エ　データリンク層の説明です。

正解▶問1：エ　問2：ア

(FE-H20-A-52)

パケット交換方式に関する記述として，適切なものはどれか。

ア　情報を幾つかのブロックに分割し，各ブロックに制御情報を付加して送信する方式であり，誤り制御は網で行う。

イ　通信の呼ごとに，発信側と着信側との間に設定される物理回線を占有してデータを送受信する方式である。

ウ　転送するデータをセルと呼ばれる単位（固定長）に区切り，それぞれにあて先を付け，高速に交換する方式である。

エ　ネットワーク内の転送処理を簡単にした方式であり，誤り制御は網で行わず端末間で行う。

解説

ア　伝達したい情報を幾つかのブロックに分割したものをパケットといいます。たとえば、30kバイトの電子メールデータを10kバイト×3つに分け、それぞれにIPヘッダを付けて3個のIPパケットにします。

イ　回線交換方式に関する記述です。

ウ　ATM（Asynchronous Transfer Mode）に関する記述です。

エ　フレームリレーに関する記述です。

(IP-R02-A-95)

伝送速度が20Mbps（ビット/秒），伝送効率が80%である通信回線において，1Gバイトのデータを伝送するのに掛かる時間は何秒か。ここで，1Gバイト$=10^3$Mバイトとする。

ア　0.625　　イ　50　　ウ　62.5　　エ　500

解説

問題の条件に従って、下記のように計算します。

(1) 通信回線の実効速度
20Mbps × 伝送効率が80% ＝ 16 Mbps（★）

(2) 1Gバイトのデータを伝送するのに掛かる時間
1Gバイト（=1,000Mバイト）× 8ビット ÷ 16 Mbps（★）＝ 500....秒

正解▶問3：ア　問4：エ

Chapter 12-3

ネットワークを構成する装置

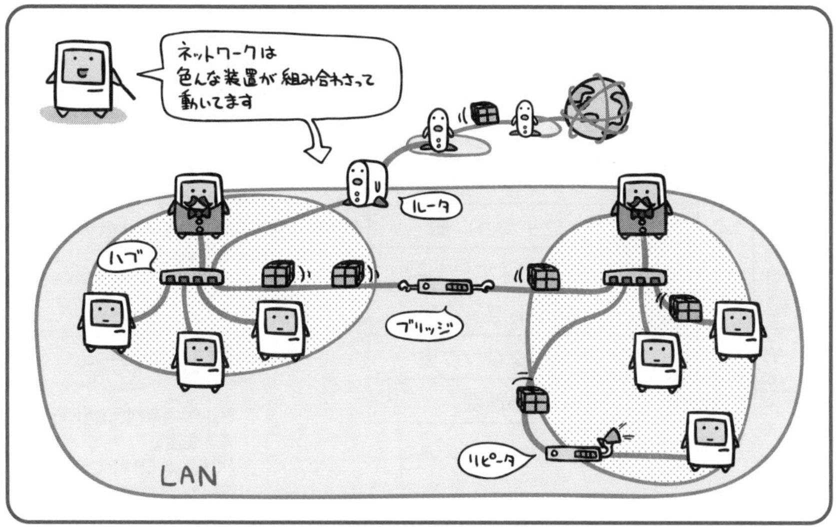

ネットワークの世界で働く代表的な装置には、
ルータやハブ、ブリッジ、リピータなどがあります。

もっともシンプルなネットワークといえば、コンピュータとコンピュータをケーブルで直結しちゃう形でしょう。しかしこれでは、計2台のネットワークしか構築できませんし、当然インターネットにだってつながりゃしない。

「もっとたくさんのコンピュータをつなぎたい」

それにはハブと呼ばれる装置が必要になります。

「インターネットにもつなぎたい」

だったら別のネットワークに中継してくれるルータなる装置が必要ですね。

…と、こんな感じで、ネットワークにはその用途に応じて様々な装置が用意されています。それらを組み合わせることによって、コンピュータの台数が増減できたり、ネットワークのつながる範囲が広がったりと、環境にあわせた柔軟な構成をつくることができるのです。

LANの装置とOSI基本参照モデルの関係

ネットワークで用いる各装置というのは、その装置が「どの層に属するか」「なにを中継するか」を知ることで、より理解しやすくなるものです。

そんなわけで、まずは代表的な装置になにがあるかと、それらがOSI基本参照モデルでいうとどの層に属しているのかといったあたりを見ていきましょう。

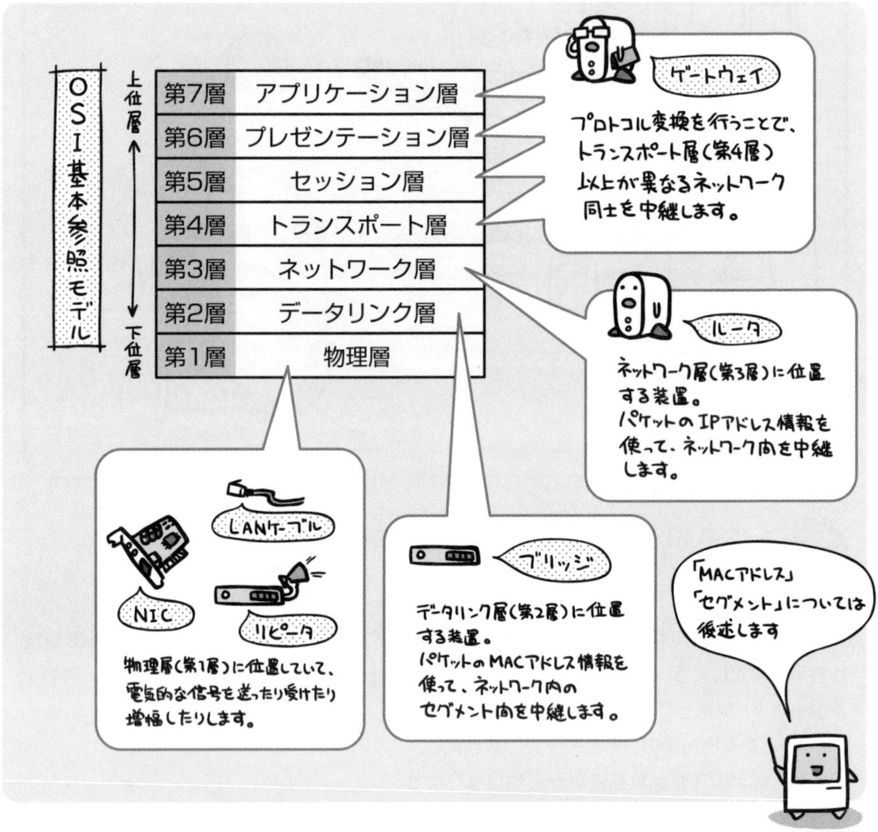

OSI基本参照モデル

上位層 ↑ ↓ 下位層

第7層	アプリケーション層
第6層	プレゼンテーション層
第5層	セッション層
第4層	トランスポート層
第3層	ネットワーク層
第2層	データリンク層
第1層	物理層

ゲートウェイ

プロトコル変換を行うことで、トランスポート層（第4層）以上が異なるネットワーク同士を中継します。

ルータ

ネットワーク層（第3層）に位置する装置。
パケットのIPアドレス情報を使って、ネットワーク間を中継します。

LANケーブル

NIC

リピータ

物理層（第1層）に位置していて、電気的な信号を送ったり受けたり増幅したりします。

ブリッジ

データリンク層（第2層）に位置する装置。
パケットのMACアドレス情報を使って、ネットワーク内のセグメント間を中継します。

「MACアドレス」「セグメント」については後述します

ちなみに、なんでネットワークの速度はバイトじゃなくてビットであらわすのかというと、実際の通信路を構成するNICやLANケーブルが属する物理層では、単に「1か0か（オンかオフか）」という電気信号を扱うだけだから。

電気信号以外のことなんか知ったこっちゃないので、「どれだけのオンオフを1秒間に流せるか」という表記の方が向いている…というわけですね。

NIC (Network Interface Card)

コンピュータをネットワークに接続するための拡張カードがNICです。LANボードとも呼ばれます。

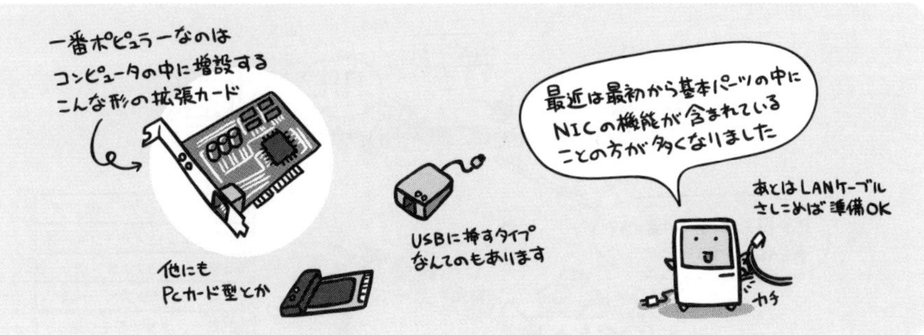

NICの役割は、データを電気信号に変換してケーブル上に流すこと。そして受け取ることです。

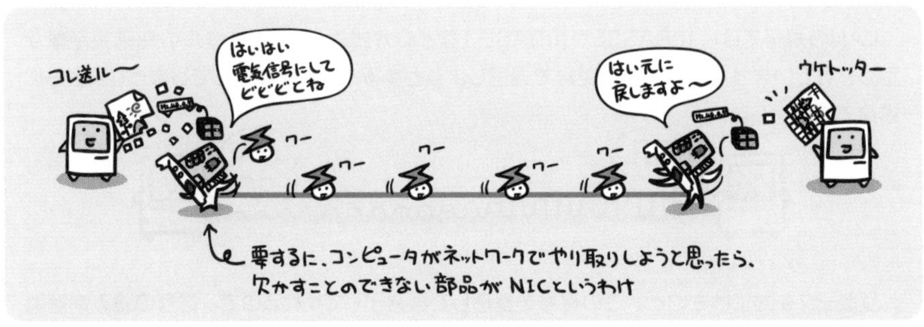

NICをはじめとするネットワーク機器には、製造段階でMACアドレスという番号が割り振られています。これはIEEE（米国電気電子技術者協会）によって管理される製造メーカ番号と、自社製品に割り振る製造番号との組み合わせで出来ており、世界中で重複しない一意の番号であることが保証されています。

イーサネットでは、このMACアドレスを使って各機器を識別します。

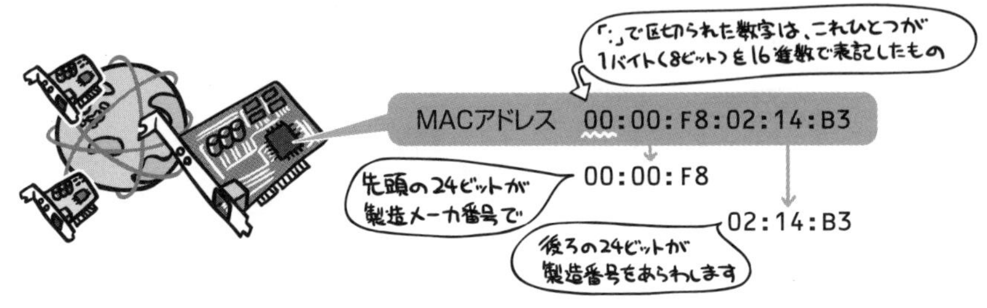

リピータ

リピータは物理層（第1層）の中継機能を提供する装置です。
ケーブルを流れる電気信号を増幅して、LANの総延長距離を伸ばします。

LANの規格では、10BASE5や10BASE-Tなどの方式ごとに、ケーブルの総延長距離が定められています。それ以上の距離で通信しようとすると、信号が歪んでしまってまともに通信できません。

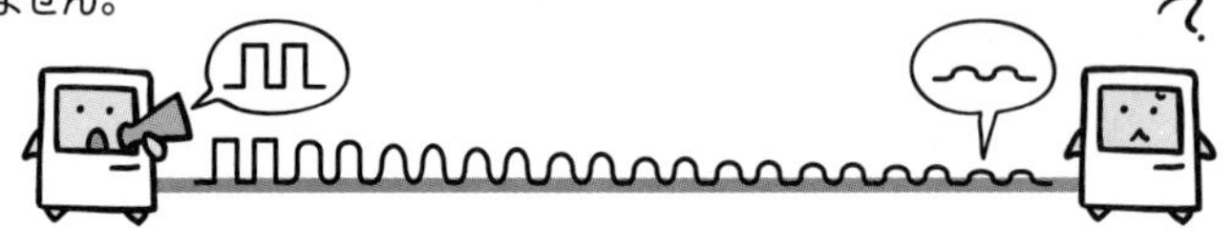

リピータを間にはさむと、この信号を整形して再送出してくれるので、信号の歪みを解消することができます。

パケットの中身を解さず、ただ電気信号を増幅するだけなので、不要なパケットも中継してしまうあたりが少々難なところです。

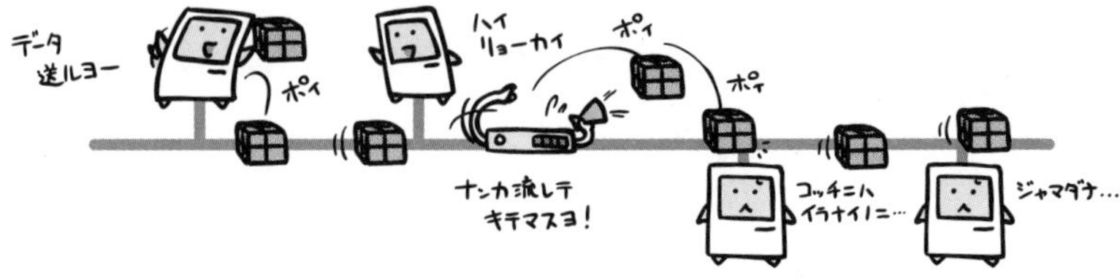

ちなみに、ネットワークに流したパケットは、宛先が誰かに依らずとにかく全員に渡されるわけですが…。

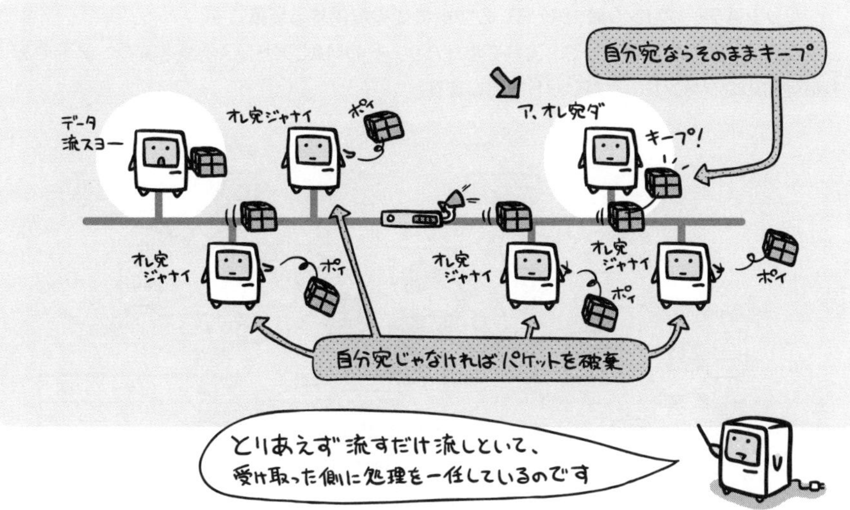

この、「無条件にデータが流される範囲（論理的に1本のケーブルでつながっている範囲）」をセグメントと呼びます。

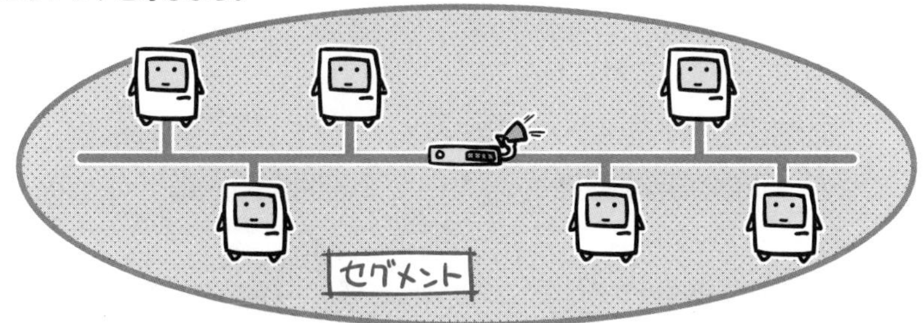

ひとつのセグメント内に大量のコンピュータがつながれていると、パケットの衝突(コリジョン）が多発するようになって、回線の利用効率が下がります。

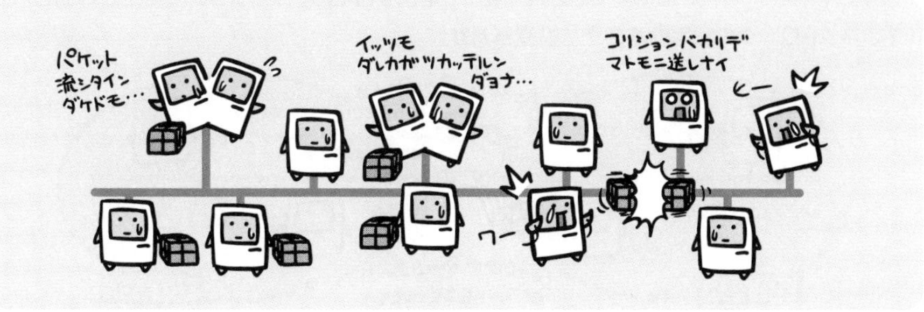

ブリッジ

ブリッジはデータリンク層（第2層）の中継機能を提供する装置です。

セグメント間の中継役として、流れてきたパケットのMACアドレス情報を確認、必要であれば他方のセグメントへとパケットを流します。

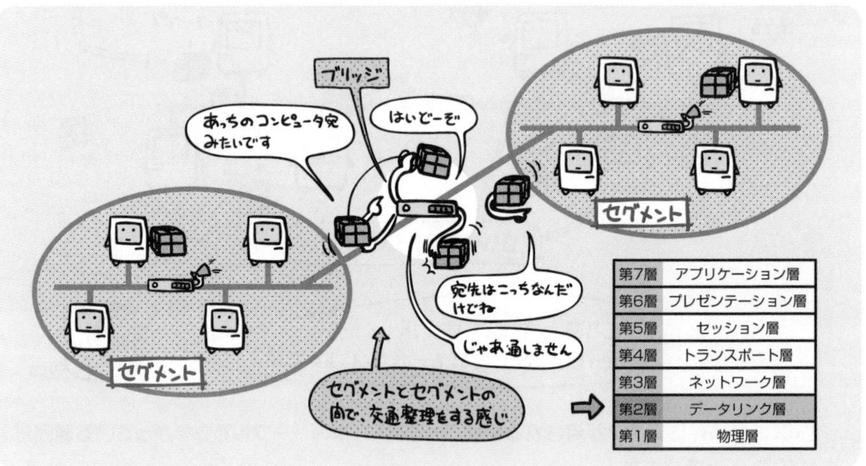

ブリッジは、流れてきたパケットを監視することで、最初に「それぞれのセグメントに属するMACアドレスの一覧」を記憶してしまいます。

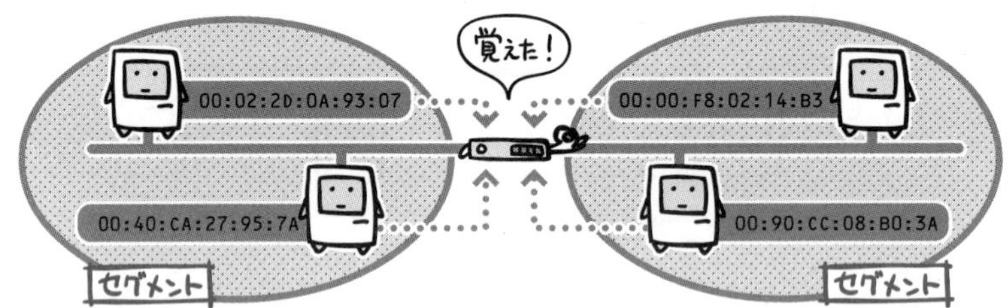

以降はその一覧に従って、セグメント間を橋渡しする必要のあるパケットだけ中継を行います。中継パケットはCSMA/CD方式に従って送出するため、コリジョンの発生が抑制されて、ネットワークの利用効率向上に役立ちます。

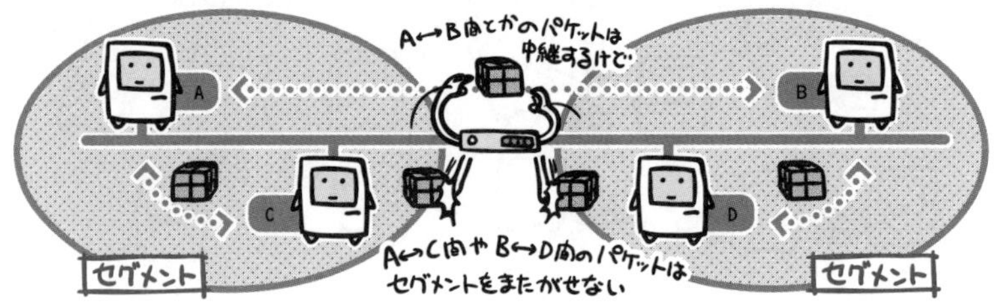

ハブ

ハブは、LANケーブルの接続口（ポート）を複数持つ集線装置です。

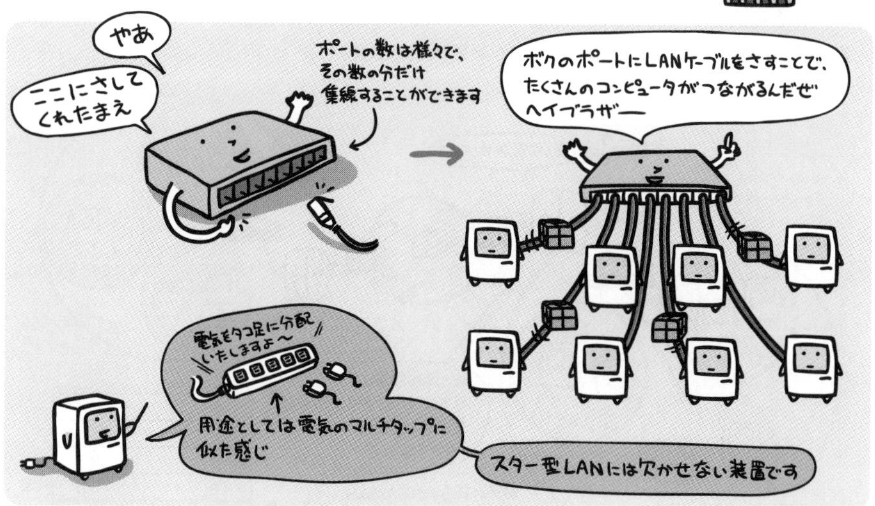

ハブには内部的にリピータを複数束ねたものであるリピータハブと、ブリッジを複数束ねたものであるスイッチングハブの2種類があります。

それぞれ次のように動作します。

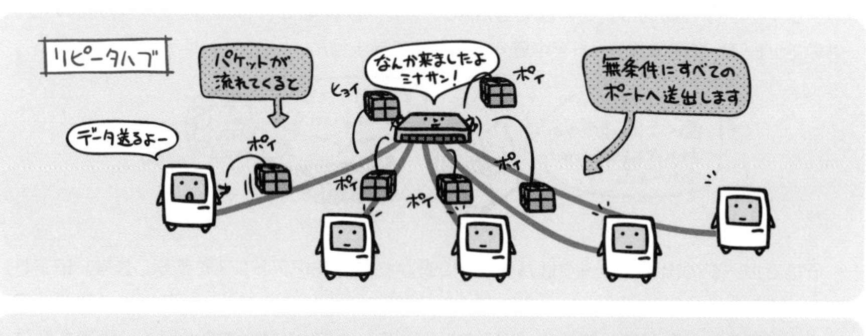

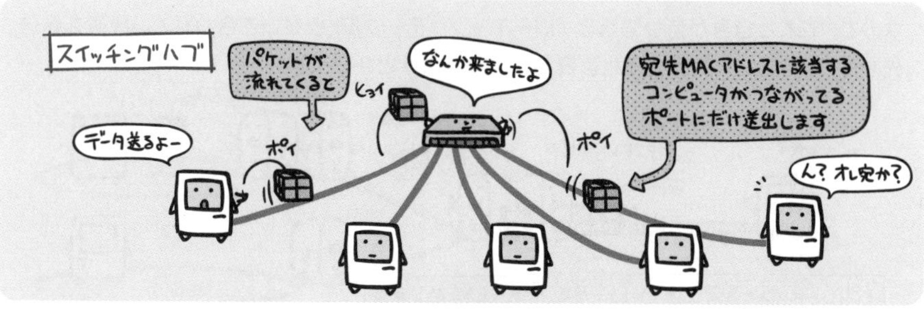

ルータ

ルータはネットワーク層（第3層）の中継機能を提供する装置です。

異なるネットワーク（LAN）同士の中継役として、流れてきたパケットのIPアドレス情報を確認した後に、最適な経路へとパケットを転送します。

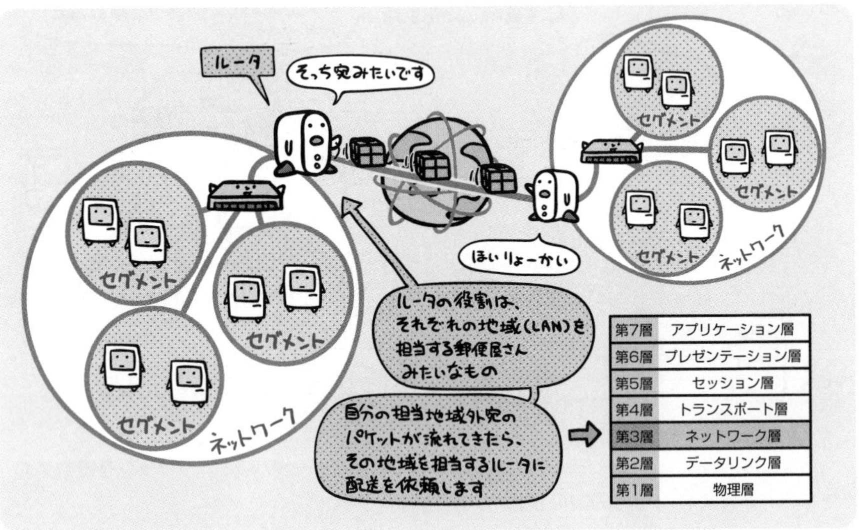

ブリッジが行う転送は、あくまでもMACアドレスが確認できる範囲でのみ有効なので、外のネットワーク宛のパケットを中継することはできません。

そこでルータの出番。ルータはパケットに書かれた宛先IPアドレスを確認します。IPアドレスというのは、「どのネットワークに属する何番のコンピュータか」という内容を示す情報なので、これと自身が持つ経路表（ルーティングテーブル）とをつき合わせて、最適な転送先を選びます。このことを経路選択（ルーティング）と呼びます。

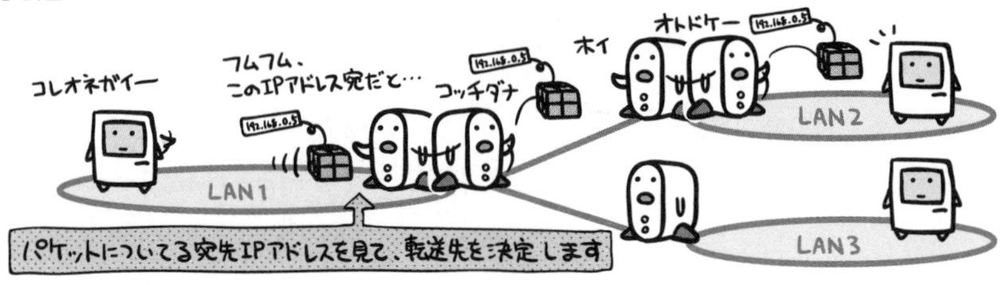

といっても、いつも隣接しているネットワーク宛とばかりは限りません。特にインターネットのように、接続されているネットワークが膨大な数となる場合には、直接相手のネットワークに転送するのはまず不可能です。

そのような場合は、「アッチなら知ってんじゃね?」というルータに放り投げる。

そこもわかんなきゃ、さらに次へ、さらに次へと、ルータ同士がさながらバケツリレーのようにパケットの転送を繰り返して行くことで、いつかは目的地のネットワークへと辿り着く…と、そういう仕組みになっているのです。

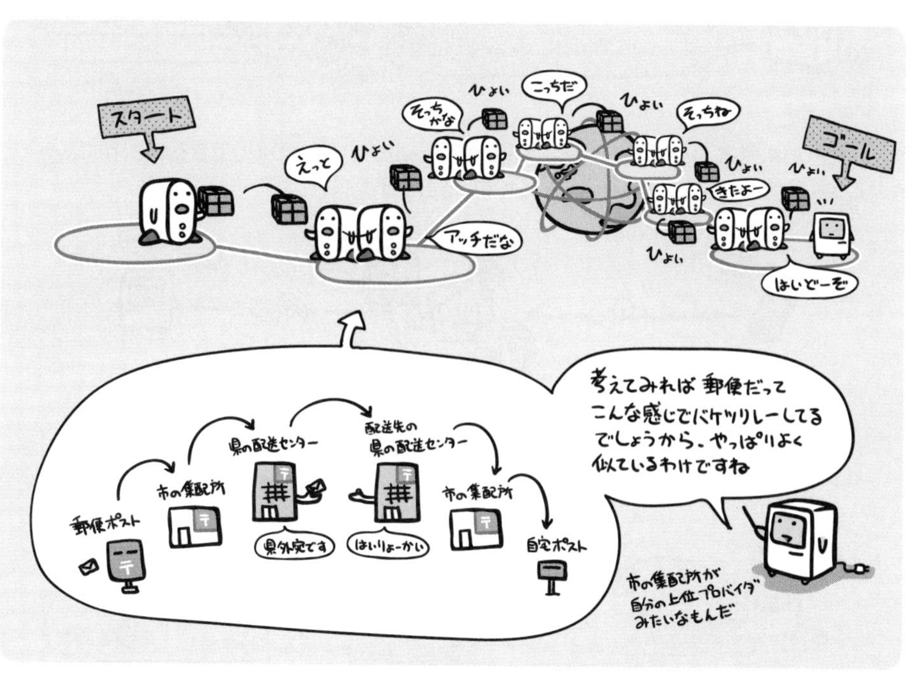

ゲートウェイ

ゲートウェイはトランスポート層（第4層）以上が異なるネットワーク間で、プロトコル変換による中継機能を提供する装置です。

ネットワーク双方で使っているプロトコルの差異をこの装置が変換、吸収することで、お互いの接続を可能とします。

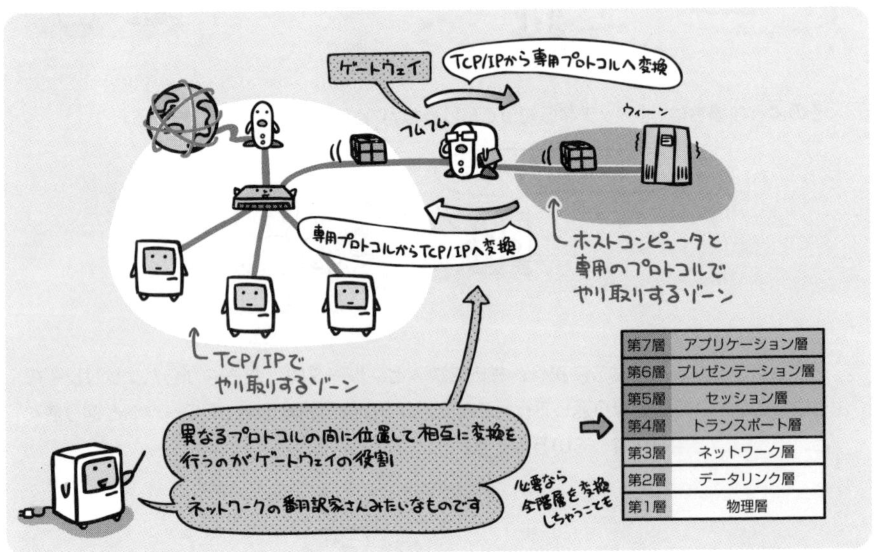

第7層	アプリケーション層
第6層	プレゼンテーション層
第5層	セッション層
第4層	トランスポート層
第3層	ネットワーク層
第2層	データリンク層
第1層	物理層

たとえば、携帯メールとインターネットの電子メールが互いにやり取りできるのも、間にメールゲートウェイという変換器が入ってくれているおかげ。

ゲートウェイは、専用の装置だけではなく、その役割を持たせたネットワーク内のコンピュータなども該当します。

SDN（Software-Defined Network）と OpenFlow

ネットワーク機器というのは、通常だとそれぞれが制御機能を持ち、自身の学習した情報を元にして、パケットの転送処理を行います。

当然ネットワーク管理者は、設定変更を行う際には、個々の機器に対して個別に作業しなくてはなりません。

この制御機能をソフトウェア化して分離させることにより、柔軟なネットワーク構成を可能とする技術の総称をSDN（Software-Defined Network）と言います。

このSDNを実現する技術の1つにOpenFlowがあります。

従来のネットワーク機器とは異なり、経路制御の機能部分とデータ転送の機能部分を分離させることによって、管理者が経路制御を柔軟に設計・実装して必要な機能を実現できるようにしています。

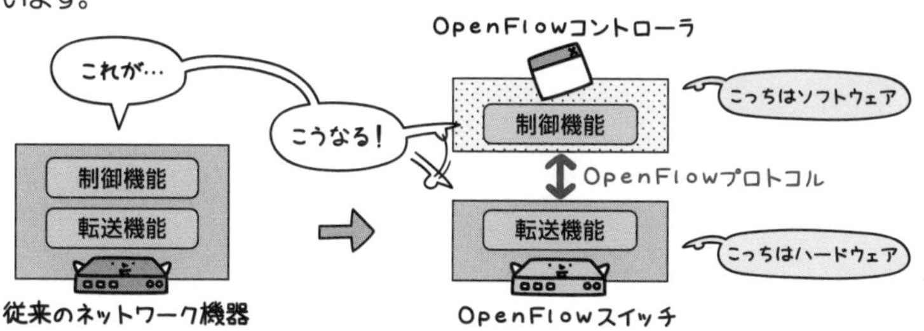

このように出題されています 過去問題練習と解説

問 1

(FE-R06-08)

LAN間接続装置に関する記述のうち，適切なものはどれか。

ア　ゲートウェイは，OSI基本参照モデルにおける第1～3層だけのプロトコルを変換する。

イ　ブリッジは，IPアドレスを基にしてフレームを中継する。

ウ　リピータは，同種のセグメント間で信号を増幅することによって伝送距離を延長する。

エ　ルータは，MACアドレスを基にしてフレームを中継する。

解説

ア　ゲートウェイは、OSI基本参照モデルにおける第4層以上のプロトコルを変換します。

イ　ブリッジは、MACアドレスを基にしてフレームを中継します。

ウ　そのとおりです。リピータは、366～367ページを参照してください。

エ　ルータは、IPアドレスを基にしてパケットを中継します。

問 2

(FE-H29-S-33)

ルータがパケットの経路決定に用いる情報として，最も適切なものはどれか。

ア　宛先IPアドレス　　イ　宛先MACアドレス

ウ　発信元IPアドレス　　エ　発信元MACアドレス

解説

ルータは、パケットの中にある「宛先IPアドレス」を参照して、経路を決定します。「宛先IPアドレス」は、パケットが最終的に到達すべき目的地を示すIPアドレスです。

(FE-H29-A-32)

ネットワーク機器の一つであるスイッチングハブ（レイヤ2スイッチ）の特徴として，適切なものはどれか。

ア　LANポートに接続された端末に対して，IPアドレスの動的な割当てを行う。

イ　受信したパケットを，宛先MACアドレスが存在するLANポートだけに転送する。

ウ　受信したパケットを，全てのLANポートに転送（ブロードキャスト）する。

エ　受信したパケットを，ネットワーク層で分割(フラグメンテーション）する。

解説

各選択肢は、下記の特徴を示しています。

ア　DHCP (Dynamic Host Configuration Protocol)

イ　スイッチングハブ

ウ　リピータハブ

エ　ルータ

正解▶問1：ウ　問2：ア　問3：イ

Chapter 12-4 データの誤り制御

データの誤りとは、ビットの内容が「0→1」「1→0」と、ノイズやひずみによって、異なる値に化けてしまうことです。

コンピュータがデータを細切れにして送ることができるのは、そのデータが区切りのあるデジタルなデータだから…でしたよね。そしてそのデータは、突き詰めていくと結局は0か1かの、ビットの集まりなのでありました。

でもケーブルの上を「0なら0」「1なら1」というはっきりしたデータが流れるわけじゃありません。ケーブルの上を流れるのは、あくまでも単なる電気的な信号のみ。この信号の波形を、「この範囲の波形は0」「この範囲の波形は1」と値に置き換えることで、ビットの内容をやり取りしているわけです。

さて、「電気的な信号」なのですから、伝送距離が伸びれば信号は減衰していきますし、横から別の電気的な干渉を加えてやれば、当然波形は乱れます。波形が乱れれば、0か1かの判断も狂うというのは容易に想像できる話です。

こうして生まれるのがデータの誤りです。

データの誤りを、100%確実に防ぐ手段はありません。そこで、パリティチェックやCRC（巡回冗長検査）などの手法を用いて、誤りを検出したり訂正したりするのです。

パリティチェック

パリティチェックでは、送信するビット列に対して、パリティビットと呼ばれる検査用のビットを付加することで、データの誤りを検出します。

パリティビットを付加する方法には2種類あって…

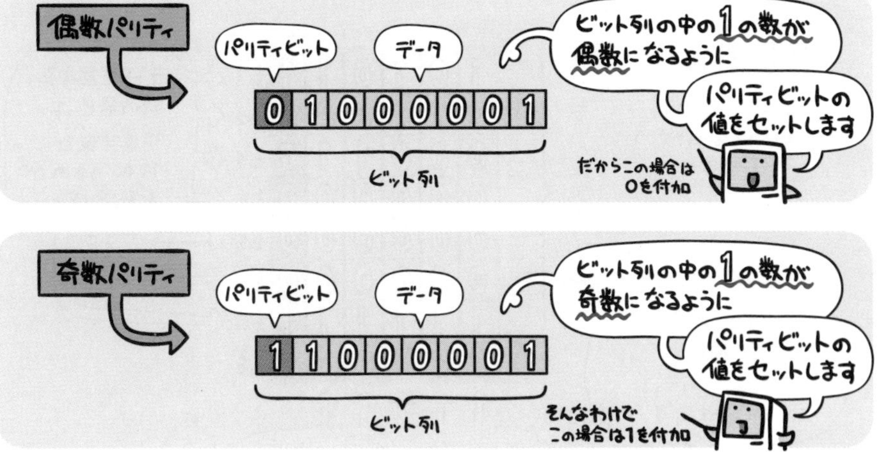

たとえば「A」という文字を偶数パリティで送る場合を考えてみましょう。この場合は、次のようにパリティビットが付加されます。

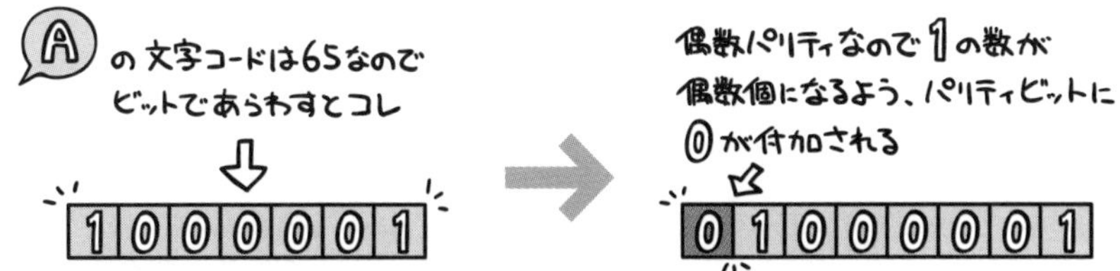

これが受信側で一部化けていたとすると…

ただしパリティチェックで可能なのは、「1ビットの誤り」を検出することだけ。偶数個のビット誤りは検出できませんし、「どのビットが誤りか」ということもわかりません。したがってこの方式では、誤り訂正も行えません。

水平垂直パリティチェック

パリティビットは、「どの方向に付加するか」によって垂直パリティと水平パリティに分かれます。

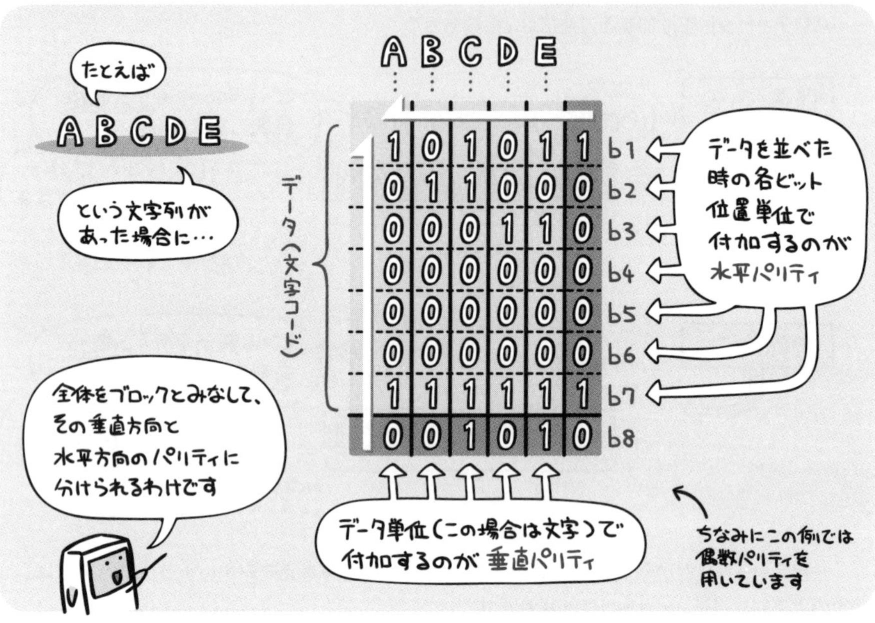

この2つのパリティを組み合わせて使うのが水平垂直パリティです。

縦横両面から誤りを検出できるので、1ビットの誤りであれば位置を特定することができ、誤り訂正が行えます。

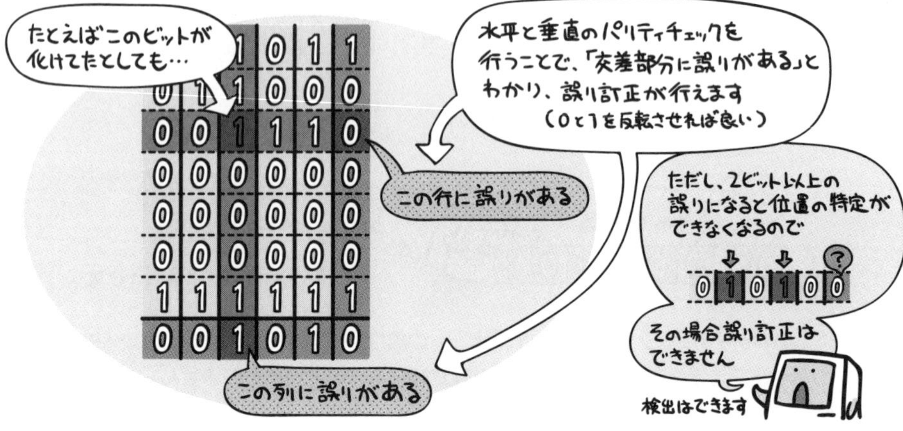

CRC（巡回冗長検査）

CRC（Cyclic Redundancy Check）は、ビット列を特定の式（生成多項式と呼ばれる）で割り、その余りをチェック用のデータとして付加する方法です。

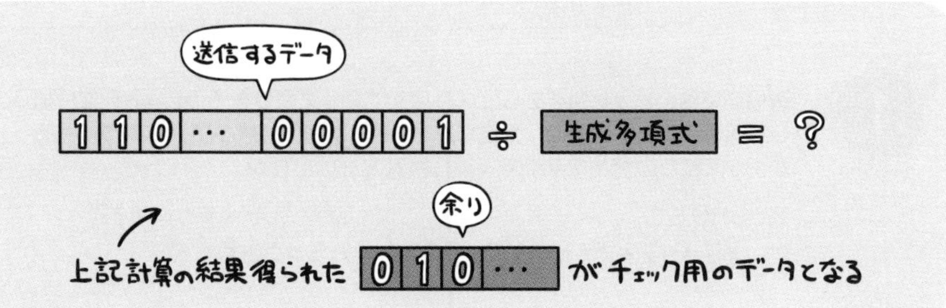

送信側は、計算で得られた余りを、元々のビット列にくっつけて送信データとします。実はこうすることで、そのデータは、計算に用いた生成多項式で「割り切れるはずの数」に変わります。

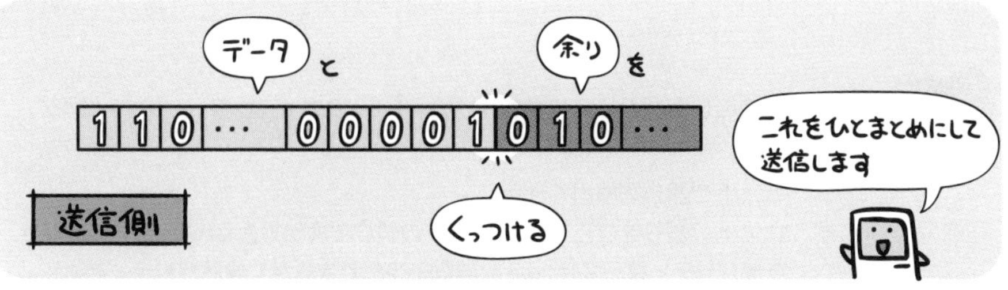

したがってデータを受信した側は、送信側と同一の生成多項式を使って、受信データを割り算します。当然データに問題がなければ割り切れるはずですから…

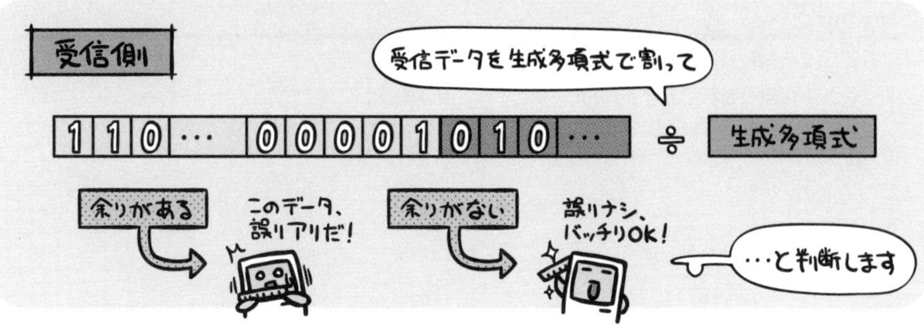

この方式では、データの誤り訂正は行えませんが、連続したビットの誤り（バースト誤りと言う）など、複数ビットの誤りを検出することができます。

このように出題されています
過去問題練習と解説

(FE-H29-A-02)

送信側では，ビット列をある生成多項式で割った余りをそのビット列に付加して送信し，受信側では，受信したビット列が同じ生成多項式で割り切れるか否かで誤りの発生を判断する誤り検査方式はどれか。

ア　CRC方式　　イ　垂直パリティチェック方式
ウ　水平パリティチェック方式　　エ　ハミング符号方式

解説

ア　CRC方式の説明は、379ページを参照してください。
イとウ　垂直パリティチェック方式および水平パリティチェック方式の説明は、378ページを参照してください。
エ　ハミング符号方式は、データに冗長ビットを付加して、1ビットの誤りを訂正できるようにしたものです。

(FE-H25-S-04)

通信回線の伝送誤りに対処するパリティチェック方式（垂直パリティ）の記述として，適切なものはどれか。

ア　1ビットの誤りを検出できる。
イ　1ビットの誤りを訂正でき，2ビットの誤りを検出できる。
ウ　奇数パリティならば1ビットの誤りを検出できるが，偶数パリティでは1ビットの誤りも検出できない。
エ　奇数パリティならば奇数個のビット誤りを，偶数パリティならば偶数個のビット誤りを検出できる。

解説

ア　1ビットの誤りを検出できます。
イ　1ビットの誤りを訂正できませんし、2ビットの誤りも検出できません。
ウ　奇数パリティ・偶数パリティの両方とも1ビットの誤りを検出できます。
エ　奇数パリティ・偶数パリティの両方とも2ビット以上の誤りを検出できません。

正解▶問1:ア　問2:ア

Chapter 12-5 TCP/IPを使ったネットワーク

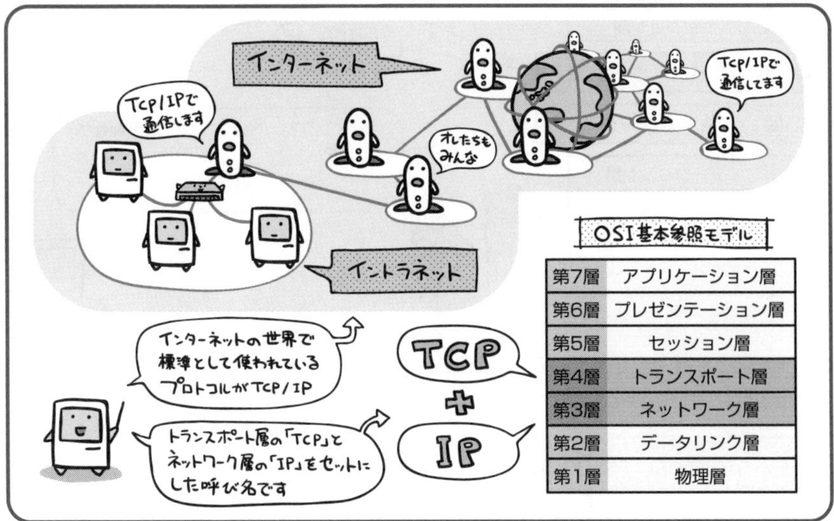

第7層	アプリケーション層
第6層	プレゼンテーション層
第5層	セッション層
第4層	トランスポート層
第3層	ネットワーク層
第2層	データリンク層
第1層	物理層

TCPとIPという2つのプロトコルの組み合わせが、インターネットにおけるデファクトスタンダードです。

デファクトスタンダードとは、「事実上の標準」という意味。特に標準として定めたわけではないのだけど、みんなしてそれを使うもんだから標準みたいな扱いになっちゃった…という規格などを指す言葉です。TCP/IPもそのひとつ、というわけですね。

で、その中身ですが、まずIP。これは、「複数のネットワークをつないで、その上をパケットが流れる仕組み」といったことを規定しています。いわばネットワークの土台みたいなものです。前節で取り上げたルータが、IPアドレスをもとにパケットを中継したりできるのもコイツのおかげだったりします。

一方のTCPは、そのネットワーク上で「正しくデータが送られたことを保証する仕組み」を定めたもの。

両者が組み合わさることで、「複数のネットワークを渡り歩きながら、パケットを正しく相手に送り届けることができるのですよ」という仕組みになるわけですね。

こうしたインターネットの技術を、そのまま企業内LANなどに転用したネットワークのことをイントラネットと呼びます。

TCP/IPの中核プロトコル

TCP/IPネットワークを構成する上で、中核となるプロトコルが次の3つです。

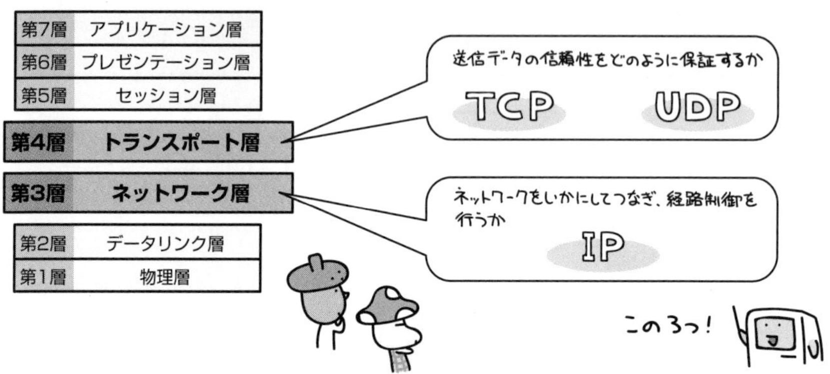

ネットワーク層のIPが網としての経路機能を担当し、その上のTCPやUDPが「ではその経路で小包(パケット)をどのように運ぶのか」という約束事を担当しています。

IP (Internet Protocol)

IPは経路制御を行い、ネットワークからネットワークへとパケットを運んで相手に送り届けます。

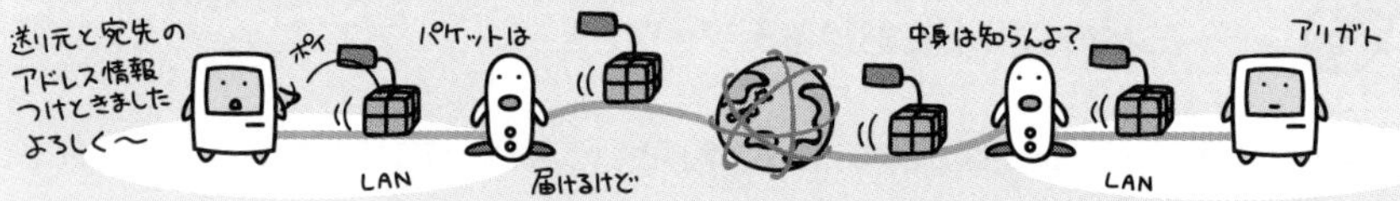

IPによって構成されるネットワークでは、コンピュータやネットワーク機器などを識別するために、IPアドレスという番号を割り当てて管理しています。

コネクションレス型の通信(事前に送信相手と接続確認を取ることなく一方的にパケットを送りつける)であるため、通信品質の保証についてはTCPやUDPなどの上位層に任せます。

TCP (Transmission Control Protocol)

TCPは、通信相手とのコネクションを確立してから、データを送受信するコネクション型の通信プロトコルです。パケットの順序や送信エラー時の再送などを制御して、送受信するデータの信頼性を保証します。

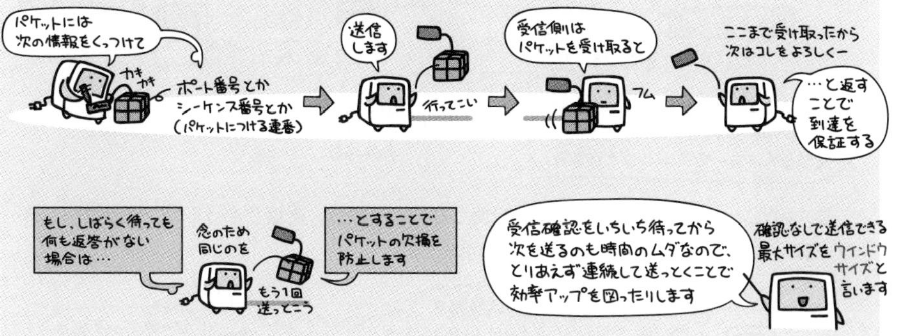

UDP (User Datagram Protocol)

UDPは、事前に送信相手と接続確認を取ったりせず、一方的にパケットを送りつけるコネクションレス型の通信プロトコルです。パケットの再送制御などを一切行わないため信頼性に欠けますが、その分高速です。

IPアドレスはネットワークの住所なり

TCP/IPのネットワークにつながれているコンピュータやネットワーク機器は、IPアドレスという番号で管理されています。

個々のコンピュータを識別するために使うものですから、重複があってはいけません。必ず一意の番号が割り振られているのがお約束です。

IPアドレスは、32ビットの数値であらわされます。たとえば次のような感じ。

32ビット(2進数32桁)の数値

11000000101010000000000100000011

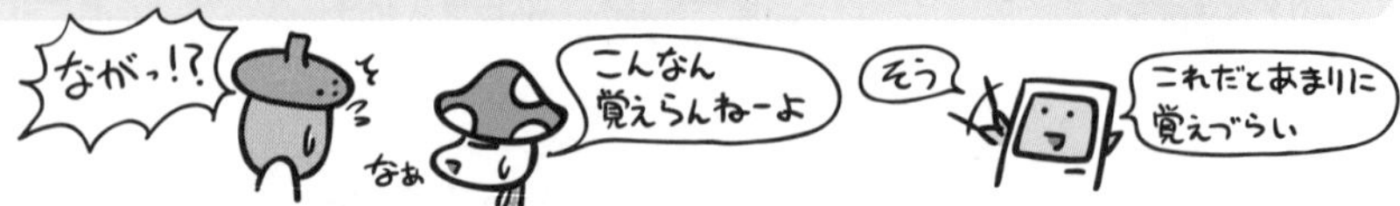

なので8ビットずつに区切って、それぞれを10進数であらわして…

11000000 10101000 00000001 00000011

それらを「.」でつないで表記します。

192.168.1.3

グローバルIPアドレスとプライベートIPアドレス

IPアドレスには、グローバルIPアドレス（またはグローバルアドレス）とプライベートIPアドレス（またはプライベートアドレス）という、2つの種類があります。

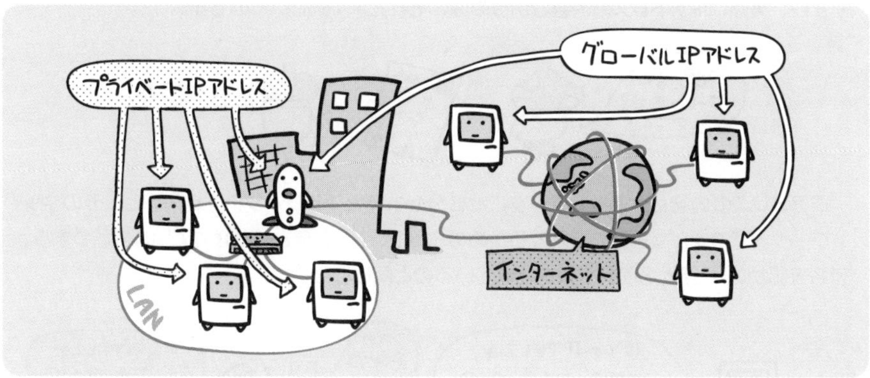

グローバルIPアドレスは、インターネットの世界で使用するIPアドレスです。世界中で一意であることが保証されないといけないので、地域ごとのNIC（Network Information Center）と呼ばれる民間の非営利機関によって管理されています。

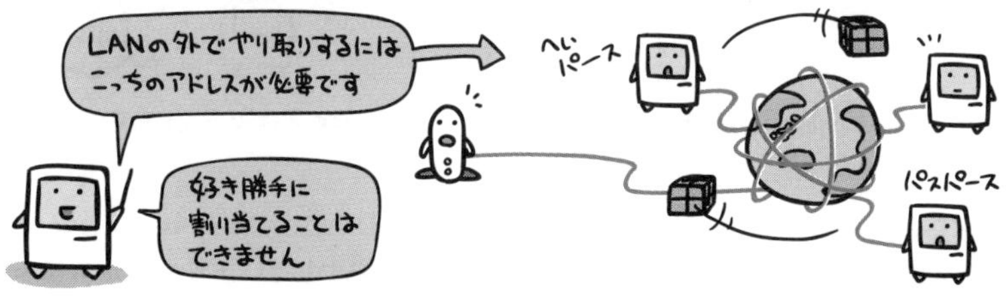

プライベートIPアドレスは、企業内などLANの中で使えるIPアドレスです。LAN内で重複がなければ、システム管理者が自由に割り当てて使うことができます。

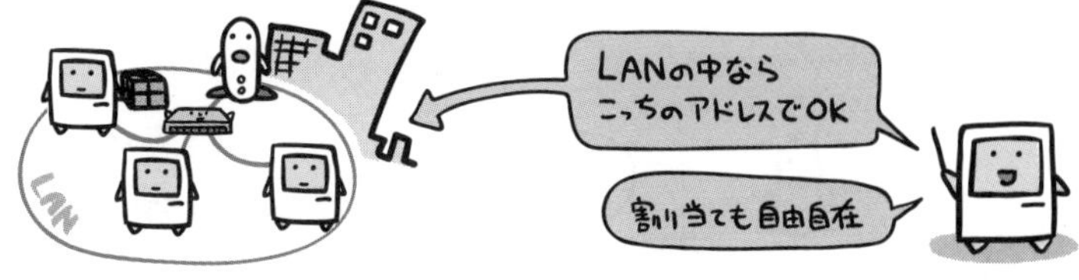

グローバルIPアドレスとプライベートIPアドレスの関係は、電話の外線番号と内線番号の関係によく似ています。

IPアドレスは「ネットワーク部」と「ホスト部」で出来ている

2ページ前で、「IPアドレスはコンピュータの住所みたいなもの」と書きました。

私たちが普段用いている宛名表記をコンピュータ用にしたもの…という意味で書いたわけですが、実際、IPアドレスの内容というのは、それとよく似ているのです。

IPアドレスの内容は、ネットワークごとに分かれるネットワークアドレス部と、そのネットワーク内でコンピュータを識別するためのホストアドレス部とに分かれています。つまり、宛名表記が、「住所と名前」で構成されているのと同じことです。

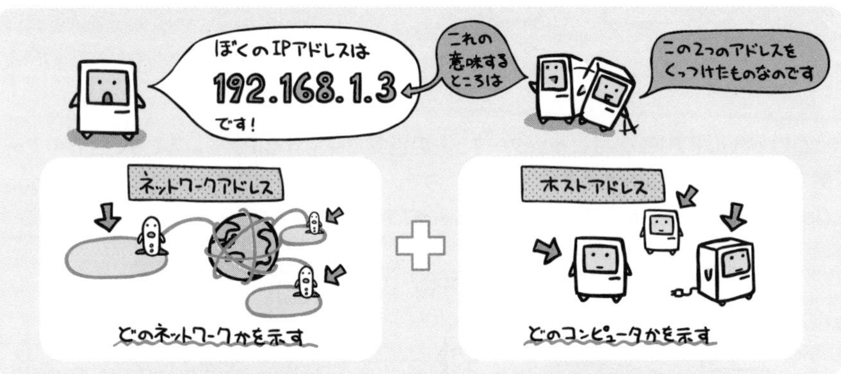

たとえば、次のIPアドレスを見てください。このIPアドレスでは、頭の24ビットがネットワークアドレスをあらわし、後ろ8ビットがホストアドレスをあらわしています。

ネットワークアドレス部 / ホストアドレス部

110000001010100000000001 00000011

10進表記だとこうなる → 192.168.1.3

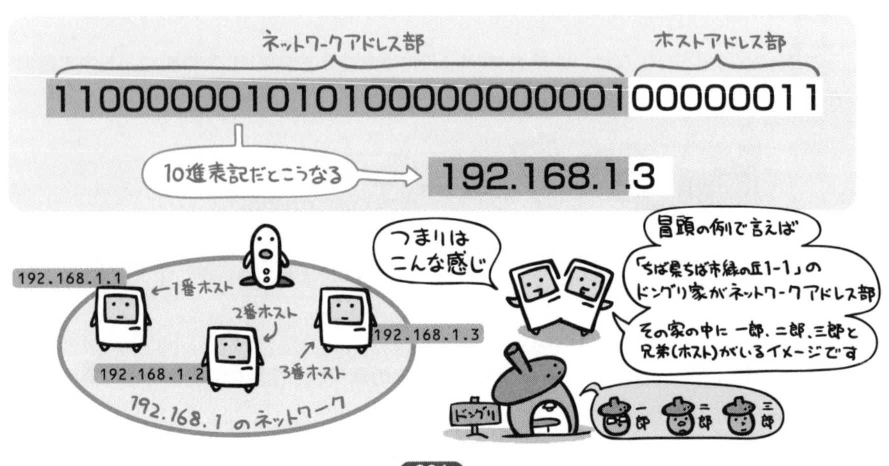

IPアドレスのクラス

IPアドレスは、使用するネットワークの規模によってクラスA、クラスB、クラスCと3つのクラスに分かれています（実際にはもっとあるけど一般的でない）。

それぞれ「32ビット中の何ビットをネットワークアドレス部に割り振るか」が規定されているので、それによって持つことのできるホスト数が違ってきます。

ホストアドレスに使えるビット数が増えれば、それだけ割り合てに使える数も増えるからです！

8ビットであらわせる数は
00000000 (0) ～ 11111111 (255)

16ビットであらわせる数は
0000000000000000 (0)
～1111111111111111 (65,535)

具体的には次のように決まっています。

クラスA　0.0.0.0 ～ 127.255.255.255
大規模ネットワーク用
ネットワークアドレス部　8ビット
ホストアドレス部　24ビット
0…
↑先頭ビットは0と決まってます
割り当て可能なホスト数：16,777,214台

クラスB　128.0.0.0 ～ 191.255.255.255
中規模ネットワーク用
ネットワークアドレス部　16ビット
ホストアドレス部　16ビット
10…
↑先頭2ビットは10と決まってます
割り当て可能なホスト数：65,534台

クラスC　192.0.0.0 ～ 223.255.255.255
小規模ネットワーク用
ネットワークアドレス部　24ビット
ホストアドレス部　8ビット
110…
↑先頭3ビットは110と決まってます
割り当て可能なホスト数：254台

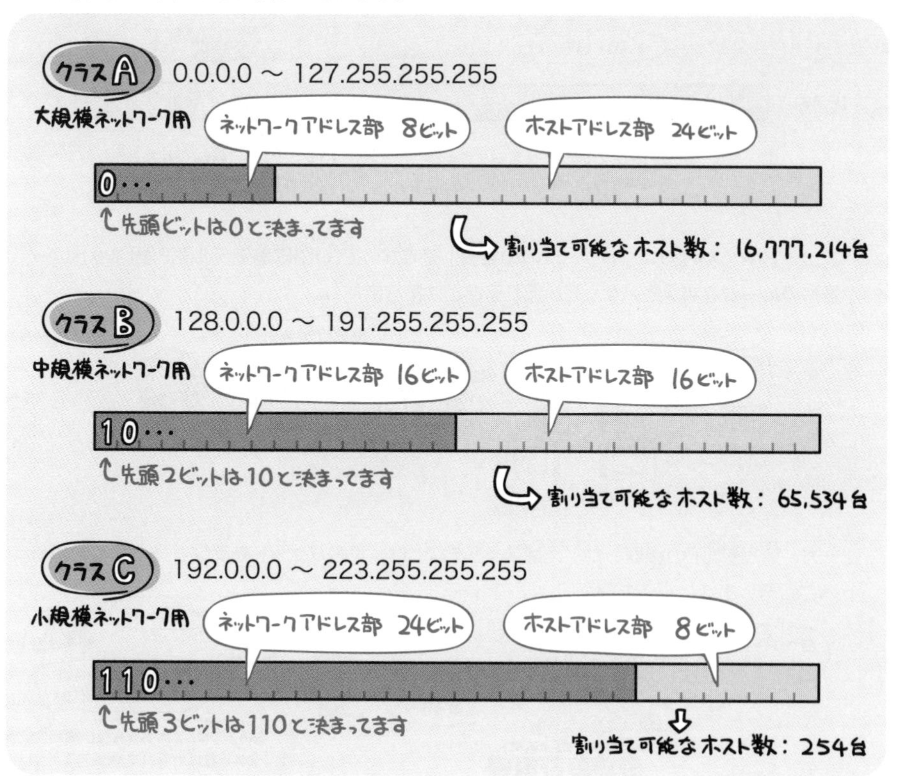

ホストアドレス部が「すべて0」「すべて1」となるアドレスは、それぞれ「ネットワークアドレス（すべて0）」「ブロードキャストアドレス（すべて1）」という意味で予約されているため割り当てには使えません。上図の「割り当て可能なホスト数」が、そのビット数で本来あらわせるはずの数から−2した数値になっているのはそのためです。

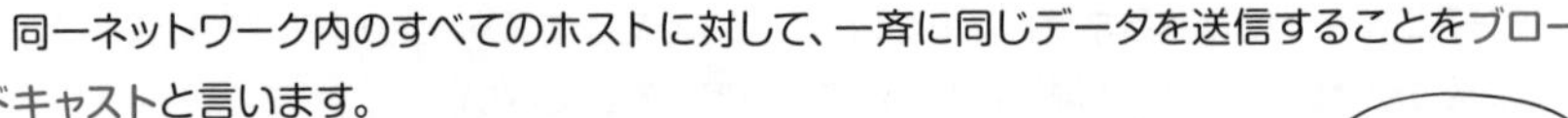

ブロードキャスト

同一ネットワーク内のすべてのホストに対して、一斉に同じデータを送信することをブロードキャストと言います。

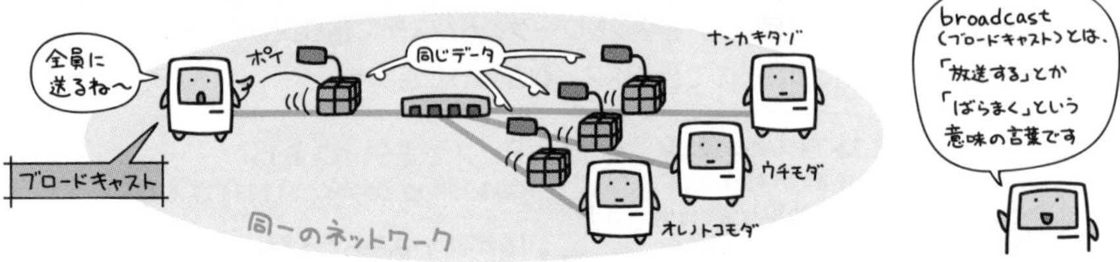

ブロードキャストを行うには、宛先として「ホストアドレス部がすべて1となるIPアドレス」を指定します。このアドレスがつまりは「全員宛て」という意味を持つわけです。

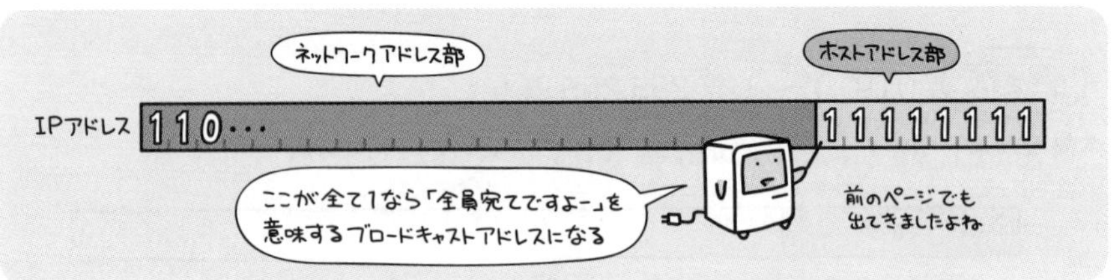

ブロードキャストは「ネットワーク内の全員」宛てなので、OSI階層モデル第3層（ネットワーク層）のルータを越えてパケットが流れることはありません。

一方、第2層以下の機器、たとえばスイッチなどは、このパケットを受信すると全てのポートへと転送します。

ブロードキャストの逆の言葉として、特定の1台のみに送信することをユニキャストと言います。また、複数ではあるけれども不特定多数ではなく決められた範囲内の複数ホストに送信する場合はマルチキャストと言います。

サブネットマスクでネットワークを分割する

一番小規模向けのクラスCでも254台のホストを扱えるわけですが、「そんなにホスト数はいらないから、事業部ごとにネットワークを分けたい！」とかいう場合、サブネットマスクを用いてネットワークを分割することができます。

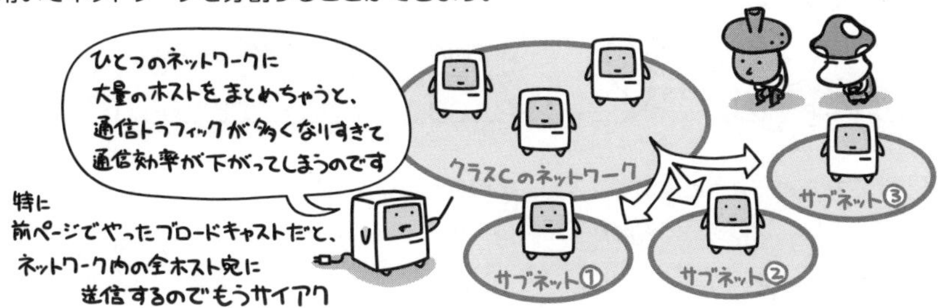

サブネットマスクは、各ビットの値（1がネットワークアドレス、0がホストアドレスを示す）によって、IPアドレスのネットワークアドレス部とホストアドレス部とを再定義することができます。

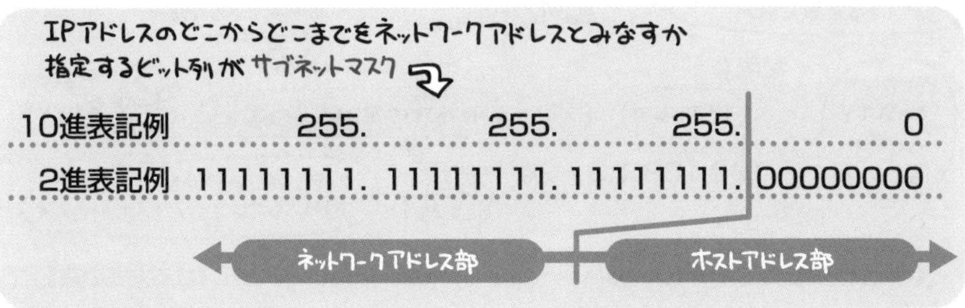

たとえばクラスCのIPアドレスで、次のようにサブネットマスクを指定した場合、62台ずつの割り当てが行える4つのサブネットに分割することができます。

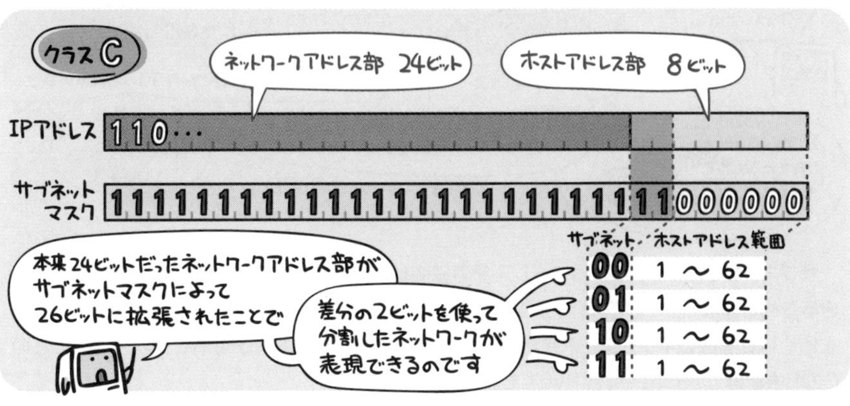

サブネットマスクとCIDR（サイダー）表記

IPアドレスとサブネットマスクはセットなので、別々ではなくまとめて記述したい時がままあります。ルータの設定画面とかだと、ちょくちょくあります。

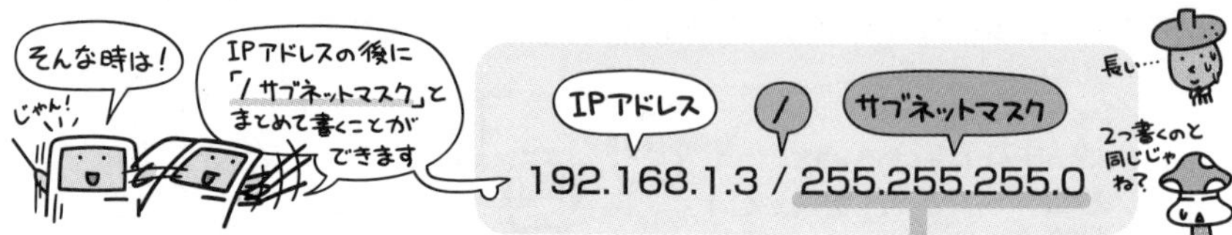

そう、これだとちょっと長いですよね。実際にそんな入力をしていることはまず見かけません。だいたい、次のように省略して記載します。

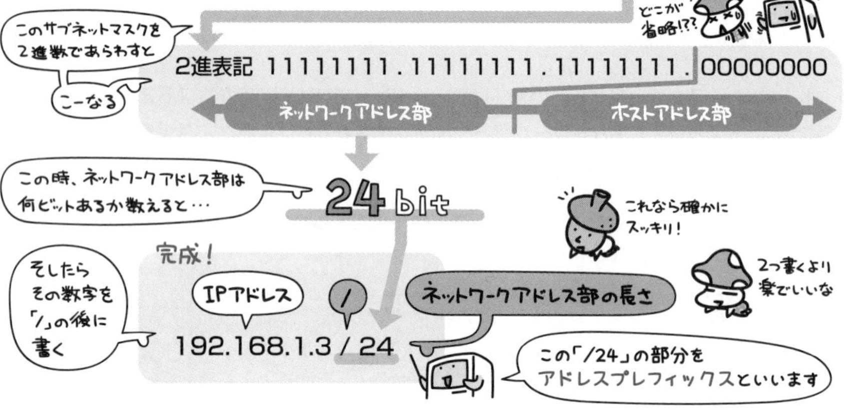

もともとこれは、CIDR (Classless Inter-Domain Routing) と呼ばれる方式の表記法から来ています。わかりやすくて便利なので、サブネットマスクの書き方としても一般化したわけです。

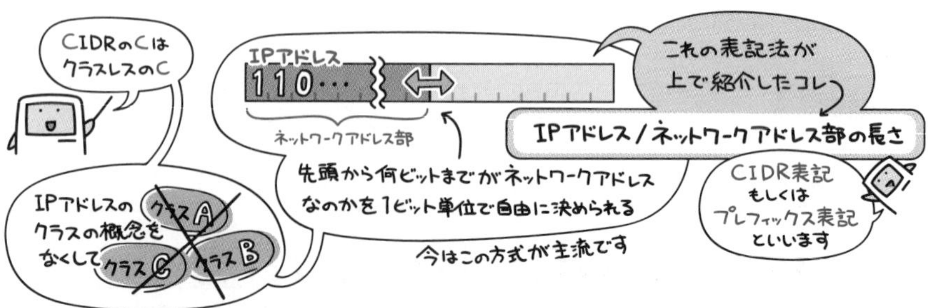

サブネットではネットワークアドレス部の拡張しかできませんが、CIDRの場合は縮小もできるため、ネットワークを分割するだけではなく、逆に割り当てられるホストのアドレス数を増やして複数のネットワークを集約するなど、より柔軟な構成が可能です。ちなみにこのCIDR表記は、次に出てくるIPv6でも、同様に使えます。

IPv6 (Internet Protocol Version 6)

現在広く用いられているIPはVersion 4のもので、IPv4とも呼ばれています。このプロトコルでは32ビットの数値によってIPアドレスを割り当てるため、表現できる個数は約43億個。決して少なくはない数ですが、全世界のインターネット接続人口を考えた場合、十分な数とは言えません。

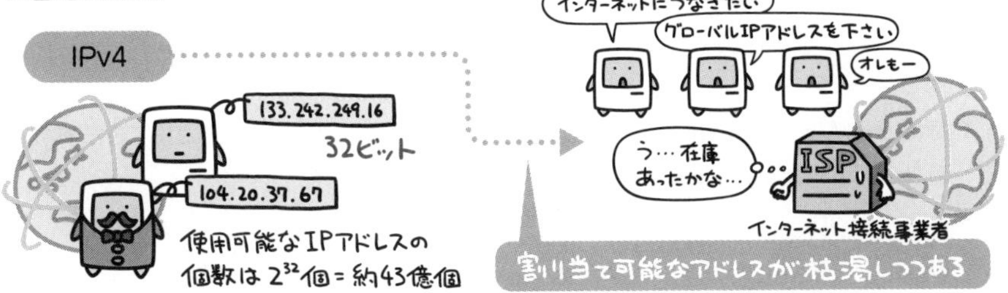

そこで、IPv4の後継規格として置き換えが進められているのがIPv6です。IPv6ではIPアドレスを128ビットの数値によって表現します。そのため、約340澗個（澗は10^{36}をあらわす）という、1兆の1兆倍の1兆倍よりも大きい、実質無限と言ってよい個数のIPアドレスを割り当てることができます。

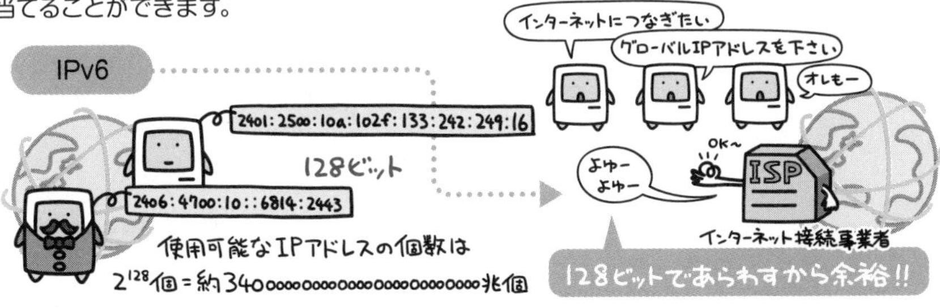

IPv4では、IPアドレスを8ビットずつに「.」で区切り、それぞれを10進数であらわす表記法であったのに対し、IPv6の場合はIPアドレスを16ビットずつに「:」で区切り、それぞれを4桁の16進数であらわして表記します。

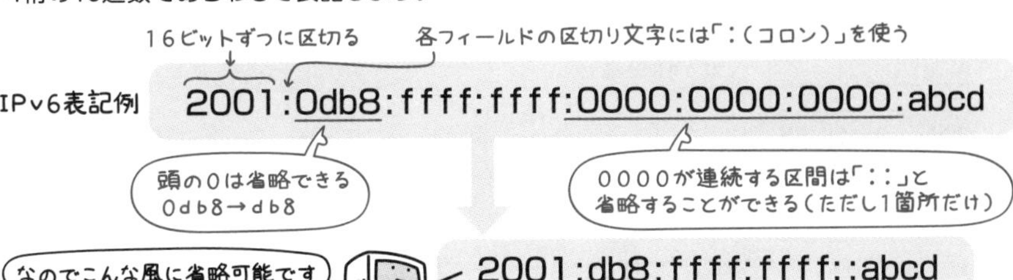

IPv6は、次世代の規格ということで様々な見直しが図られています。セキュリティ面ではIPレベルに暗号化機能を持たせるIPsec (P.489) を標準サポートとし、経路上で付加されるヘッダ構造も通信の効率化が考慮されたものになっています。

MACアドレスとIPアドレスは何がちがう?

さて、ここまでIPアドレスについて見てきました。ざっくり言えば「ネットワーク上でコンピュータを識別する番号」みたいな理解になっていることと思います。

では質問。MACアドレスってありましたよね? P.365のNICの説明の時に出てきたあれです。あれとIPアドレスは何がちがうんでしょうか?

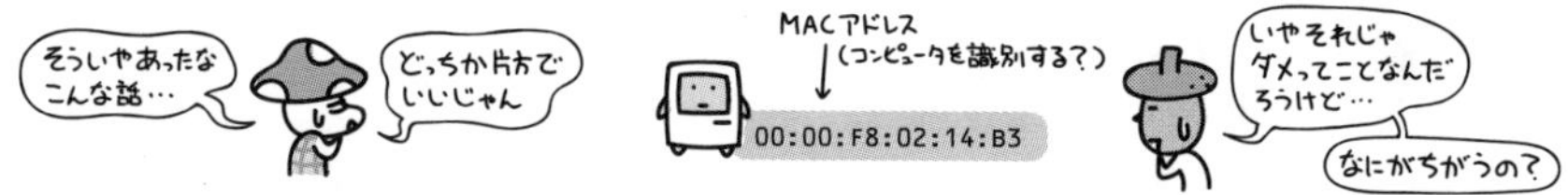

そうなんです。ここはちょっとざっくりした理解のままではあやふやになってしまうところなのです。だからおさらいを兼ねて、少しネットワークの流れを手順を追いながら見ていくことにしましょう。

まずは複数の端末がハブに接続されている、単一のネットワークを思い浮かべてください。

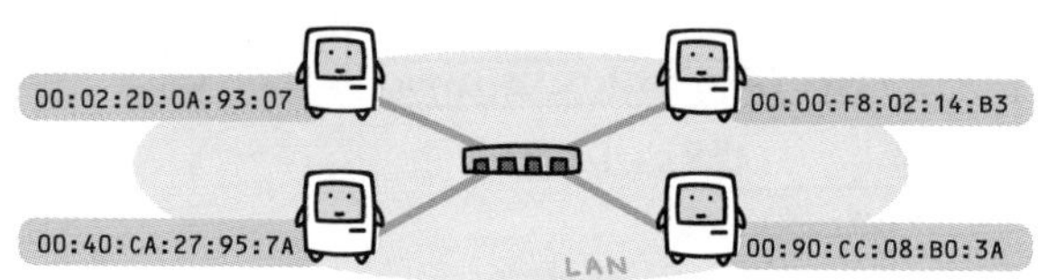

このネットワークは、イーサネット規格によって構成されています。イーサネットはOSI参照モデルの第1層(物理層)と第2層(データリンク層)をサポートするもので、端末(端末の持つNIC)はそれぞれ固有のMACアドレスを持ち、これによって識別されます。

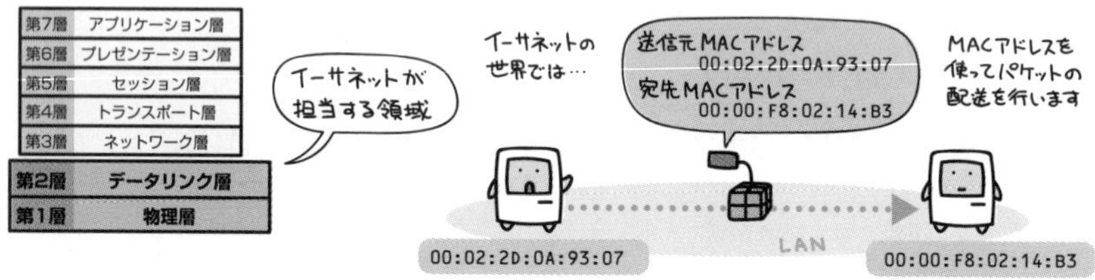

しかし既に述べている通り、これではネットワークをまたいでの通信ができません。

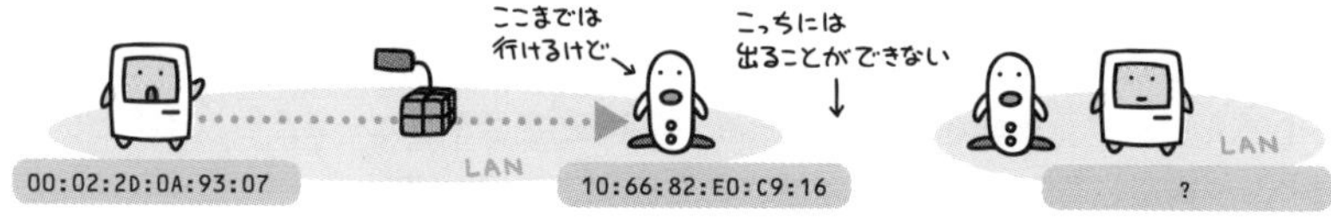

そこで働くのがOSI参照モデル 第3層（ネットワーク層）のIPです。

この層では、IPアドレスを用いて端末を識別し、ネットワーク間を中継できるようにします。

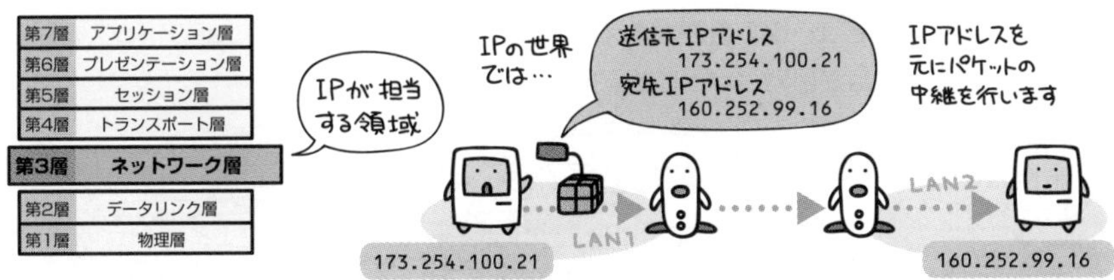

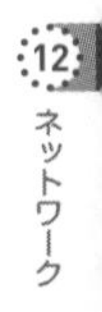

ネットワークを越えた相手にパケットを送りたい場合、送り元には自分のIPアドレス、宛先には相手のIPアドレスを記載してパケットにくっつけます。これは第3層にIPを用いた時のお約束。

それを誰に投げるかというと…。

いえいえ、実際の配送は第2層以下のイーサネットが担当するのです。そこで送信元には自分のMACアドレス、宛先は…実は「LAN1のルータ」のMACアドレスを記載することになるんですね。そして、イーサネットフレームとしてパケットを流すわけ。

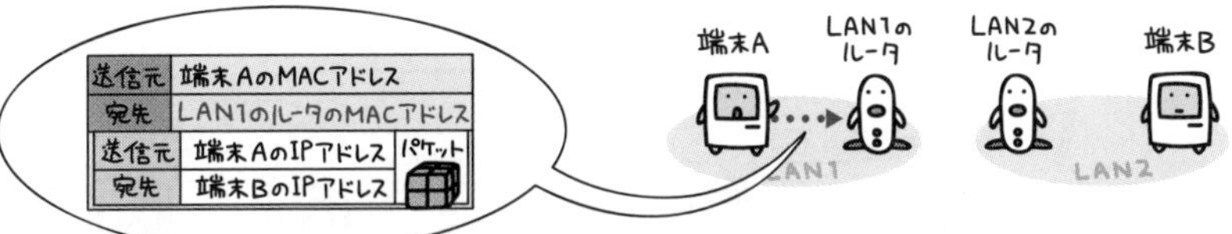

受けとったルータは、宛先IPアドレスを見て「あ、外側に中継するのね」と理解します。

そうしたら今度は、送信元MACアドレスを自分にして、宛先MACアドレスは中継先のMACアドレスに書き換えて、またまたイーサネットフレームとして流します。

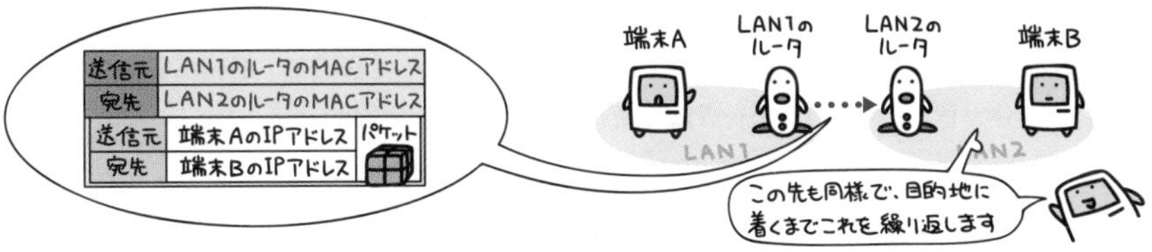

配送はイーサネット。そこで近距離をバケツリレーしてつなぐために使われるのはMACアドレス。中継はIP。そのために使われるのはIPアドレス。

この役割分担と、パケットが運ばれていくイメージを掴んでおきましょう。

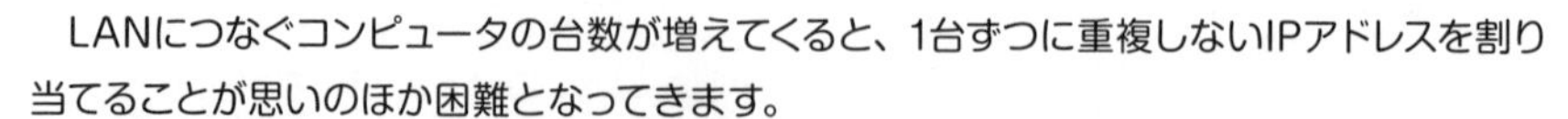

DHCPは自動設定する仕組み

LANにつなぐコンピュータの台数が増えてくると、1台ずつに重複しないIPアドレスを割り当てることが思いのほか困難となってきます。

DHCP (Dynamic Host Configuration Protocol) というプロトコルを利用すると、こうしたIPアドレスの割り当てなどといった、ネットワークの設定作業を自動化することができます。管理の手間は省けますし、人為的な設定ミスも防ぐことができてバンバンザイ。

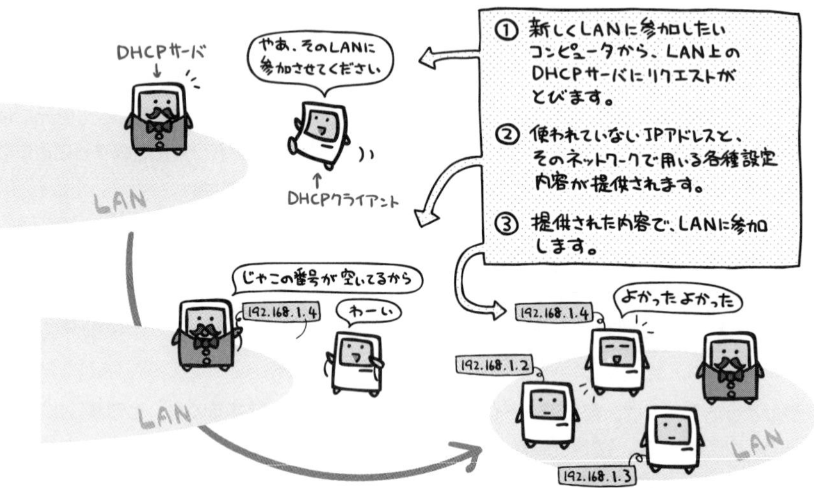

プロバイダなどのインターネット接続サービスを利用する場合にも、最初にDHCPを使ってインターネット上でのネットワーク設定を取得する手順が一般的です。

NATとIPマスカレード

LANの中ではプライベートIPアドレスを使っているのが一般的ですが、外のネットワークとやり取りするためにはグローバルIPアドレスが必要です。

では、プライベートIPアドレスしか持たない各コンピュータは、どうやって外のコンピュータとやり取りするのでしょうか。それにはNATやIPマスカレード(NAPTともいいます)といったアドレス変換技術を用います。これらは、ルータなどによく実装されています。

NAT

グローバルIPアドレスとプライベートIPアドレスとを1対1で結びつけて、相互に変換を行います。同時にインターネット接続できるのは、グローバルIPアドレスの個数分だけです。

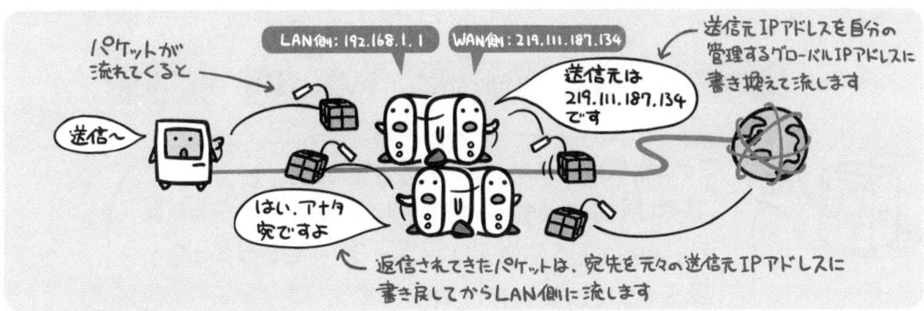

IPマスカレード

グローバルIPアドレスに複数のプライベートIPアドレスを結びつけて、1対複数の変換を行います。IPアドレスの変換時にポート番号（詳しくはP.401）もあわせて書き換えるようにすることで、1つのグローバルIPアドレスでも複数のコンピュータが同時にインターネット接続をすることができます。

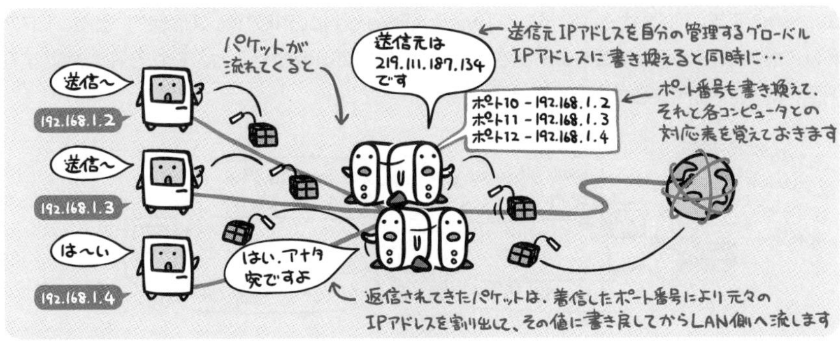

ドメイン名とDNS

10進数で表記されたIPアドレスは、2進数で表記されているのよりかはマシですが、それでも人間にとって「覚えやすい」とは言いづらいものがあります。数字の羅列って、丸暗記しないといけないから大変なんですよね。

そこで、覚えづらいIPアドレスに対して、文字で別名をつけたものがドメイン名です。たとえば「技術評論社のネットワークに所属するwwwという名前のコンピュータ」を表現する場合は、次のように書きあらわします。

www.gihyo.co.jp

コンピュータの名前　組織の名前　組織の種類　国の名前

この場合は「日本(jp)」の「企業(co)」で
「技術評論社(gihyo)」というとこのネットワークにいる
「www」という名前のコンピュータ…ということを
あらわしているわけです

国としては他に
英国(uk)や中国(cn)などがあり、
組織には大学(ac)や政府機関(go)
などがあります

インターネットでWebページを
見る時に使う「http://www.gihyo.co.jp/」
という記述の波線部分は、実は
コンピュータを指定してる部分だったりする

このドメイン名とIPアドレスとを関連づけして管理しているのがDNS（Domain Name System）です。DNSサーバに対して「www.gihyo.co.jpのIPアドレスは何?」とか、「IPアドレスが219.101.198.19のドメイン名って何?」とか問い合わせると、それぞれに対応するIPアドレスやドメイン名が返ってきます。

このように出題されています 過去問題練習と解説

(FE-R04-サ-28)

トランスポート層のプロトコルであり，信頼性よりもリアルタイム性が重視される場合に用いられるものはどれか。

ア　HTTP　　イ　IP　　ウ　TCP　　エ　UDP

解説

各選択肢の用語の説明は、それぞれHTTP…400ページ、IP…382ページ、TCPとUDP…383ページを参照してください。

(FE-H29-A-35)

次のIPアドレスとサブネットマスクをもつPCがある。このPCのネットワークアドレスとして，適切なものはどれか。

IPアドレス：10.170.70.19　　サブネットマスク：255.255.255.240

ア　10.170.70.0　　イ　10.170.70.16

ウ　10.170.70.31　　エ　10.170.70.255

解説

ネットワークアドレスは、そのネットワークに接続されたPCなどのノードのIPアドレスと、そのサブネットマスクの論理積を演算すると得られます。具体的には、下表のように整理されます。

IPアドレス（★）	10	170	70	19
★の2進数（▼）	00001010	10101010	01000110	00010011
サブネットマスク（●）	255	255	255	240
●の2進数（▲）	11111111	11111111	11111111	11110000
▼と▲の論理積（◆）	00001010	10101010	01000110	00010000
◆の10進数（■）	10	170	70	16

上表の■と一致しているのは、選択肢イです。

(FE-H28-S-33)

プライベートIPアドレスを持つ複数の端末が，一つのグローバルIPアドレスを使ってインターネット接続を利用する仕組みを実現するものはどれか。

ア　DHCP　　イ　DNS　　ウ　NAPT　　エ　RADIUS

解説

NAPT(Network Address and Port Translation)は、IPマスカレードと同じ意味を持つ用語です。IPマスカレードの説明は、395ページを参照してください。

正解▶問1：エ　問2：イ　問3：ウ

(FE-H27-A-33)

IPv4にはなく，IPv6で追加・変更された仕様はどれか。

ア　アドレス空間として128ビットを割り当てた。
イ　サブネットマスクの導入によって，アドレス空間の有効利用を図った。
ウ　ネットワークアドレスとサブネットマスクの対によってIPアドレスを表現した。
エ　プライベートアドレスの導入によって，IPアドレスの有効利用を図った。

解説

ア　IPv4のアドレス空間（アドレス長）は32ビットですが、IPv6のアドレス空間は128ビットです。IPv6の説明は、391ページを参照してください。
イ・ウ　サブネットマスクは、IPv4にもあります。IPv4のサブネットマスクはよく使われますが、IPv6のサブネットマスクは稀にしか使われません。
エ　プライベートアドレスは、IPv4にもあります。IPv6のプライベートアドレスは、“ユニークローカルアドレス”と呼ばれています。

(FE-R05-08)

IPv4ネットワークにおいて，ネットワークの疎通確認に使われるものはどれか。

ア　BOOTP　　イ　DHCP　　ウ　MIB　　エ　ping

解説

ア　BOOTP（BOOT strap Protocol）は、DHCPが登場する前に使われていたプロトコルであり、DHCPと類似した機能を提供します。
イ　DHCPの説明は、394ページを参照してください。
ウ　MIB（Management Information Base）は、SNMP（Simple Network Management Protocol：ネットワーク監視機器“マネージャ”と被監視機器“エージェント”の間での通信規約）におけるエージェントが管理している自分の情報のことです。
エ　pingは、IPネットワークに接続されているホストの接続状況を確認するコマンドです。例えば、pingは、Windows11のコマンドプロンプトにおいて実行できます。

正解▶問4：ア　問5：エ

Chapter 12-6 ネットワーク上のサービス

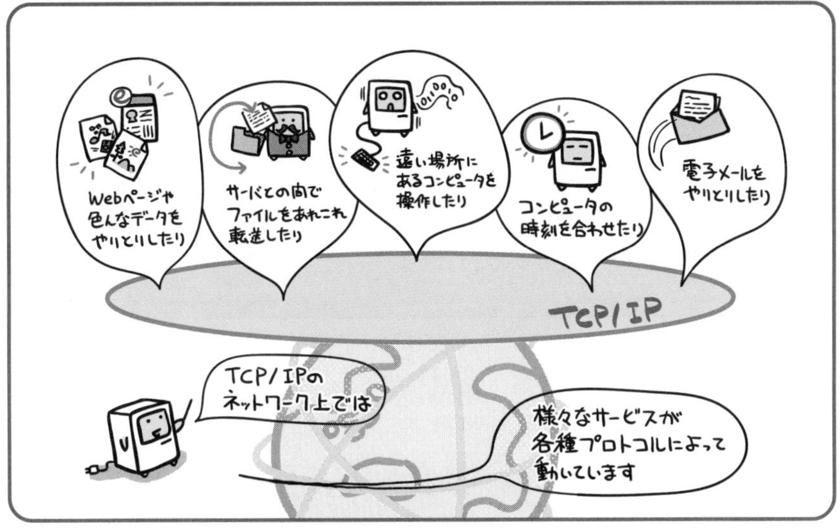

ネットワーク上で動くサービスには、それぞれに対応したプロトコルが用意されています。

サービスというのは、要求に応じて何らかの処理を提供する機能のこと。たとえば「ファイル欲しい!」って言ったら送ってくれたり、「正確な時刻に合わせたい!」って言ったら正しい時刻が伝えられたりと、そんなこと。

TCP/IPを基盤とするネットワーク上では、そのようなサービスが多数利用できるようになっています。そして、それらサービスを支えるのが、TCP/IPのさらに上位層（セッション層以上）で規定されているプロトコル群なのです。ばばん!

…というとなんだかすごく大仰ですが、実際は私たちが普段目にするプロトコルという存在って、こうした上位層のものがほとんどなんですよね。サーバとの間でファイルを転送するFTPとか、コンピュータを遠隔操作するTelnetとか。きっとずらずら並べたてていけば、どれかは耳にしたことがあるかと思います。

さて、それじゃあネットワーク上では、どんなプロトコルがどんなサービスを提供しているのか、そのあたりを見ていくといたしましょう。

代表的なサービスたち

ネットワーク上のサービスは、そのプロトコルを処理するサーバによって提供されています。

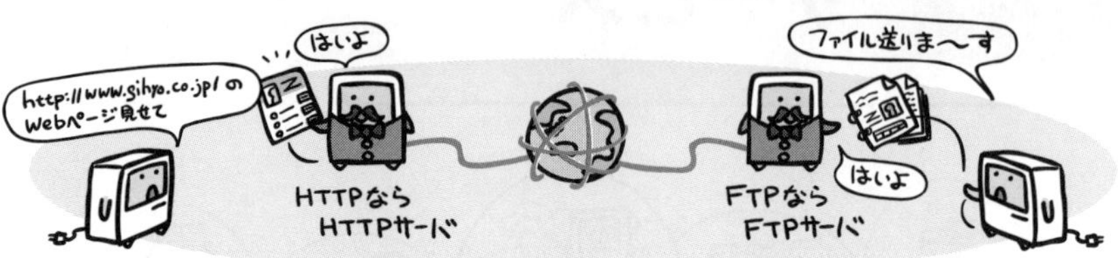

代表的なプロトコルには次のものがあります。こうした主だったプロトコルにはあらかじめポート番号が予約されており、これをウェルノウンポートと言います。

	プロトコル名	説明	TCP/UDP ポート番号
	HTTP (HyperText Transfer Protocol)	Webページの転送に利用するプロトコル。Webブラウザを使ってHTMLで記述された文書を受信する時などに使います。	TCP 80
	FTP (File Transfer Protocol)	ファイル転送サービスに利用するプロトコル。インターネット上のサーバにファイルをアップロードしたり、サーバからファイルをダウンロードしたりするのに使います。	TCP 転送用 20 制御用 21
	Telnet	他のコンピュータにログインして、遠隔操作を行う際に使うプロトコル。	TCP 23
	SMTP (Simple Mail Transfer Protocol)	電子メールの配送部分を担当するプロトコル。メール送信時や、メールサーバ間での送受信時に使います。	TCP 25
	POP (Post Office Protocol)	電子メールの受信部分を担当するプロトコル。メールサーバ上にあるメールボックスから、受信したメールを取り出すために使います。	TCP 110
	NTP (Network Time Protocol)	コンピュータの時刻合わせを行うプロトコル。	UDP 123

ポート番号については… 次ページで!

サービスはポート番号で識別する

ネットワーク上で動くサービスたちは、個々に「それ専用のサーバマシンを用意しなきゃいけない!」というわけではありません。

サーバというのは、「プロトコルを処理してサービスを提供するためのプログラム」が動くことでサーバになっているわけですから、ひとつのコンピュータが、様々なサーバを兼任することは当たり前にあるわけです。

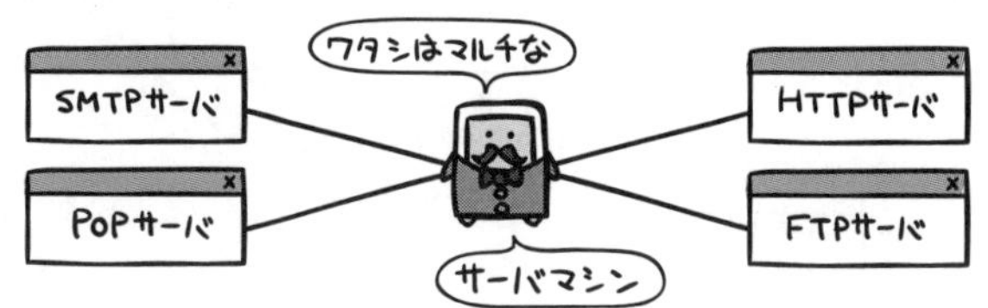

でもIPアドレスだと、パケットの宛先となるコンピュータは識別できても、それが「どのサーバプログラムに宛てたものか」までは特定できません。

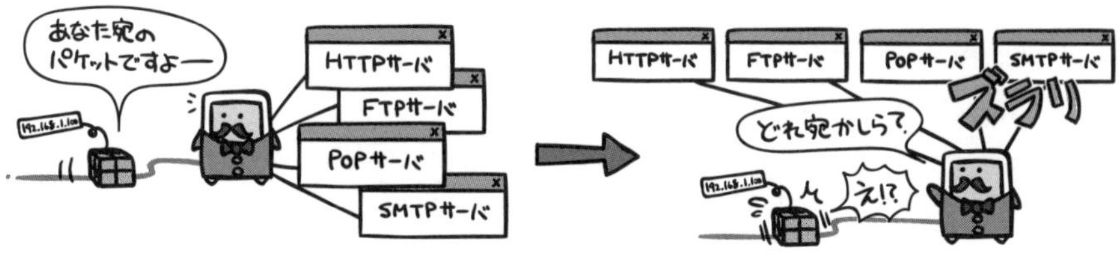

そこで、プログラムの側では0 ～ 65,535までの範囲で自分専用の接続口を設けて待つようになっています。この接続口を示す番号のことをポート番号と呼びます。

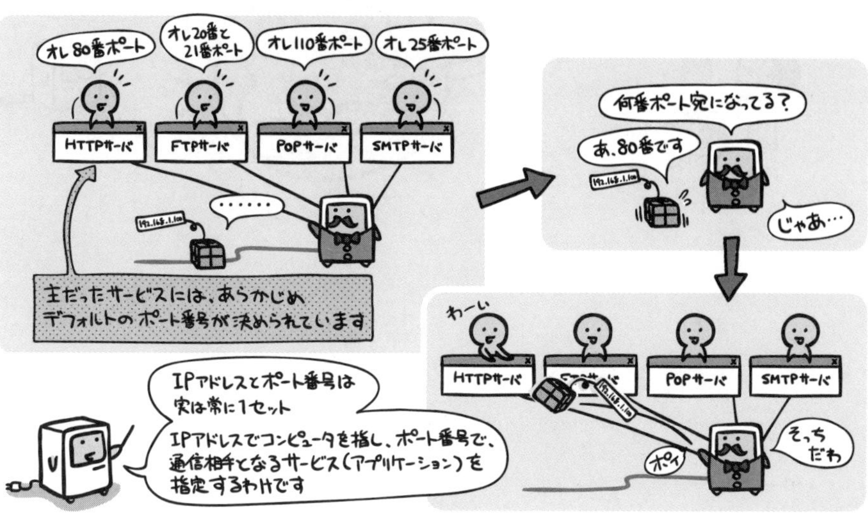

インターネットで用いられる技術の標準化

TCP/IPをはじめとするプロトコル群や、続々と登場する各種サービスなど、こうしたインターネットで利用される技術の標準化を推進する任意団体がIETF(Internet Engineering Task Force)です。

IETFにおいて取りまとめた技術仕様は、RFC (Request For Comments) という名前で文書化され、インターネット上で公開されています。

このように出題されています 過去問題練習と解説

(FE-H23-S-36)

TCP及びUDPのプロトコル処理において，通信相手のアプリケーションを識別するために使用されるものはどれか。

ア　MACアドレス　　イ　シーケンス番号
ウ　プロトコル番号　　エ　ポート番号

解説

今、PC上にWebブラウザとメールソフトが起動しています。PCのOSはデータを受信した時に、Webブラウザとメールソフトのどちらにデータを渡すのかをTCPヘッダ内にある「あて先ポート番号」で判断します。

(FE-H23-S-36)

TCP/IPネットワークで，データ転送用と制御用に異なるウェルノウンポート番号が割り当てられているプロトコルはどれか。

ア　FTP　　イ　POP3　　ウ　SMTP　　エ　SNMP

解説

ウェルノウンポート番号とは、「よく知られた（well-known）ポート番号」という意味であり、あらかじめ決められているポート番号のことです。FTPのポート番号は、データ転送用に「20」、制御用に「21」が割り当てられています。なお、正解以外の選択肢のポート番号は、POP3＝「110」、SMTP＝「25」、SNMP＝「161」と「162」です。

(FE-H31-S-80)

インターネットで利用される技術の標準化を図り，技術仕様をRFCとして策定している組織はどれか。

ア　ANSI　　イ　IEEE　　ウ　IETF　　エ　NIST

解説

ア　ANSI（American National Standards Institute：米国規格協会）が定めている規格の一つに、ASCIIコード（109ページ参照）があります。
イ　IEEE（Institute of Electrical and Electronics Engineers：米国電気電子学会）が定めている規格の一つに、IEEE1394（219ページ参照）があります。
ウ　IETF（Internet Engineering Task Force：インターネット技術特別調査委員会：402ページ参照）が定めている規格の一つに、RFC1034（DNSの構成要素の役割や機能）があります。
エ　NIST（National Institute of Standards and Technology：米国国立標準技術研究所）が定めているガイドラインの一つに、NIST SP800-171（セキュリティ対策の導入と運用など）があります。

正解▶問1：エ　問2：ア　問3：ウ

Chapter 12-7

WWW (World Wide Web)

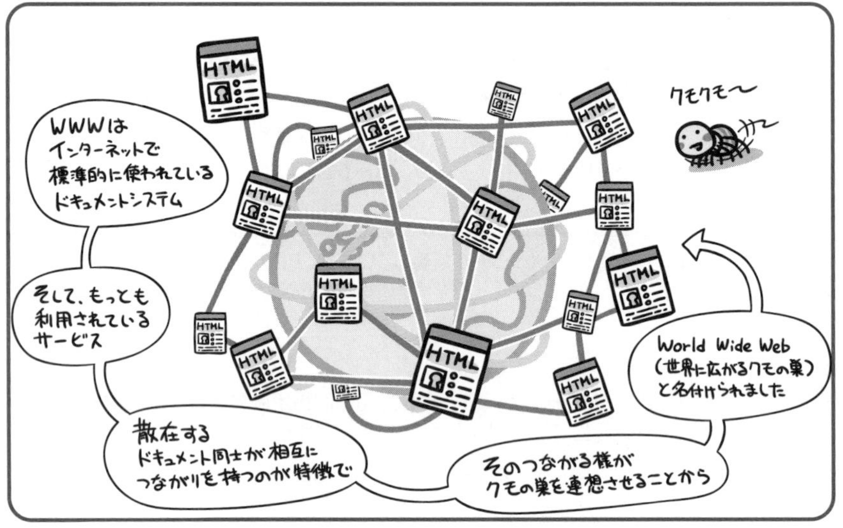

インターネットとWWWが同義語として使われるケースがあるほど、今や定着しているサービスです。

自宅からインターネットに接続する場合、ほとんどの人がインターネットプロバイダ（ISP、単にプロバイダとも）と呼ばれる接続事業者を利用することになります。その時頭に思い浮かべる「インターネットで使いたいサービス」の多くがWWW。「http:// 〜」とアドレスを打ち込んでホームページなるものを見るあれがそうです。

最近はテレビでも「続きはWebで!」とかやってますよね。

このサービスでは、Webブラウザ（ブラウザ）を使って、世界中に散在するWebサーバから文字や画像、音声などの様々な情報を得ることができます。

特徴的なのはそのドキュメント形式。ハイパーテキストといわれる構造で「文書間のリンクが設定できる」「文書内に画像や音声、動画など様々なコンテンツを表示できる」などの特徴を持ちます。これによって、インターネット上のドキュメント同士がつながりを持ち、互いに補完しあうような使い方もできるようになっているのです。

上のイラストにもあるように、そうした「ドキュメント間にリンクが張り巡らされて網の目状となっている構造」をクモの巣に例えたことが、WWWというサービス名の由来です。

Webサーバに、「くれ」と言って表示する 

WWWのサービスにはWebサーバとWebブラウザ（という名のクライアント）が欠かせないわけですが、そのやり取りは、実はものすごく単純だったりします。

サーバの仕事というのは、基本的に「くれ」と言われたファイルを渡すだけ。なにかデータを整形したり、特別な処理を加えたりとかは一切なっしんぐ。

Webブラウザがリクエストを出す
あのですね、index.htmlってファイルが欲しいんですけども
ん？
「ほらよ」とファイルが送られてくる
わーい
ほらよ
整形したり、さらに必要なファイルがないか確認したりとWebブラウザがとにかくがんばる
え〜〜と、ここがこーだから
あーでこーで
ああ、ちょっとは手伝ってくれてもいいのにー！
♪〜

このやり取りに使われているプロトコルがHTTP

でも、そんな単純な仕組みで出来ているからこそ、様々なファイルが扱えたり、拡張も容易だったりと、広い範囲で使える仕組みになっているのです。

Webページは HTMLで記述する

Webページは HTML (HyperText Markup Language) という言語で記述されています。「言語」というのは、「ある法則にのっとった書式」という意味。つまりHTMLという名前で、決められた書式があるわけです。

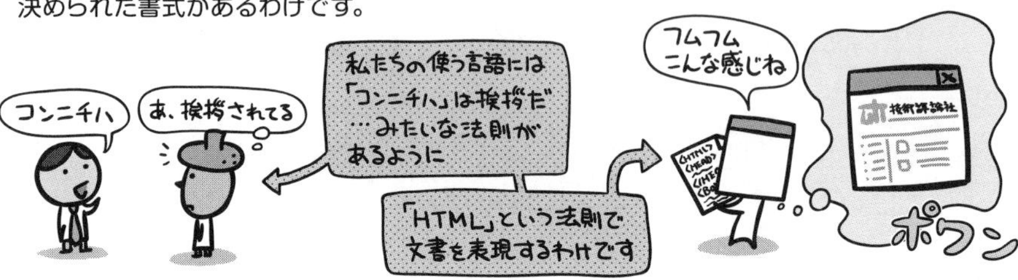

HTMLの書式は、タグと呼ばれる予約語をテキストファイルの中に埋め込むことで、文書の見栄えや論理構造を指定するようになっています。

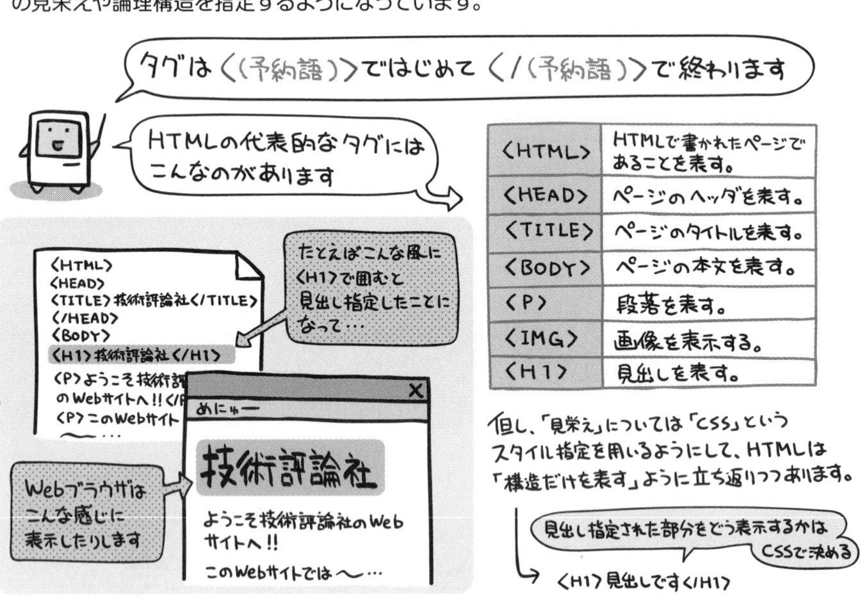

<HTML>	HTMLで書かれたページであることを表す。
<HEAD>	ページのヘッダを表す。
<TITLE>	ページのタイトルを表す。
<BODY>	ページの本文を表す。
<P>	段落を表す。
<IMG>	画像を表示する。
<H1>	見出しを表す。

「アンカー」というタグを使うと、他の文書へのリンクを設定することができます。こうすることで、文書同士を関連づけできるのが大きな特徴です。

URLはファイルの場所を示すパス

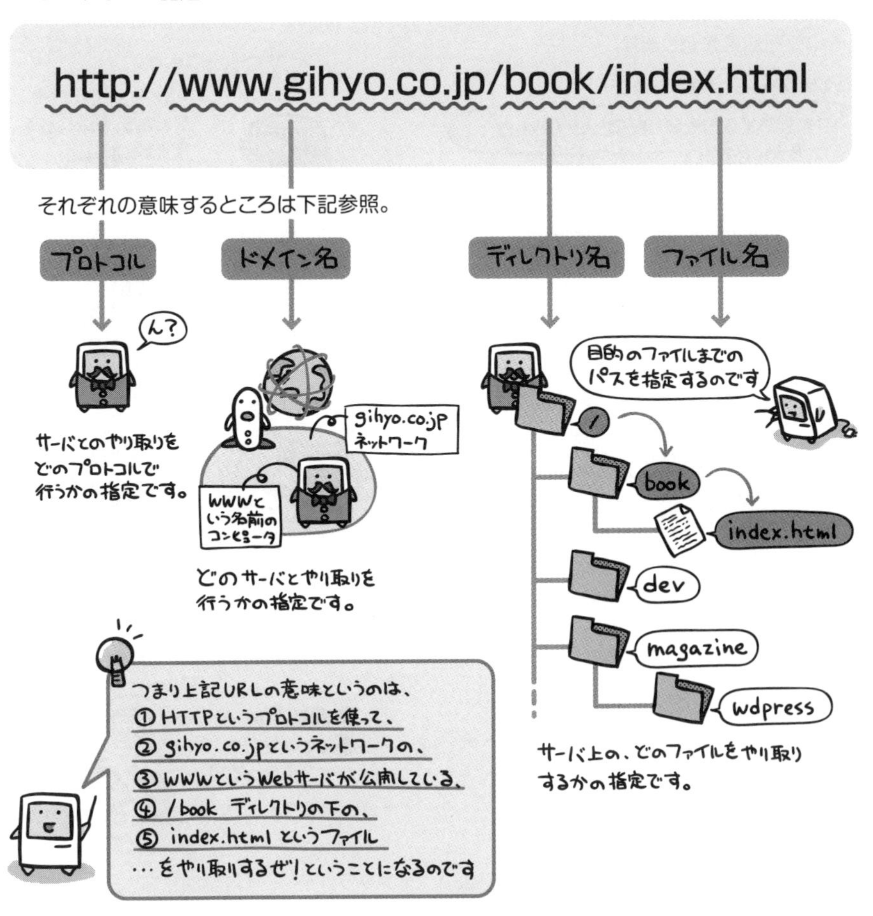

Web上で取得したいファイルの場所を指し示すには、URL (Uniform Resource Locator) という表記方法を用います。

URLによって記述されたアドレスは、次のような形式になっています。

http://www.gihyo.co.jp/book/index.html

それぞれの意味するところは下記参照。

プロトコル

ん？

サーバとのやり取りを
どのプロトコルで
行うかの指定です。

ドメイン名

gihyo.co.jp
ネットワーク

WWWと
いう名前の
コンピュータ

どのサーバとやり取りを
行うかの指定です。

ディレクトリ名

ファイル名

目的のファイルまでの
パスを指定するのです

/
book
index.html
dev
magazine
wdpress

サーバ上の、どのファイルをやり取り
するかの指定です。

つまり上記URLの意味というのは、
① HTTPというプロトコルを使って、
② gihyo.co.jpというネットワークの、
③ WWWというWebサーバが公開している、
④ /book ディレクトリの下の、
⑤ index.html というファイル
…をやり取りするぜ！ということになるのです

Webサーバと外部プログラムを連携させる仕組みがCGI

Webブラウザからの要求に応じて、Webサーバ側で外部プログラムを実行するために用いる仕組みに、CGI(Common Gateway Interface)があります。

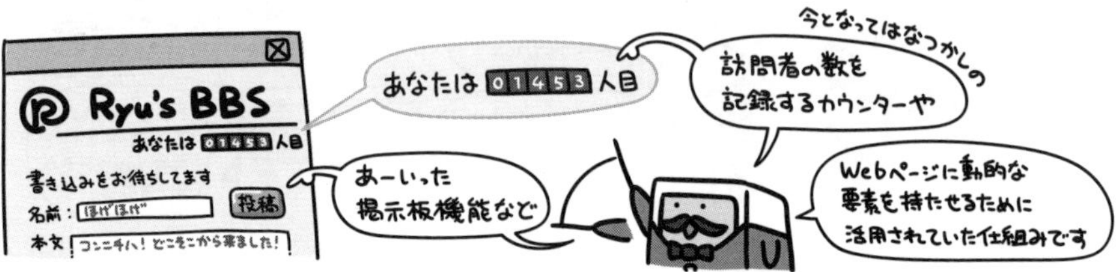

CGIプログラムを示すURLが要求されると、Webサーバは外部のプログラムを実行して、その処理結果を返します。

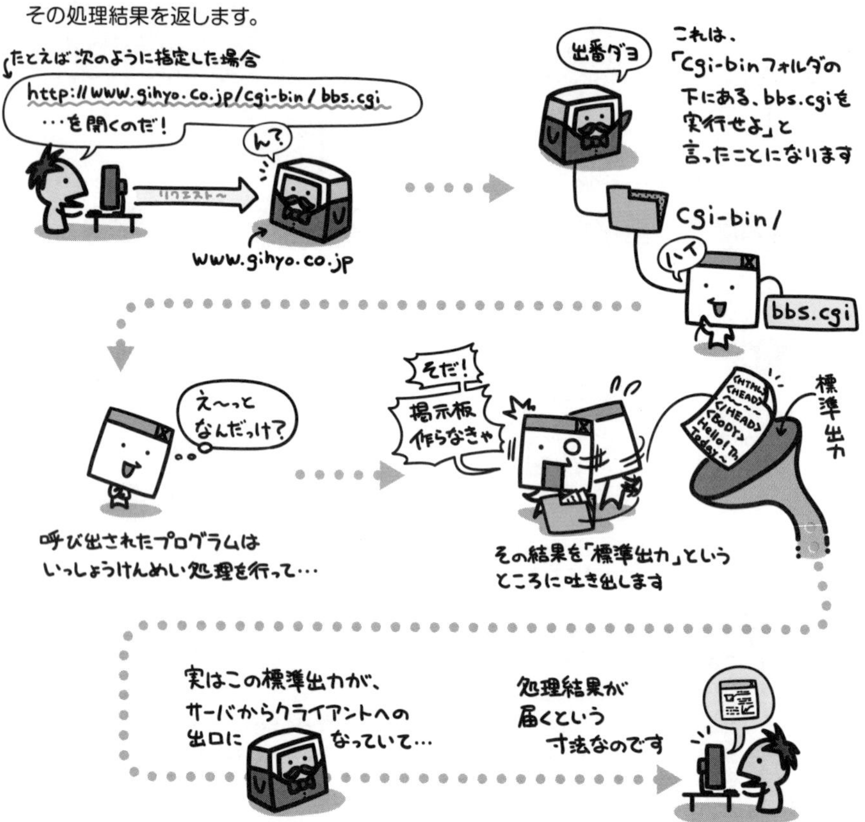

これにより、HTMLだけでは表現できない、インタラクティブ（対話的）なページを作ることができます。

Ajax (Asynchronous JavaScript And XML)

Webページ内に組み込むことで、その中身を動的に書き換えることのできるスクリプト言語にJavaScriptがあります (P.587)。このJavaScriptの非同期通信機能を用いてサーバと通信を行うことで、Webアプリケーションにおいて、よりユーザビリティの高い動的なユーザインタフェースを実現する技術、これをAjax (Asynchronous JavaScript And XML) といいます。

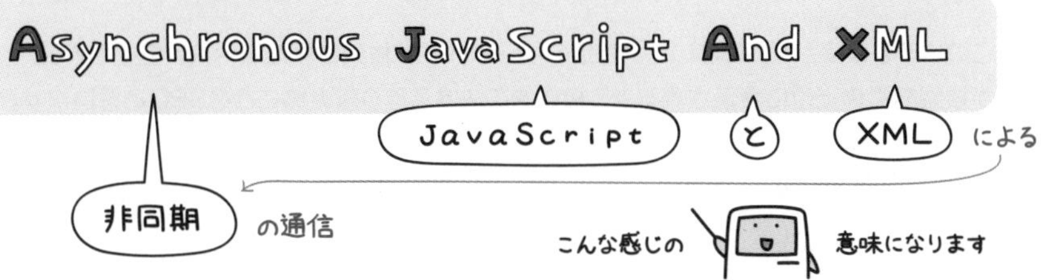

たとえば現在では当たり前に利用されている地図サイトなどは、この技術を用いることで滑らかな地図のスクロールや拡大縮小操作を可能にしています。

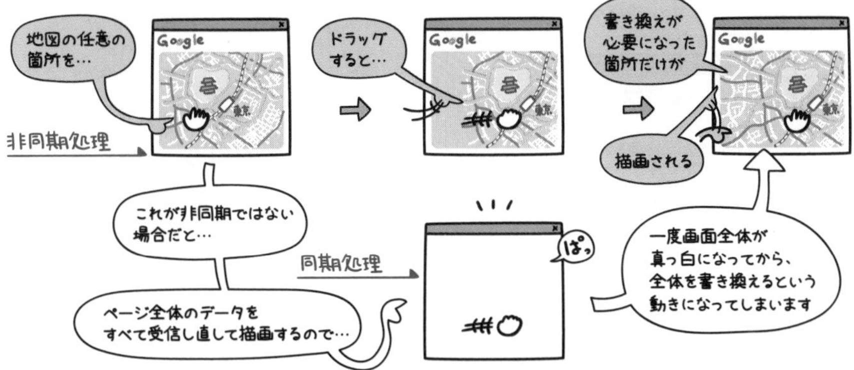

Ajaxは単一の特別な技術ではなく、複数の技術を組み合わせることにより実現する実装手法です。

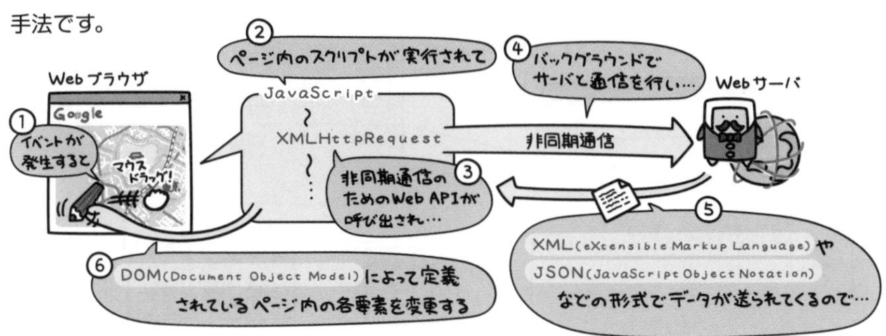

サーチエンジンとSEO（Search Engine Optimization）

WWWに広がる膨大な量のドキュメントから、利用者が自身の求める適切な情報を探し出すには、検索サイトの存在が欠かせません。

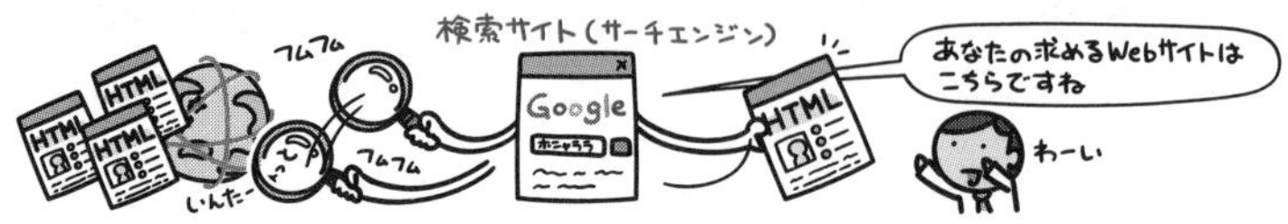

このような検索サイトにおいて、特定のキーワードで検索された場合に、自社のWebサイトが検索結果の上位に表示されるよう構成を工夫する取り組みのことをSEOと言います。

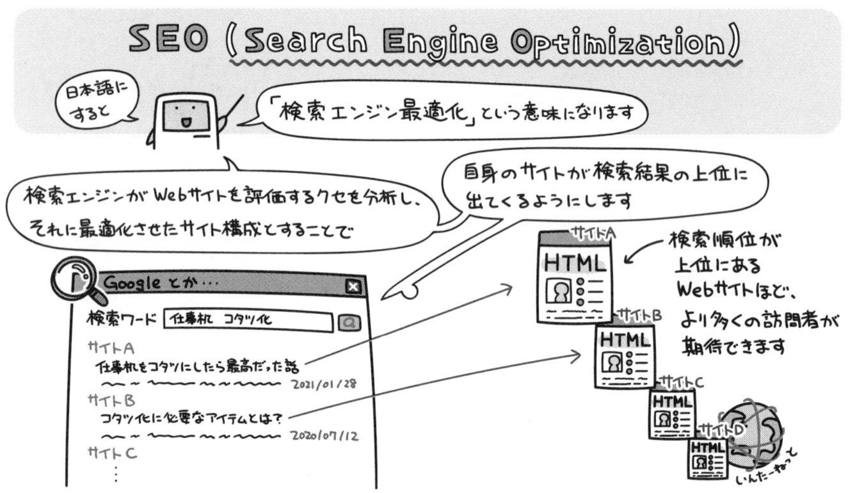

ちなみに、この手法を悪用して、詐欺サイトや不正なソフトウェアを仕込んだページが、検索結果の上位に表示されるよう細工する攻撃手法がSEOポイズニングです。

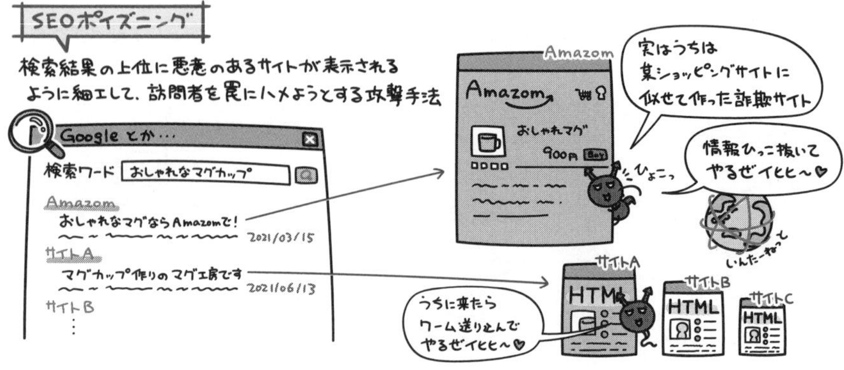

CGM (Consumer Generated Media)

CGMとは、直訳すると「消費者により生成されたメディア」という意味になります。

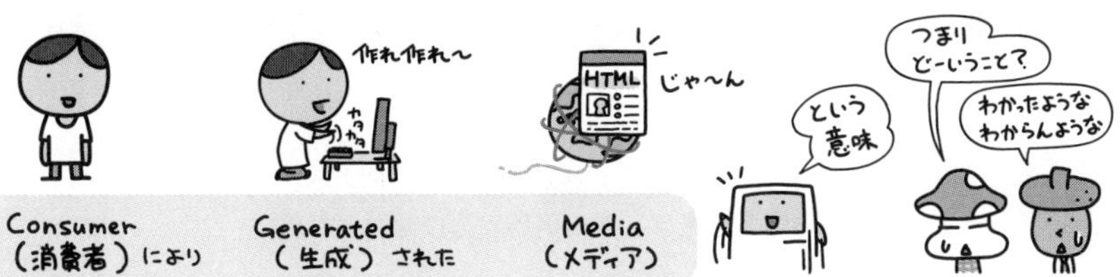

要するに、サービス利用者が投稿することによって形成されていくメディアのことです。わかりやすいところでは、読者投稿型の料理レシピサイトなど。各種ブログやBBS、SNSなどもこれに該当します。

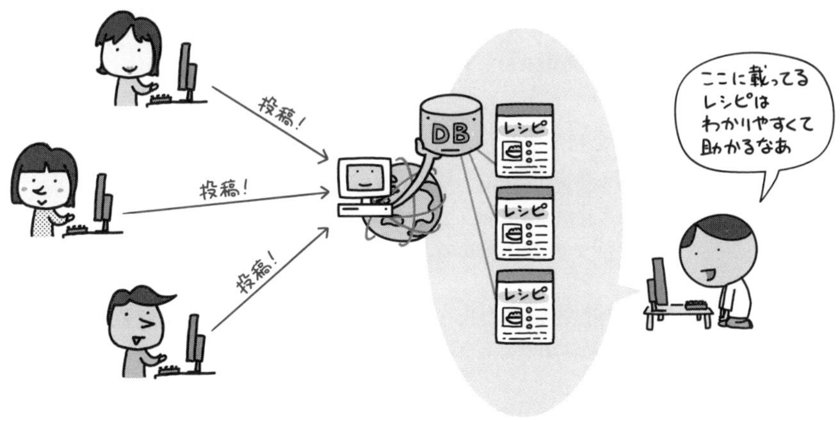

このように出題されています 過去問題練習と解説

(FE-H31-S-50)

JavaScriptの非同期通信の機能を使うことによって，動的なユーザインタフェースを画面遷移を伴わずに実現する技術はどれか。

ア　Ajax　　イ　CSS　　ウ　RSS　　エ　SNS

解説

ア　Ajaxの説明は、409ページを参照してください。　イ　CSS（Cascading Style Sheets）は、HTMLやXMLの要素を、どのように修飾（表示）するかを定義するテキストファイルです。　ウ　RSS（RDF Site Summary）は、Webサイトの新着・更新情報をまとめ、配信するためのXMLベースのデータ形式およびその技術です。　エ　SNS（Social Network Service）は、登録した利用者が自分の趣味・体験・考え方などを投稿して交流するWebサイトのサービスです。Twitter、Instagram、FacebookがSNSの具体例です。

(IP-R02-A-80)

HyperTextの特徴を説明したものはどれか。

ア　いろいろな数式を作成・編集できる機能をもっている。
イ　いろいろな図形を作成・編集できる機能をもっている。
ウ　多様なテンプレートが用意されており，それらを利用できるようにしている。
エ　文中の任意の場所にリンクを埋め込むことで関連した情報をたどれるようにした仕組みをもっている。

解説

HyperTextは、406ページで説明されているHTML（HyperText Markup Language）の前半部分です。

(FE-R04-サ-29)

PCとWebサーバがHTTPで通信している。PCからWebサーバ宛てのパケットでは，送信元ポート番号はPC側で割り当てた50001，宛先ポート番号は80であった。WebサーバからPCへの戻りのパケットでのポート番号の組合せはどれか。

	送信元（Webサーバ）のポート番号	宛先（PC）のポート番号
ア	80	50001
イ	50001	80
ウ	80と50001以外からサーバ側で割り当てた番号	80
エ	80と50001以外からサーバ側で割り当てた番号	50001

解説

送信元ノード(本問ではPC) が送信したパケットが宛先ノード(本問ではWebサーバ) 到着した後に、宛先ノードが送信元ノードに返信する戻りパケットの送信元IPアドレス·送信元ポート番号は、宛先ノードに到着したパケットの宛先IPアドレス・宛先ポート番号になり、また、その戻りのパケットの宛先IPアドレス・宛先ポート番号は、宛先ノードに到着したパケットの送信元IPアドレス・送信元ポート番号に必ずなります(送信元と宛先が逆になると覚えるとよいでしょう)。

したがって、PCからWebサーバ宛てのパケットの送信元ポート番号が50001、宛先ポート番号が80であるならば、WebサーバからPCへの戻りのパケットの送信元ポート番号は80、宛先ポート番号は50001になります。

(FE-R04-サ-56)

CGM (Consumer Generated Media) の例はどれか。

ア 企業が,経営状況や財務状況,業績動向に関する情報を,個人投資家向けに公開する自社のWebサイト
イ 企業が,自社の商品の特徴や使用方法に関する情報を,一般消費者向けに発信する自社のWebサイト
ウ 行政機関が,政策,行政サービスに関する情報を,一般市民向けに公開する自組織のWebサイト
エ 個人が,自らが使用した商品などの評価に関する情報を,不特定多数に向けて発信するブログやSNSなどのWebサイト

解説

ア～ウの例には、特別な名前は付けられていません。
エ CGMの説明は、411ページを参照してください。

(FE-H28-S-36)

検索サイトの検索結果の上位に悪意のあるサイトが並ぶように細工する攻撃の名称はどれか。

ア DNSキャッシュポイズニング　　イ SEOポイズニング
ウ クロスサイトスクリプティング　　エ ソーシャルエンジニアリング

解説

選択肢ア・イ・エの用語の説明は、下記のページを参照してください。
ア DNSキャッシュポイズニング…453ページ
イ SEOポイズニング…410ページ
エ ソーシャルエンジニアリング…451ページ
ウ クロスサイトスクリプティングとは、攻撃目標にしたWebサイトの脆弱性を悪用して罠を仕掛け、悪意を持つサイトへ誘導するスクリプトを実行させ、攻撃目標にしたWebサイトにアクセスした者の個人情報などを盗取したり、ウイルスに感染させたりする攻撃のことです。

正解▸問1:ア　問2:エ　問3:ア　問4:エ
問5:イ

Chapter 12-8

電子メール

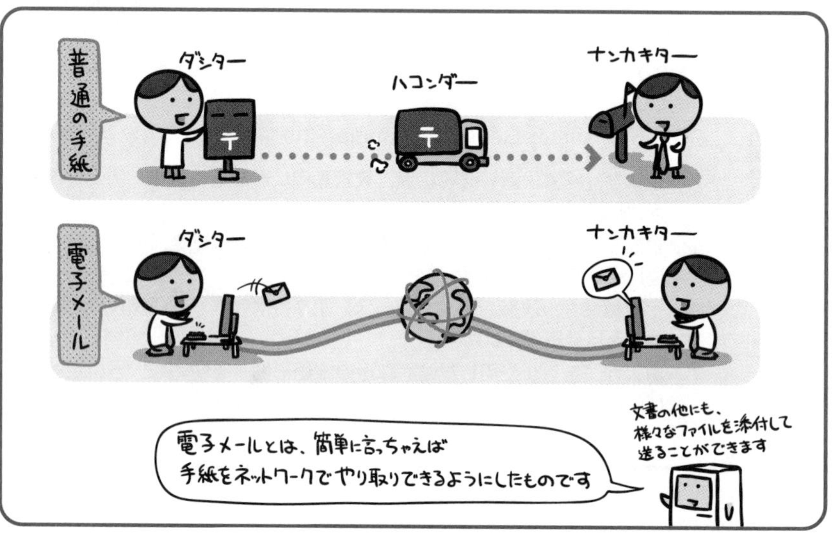

**電子メールは手紙のコンピュータネットワーク版。
メールアドレスを使ってメッセージをやり取りします。**

携帯電話が普及したことで、電子メールという存在はかなり認知されるようになりました。いちいち文書を印刷して封筒に入れてポストに投函して…としていた従来の手紙とは異なり、コンピュータ上の文書をそのままネットワークに乗せて短時間で相手へ送り届けることができる手紙（mail）。それが電子メールです。

電子メールでは、ネットワーク上のメールサーバをポスト兼私書箱のように見立てて、テキストや各種ファイルをやり取りします。昔はテキスト情報しかやり取りできなかったのですが、MIME（Multipurpose Internet Mail Extensions）という規格の登場によって、様々なファイル形式が扱えるようになりました。メール本文に画像や音声など、なんらかのファイルを添付する場合に、このMIME規格が使われます。

電子メールを実際にやり取りするには、電子メールソフト（メーラー）と呼ばれるアプリケーションソフトを使用します。

メールアドレスは、名前@住所なり

手紙のやり取りに住所と名前が必要であるように、電子メールのやり取りにもメールアドレスという、住所+名前に相当するものが使われます。

これは、「インターネット上で自分の私書箱がどこにあるか」を表現したもので、次のような形式となっています。

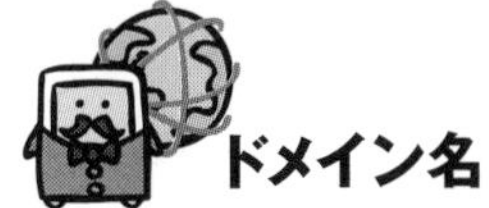

ドメイン名

メールアドレスの、@より右側の部分は「ドメイン名」をあらわします。

インターネット上における私書箱の位置…つまりは郵便で言うところの住所にあたる情報です。

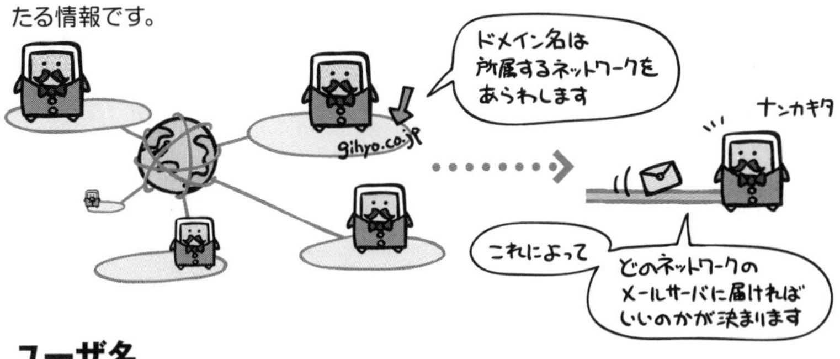

ユーザ名

メールアドレスの、@より左側の部分は「ユーザ名」をあらわします。

郵便で言うところの名前にあたる情報です。ひとつのドメイン内で重複する名前を用いることはできません。

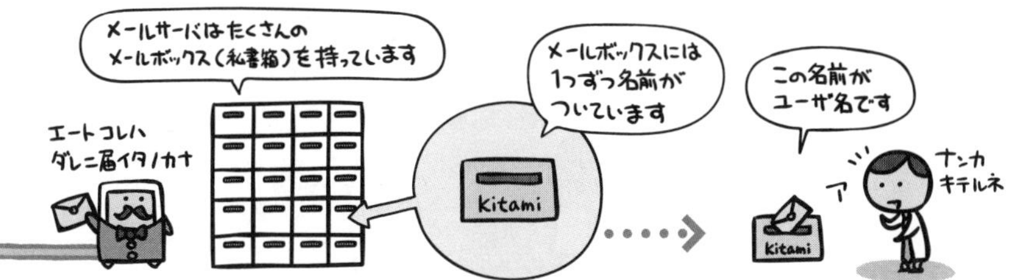

メールの宛先には種類がある

さて、メールをやり取りするにはメールアドレスを宛先として指定するわけですが、この宛先がよく見てみると数種類用意されていたりします。

実は電子メールというのは、その目的に応じて3種類の宛先を使い分けできるようになっているのです。それぞれの意味というのは次のような感じ。

TO

本来の意味の「宛先」です。送信したい相手のメールアドレスをこの欄に記載します。

CC

Carbon Copy（カーボンコピー）の略で、「参考までにコピー送っとくから、一応アナタも見といてね」としたい相手のメールアドレスをこの欄に記載します。

BCC

Blind Carbon Copy（ブラインドカーボンコピー）の略で、「他者には伏せた状態でコピー送っとくから、一応アナタも見といてね」としたい相手のメールアドレスをこの欄に記載します。

1対1でメールのやり取りをしている時には、TO以外の宛先欄を意識することはまずありません。じゃあどんな時に使うかというと、「複数の宛先にまとめてメールを送信したい時」に使います。このように、同じメールを複数の相手に出すやり方を同報メールと呼びます。

たとえば「お客さんへの報告書を主任と部長にも見ておいて欲しいんだけど、部長にも送ってるってことがお客さんに見えてしまうのは少々好ましくない」という場合、それぞれの宛先欄には次のように記載します。

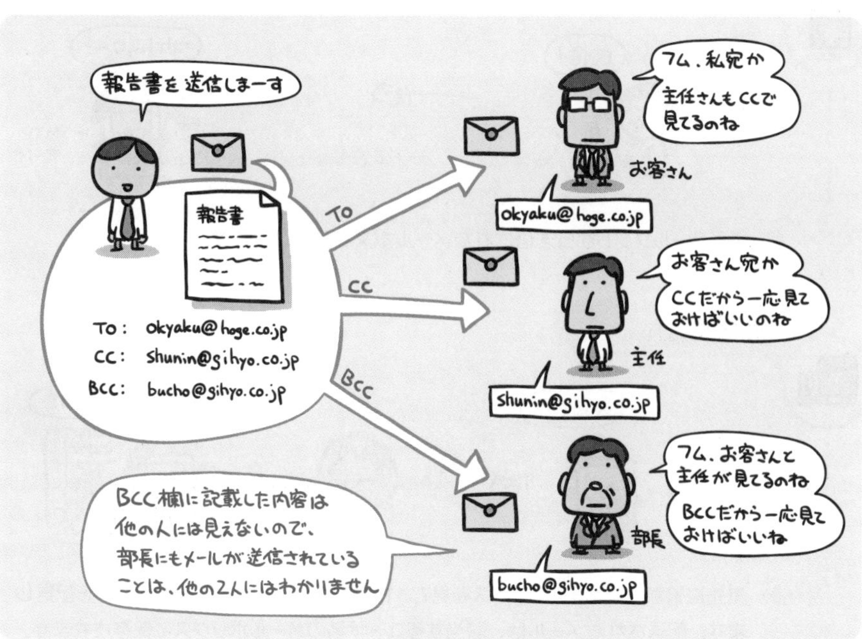

電子メールを送信するプロトコル（SMTP）

電子メールの送信には、SMTPというプロトコルを使用します。
たとえば電子メールを実際の郵便に置きかえて考えると…

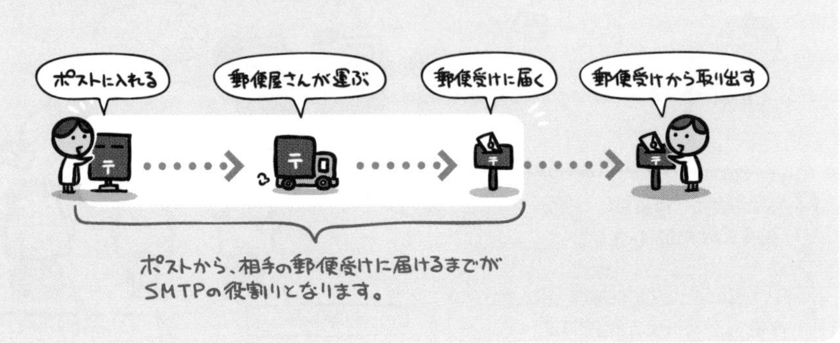

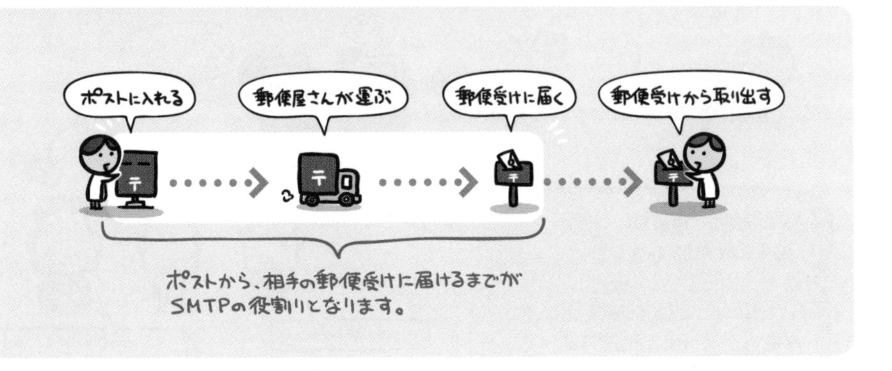

このSMTPに対応したサーバのことをSMTPサーバと呼びます。
SMTPサーバには、次のような2つの仕事があります。

郵便ポスト

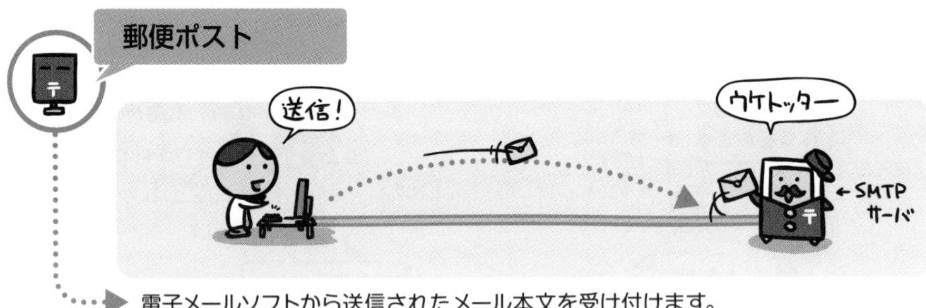

電子メールソフトから送信されたメール本文を受け付けます。

郵便屋さん

宛先に書かれたメールアドレスを見て、相手先のメールサーバへとメールを配送します。配送されたメールは、該当するユーザ名のメールボックスに保存されます。

電子メールを受信するプロトコル（POP）

一方、電子メールを受信するには、POPというプロトコルを使用します。
先ほどと同じく実際の郵便に置きかえて考えると…

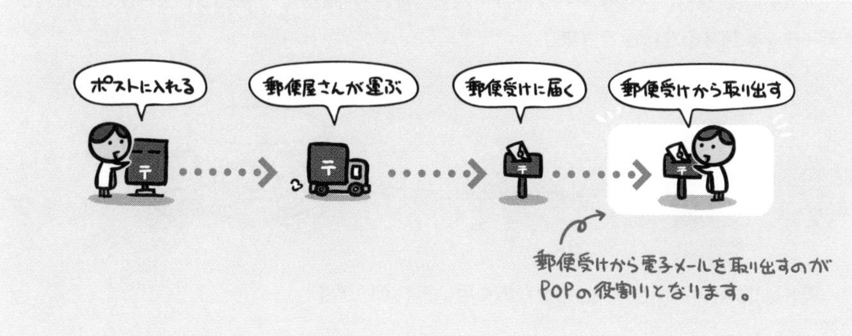

このPOPに対応したサーバのことをPOPサーバと呼びます。

POPサーバは、電子メールソフトなどのPOPクライアントから「受信メールくださいな」と要求があがってくると…

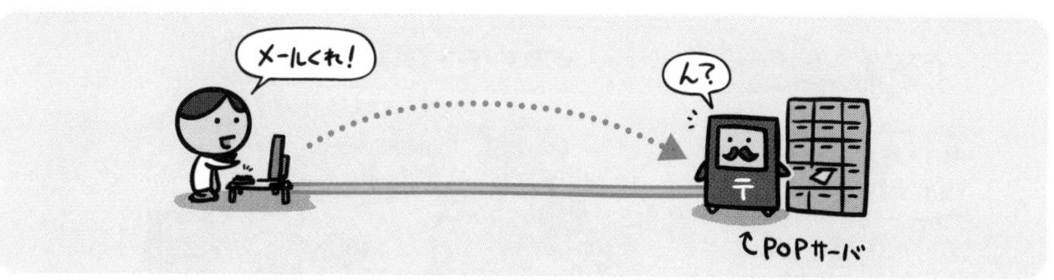

そのユーザのメールボックスから、受信済みのメールを取り出して配送します。

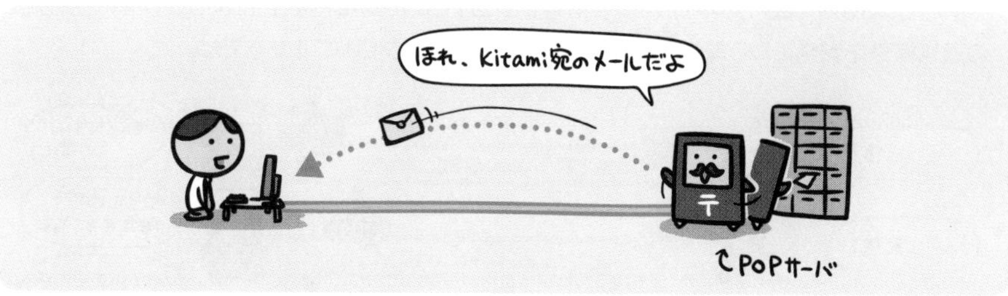

現在は「POP Version3」を意味するPOP3が広く使われています。

電子メールを受信するプロトコル（IMAP）

IMAP（Internet Message Access Protocol）は、POPと同じく電子メールを受信するためのプロトコルです。

POPとは異なり、送受信データをサーバ上で管理するため、どのコンピュータからも同じデータを参照することができます。

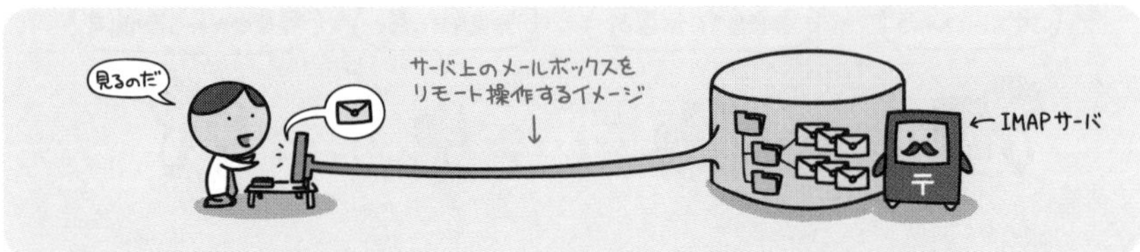

現在はIMAP4というバージョンが広く用いられています。

電子メールを暗号化して送受信するプロトコル

これまで取り上げてきた、SMTP、POP、IMAPという電子メール用のプロトコルは、いずれもネットワーク上を無防備な素のデータとしてやり取りします。

そこで、SSL/TLS（P.487）という暗号化プロトコルを用いることにより、サーバとの間の通信経路を安全にやり取りできるようにしたのが次のプロトコルたちです。

MIME (Multipurpose Internet Mail Extensions)

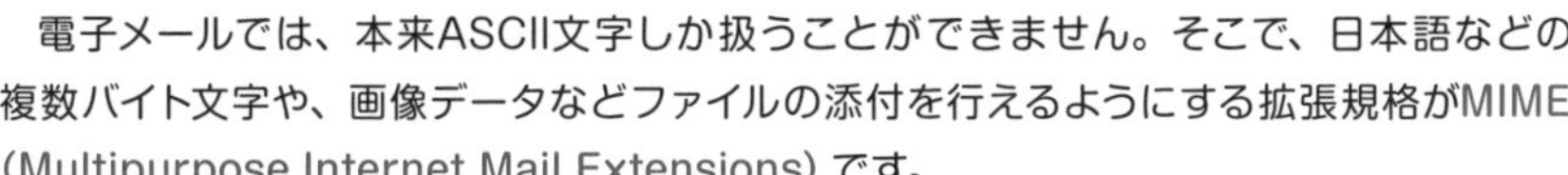

電子メールでは、本来ASCII文字しか扱うことができません。そこで、日本語などの複数バイト文字や、画像データなどファイルの添付を行えるようにする拡張規格がMIME (Multipurpose Internet Mail Extensions) です。

当然そのままでは本来の文と区別がつかなくなるので、メールをパートごとに分けて、どんなデータなのか種別を記します。受信側はこの種別を元に、各パートを復元して参照するわけです。

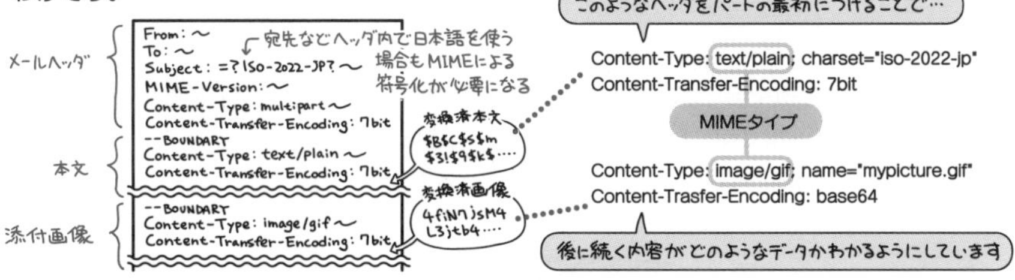

このMIMEに、暗号化やデジタル署名の機能を加えた規格としてS/MIMEがあります。

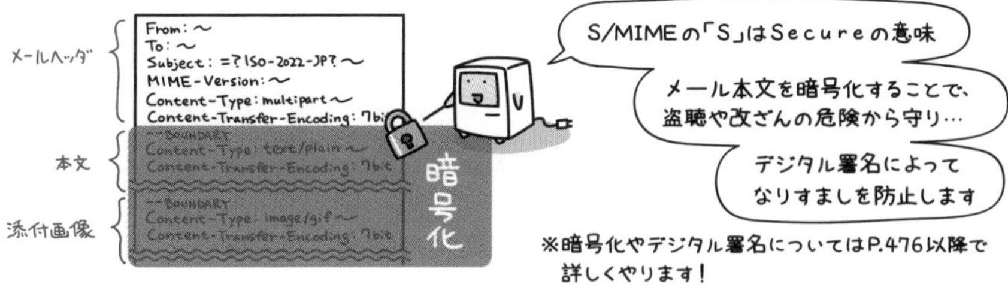

S/MIMEを利用することで、途中の通信経路の状態を問わず、メール本文を盗聴の危険から守ることができます。

電子メールのメッセージ形式

現在、電子メールの本文を記述するメッセージ形式には、テキスト形式とHTML形式の2種類があります。

テキスト形式

- 文字だけで構成されるメール形式
- 一般的に使われているのはこれ
- 多くの環境で問題なく読んでもらえる

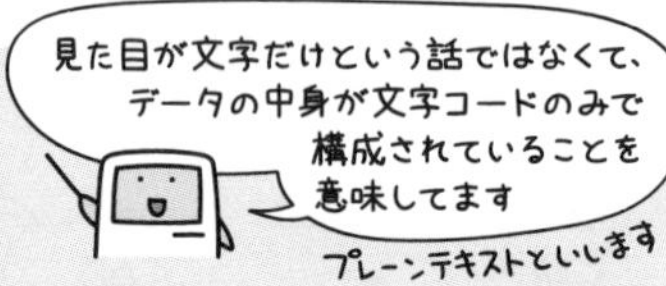

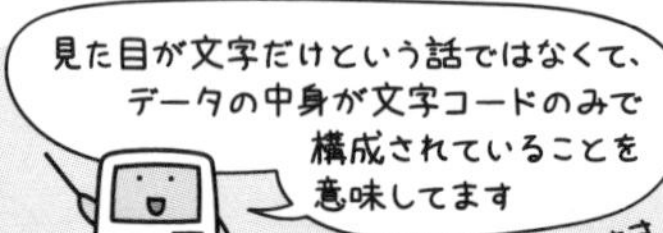

HTML形式

- Webページの記述に用いられるHTMLで本文を作成するメール形式
- Webページ同様にタグが使えるため、文字の装飾や画像の埋込、リンクの設定など、見栄え良く本文を構成することができる。
- 受信側もHTML形式に対応していないと、意図した通りに表示されない

もともと電子メールというのは、MIMEの項でも述べた通り、テキスト形式のみ…それも最もシンプルなASCII文字に限られていました。そこにMIMEなどの拡張が施されてより多くの文字が扱えるようになり、さらに「より表現力を」という需要を満たす形で開発されたのがHTML形式のメールです。

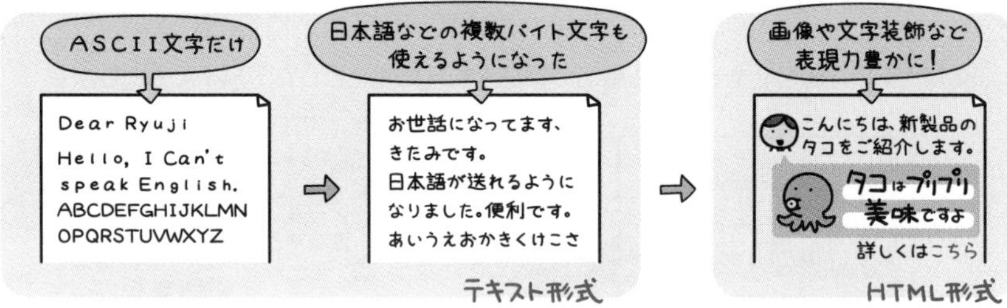

HTML形式であるため、Webページと同じく文字の装飾や本文内に画像を配置するなどの多様な表現力を持ちますが、その一方で閲覧時には、本文内に悪意のあるスクリプトが埋め込まれていて自動実行される可能性や、偽装Webサイトへ誘導するフィッシング(P.454)詐欺被害に合うなどの危険性に留意する必要があります。

電子メールは文字化け注意!!

電子メールの便利なところは、相手のデバイスを意識せずにメールのやり取りができることです。考えてみれば、世界中の誰かさんとインターネットでつながって、相手が何を使ってメールを読むのかも知らないままやり取りできちゃう。これってすごいことですよね。

ただ、そこでちょっと思い出して欲しいのが文字コード(P.108)の話。

文字コードには色んな種類がありますから、あるコンピュータで表示できる文字だからといって、それが他のコンピュータでも表示できるとは限らないのです。

このように、特定のコンピュータでしか表示できない文字のことを機種依存文字と呼びます。

機種依存文字には次のようなものがあります。あと、厳密には機種依存文字ではないのですが、半角カナ(ｱｲｳｴｵみたいなの)も同じく文字化けの原因になりますので、ともにメールでの使用は控えた方が無難です。

丸付数字	① ② ③ ④ ⑤ ⑥ ⑦ ⑧ ⑨ ⑩ ⑪ ⑫ ⑬ ⑭ ⑮ ⑯ ⑰ ⑱ ⑲ ⑳
ローマ数字	Ⅰ Ⅱ Ⅲ Ⅳ Ⅴ Ⅵ Ⅶ Ⅷ Ⅸ Ⅹ
単位	㍉ ㌔ ㌢ ㍍ ㌘ ㌧ ㌃ ㌶ ㍑ ㍗ ㌍ ㌦ ㌣ ㌫ ㍊ ㌻ ㎜ ㎝ ㎞ ㎎ ㎏ ㏄ ㎡
省略文字	№ ㏍ ℡ ㊤ ㊥ ㊦ ㊧ ㊨ ㈱ ㈲ ㈹ ㍾ ㍽ ㍼

このように出題されています
過去問題練習と解説

問1 (FE-R04-サ-27)

TCP/IPを利用している環境で，電子メールに画像データなどを添付するための規格はどれか。

ア JPEG　イ MIME　ウ MPEG　エ SMTP

解説

ア JPEGは、Joint Photographic Experts Group の略であり、デジタル静止画像を圧縮するための規格です。
イ MIMEは、Multipurpose Internet Mail Extensionsの略であり、電子メールに画像データなどを添付するための規格です。
ウ MPEGは、Moving Picture Experts Groupの略であり、デジタル動画を圧縮するための規格です。
エ SMTPは、Simple Mail Transfer Protocolの略であり、電子メールを転送するためのプロトコルです。

問2 (FE-H30-S-34)

電子メールのヘッダフィールドのうち，SMTPでメッセージが転送される過程で削除されるものはどれか。

ア Bcc　イ Date　ウ Received　エ X-Mailer

解説

ア Bccの説明は、416ページを参照してください。
イ Dateは、送信された日時を示します。
ウ Receivedは、メールが送信されてきたサーバの経路（=メールを転送したメールサーバのドメイン名の一覧）を示します。
エ X-Mailerは、送信の時に使われたメールソフトの名前を示します。

問3 (FE-H26-S-33)

インターネットにおける電子メールの規約で，ヘッダフィールドの拡張を行い，テキストだけでなく，音声，画像なども扱えるようにしたものはどれか。

ア HTML　イ MHS　ウ MIME　エ SMTP

解説

ア　HTML (HyperText Markup Language) は、Webページを記述するための言語です。
イ　MHS(Message Handling System) は、旧CCITTが標準化した電子メールの規格です(試験には、ほとんど出題されません)。
ウ　MIME (Multipurpose Internet Mail Extensions) は、電子メールにファイルを添付して転送するためのプロトコルです。
エ　SMTP (Simple Mail Transfer Protocol) は、電子メールを転送するためのプロトコルです。

(FE-H21-S-39)

図の環境で利用される①～③のプロトコルの組合せとして，適切なものはどれか。

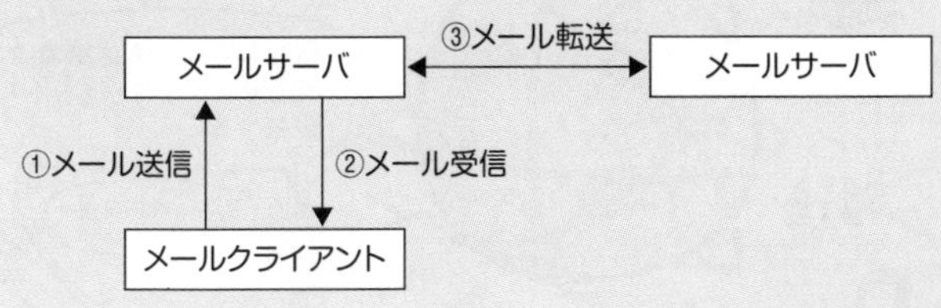

	①	②	③
ア	POP3	POP3	SMTP
イ	POP3	SMTP	POP3
ウ	SMTP	POP3	SMTP
エ	SMTP	SMTP	SMTP

解説

図の①と③はSMTP (Simple Mail Transfer Protocol) が、②はPOP3 (Post Office Protocol version3) が対応します。

(FE-H25-S-43)

電子メールを暗号化するために使用される方式はどれか。

ア　BASE64　　イ　GZIP　　ウ　PNG　　エ　S/MIME

解説

ア　BASE64は、画像などのバイナリデータや、漢字やひらがななどの2バイトコードをエンコーディングする方式の一つです。
イ　GZIP (GNU Zip) は、データ圧縮プログラムの一つです。
ウ　PNG (Portable Network Graphics) は、画像ファイルフォーマットの一つです。
エ　S/MIMEの説明は、421ページを参照してください。

正解▶問1:イ　問2:ア　問3:ウ　問4:ウ
問5:エ

Chapter 12-9 ビッグデータと人工知能

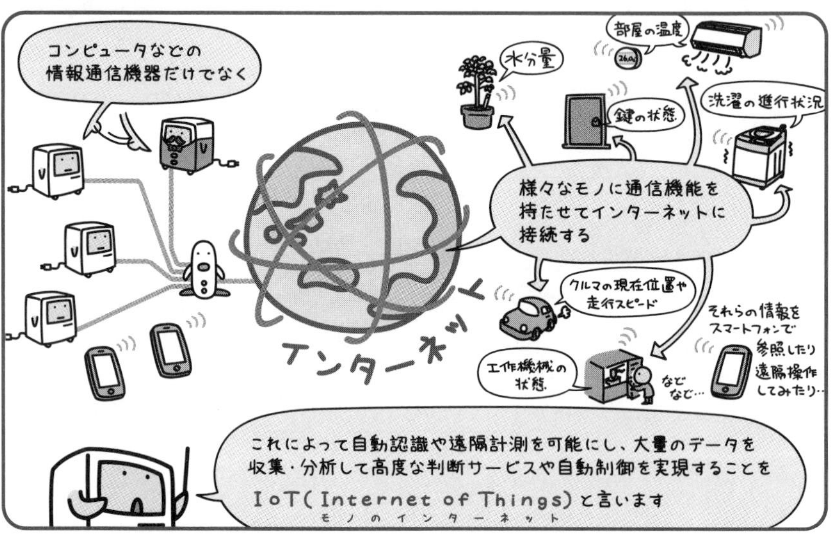

様々な“モノ”がインターネットにつながることで、膨大な情報が日々蓄積され、その活用範囲を広げています。

IoTとはInternet of Thingsの略。「モノのインターネット」と訳されています。モノのデジタル化・ネットワーク化が進んだ社会のような意味だと捉えれば良いでしょう。

かつてはコンピュータ同士を広く接続するインフラとして用いられていたインターネットですが、スマートフォンやタブレットなどの情報端末、テレビやBDレコーダーなどのデジタル家電にはじまり、今ではスマート家電や各種センサーを搭載した様々な“モノ”が、インターネットに接続されるようになりました。

こうした数多くのモノが、そのセンサーによって見聞きしたあらゆる事象は、インターネット上に「ビッグデータ」と言われる膨大な「数値化されたデジタル情報」を日々生み出し続けています。あまりに膨大すぎて人の手にはあまるので、このビッグデータの活用には、人工知能（AI）技術が欠かせません。その一方で、人工知能技術自体の発達にも、ビッグデータが一役も二役も買っているのが面白いところです。

本節では、そうしたビッグデータと人工知能について見ていきます。

IoT社会の現代において、ビッグデータと人工知能の組み合わせは、デジタル技術をさらに躍進させる存在として注目を浴びています。

ビッグデータ

前ページでも述べていた通り、「とにかく膨大」なデータだからビッグデータ。どこからがじゃあビッグなのかというと、典型的なデータベースソフトウェアが把握し、蓄積し、運用し、分析できる能力を超えたサイズのデータを指すとされています。

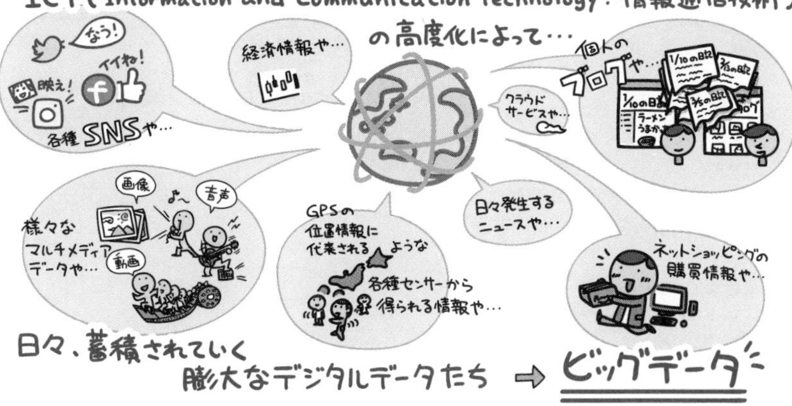

このビッグデータが持つ大きな特性が、次に挙げる「3つのV」です。

これらを分析する際は、一部を抜き出して対象とするようなサンプリングは行わず、データ全体を対象に統計学的手法を用いて行います。大量のデータを統計的、数学的手法で分析し、法則や因果関係を見つけ出す技術をデータマイニングと言います。

人工知能（AI : Artificial Intelligence）

人間は明確な定義やプログラミングされた指示がなくとも、知り得た情報をもとに分析し、自然と学習を行うことで多様な意志判断を行うことができます。

こうした知的能力を、コンピュータシステム上で実現させる技術を人工知能（AI: Artificial Intelligence）と呼びます。

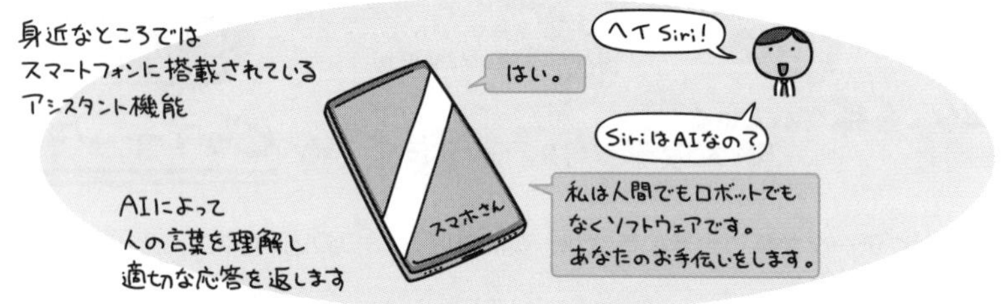

ビッグデータの有する膨大な情報は、その膨大さゆえに、管理や分析は難しいものがありました。特に画像や音声などは人の手によってひとつずつ解析するしかなく、これを大量にさばくことは現実的ではありませんでした。

それを可能にしたのがAIです。

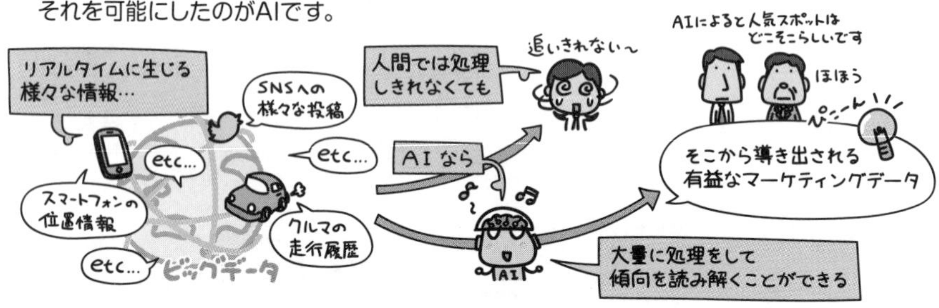

このAIを実現するための中核技術に機械学習があります。

近年におけるAIの目覚ましい発達は、この学習技術の登場によってもたらされたと言っても過言ではありません。一方で、その学習精度を高めるためには、大量のデータを投入する必要があります。つまりその発達にはビッグデータの存在が欠かせません。

このように、ビッグデータとAIは、互いの可能性を高め合う共存共栄関係にあるのです。

機械学習

機械学習は、AIを実現するための中核技術です。字面の通り、機械が学習することで、タスク遂行のためのアルゴリズムを自動的に改善していくのが特徴です。

学習方法には大きく分けてこの3つがあります!

教師あり学習

データと正解をセットにして与える(もしくは誤りを指摘する)手法です。たとえば大量の猫の写真を「猫」という正解付きで与えることにより、コンピュータは「どのような特徴があれば猫なのか」を自ら学習し、判別できるようになります。

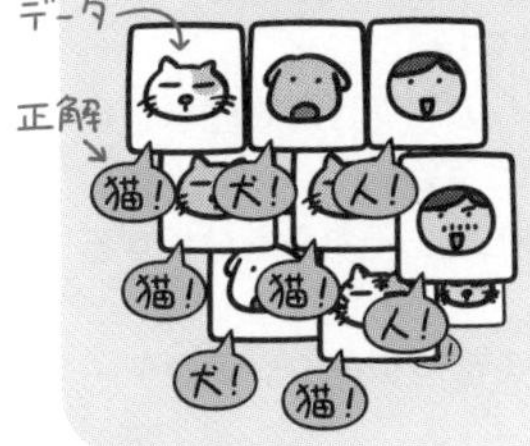

教師なし学習

データのみを与える手法です。たとえば猫と犬と人の写真を大量に与えることにより、コンピュータは共通の特徴や法則性を自ら見つけ出し、データの集約や分類を行えるようになります。

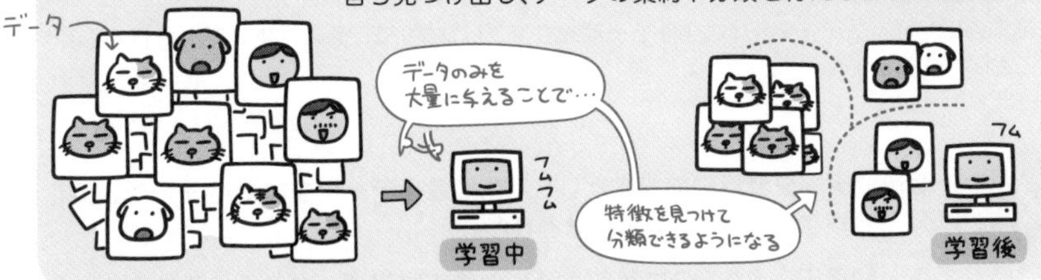

強化学習

個々の行動に対する善し悪しを得点として与えることで、得点がもっとも多く得られる方策を学習する手法です。コンピュータが試行錯誤しながら行動し、偶然良い結果(報酬)が得られた時の行動を学習することで、適切なアルゴリズムを導き出します。

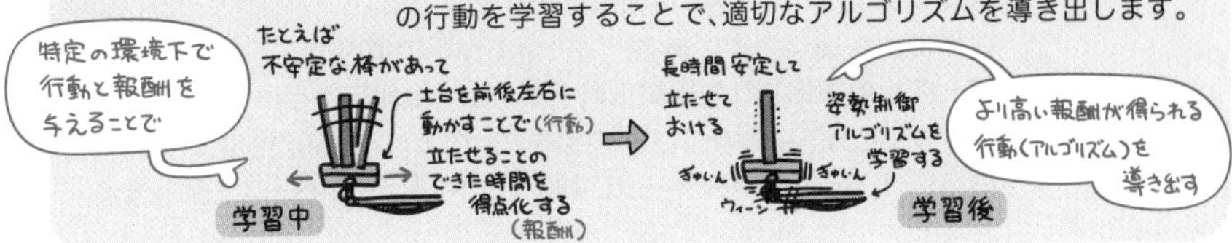

この機械学習をさらに発展させたものとして、ディープラーニング(深層学習)があります。これは、人間の脳神経回路を模したモデル(これをニューラルネットワークという)に大量のデータを解析させることで、コンピュータ自体が自動的にデータの特徴を抽出して学習を行うというものです。

このように出題されています
過去問題練習と解説

Ⅰ

問 1

(FE-R01-A-63)

企業がマーケティング活動に活用するビッグデータの特徴に沿った取扱いとして，適切なものはどれか。

ア　ソーシャルメディアで個人が発信する商品のクレーム情報などの，不特定多数によるデータは処理の対象にすべきではない。

イ　蓄積した静的なデータだけでなく，Webサイトのアクセス履歴などリアルタイム性の高いデータも含めて処理の対象とする。

ウ　データ全体から無作為にデータをサンプリングして，それらを分析することによって全体の傾向を推し量る。

エ　データの正規化が難しい非構造化データである音声データや画像データは，処理の対象にすべきではない。

解説

ア・エ　本選択肢の説明のようなデータも処理の対象にします。

イ　そのとおりです。

ウ　基本的に、ビッグデータ全体の中から一部をサンプリングして、その抽出結果を分析するようなことはなされません。

問 2

(FE-R06-15)

ビッグデータ分析の前段階として，非構造化データを構造化データに加工する処理を記述している事例はどれか。

ア　関係データベースに蓄積された大量の財務データから必要な条件に合致するデータを抽出し，利用者が扱いやすい表計算ソフトウェアデータに加工する。

イ　個人情報を含むビッグデータを更に利活用するために，特定の個人を識別することができないように匿名化加工する。

ウ　住所データ項目の中にある，“ヶ”と“が”の混在や，丁番地の表記不統一を，標準化された表記へ統一するために加工する。

エ　ソーシャルメディアの口コミを機械学習によって単語ごとに分解し，要約を作り、分析可能なデータに加工し，関係データベースに保管する。

解説

構造化データは、例えば、297ページの関係データベースの行のように、行を構成する列がどの行でも同じになるデータです。非構造化データは、行ごとに構成する列が異なっているようなデータです。

ア　関係データベースに蓄積されたデータも、表計算ソフトウェアデータも、構造化データです。
イ　特定の個人を識別することができないように匿名化加工（例えば、すべての名前を*****に置き替える）をしても、データ構造は変わりません。
ウ　本選択肢のようなことをしても、データ構造は変わりません。
エ　ソーシャルメディアの口コミは非構造化データであり、関係データベースのデータは構造化データなので、本選択肢は非構造化データを構造化データに加工する処理を記述している事例です。

(FE-H31-S-04)

機械学習における教師あり学習の説明として，最も適切なものはどれか。

ア　個々の行動に対しての善しあしを得点として与えることによって，得点が最も多く得られるような方策を学習する。
イ　コンピュータ利用者の挙動データを蓄積し，挙動データの出現頻度に従って次の挙動を推論する。
ウ　正解のデータを提示したり，データが誤りであることを指摘したりすることによって，未知のデータに対して正誤を得ることを助ける。
エ　解のデータを提示せずに，統計的性質や，ある種の条件によって入力パターンを判定したり，クラスタリングしたりする。

解説

429ページで説明されているように、AIの機械学習における「教師あり学習」は、データと正解をセットにして与える（もしくは誤りを指摘する）手法です。なお、選択肢エは、「教師なし学習」の説明です。

(FE-H30-S-03)

AIにおけるディープラーニングの特徴はどれか。

ア　“AならばBである”というルールを人間があらかじめ設定して，新しい知識を論理式で表現したルールに基づく推論の結果として，解を求めるものである。
イ　厳密な解でなくてもなるべく正解に近い解を得るようにする方法であり，特定分野に特化せずに，広範囲で汎用的な問題解決ができるようにするものである。
ウ　人間の脳神経回路を模倣して，認識などの知能を実現する方法であり，ニューラルネットワークを用いて，人間と同じような認識ができるようにするものである。
エ　判断ルールを作成できる医療診断などの分野に限定されるが，症状から特定の病気に絞り込むといった，確率的に高い判断ができる。

解説

ア　エキスパートシステムの特徴です。　イ　ディープラーニングは、特定分野に特化した学習を行います。　ウ　本選択肢の「人間の脳神経回路を模倣して」が、429ページでの最下行から上へ3行目までの中で説明されている「人間の脳神経回路を模したモデル」に合致しており、本選択肢がディープラーニングの特徴です。　エ　ディープラーニングは、判断ルールを作成できる医療診断などの分野に限定されません。

正解▶問1:イ　問2:エ　問3:ウ　問4:ウ

Chapter 13
セキュリティ

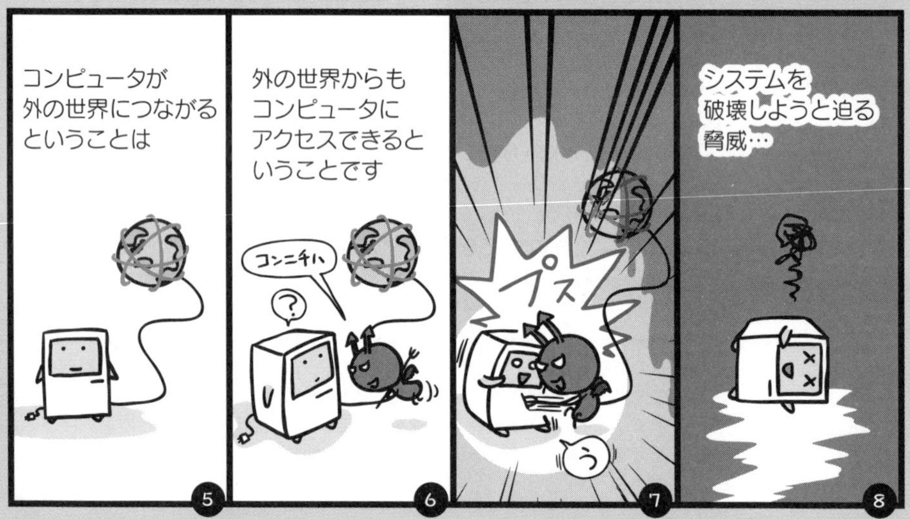

大切な
機密情報が
はいよ
ほいよ
9
ひょいと盗まれ
かねない危険…
イッタダキー
10
コンピュータの
高性能化により
扱う情報が多様化
すればするほど
ひょこっ
11
ガン
12

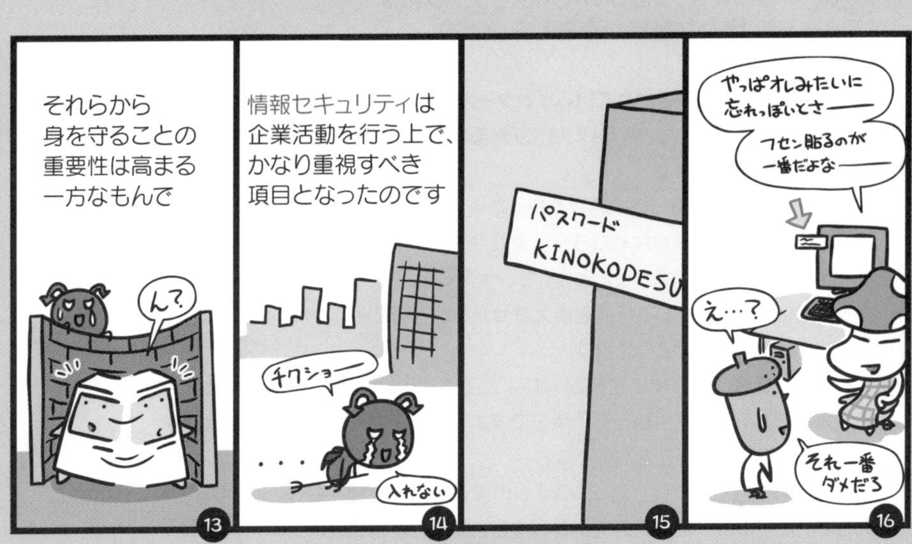
それらから
身を守ることの
重要性は高まる
一方なもんで
ん?
13
情報セキュリティは
企業活動を行う上で、
かなり重視すべき
項目となったのです
チクショー
入れない
14
パスワード
KINOKODESU
15
やっぱオレみたいに
忘れっぽいとさー
フセン貼るのが
一番だよな
え…?
それ一番
ダメだろ
16

Chapter 13-1 ネットワークに潜む脅威と情報セキュリティ

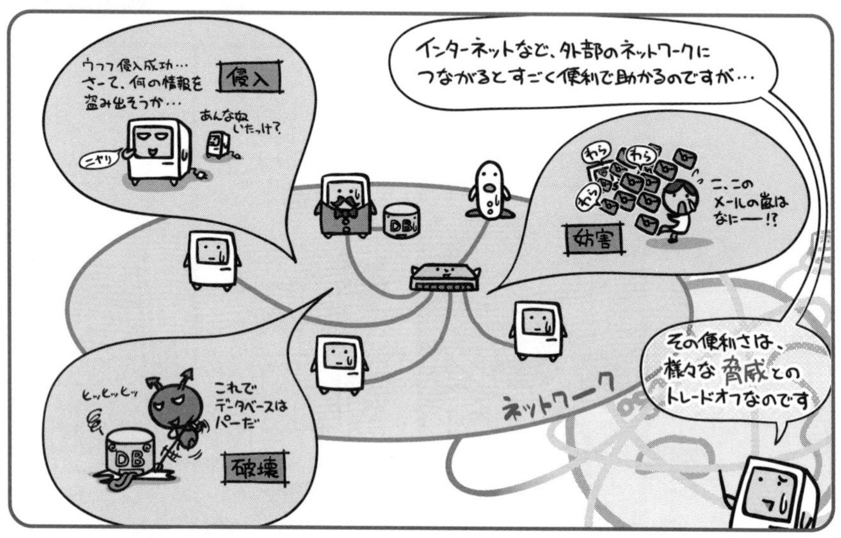

外部とつながれたネットワークには、様々な脅威が存在しています。

世界中アチコチにつながっているインターネット。企業のネットワークをこいつにつなぐと確かに便利なのですが、それは同時に「外部ネットワークに潜む悪意ともつながる」という危険性をはらんでいます。

たとえば外部の人間…特に悪意を持った人間が自社のネットワークに侵入できてしまうとどうなるか。情報の漏洩はもちろん、重要なデータやファイルを破壊される恐れが出てきます。また、侵入を許さなかったとしても、大量の電子メールを送りつけたり、企業Webサイトを繰り返しリロードして負荷を増大させたりとすることで、サーバの処理能力をパンクさせる妨害行為なども起こりえます。

考えてみれば、事務所に泥棒が入れば大変ですし、FAXを延々と送りつけてきて妨害行為を働くなんてのも古くからある手法ですよね。そのようなことと同じ危険が、ネットワークの中にもあるということなのです。

悪意を持った侵入者は、常にシステムの脆弱性という穴を探しています。これらの脅威に対して、企業の持つ情報資産をいかに守るか。それが情報セキュリティです。

情報セキュリティマネジメントシステム (ISMS: Information Security Management System)

組織が自身の情報資産を適切に管理し、それらを守るための仕組みが情報セキュリティマネジメントシステム（ISMS）です。次ページでふれる情報セキュリティの3要素（機密性、完全性、可用性）をバランス良く維持・改善していくことを目的とします。

この情報セキュリティマネジメントシステムを、どのように構築し、維持・改善していくべきかを定めた規格がISO/IEC 27001（JIS Q 27001）で…

組織が構築した情報セキュリティマネジメントシステムが、この規格に基づいて適切に構築・運用されているかを証明するのが、第三者であるISMS認証機関が審査して認証を行うISMS適合性評価制度です。ここでISMS認証を受けた組織は、情報資産を適切に管理する仕組みを有してますよとなるわけです。

しかし情報セキュリティ対策は、一度行ったら終わりというわけではありません。この分野は常に新しい脅威に対して備える必要があるため、PDCAサイクル（P.762）に基づいて継続的な見直しと改善のプロセスを繰り返すことが求められます。

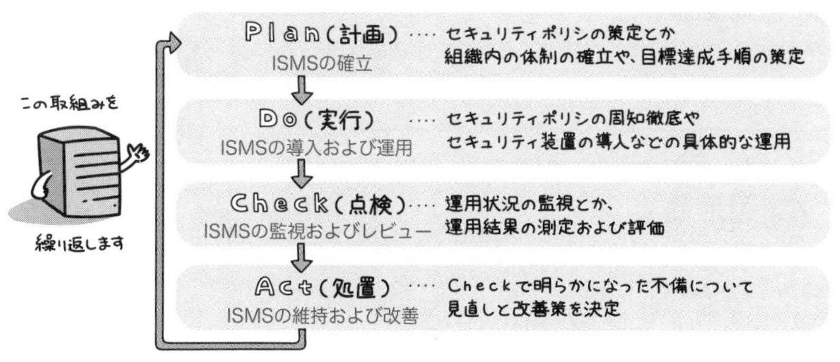

情報セキュリティの3要素

情報セキュリティは、「とにかく穴を見つけて片っ端からふさげばいい」というものではありません。たとえば次のように穴をふさいでみたとしましょう。

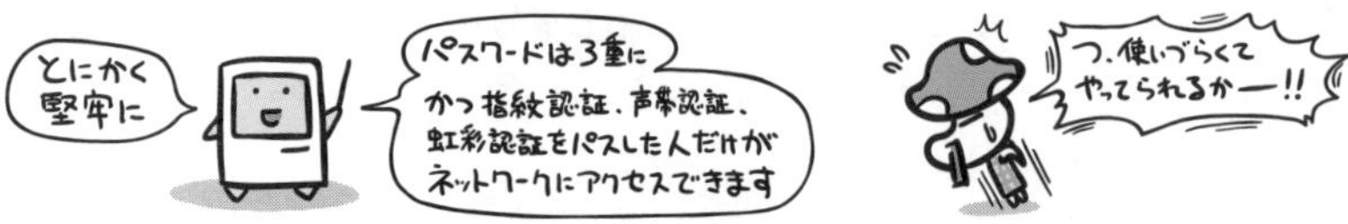

そう、「セキュリティのためだ」と堅牢なシステムにすればするほど、今度は「使いづらい」という問題が出てきてしまいます。そもそも「安全最優先」と言うのであれば、そこでつながってるLANケーブルを引っこ抜いちゃえばいいのです。でも、それだとネットワークの利便性が享受できないからよろしくない。じゃあ、安全性と利便性とをどこでバランスさせるか…。これがセキュリティマネジメントの基本的な考え方です。

そんなわけで情報セキュリティは、次の3つの要素を管理して、うまくバランスさせることが大切だとされています。

機密性

許可された人だけが情報にアクセスできるようにするなどして、情報が漏洩しないようにすることを指します。

完全性

情報が書き換えられたりすることなく、完全な状態を保っていることを指します。

可用性

利用者が、必要な時に必要な情報資産を使用できるようにすることを指します。

情報セキュリティの7要素

近年は前ページにあげた「機密性」、「完全性」、「可用性」の3要素に加えて、「真正性」「責任追跡性」「否認防止」「信頼性」という4つの要素を含む「情報セキュリティの7要素」が提唱されています。

これらを意識することで、さらに情報セキュリティを高めることができます。

各特性はISO 27000規格の用語定義で次のように記されています
※責任追跡性のみ特に定義がありません

真正性（authenticity）

エンティティは、それが主張するとおりのものであるという特性。

責任追跡性（accountability）

accountabilityは「説明責任」という意味。いつ、だれが、何をしたのかを特定・追跡できる特性。

否認防止（non-repudiation）

主張された事象又は処置の発生、及びそれらを引き起こしたエンティティを証明する能力。

信頼性（reliability）

意図する行動と結果とが一貫しているという特性。

ちなみに！

エンティティは、"実体"、"主体"とも言います

ちょっと耳慣れない言葉ですよね

情報セキュリティの文脈においては、情報を使用する組織及び人、情報を扱う設備、ソフトウェア及び物理的媒体などを意味します

セキュリティポリシ（情報セキュリティ方針）

さて、色々検討した末に、「ウチの情報セキュリティは、こんな風にして守るべきだぜ」と思い至ったとします。でも、思っているだけでは何も反映されません。

そこで、組織の経営者（トップマネジメント）が、企業としてどのように取り組むかを明文化して、従業員および関連する外部関係者に周知·徹底するわけです。これを、セキュリティポリシ（情報セキュリティ方針）と呼びます。

セキュリティポリシは基本方針と対策基準、実施手順の3階層で構成されています。

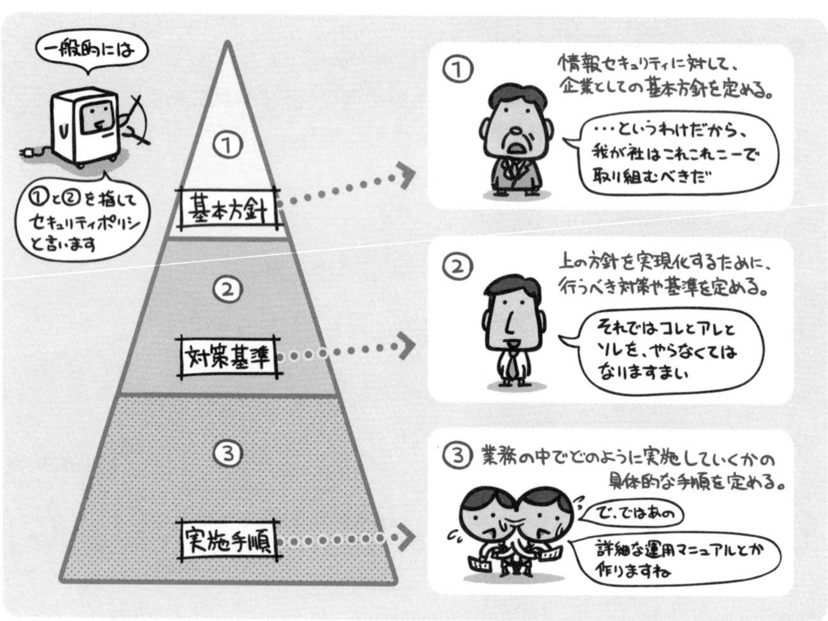

リスクマネジメント

情報セキュリティの目的はなにかというと、「情報資産をリスクから守る」ことに尽きます。では、リスクとは具体的に何でしょう?

情報セキュリティにおける「リスク」とは、「組織が持つ情報資産の脆弱性を突く脅威によって、組織が損害を被る可能性のこと」を指します。

一方で、リスクマネジメントの国際的なガイドラインであるISO 31000:2018(JIS Q 31000:2019)では、「リスク」は次のように定義されています。

つまり後者の定義に従えば、リスクというのは「組織が目的を達成する上で起こりうる不確かな要素」となるわけです。たとえば下記の例もみんなリスクです。

…という具合に、リスクが示す範囲には定義によってちがいがあるんですけど、とにかくそうした不確定要素を予測し、分析して、その影響範囲を把握し、事前に対策を講ずるのがリスクマネジメントです。

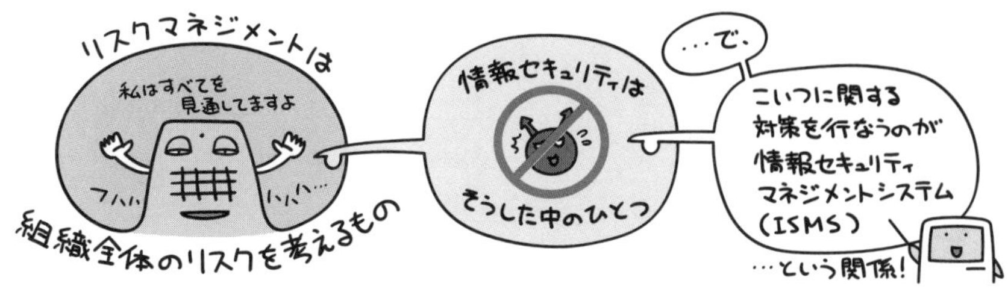

リスクマネジメントは、経営層(トップマネジメント)が責任を負い、業務の一環として役割を分担しながら、全社的に取り組むものです。

リスクマネジメントに含まれる4つのプロセス

リスクは小さなものから大きなものまで多種多様にあるものです。それらすべてに対応できれば理想的でしょうが、それでは費用対効果が悪くてしょうがないので、取捨選択を行う必要があります。そこで出てくるのがリスク受容基準です。

リスクマネジメントでは、この受容基準におさまらないリスクを洗い出し、適切に管理しなくてはいけません。そのために行われるのが、次に示す4つのプロセスです。

①	リスク特定	リスクを洗い出す。
②	リスク分析	特定したリスクのもたらす結果(影響度)と起こりやすさ(発生頻度)から、リスクの大きさ(リスクレベル)を算定する。
③	リスク評価	算定したリスクレベルをリスク受容基準と照らし合わせて対応の必要性を判断し、リスクレベルに基づいて優先順位をつける。
④	リスク対応(対策)	リスクに対してどのような対応を行うか決定する。

このうち、リスク特定からリスク評価までの3つのプロセスをリスクアセスメントといいます。リスクアセスメントでは、リスクを分析・評価することで、リスク基準と照らし合わせて対応が必要となるか否かを判断します。

JIS Q 27001:2014に基づく情報セキュリティマネジメント管理基準では、リスクアセスメントを次のような手順であると定めています。

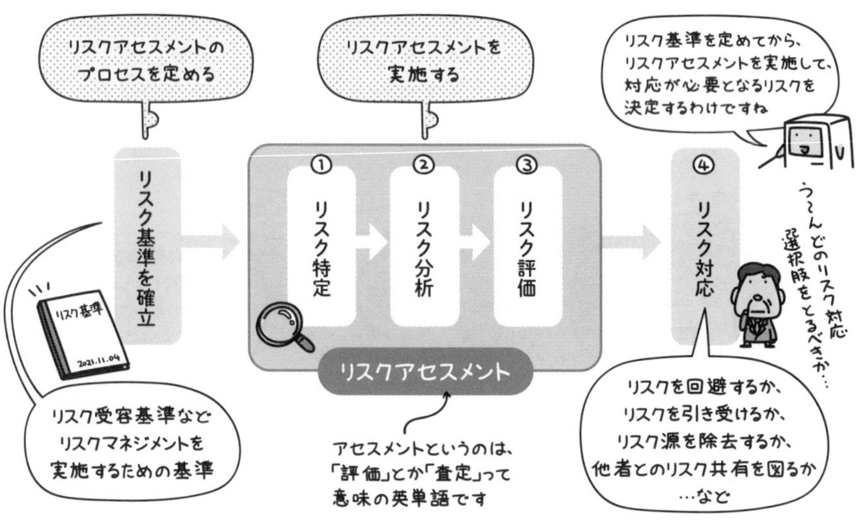

セキュリティリスクへの対応

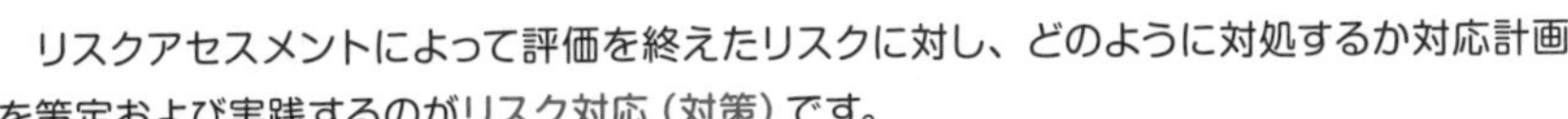

リスクアセスメントによって評価を終えたリスクに対し、どのように対処するか対応計画を策定および実践するのがリスク対応（対策）です。

これには大別してリスクコントロールとリスクファイナンシングという2つの手法があり、それぞれ次のように6つの手段に細分化されます。

区分	手段	内容
防災! リスクコントロール	回避	リスクを伴う活動自体を中止し、予想されるリスクを遮断する対策。 リターンの放棄を伴う。
	損失防止	損失発生を未然に防止するための対策、予防措置を講じて発生頻度を減じる。
	損失削減	事故が発生した際の損失の拡大を防止・軽減し、損失規模を抑えるための対策。
	分離・分散	リスクの源泉を一箇所に集中させず、分離・分散させる対策。
財務的な備え! リスクファイナンシング	移転	保険、契約等により損失発生時に第三者から損失補てんを受ける方法。
	保有	リスク潜在を意識しながら対策を講じず、損失発生時に自己負担する方法。

『中小企業白書』（2016年度版） by 中小企業庁より

リスクコントロールは

「損失の発生を防止する、もしくは発生した損失の拡大を防止する」もの

リスクファイナンシングは

「損失を補てんするための財務的な備えを講ずる」もの

不正のトライアングル

不正のトライアングルとは、米国の犯罪学者ドナルド・R・クレッシーが提唱した理論を体系化したものです。「機会」「動機・プレッシャー」「姿勢・正当化」という3つの要素が揃った場合に不正が発生するとされています。

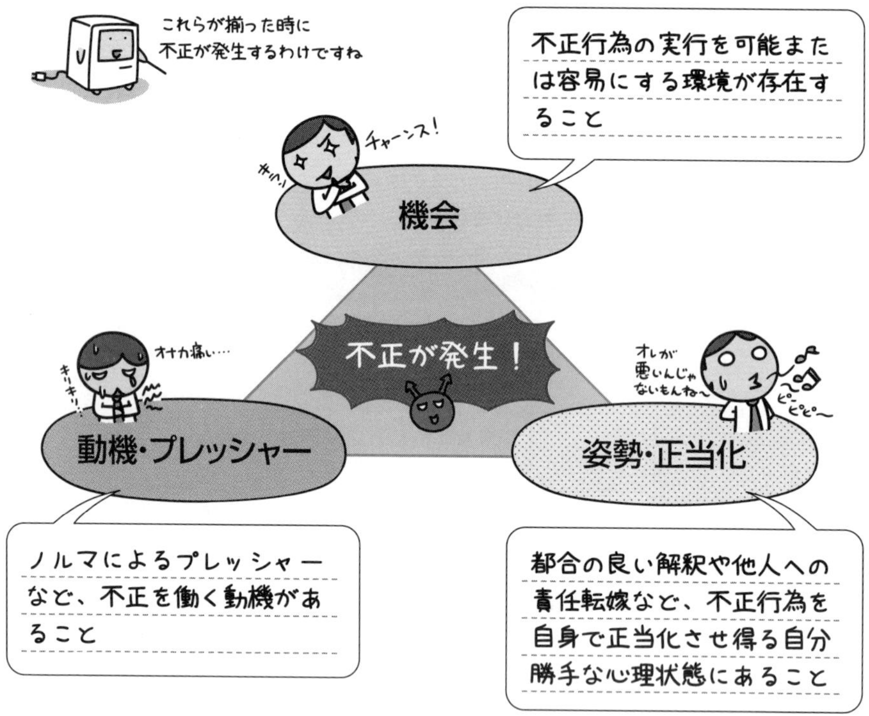

これは、逆に言えば「3つの要素のうち1つでも欠けると不正は起きない」ことを意味しています。つまり不正を防止するためには、どれか1つを排除できれば良いわけですね。

JPCERTコーディネーションセンター（JPCERT/CC）とインシデント対応チーム（CSIRT）

JPCERTコーディネーションセンター（JPCERT/CC）というのは、次の言葉の略称です。

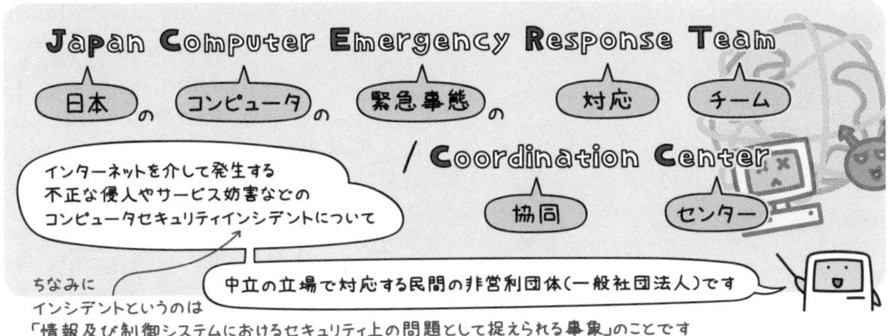

JPCERT/CCでは、日本における情報セキュリティ対策活動の向上に取り組んでおり、インシデント発生の報告受付、対応支援、発生状況の把握、手口の分析、再発防止のための対策の検討や助言などを行っています。

このJPCERT/CCが、組織的なインシデント対応体制の構築や運用を支援する目的で取りまとめた資料に「CSIRTマテリアル」があります。

個人情報保護法とプライバシーマーク

企業からの情報漏洩として、最近とみに取り沙汰されるのが「個人情報」に関するものです。個人情報とは、次のような内容を指します。

個人情報保護法というのは、こうした個人情報を、事業者が適切に取り扱うためのルールを定めたものです。たとえば「顧客リストが横流しされて、セールスの電話がジャンジャカかかってくるようになった」などに代表される、消費者が不利益を被るケースを未然に防ぐことが目的です。

個人情報に関する認定制度として、プライバシーマーク制度があります。

これは、「JIS Q 15001(個人情報保護マネジメントシステム―要求事項)」に適合して、個人情報の適切な保護体制が整備できている事業者を認定するものです。

こうした個人情報の保護を、システムの設計段階において予防的に組み込もうとする設計思想がプライバシーバイデザインです。

プライバシーバイデザインの目標は、次に掲げる7つの基本原則を実践することにより達成できるとされています。

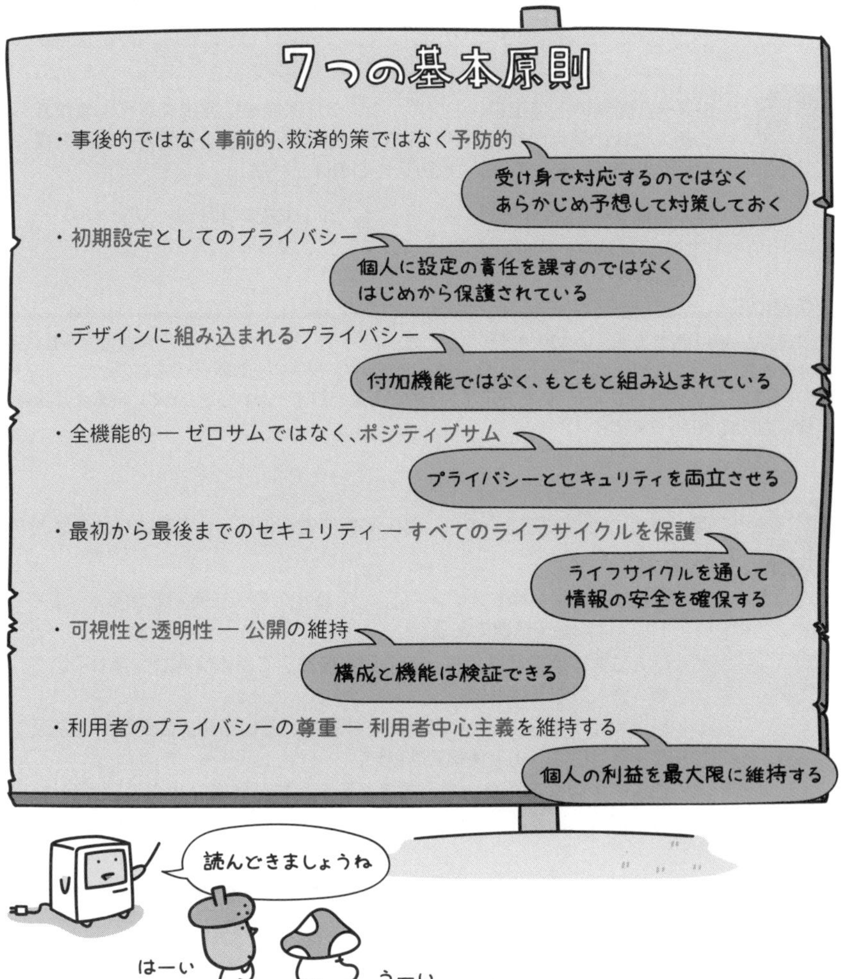

このように出題されています
過去問題練習と解説

問 1 (FE-R01-A-64)

システム開発の上流工程において，システム稼働後に発生する可能性がある個人情報の漏えいや目的外利用などのリスクに対する予防的な機能を検討し，その機能をシステムに組み込むものはどれか。

ア 情報セキュリティ方針　　イ セキュリティレベル
ウ プライバシーバイデザイン　　エ プライバシーマーク

解 説

問題文の「個人情報の漏えいや目的外利用などのリスク」が「プライバシー」に関連付けられ、正解の候補は、選択肢ウとエに絞られます。選択肢エのプライバシーマークは、その名前のとおり、「マーク」であり、その機能がシステムに組み込まれるものではありません。したがって、消去法により、正解は選択肢ウになります。

問 2 (FE-H25-A-80)

個人情報に関する記述のうち，個人情報保護法に照らして適切なものはどれか。

ア 構成する文字列やドメイン名によって特定の個人を識別できるメールアドレスは，個人情報である。
イ 個人に対する業績評価は，その個人を識別できる情報が含まれていても，個人情報ではない。
ウ 新聞やインターネットなどで既に公表されている個人の氏名，性別及び生年月日は，個人情報ではない。
エ 法人の本店住所，支店名，支店住所，従業員数及び代表電話番号は，個人情報である。

解 説

ア 氏名、生年月日その他の記述等により特定の個人を識別できれば、個人情報に該当します。
イ 個人を識別できる情報が含まれば、個人情報です。
ウ 公表されているか否かに関わらず、個人の氏名、性別及び生年月日により特定の個人を識別できれば、個人情報です。
エ 法人の本店住所、支店名、支店住所、従業員数及び代表電話番号では、特定の個人を識別できないので個人情報ではありません。

正解▶問1:ウ　問2:ア

Chapter 13-2 ユーザ認証とアクセス管理

コンピュータシステムの利用にあたっては、ユーザ認証を行うことでセキュリティを保ちます。

たとえばですね、社内のコンピュータシステムを、適切な権限に応じて利用できるようにしたいとします。部長さんしか見えちゃいけない書類はそのようにアクセスを制限して、みんなが見ていい書類は誰でも見えるよう権限を設定して、そしてシステムを利用する権限がない人は一切アクセスできないように…と、そんなことがしたいとする。

そのために、まず必要となる情報が、「今システムを利用しようとしている人は誰か?」というものです。誰か識別できないと権限を判定しようがないですからね。

この、一番最初に「アナタ誰?」と確認する行為。これをユーザ認証といいます。

ユーザ認証は、不正なアクセスを防ぎ、適切な権限のもとでシステムを運用するためには欠かせない手順です。

ちなみに、ユーザ認証をパスしてシステムを利用可能状態にすることをログイン（ログオン）、システムの利用を終了してログイン状態を打ち切ることをログアウト（ログオフ）と呼びます。

ユーザ認証の手法

ユーザ認証には次のような方法があります。

ユーザIDとパスワードによる認証

ユーザIDとパスワードの組み合わせを使って個人を識別する認証方法です。基本的にユーザIDは隠された情報ではないので、パスワードが漏洩（もしくは簡単に推測できたり）しないように、その扱いには注意が必要です。

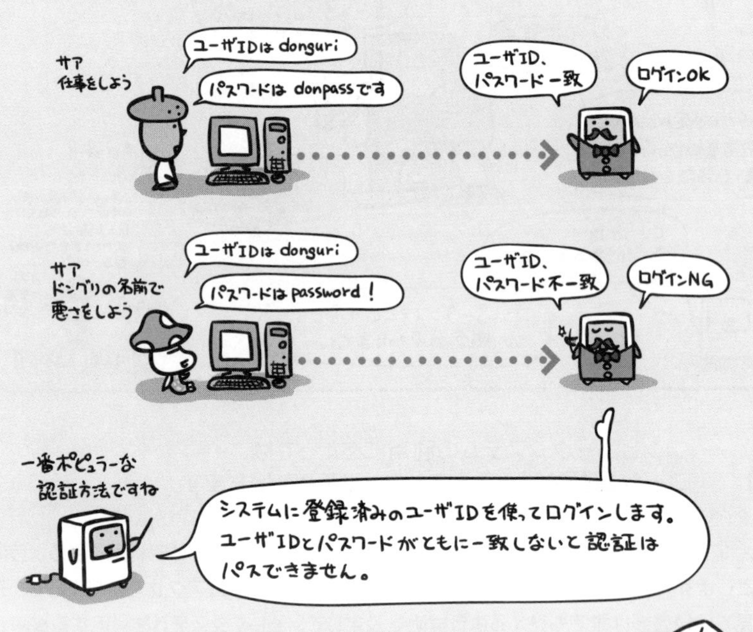

他人が自分になりすますことができないよーに、
パスワードの扱いは次のような点に注意します

- 電話番号や誕生日など、推測しやすい内容をパスワードに使わない。
- 付箋やメモ用紙などに書いて、人目につく場所へ貼ったりしない。
- なるべく定期的に変更を心がけ、ずっと同じパスワードのままにしない。

バイオメトリクス認証

指紋や声紋、虹彩（眼球内にある薄膜）などの身体的特徴を使って個人を識別する認証方法です。生体認証とも呼ばれます。

ワンタイムパスワード

一度限り有効という、使い捨てのパスワードを用いる認証方法です。トークンと呼ばれるワンタイムパスワード生成器を使う形が一般的です。

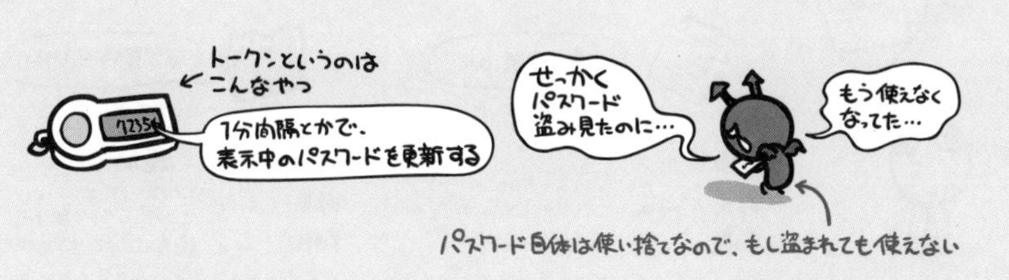

コールバック

遠隔地からサーバへ接続する場合などに、いったんアクセスした後で回線を切り、逆にサーバ側からコールバック（着信側から再発信）させることで、アクセス権を確認する認証方法です。

13 セキュリティ

アクセス権の設定

社内で共有している書類を、「許可された人だけが閲覧できるようにする」というように設定できるのがアクセス権です。これがないと、知られちゃ困る情報がアチコチに漏れたり、大切なファイルが勝手に削除されてしまったりと困ったことになってしまいます。

アクセス権には「読取り」「修正」「追加」「削除」などがあります。これらをファイルやディレクトリに対してユーザごとに指定していくわけです。

たとえばこんな感じで、ユーザごとに権限を設定できます

	大事な書類.doc		経営資料ディレクトリ	
ユーザ1	読取り ― × 修正 ― × 削除 ― ×	このユーザは このファイルを読むことも 修正することもできない	読取り ― × 追加 ― × 修正 ― × 削除 ― ×	このユーザは このディレクトリ配下を 閲覧も含めて一切操作できない
ユーザ2	読取り ― ○ 修正 ― × 削除 ― ×	このユーザは このファイルを 読むことだけはできる	読取り ― ○ 追加 ― × 修正 ― ○ 削除 ― ×	このユーザは このディレクトリ配下で ファイルの読み書きはできるけど 新しく追加したり削除したりはできない
ユーザ3	読取り ― ○ 修正 ― ○ 削除 ― ○	このユーザは このファイルに対して すべての操作ができる	読取り ― ○ 追加 ― ○ 修正 ― ○ 削除 ― ○	このユーザは このディレクトリ配下で すべての操作ができる

その他に、たとえば「開発部の人は見ていいファイル」「部長職以上は見ていいディレクトリ」といった指定を行いたい場合は、個々のユーザに対してではなく、ユーザのグループに対して権限の設定を行います。

ソーシャルエンジニアリングに気をつけて

ユーザ認証を行ったり、アクセス権を設定したりしても、情報資産を扱っているのは結局のところ「人」。なので、そこから情報が漏れる可能性は否定できません。

そのような、コンピュータシステムとは関係のないところで、人の心理的不注意をついて情報資産を盗み出す行為。これをソーシャルエンジニアリングといいます。

これについての対策は、「セキュリティポリシで重要書類の処分方法を取り決め、それを徹底する」といったもの…だけではなくて、社員教育を行うなどして、1人1人の意識レベルを改善していくことが大切です。

様々な不正アクセスの手法

不正アクセスにはその他にも様々な手法があります。代表的なものをいくつか見ておきましょう。

パスワードリスト攻撃

どこかから入手したID・パスワードのリストを用いて、他のサイトへのログインを試みる手法です。

ブルートフォース攻撃

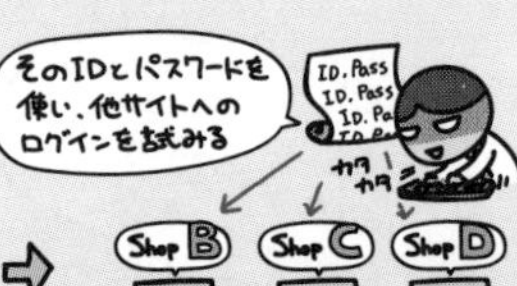

特定のIDに対し、パスワードとして使える文字の組合せを片っ端から全て試す手法です。総当たり攻撃とも言います。

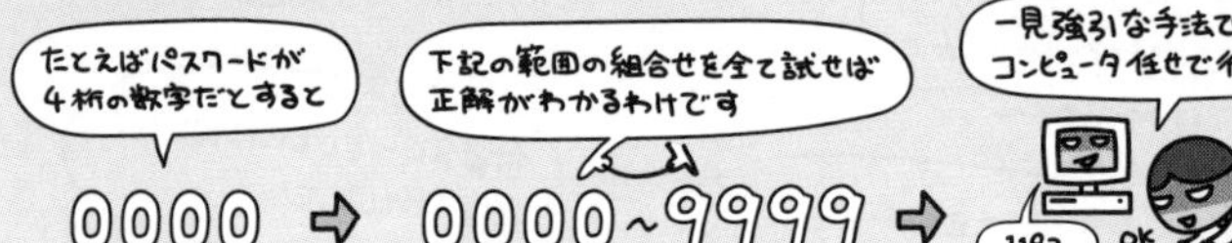

リバースブルートフォース攻撃

ブルートフォース攻撃の逆で、パスワードは固定にしておいて、IDとして使える文字の組合せを片っ端から全て試す手法です。

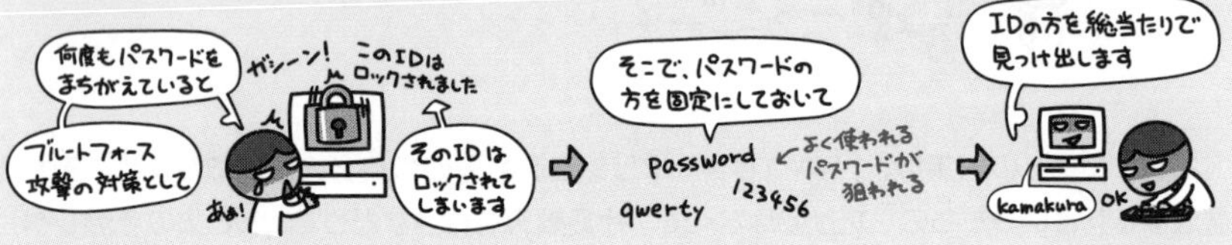

レインボー攻撃

ハッシュ値から元のパスワード文字列を解析する手法です。パスワードになりうる文字列とハッシュ値との組をテーブル化しておき、入手したハッシュ値から元の文字列を推測します。

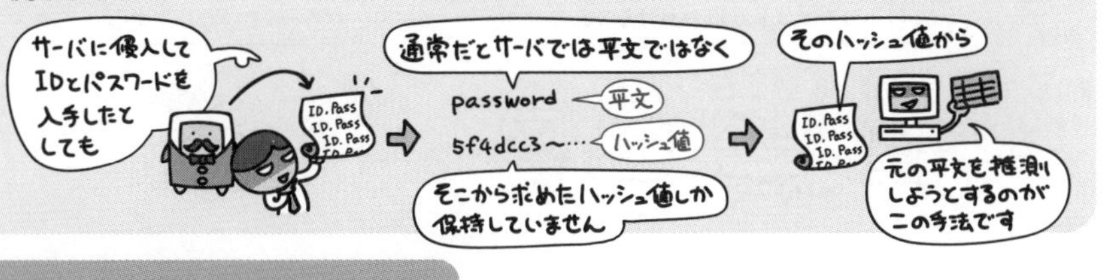

SQLインジェクション

ユーザの入力値をデータベースに問い合わせて処理を行うWebサイトに対して、その入力内容に悪意のある問い合わせや操作を行うSQL文を埋め込み、データベースのデータを不正に取得したり、改ざんしたりする手法です。

DNSキャッシュポイズニング

DNSのキャッシュ機能を悪用して、一時的に偽のドメイン情報を覚えさせることで、偽装Webサイトへと誘導する手法です。

DoS(Denial of Service)攻撃

電子メールやWebリクエストなどを、通常ではあり得ないほど大量にサーバへ送りつけることで、ネットワーク上のサービスを提供不能にする手法です。

DDoS(Distributed Denial of Service)攻撃

上記DoS攻撃を、複数のコンピュータから一斉に行う手法です。

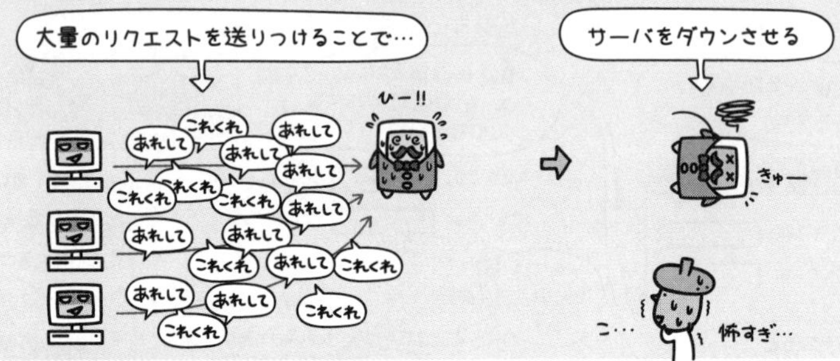

フィッシング

金融機関などを装った偽装Webサイトに利用者を誘導し、暗証番号をはじめとする個人情報を不正に取得しようとする手法です。多くの場合、誘導には正規業者を装った電子メールが用いられます。

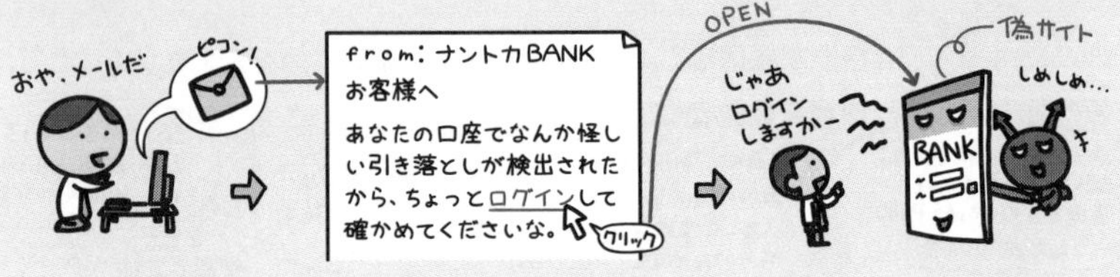

rootkit（ルートキット）

不正アクセスに成功したコンピュータに潜伏し、攻撃者がそのコンピュータをリモート制御できるようにするソフトウェアの集合体をrootkit(ルートキット)と言います。

rootkitには、侵入の痕跡を隠蔽するためのログ改ざんツールや、リモートからの侵入を容易にするバックドアツール、侵入に気付かれないよう改ざんを行ったシステムツール群などが含まれています。

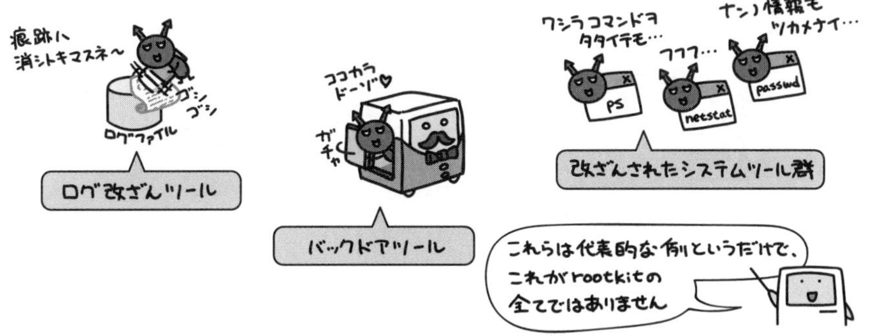

rootkitは、それ自体がコンピュータに直接的な被害を与えるものではありません。自身を隠蔽し、いつでも攻撃者によるリモートアクセスを可能とすることで、さらなるサイバー攻撃を可能とする下地を整えるためのツール群なのです。

ハニーポット

侵入者やマルウェアの挙動を監視するために、意図的に脆弱性を持たせた機器をネットワーク上に公開し、おとりとして用いる手法(もしくはシステム) をハニーポット(Honeypot)といいます。

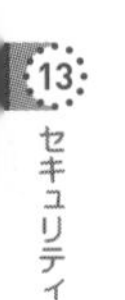

あえてセキュリティ上問題のあるサーバなどをインターネット上にさらしておくことで攻撃を誘発し、その手法や行動を調査・研究することが目的です。

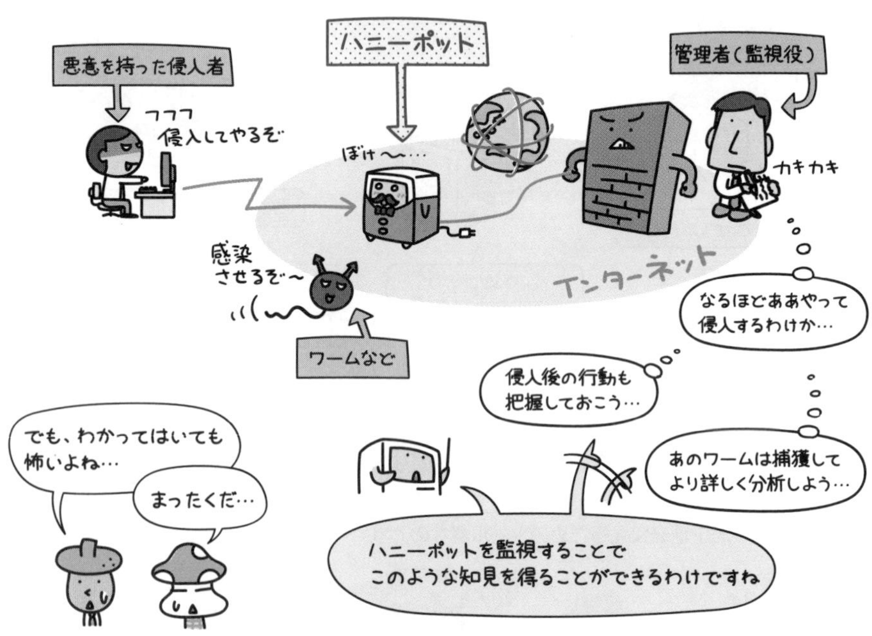

CAPTCHA

ネット上のサービスをよく利用する方であれば、ユーザ登録などWebフォームの入力時に、次のような入力を促されたことが1度はあるのではないでしょうか。

これは、コンピュータには読み取ることが難しいよう歪めるなどした文字を判読させることにより、「今Webフォームを入力しているのは間違いなく人間である」と判断するためのものです。

なぜこのようなことをするのかというと、機械による自動入力を排除するため。自動入力による不正ログインを防止することで、たとえばこれによって、「コンサートチケットの販売開始と同時に、機械による自動入力で大量にチケットを買い占める(この業者は、高値をつけて他者へ転売する)」といった行為を排除したりするわけです。

しかしコンピュータによる解読技術は年々向上しています。そのため、これに対応しようと文字の歪みを大きくすると、今度は人間にとっても判読が難しくなるという問題が生じています。

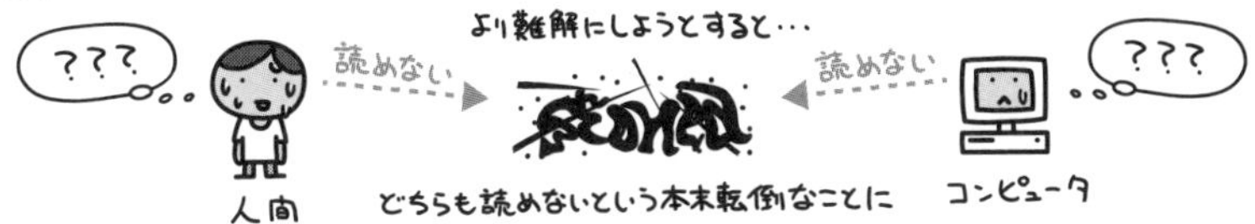

この技術のことをCAPTCHAと言います。

このように出題されています
過去問題練習と解説

問1 (FE-R04-サ-30)

緊急事態を装って組織内部の人間からパスワードや機密情報を入手する不正な行為は，どれに分類されるか。

ア　ソーシャルエンジニアリング　　イ　トロイの木馬
ウ　踏み台攻撃　　エ　ブルートフォース攻撃

解説

選択肢ア・イ・エの用語の説明は、下記のページを参照してください。

ア　ソーシャルエンジニアリング…451ページ
イ　トロイの木馬…462ページ
エ　ブルートフォース攻撃…452ページ

ウ　踏み台攻撃とは、攻撃目標となるサーバを自分のPCから直接攻撃すると、簡単に犯人が自分だとわかってしまうので、いったん他のサーバやPCを乗っ取り、そこから攻撃目標となるサーバを攻撃することです。

問2 (FE-H27-S-41)

バイオメトリクス認証には身体的特徴を抽出して認証する方式と行動的特徴を抽出して認証する方式がある。行動的特徴を用いているものはどれか。

ア　血管の分岐点の分岐角度や分岐点間の長さから特徴を抽出して認証する。
イ　署名するときの速度や筆圧から特徴を抽出して認証する。
ウ　どう孔から外側に向かって発生するカオス状のしわの特徴を抽出して認証する。
エ　隆線によって形作られる紋様からマニューシャと呼ばれる特徴点を抽出して認証する。

解説

選択肢アの「血管」、ウの「どう孔」、エの「隆線」は身体的特徴に該当します。選択肢イの「署名」は、行動的特徴に該当します。

問3 (FE-H27-A-37)

暗号解読の手法のうち，ブルートフォース攻撃はどれか。

ア　与えられた1組の平文と暗号文に対し，総当たりで鍵を割り出す。
イ　暗号化関数の統計的な偏りを線形関数によって近似して解読する。
ウ　暗号化装置の動作を電磁波から解析することによって解読する。
エ　異なる二つの平文とそれぞれの暗号文の差分を観測して鍵を割り出す。

解説

ブルートフォース攻撃とは、総当り攻撃のことであり、考えられるすべての組み合わせを「しらみつぶし」に試してみる方法です。すべての組み合わせを試してみるので、手間がかかります。そこで、人手でやるのではなく、通常は攻撃用のプログラムを作って、そのプログラムに総当り攻撃を実行させます。「総当たりで」がヒントになり、選択肢アが正解です。

問4 (FE-H30-S-43)

利用者情報を格納しているデータベースから利用者情報を検索して表示する機能だけをもつアプリケーションがある。このアプリケーションがデータベースにアクセスするときに用いるアカウントに与えるデータベースへのアクセス権限として，情報セキュリティ管理上，適切なものはどれか。ここで，権限の名称と権限の範囲は次のとおりとする。

〔権限の名称と権限の範囲〕
参照権限：レコードの参照が可能
更新権限：レコードの登録，変更，削除が可能
管理者権限：テーブルの参照，登録，変更，削除が可能

ア　管理者権限　　　　イ　更新権限
ウ　更新権限と参照権限　　　　エ　参照権限

解説

問題文の1文目は「利用者情報を格納しているデータベースから★利用者情報を検索して表示する機能だけをもつアプリケーションがある」としています。上記★の下線部が、〔権限の名称と権限の範囲〕の「参照権限：レコードの参照が可能」に合致しますので、選択肢エが正解です。

正解▸問1:ア　問2:イ　問3:ア　問4:エ

(FE-H31-S-36)

CAPTCHAの目的はどれか。

ア　Webサイトなどにおいて，コンピュータではなく人間がアクセスしていることを確認する。
イ　公開鍵暗号と共通鍵暗号を組み合わせて，メッセージを効率よく暗号化する。
ウ　通信回線を流れるパケットをキャプチャして，パケットの内容の表示や解析，集計を行う。
エ　電子政府推奨暗号の安全性を評価し，暗号技術の適切な実装法，運用法を調査，検討する。

解説

ア　CAPTCHAの目的です（457ページ参照）。
イ　ハイブリッド暗号方式の目的です。
ウ　パケットキャプチャリングの目的です。
エ　CRYPTREC（Cryptography Research and Evaluation Committees）の目的です。

(FE-R06-10)

SQLインジェクションの対策として，有効なものはどれか。

ア　URLをWebページに出力するときは，“http://”や“https://”で始まるURLだけを許可する。
イ　外部からのパラメータでWebサーバ内のファイル名を直接指定しない。
ウ　スタイルシートを任意のWebサイトから取り込めるようにしない。
エ　プレースホルダを使って命令文を組み立てる。

解説

SQLインジェクションは、453ページに説明されているように、SELECT * FROM USER WHERE USER_ID = ‘ユーザIDの入力値’ AND PASSWORD = ‘パスワードの入力値’ というSQL文を含むソースコードに対し、悪意者がユーザIDに“KITAMI”、パスワードに“‘ OR ‘1’ = ‘1”を入力すると、SQL文が、SELECT * WHERE USER_ID = ‘KITAMI’ AND PASSWORD = ‘’ OR ‘1’ = ‘1’ と解釈され、OR ‘1’ = ‘1’ によって、SQLの条件式を真にしてしまうような攻撃です。

選択肢ア〜ウには、SQL文を含むソースコードの変更が記述されていないのに対し、選択肢エには、“命令文を組み立てる”というソースコードの変更が記述されているので、選択肢エが正解です。

正解▶問5：ア　問6：エ

Chapter 13-3 コンピュータウイルスの脅威

第3者のデータなどに対して、意図的に被害を及ぼすよう作られたプログラムがコンピュータウイルスです。

ウイルスウイルスというと、なにか得体の知れないものがやってきてコンピュータを狂わせるように思えますが、実際はコンピュータウイルス（単にウイルスとも呼びます）というのも、単なるプログラムのひとつに過ぎません。ただその動作が、「コンピュータ内部のファイルを根こそぎごっそり削除いたします」というような、ちょっとしゃれにならない内容だったりするだけです。

経済産業省の「コンピュータウイルス対策基準」によると、次の3つの基準のうち、どれかひとつを有すればコンピュータウイルスであるとしています。

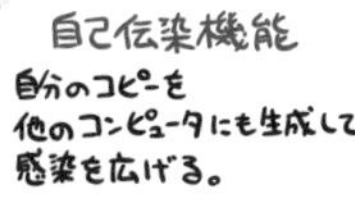

自己伝染機能
自分のコピーを
他のコンピュータにも生成して
感染を広げる。

潜伏機能
対策を遅らせる狙いなどで、
感染後もしばらくは
おとなしくしている。

発病機能
プログラムやデータを
破壊したり、
予期しない動作を行う。

これらの特徴が
伝染病に似てるので
「ウイルス」と呼ぶのです

コンピュータウイルスの種類

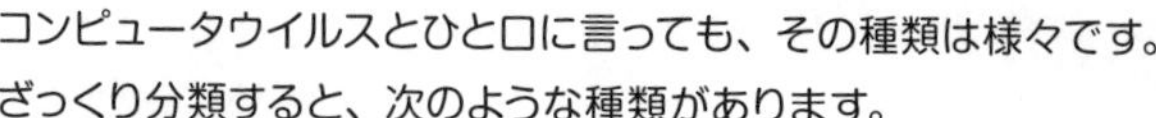

コンピュータウイルスとひと口に言っても、その種類は様々です。
ざっくり分類すると、次のような種類があります。

種類	説明
狭義のウイルス	他のプログラムに寄生して、その機能を利用する形で発病するものです。狭義の「ウイルス」は、このタイプを指します。
マクロウイルス	アプリケーションソフトの持つマクロ機能を悪用したもので、ワープロソフトや表計算ソフトのデータファイルに寄生して感染を広げます。
ワーム	自身単独で複製を生成しながら、ネットワークなどを介してコンピュータ間に感染を広めるものです。作成が容易なため、種類が急増しています。
トロイの木馬	有用なプログラムであるように見せかけてユーザに実行をうながし、その裏で不正な処理（データのコピーやコンピュータの悪用など）を行うものです。

また、コンピュータウイルスとは少し異なりますが、マルウェア（コンピュータウイルスを含む悪意のあるソフトウェア全般を指す言葉）の一種として次のようなプログラムにも同様の注意が必要です。

種類	説明
スパイウェア	情報収集を目的としたプログラムで、コンピュータ利用者の個人情報を収集して外部に送信します。 他の有用なプログラムにまぎれて、気づかないうちにインストールされるケースが多く見られます。
ボット	感染した第3者のコンピュータを、ボット作成者の指示通りに動かすものです。 迷惑メールの送信、他のコンピュータを攻撃するなどの踏み台に利用される恐れがあります。

C&Cサーバとボット

ボットというのは、作業を自動化してくれるプログラムのことです。

このボットには、不正な目的で作られたマルウェアの一種があります。これに感染すると、コンピュータは外部から遠隔操作可能なロボットにされてしまいます。

こうしたボットによって構成されるネットワークがボットネットです。

ボットネットとは、ボットに感染したコンピュータたちと、そのコンピュータ群に対して指令を下すサーバによって構成されています。

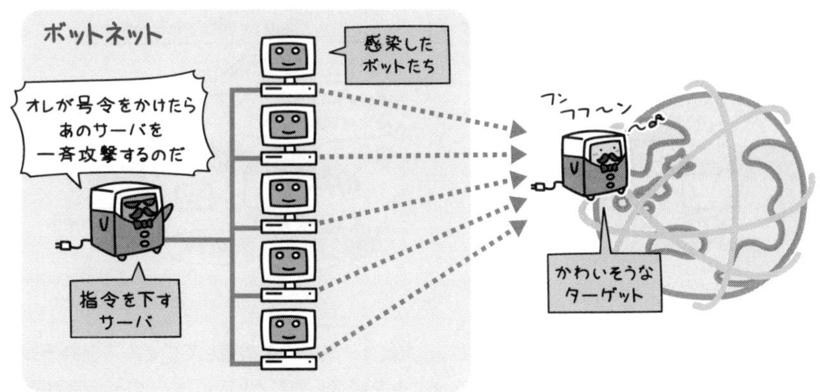

このボットに指令を下すサーバ、つまりは「侵入して乗っ取ったコンピュータに対して、他のコンピュータへの攻撃などの不正な操作をするよう、外部から命令を出したり応答を受け取ったりする」サーバが、C&Cサーバです。

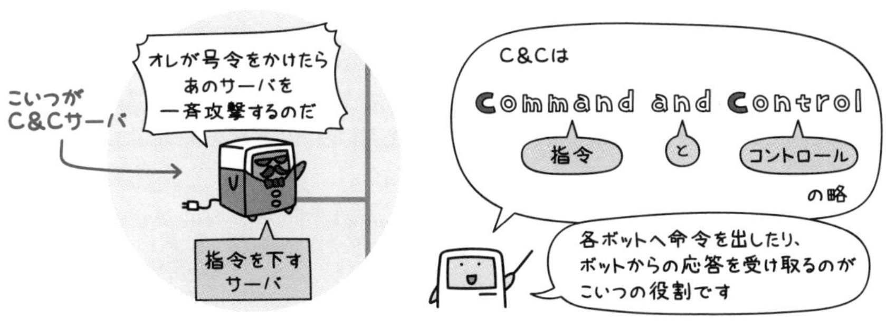

ウイルス対策ソフトと定義ファイル

このようなコンピュータウイルスに対して効力を発揮するのがウイルス対策ソフトです。このソフトウェアは、コンピュータに入ってきたデータを最初にスキャンして、そのデータに問題がないか確認します。

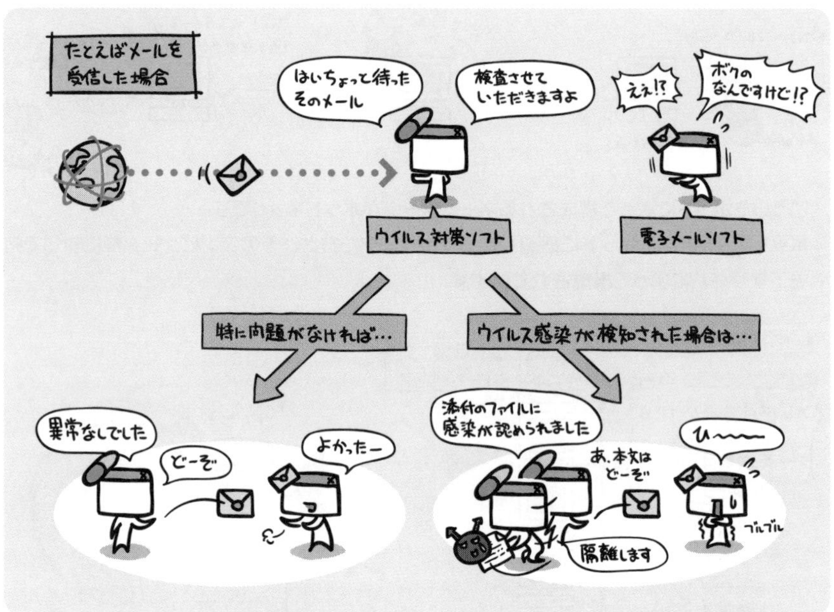

このようなウイルスの予防措置以外にも、コンピュータの中を検査してウイルス感染チェックを行ったり、すでに感染してしまったファイルを修復したりというのも、ウイルス対策ソフトの役目です。

ウイルス対策ソフトが、多種多様なウイルスを検出するためには、既知ウイルスの特徴を記録したウイルス定義ファイル（シグネチャファイル）が欠かせません。ウイルスは常に新種が発見されていますので、このウイルス定義ファイルも常に最新の状態を保つことが大切です。

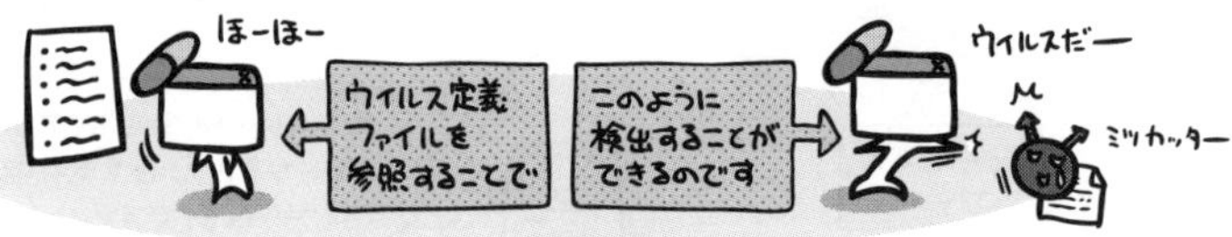

ビヘイビア法（動的ヒューリスティック法）

ウイルス定義ファイルを用いた検出方法では、既知のウイルスしか検出することができません。

そこで、実行中のプログラムの挙動を監視して、不審な処理が行われないか検査する手法がビヘイビア法です。動的ヒューリスティック法とも言います。

検知はできたけども同時に感染しちゃいましたーでは困るので、次のような方法を用いて検査を行います。

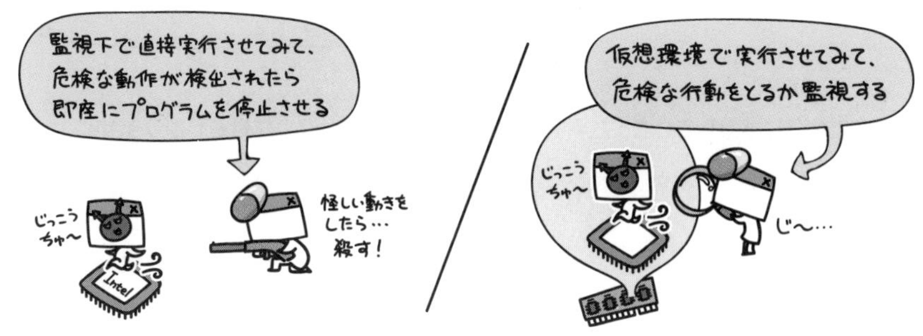

ちなみに、ビヘイビア法を英語で書くと次のようになります。

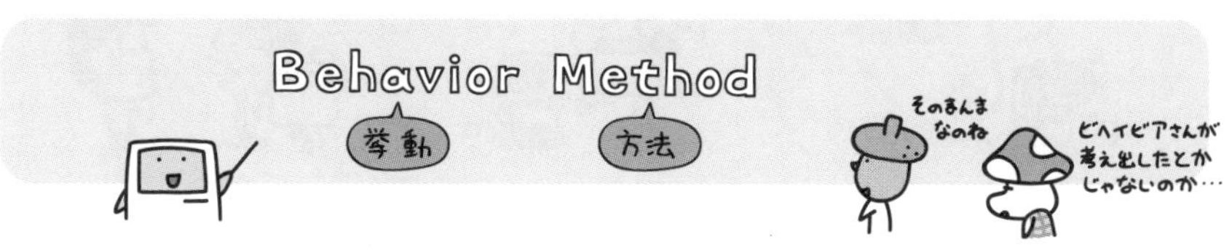

ウイルスの予防と感染時の対処

コンピュータウイルスの感染経路としては、電子メールの添付ファイルやファイル交換ソフトなどを通じたものが、現在はもっとも多いとされています。

これらのウイルスから身を守るには、次のような取り組みが有効です。

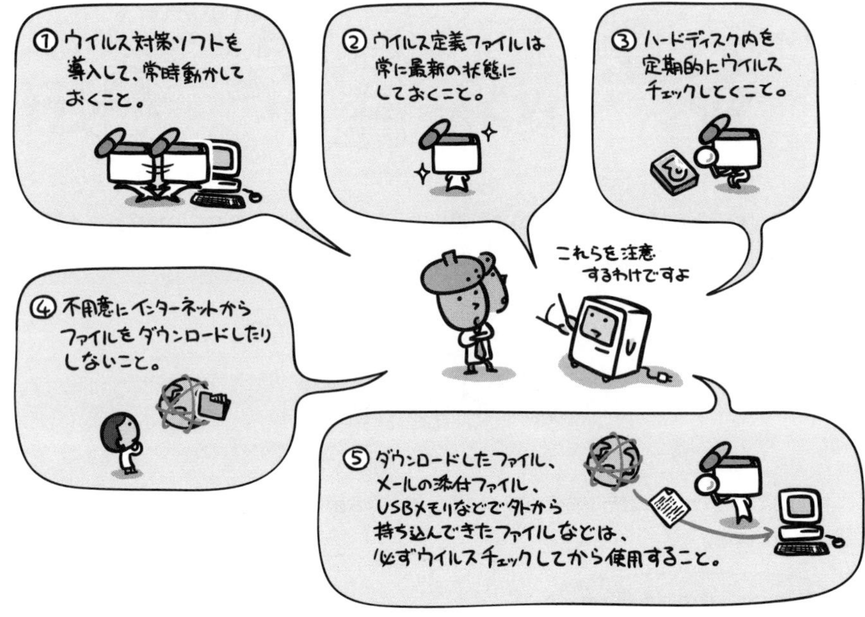

それでももし感染してしまった場合は、あわてず騒がず、次の対処を心がけます。

セキュアブート

コンピュータの起動時に、信頼性が確認できるソフトウェアしか実行できないように制限する機能がセキュアブートです。

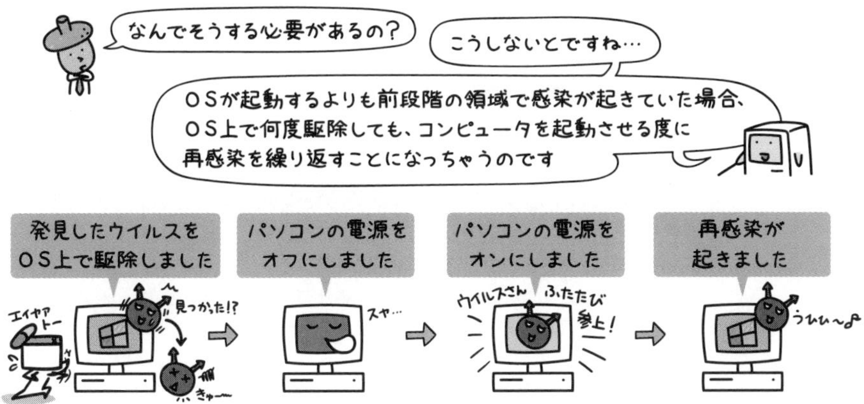

具体的には、起動時に読み込まれるブートローダをはじめ、OSやデバイスドライバなどのデジタル署名を確認することで、不正に改ざんされたプログラムからコンピュータを守ります。

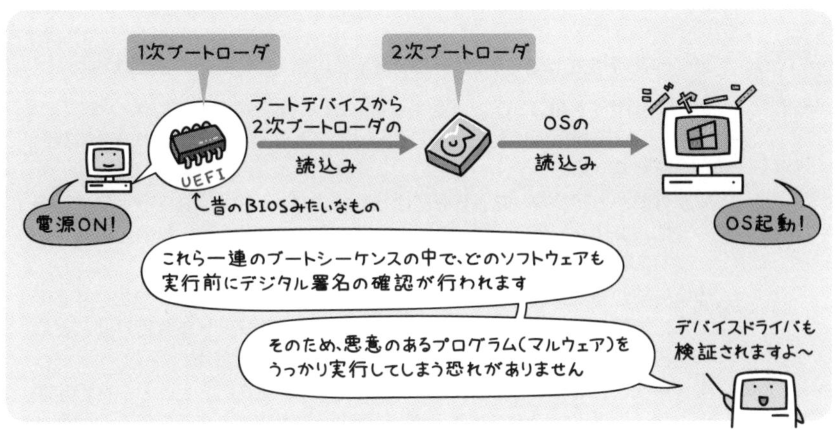

このように、コンピュータの起動時に許可のないものを実行しないようにすることで、OS起動前のマルウェアの実行を防ぐ技術なわけです。

このように出題されています
過去問題練習と解説

問1 (FE-R01-A-36)

マルウェアの動的解析に該当するものはどれか。

ア　検体のハッシュ値を計算し，オンラインデータベースに登録された既知のマルウェアのハッシュ値のリストと照合してマルウェアを特定する。
イ　検体をサンドボックス上で実行し，その動作や外部との通信を観測する。
ウ　検体をネットワーク上の通信データから抽出し，さらに，逆コンパイルして取得したコードから検体の機能を調べる。
エ　ハードディスク内のファイルの拡張子とファイルヘッダの内容を基に，拡張子が偽装された不正なプログラムファイルを検出する。

解説

465ページの見出し行にあるとおり、ビヘイビア法の別名は、動的ヒューリスティック法であり、その「動的」とは、マルウェア等の悪意を持つプログラムを実行させた状態を意味する用語です（なお、逆に「静的」とは、「プログラムを実行させない状態」を意味します）。本問が問う「動的解析」も同様に、マルウェアを実行させた状態での解析に該当します。選択肢イの「検体をサンドボックス上で実行し」は、「動的」であることを示していますので、選択肢イが正解です（選択肢ア・ウ・エは「静的解析」に該当します）。

問2 (FE-R04-サ-31)

ボットネットにおけるC&Cサーバの役割として，適切なものはどれか。

ア　Webサイトのコンテンツをキャッシュし，本来のサーバに代わってコンテンツを利用者に配信することによって，ネットワークやサーバの負荷を軽減する。
イ　外部からインターネットを経由して社内ネットワークにアクセスする際に，CHAPなどのプロトコルを中継することによって，利用者認証時のパスワードの盗聴を防止する。
ウ　外部からインターネットを経由して社内ネットワークにアクセスする際に，時刻同期方式を採用したワンタイムパスワードを発行することによって，利用者認証時のパスワードの盗聴を防止する。
エ　侵入して乗っ取ったコンピュータに対して，他のコンピュータへの攻撃などの不正な操作をするよう，外部から命令を出したり応答を受け取ったりする。

解説

ア　CDN（Content Delivery Network）の役割です。
イ・ウ　認証サーバの役割です。
エ　C&Cサーバ（463ページ参照）の役割です。

正解▶問1：イ　問2：エ

Chapter 13-4 ネットワークのセキュリティ対策

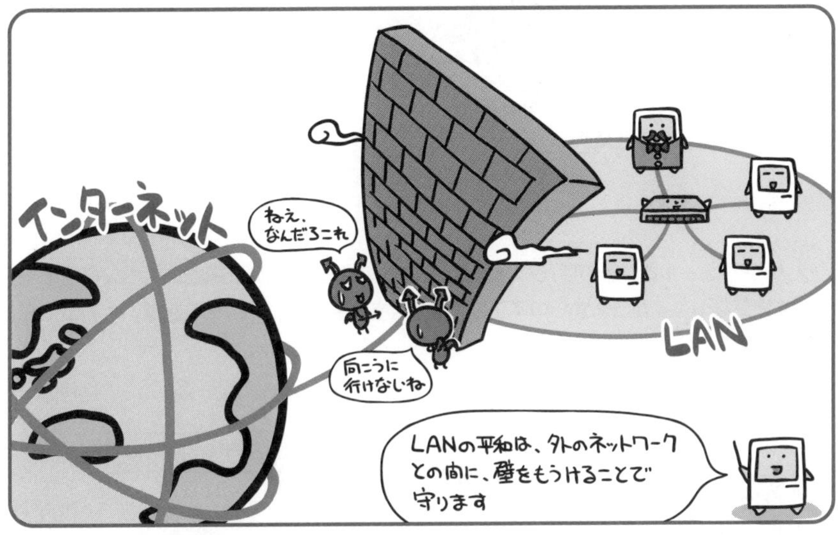

**ネットワークのセキュリティ対策は、
壁をもうけて通信を遮断するところからはじまるのです。**

ここまでセキュリティの概念や、不正アクセスをはじめとする起こりうる脅威について書いてきました。でも、そもそもネットワークが出入り自由だとしたら、どんな対策をしても意味がありません。

私たちの住まいには、通常なんらかの鍵がかけられるようになっています。それは、不審者の出入りを阻むために他なりません。「ごめんください、入っていいですかー」と訪ねてくる人がいたら、「あらお隣の花子さんコンニチハどーぞどーぞ」と家人が許可してはじめて中に立ち入れる。そうすることで家の中のセキュリティが保たれているわけです。

ネットワークもこれと同じです。

「LANの中は安全地帯。ファイルをやり取りしたりして、気兼ねなく過ごすことができる世界」…とするためには、外と中とを区切る壁をもうけて、出入りを制限しなきゃいけません。

では実際にどんな手段を講じるものなのか。詳しく見ていくといたしましょう。

ファイアウォール

LANの中と外とを区切る壁として登場するのがファイアウォールです。

ファイアウォールというのは「防火壁」の意味。本来は「火災時の延焼を防ぐ耐火構造の壁」を指す言葉なのですが、「外からの不正なアクセスを火事とみなして、それを食い止める存在」という意味でこの言葉を使っています。

ファイアウォールは機能的な役割のことなので、特に定まった形はありません。

主な実現方法としては、パケットフィルタリングやアプリケーションゲートウェイなどが挙げられます。

パケットフィルタリング

パケットフィルタリングは、パケットを無条件に通過させるのではなく、あらかじめ指定されたルールにのっとって、通過させるか否かを制御する機能です。

その名の通り、「ルールに当てはまらないパケットは、フィルタによってろ過された後に残るゴミのように、通過を遮られて破棄される」わけですね。

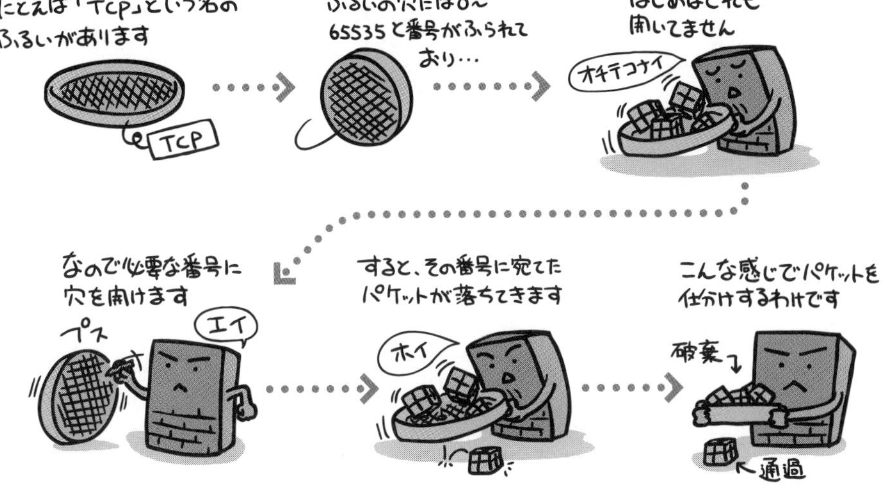

この機能では、パケットのヘッダ情報（送信元IPアドレスや宛先IPアドレス、プロトコル種別、ポート番号など）を見て、通過の可否を判定します。

通常、アプリケーションが提供するサービスはプロトコルとポート番号で区別されますので、この指定はすなわち「どのサービスは通過させるか」と決めたことになります。

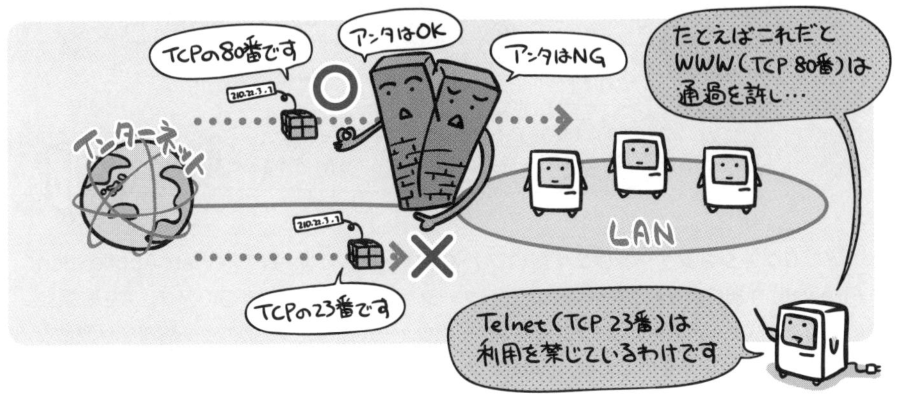

アプリケーションゲートウェイ

アプリケーションゲートウェイは、LANの中と外の間に位置して、外部とのやり取りを代行して行う機能です。プロキシサーバ（代理サーバ）とも呼ばれます。

外のコンピュータからはプロキシサーバしか見えないので、LAN内のコンピュータが、不正アクセスの標的になることを防ぐことができます。

アプリケーションゲートウェイ型のファイアウォールには、WAF（Web Application Firewall）があります。これはWebアプリケーションに対する外部からのアクセスを監視するもので、パケットフィルタリング型のファイアウォールがパケットのヘッダ情報を参照して通過の可否を判定するのに対し、WAFでは通信データの中身までチェックすることで悪意を持った攻撃を検知します。

ペネトレーションテスト

既知の手法を用いて実際に攻撃を行い、これによってシステムのセキュリティホールや設定ミスといった脆弱性の有無を確認するテストがペネトレーションテストです。昔小学校とかでよくやった避難訓練みたいなものですね。

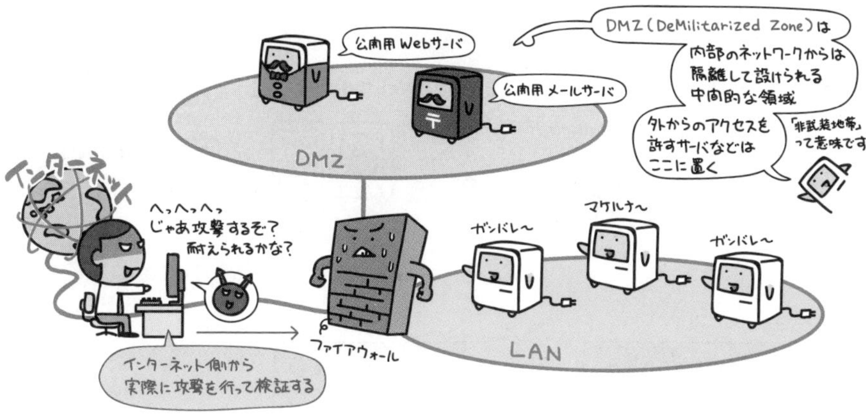

このテストの第一の目的は、「ファイアウォールや公開サーバに対して侵入できないことを確認する」だと言えます。

しかし何ごとも100%はありません。もし侵入されたらどうなるか、どこまで突破されるか、何をされてしまうのか、そういった視点での検証に本テストの特徴があります。

システムの脆弱性や攻撃手法は日々新しく発見されています。したがって検証は一度やったらお終い…ではなく、定期的に行うことが望ましいと考えられます。

ファジング

検査対象となるプログラムに対して、想定外のデータを大量に送りつけることで不具合が生じないか確認するテストを、ファジングと言います。異常系の検査手法のひとつです。

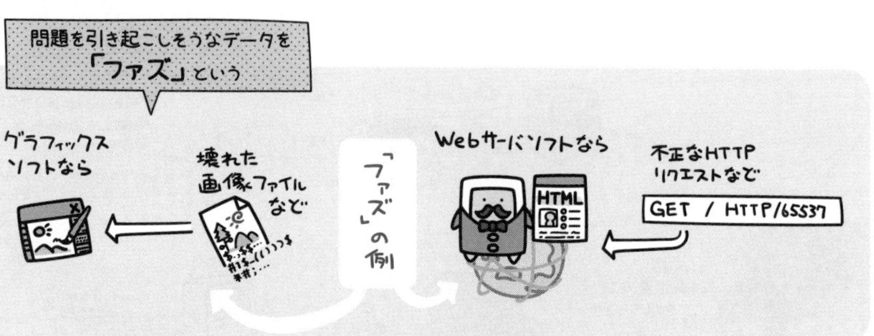

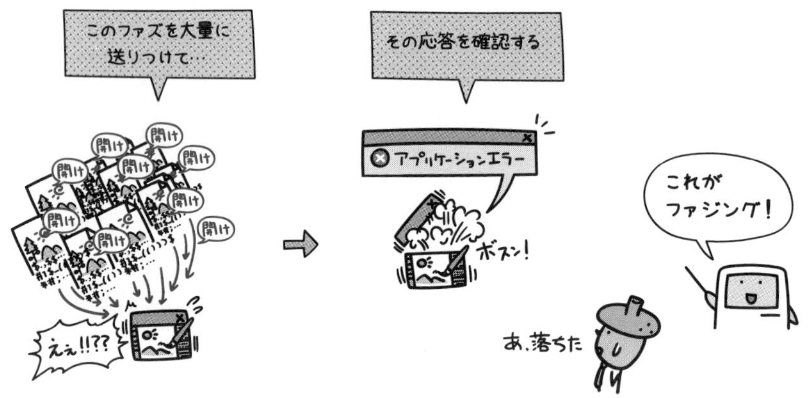

この検査によって、もしプログラムが異常終了したり、予期しない動作に陥るようであれば、その処理に何らかの不具合が潜んでいると判断することができます。

このように出題されています 過去問題練習と解説

(FE-R04-サ-34)

ファジングに該当するものはどれか。

ア　サーバにFINパケットを送信し，サーバからの応答を観測して，稼働しているサービスを見つけ出す。
イ　サーバのOSやアプリケーションソフトウェアが生成したログやコマンド履歴などを解析して，ファイルサーバに保存されているファイルの改ざんを検知する。
ウ　ソフトウェアに，問題を引き起こしそうな多様なデータを入力し，挙動を監視して，脆(ぜい)弱性を見つけ出す。
エ　ネットワーク上を流れるパケットを収集し，そのプロトコルヘッダやペイロードを解析して，あらかじめ登録された攻撃パターンと一致するものを検出する。

解説

ア　ポートスキャンに該当します。
イ　ログ解析に該当します。
ウ　ファジング（474ページ参照）に該当します。
エ　ネットワーク型IDS（Intrusion Detection System）に該当します。

(FE-R06-09)

ペネトレーションテストに該当するものはどれか。

ア　検査対象の実行プログラムの設計書，ソースコードに着目し，開発プロセスの各工程にセキュリティ上の問題がないかどうかをツールや目視で確認する。
イ　公開Webサーバの各コンテンツファイルのハッシュ値を管理し，定期的に各ファイルから生成したハッシュ値と一致するかどうかを確認する。
ウ　公開Webサーバや組織のネットワークの脆(ぜい)弱性を探索し，サーバに実際に侵入できるかどうかを確認する。
エ　内部ネットワークのサーバやネットワーク機器のIPFIX情報から，各PCの通信に異常な振る舞いがないかどうかを確認する。

解説

ペネトレーションテストの説明は、473ページを参照してください。なお、選択肢ア・イ・エには、基本情報技術者試験に出題される特別な名前は付けられていません。

正解▶問1：ウ　問2：ウ

Chapter 13-5 暗号化技術とデジタル署名

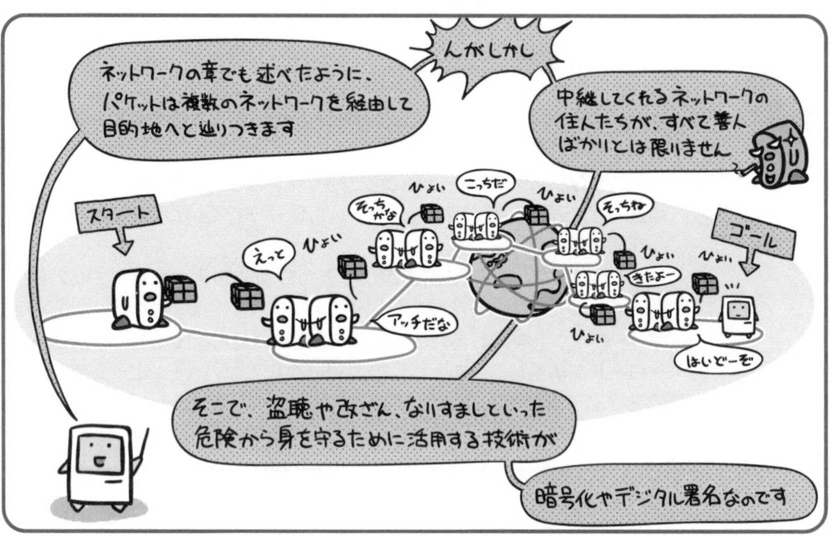

インターネットは「荷物が丸裸で運ばれている」ようなもの。暗号化やデジタル署名で、荷物に鍵をかけるのです。

複数のネットワークがつながりあって出来ているのがインターネット。当然パケットは、ネットワークからネットワークへとバケツリレーされていくことになります。

でもちょっと待った。パケットが単に「デジタルデータを小分けして荷札つけたもの」なんであれば、ちょろりと中をのぞくだけで、なにが書いてあるか丸わかりですよね?

たとえばネット上のサービスを利用するためのユーザ名やパスワード。クレジットカード情報。今時であれば、ネットバンキングに使う口座情報などもあるでしょう。そのような情報が、まったく丸裸の状態で、見知らぬ人のネットワークを延々渡り歩いて流れていく図を想像してみてください。もしくは、「絶対人に漏らしたくないユーザ名とパスワード」を書いた紙を、2つ折りにしただけで知らない人にバケツリレーしてもらう感じ…でも構いません。

当たり前ですが、こんなんじゃ危なくて仕方ないですよね。そこで登場するのが、暗号化技術やデジタル署名というわけです。

盗聴・改ざん・なりすましの危険

ネットワークの通信経路上にひそむ危険といえば、代表的なのが次の3つです。
イメージしやすいよう、メールにたとえて見てみましょう。

盗聴

データのやり取り自体は正常に行えますが、途中で内容を第3者に盗み読まれるという危険性です。

改ざん

データのやり取りは正常に行えているように見えながら、実際は途中で第3者に内容を書き換えられてしまっているという危険性です。

なりすまし

第3者が別人なりすまし、データを送受信できてしまうという危険性です。

暗号化と復号

さて、それでは「通信経路は危険がいっぱいだ」という結論に辿り着いたとして、どう対処すればいいでしょうか。

そうですね、まず考えられるのは「通信経路でのぞき見できちゃうのがそもそもおかしい。そこをしっかり対処すべきだ」というものかもしれません。社内LANなどの限定された空間であれば、そういう対処も採れるでしょう。しかし、世界規模で広がってるネットワークを、えいやと一度に置きかえるなんてのは現実的ではありません。

そこで発想の大転換。のぞき見されるのは防ぎようがないんだから、のぞかれても大丈夫な内容に変えてしまえば良いのです。

たとえばやり取りする当事者同士だけがわかる形にメッセージを作り替えてしまえば、途中でいくらのぞき見されても困ることはありません。

このように、「データの中身を第三者にはわからない形へと変換してしまう」ことを暗号化といいます。上の絵だとキノコのやってることがそう。

一方、暗号化したデータは元の形に戻さないと解読できません。この「元の形に戻す」ことを復号といいます。こちらはドングリがやってる部分ですね。

盗聴を防ぐ暗号化（共通鍵暗号方式）

前ページの「ひと文字ずらす」というような、暗号化や復号を行うために使うデータを鍵と呼びます。データという荷物をロックするための鍵…みたいなものと思えばよいでしょう。

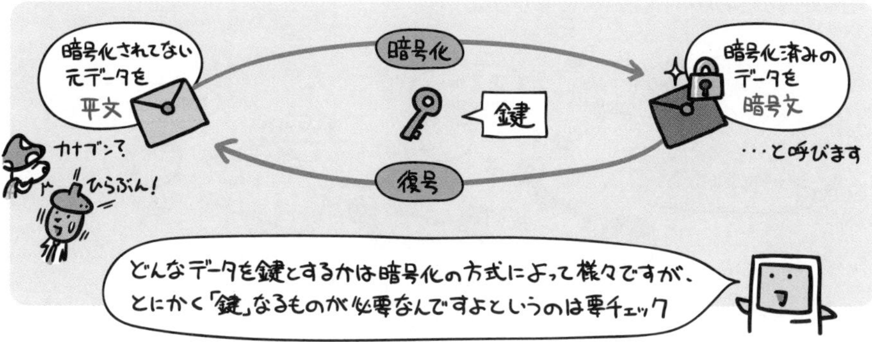

送り手（暗号化する側）と受け手（復号する側）が同じ鍵を用いる暗号化方式を、共通鍵暗号方式と呼びます。この鍵は第三者に知られると意味がなくなりますから、秘密にしておく必要があります。そのことから秘密鍵暗号方式とも呼ばれます。

暗号化

秘密鍵

送り手側は秘密鍵を用いて暗号化を行います。

復号

秘密鍵

受け手側は同じ秘密鍵を用いて復号を行います。

双方ともに同じ鍵を用いるところがこの方式の特徴です

ただし…

あれて

ところでこの鍵自体はどうやって安全に受け渡しするんだろうか…？

…という問題もあったりします。

盗聴を防ぐ暗号化（公開鍵暗号方式）

共通鍵暗号方式は、「お互いに鍵を共有する」というのが前提である以上、通信相手の数分だけ秘密鍵を管理しなければいけません。複数の相手に使い回しがきけば管理は楽ですが、そういうわけにもいかないですからね。

しかも、事前に鍵を渡しておく必要がありますから、インターネットのような不特定多数の相手を対象に通信する分野では、かなり利用に無理があると言えます。

そこで出てくるのが公開鍵暗号方式です。大きな特徴は「一般に広くばらまいてしまう」ための公開鍵という公開用の鍵があること。この方式は、暗号化に使う鍵と、復号に使う鍵が別物なのです。

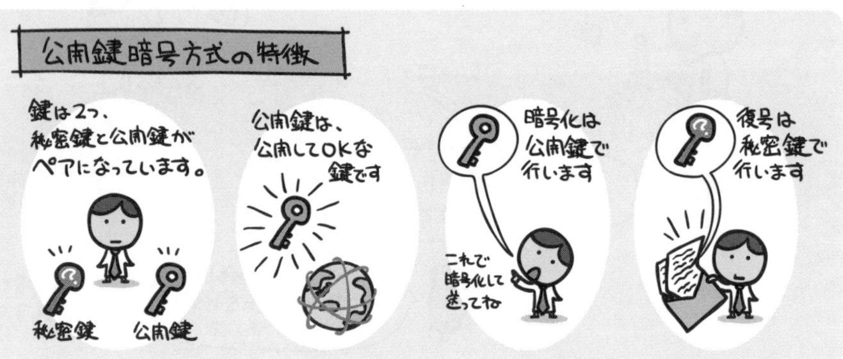

公開鍵暗号方式では、受信者の側が秘密鍵と公開鍵のペアを用意します。

そして公開鍵の方を配布して、「自分に送ってくる時は、この鍵を使って暗号化してください」とするのです。

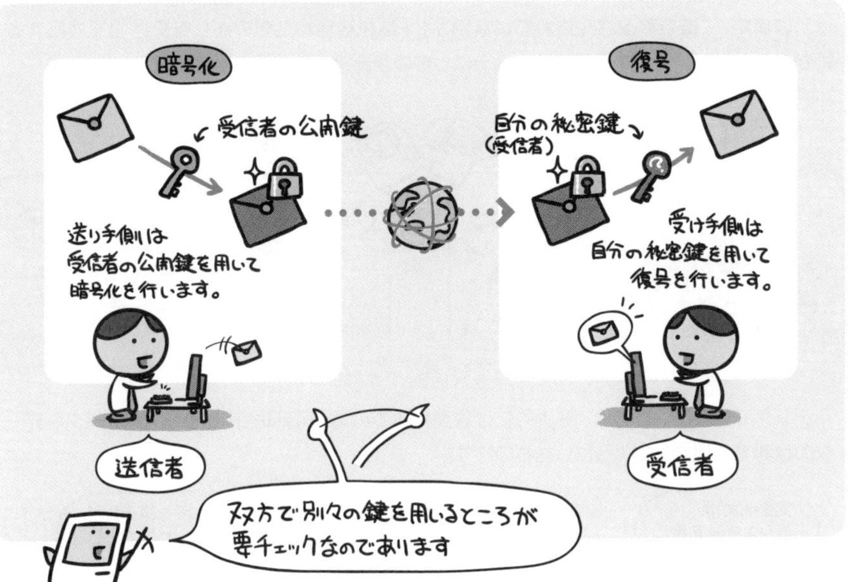

公開鍵で暗号化されたデータは、それとペアになる秘密鍵でしか復号することができません。公開鍵をいくらばらまいても、その鍵では暗号化しかできないので、途中でデータを盗聴される恐れにはつながらないのです。

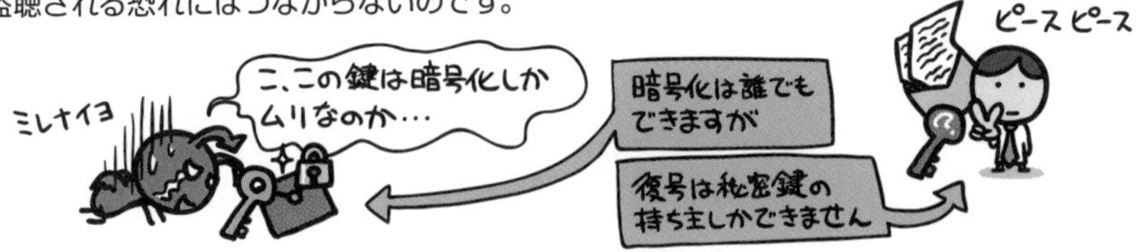

また、自分用の鍵のペアを1セット持っていれば複数人とやり取りできますから、「管理する鍵の数が増えちゃって大変!」なんてこともありません。

ただし、共通鍵暗号方式に比べて、公開鍵暗号方式は暗号化や復号に大変処理時間を要します。そのため、利用形態に応じて双方を使い分けるのが一般的です。

文書に対する署名・捺印の役割を果たすデジタル署名

暗号化によって安全にデータをやり取りできるようになったのはいいんですけど、それだけではまだ、「途中で改ざんされていないか」「誰が送信したものか」を受信側で検証する術がありません。それを確認できるようにしたのがデジタル署名です。

デジタル署名というのは、基本的には現実世界での署名・捺印と同じ機能を、デジタルデータの世界でも果たせるようにしたものです。

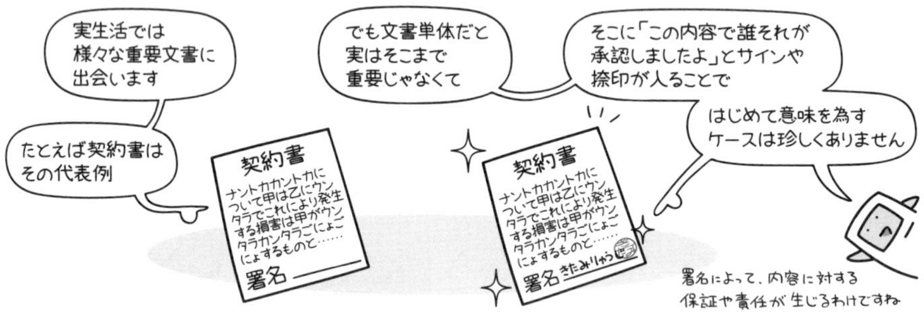

上記の文書と同じように、デジタルデータに対して「私が内容を承認しました」という証明を、デジタル署名は付加するわけです。

これは単に「そんな役割と見なして一」という話ではなく、実際に法的な実効力を持つ話でもあります。

現在は電子署名法という法律によって、デジタル署名が手書きの署名や捺印と同等に扱えるよう法的基盤が整備されています

さて、「同じ機能」というからには、まずサインと捺印について考えてみましょう。

サインや捺印というのは、その人でしか持ち得ない要素によって、本人による承認だと証明するものです。

デジタル署名も、「署名」というからには本人でしか知り得ない(または持ち得ない)何かによって、それをデジタルデータに付加できる必要があります。そして、それが署名として機能するためには、誰もがそれを「誰それさんの署名だ」と検証できなくてはいけません。

そこで出てくるのが、公開鍵暗号方式で用いていた「秘密鍵」と「公開鍵」という鍵ペアによる役割分担です。

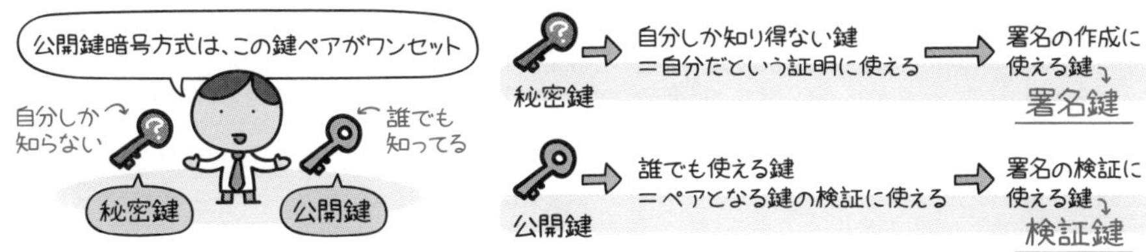

このように、デジタル署名では公開鍵暗号方式における秘密鍵・公開鍵という役割分担を活かし、それぞれを署名鍵（秘密鍵）・検証鍵（公開鍵）として用います。

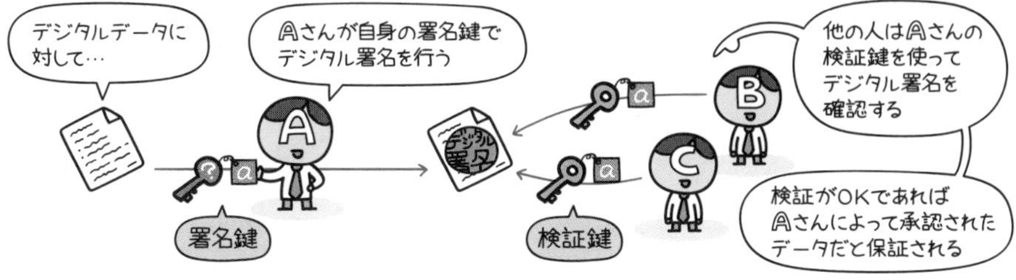

電子署名法で認められているデジタル署名の方式にはRSA暗号方式、DSA署名方式、ECDSA署名方式などがあります。いずれも基本は署名鍵でデジタル署名を作成し、検証鍵でその正当性を確認します。

デジタル署名とメッセージダイジェスト

メッセージダイジェストというのは、任意のデータをハッシュ化して求めることのできる、固定長のビット列のことです。

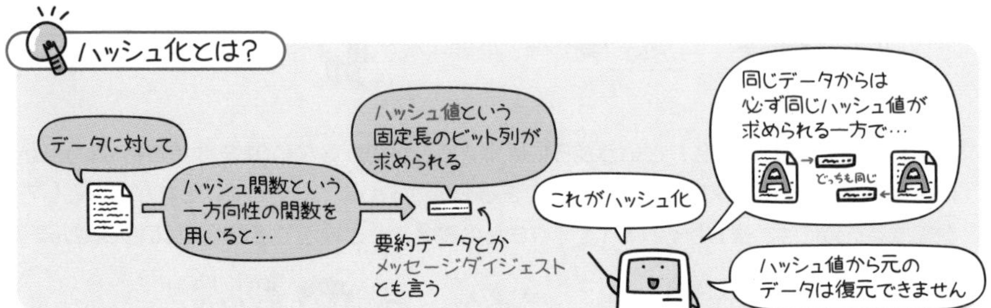

ここで話をデジタル署名に戻します。署名というからには、それは「何に対して行った署名か」が大事になってきます。しかし公開鍵暗号方式の話を思い出してください。この処理は遅いのです。したがって、データ全体を対象にデジタル署名を行ったり検証したりというのは現実的ではありません。

そこで出てくるのがハッシュ化です。

データ本体をハッシュ化することで得られるメッセージダイジェストを処理対象にすれば、データの内容とデジタル署名とを結び付けて証明しつつ、その処理は小さな固定長データを扱うだけで済ますことができます。

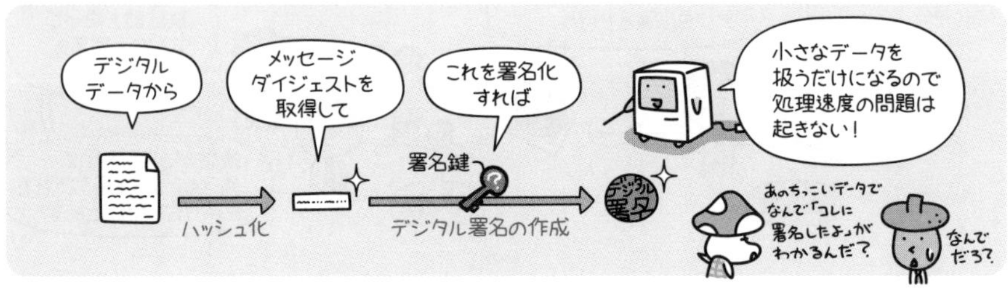

それでは、このハッシュ化を用いてデジタル署名を作成する流れと、受信側でそのデジタル署名を検証する流れを、初期のRSA暗号方式を題材にして見て行きましょう。

まずはハッシュ化によるデジタル署名を作成する流れから。これはまあ先ほどの図とやっていることは同じですね。

ハッシュ化によるデジタル署名の作り方

メッセージがある

ハッシュ化によりメッセージダイジェストを作成する

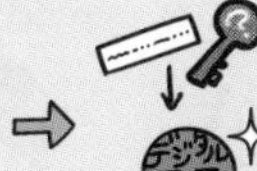

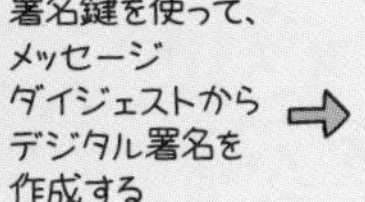

署名鍵を使って、メッセージダイジェストからデジタル署名を作成する

署名データの

できあがり!

続いては、それを送信して、受信側で検証をする流れです。

デジタル署名とハッシュ化で、改ざんを検知する流れ

デジタル署名をくっつけて

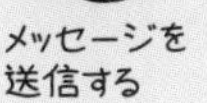

メッセージを送信する

受信者は送信者の検証鍵を使ってデジタル署名を検証し、元のメッセージダイジェストを得る

メッセージ本文をハッシュ化して、メッセージダイジェストを取得する

両者が同一であれば、改ざんされてないと言える

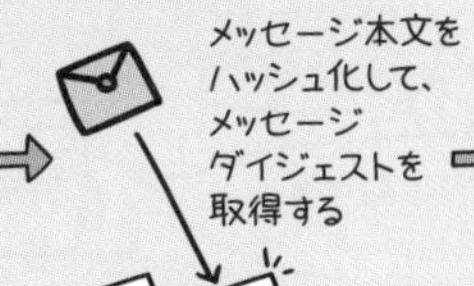

元データが同じであれば、ハッシュ関数は必ず同じメッセージダイジェストを生成します。したがって、デジタル署名の検証結果であるメッセージダイジェストと、受信した本文から新たに取得したメッセージダイジェストとを比較して同一であれば、そのメッセージは「改ざんされていない」と見なすことができるわけですね。

○○さんの検証鍵によって確認できることが

これは間違いなく○○さんの署名であるという証明になり

メッセージダイジェストが同一であるということが

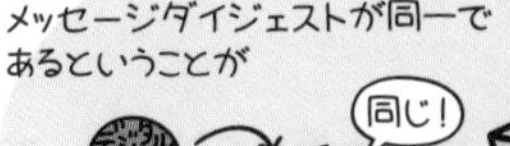

署名の後で中身は改ざんされていないという証明になるのです

なんかよくできてんなあ…

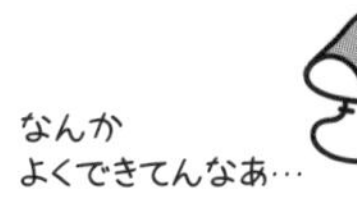

ほんとだね

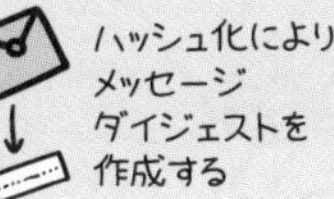

なりすましを防ぐ認証局（CA）

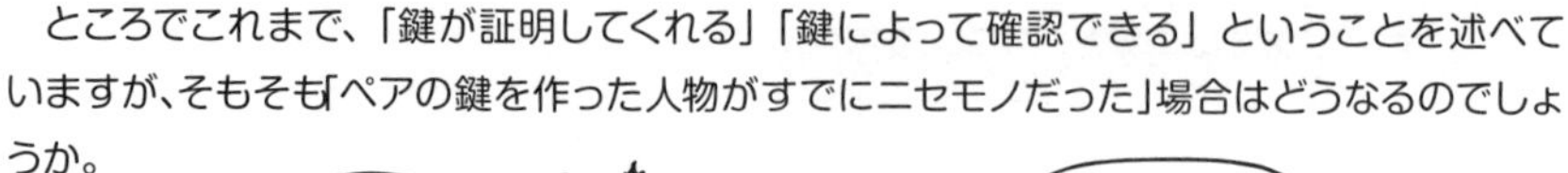

ところでこれまで、「鍵が証明してくれる」「鍵によって確認できる」ということを述べていますが、そもそも「ペアの鍵を作った人物がすでにニセモノだった」場合はどうなるのでしょうか。

そう、一見キリがありません…が、それができてしまう限りは「他人になりすまして通信を行う」なりすまし行為が回避できるとは言い切れません。

というわけで、信用できる第三者が「この公開鍵は確かに本人のものですよ」と証明する機構が考えられました。それが認証局（CA：Certificate Authority）です。

認証局は、次のような流れによって公開鍵の正当性を保証します。

このような認証機関と、公開鍵暗号技術を用いて通信の安全性を保証する仕組みのことを、公開鍵基盤（PKI：Public Key Infrastructure）と呼びます。

SSL（Secure Sockets Layer）は代表的な暗号化プロトコル

ここまで、ネットワークの通信経路上にひそむ危険（盗聴・改ざん・なりすまし）や、そこで用いられる暗号化技術についてふれてきました。

では実際にそれらを用いてどのような手順で暗号化通信を行うのか。それを定めたものが暗号化プロトコルです。代表的なものにSSL（Secure Sockets Layer）があります。

SSLで行う通信は、簡単に言うと次のようなステップを経ることで、安全な通信を行います。

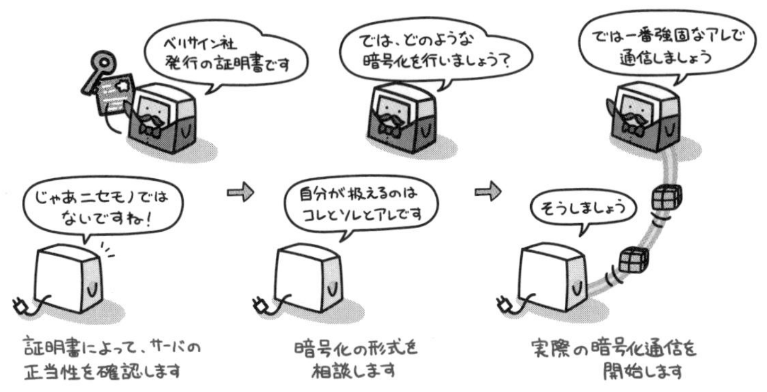

たとえばWWWサービスでは、サーバとクライアントのやり取りにHTTPというプロトコルが使われます。これにSSLの暗号化通信を追加したプロトコルがHTTPSです。

このプロトコルを使って情報をやり取りすることで、オンラインショッピングで用いるクレジットカード番号や入力した会員情報の漏洩などが防止できるわけです。

なお、現在SSLは後継であるTLS（Transport Layer Security）に置き換わっていますが、TLSだと馴染みがないので、SSLとひとまとめに呼称されていたり、SSL/TLSという表記が用いられたりしています。

VPN (Virtual Private Network)

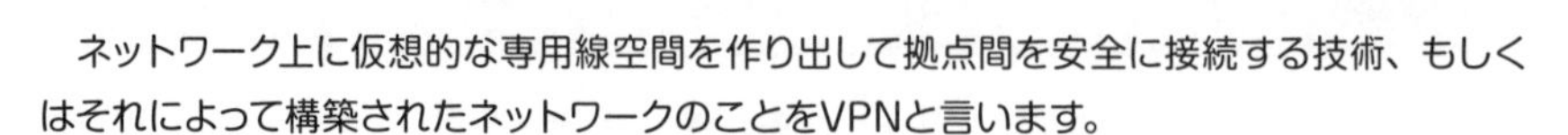

ネットワーク上に仮想的な専用線空間を作り出して拠点間を安全に接続する技術、もしくはそれによって構築されたネットワークのことをVPNと言います。

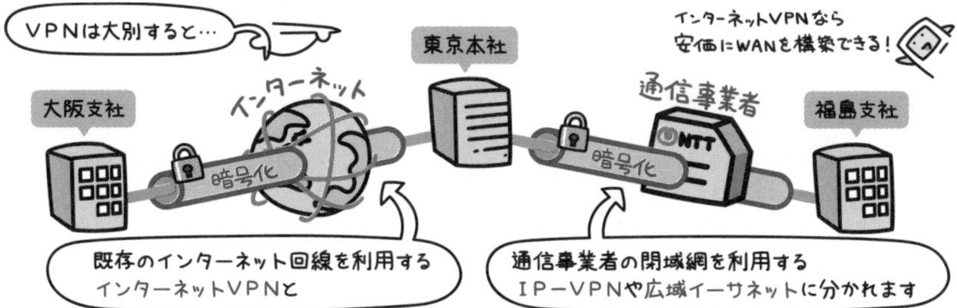

インターネットVPNを利用するには、相互の接続口にVPN機能を持った機器を設置します。

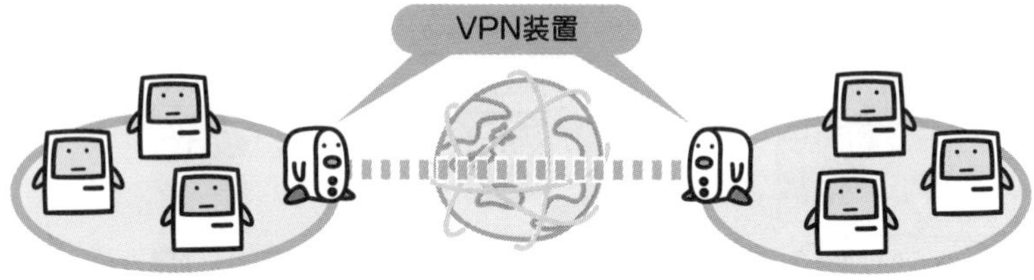

インターネット経由でデータを流す場合には、VPN装置がデータを暗号化してから流します。受け取った側では、その暗号化を解除してから内部ネットワークへ転送します。

暗号化して
ポイッと
パカッ
暗号を解除して
ポイッと
ここで用いる暗号化には、IPsec（詳しくは次ページ）というプロトコルが
標準として用いられています

このように途中経路での通信データを暗号化することで、情報の漏洩や改ざんといった危険を回避することができるのです。

IPsec(Security Architecture for Internet Protocol)

ネットワーク層で動作するIP通信に、暗号化や認証機能を持たせることで、より安全に通信を行えるようにしたプロトコルとしてIPsecがあります。VPN（Virtual Private Network）を構築する際の標準的なプロトコルです。

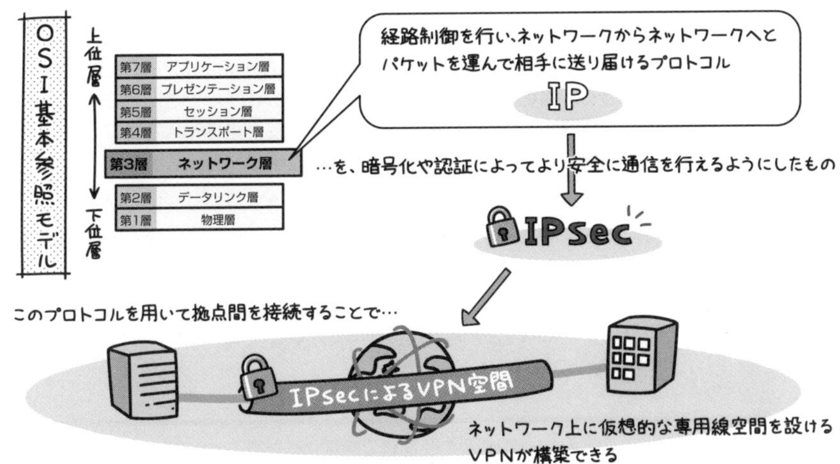

IPsecは、IPパケットを暗号化することによって、改ざんや盗聴の危険から通信データを守ります。ネットワーク層でセキュリティを確保するため、上位層のアプリケーションが暗号化をサポートしていなくても安全性が保たれます。

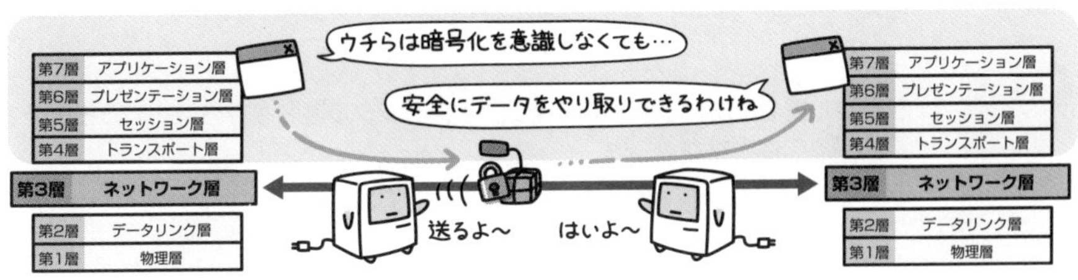

IPSecには、認証機能を担当する「認証ヘッダ（AH: Authentication Header）」と、暗号化機能を担当する「暗号ペイロード（ESP: Encapsulating Security Payload）」という2つのプロトコルが規定されています。

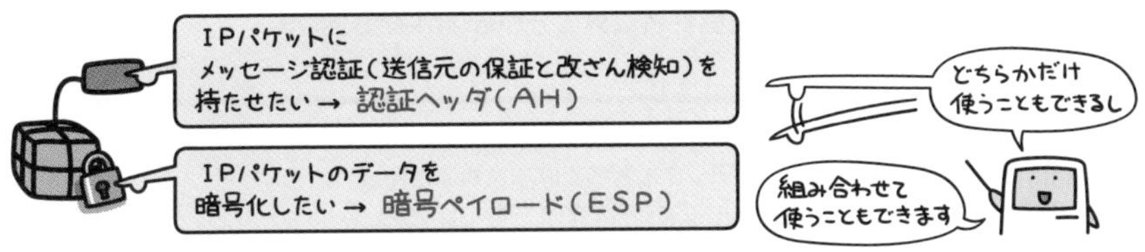

このように出題されています
過去問題練習と解説

問 1

(FE-H30-S-38)

Aさんが Bさんの公開鍵で暗号化した電子メールを，Bさんと Cさんに送信した結果のうち，適切なものはどれか。ここで，Aさん，Bさん，Cさんのそれぞれの公開鍵は3人全員がもち，それぞれの秘密鍵は本人だけがもっているものとする。

ア　暗号化された電子メールを，Bさんだけが，Aさんの公開鍵で復号できる。
イ　暗号化された電子メールを，Bさんだけが，自身の秘密鍵で復号できる。
ウ　暗号化された電子メールを，Bさんも，Cさんも，Bさんの公開鍵で復号できる。
エ　暗号化された電子メールを，Bさんも，Cさんも，自身の秘密鍵で復号できる。

解説

本問の問題文の1文目は、「Aさんが Bさんの公開鍵で暗号化した電子メールを，Bさんと Cさんに送信した（後略）」としていますので、選択肢ア～エの「暗号化された電子メール」は、「★Bさんの公開鍵で暗号化された電子メール」と解釈できます。公開鍵と秘密鍵は、1組として使われます。例えば、Bさんの公開鍵は、Bさんの秘密鍵とだけ組み合わされてしか使えません。本問の問題文の最終文は「（前略）それぞれの秘密鍵は本人だけがもっているものとする」としていますので、Bさんの秘密鍵は、Bさんだけが持っています。したがって、上記★の下線部の「Bさんの公開鍵で暗号化された電子メール」は、「Bさんだけが、自身の秘密鍵で復号」できるので、選択肢イが正解です。

問 2

(FE-H29-A-40)

デジタル署名における署名鍵の使い方と，デジタル署名を行う目的のうち，適切なものはどれか。

ア　受信者が署名鍵を使って，暗号文を元のメッセージに戻すことができるようにする。
イ　送信者が固定文字列を付加したメッセージを署名鍵を使って暗号化することによって，受信者がメッセージの改ざん部位を特定できるようにする。
ウ　送信者が署名鍵を使って署名を作成し，その署名をメッセージに付加することによって，受信者が送信者を確認できるようにする。
エ　送信者が署名鍵を使ってメッセージを暗号化することによって，メッセージの内容を関係者以外に分からないようにする。

解説

アとエ　デジタル署名を使う場合、メッセージは暗号化されません。
イ　当選択肢に記述されたことは、デジタル署名ではなされません。
ウ　デジタル署名は、482 ～ 483ページを参照してください。

問3 (FE-R05-10)

図のような構成と通信サービスのシステムにおいて，Webアプリケーションの脆弱性対策のためのWAFの設置場所として，最も適切な箇所はどこか。ここで，WAFには通信を暗号化したり，復号したりする機能はないものとする。

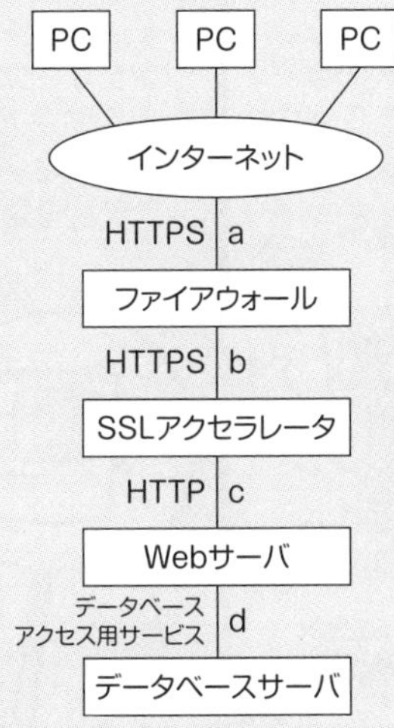

ア a
イ b
ウ c
エ d

解説

HTTPSは、487ページで説明されているとおり、HTTPにSSL暗号化を追加したプロトコルです。図を見ると、a区間とb区間は、HTTPSですので、そこを通過するパケットは暗号化されています。

WAF(Web Application Firewall)は、472ページで説明されているとおり、パケットの中身をチェックすることで悪意を持った攻撃を検知するファイアウォールです。パケットが暗号されているとパケットの中身をチェックできません。言いかえれば、WAF を使う場合、HTTPのパケットはチェックできても、HTTPSのパケットはチェックできません。図の中で、HTTPが動作しているのは、c区間だけです。

問4 (FE-R04-サ-37)

電子メールをドメインAの送信者がドメインBの宛先に送信するとき，送信者をドメインAのメールサーバで認証するためのものはどれか。

ア APOP　イ POP3S　ウ S/MIME　エ SMTP-AUTH

解説

ア APOP（Authenticated Post Office Protocol）は、メールを読み出すPOP（419ページ参照）の認証フェーズにおいて、パスワード文字列を暗号化するプロトコルです。
イ POP3S（POP3 over SSL）の説明は、420ページを参照してください。
ウ S/MIME（Secure MIME）の説明は、421ページを参照してください。
エ SMTP-AUTHの説明は、本問のとおりです。

正解▶問1:イ　問2:ウ　問3:ウ　問4:エ

Chapter 14

システム開発

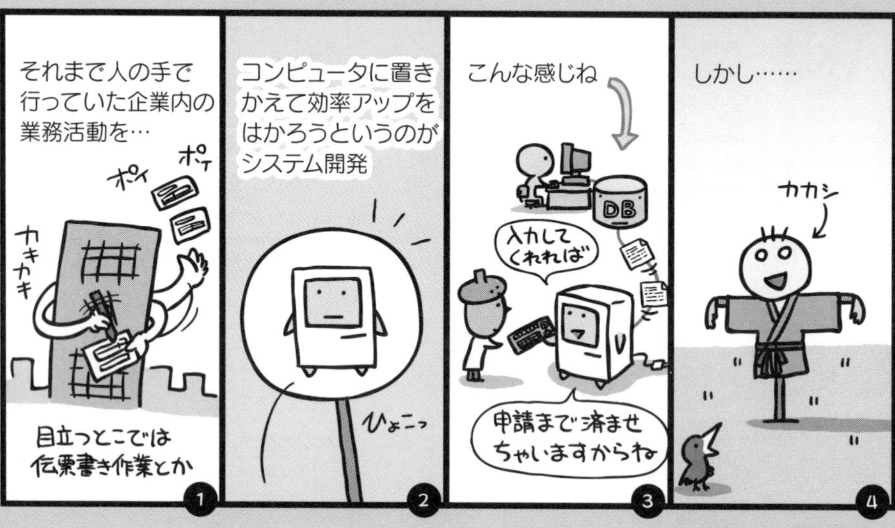

これで、
システムに対する
要望が見えてくる

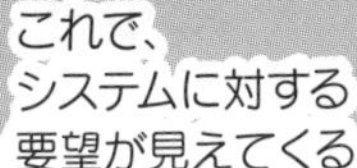

9

そしたらシステムの
細部を煮詰めていっ
て…

10

作りはじめるのは
この段階に辿り
着いてからのこと

11

そして
できたらできたで
今度はテストが
待ってます

12

このように
システム開発と
いうのは長い長い
道のりの作業

13

だからこそ無事
踏破できるようにと、
様々な開発手法や
分析手法が考案され
ているのです

14

やあゴクロー
なかなかいいシステムを
組んでくれたじゃないか

ほめてつかわすよ

プッチーン

15

なんでお前
途中で立ち位置
変わってんだよー

ボカスカ

ボカスカ

だってしんどそーだから
イヤになったんだよ!!

16

Chapter 14-1 システムを開発する流れ

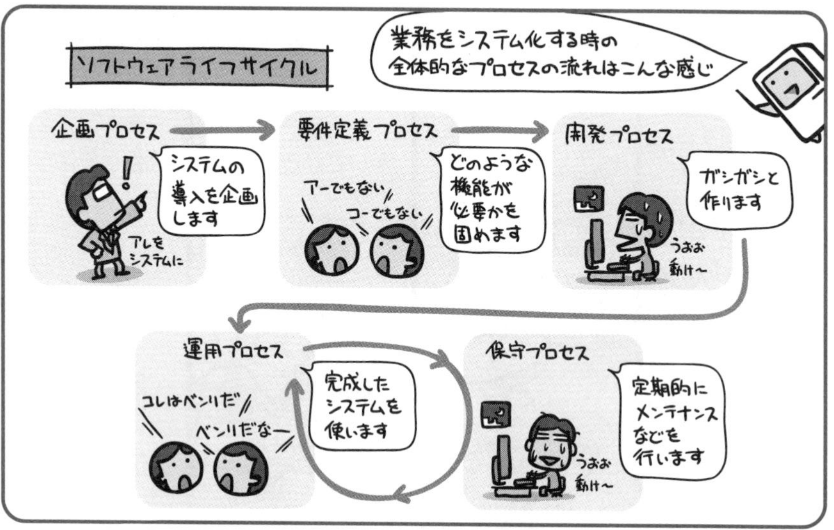

「企画」→「要件定義」→「開発」→「運用」→「保守」という
5段階のプロセスで、システムの一生はあらわされます。

システムの一生というのは上のイラストのようになっていて、導入後の運用ベースになって以降も、業務の見直しや変化に応じてちょこちょこ修正が入ります。そうして運用と保守とを繰り返しながら、やがて役割を終えて破棄される瞬間まで働き続けることになる。これを、ソフトウェアライフサイクルと呼びます。

システム化計画として企画段階で検討すべき項目はスケジュール、体制、リスク分析、費用対効果、適用範囲といった5項目。うん、わかり難いですね。もうちょっと噛み砕いて書くと、「導入までどんな段取りで」「どういった人員体制で取り組むべきで」「どんなトラブルが想定できて」「かけたお金に見合う効果があるか考えて」「どの業務をシステム化するか」…を決めるという内容になります。

企画が済んだら、次は「どのような機能を盛り込んだシステムが必要なのか」を要件定義として固めます。これをやらないと、「要するにボクたちこんなシステムが欲しいんです」と伝えられないですからね。

え? 誰に伝えるか? それは、実際に開発をお願いすることになるシステムベンダさんなのです! …というところで次ページへ。

システム開発の調達を行う

「調達」というのは、開発を担当するシステムベンダに対して発注をかけることです。契約締結に至るまでの流れと、そこで取り交わす文書は次のようになります。

① 情報提供依頼

情報提供依頼書(RFI:Request For Information)を渡して、最新の導入事例などの提供をお願いします

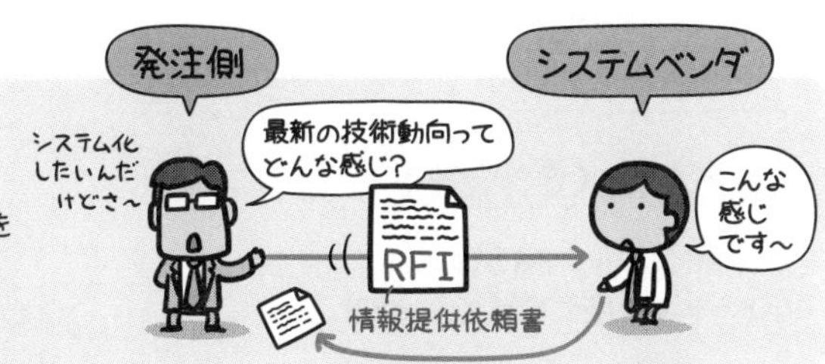

② 提案依頼書の作成と提出

システムの内容や予算などの諸条件を提案依頼書(RFP:Request For Proposal)にまとめて、システムベンダに提出します

③ 提案書の受け取り

システムベンダは、具体的な内容を提案書としてまとめ、発注側に渡します

④ 見積書の受け取り

提案内容でOKが出たら、開発や運用・保守にかかる費用を見積書にまとめて発注側に渡します

⑤ システムベンダの選定

提案内容や見積内容を確認して、発注するシステムベンダを決定します

開発の大まかな流れと対になる組み合わせ

無事に契約が締結されたなら、今度はシステムベンダさんのところで実際の開発作業がはじまります。「要件定義プロセス→開発プロセス」という流れがスタートとなるわけですね。

システムの開発は、以下の工程に従って行われるのが一般的です。

利用者にヒアリングするなどして
求められる機能や性能を洗い出す。

システム設計

要件定義の結果に基いてシステムの
詳細な仕様を固める。
複数の段階に分けて、大枠から
詳細へと、細分化しながら詰めて
いくのが一般的。

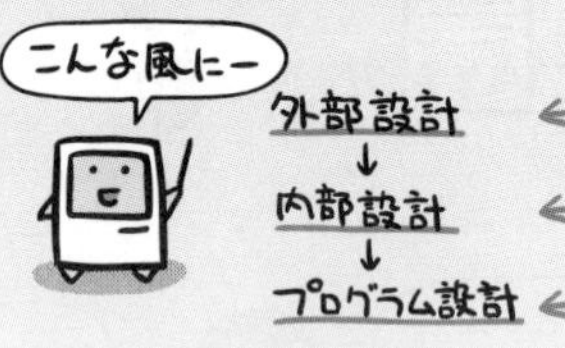

これらは
対になっていて

プログラミング

プログラミング言語を使って、
設計通りに動くプログラムを
作成する。

カタカタカタ

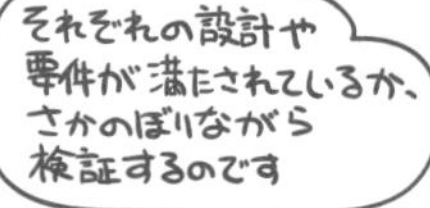

導入・運用

問題がなければ発注元に
システムを納入して、運用を
開始する。

テスト

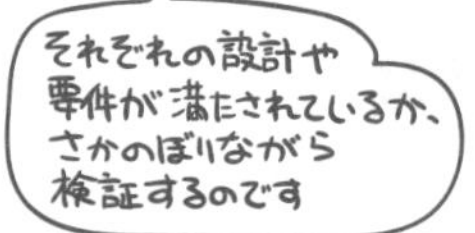

作成したプログラムにミスが
ないか、仕様通り作られているか
検証する。
検証は設計の逆で、詳細から
大枠へと、さかのぼる形で行う
のが一般的。

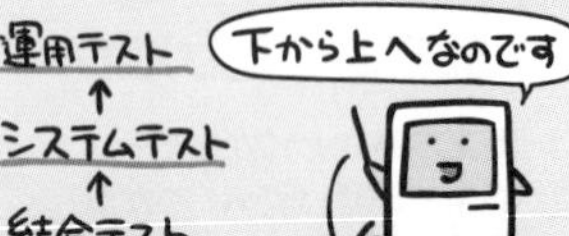

プログラミングを境として
工程が折り返している
ところに注目です

基本計画（要件定義）

この工程では、作成するシステムにどんな機能が求められているかを明らかにします。

要求点を明確にするためには、利用者へのヒアリングが欠かせません。そのため、システム開発の流れの中で、もっとも利用部門との関わりが必要とされる工程と言えます。

要件を取りまとめた結果については、要件定義書という形で文書にして残します。

要件定義プロセスの機能要件と非機能要件

情報システムは、業務機能を実現するアプリケーション部分と、それを支えるシステム基盤によって構成されます。ヒアリングによって利用者から得られる要求事項は主に業務機能を担う部分です。これを機能要件と言います。

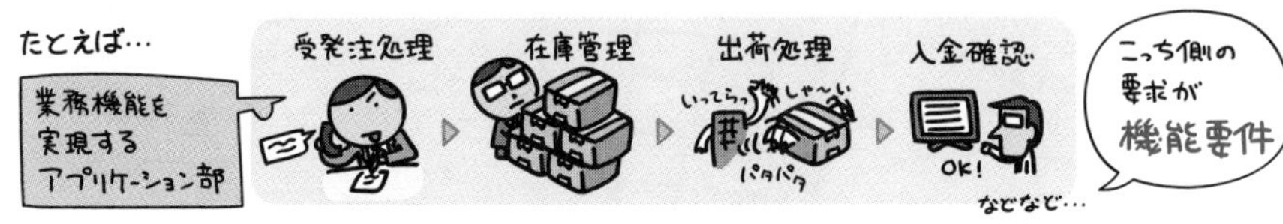

これらの機能要件以外、ざっくり言えば、システム基盤側の要件が非機能要件にあたります。

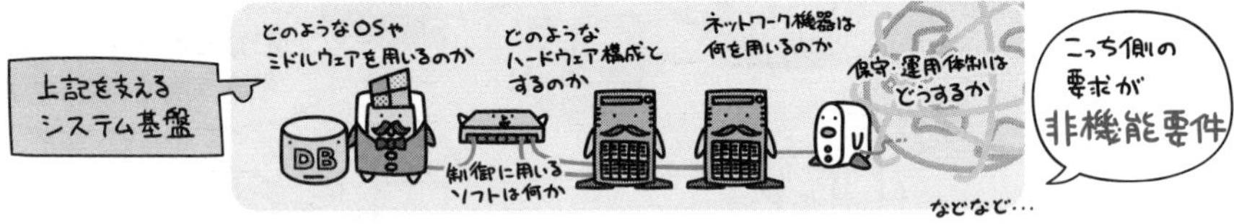

広義の非機能要件は「機能要件以外のすべて」であり、その定義は様々です。

そこで、主に「システム基盤で実現される要件」に着目したものを、独立行政法人情報処理推進機構(IPA)では、「非機能要求グレードの6大項目」として次のように規定しています。

大項目	説明	要求例
可用性	システムサービスを継続的に利用可能とするための要求	・運用スケジュール(稼働時間、停止予定など) ・障害、災害時における稼働目標
性能・拡張性	システムの性能、および将来のシステム拡張に関する要求	・業務量および今後の増加見積り ・システム化対象業務の特性(ピーク時、通常時、縮退時など)
運用・保守性	システムの運用と保守のサービスに関する要求	・運用中に求められるシステム稼働レベル ・問題発生時の対応レベル
移行性	現行システム資産の移行に関する要求	・新システムへの移行期間および移行方法 ・移行対象資産の種類および移行量
セキュリティ	情報システムの安全性の確保に関する要求	・利用制限 ・不正アクセスの防止
システム環境・エコロジー	システムの設置環境やエコロジーに関する要求	・耐震/免震、重量/空間、温度/湿度、騒音など、システム環境に関する事項 ・CO_2排出量や消費エネルギーなど、エコロジーに関する事項

『非機能要求グレード 2018』より抜粋　(c)2010-2018 独立行政法人情報処理推進機構

システム設計

この工程では、要件定義の内容を具体的なシステムの仕様に落とし込みます。

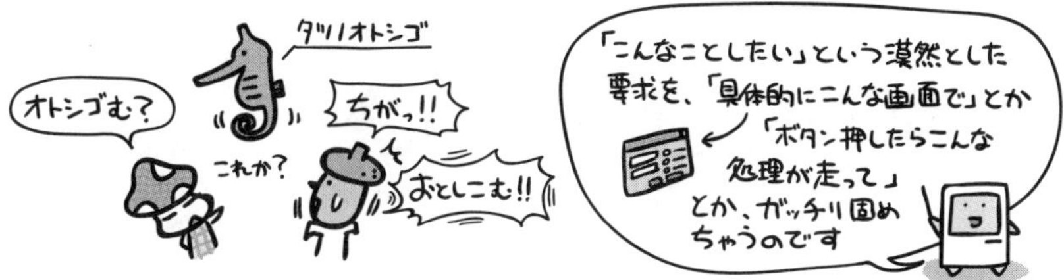

システム設計は、次のような複数の段階に分かれています。

外部設計

外部設計では、システムを「利用者側から見た」設計を行います。つまり、ユーザインタフェースなど、利用者が実際に手を触れる部分の設計を行います。

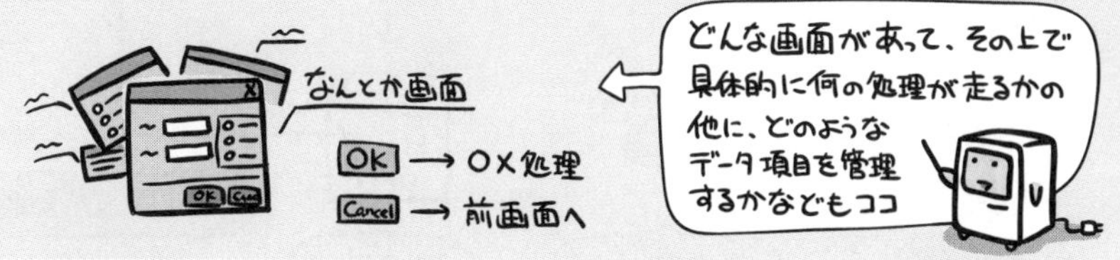

内部設計

内部設計では、システムを「開発者から見た」設計を行います。つまり、外部設計を実現するための実装方法や物理データ設計などを行います。

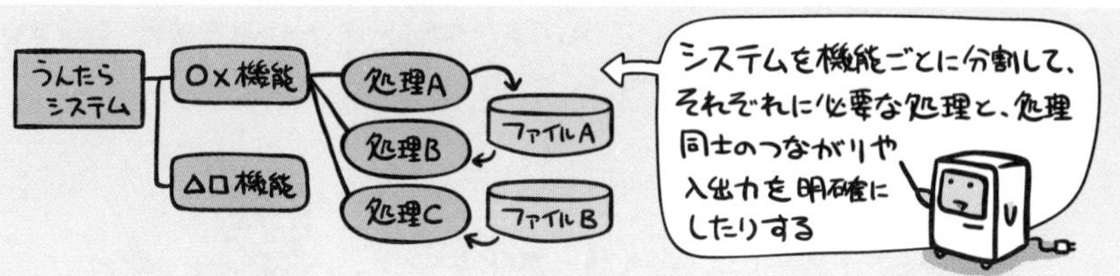

プログラム設計

プログラム設計では、プログラムを「どう作るか」という視点の設計を行います。プログラムの構造化設計や、モジュール同士のインタフェース仕様などがこれにあたります。

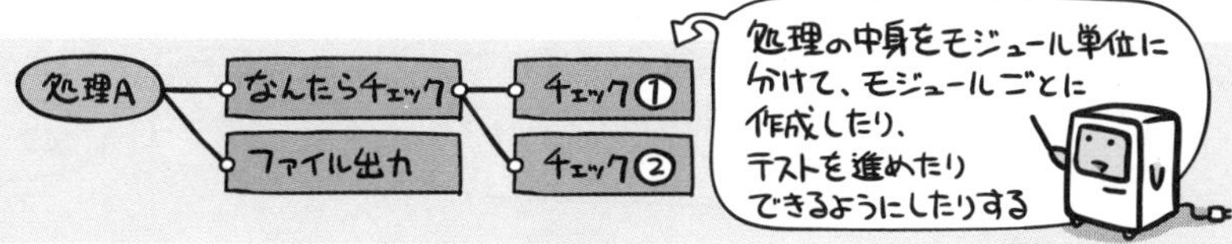

プログラミング

この工程では、システム設計で固めた内容にしたがって、プログラムをモジュール単位で作成します。

プログラムの作成は、プログラミング言語を使って命令をひとつひとつ記述していくことで行います。この、「プログラムを作成する」ということを、プログラミングと呼びます。

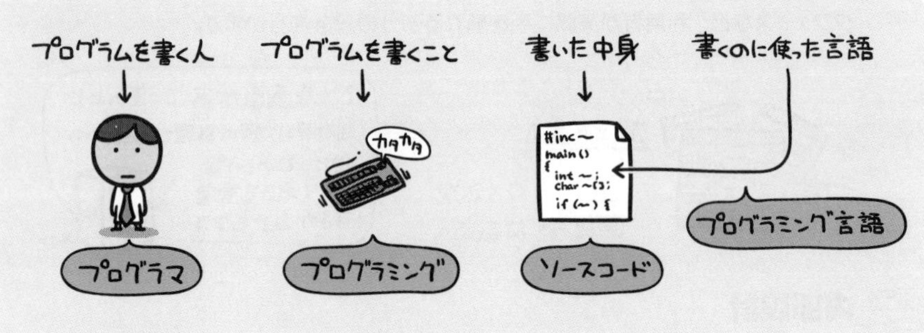

私たちが使う言葉にも日本語や英語など様々な種類の言語があるように、プログラミング言語にも様々な種類が存在します。こうして書かれたソースコードは機械語に翻訳することで、プログラムとして実行できるようになります。

テスト

この工程では、作成したプログラムにミスがないかを検証します。

テストは、次のような複数の段階に分かれています。

単体テスト

単体テストでは、モジュールレベルの動作確認を行います。

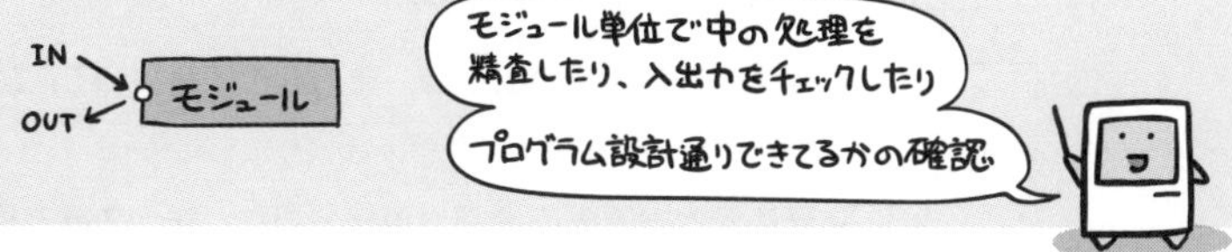

結合テスト

結合テストでは、モジュールを結合させた状態での動作確認や入出力検査などを行います。

システムテスト

システムテストでは、システム全体を稼働させての動作確認や負荷試験などを行います。

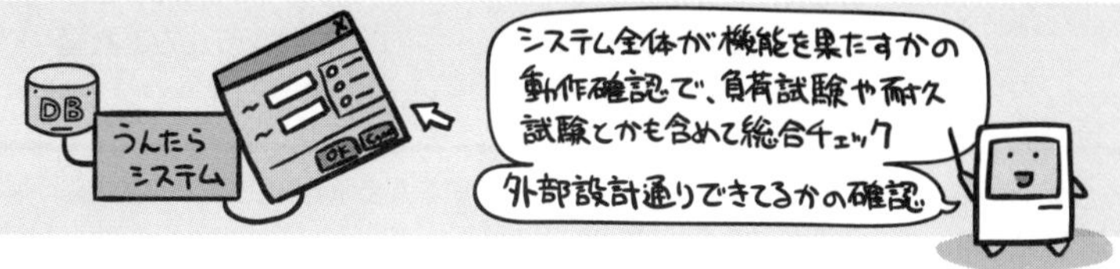

運用テスト

運用テストでは、実際の運用と同じ条件下で動作確認を行います。

このように出題されています
過去問題練習と解説

(FE-H30-A-66)

図に示す手順で情報システムを調達するとき，bに入れるものはどれか。

a	発注元はベンダにシステム化の目的や業務内容などを示し，情報提供を依頼する。
▼	
b	発注元はベンダに調達対象システム，調達条件などを示し，提案書の提供を依頼する。
▼	
c	発注元はベンダの提案書，能力などに基づいて，調達先を決定する。
▼	
d	発注元と調達先の役割や責任分担などを，文書で相互に確認する。

ア　RFI　　イ　RFP　　ウ　供給者の選定　　エ　契約の締結

解説

495ページのとおり、情報システムを調達する手順は、下記のとおりです。

情報提供依頼＜選択肢アのRFI（Request For Information）＞→提案依頼書の作成と提出＜選択肢イのRFP（Request For Proposal）＞→提案書の受け取り→見積書の受け取り→システムベンダの選定＜選択肢ウの「供給者の選定」＞→選択肢エの「契約の締結」

(FE-H29-S-46)

システムの外部設計を完了させるとき，顧客から承認を受けるものはどれか。

ア　画面レイアウト　　イ　システム開発計画
ウ　物理データベース仕様　　エ　プログラムの流れ図

解説

各選択肢は、下記のフェーズを完了させるとき、顧客から承認を受けるものです。

ア　画面レイアウト…外部設計
イ　システム開発計画…基本計画（要件定義）
ウ　物理データベース仕様…内部設計
エ　プログラムの流れ図…プログラム設計

問3

(FE-H31-S-66)

非機能要件項目はどれか。

ア　新しい業務の在り方や運用に関わる業務手順，入出力情報，組織，責任，権限，業務上の制約などの項目

イ　新しい業務の遂行に必要なアプリケーションシステムに関わる利用者の作業，システム機能の実現範囲，機能間の情報の流れなどの項目

ウ　経営戦略や情報戦略に関わる経営上のニーズ，システム化・システム改善を必要とする業務上の課題，求められる成果・目標などの項目

エ　システム基盤に関わる可用性，性能，拡張性，運用性，保守性，移行性などの項目

解説

ア　機能要件項目です（498ページ参照）。

イ　外部設計書に記述される項目です（外部設計の説明は、499ページ参照）。

ウ　中長期情報システム計画書に記述される項目です。

エ　非機能要件項目です（498ページ参照）。

問4

(FE-R06-14)

システムの開発部門と運用部門が別々に組織化されているとき，システム開発を伴う新規サービスの設計及び移行を円滑かつ効果的に進めるための方法のうち，適切なものはどれか。

ア　運用テストの完了後に，開発部門がシステム仕様と運用方法を運用部門に説明する。

イ　運用テストは，開発部門の支援を受けずに，運用部門だけで実施する。

ウ　運用部門からもシステムの運用に関わる要件の抽出に積極的に参加する。

エ　開発部門は運用テストを実施して，運用マニュアルを作成し，運用部門に引き渡す。

解説

ア　運用部門が、運用テストの計画を策定します。そのために、開発部門が、運用テストの開始前に、システム仕様と運用方法を運用部門に説明します。

イ　運用テストは、運用部門が主体となって、開発部門の支援を受けながら実施します。

ウ　そのとおりです。

エ　運用部門が主体となって運用テストを実施し、運用マニュアルを作成します。開発部門は、その支援をします。運用部門は、運用マニュアルを保有し、それに沿ってシステムを運用します。

正解▶問1：イ　問2：ア　問3：エ　問4：ウ

Chapter 14-2 システムの開発手法

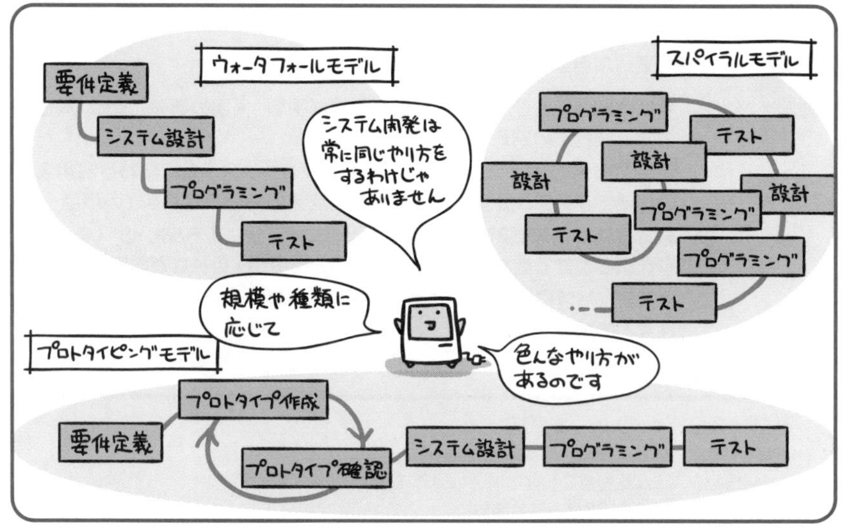

「ウォータフォールモデル」、「プロトタイピングモデル」、「スパイラルモデル」の3つが、代表的な開発手法です。

システムに対する要求を確認して、設計して、作って、テストする。この段取りは、システム開発に限らず、たいてい何をする場合にも同じです。ほら、普段のお仕事だって、「要求を整理→やり方を決め→実行→結果確認」という段取りで進むことが多いではないですか。

ただ、システム開発の場合は、なにかと規模が大きくなりがちです。規模が大きくなれば、当然開発期間もそれだけ長くかかります。

そうすると、やっとできあがりましたという段になって、お客さんとの間で「なにこれ、思ってたのと違う」…となることもあったりして。

えてして「頭の中で想像したシステム」と「実際にさわってみたシステム」というのは違う印象になりがちですし、開発者側が仕様を取り違える可能性だってないとは言えないですからね。

基本的な段取りは共通ながら開発手法に様々な種類があるのは、こうした問題を解消して、効率よくシステム開発を行うための工夫に他なりません。

ウォータフォールモデル

ウォータフォールモデルは、開発手法としてはもっとも古くからあるもので、要件定義からシステム設計、プログラミング、テストと、各工程を順番に進めていくものです。前節で書いた開発の流れは、このモデルを用いています。

それぞれの工程を完了させてから次へ進むので管理がしやすく、大規模開発などで広く使われています。

ただし必然的に、利用者がシステムを確認できるのは最終段階に入ってからです。しかも、前工程に戻って作業すること（手戻りといいます）は想定していないため、いざ動かしてみて「この仕様は想定していたものと違う」なんて話になると、とんでもなく大変なことになります。

14 システム開発

プロトタイピングモデル

プロトタイピングモデルは、開発初期の段階で試作品（プロトタイプ）を作り、それを利用者に確認してもらうことで、開発側との意識ズレを防ぐ手法です。

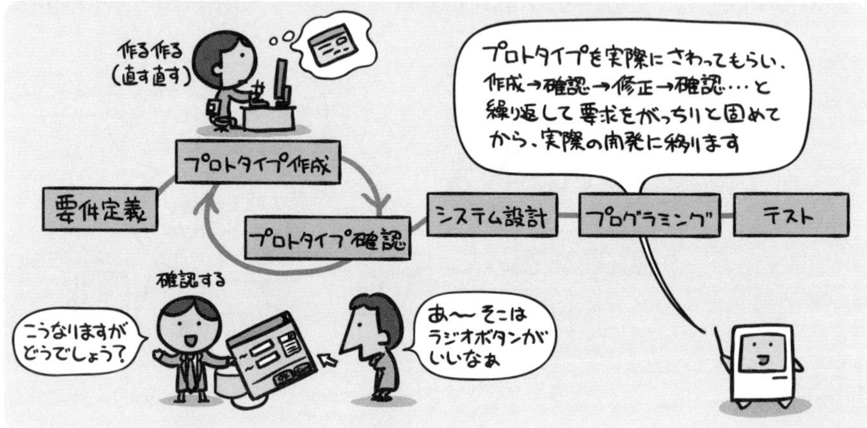

利用者が早い段階で（プロトタイプとはいえ）システムに触れて確認することができるため、後になって「あれは違う」という問題がまず起きません。

ただ、プロトタイプといっても、作る手間は必要です。そのため、あまり大規模なシステム開発には向きません。

スパイラルモデル

スパイラルモデルは、システムを複数のサブシステムに分割して、それぞれのサブシステムごとに開発を進めていく手法です。個々のサブシステムについては、ウォータフォールモデルで開発が進められます。

この手法では、まずシステムを複数のサブシステムに分割します

サブシステム① 設計 → プログラミング → テスト
サブシステム② 設計 → プログラミング → テスト
サブシステム③ 設計 → プログラミング → テスト

個々のサブシステムごとに開発工程を繰り返し…

今こーなってます
へー
完成したサブシステムはプロトタイプのかわりに見せることができる
こうなりました
ほー…
設計 テスト プログラミング 設計 テスト 設計 プログラミング プログラミング テスト
システム全体の完成度を高めて行きます

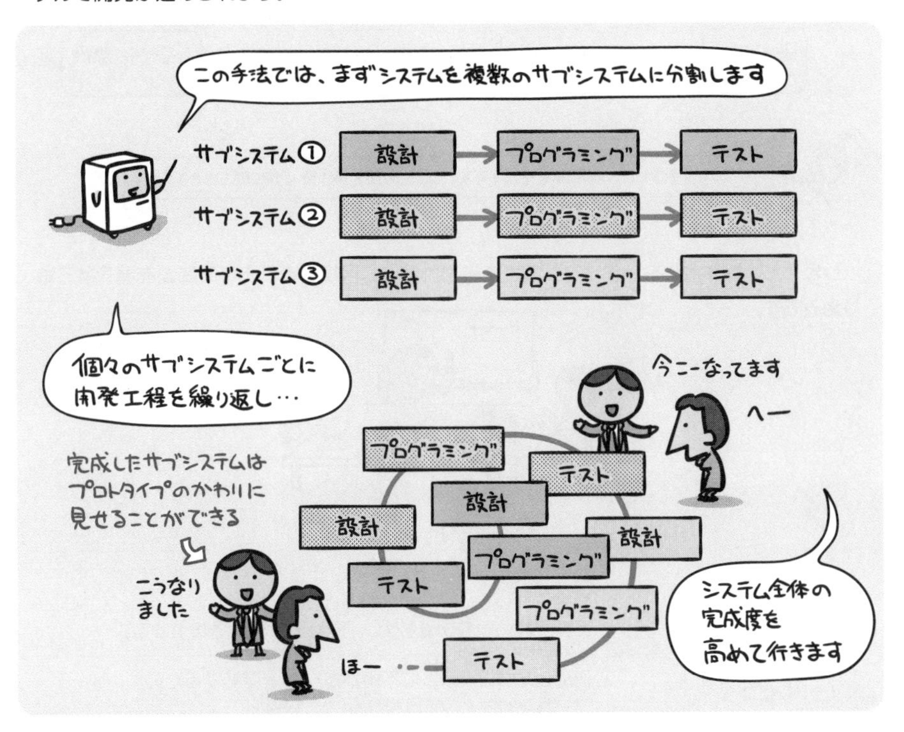

完成したサブシステムに対する利用者の声は、次のサブシステム開発にも反映されていくため、後になるほど思い違いが生じ難くなり開発効率が上がります。

レビュー

開発作業の各工程では、その工程完了時にレビューという振り返り作業を行います。ここで工程の成果物を検証し問題発見に努めることで、潜在する問題点を早期に発見し次の工程へと持ち越さないようにするのです。

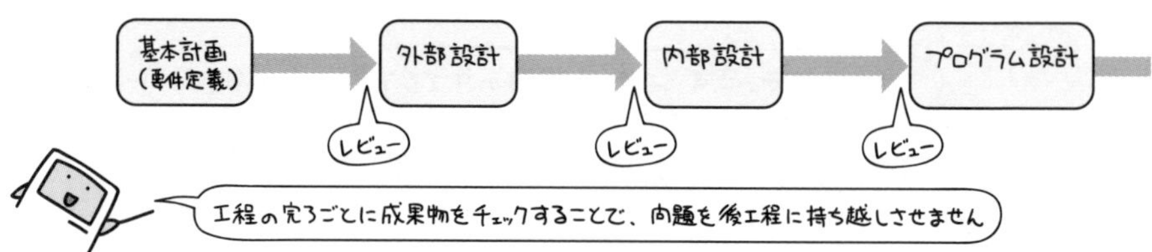

レビューは基本的にミーティング形式で行われ、人の目視など机上にて問題を発見する取り組みです。

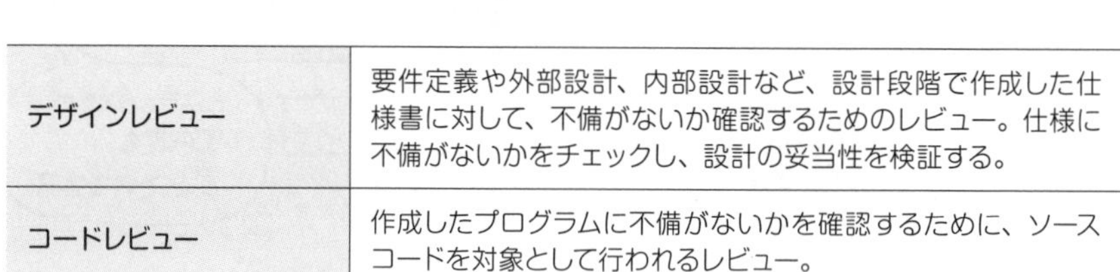

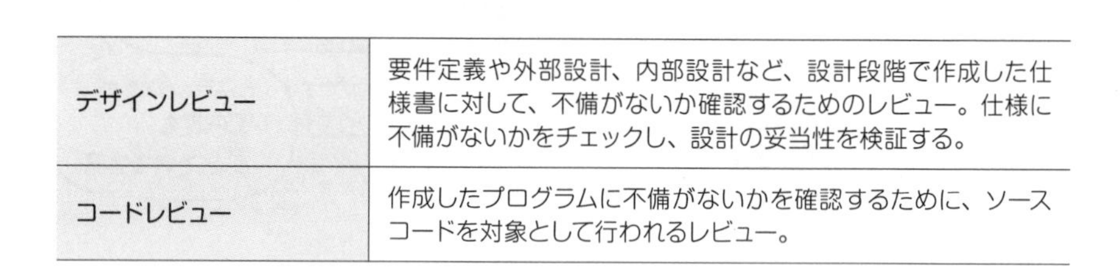

デザインレビュー	要件定義や外部設計、内部設計など、設計段階で作成した仕様書に対して、不備がないか確認するためのレビュー。仕様に不備がないかをチェックし、設計の妥当性を検証する。
コードレビュー	作成したプログラムに不備がないかを確認するために、ソースコードを対象として行われるレビュー。

レビューを実施する手法には、次のものがあります。

ウォークスルー	問題の早期発見を目的として、**開発者（もしくは作成者）が主体**となって複数の関係者とプログラムや設計書のレビューを行う手法。
インスペクション	あらかじめ参加者の役割を決め、進行役として**第三者であるモデレータがレビュー責任者**を務めてレビューを実施する手法。
ラウンドロビン	**参加者全員が持ち回りでレビュー責任者**を務めながらレビューを行う手法。参加者全体の参画意欲を高める効果がある。

CASEツール

CASE(Computer Aided Software Engineering)とは､｢コンピュータ支援ソフトウェア工学｣の意味。コンピュータでシステム開発を支援することにより、その自動化を目指すという学問です。

この考えに基づき、システム開発を支援するツール群がCASEツールです。

CASEツールは、それが適用される工程によって、次のように分類することができます。

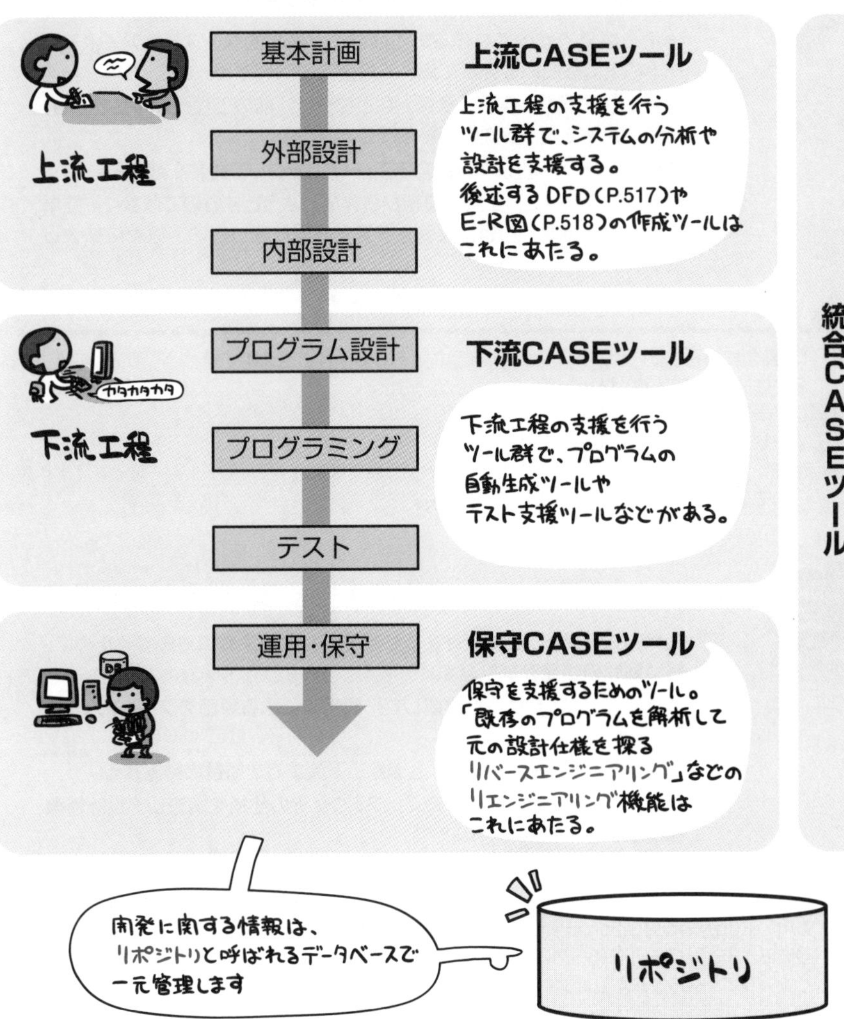

このように出題されています

過去問題練習と解説

問1

(FE-H21-S-45)

システム開発におけるウォータフォールモデルの説明はどれか。

ア　一度の開発ですべてを作るのではなく，基本的なシステムアーキテクチャの上に機能の優先度に応じて段階的に開発する。

イ　開発工程を設計，実装，テストなどに分け，前の工程が完了してから，その成果物を使って次の工程を行う。

ウ　試作品を作り，利用者の要求をフィードバックして開発を進める。

エ　複雑なソフトウェアを全部最初から作成しようとするのではなく，簡単な部分から分析，設計，実装，テストを繰り返し行い，徐々に拡大していく。

解説

ア「段階的に開発する」という点ではスパイラルモデルの一種と言えますが、○○モデルのような名前は付けられていません。

イ　ウォータフォールモデルの説明です。

ウ　プロトタイピングモデルの説明です。

エ「分析、設計、実装、テストを繰り返し行い」という点ではスパイラルモデルの一種と言えますが、○○モデルのような名前は付けられていません。

問2

(IP-R02-A-51)

リバースエンジニアリングで実施する作業として，最も適切なものはどれか。

ア　開発中のソフトウェアに対する変更要求などに柔軟に対応するために，短い期間の開発を繰り返す。

イ　試作品のソフトウェアを作成して，利用者による評価をフィードバックして開発する。

ウ　ソフトウェア開発において，上流から下流までを順番に実施する。

エ　プログラムを解析することで，ソフトウェアの仕様を調査して設計情報を抽出する。

解説

ア　RAD（Rapid Application Development：512ページ参照）で実施する作業です。

イ　プロトタイピングモデル（506ページ参照）で実施する作業です。

ウ　ウォータフォールモデル（505ページ参照）で実施する作業です。

エ　リバースエンジニアリング（514ページ参照）で実施する作業です。

正解▶問1：イ　問2：エ

Chapter 14-3 システムの様々な開発手法

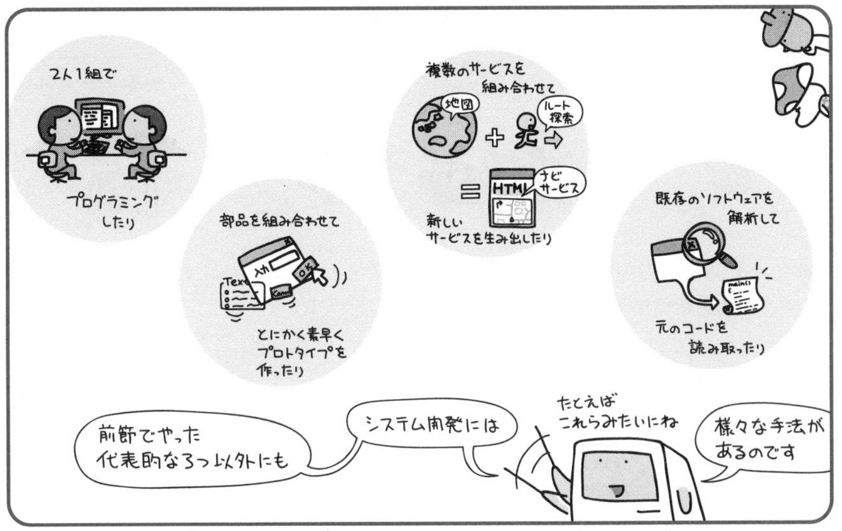

既存の開発モデルを派生させたものや、ソフトウェアの再利用を推し進めたものなど、様々な開発手法があります。

前節で紹介した代表的な開発手法は、「伝統的」と言っても良い旧来からある存在です。特にウォータフォールモデルはその典型で、開発の基本的な流れをおさえる時には、今も無視することはできません。

しかし、コンピュータの利用法が多岐にわたり、ネット上のサービスも多種多様に生まれては消えて行く現在。「より早くコンパクトに」「より少人数で」など、開発現場には前にも増してスピード感が求められます。そうすると、当然開発手法の側も、それに応じた変化が求められてくるわけですね。たとえばアジャイル。これは開発スピードを重視した手法で、Webサービスの構築などによく取り沙汰されるものです。耳にしたことがある人も多いのではないでしょうか。

本節では、そのようにして生まれた新しい開発手法や、既存のソフトウェアを再利用することで生産性を高める手法など、前節で紹介した3つ以外の開発手法を見て行くことにします。

RAD (Rapid Application Development)

「Rapid」とは「迅速な」という意味。つまり直訳すると「迅速なアプリケーション開発」となる言葉の略語がRADです。

エンドユーザーと開発者による少人数構成のチームを組み、開発支援ツールを活用するなどして、とにかく短期間で開発を行うことを重要視した開発手法です。

開発支援ツール（RADツール）として有名なところでは、たとえばVisual Basicなどのビジュアル開発環境が該当します。

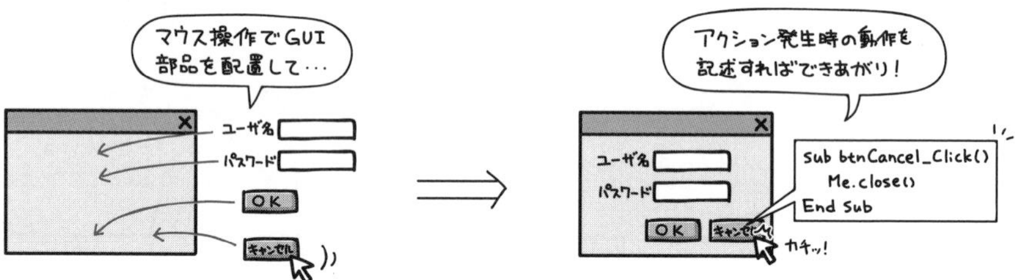

RADでは、プロトタイプを作ってそれを評価するサイクルを繰り返すことで完成度を高めます。ただし、このフェーズが無制限に繰り返されないよう、開発の期限を設けることがあります。これをタイムボックスと呼びます。

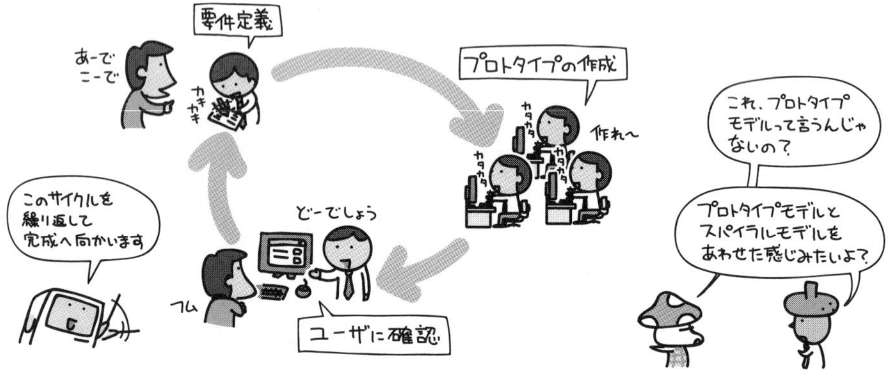

タイムボックスを過ぎると、強制的に次の工程へと進みます。その時点で固まっていない要求については開発を行いません。

アジャイルとXP (eXtreme Programming)

スパイラルモデルの派生型で、より短い反復単位（週単位であることが多い）を用いて迅速に開発を行う手法の総称がアジャイルです。アジャイル型の開発では、1つの反復で1つの機能を開発し、反復を終えた時点で機能追加されたソフトウェアをリリースします。

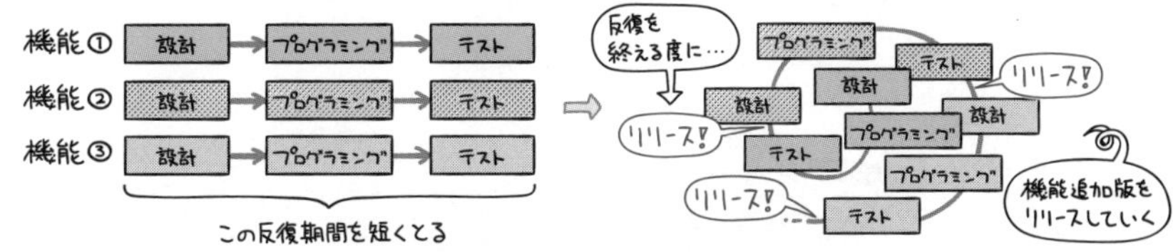

アジャイル型の代表的な開発手法がXP（eXtreme Programming）です。少人数の開発に適用しやすいとされ、既存の開発手法が「仕様を固めて開発を行う（後の変更コストは大きい）」であったのに対して、XPは変更を許容する柔軟性を実現しています。

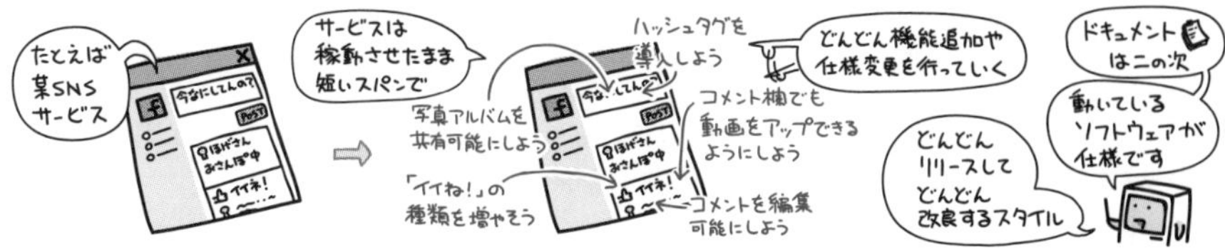

XPでは、5つの価値と19のプラクティス（実践）が定義されています。そのうち、開発のプラクティスとして定められているのが次の6つです。

テスト駆動開発	実装の前にテストを定め、そのテストをパスするように実装を行う。テストは自動テストであることが望ましい。
ペアプログラミング	2人1組でプログラミングを行う。 1人がコードを書き、もう1人がそのコードの検証役となり、随時互いの役割を入れ替えながら作業を進める。
リファクタリング	完成したプログラムでも、内部のコードを随時改善する。冗長な構造を改めるに留め、外部から見た動作は変更しない。
ソースコードの共同所有	コードの作成者に断りなく、チーム内の誰もが修正を行うことができる。その代わりに、チーム全員が全てのコードに対して責任を負う。
継続的インテグレーション	単体テストを終えたプログラムは、すぐに結合して結合テストを行う。
YAGNI	「You Aren't Going to Need It.」の略。 今必要とされる機能だけのシンプルな実装に留める。

リバースエンジニアリングとフォワードエンジニアリング

既存ソフトウェアの動作を解析することで、プログラムの仕様やソースコードを導き出すことをリバースエンジニアリングと言います。その目的は、既にあるソフトウェアを再利用することで、新規開発(もしくは仕様書が所在不明になっているような旧来システムの保守)を手助けすることです。一方、これによって得られた仕様をもとに新しいソフトウェアを開発する手法を、フォワードエンジニアリングと言います。

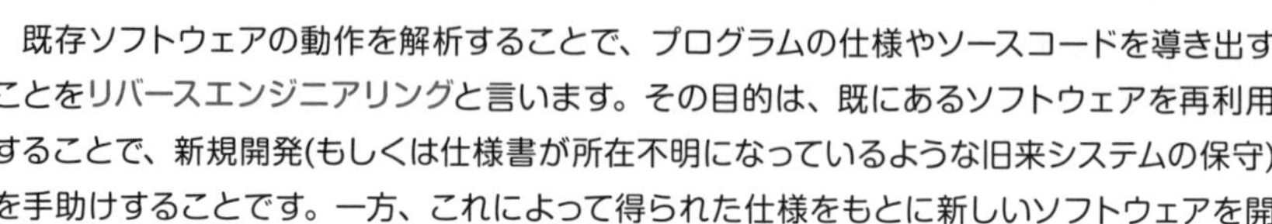

しかし、元となるソフトウェア権利者の許可なくこれを行い、新規ソフトウェアを開発・販売すると、知的財産権の侵害にあたる可能性があるため注意が必要です。

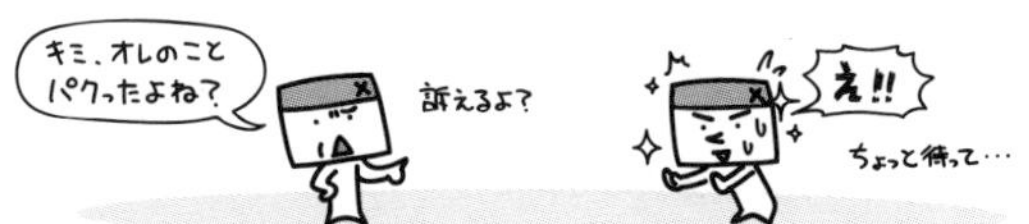

マッシュアップ

公開されている複数のサービスを組み合わせることで新しいサービスを作り出す手法をマッシュアップと言います。Webサービス構築のためによく利用されています。

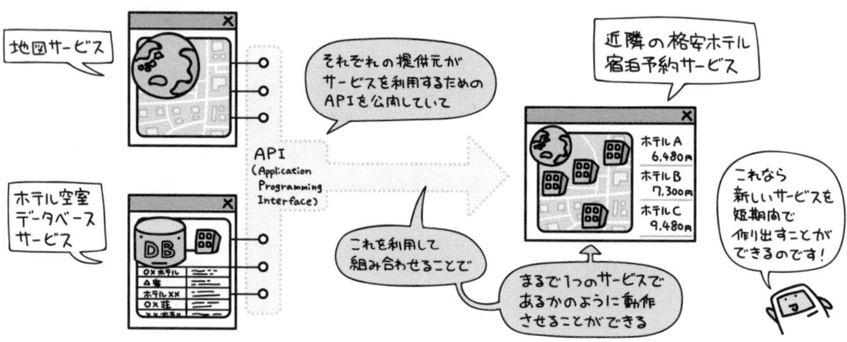

このように出題されています

過去問題練習と解説

(FE-R06-12)

アジャイル開発手法の一つであるスクラムで定義され，スプリントで実施するイベントのうち，毎日決まった時間に決まった場所で行い，開発チームの全員が前回からの進捗状況や今後の作業計画を共有するものはどれか。

ア　スプリントプランニング　　イ　スプリントレトロスペクティブ
ウ　スプリントレビュー　　エ　デイリースクラム

解説

スクラムは、513ページで説明されているアジャイルの一手法ですが、基本情報技術者試験の問題を解く上では、スクラム=アジャイルと考えても差し支えありません。スプリントは、アジャイルでの反復開発の一回分の単位であり、513ページ上左図にある“設計→プログラミング→テスト”がスプリントに該当します。したがって、513ページ上左図では、3スプリントあります。各選択肢の用語は、下記のような意味を持っています。

ア　スプリントの開始前に策定される、スプリントの計画です。
イ　スプリントの終了後に実施される振り返り（当スプリントの評価と次スプリントでの改善）です。
ウ　スプリントの終了時に、チームのメンバとステークホルダが、当スプリントで作られた成果物を評価し、意見を言います。
エ　問題文の説明どおりです。

(FE-R06-05)

複数のWebサービスの入出力処理を連結させて新たなサービスを提供する，“ロジックマッシュアップ”の例はどれか。

ア　利用者が選択した飲食店情報のページを表示する際に，他のWebサービスが提供する地図コンテンツをアクセスマップとして表示する。
イ　利用者が選択した投資商品の情報を表示する際に，関連する経済指標のデータを複数のWebサービスから取得し，グラフに加工して表示する。
ウ　利用者が入力した予算の範囲で宿泊可能な施設のリストを他のWebサービスから取得し，それらの宿泊施設の空室状況を別のWebサービスから取得して表示する。
エ　利用者がマウスのドラッグで地図を操作した際に，Webページ全体ではなく一部を読み直すことによって地図をスクロールして表示する。

解説

A.Dornanは、マッシュアップを、プレゼンテーションマッシュアップ･データマッシュアップ･ロジックマッシュアップの3つに分類しています。

選択肢ア～エは、下記の例です。

ア　プレゼンテーションマッシュアップ　　イ　データマッシュアップ
ウ　ロジックマッシュアップ　　エ　Ajax（409ページ参照）

正解▶問1：エ　問2：ウ

Chapter 14-4

業務のモデル化

システムに対する要求を明確にするためには、対象となる業務をモデル化して分析することが大事です。

業務をシステム化するにあたっては、イラストにもあるように現状の分析が欠かせません。そのためには、まず業務の流れ（つまり業務プロセス）をしっかりと押さえる必要が出てきます。「敵を知り己を知ればなんとやら」ってやつですね。

そこで登場するのがモデル化です。

モデル化とは、現状の業務プロセスを抽象化して視覚的にあらわすことで、これをやると、その業務に関わっている登場人物や書類の流れがはっきりするのです。そのため、「どこにムダがあるか」「本来はどうであるべきか」といった業務分析に役立てることができます。

そんなわけで要件定義では、このモデル化を使って業務分析を行います。利用者側の要求を汲み取り、システムが実現すべき機能の洗い出しを行うために使われるわけですね。

代表的なのはDFDとE-R図の2つ。DFDは業務プロセスをデータの流れに着目して図示化したもので、E-R図は構造に着目して実体（社員とか部署とか）間の関連を図示化したものです。…が、こんな説明じゃ「何のことやら」だと思うので、実例を示しながら見ていくといたしましょう。

DFD

DFDはData Flow Diagramの略。その名の通り、データの流れを図としてあらわしたものです。次のような記号を使って図示します。

記号	名称	説明
○	プロセス（処理）	データを加工したり変換したりする処理をあらわします。
□	データの源泉と吸収	データの発生元や最終的な行き先をあらわします。
──→	データフロー	データの流れをあらわします。
＝	データストア	ファイルやデータベースなど、データを保存する場所をあらわします。

たとえば下の業務を例とした場合、DFDであらわされる図は次のようになります。

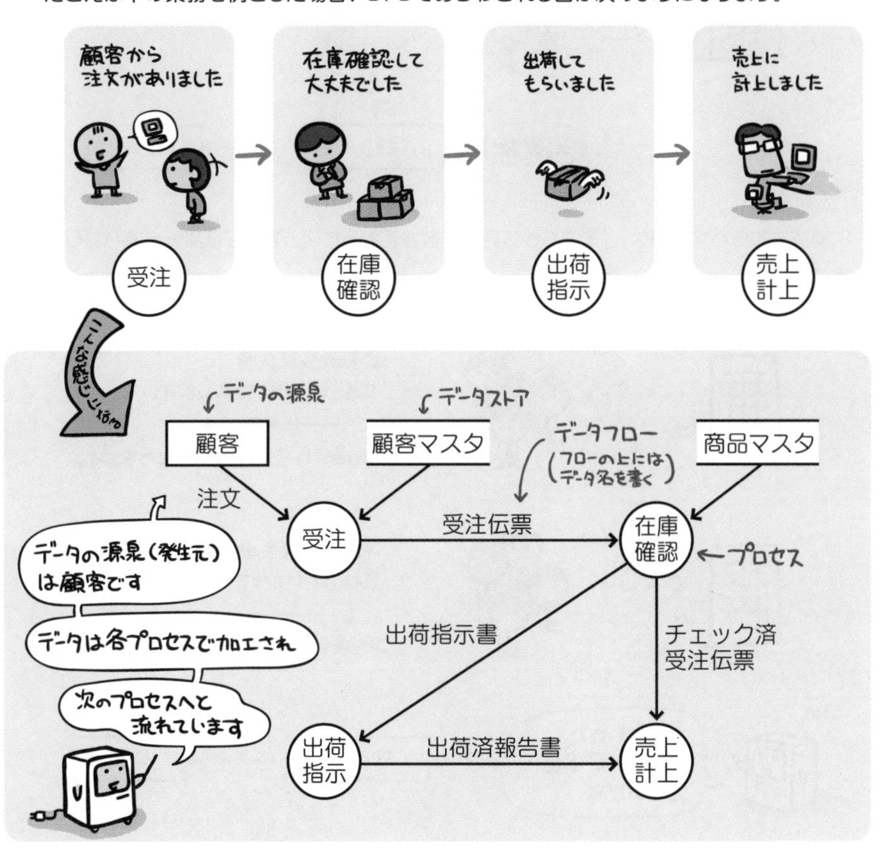

顧客から注文がありました
受注
在庫確認して大丈夫でした
在庫確認
出荷してもらいました
出荷指示
売上に計上しました
売上計上

こんな感じになる

データの源泉
データストア
顧客
顧客マスタ
データフロー（フローの上にはデータ名を書く）
商品マスタ
注文
受注
受注伝票
在庫確認
←プロセス
データの源泉（発生元）は顧客です
データは各プロセスで加工され
次のプロセスへと流れています
出荷指示書
チェック済受注伝票
出荷指示
出荷済報告書
売上計上

E-R図

E-R図は実体（Entity: エンティティ）と、実体間の関連（Relationship: リレーションシップ）という概念を使って、データの構造を図にあらわしたものです。

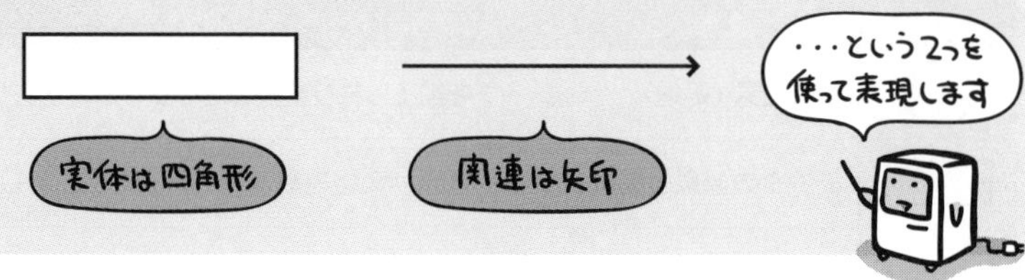

たとえば「会社」と「社員」の関連を図にすると、次のようになります。

関連をあらわす矢印は、「そちらから見て複数か否か」によって矢じり部分の有りなしが決まります。

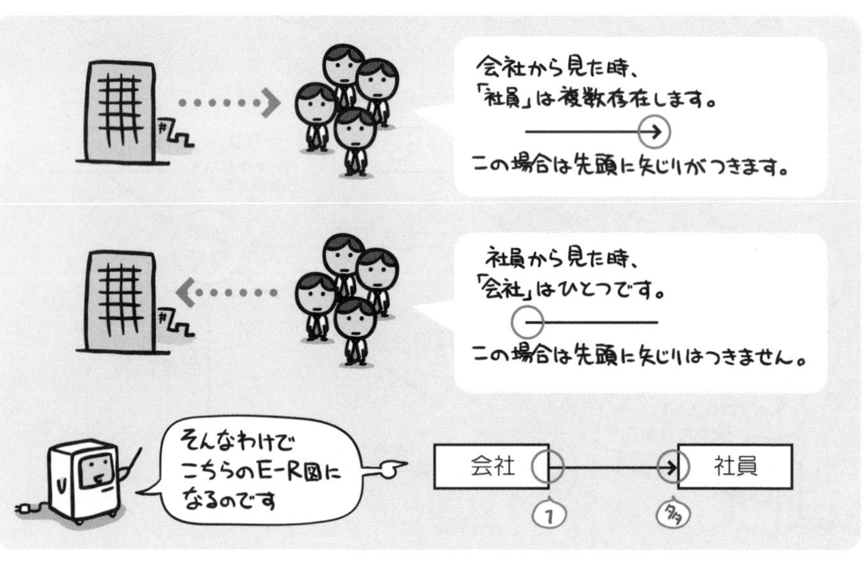

関連には「1対多」の他に、「1対1」「多対多」などのバリエーションが考えられます。例としてあげると、次のような感じになります。

パターン① 「会社」と「社員」は1対多

会社にはたくさんの社員が所属しています

パターン② 当然逆もあって「社員」と「会社」だと多対1

同上

パターン③ 「社員」と「社員番号」は1対1

社員番号は1人の社員に対して、1つの個有番号が割りあてられます

パターン④ 「商品」と「仕入先」は多対多

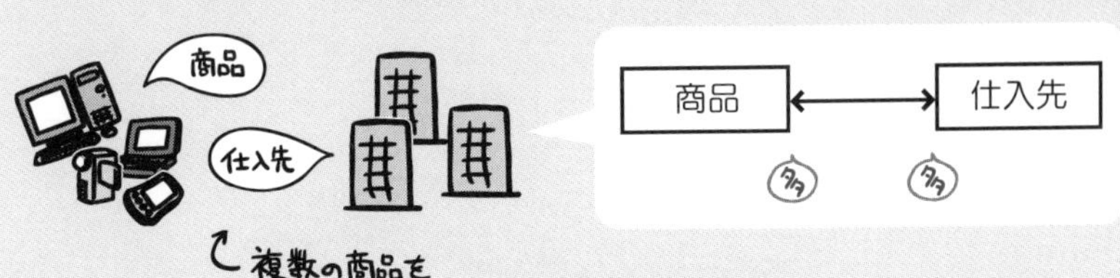

複数の商品を複数の仕入先から調達している場合です

このように出題されています
過去問題練習と解説

(FE-R01-A-45)

図は構造化分析法で用いられるDFDの例である。図中の“○”が表しているものはどれか。

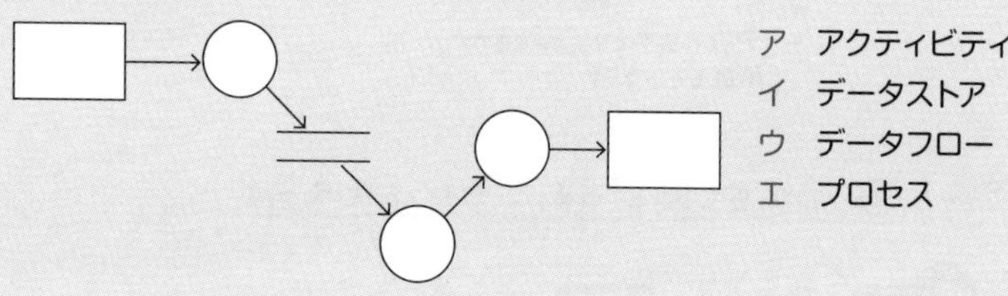

ア　アクティビティ
イ　データストア
ウ　データフロー
エ　プロセス

解説

DFDの図記号と名称の組合せは、○…プロセス（処理）、→…データフロー、□…データの源泉と吸収、上下の二重線…データストア　です。

(FE-H27-S-47)

E-R図の説明はどれか。

ア　オブジェクト指向モデルを表現する図である。
イ　時間や行動などに応じて，状態が変化する状況を表現する図である。
ウ　対象とする世界を実体と関連の二つの概念で表現する図である。
エ　データの流れを視覚的に分かりやすく表現する図である。

解説

ア　当選択肢の説明に該当するものに、クラス図やシーケンス図があります。
イ　当選択肢の説明に該当するものに、状態遷移図があります。
ウ　E-R図は、518～519ページを参照してください。
エ　当選択肢の説明に該当するものに、DFDがあります。

(FE-R04-サ-22)

UMLを用いて表した図の概念データモデルの解釈として，適切なものはどれか。

部署 —— ◀所属する —— 従業員
1..＊　　0..＊

ア　従業員の総数と部署の総数は一致する。
イ　従業員は，同時に複数の部署に所属してもよい。
ウ　所属する従業員がいない部署の存在は許されない。
エ　どの部署にも所属しない従業員が存在してもよい。

解説

下図（平成22年度 春期 基本情報技術者試験　午前 問46より）は、UMLを用いて表した図の概念データモデルの凡例の一部であり、本問にも適用できます。

A —— B
0..＊　　1..＊

エンティティ Aのデータ1個に対して，エンティティ Bのデータがn個（n≧1）に対応し，また，エンティティ Bのデータ1個に対して，エンティティ Aのデータがm個（m≧0）対応する。

上図を本問に当てはめると、<★エンティティ「従業員」のデータ1個に対して、エンティティ「部署」のデータがn個（●n≧1●）に対応し★、また、エンティティ「部署」のデータ1個に対して、エンティティ「従業員」のデータがm個（◆m≧0◆）対応する>となります。

ア　従業員の総数と部署の総数は一致するとは言えません（＝本問の図からは、そのようなことは言いきれません）。
イ　上記★～★の下線部より、従業員は、同時に複数の部署に所属してもよいです。
ウ　上記◆～◆の下線部「m≧0」が、「m=0」の条件を含んでいますので、所属する従業員がいない部署の存在は許されます。
エ　上記●～●の下線部「n≧1」が、「n=0」の条件を含んでいませんので、どの部署にも所属しない従業員は存在できません。

なお、本問の図の「0..＊」や「1..＊」（多重度といいます）などは、下表の4パターンに整理されます。

多重度	説明
0..1	「0」か「1」
1..1	「1」のみ
0..＊	「0」を含む「多」
1..＊	「0」を含まない「多」

正解▸問1：エ　問2：ウ　問3：イ

Chapter 14-5

ユーザインタフェース

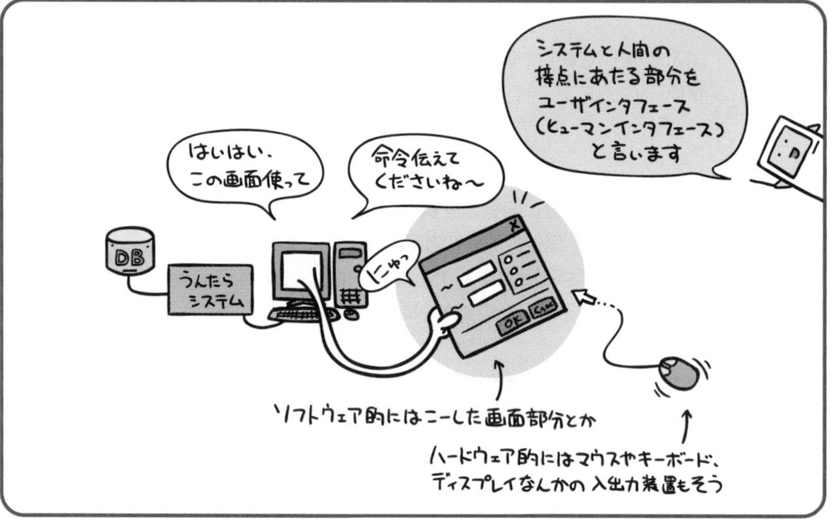

ユーザインタフェースは、システムに人の手がふれる部分。システムの「使いやすさ」に直結します。

インタフェースというのは、「あるモノとあるモノの間に立って、そのやり取りを仲介するもの」を示します。つまりシステム開発におけるユーザインタフェースというのは、「システムと利用者（ユーザ）の間に立って、互いのやり取りを仲介するもの」の意味。

ユーザからの入力をどのように受け付けるか、ユーザに対してどのような形で情報を表示するか、どのような帳票を出力として用意するか…などなど、これらすべてが、ユーザインタフェースというわけです。

ユーザが実際にシステムを操作する部分にあたりますから、システムの使いやすさはこの出来に大きく左右されます。したがって、システムの外部設計段階では、「いかにユーザ側の視点に立って、これらユーザインタフェースの設計を行うか」が大事となります。

CUIとGUI

ひと昔前のコンピュータは、電源を入れると真っ黒な画面が出てきて、ピコンピコンとカーソルが点滅しているだけでした。

画面に表示されるのは文字だけで、そのコンピュータに対して入力するのも文字だけ。文字を打ち込むことで命令を伝えて処理させていたのです。

このような文字ベースの方式をCUI（Character User Interface）と呼びます。

現在では、より誰でも簡単に扱えるようにと、「画面にアイコンやボタンを表示して、それをマウスなどのポインティングデバイスで操作して命令を伝える」といった、グラフィカルな操作方式が主流になっています。

このような方式をGUI（Graphical User Interface）と呼びます。

一般的に使用されているWindowsやMac OSといったOSは、ともにGUI方式です。

GUIで使われる部品

GUIでは、次のような部品を組み合わせて操作画面を作ります。
代表的な部品の名前と役割は覚えておきましょう。

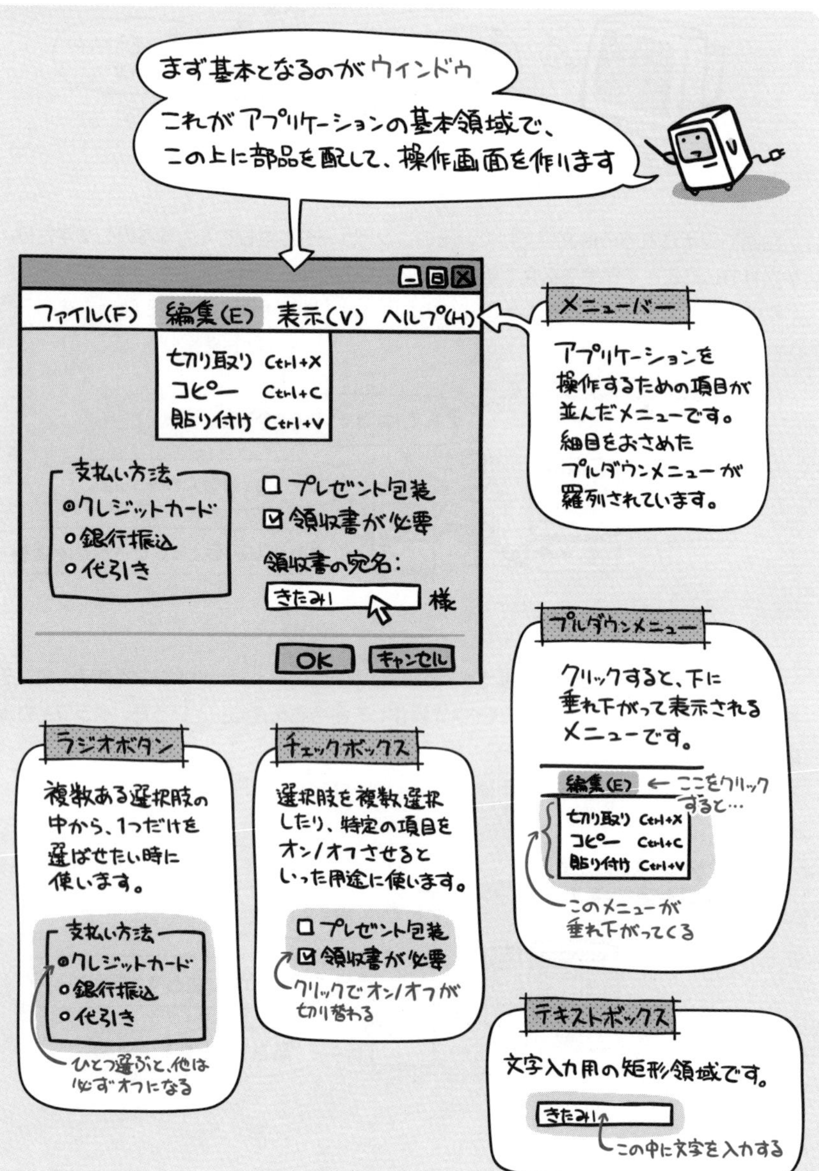

画面設計時の留意点

使いやすいユーザインタフェースを実現するため、画面設計時は次のような点に留意する必要があります。

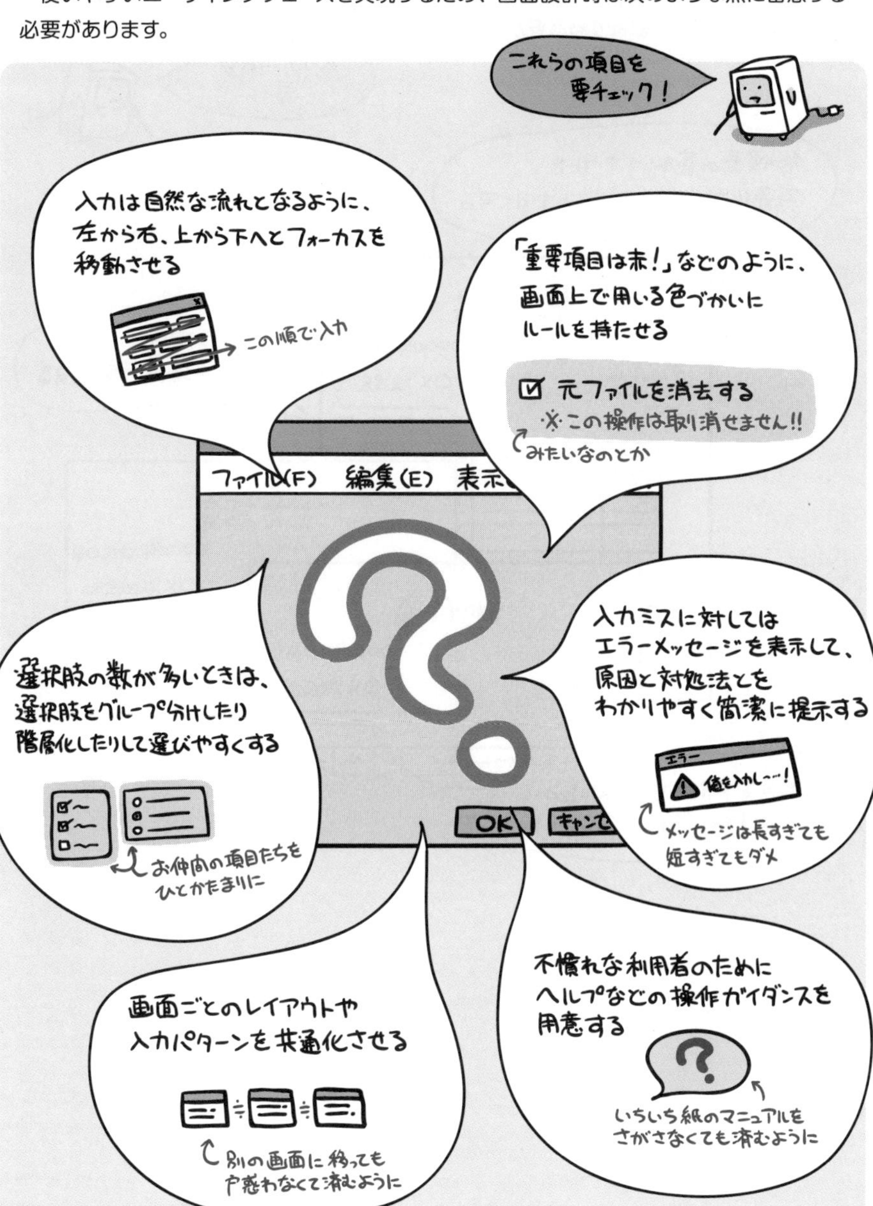

帳票設計時の留意点

システムの処理結果は、多くの場合帳票として出力することになります。この帳票も、次のような点に留意して設計する必要があります。

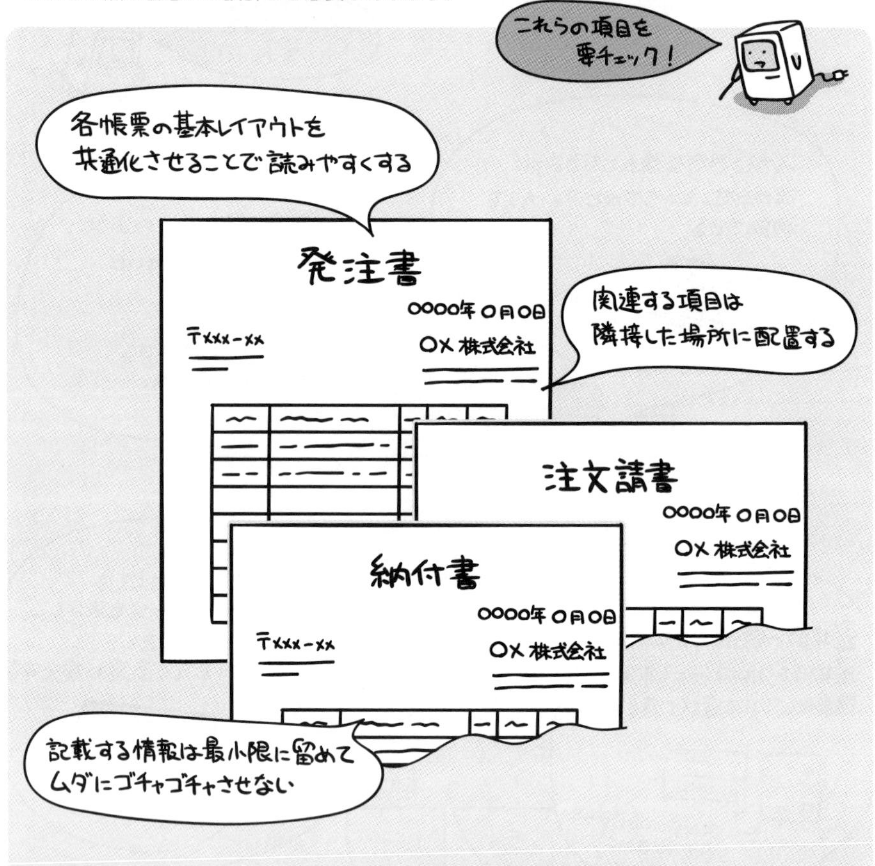

このように出題されています
過去問題練習と解説

問 1

(FE-H31-S-24)

GUIの部品の一つであるラジオボタンの用途として，適切なものはどれか。

ア　幾つかの項目について，それぞれの項目を選択するかどうかを指定する。
イ　幾つかの選択項目から一つを選ぶときに，選択項目にないものはテキストボックスに入力する。
ウ　互いに排他的な幾つかの選択項目から一つを選ぶ。
エ　特定の項目を選択することによって表示される一覧形式の項目から一つを選ぶ。

解説

ラジオボタンは、複数の選択項目の中から、1つだけを選べるGUI部品です。

問 2

(FE-H21-A-27)

GUI画面の設計において，キーボードの操作に慣れている利用者と，慣れていない利用者のどちらにも，操作性の良いユーザインタフェースを実現するための留意点のうち，適切なものはどれか。

ア　キーボードから入力させる項目数を最少にして，できる限り項目の一覧からマウスで選択させるようにする。
イ　使用頻度の高い操作は，マウスをダブルクリックして実行できるようにする。
ウ　できる限り多くの操作に対して，マウスとキーボードの両方のインタフェースを用意する。
エ　入力原票の形式にとらわれずに，必須項目など重要なものは1か所に集めて配置し，入力漏れがないようにする。

解説

ア・イ　キーボードの操作に慣れていない利用者のためのインタフェースです。
ウ　キーボードの操作に慣れている利用者にはキーボードのインタフェースを、慣れていない利用者にはマウスのインタフェースを使わせると、両者が共に満足するインタフェースになります。
エ　キーボードの操作に慣れている利用者のためのインタフェースです。

正解▶問1:ウ　問2:ウ

Chapter 14-6 コード設計と入力のチェック

コード設計では、どのようなコード割り当てを行うと効率的にデータを管理できるか検討します。

コードというのは、氏名や商品名とは別につける識別番号みたいなものです。日常生活においても、社員番号や学生番号、商品型番、書籍のISBNコードなど、意識して探せば同種のものをアチコチで見かけることができるはずです。

なんでそういった識別番号をコードとして持たせるかというのは、データベースの章でも主キーの説明で述べました。まず第一が、「同じ名前があっても確実に識別するため」という理由ですね。

でも、実はそれだけじゃないのです。他にも「コードに置きかえることで長ったらしい商品名を入力しなくて済む」であるとか、「コードの割り振り方によって商品の並び替えや分類が簡単に行えるようになる」とか、「入力時の誤りを検出することができる」とか、システムを活用する上で様々な利点があったりするのです。

ただ、もちろんそれは適正なコード設計が為されてこそ。

ではコード設計はどのような点に気をつけないといけないのか。そのあたりから見ていくといたしましょう。

コード設計のポイント

コード設計を行う際は、次のようなポイントに留意します。

何をコード化の対象とするのか

どのようなルールのコードとするのか

コードの桁数はいくつとするか

頭2桁を入社年度

080015

後ろ4桁をその年の同期をアイウエオ順にした数にするとか

・・・などなど

コード設計で定めたルールは、運用を開始した後になるとなかなか変更することができません。したがって、システムが扱うであろうデータ量の将来予測などを行って、適切な桁数や割り当て規則などを定める必要があります。

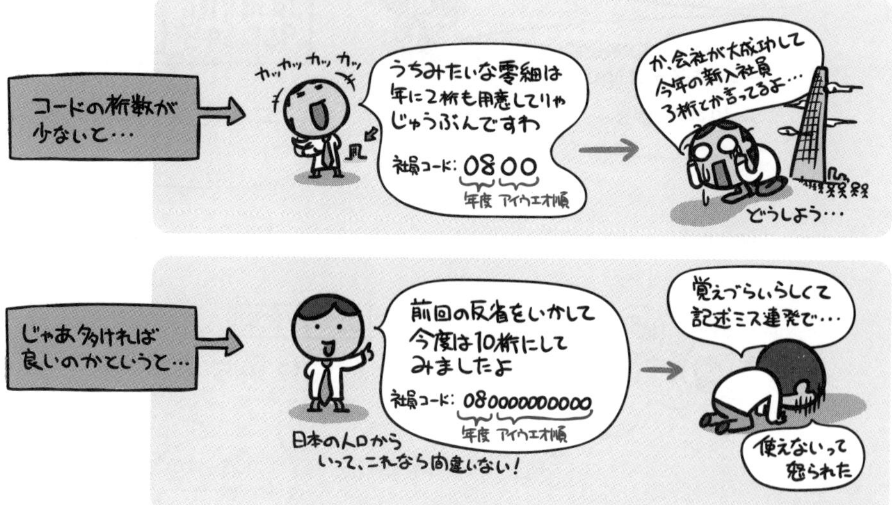

入力ミスやバーコードの読取りミスを検出するためには、チェックディジットの使用も有効です。

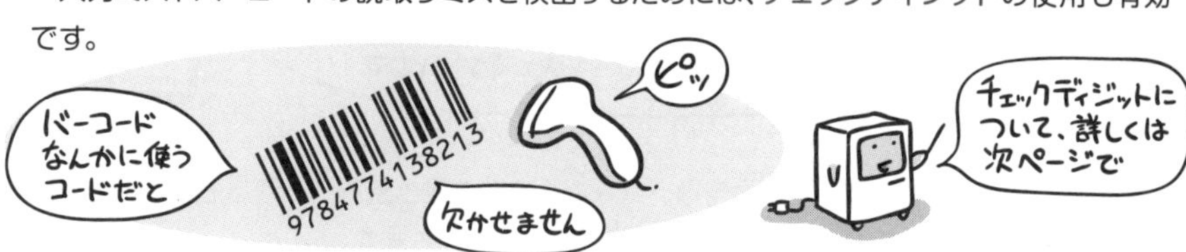

チェックディジット

チェックディジットというのは、誤入力を判定するためにコードへ付加された数字のことです。

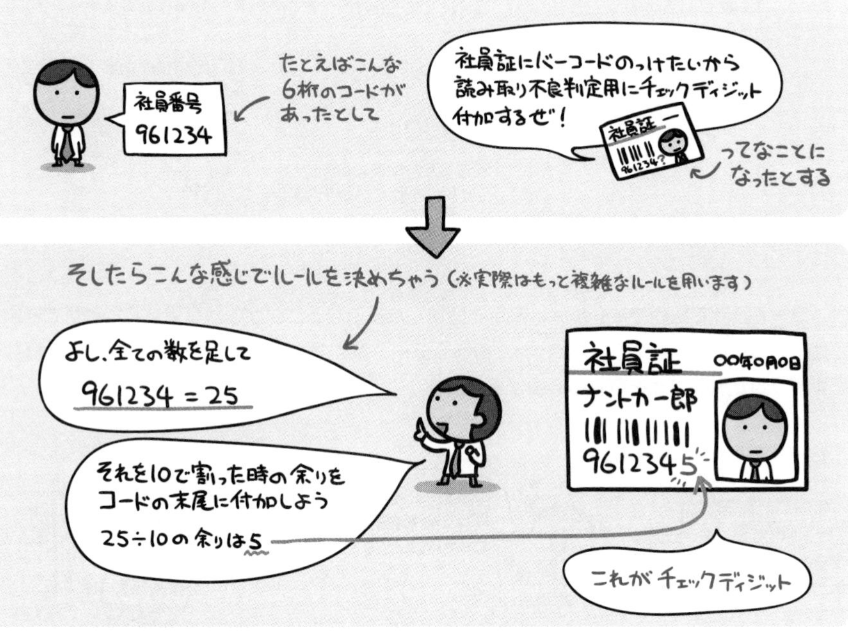

これをどう活用するかというと…。

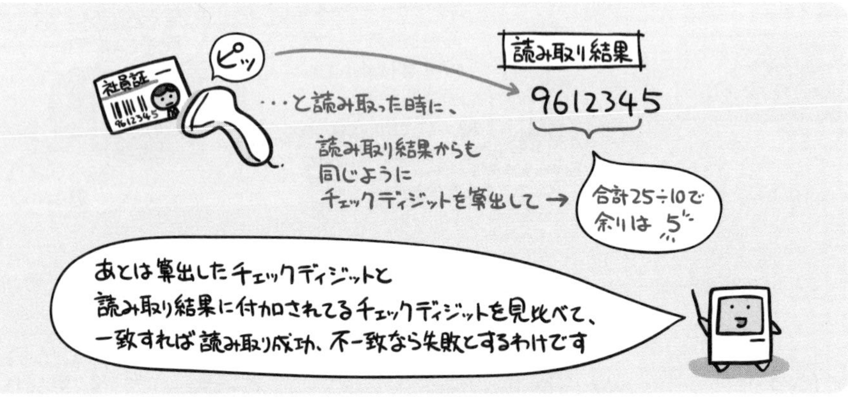

もちろんチェックディジットの効用は、バーコードの読取り時だけに限るものではありません。人の手による入力作業などでも、誤入力検出に役立ちます。

コードの種類

コードには、次のような種類があります。

 順番コード

連続した番号を順番に付与していくコード体系です。

 区分コード

対象をいくつかのグループに分け、そのグループごとに連続した番号を付与するコード体系です。

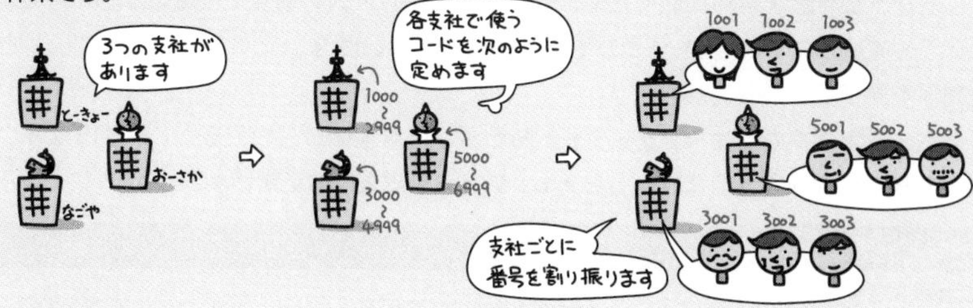

 けた別コード

けたごとに意味を持たせたコード体系です。大分類・中分類・小分類といった意味をけたに付与して階層化することができます。

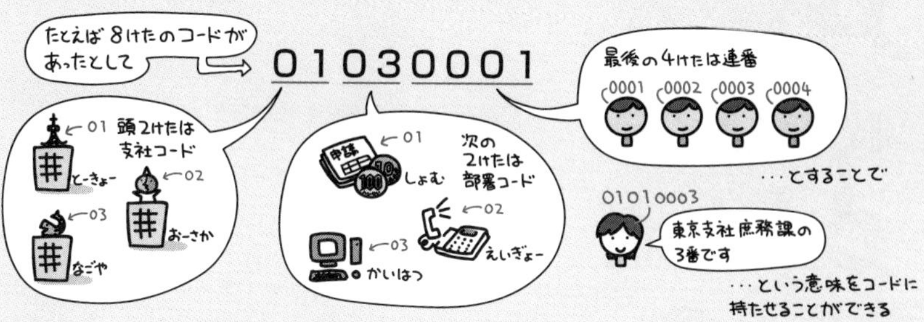

 表意コード（ニモニックコード）

項目の意味をあらわす略称や記号などによって表現するコード体系です。コードを見ただけで内容を推測しやすいという特徴を持ちます。

入力ミスを判定するチェック方法

誤ったデータや通常では有り得ない入力というのは、システムの誤動作や内部エラーを引き起こす元となります。

したがって問題を未然に防ぐためには、できる限り入力の時点で「間違った入力に対してはエラーを表示する」とか、「そもそも入力されてはいけない文字を受け付けない」といった対策を施すことが求められます。

前ページで述べたチェックディジットもそうした対策のひとつですが、入力チェックには他にも様々な種類があります。主なチェック方法を覚えておきましょう。

チェック方法	説明
ニューメリックチェック	数値として扱う必要のあるデータに、文字など数値として扱えないものが含まれていないかをチェックします。
シーケンスチェック	対象とするデータが一定の順序で並んでいるかをチェックします。
リミットチェック	データが適正な範囲内にあるかをチェックします。
フォーマットチェック	データの形式（たとえば日付ならyyyy/mm/ddという形式で…など）が正しいかをチェックします。
照合チェック	登録済みでないコードの入力を避けるため、入力されたコードが、表中に登録されているか照合します。
論理チェック	販売数と在庫数と仕入数の関係など、対となる項目の値に矛盾がないかをチェックします。
重複チェック	一意であるべきコードなどが、重複して複数個登録されていないかをチェックします。

このように出題されています
過去問題練習と解説

問1
(FE-H29-A-24)

次の方式によって求められるチェックデジットを付加した結果はどれか。ここで，データを7394，重み付け定数を1234，基数を11とする。

〔方式〕 (1) データと重み付け定数の，対応する桁ごとの積を求め，それらの和を求める。
(2) 和を基数で割って，余りを求める。
(3) 基数から余りを減じ，その結果の1の位をチェックデジットとしてデータの末尾に付加する。

ア 73940　　イ 73941　　ウ 73944　　エ 73947

解説

問題の〔方式〕に従って、下記のように計算します。

(1) 7 3 9 4
× × × ×
1 2 3 4
↓ ↓ ↓ ↓
7 6 27 16 ⇒ 7+6+27+16 = 56 (★)

(2) 56 (★) ÷11 ⇒ 商 5　余り 1 (●)

(3) 11 − 1 (●) =10 ⇒ 1の位は「0」(◆) 「7394」の末尾に「0」(◆) を付加すると「73940」

正解▶問1：ア

(FE-R04-サ-20)

次のような注文データが入力されたとき，注文日が入力日以前の営業日かどうかを検査するチェックはどれか。

注文データ

伝票番号 (文字)	注文日 (文字)	商品コード (文字)	数量 (数値)	顧客コード (文字)

ア　シーケンスチェック　　イ　重複チェック
ウ　フォーマットチェック　　エ　論理チェック

解説

ア　シーケンスチェックは、データが順番どおりになっているかをチェックします。
イ　重複チェックは、一意であるべきコードが、重複して複数登録されていないかをチェックします。
ウ　フォーマットチェックは、データの形式（たとえば日付ならyyyy/mm/ddという形式で…など）が正しいかをチェックします。
エ　論理チェックは、入力されたデータが論理的に妥当であるかをチェックします。本問の場合、選択肢ア～ウは誤りなので、消去法により本選択肢が正解になります。

(FE-R01-A-23)

コードから商品の内容が容易に分かるようにしたいとき，どのコード体系を選択するのが適切か。

ア　区分コード
イ　桁別コード
ウ　表意コード
エ　連番コード

解説

531ページを参照してください。ただし、選択肢イの桁別コードは「けた別コード」、選択肢エの連番コードは「順番コード」として説明されています。

正解▶問2：エ　問3：ウ

Chapter 14-7 モジュールの分割

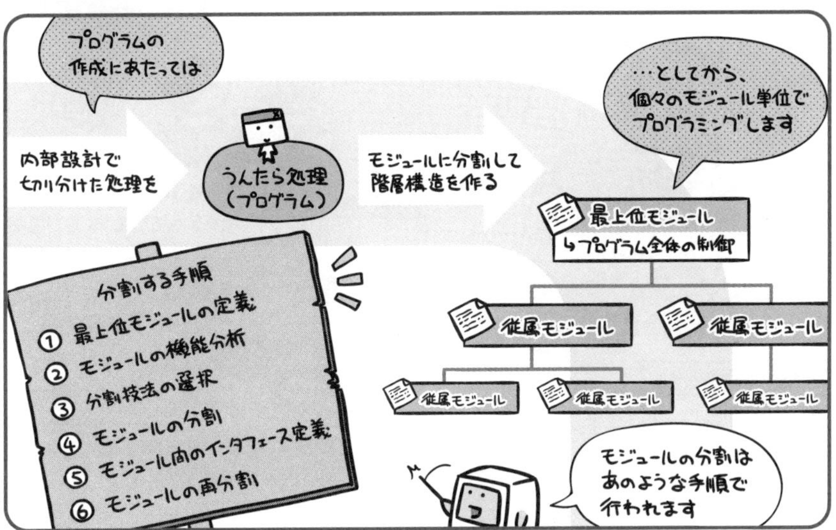

各プログラムをモジュールという単位に分解・階層化させることを、プログラムの構造化設計と言います。

シンプルで保守性に優れたプログラムを作るためには、構造化設計が欠かせません。そのためのモジュール分割技法には、「データの流れに着目」した技法と、「データの構造に着目」した技法の2グループがあります。

さて、なかなか難しそうな空気が感じられるテーマですが、実はこれらの出題率は必ずしも高くはなく、出題されたとしても深い内容を問われる部分ではなかったりします。なので難しく考えすぎず、ざっくり理解しておけばいいでしょう。特にジャクソン法とワーニエ法に関しては、「ああ、人の名前がついてるやつは、データ構造に着目して分割するんだったなー」ぐらいに覚えておけば大丈夫です。

モジュールに分ける利点と留意点

プログラムをモジュールに分けると何がうれしいかというと、次のようなメリットが得られるところです。

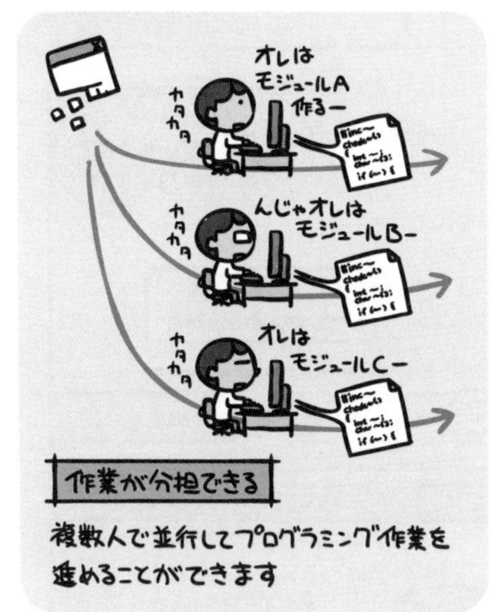

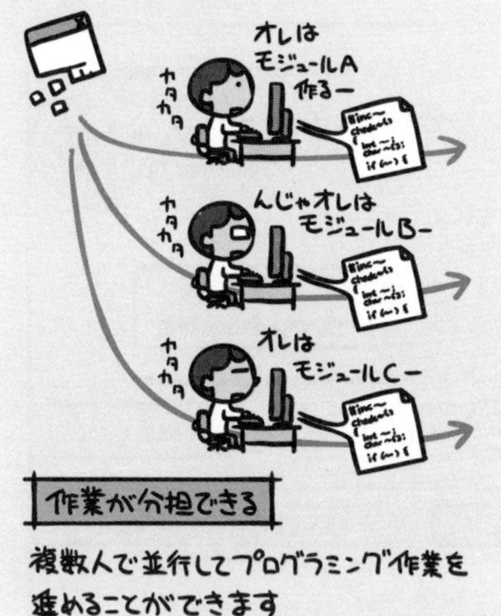

次ページ以降では個々の分割法についてもう少し詳細を見ていきますので、これらのメリットを頭に置いておくと、「なぜこんな分割をするのか（しなくてはいけないのか）」というあたりが理解しやすくなるでしょう。

ただですね、なんでもかんでも分ければいいかというとそんなことはありません。妙な分割の仕方をしたがために、余計プログラムの保守が難しくなるという悲しいことも起こりえます。本末転倒に要注意なのです。

ちなみにモジュール分けした後の作業は、3つの制御構造を用いてプログラミングする構造化プログラミング（P.600）へと移って行きます…が、それはまた別の章にて。

モジュールの分割技法

分割技法のうち、「データの流れ」に着目した技法は次の3種類です。それぞれの特徴をおさえておきましょう。

STS分割法

プログラムを「入力処理（源泉:Source）」、「変換処理（変換:Transform）」、「出力処理（吸収:Sink）」という3つのモジュール構造に分割する方法です。

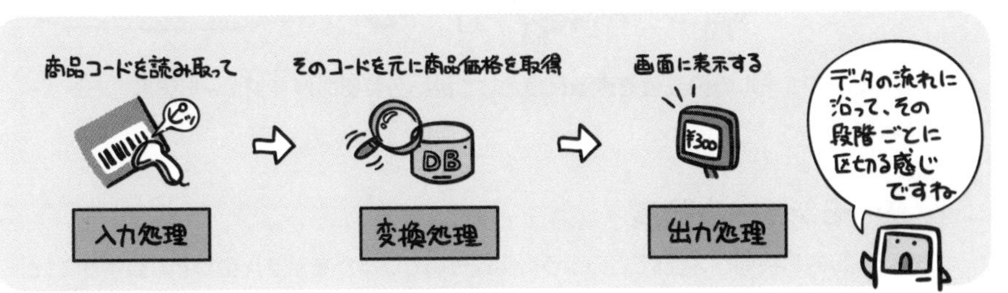

トランザクション分割法

プログラムを一連の処理（トランザクション）単位に分割する方法です。

共通機能分割法

プログラム中の共通機能をモジュールとして分割する方法です。

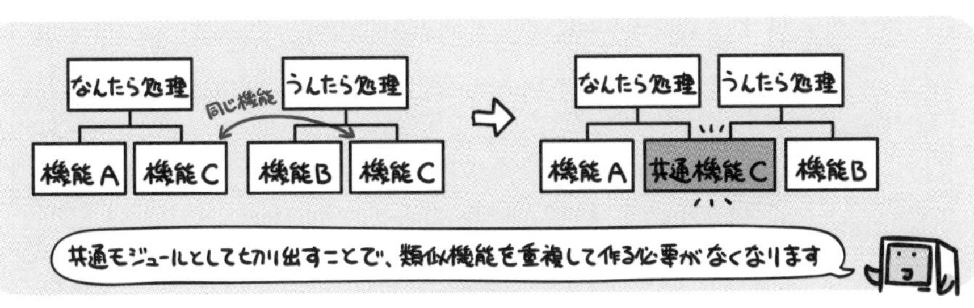

モジュールの独立性を測る尺度

モジュールは、機能的に明確で、かつ入出力がはっきりわかるものが良いとされています。

こうしたモジュールの独立性を測る尺度として用いられるのがモジュール強度とモジュール結合度です。

モジュール強度

モジュール内の機能が､内部でどのように関連付いているかを示す尺度です。要するに「どれだけ機能的に特化できているか」をあらわすもので、これが高いものほど、「モジュールの独立性が高くて好ましい」となります。

名称	強度	説明	独立性
機能的強度	強い	単一の機能を実行するためのモジュール。シンプルでわかりやすい、故に強固。	高い
情報的強度	↑	同一のデータ構造を扱う機能をひとつにまとめたモジュールで、機能ごとに入出力が可能。オブジェクト指向のカプセル化をイメージすれば良い。データ構造という名の「情報」をひとまとめにしている。	↑
連絡的強度		複数の機能が逐次的に(順番に)実行されるモジュール。各機能は、共通の入力､もしくは出力データを参照している。何らかのデータを、一連の処理が「連絡(連携)を取りながら」加工するイメージ。	
手順的強度		複数の機能が逐次的に(順番に)実行されるモジュール。各機能にデータ的なつながりはない。 一連の処理(手順)だけをひとまとめにしたイメージ。	
時間的強度		特定の時点(時間)で必要とされる複数の作業をまとめたモジュール。初期化処理や終了処理などが代表的なところ。	
論理的強度	↓	似てるんだけどちょっとだけ違う(小難しく言うと「論理的に関連のある」)複数の機能を持つモジュール。 モジュール呼び出し時の引数(モジュールに与える初期パラメータ)によって、どの機能を実行するかが決定される。	↓
暗合的強度	弱い プルプル	関連のない複数の機能を持つモジュール。たまたまそうなったに過ぎない、要するに、「ただ分けてみただけ」のもの。偶発的強度ともいう。	低い

モジュール結合度

モジュールが、他のモジュールとどのように結合するかを示す尺度です。具体的には、「どんなデータをやり取りすることで、他のモジュールと結合するか」をあらわすもので、これが弱いほど、「モジュールの独立性が高くて好ましい」となります。

この結合度を理解するには、次の言い回しを知っておく必要があります。

どんなデータを渡す?

単一のデータ
価格　名前　などなど…
商品コード
個々のデータを示す

データ構造
価格
商品コード
名前
複数のデータをひとまとめにしたものを示す
いわゆる構造体

どんな手段で渡す?

引数で渡す
モジュールからモジュールへと　データ　直接データが受け渡しされる

大域的データで渡す
誰もが読み書きできる共通領域を使って　書く　グローバル変数など　読む　データのやり取りを行う
大域 ⇒ 共通領域 ⇒ グローバル領域 のこと

これらを念頭に置いて この表の説明欄を読んでください

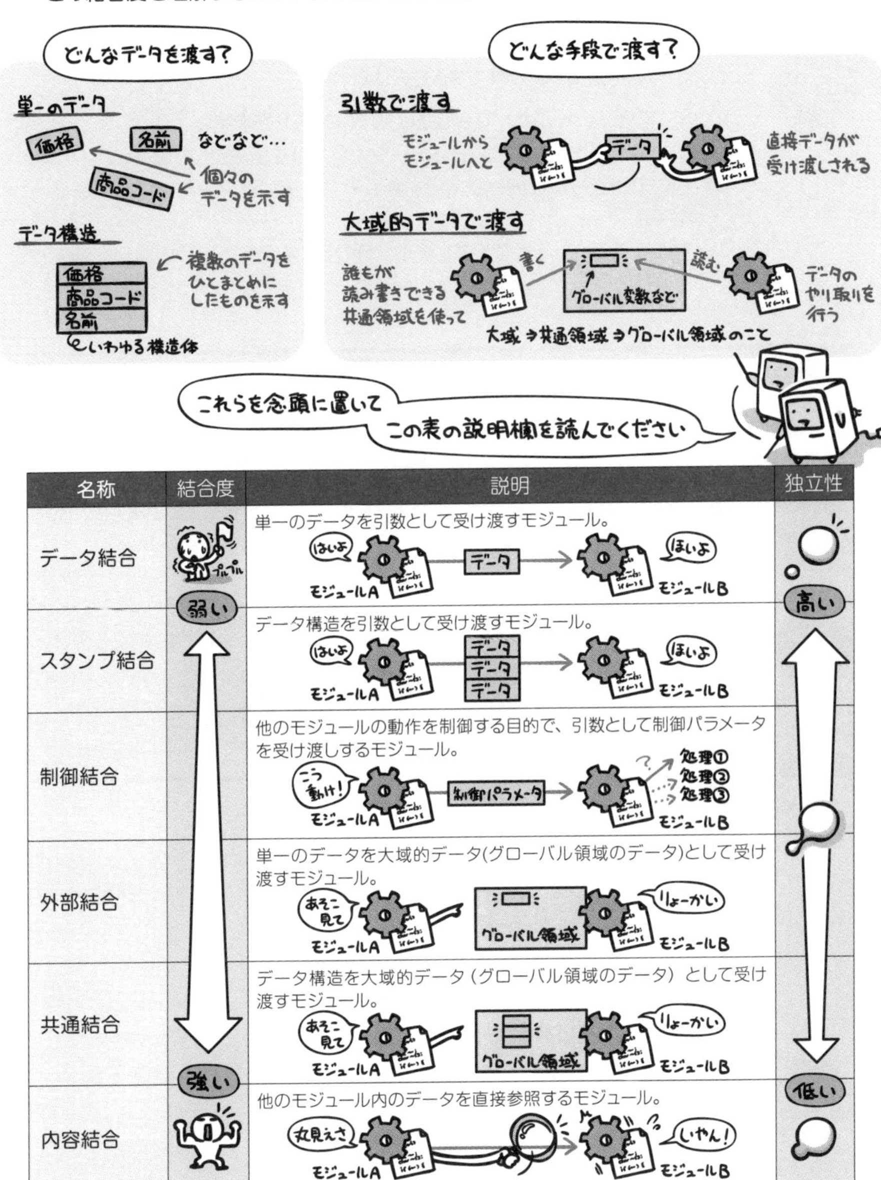

名称	結合度	説明	独立性
データ結合	弱い	単一のデータを引数として受け渡すモジュール。	高い
スタンプ結合	↑	データ構造を引数として受け渡すモジュール。	↑
制御結合		他のモジュールの動作を制御する目的で、引数として制御パラメータを受け渡しするモジュール。	
外部結合		単一のデータを大域的データ(グローバル領域のデータ)として受け渡すモジュール。	
共通結合	↓	データ構造を大域的データ(グローバル領域のデータ)として受け渡すモジュール。	↓
内容結合	強い	他のモジュール内のデータを直接参照するモジュール。	低い

このように出題されています 過去問題練習と解説

モジュール結合度が最も弱くなるものはどれか。

ア　一つのモジュールで，できるだけ多くの機能を実現する。
イ　二つのモジュール間で必要なデータ項目だけを引数として渡す。
ウ　他のモジュールとデータ項目を共有するためにグローバルな領域を使用する。
エ　他のモジュールを呼び出すときに，呼び出したモジュールの論理を制御するための引数を渡す。

解説

ア　内容結合に該当します。
イ　データ結合に該当します。
ウ　外部結合に該当します。
エ　制御結合に該当します。

539ページの表に従って、各選択肢のモジュール結合度を強いものから弱いものの順に並べると、ア（内容結合）＞ウ（外部結合）＞エ（制御結合）＞イ（データ結合）　と表せます。

モジュール間の情報の受渡しがパラメタだけで行われる，結合度が最も弱いモジュール結合はどれか。

ア　共通結合　　イ　制御結合　　ウ　データ結合　　エ　内容結合

解説

ア〜エの説明は、539ページを参照してください。

正解▶問1：イ　問2：ウ

Chapter 14-8

テスト

作成したプログラムは、テスト工程で各種検証を行い、欠陥(バグ)の洗い出しと改修を行うことで完成に至ります。

プログラムの中にある、記述ミスや欠陥(仕様間違いや計算式の誤りなど)のことをバグと呼びます。バグとは虫のことです。プログラムの中に小さな虫が入り込み、それが誤動作の原因となって「悩ませる、イライラさせる」といったニュアンスだと思えば良いでしょう。

プログラムというのは人の手によって書かれたものですから、どうしてもミスをなくすことはできません。したがって、「ミスはある」という前提のもとで、バグを根絶するために検証を繰り返すわけです。これがテスト工程の役割です。

開発者の中には、この工程を指して「正しいテストは正しい品質のプログラムを生む」と口にする人がいます。事実、前の工程が多少粗雑であっても、このテストさえきっちりと行われていれば、そのテスト範囲の動作は確実に保証されます。逆に、この工程をおざなりにしてしまうと、「どの機能が正常に動くのか」は一切わからないシステムができあがります。

そんなシステム、怖くて誰も使いたがりませんよね?

そんなわけで、正しい品質のシステムを提供するために、テストは重要な作業なのです。

テストの流れ

たとえば前ページで「書きましたー」と言ってるシステム。

サーバとクライアントそれぞれで個別のプログラムが動いていて、クライアントの方は次のようなモジュールの組み合わせで作られているとします。

あ、クライアントは各部署に設置する予定で、複数ぶら下がることにしましょうか。

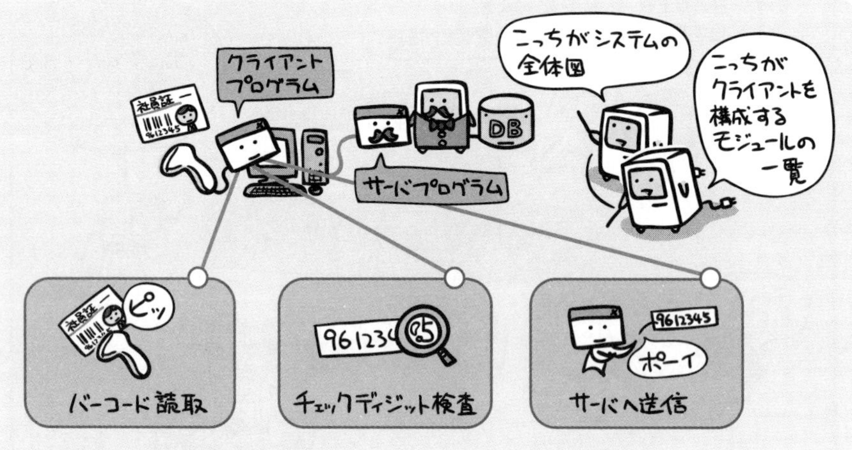

テストはまず、部品単位の信頼性を確保するところからはじまります。

そのために行われるのが単体テストです。このテストでは、各モジュールごとにテストを行って、誤りがないかを検証します。

単体テストが終わると、次に待つのが結合テストです。

結合テストでは複数のモジュールをつなぎあわせて検証を行い、モジュール間のインタフェースが正常に機能しているかなどを確認します。

お次はシステムテスト（総合テストともいいます）。

システムテストはさらに検証の範囲を広げて、システム全体のテストを行います。

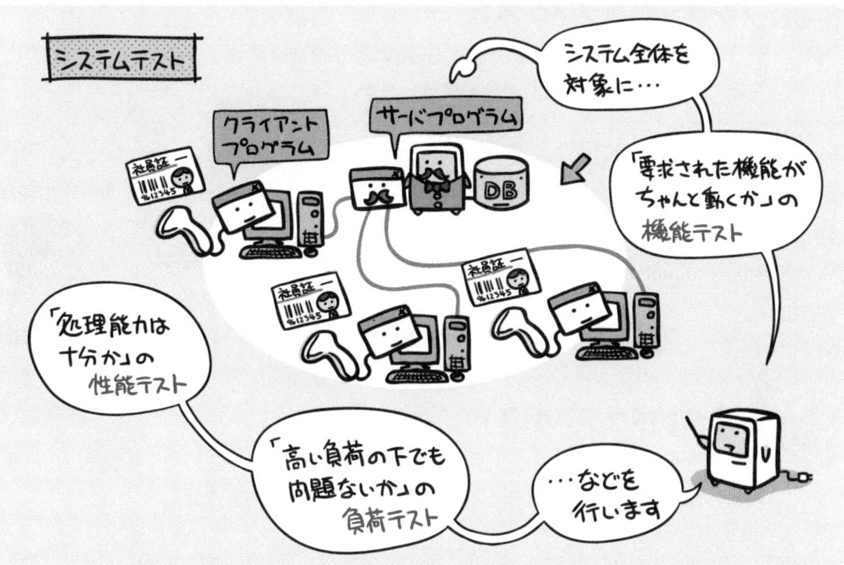

…という案配で、テストは小さい範囲から大きい範囲へと移行していきます。

それぞれのテスト対象と、実施の順番はよく覚えておきましょう。

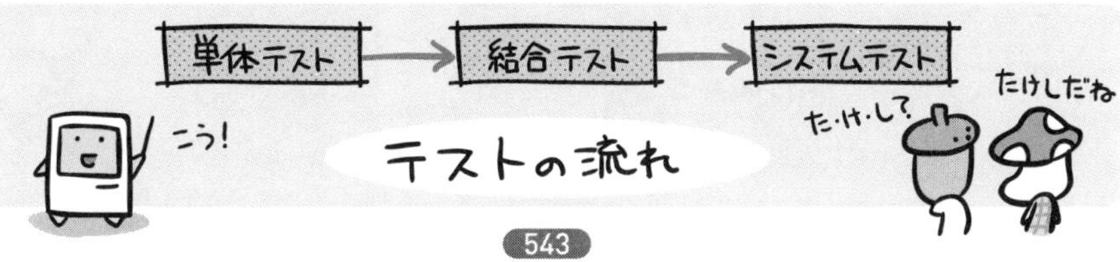

ブラックボックステストとホワイトボックステスト

単体テストで、モジュールを検証する手法として用いられるのがブラックボックステストとホワイトボックステストです。

ブラックボックステスト

ブラックボックステストでは、モジュールの内部構造は意識せず、入力に対して適切な出力が仕様通りに得られるかを検証します。

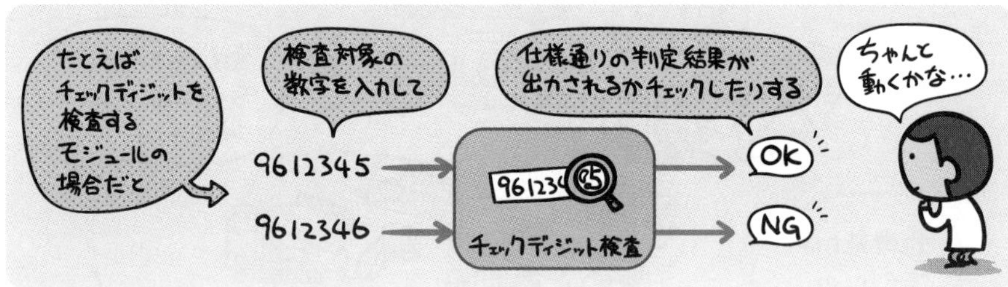

ホワイトボックステスト

ホワイトボックステストでは、逆にモジュールの内部構造が正しく作られているかを検証します。入力と出力は構造をテストするための種（タネ）に過ぎません。

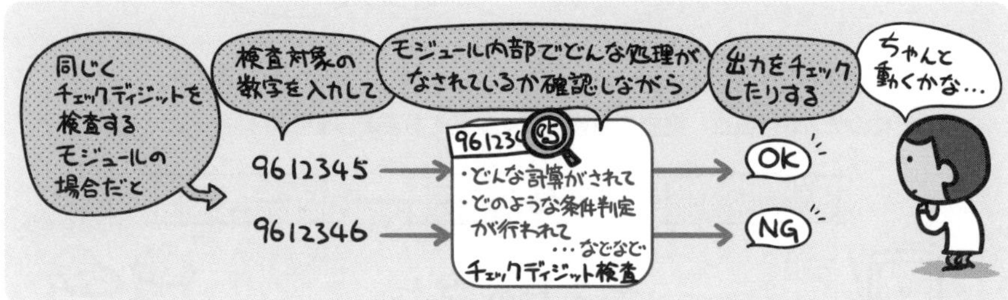

14 システム開発

テストデータの決めごと

ブラックボックステストを行うにあたり、入力として用いるデータは、漫然と決めても効果がありません。ちゃんと、「何を検証するため」に与えるデータなのか、その意味を明確にしておくことが大切です。そのためテストデータを作成する基準として用いられるのが、同値分割と限界値分析です。

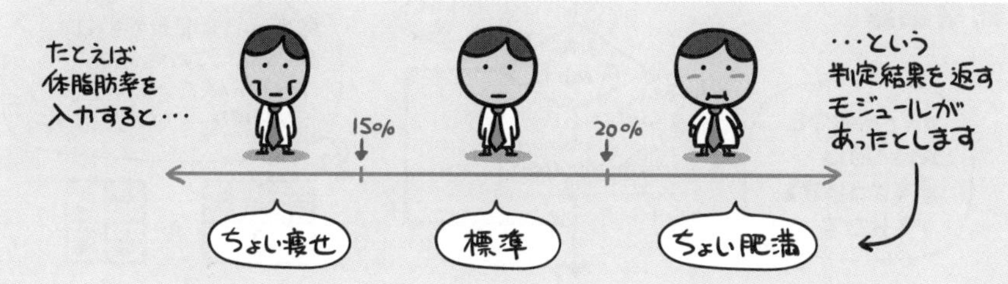

同値分割

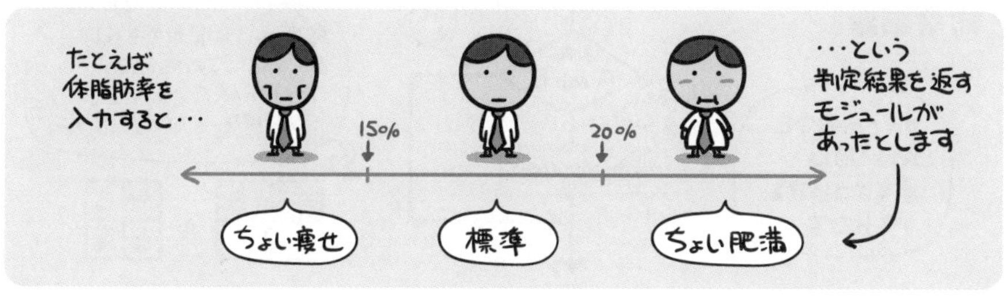

同値分割では、データ範囲を種類ごとのグループに分け、それぞれから代表的な値を抜き出してテストデータに用います。

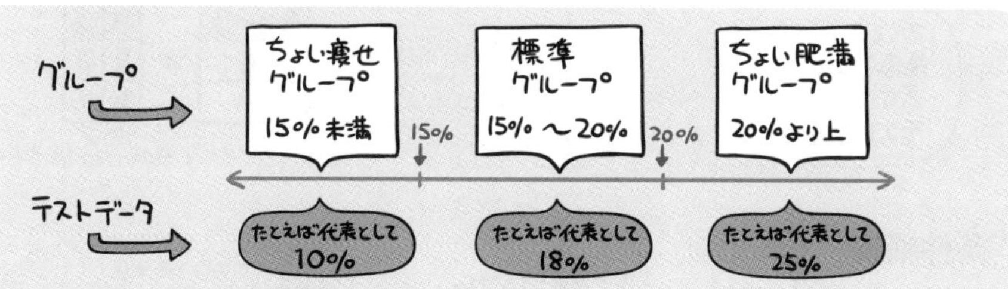

限界値（境界値）分析

限界値分析では、上記グループの境目部分を重点的にチェックします。この方法では、境界前後の値をテストデータに用います。境界値分析とも言います。

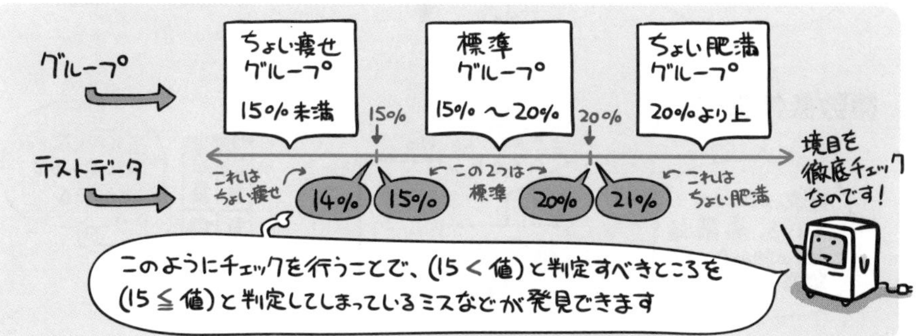

ホワイトボックステストの網羅基準

ホワイトボックステストを行うにあたっては、「どこまでのテストパターンを網羅するか」を定めた上でテストケースを設計します。それぞれの網羅基準で、必要とされるテストデータがどのように変化するか覚えておきましょう。

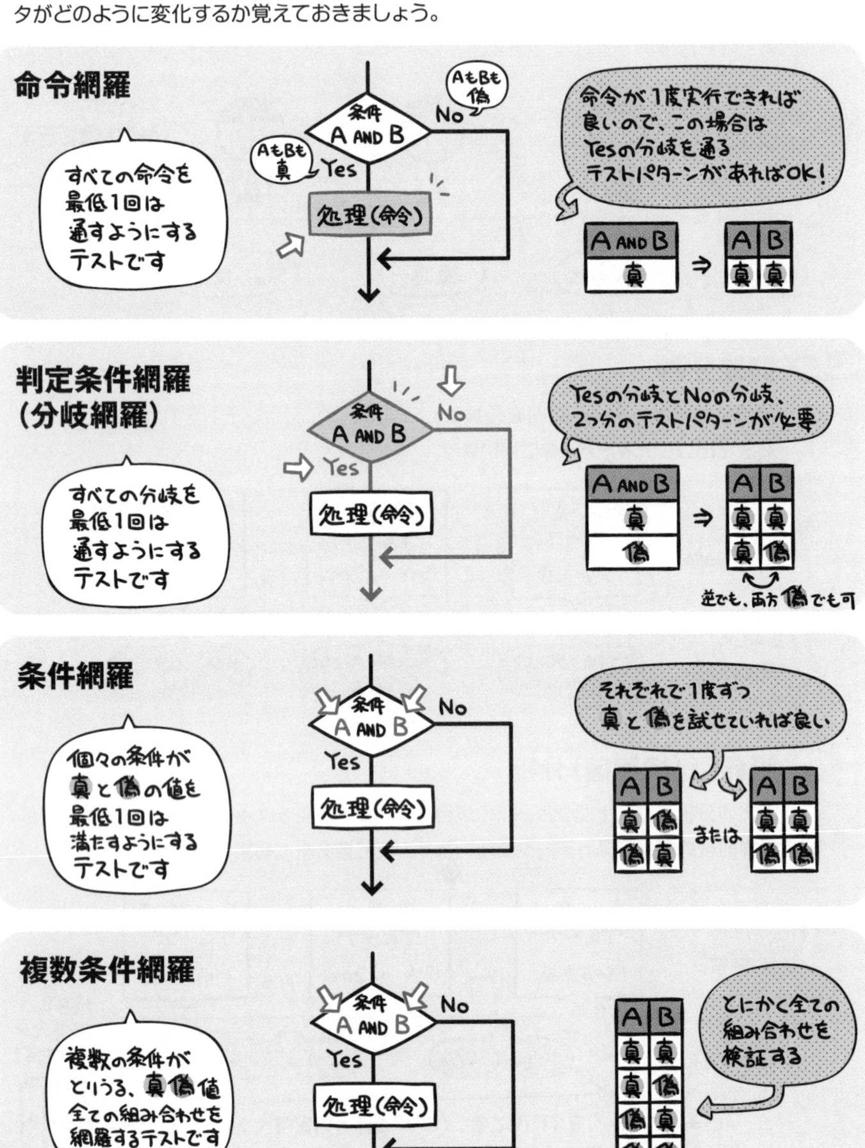

命令網羅

A AND B
真

⇒

A	B
真	真

判定条件網羅（分岐網羅）

A AND B
真
偽

⇒

A	B
真	真
真	偽

条件網羅

A	B
真	偽
偽	真

または

A	B
真	真
偽	偽

複数条件網羅

A	B
真	真
真	偽
偽	真
偽	偽

トップダウンテストとボトムアップテスト

結合テストでモジュール間のインタフェースを確認する方法には、トップダウンテストやボトムアップテストなどがあります。

トップダウンテスト

上位モジュールから、先にテストを済ませていくのがトップダウンテストです。

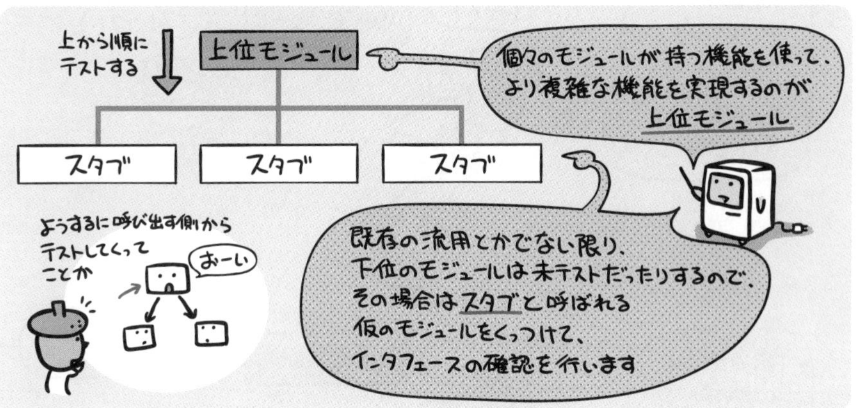

ボトムアップテスト

それとは逆に、下位モジュールからテストを行うのがボトムアップテストです。

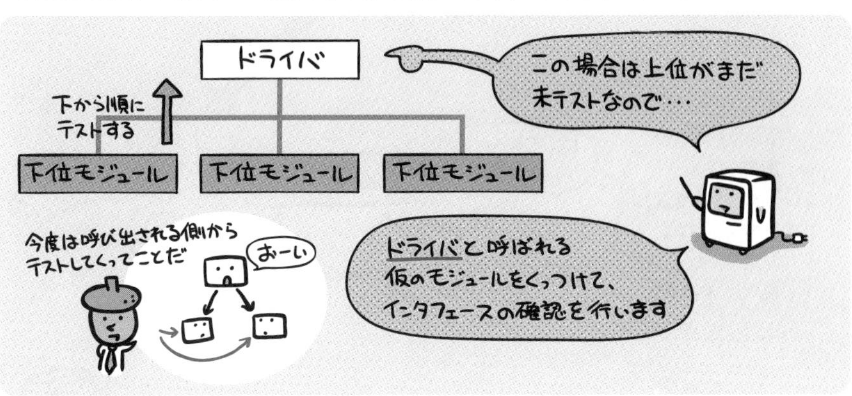

その他

結合テストには他にも、トップダウンテストとボトムアップテストを組み合わせて行う折衷テストや、すべてのモジュールを一気につなげてテストするビックバンテストなどがあります。

リグレッションテスト

リグレッションテスト（退行テスト）というのは、プログラムを修正した時に、その修正内容がこれまで正常に動作していた範囲に悪影響を与えてないか（新たにバグを誘発することになっていないか）を確認するためのテストです。

バグ管理図と信頼度成長曲線

さてここで問題です。

テストをしてバグを見つける。修正する。修正した結果新しいバグを生み出してないかを確認する。バグを見つける。修正する…と繰り返しているとなんだか永久にループしてしまいそうな気がします。

では、「ここでテスト終了」「もうじゅうぶんに品質は高まった」と判断するには、どこを見れば良いのでしょうか。

そう、厳密に言えば、「もうこれでバグは100%ありません」と言える指標はありません。そこで用いるのがバグ管理図です。

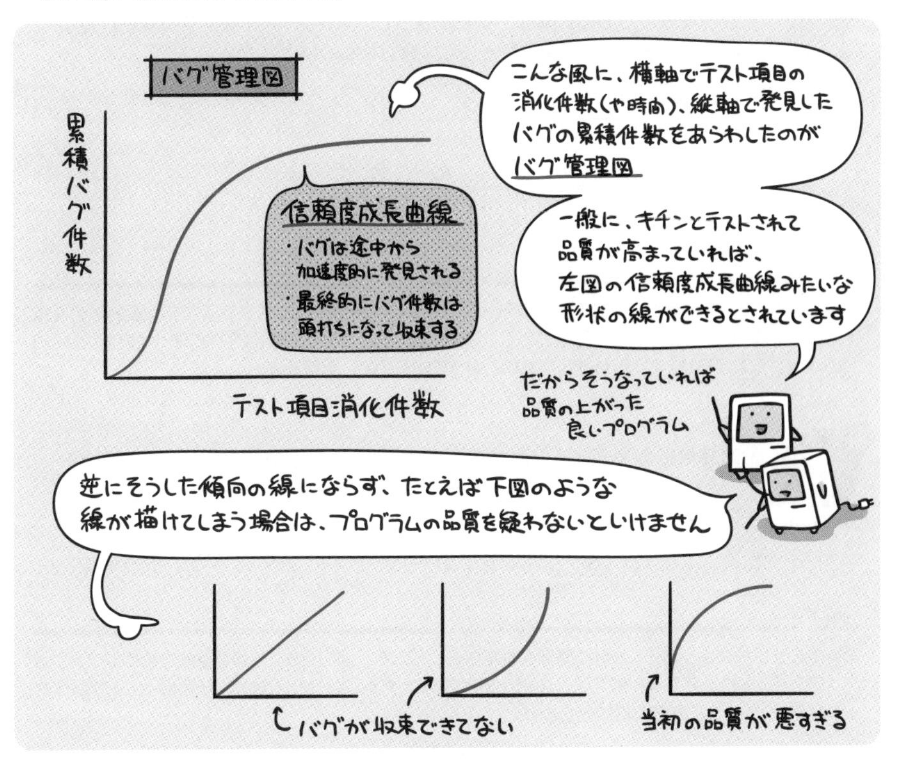

バグ管理図

累積バグ件数

テスト項目消化件数

信頼度成長曲線
・バグは途中から加速度的に発見される
・最終的にバグ件数は頭打ちになって収束する

こんな風に、横軸でテスト項目の消化件数（や時間）、縦軸で発見したバグの累積件数をあらわしたのがバグ管理図

一般に、キチンとテストされて品質が高まっていれば、左図の信頼度成長曲線みたいな形状の線ができるとされています

だからそうなっていれば品質の上がった良いプログラム

逆にそうした傾向の線にならず、たとえば下図のような線が描けてしまう場合は、プログラムの品質を疑わないといけません

バグが収束できてない

当初の品質が悪すぎる

このように出題されています
過去問題練習と解説

(FE-R04-サ-40)

モジュールの内部構造を考慮することなく，仕様書どおりに機能するかどうかをテストする手法はどれか。

ア　トップダウンテスト　　イ　ブラックボックステスト
ウ　ボトムアップテスト　　エ　ホワイトボックステスト

解説

選択肢ア〜エの各用語の説明は、下記のページを参照してください。

ア　トップダウンテスト…547ページ　　イ　ブラックボックステスト…544ページ
ウ　ボトムアップテスト…547ページ　　エ　ホワイトボックステスト…544ページ

(FE-H21-S-34)

表は，あるプログラムの入力データを，有効同値クラスと無効同値クラスに分けたものである。同値分割法によってテストケースを設計する場合，最小限のテストデータの組合せとして，適切なものはどれか。

同値クラス	データ
無効同値クラス	−2，−1，0
有効同値クラス	1，2，3，4，5
無効同値クラス	6，7，8

ア　−2，0，1，5，6，8
イ　0，1，5，6
ウ　−1，3，6
エ　1，5

解説

表の行は、3つの同値クラスのデータを示しています。同値分割は、各クラスから代表的な値を抜き出してテストデータにします。したがって、最少限のテストデータの数は3であり、選択肢ウは、3つの同値クラスから1つずつ値を選んだものとなっているので、正解です。

(FE-R06-11)

階層構造のモジュール群から成るソフトウェアの結合テストを，上位のモジュールから行う。この場合に使用する，下位のモジュールの代替となるテスト用のモジュールはどれか。

ア　エミュレータ　　イ　シミュレータ　　ウ　スタブ　　エ　ドライバ

解説

ア　エミュレータは、あるOS用に開発されたプログラムを、別のOSで動作させるためのソフトウェアやハードウェアです。例えば、Android用のプログラムを、Microsoft Windows 上で動作させるソフトウェアがそれに該当します。

イ　シミュレータは、仮想で本物そっくりの状況を作り出すソフトウェアやハードウェアです。飛行機や電車の操縦を擬似体験させるシミュレータが有名です。

ウのスタブとエのドライバの説明は、547ページを参照してください。

(FE-H27-A-47)

ボトムアップテストの特徴として，適切なものはどれか。

ア　開発の初期の段階では，並行作業が困難である。
イ　スタブが必要である。
ウ　テスト済みの上位モジュールが必要である。
エ　ドライバが必要である。

解説

ア　ボトムアップテストは、開発の初期の段階でも、並行してテスト作業を進められます。トップダウンテストは、開発の初期の段階では、並行作業が困難です。
イ　スタブが必要なのは、トップダウンテストです。
ウ　テスト済みの上位モジュールのもとで行うテストは、トップダウンテストです。
エ　ボトムアップテストは、下位のモジュールから順に、上位のモジュールに向かってテストをする方法です。下位のモジュールをテスト対象にする場合、テスト対象ではない上位のモジュールが必要です。その非テスト対象の上位モジュールを「ドライバ」と呼んでいます。

(FE-H27-A-47)

プログラム中の図の部分を判定条件網羅（分岐網羅）でテストするときのテストケースとして，適切なものはどれか。

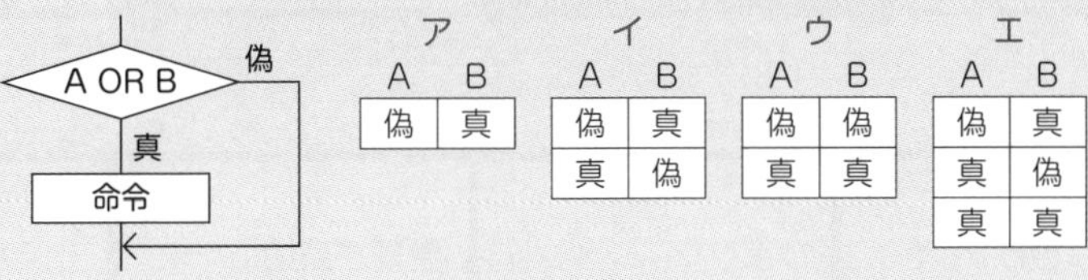

ア

A	B
偽	真

イ

A	B
偽	真
真	偽

ウ

A	B
偽	偽
真	真

エ

A	B
偽	真
真	偽
真	真

解説

判定条件網羅は、ホワイトボックステストの一種であり、テスト対象プログラムの条件判定文における真偽の分岐を、いずれも少なくとも1回は実行するように、テストケースを設計する方法です。分岐網羅ともいいます。

ア　A=偽 OR B=真　の結果は真になり、真の分岐しか通りません。
イ　A=偽 OR B=真　の結果は真になり、A=真 OR B=偽　の結果も真になるため、真の分岐しか通りません。
ウ　A=偽 OR B=偽　の結果は偽になり、A=真 OR B=真　の結果は真になるため、真と偽の両方の分岐を通ります。
エ　A=偽 OR B=真、A=真 OR B=偽、A=真 OR B=真　の結果は、すべて真になるため、真の分岐しか通りません。

正解▸問1:イ　問2:ウ　問3:ウ　問4:エ　問5:ウ

Chapter 15

システム周りの各種マネジメント

UPS

システムは、
「使う」ことも
同じくらい重要です
つかう？
つがう？
いやー
へっへっへっ
1回だけ、な、な、
おい！
9
単にシステムを
提供して終わり
…ではなくて
おまたせしました
本日から
ご利用いただけ
ます
わぁ
客
DB
10
総合的な
サービスとして
提供する
これ使い方のサポート
とかあるの？
運用も不安なんだけど
お任せ下さい
客
ドン
11
当然その場合は、
適切な管理が
できてないと
クレームの嵐
12

そして、そうした
クレームもまた、
マネジメント対象で
あるのです
？
えっと…
それはなぜ？
次の改善に
生かすため
ですよー
うふふ…
ボケとか言われ
ちゃったー
13
はっ！
次に生かす
といえば
つい
この間さー
あ、おいしそー
もーらい
あっ
お前にコーヒー
もらったこと
あったじゃん
もらった…
っていうか
盗ったんだろ
あれは
急になんだいったい
14
あれ、なんでブラック無糖
とか飲んじゃってんの？
苦いじゃん、
甘くないじゃん、
なにあれ、カッコ
つけてんの？ オレは苦み
を愛する大人だぜーとか
気取っちゃってんの？
ブッブー
ただまずい
だけなんですけ
どー
だからちゃんと次は
この声を
生かして
砂糖ミルク
入りのコーヒー
砂糖ミルクは必須
15
ゲシッ
はうあ
16

Chapter 15-1 プロジェクトマネジメント

このようなプロジェクトマネジメントの技法を体系的にまとめたのがPMBOK（Project Management Body of Knowledge）です。

PMBOKは、米国のプロジェクトマネジメント協会がまとめたプロジェクトマネジメントの知識体系で、国際的に標準とされているものです。なのでプロジェクトマネジメントといえば、当然テストに出るのもこのPMBOK。

従来、マネジメントといえば「QCD（品質、コスト、納期）」の3つに着目した管理手法が一般的でしたが、PMBOKでは次の10個の知識エリアをもとに管理すべきであるとしています。

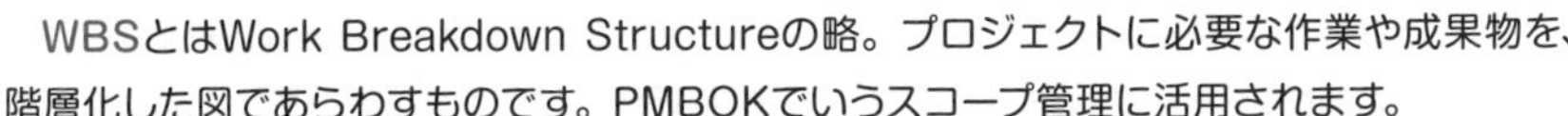

作業範囲を把握するためのWBS

WBSとはWork Breakdown Structureの略。プロジェクトに必要な作業や成果物を、階層化した図であらわすものです。PMBOKでいうスコープ管理に活用されます。

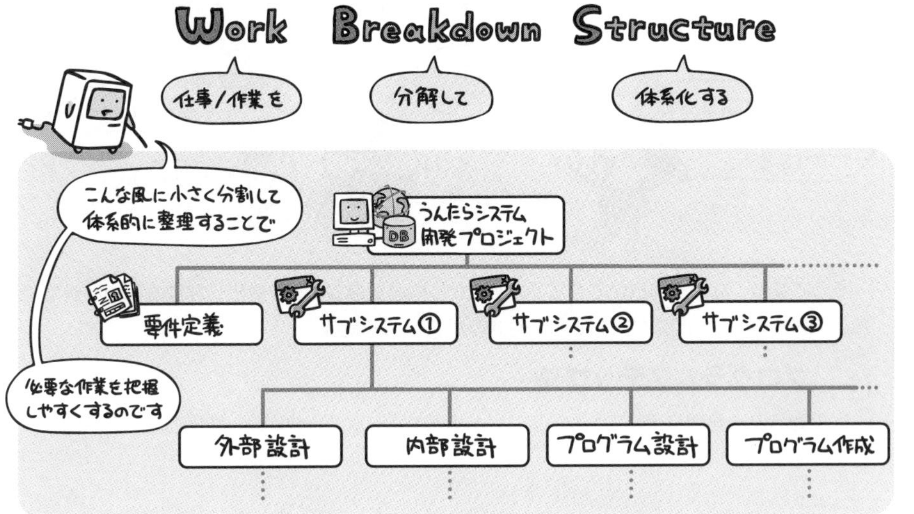

たとえば、いきなり「Googleみたいな検索システムを作れ!」と言われても途方に暮れるしかないですよね?

でも、これ以上ないくらいに作業を細分化することができたとしたら…?

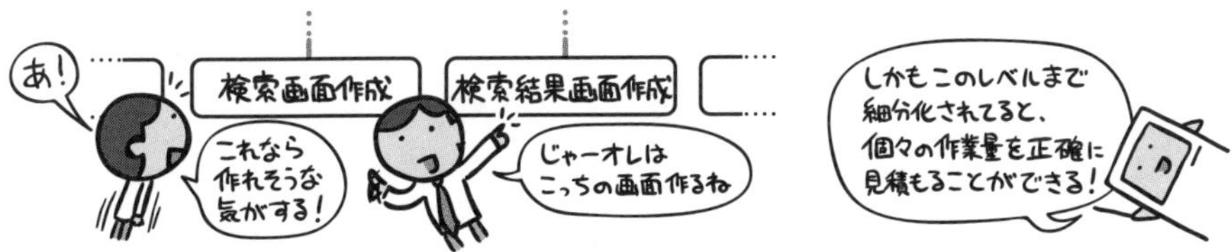

このように、複雑な作業であっても細かい単位に分割していくことで、個々の作業が単純化できて、把握しやすくなるというわけです。

開発コストの見積り

システム開発の実体は、完全オーダーメイドのソフトウェア開発であることがほとんどです。しかしソフトウェアの世界は「ネジや釘みたいな原価のはっきりした部品」が揃ってるわけじゃないですし、単純に「アレとコレ組み合わせてハイ出来上がり」という作業でもありません。

そうですね、なので何らかの方法で、あらかじめ必要なコストを算出しなければいけません。そのための見積り手法として代表的なのが次の2つです。

プログラムステップ法

従来からある見積り手法で、ソースコードの行（ステップ）数により開発コストを算出する手法です。

ファンクションポイント法

表示画面や印刷する帳票、出力ファイルなど、利用者から見た機能に着目して、その個数や難易度から開発コストを算出する手法です。利用者にとっては、見える部分が費用化されるため、理解しやすいという特徴があります。

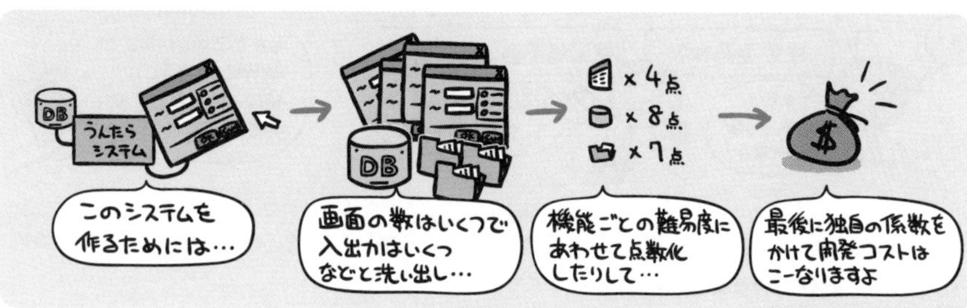

このように出題されています
過去問題練習と解説

問1 (FE-H27-S-53)

プロジェクトスコープマネジメントにおいて，WBS作成のプロセスで行うことはどれか。

ア　作業の工数を算定して，コストを見積もる。
イ　作業を階層的に細分化する。
ウ　作業を順序付けして，スケジュールとして組み立てる。
エ　成果物を生成するためのアクティビティを定義する。

解説

WBS（Work Breakdown Structure）は、プロジェクトで実行しなければならない作業を階層的に示した図です。最初に最上位の長方形の枠内にプロジェクト名を記入し、段階的に詳細化してフェーズ名や成果物名などを書き、最下位の長方形の枠内には作業名を書きます。

問2 (FE-R01-A-53)

ソフトウェア開発の見積方法の一つであるファンクションポイント法の説明として，適切なものはどれか。

ア　開発規模が分かっていることを前提として，工数と工期を見積もる方法である。ビジネス分野に限らず，全分野に適用可能である。
イ　過去に経験した類似のソフトウェアについてのデータを基にして，ソフトウェアの相違点を調べ，同じ部分については過去のデータを使い，異なった部分は経験に基づいて，規模と工数を見積もる方法である。
ウ　ソフトウェアの機能を入出力データ数やファイル数などによって定量的に計測し，複雑さによる調整を行って，ソフトウェア規模を見積もる方法である。
エ　単位作業項目に適用する作業量の基準値を決めておき，作業項目を単位作業項目まで分解し，基準値を適用して算出した作業量の積算で全体の作業量を見積もる方法である。

解説

ア　「開発規模」を「プログラムステップ数」と解釈すれば、プログラムステップ法に近い説明です。
イ　類推見積り法の説明です。
ウ　ファンクションポイント法の説明です。
エ　ボトムアップ見積り法の説明です。

正解▶問1：イ　問2：ウ

Chapter 15-2

スケジュール管理とアローダイアグラム

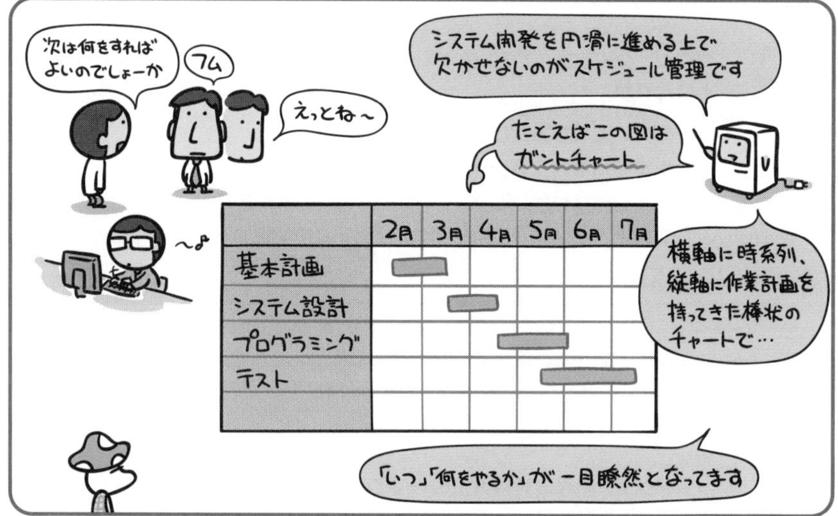

スケジュール管理には、ガントチャートやアローダイアグラムといった図表が活躍します。

システム開発というのは、よほど規模の小さいものでない限り、複数の人間が長期に渡って携わる仕事となります。

その時大事になってくるのが、「誰が何をいつやるべきか」という情報を、適切に共有できているかってこと。

ほうっておいても個々が勝手に認識できて動けりゃいいでしょうが、まずもってプロジェクトはそんな簡単には動きません。ともすれば、みんながみんなバラバラに動いて崩壊しかねないのがチームで作業する怖さなのです。

そこで管理者さんが、プロジェクトチーム全体を管理するわけですね。なかでも、全体の歩調をあわせるためには、スケジュール管理は欠かせません。

「やるべきことをやるべき人がやるべき期間にできているか」

そんなことを把握して、時には人員を追加したり作業の優先度を見直したり自分の休暇を削って涙目になったりと、都度適切な対策を行うわけです。

そのために活用されるのがスケジュール管理をサポートする各種図表たち。上のイラストにあるガントチャートの他、以降で詳しくふれるアローダイアグラムなどが代表的です。

アローダイアグラム(PERT図)の書き方

アローダイアグラムは、作業の流れとそこに要する日数とをわかりやすく図にあらわしたものです。PERTという工程管理手法で用いられるPERT図と同じものです。

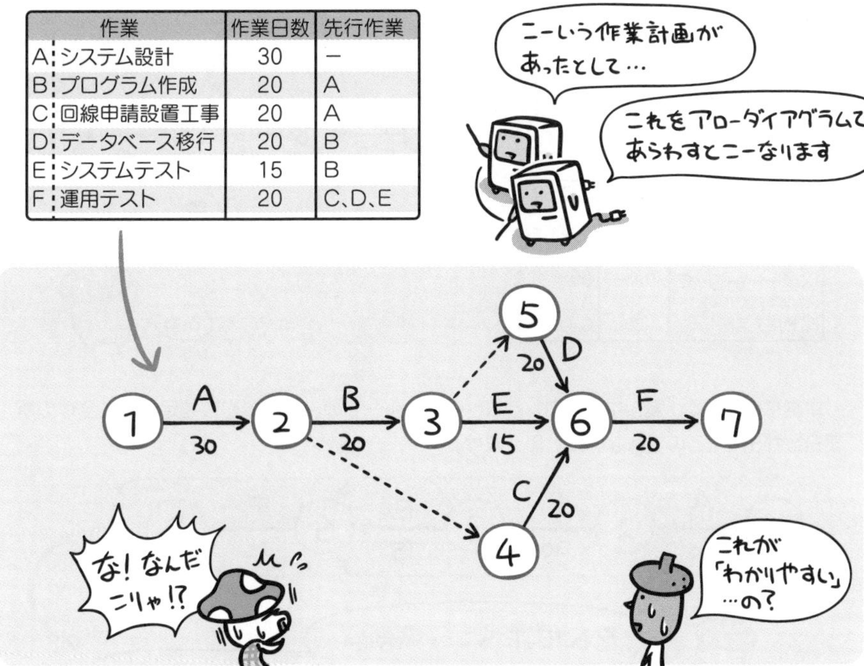

作業	作業日数	先行作業
A システム設計	30	―
B プログラム作成	20	A
C 回線申請設置工事	20	A
D データベース移行	20	B
E システムテスト	15	B
F 運用テスト	20	C、D、E

確かにぱっと見は「なんだこりゃ」なのですが、ちゃんと読めるようになると、「作業の順番は?」「全体の所要日数は?」「どの作業が滞ると全体に影響する?」などなど、色んな事がわかる図になっているのです。

アローダイアグラムは、次の3つの記号を使ってあらわします。

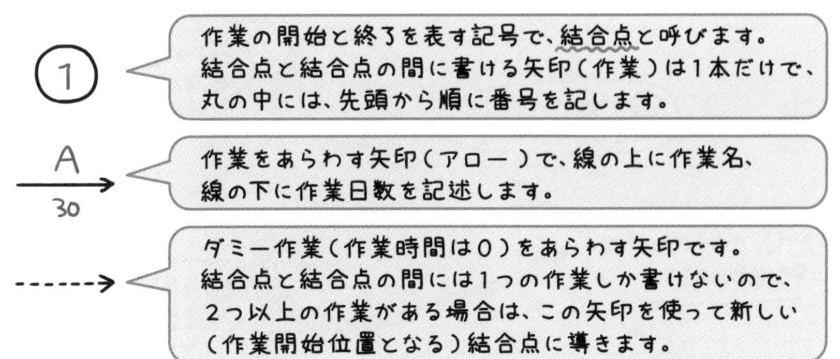

全体の日数はどこで見る?

それでは先ほどのアローダイアグラムを使って、プロジェクト全体に必要な日数はどのようにして求められるかを見てみましょう。

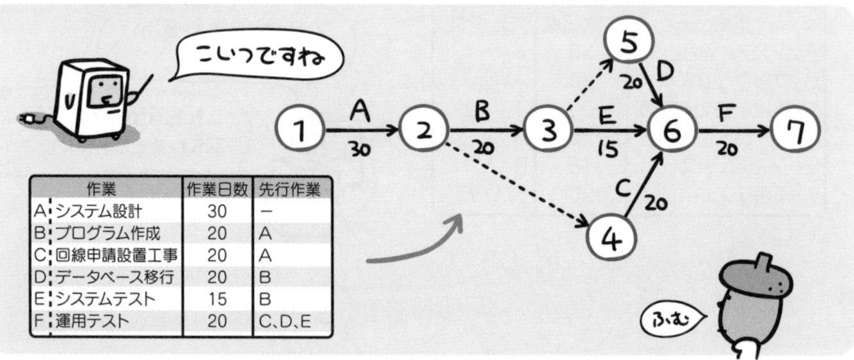

作業	作業日数	先行作業
A システム設計	30	−
B プログラム作成	20	A
C 回線申請設置工事	20	A
D データベース移行	20	B
E システムテスト	15	B
F 運用テスト	20	C、D、E

単純に考えると、真ん中をスコンと抜けているルートの、各作業日数を足せば、全体の所要日数が出てくるのではないかと思えます。

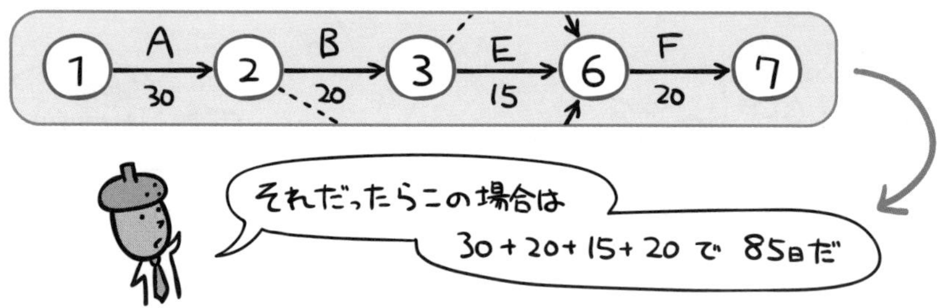

しかしFの作業（運用テスト）は、先行作業であるCとDとEの作業が終わってからでないと開始できません。じゃあ、それらがいつ終わるのかというと…。

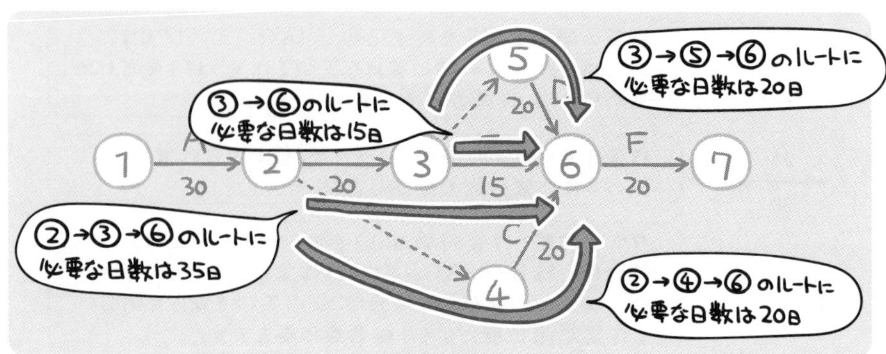

つまり作業日数は、次のルートが一番多く必要となるわけです。

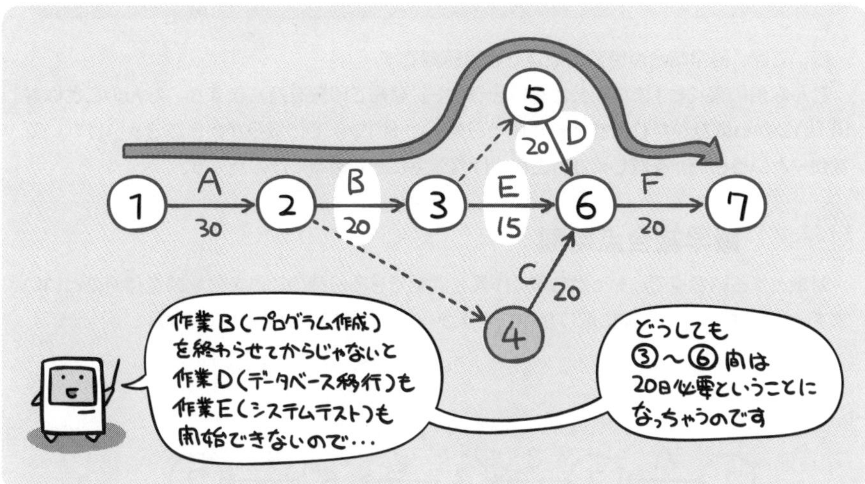

アローダイアグラムで「全体の作業日数」として合計すべきなのは、この「作業日数が一番多く必要となる(これ以上は短縮できない)」ルートなので…。

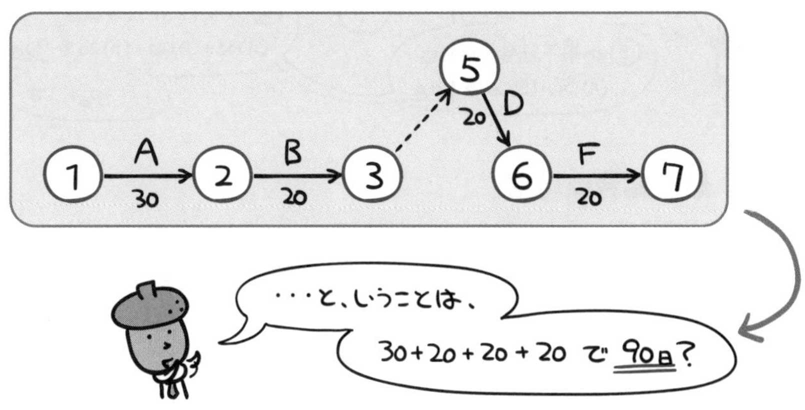

はい、大正解。

このように、アローダイアグラムで全体の所要日数を計算する時は、次の2点に留意して合計を算出します。

◎ 各作業に必要な作業日数を順に加算していく。

◎ 複数の作業が並行する個所では、
より多く作業日数がかかる方の数字を採用する。

最早結合点時刻と最遅結合点時刻

続いては、最早結合点時刻と最遅結合点時刻です。

こんな風に書くと「また随分と難しそうな…」なんて印象を持ちますが、なんのことはない「いつから取りかかれますかーという日時」と「いつまでに取りかからなきゃいけないですかーという日時」を難しくかっこ良さげな漢字にしてあるだけの話です。

最早結合点時刻

対象とする結合点で、もっとも早く作業を開始できる日時のことを最早結合点時刻といいます。「いつから次の作業に取りかかれますかー？」と聞いているわけですね。

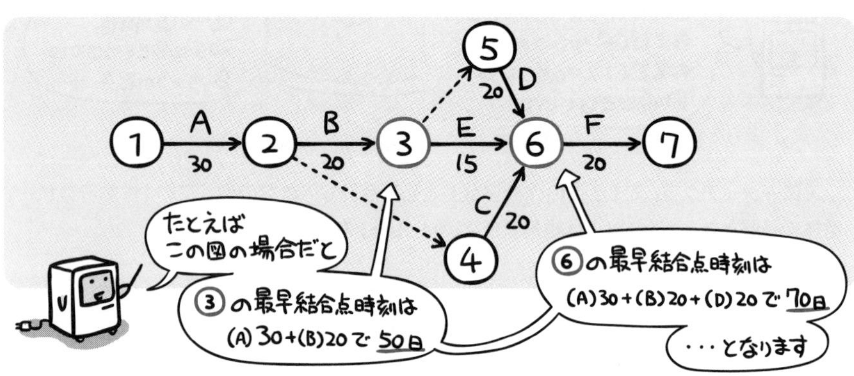

最遅結合点時刻

対象とする結合点が、全体に影響を与えない範囲で、もっとも開始を遅らせた日時のことを最遅結合点時刻といいます。「いつまでに作業開始しないとヤバイですかー？」と聞いているわけですね。

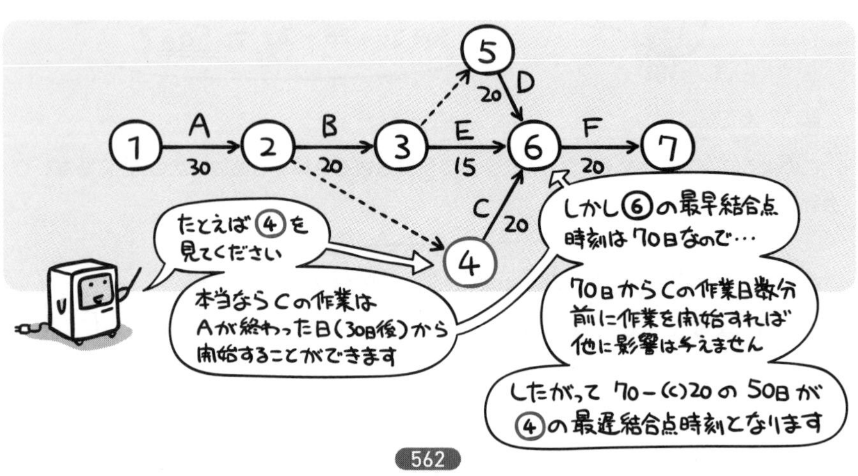

クリティカルパス

ルート上のどの作業が遅れても、それが全体のスケジュールを狂わせる結果に即つながってしまう要注意な経路のことをクリティカルパスと呼びます。クリティカルという言葉には、「重大な、危機的な、危険な」という意味があります。

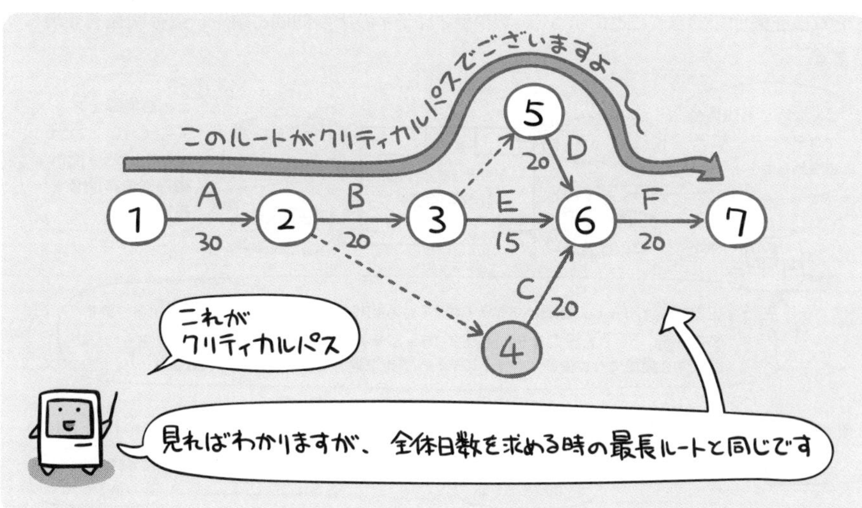

クリティカルパス上の作業に、日程的な余裕はありません。

その逆に、クリティカルパス以外の作業であれば、多少作業が前後しても、全体スケジュールには影響が出なかったりします。

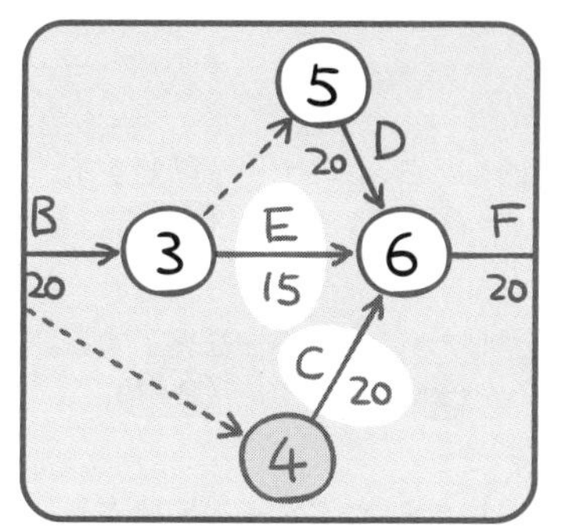

ちなみに、クリティカルパス上の結合点は、すべて最早結合点時刻と最遅結合点時刻が同じになっているはずです。どいつもこいつも「早めに着手することも、遅らせることもできない結合点」となるわけですね。…怖いですね。

プレシデンスダイアグラム法 (PDM:Precedence Diagram Method)

アローダイアグラムと同じく作業スケジュールを表現する図法の一種にプレシデンスダイアグラム法（PDM）があります。この図法では、個々のアクティビティ（作業）を四角で囲み、それらを矢印でつなぐことによって、アクティビティの所要期間と順序、依存関係を表現します。

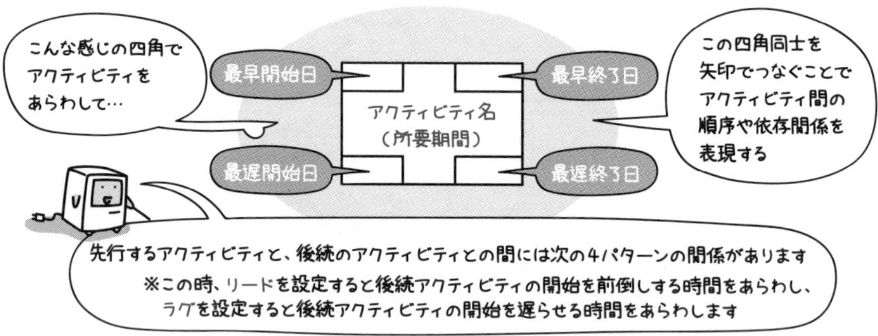

■ 終了-開始関係 (FS関係:Finish-to-Start)

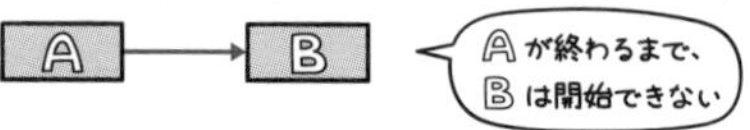

■ 終了-終了関係 (FF関係:Finish-to-Finish)

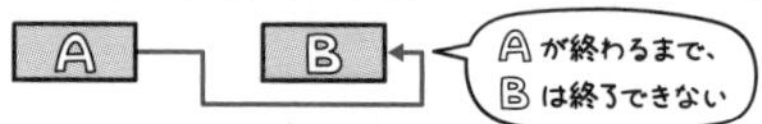

■ 開始-開始関係 (SS関係:Start-to-Start)

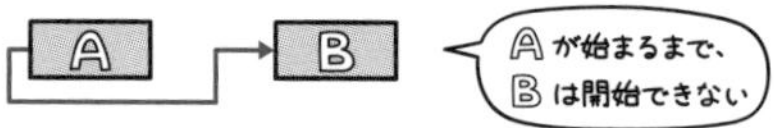

■ 開始-終了関係 (SF関係:Start-to-Finish)

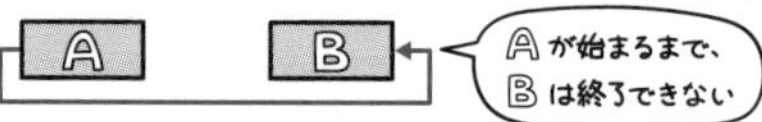

たとえばアクティビティ「受付」と「セミナー」がある場合に、上の関係を例に示すとそれぞれ次のようになります。

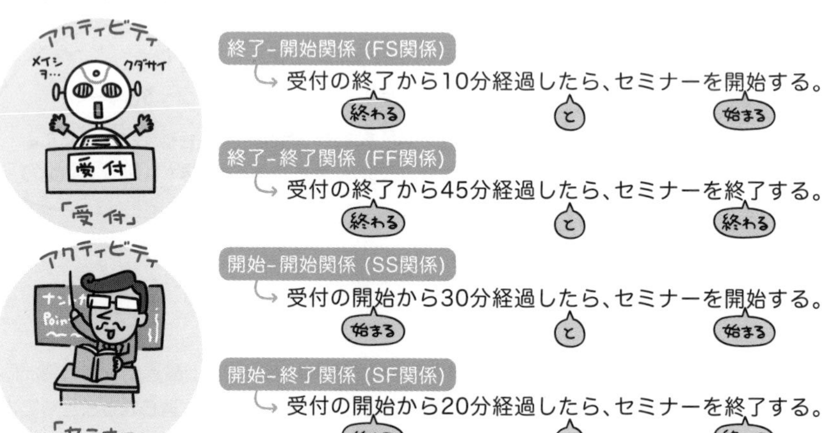

スケジュール短縮のために用いる手法

スケジュール短縮のために用いる代表的な手法が、クラッシングとファストトラッキングの2つです。

クラッシングとは、「資源を追加投入してコストの増大を最小限に抑えながらスケジュールの所要期間を短縮する技法」（PMBOKガイド第5版より）です。

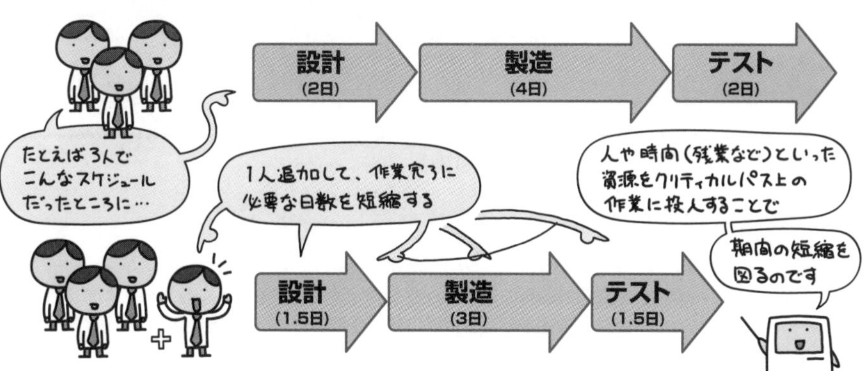

ファストトラッキングとは、「通常は順番に実施されるアクティビティやフェーズを並行して遂行するスケジュール短縮技法」（PMBOKガイド第5版より）です。

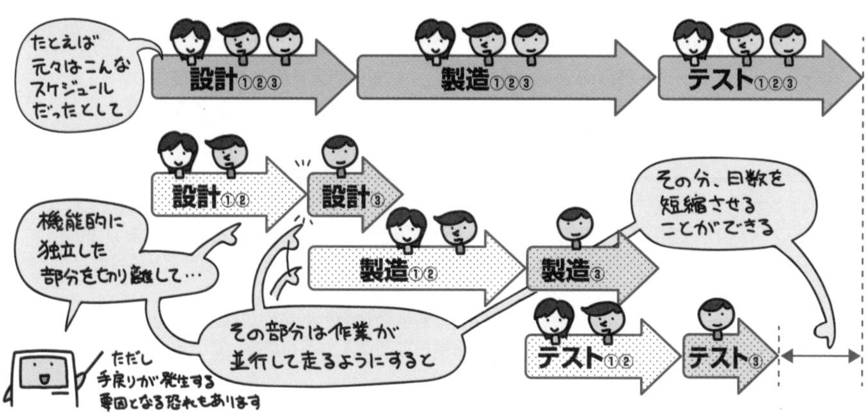

このように出題されています

過去問題練習と解説 Ⅰ

問1 (FE-R04-サ-44)

アローダイアグラムの日程計画をもつプロジェクトの，開始から終了までの最少所要日数は何日か。

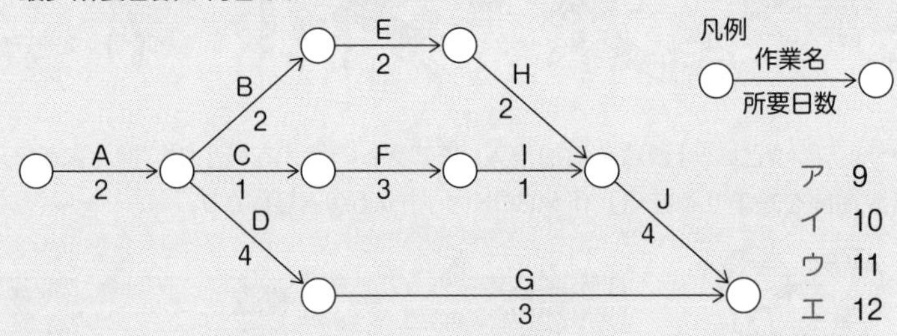

ア 9
イ 10
ウ 11
エ 12

解説

本問のアローダイアグラムの全ルートの合計日数は、下記になります。
①：A（2）→B（2）→E（2）→H（2）→J（4）… 2+2+2+2+4=12
②：A（2）→C（1）→F（3）→I（1）→J（4）… 2+1+3+1+4=11
③：A（2）→D（4）→G（3）… 2+4+3=9

本問は、最少所要日数を問うているので、③の9日と思うかもしれません。しかし、本問が問うているのは、“プロジェクト全体の開始から終了までの最少所要日数”、言い換えるとクリティカルパス（563ページ参照）の合計日数であり、最も日数が多い①の12日が正解です。

なお、“プロジェクト全体の開始から終了までの最少所要日数”を“プロジェクトを終了するために、どうしても必要な日数”と解釈すれば、9日ではなく、12日であると理解できるでしょう。

問2 (FE-H23-A-53)

テストの進捗管理に使用する指標として，最も適切なものはどれか。

ア テスト項目の消化件数
イ テストデータの作成量
ウ プログラムの起動回数
エ プログラムの修正量

解説

テストを開始する前にテスト計画を作成します。そのテスト計画のスケジュールに記載する主なものは「テスト項目」と実施予定日です。例えば、テスト項目が全部100件あるとすれば、4月1日に10件、4月2日に8件といったように計画します。テスト項目の消化件数は、実施済みのテスト項目数です。4月1日に9件、4月2日に6件のようにカウントします。

したがって、テスト項目の消化件数が、テストの進捗管理の最も適切な指標に該当します。なお、テスト項目は「受注画面の受注日は、土・日や祝祭日などが入力不可になっているか?」など文章で表現されます。

正解▸問1：エ　問2：ア

Chapter 15-3

ITサービスマネジメント

顧客の要求を満たすITサービスを、効果的に提供できるよう体系的に管理する手法がITサービスマネジメントです。

「こういうシステムが欲しいわ～」と顧客が言う場合、その多くはシステムそのものではなく、「そのシステムによって実現できるサービス」を求めています。

だからシステムだけを作って「はいできましたよ」で終わっちゃうとちょっと違う。その運用や管理までを含めて、いかにサービスとして提供するか。また、サービスの水準を、いかに維持し、改善していくかという視点が求められます。

そこで、ITサービスを提供するにあたっての、管理・運用規則に関するベストプラクティス（最も効率の良い手法・プロセスなどのこと。ようするに成功事例）が、英国において体系的にまとめられました。これをITIL（アイティル: Information Technology Infrastructure Library）と呼びます。

ITILは大きく分けて、ITサービスの日々の運用に関する作業をまとめたサービスサポートと、長期的な視点でITサービスの計画と改善と図るサービスデリバリの2つによって構成され、ITサービスマネジメントの標準的なガイドラインとして使われています。

SLA (Service Level Agreement)

サービスレベルアグリーメント（SLA）とは、日本語にするとサービスレベル合意書、サービスの提供者とその利用者との間で、「どのような内容のサービスを、どういった品質で提供するか」を事前に取り決めて明文化したものをいいます。

サービス品質の目標設定を、両者合意のもとで行うわけです。

この時その項目は、漠然とした表現ではなく、具体的な数値を用いて定量的な判断ができるようにしておく必要があります。「問い合わせに対しては"○時間以内"に返答する」などとするわけですね。

なんでそれが大事なのかというと…

まあそれは極端な話だとしても、表現があいまいでは目標が達成できたかもわかりませんから、困るわけですね。

ちなみに、設定した目標を達成するために、計画ー実行ー確認ー改善というPDCAサイクル（P.762）を構築し、サービス水準の維持・向上に努める活動を、サービスレベルマネジメント（SLM: Service Level Management）といいます。

サービスサポート

ITILの中で、「ITサービスの日々の運用に関する作業」をまとめたものがサービスサポート。次の1機能と5つの業務プロセスによって構成されています。

機能	サービスデスク（ヘルプデスク）	ITサービスを利用する顧客と、ITサービスを提供する組織との間の一元的な窓口として活動する。 
プロセス	インシデント管理 	発生したインシデントに対し、可能な限り迅速に通常のサービス運用を回復して、ビジネスへの悪影響を最小限に抑える。 
	問題管理	インシデントや問題の根本原因を特定し、事業に対する悪影響を最小限に抑制し、また再発を防止する。 
	構成管理	構成管理データベースを用いてITサービス提供に必要な構成アイテム（CI）を常に正しく把握し、各プロセスに効果的な情報を提供する。 
	変更管理	変更要求（RFC）の内容について、変更に伴う影響を検証してインパクトや優先度の評価を行い、認可又は却下を決定する。 
	リリース管理	承認の得られたコンポーネントを、正しい場所に、適切な時期にリリースする。 

サービスデスクで利用者の声を受け、
一連のプロセスでサービスの運用をサポートしていくわけですね

サービスデスクの組織構造

サービスデスクは、その組織を「どこに置くか」によって次のように分類することができます。

ローカル・サービスデスク

ユーザの拠点内、もしくは物理的に近い場所に設けられたサービスデスクです。

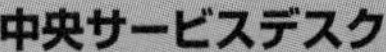

中央サービスデスク

1箇所に窓口を集約させたサービスデスクです。

バーチャル・サービスデスク

インターネットなどの通信技術を利用することによって、実際は各地に分散しているスタッフを擬似的に1箇所の拠点で対応しているように見せるサービスデスクです。

その他にも、時差のある複数の地域に拠点を設けることで24時間対応を可能にする、フォロー・ザ・サンなどがあります。

サービスデリバリ

ITILの中で、「長期的な視点でITサービスの計画と改善を図る」のがサービスデリバリ。次の5つの業務プロセスによって構成されています。

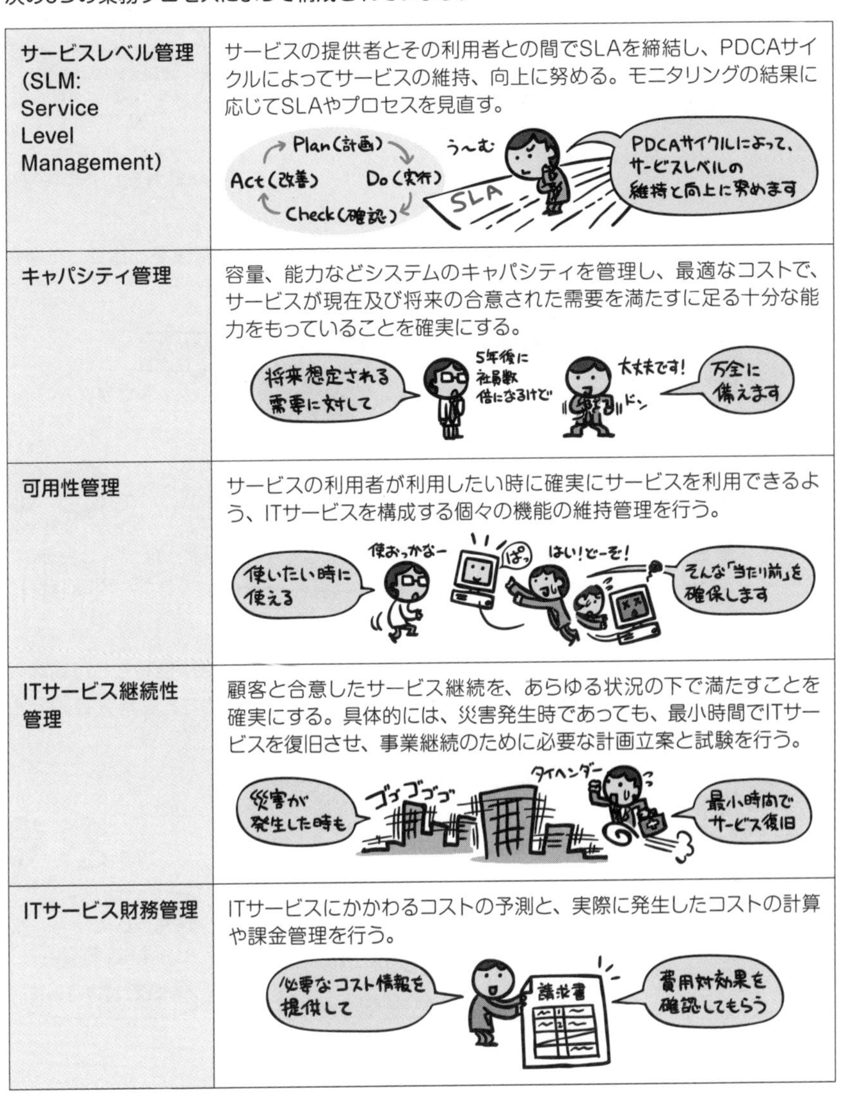

サービスレベル管理 (SLM: Service Level Management)	サービスの提供者とその利用者との間でSLAを締結し、PDCAサイクルによってサービスの維持、向上に努める。モニタリングの結果に応じてSLAやプロセスを見直す。
キャパシティ管理	容量、能力などシステムのキャパシティを管理し、最適なコストで、サービスが現在及び将来の合意された需要を満たすに足る十分な能力をもっていることを確実にする。
可用性管理	サービスの利用者が利用したい時に確実にサービスを利用できるよう、ITサービスを構成する個々の機能の維持管理を行う。
ITサービス継続性管理	顧客と合意したサービス継続を、あらゆる状況の下で満たすことを確実にする。具体的には、災害発生時であっても、最小時間でITサービスを復旧させ、事業継続のために必要な計画立案と試験を行う。
ITサービス財務管理	ITサービスにかかわるコストの予測と、実際に発生したコストの計算や課金管理を行う。

事業継続計画（BCP:Business Continuity Plan）

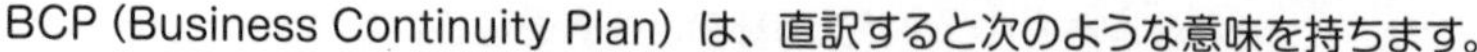

BCP（Business Continuity Plan）は、直訳すると次のような意味を持ちます。

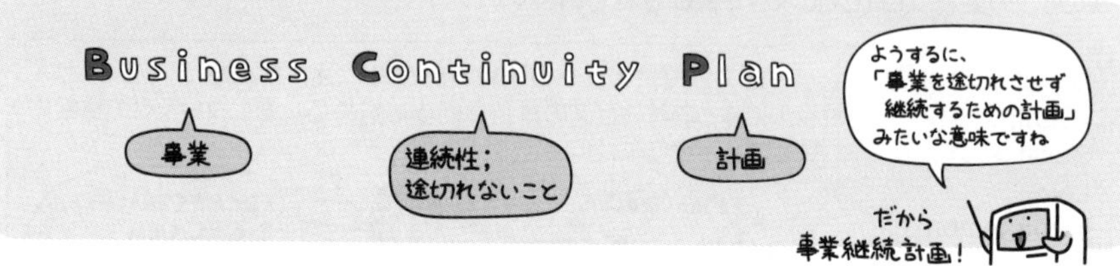

たとえば、地震等の自然災害、大火災、テロ攻撃などの緊急事態に企業が遭遇した場合において…

そうした事態が発生しても、重要な事業を中断させない、または中断しても可能な限り短い期間で復旧させるための方針、体制、手順等を示した計画のことを事業継続計画（BCP:Business Continuity Plan）と呼びます。

BCPでは、事業継続のために優先させるべきシステムを洗い出し、復旧目標として次の3種を定めます。

目標復旧レベル
(RLO: Recovery Level Objective)

復旧目標とする業務範囲や処理能力などを定めます。

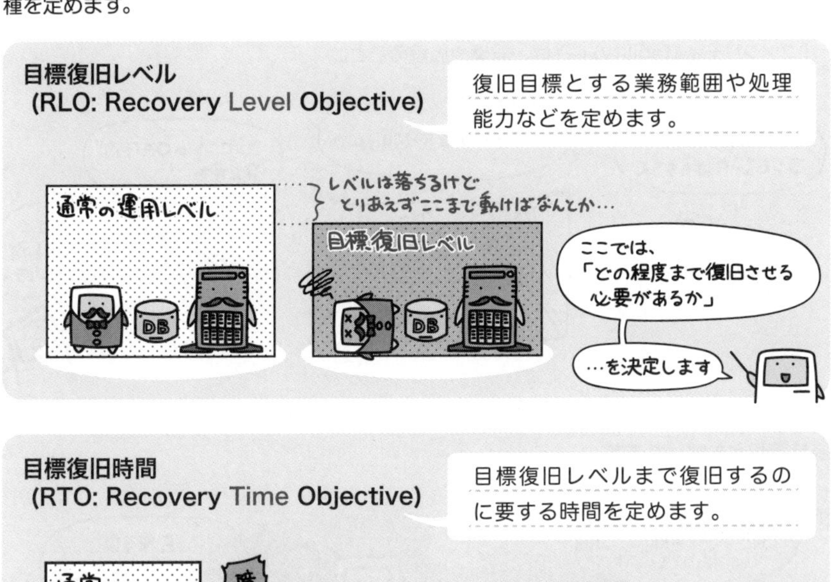

目標復旧時間
(RTO: Recovery Time Objective)

目標復旧レベルまで復旧するのに要する時間を定めます。

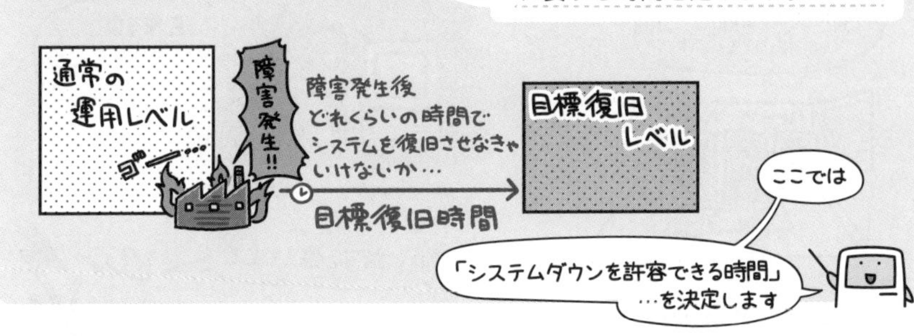

目標復旧時点
(RPO: Recovery Point Objective)

どの時点のデータまでは復旧されるべきかを定めます。

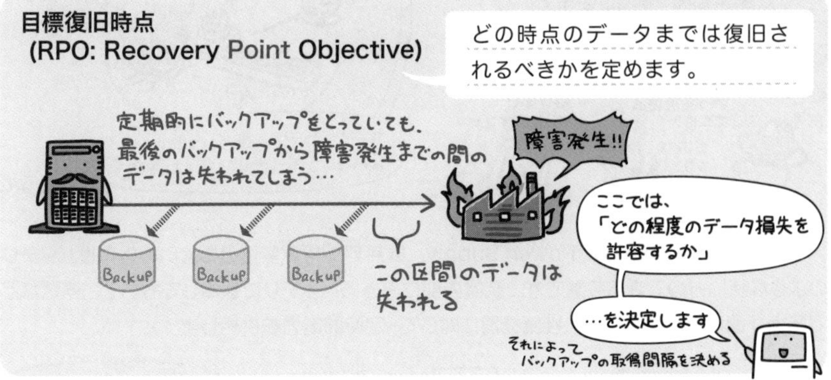

ファシリティマネジメント

「ファシリティ（facility）」とは、設備や施設のこと。

ファシリティマネジメントとは、これらの設備を適切に管理・改善する取り組みのことです。施設管理とも呼ばれます。

UPS（Uninterruptible Power Supply）は無停電電源装置とも言い、外付けバッテリのような使い方のできる装置です。装置内部に有するバッテリに蓄電しておいて、停電などで電力が閉ざされた場合に、接続機器に対して一定時間電力を供給します。

このように出題されています 過去問題練習と解説

問1 (FE-H30-S-55)

ITサービスマネジメントにおける問題管理で実施する活動のうち，事前予防的な活動はどれか。

ア　インシデントの発生傾向を分析して，将来のインシデントを予防する方策を提案する。
イ　検出して記録した問題を分類して，対応の優先度を設定する。
ウ　重大な問題に対する解決策の有効性を評価する。
エ　問題解決後の一定期間，インシデントの再発の有無を監視する。

解説

問題管理とは、569ページに説明されているとおり、「インシデントや問題の根本原因を特定し、事業に対する悪影響を最小限に抑制し、また再発を防止する」ことです。その「事前予防的な活動」は、インシデントや問題が発生する前に、その発生確率を低下させる活動です。その観点で、各選択肢を検討すると、選択肢アの後半「将来のインシデントを予防する方策」が、問題管理の事前予防的な活動に該当しています。

問2 (FE-R04-サ-45)

サービスマネジメントのプロセス改善におけるベンチマーキングはどれか。

ア　ITサービスのパフォーマンスを財務，顧客，内部プロセス，学習と成長の観点から測定し，戦略的な活動をサポートする。
イ　業界内外の優れた業務方法（ベストプラクティス）と比較して，サービス品質及びパフォーマンスのレベルを評価する。
ウ　サービスのレベルで可用性，信頼性，パフォーマンスを測定し，顧客に報告する。
エ　強み，弱み，機会，脅威の観点からITサービスマネジメントの現状を分析する。

解説

ア　当選択肢に該当するものに、バランススコアカードがあります。
イ　737ページにある「ベンチマーキング」の説明を本問に合わせると、「サービスマネジメントのプロセス改善において、ベストな手法を得るために、最強の競合相手または先進企業と比較することで、サービスや実践方法を定性的・定量的に測定すること」となります。
ウ　当選択肢に該当するものに、サービスレベル管理（571ページ参照）があります。
エ　当選択肢に該当するものに、SWOT分析（735ページ参照）があります。

正解▶問1:ア　問2:イ

Chapter 15-4

システム監査

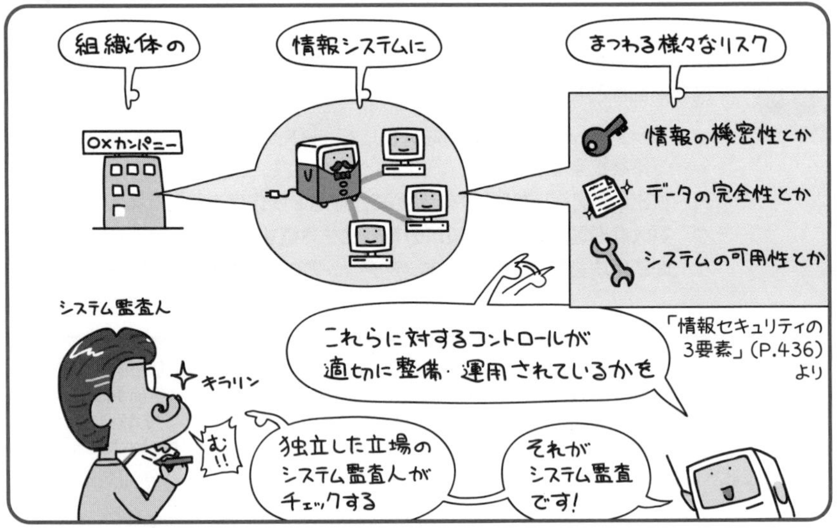

システム監査人は、検証または評価の結果として、保証やアドバイスを与えてITガバナンスの実現に寄与します。

ITガバナンスとは、経済産業省の定義によると「企業が、ITに関する企画・導入・運営および活用を行うにあたって、すべての活動、成果および関係者を適正に統制し、目指すべき姿へと導くための仕組みを組織に組み込むこと、または、組み込まれた状態」を意味します。

やたらめったらややこしい感じもいたしますが、元々はコーポレートガバナンス（P.744）から派生したこの言葉。ガバナンスが「統治、またはそのための機構や方法」の意味であることを考えると、ITガバナンスとはざっくり言って「ITシステムを適切に管理・運用するための体制や方法」だと思えば良いでしょう。

つまりシステム監査というのは、「その体制がちゃんとできてますかー?」と確認するのがお仕事だというわけです。

内部統制

監査の目的は、内部統制が適切に機能しているかを評価することです。

内部統制とは、下記の4つの目的が達成できているという合理的な保証を得られるように、業務のやり方を定めて運用するものです。

内部統制の目的

- 業務の有効性および効率性
- 財務報告の信頼性
- 事業活動に関わる法令等の遵守
- 資産の保全

「統制」は「コントロール」と
読み替えた方が
わかりやすいかも

簡単に言うと、不正やミスの発生防止を現場の担当者任せにするのではなく、仕組みとしてそれらを排除できるよう業務を構築するというのが基本的な考え方ですね。

たとえば次のように業務のルールを定めたりするわけです。

特権ID(システムを自由にいじれるID)は貸し出し＆返却履歴と利用ログを管理する

財務データの入力結果は、正確性を損ねていないか、原票と照らし合わせてチェックする

この内部統制のうち、情報システムに関するものをIT統制と言います。

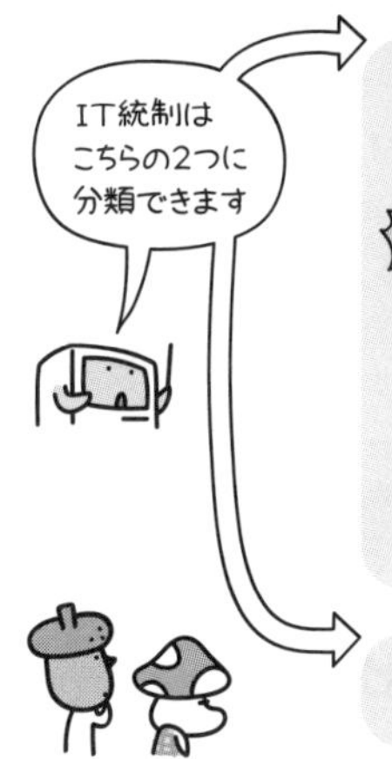

業務処理統制

業務を管理するシステムにおいて、承認された業務がすべて正確に処理、記録されることを保証するために、業務プロセスに組み込まれたITによる統制活動

たとえば！

コントロールトータルチェック
といいます

これだけ
注文きたよ～
はいよ～
注文
販売システム
会計システム

販売システムから会計システムにデータが受け渡された時、入力と出力の合計値を比較することで、データの正確性と網羅性を確保する

入力フォームは、決められた入力しか受け付けないようにすることで、データの妥当性を確保する

氏名 ナントカ太郎 ← 自由に入力可
年齢 25 ← 数字しか入力できない
性別 男 / 女 / その他 ← リストから選択するのみ

バリデーションチェック
といいます

全般統制

上記の業務処理統制が有効に機能する環境を保証するための統制活動

システム監査人と監査の依頼者、被監査部門の関係

システム監査人には、独立性をはじめとする次の要素が求められます。

システム監査を客観的に実施するために、監査対象から独立していなければならない。監査の目的によっては、被監査主体と身分上、密接な利害関係を有することがあってはならない。

『精神上の独立性』

システム監査の実施に当たり、偏向を排し、常に公正かつ客観的に監査判断を行わなければならない。

システム監査人

『職業倫理と誠実性』

職業倫理に従い、誠実に業務を実施しなければならない。

『専門能力』

適切な教育と実務経験を通じて、専門職としての知識及び技能を保持しなければならない。

『システム監査基準』 by 経済産業省 より

つまりシステム監査人は、依頼を受けてシステム監査を行いますが…

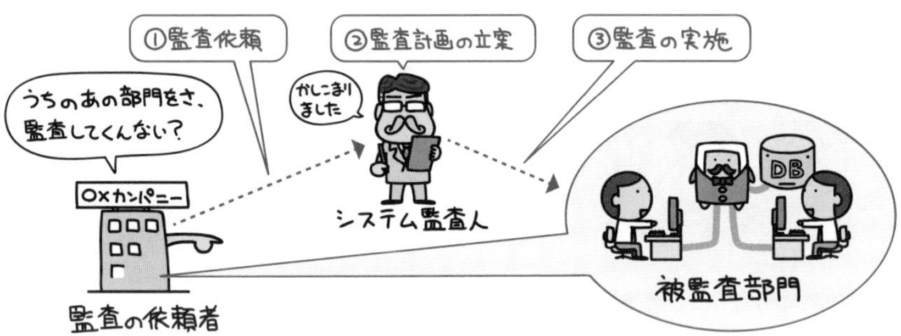

その存在は独立しているため、実際に業務を変更する権限は持ち合わせていません。システム監査の結果を受けて実際の改善命令を下すのは、監査の依頼組織もしくは被監査部門の役割となります。

システム監査の手順

システム監査は、監査計画に基き、予備調査→本調査→評論・結論という手順で行われます。

監査計画の立案

監査の目的を効率的に達成するための、監査手続の内容とその時期、および範囲などについて適切な計画を立案します。

予備調査

本調査に先立ち、監査対象の実態把握に努めます。
資料の収集やアンケート調査など、被監査部門の実態調査を行い、適切なコントロールがなされているか確認します。

本調査

予備調査で作成した監査手続書に従い、現状の確認と、それを裏付ける監査証拠の収集、証拠能力の評価を行い、監査調書としてまとめます。

評価・結論

監査調書に基づいて、監査対象におけるコントロールの妥当性を評価します。評価結果は監査報告書としてまとめ、その文書内に指摘事項や改善勧告などの監査意見を記します。

システムの可監査性

情報システムにおける可監査性とは、処理の正当性や内部統制を効果的に監査またはレビューできるようにシステムが設計・運用されていることを指します。

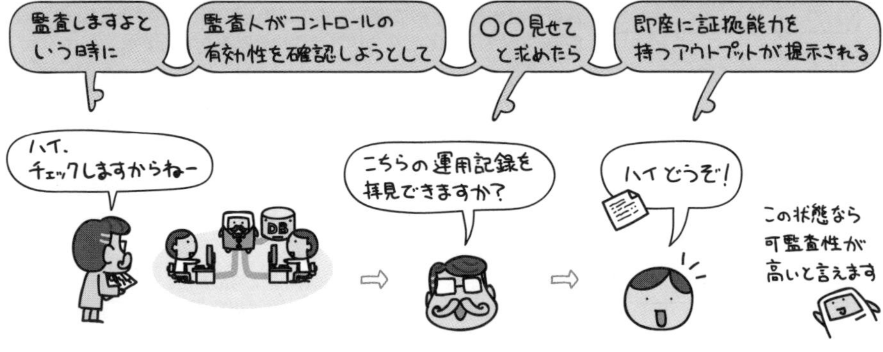

コントロールとは適正に統制するための仕組みを意味しています。何ごともやりっぱなしはダメ。きちんと業務の内容を検証できるようになってないとアカンわけですね。

こういった取り組みにより、システムにおいて発生した事柄の過程が確認できること、それをさかのぼって検証できることが大事なわけです。

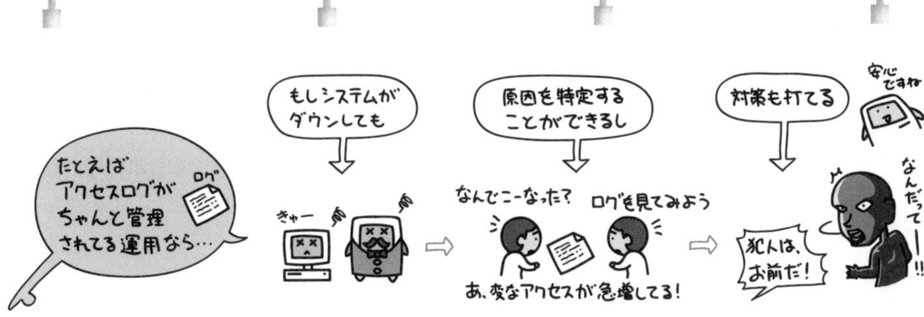

このような、システムにおける事象発生から最終結果に至るまでの一連の流れを、時系列に沿った形で追跡できる仕組みや記録のことを監査証跡(せき)と言います。

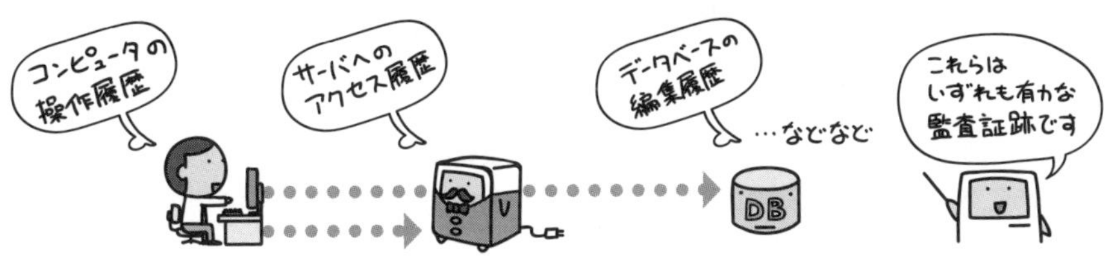

こうしてシステム監査人が行った監査の実施記録は、監査調書としてまとめられます。

ここには監査意見が記されるわけですが、その場合は必ず根拠となる事実と、その他関連資料が添えられていなくてはなりません。このような、自らの監査意見を立証するために必要な事実を監査証拠と言います。

15 システム周りの各種マネジメント

監査報告とフォローアップ

システム監査人は、監査報告書の記載事項について責任を負わなければなりません。監査意見には大別すると保証意見と助言意見の2種類があり、当然そのいずれにおいても責を負います。

ただし前述の通り、システム監査人には実際に業務を変更する権限はありません。被監査部門に対し改善が必要な場合も、システム監査人は改善指導という立場で関わるに留め、改善の実務は被監査側が主体となって行います。

このように、システム監査人が行う改善指導のことをフォローアップと言います。

システム監査人は、監査の結果に基づいて適切な措置が講じられるように指導を行い、必要に応じて改善実施状況を確認します。

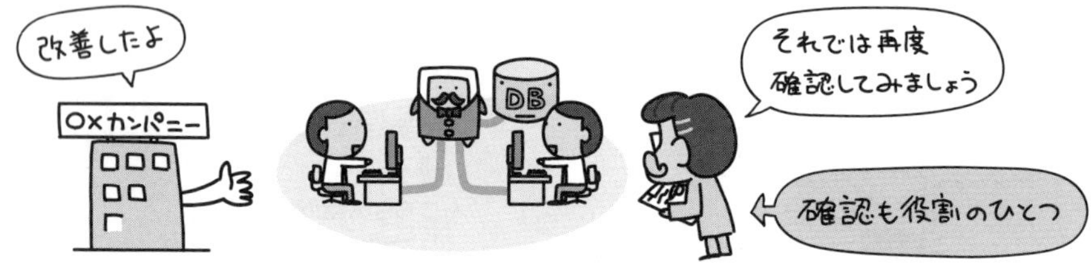

このように出題されています 過去問題練習と解説

問1 (FE-H30-S-58)

システム監査人の行為のうち，適切なものはどれか。

ア　調査が不十分な事項について，過去の経験に基づいて監査意見をまとめた。

イ　調査によって発見した問題点について，改善指摘を行った。

ウ　調査の過程で発見した問題点について，その都度，改善を命令した。

エ　調査の途中で当初計画していた期限がきたので，監査報告書の作成に移った。

解説

ア　調査が不十分な事項については、再調査が必要です。

イ　そのとおりです。システム監査の手順は、579ページを参照してください。

ウ　システム監査人は、調査の過程で発見した問題点について、その都度、改善命令を出さず、その問題点を指摘事項として監査報告書に記述します。

エ　調査の途中で当初計画していた期限がきても、調査が不十分であれば、計画を変更して、調査を続けます。

問2 (FE-R04-サ-47)

経営者が社内のシステム監査人の外観上の独立性を担保するために講じる措置として，最も適切なものはどれか。

ア　システム監査人にITに関する継続的学習を義務付ける。

イ　システム監査人に必要な知識や経験を定めて公表する。

ウ　システム監査人の監査技法研修制度を設ける。

エ　システム監査人の所属部署を内部監査部門とする。

解説

本問は、578ページの“外見上の独立性”に関する問題です。社内のシステム監査人は、“外見上の独立性”の観点から、システム監査人が所属する部門を監査できません。例えば、内部監査部門に所属しているシステム監査人は、内部監査部門を監査できません。ただし、内部監査部門を、システム監査上の被監査部門に選定することはほぼないので、選択肢エが正解です。

正解▶問1:イ　問2:エ

Chapter 16

プログラムの作り方

フム

Intel

フム

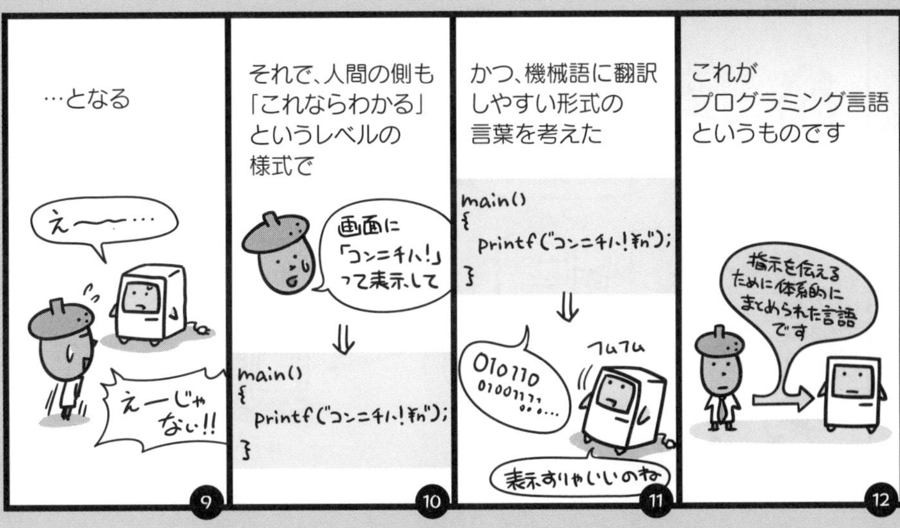
…となる
え〜〜…
えーじゃない!!
9
それで、人間の側も「これならわかる」というレベルの様式で
画面に「コンニチハ!」って表示して
main()
{
printf("コンニチハ!");
}
10
かつ、機械語に翻訳しやすい形式の言葉を考えた
main()
{
printf("コンニチハ!");
}
010110
0100111
フムフム
表示すりゃいいのね
11
これがプログラミング言語というものです
指示を伝えるために体系的にまとめられた言語です
12

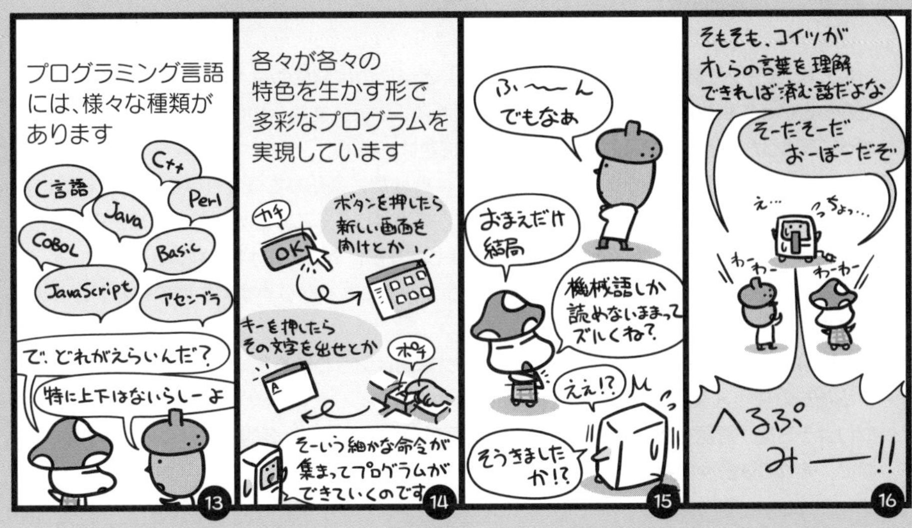
プログラミング言語には、様々な種類があります
C言語
C++
Java
Perl
COBOL
Basic
JavaScript
アセンブラ
で、どれがえらいんだ?
特に上下はないらしーよ
13
各々が各々の特色を生かす形で多彩なプログラムを実現しています
カチ
OK
ボタンを押したら新しい画面を開けとか
キーを押したらその文字を出せとか
ポチ
A
そーいう細かな命令が集まってプログラムができていくのです
14
ふ〜〜ん でもなあ
おまえだけ結局
機械語しか読めないままってズルくね?
ええ!?
そうきましたか!?
15
そもそも、コイツがオレらの言葉を理解できれば済む話だよな
そーだそーだ おーぼーだぞ
え…
ちょっ…
わーわー
わーわー
へるぷみー!!
16

Chapter 16-1 プログラミング言語とは

コンピュータに作業指示を伝えるための言葉、それがプログラミング言語です。

「コンピュータは機械語しかわかりませんよ」というのは前にも述べた通りです。しかしだからといって私たちが機械語を話すというのも難しい話。英語や中国語ならちょっとがんばってみようかなと思わなくもないですが、機械語は…ねぇ。

というわけで、「じゃあウチらの作業指示を、機械語に翻訳して伝えればいいんじゃね」というアイデアが生まれることになるわけです。本当なら、そこで日本語がそのまま通じてくれれば話が早いのですが、残念ながら翻訳機もさすがにそこまでは賢くない。

それなら…と、「機械語に翻訳しやすくて、かつ人間にもわかりやすい中間の言語」が作られました。

もうおわかりですよね。それがプログラミング言語というわけです。

私たちの使う言葉に日本語や英語や中国語やギャル語などの様々な言語があるように、プログラミング言語も用途に応じて様々な言語が存在します。代表的なのはC言語やJavaなど。それでは各々の特徴からまずは見ていくといたしましょう。

代表的な言語とその特徴

代表的なプログラミング言語には下記のようなものがあります。

言語	特徴
シー **C言語** 	OSやアプリケーションなど、広範囲で用いられている言語です。 もともとはUNIXというOSの移植性を高める目的で作られた言語なので、かなりハードウェアに近いレベルの記述まで出来てしまう、何でもアリの柔軟性を誇ります。
コボル **COBOL** 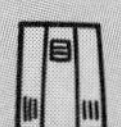	事務処理用に古くから使われていた言語です。 現在では、新規のシステム開発でこの言語を使うというのはまずなくなりました。ただし、大型の汎用コンピュータなどで古くから使われているシステムでは、過去に作ったCOBOLのシステムが今でも多く稼働しています。そのため、システムの改修などではまだまだ出番の多い言語です。
ジャバ **Java** 	インターネットのWebサイトや、ネットワークを利用した大規模システムなどで使われることの多い言語です。 C言語に似た部分を多く持ちますが、設計初期からオブジェクト指向(P.657)やネットワーク機能が想定されていたという特徴を持ちます。 特定機種に依存しないことを目標とした言語でもあるため、Java仮想マシンという実行環境を用いることで、OSやコンピュータの種類といった環境に依存することなく、作成したプログラムを動かすことができます。 
ベーシック **BASIC** 	初心者向けとして古くから使われている言語です。 簡便な記述方法である他に、書いたその場ですぐ実行して確かめることができるインタプリタ方式(これについては次ページで)が主流という特徴を持ちます。そのため未完成のコードでも、途中まで実行して動作を確認したりしながら開発を進めることができます。
ジャバスクリプト **JavaScript**  	主に動的なWebコンテンツ作成のために用いられる言語です。 インタプリタ方式の、簡便な記述方法によってWebページに組み込まれるスクリプト言語で、入力フォームに書かれた内容のチェックを行ったり、ページの中身を動的に書き換えるといった用途のために、クライアント側で動作します。上述のJavaと似た名前ですが関連性はありません。
パイソン **Python** 	人工知能(AI)技術の機械学習(P.429)開発に強いとされている言語です。 言語仕様が非常にシンプルであるため習得が容易で、機械学習やディープラーニング(深層学習)向けのライブラリが充実していることから、近年のAIブームによって飛躍的に注目度が上がりました。インタプリタ方式のスクリプト言語です。

インタプリタとコンパイラ

さて、プログラムというのは、このプログラミング言語を使って命令をひとつひとつ記述していくことで作られます。ここでちょっと「あれ? どこかで見たような」という図を引っぱり出して復習してみましょう。用語の理解はバッチリですか?

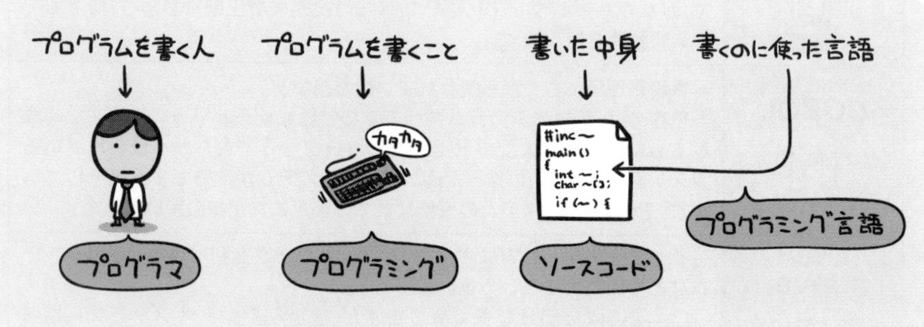

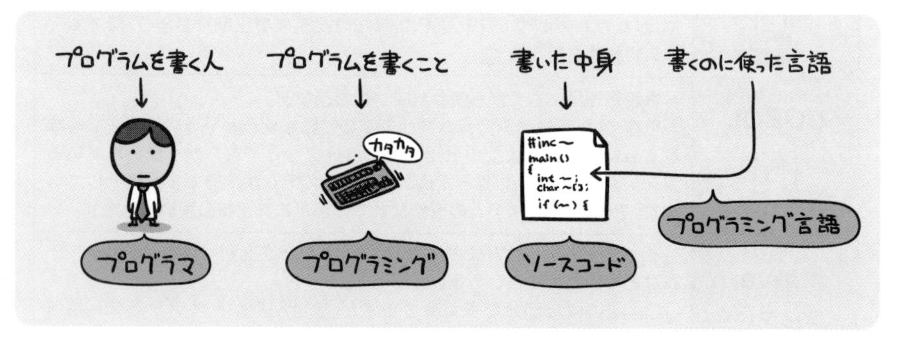

このソースコードを機械語に翻訳することで、プログラムはコンピュータが実行できる形式となるわけです。

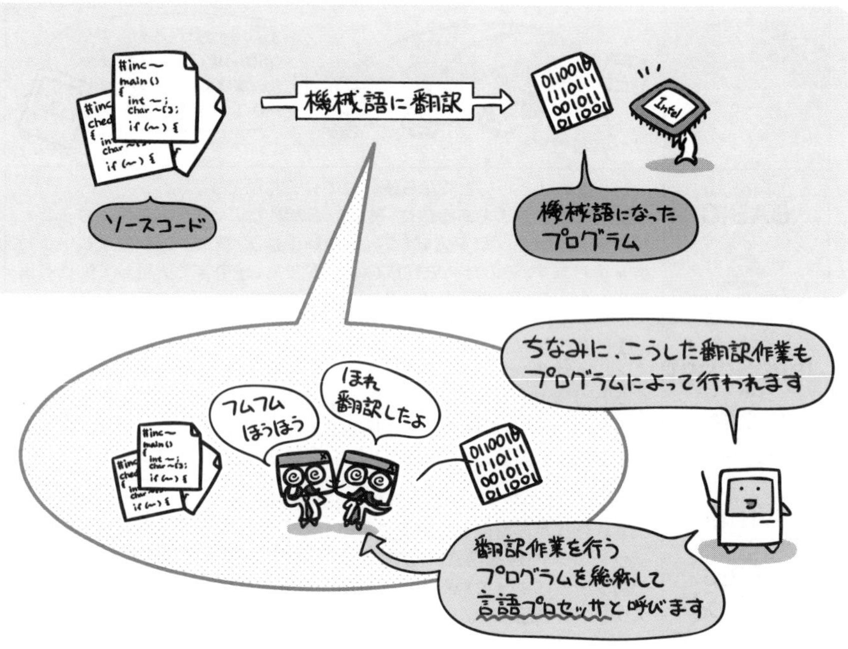

この翻訳には、2種類の方法があります。そう、これまでチラリチラリと登場していたインタプリタ方式やコンパイラ方式というのがそれなのです。

インタプリタ方式

この方式では、ソースコードに書かれた命令を、1つずつ機械語に翻訳しながら実行します。逐次翻訳していく形であるため、作成途中のプログラムもその箇所まで実行させることができるなど、「動作を確認しながら作っていく」といったことが容易に行えます。

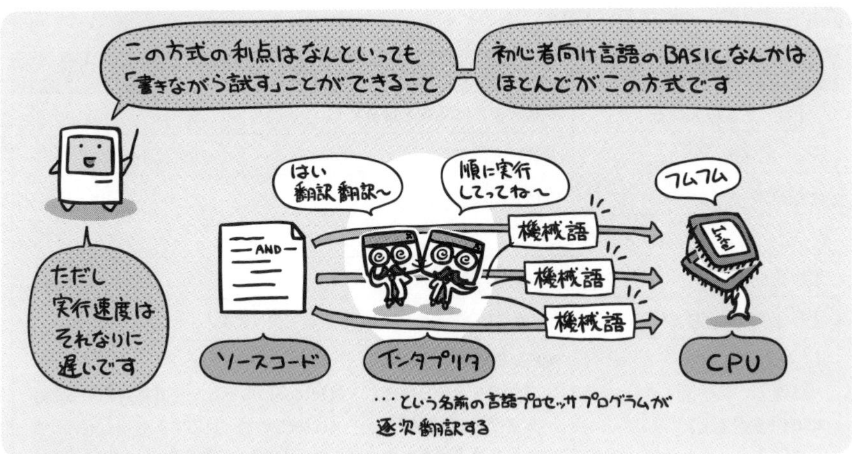

コンパイラ方式

この方式では、ソースコードの内容を最初にすべて翻訳して、機械語のプログラムを作成します。ソースコード全体を解釈して機械語化するため、効率の良い翻訳結果を得ることができますが、「作成途中で確認のために動かしてみる」といった手法は使えません。

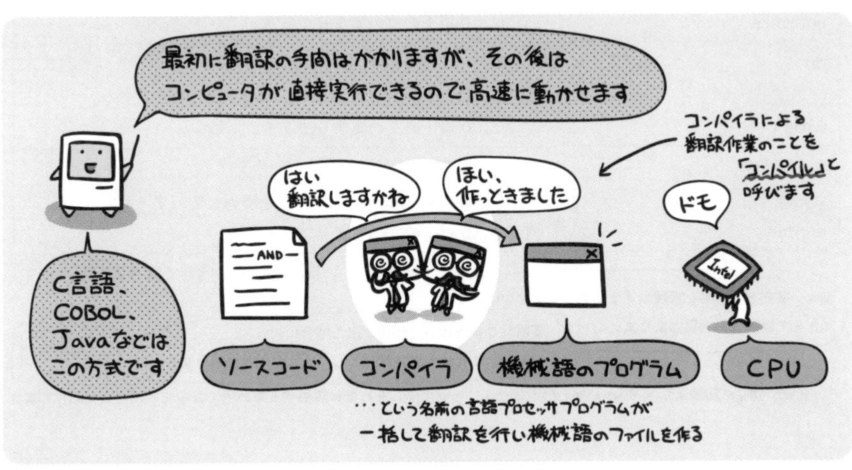

16
プログラムの作り方

本試験で用いられる擬似言語

基本情報技術者の試験では、アルゴリズム（作業手順のような意味、P.608参照）を問う場合、実際のプログラム言語ではなく、擬似的なプログラム言語を用いた出題が行われます。

この擬似言語は、各問題文中に注記がない限り、以下の記述形式が適用されているものとして読み解く必要があります。

記述形式	説明
○*手続名または関数名*	手続きまたは関数を宣言する。
型名: *変数名*	変数を宣言する。
/* *注釈* */ // *注釈*	注釈を記述する。
変数名 ← *式*	変数に*式*の値を代入する。
手続名または関数名(*引数*, …)	手続きまたは関数を呼び出し、*引数*を受け渡す。

if (*条件式 1*)
　処理 1
elseif (*条件式 2*)
　処理 2
elseif (*条件式 n*)
　処理 n
else
　処理 n + 1
endif
	選択処理を示す。
	*条件式*を上から評価し、最初に真になった*条件式*に対応する*処理*を実行する。以降の*条件式*は評価せず、対応する*処理*も実行しない。どの*条件式*も真にならないときは、*処理 n + 1* を実行する。
	各*処理*は、0 以上の文の集まりである。
	elseif と*処理*の組みは、複数記述することがあり、省略することもある。
	else と*処理 n + 1* の組みは一つだけ記述し、省略することもある。

while (*条件式*)
　処理
endwhile
	前判定繰返し処理を示す。
	*条件式*が真の間、*処理*を繰返し実行する。
	*処理*は、0 以上の文の集まりである。

do 　*処理* while (*条件式*)	後判定繰返し処理を示す。 *処理*を実行し、*条件式*が真の間、*処理*を繰返し実行する。 *処理*は、0 以上の文の集まりである。

for (*制御記述*)
　処理
endfor
	繰返し処理を示す。
	*制御記述*の内容に基づいて、*処理*を繰返し実行する。
	*処理*は、0 以上の文の集まりである。

※ *斜体文字* 部分は任意の内容で置き換えられます。

細かい書式を覚えても試験以外で使える場面はないので、これらを暗記する必要はありません

実際にこれを用いた問題が出た場合に、なんとなく意味を読み解けるレベルに見慣れておきましょう

変数や個々の制御文（ifやwhile、forなど）については、それぞれ該当する章の中であらためて詳しく紹介します

このように出題されています 過去問題練習と解説 Ⅰ

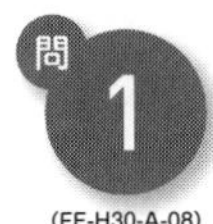

問1 (FE-H30-A-08)

Javaの特徴はどれか。

ア　オブジェクト指向言語であり，複数のスーパクラスを指定する多重継承が可能である。
イ　整数や文字は常にクラスとして扱われる。
ウ　ポインタ型があるので，メモリ上のアドレスを直接参照できる。
エ　メモリ管理のためのガーベジコレクションの機能がある。

解説

ア　Javaはオブジェクト指向言語ですが、複数のスーパクラスを指定する多重継承はできません（＝1つのスーパクラスを指定する単一継承しかできません）。
イ　整数や文字は、通常、変数に格納されて使用されます。
ウ　Javaには、C言語などで使われるポインタ型変数はありません。
エ　そのとおりです。なお、Javaのガーベジコレクション機能とは、参照されなくなったオブジェクトのメモリ領域を、主記憶装置上から開放する機能のことです。

問2 (FE-R04-サ-16)

インタプリタの説明として，適切なものはどれか。

ア　原始プログラムを，解釈しながら実行するプログラムである。
イ　原始プログラムを，推論しながら翻訳するプログラムである。
ウ　原始プログラムを，目的プログラムに翻訳するプログラムである。
エ　実行可能なプログラムを，主記憶装置にロードするプログラムである。

解説

ア　インタプリタの説明（588ページ参照）です。
イ　本選択肢の説明を、「あるプログラミング言語で書かれた原始プログラム（＝ソースコード）を、機能を変えずに、他のプログラム言語の原始プログラムに変換するプログラム」であると解釈すれば、トランスレータに該当します。
ウ　コンパイラの説明（588ページ参照）です。
エ　ローダの説明（594ページ参照）です。

正解▶問1：エ　問2：ア

Chapter 16-2 コンパイラ方式でのプログラム実行手順

プログラムというのは
このようにモジュール分け
されていたりするものです
だからこれを
単純に翻訳しても
バラバラの機械語ファイルが
作られるだけで、実はこれだと
まだ実行できません
モジュールA
モジュールB
モジュールC
ソースコード
フム
ホイョ
モジュールA
モジュールB
モジュールC
この状態のは
目的プログラム
(オブジェクトプログラム)
という
実行できんと
困るんですわー
困るねぇ
困るよなぁ
オマエが
言うな!!

「リンカ」というプログラムが、実行に必要なファイルをすべてくっつけることで、実行可能ファイルは生成されます。

コンパイラ方式のプログラムの場合、その実行に至るまでの過程では、コンパイラ以外に、2種類のプログラムが登場します。それがリンカとローダです。

ここでちょっと、この方式のプログラムが実行に至る流れを図にしてみましょう。

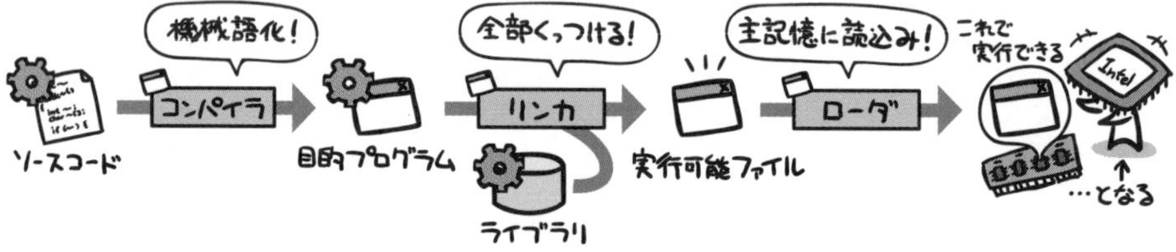

もう見たまんまでありますが一応ざっくり説明すると、「ソースコードを機械語化して、それを全部くっつけて、実行時にはこれを主記憶上に読み込む」というのが実行までの流れになるわけですね、うん。…え?あまりにざっくり過ぎる?

それでは上記流れの中に登場している、コンパイラとリンカとローダ、それぞれの行う仕事について、もう少し詳しく見ていきましょう。

コンパイラの仕事

コンパイラの仕事は、これまでに何度も書いている通り、「人間の側にわかるレベルの様式」…つまりはプログラム言語を使って書いたソースコードを、翻訳して機械語のプログラムファイルにすることです。

コンパイラの中では、ソースコードを次のように処理することで、目的プログラムを生成します。

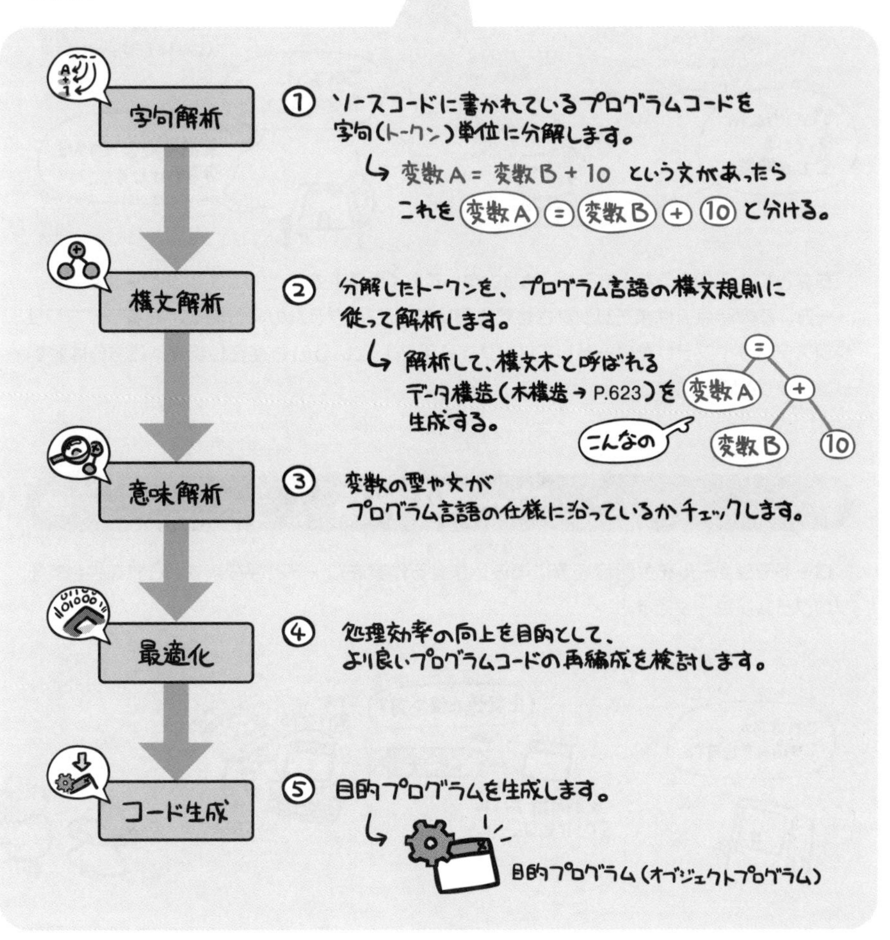

字句解析

① ソースコードに書かれているプログラムコードを字句（トークン）単位に分解します。

↳ 変数A = 変数B + 10 という文があったら
これを 変数A = 変数B + 10 と分ける。

構文解析

② 分解したトークンを、プログラム言語の構文規則に従って解析します。

↳ 解析して、構文木と呼ばれるデータ構造（木構造 → P.623）を生成する。

こんなの
=
変数A
+
変数B
10

意味解析

③ 変数の型や文がプログラム言語の仕様に沿っているかチェックします。

最適化

④ 処理効率の向上を目的として、より良いプログラムコードの再編成を検討します。

コード生成

⑤ 目的プログラムを生成します。

↳ 目的プログラム（オブジェクトプログラム）

リンカの仕事

プログラムは、自分で分割したモジュールはもちろん、ライブラリとしてあらかじめ提供されている関数や共通モジュールなどもすべてつなぎあわせることで、実行に必要な機能がそろったプログラムファイルになります。

この、「つなぎあわせる」作業をリンク（連係編集）と呼びます。つまりはこれが、リンカ（連係編集プログラム）の仕事というわけです。

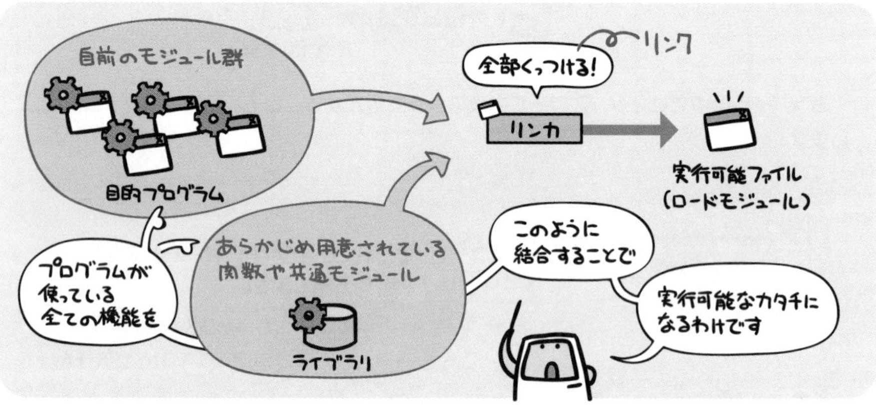

ちなみに、このような「あらかじめリンクしておく手法」を静的リンキングと呼びます。

一方、この時点ではまだリンクさせずにおいて、「プログラムの実行時に、共有ライブラリやシステムライブラリをロードしてリンクする手法」というのも存在します。こちらは動的リンキングと呼びます。

ローダの仕事

ロードモジュールを主記憶装置に読み込ませる作業をロードと呼びます。これを担当するプログラムがローダです。

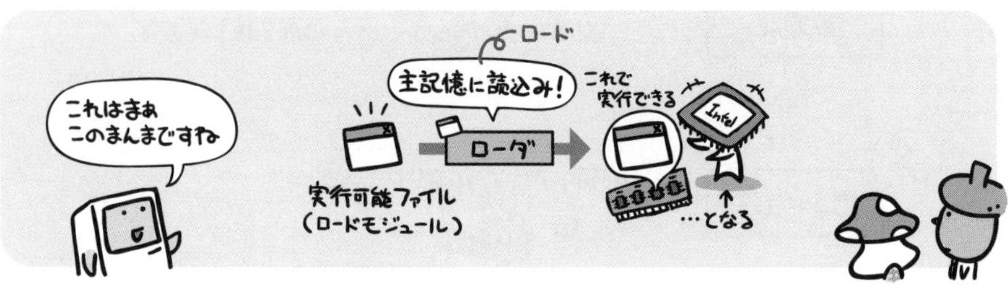

このように出題されています
過去問題練習と解説

問1 (FE-H28-S-19)

コンパイラにおける最適化の説明として，適切なものはどれか。

ア　オブジェクトコードを生成する代わりに，インタプリタ用の中間コードを生成する。
イ　コンパイルを実施するコンピュータとは異なるアーキテクチャをもったコンピュータで動作するオブジェクトコードを生成する。
ウ　ソースコードを解析して，実行時の処理効率を高めたオブジェクトコードを生成する。
エ　プログラムの実行時に，呼び出されたサブプログラム名やある時点での変数の内容を表示させるようなオブジェクトコードを生成する。

解説

ア　コンパイラは、インタプリタ用の中間コードを生成しません。インタプリタの説明は、589ページを参照してください。
イ　クロスコンパイラの説明です。
ウ　コンパイラの最適化については、593ページを参照してください。
エ　プログラムの修正を容易するための「トレーサ」や「デバッガ」の一部の機能を説明しています。

問2 (FE-H30-A-20)

リンカの機能として，適切なものはどれか。

ア　作成したプログラムをライブラリに登録する。
イ　実行に先立ってロードモジュールを主記憶にロードする。
ウ　相互参照の解決などを行い，複数の目的モジュールなどから一つのロードモジュールを生成する。
エ　プログラムの実行を監視し，ステップごとに実行結果を記録する。

解説

ア　<作成したソースプログラムを、ライブラリ（リポジトリ）に登録（チェックイン）する>と補って解釈すれば、ソフトウェア構成管理ツールやCASEツールの機能です。
イ　ローダの機能です。ローダの説明は、594ページを参照してください。
ウ　リンカの機能です。リンカの説明は、594ページを参照してください。
エ　トレーサやデバッガの機能です。

正解▶問1：ウ　問2：ウ

Chapter 16-3

変数は入れ物として使う箱

変数はメモリの許す限りいくつでも使うことができます。個々の変数には、名前をつけて管理します。

複雑な処理を実現する上で欠かせないのが変数の存在です。

たとえば「入力された数字に1を加算する」という処理を考えてみましょう。さて、「入力された数字」というのは具体的にいくつでしょうか?

…わかんないですよね。いくつの数字が入力されるかわかんないから、「入力された数字に」としてあるんですものね。

そんなわけでプログラム的には、これは「入力された数字+1」としか書きようがないわけです。そうしておいて、実際の入力があった時に、「入力された数字」の部分を入力と置きかえて計算するしかないのですね。

変数というのはつまりこれ。メモリ上に箱を設けて名前をつけて、「この名前の箱はこの値と見なして処理に使うね」と化けさせることのできるモノなのです。

手順を示す際に、総称を仮の名前として用いることは、私たちの日常生活でもよくあることです。たとえば「訪問者が来たらこのベルを鳴らす」といったようなことですね。もちろん「仮の名前」というのはこの場合「訪問者」のこと。変数は、この「訪問者」にあたる使い方を、プログラムの中でさせてくれる便利なやつなのです。

たとえばこんな風に使う箱

こういったものはなかなか文字だけじゃわかりづらいと思うので、単純な例を用いて実際に変数を使ってみることにしましょう。たとえば…そうですね、ドングリとキノコに好きな数字を言ってもらって、その合計に1を加算してみるとしましょうか。

① ドングリとキノコの言った数字を、「numDonguri」「numKinoko」と名付けた変数にそれぞれ代入する。

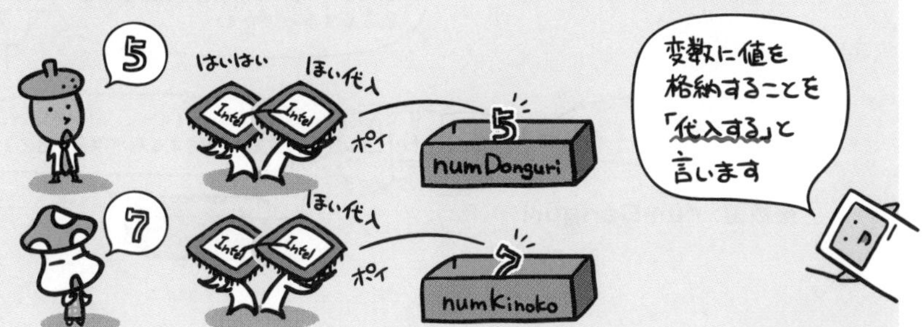

② 「numDonguri」と「numKinoko」の合計を算出して、その値を「numGoukei」に代入する。

③ 「numGoukei」に1を足して、その数を「numGoukei」自身に代入する。

いかがですか？ 少しはイメージできるようになりましたでしょうか。変数というのはただの箱に過ぎませんから、「自分自身に1足した数を自分自身に代入する」という処理も当然アリなわけです。

ちなみに変数には、数値以外にも、文字をはじめとする様々なデータを格納することができます。

擬似言語における変数の宣言と代入方法

擬似言語では、こうした変数を次のように宣言して用います。

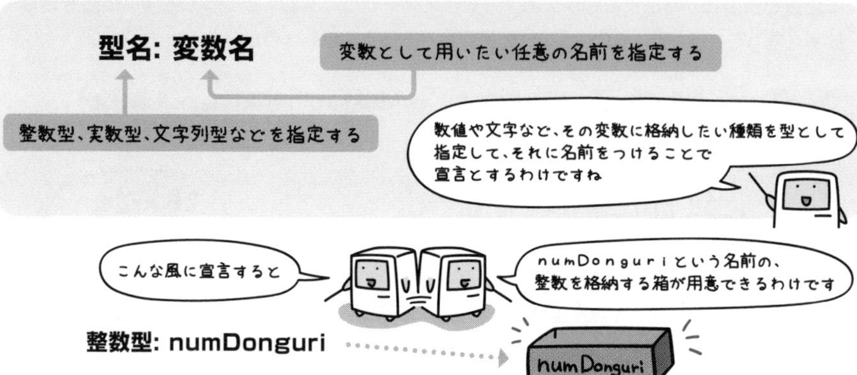

この変数に値を代入する場合は、次のように←を使って代入式をあらわします。

変数名 ← 式　式の結果が、変数に代入される

たとえば1ページ前のイラストにあるこのやりとりは…

式であらわすと次のようになるわけですね。

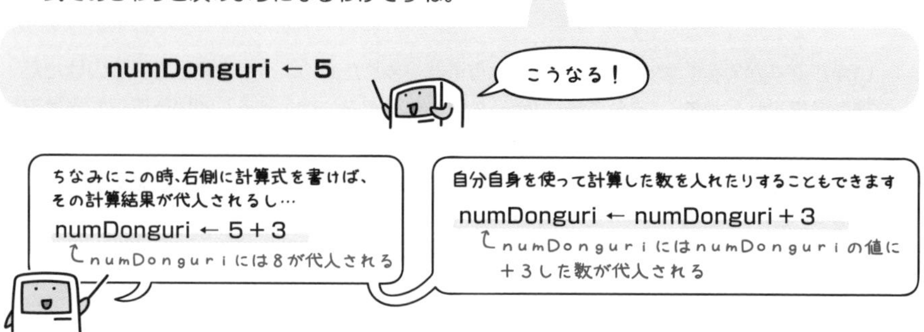

このように出題されています
過去問題練習と解説

問1 (IP-H22-A-69)

二つの変数xとyに対して，次の手続を（1）から順に実行する。処理が終了したとき，xの値は幾らになるか。

〔手続〕（1）xに2を代入し，yに3を代入する。
（2）yの値から1を引いたものをyに代入する。
（3）xの値とyの値を加えたものをxに代入する。
（4）y≠1 なら手続（2）に戻り，y=1なら処理を終了する。

ア 4　　イ 5　　ウ 7　　エ 8

解説

〔手続〕（1）～（4）にしたがって、下記のようにトレースします。

（1）x ← 2，y ← 3
（2）y ← y：3 − 1 ＝ 2
（3）x ← x：2 ＋ y：2 ＝ 4
（4）yは2であり1ではないので、（2）へ
（2）y ← y：2 − 1 ＝ 1
（3）x ← x：4 ＋ y：1 ＝ 5
（4）yは1なので、処理を終了する。

xの値は、5なので選択肢イが正解です。

正解▶問1：イ

Chapter 16-4 構造化プログラミング

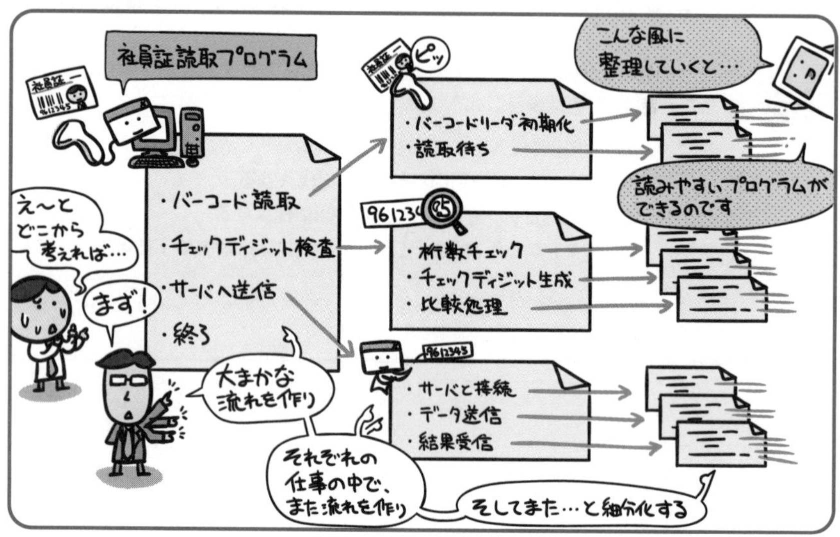

構造化プログラミングは、プログラムを機能単位の部品に分けて、その組み合わせによって全体を形作る考え方です。

長い文章を、何の章立ても決めずにひと息で書こうとすると、往々にして「あれ? 何を書きたかったんだっけか」なんて迷走する結果になりがちです。

プログラミングもこれは同じ。ましてやプログラムの場合は「○○の場合は××をせよ」なんて条件分岐が色々出てきますから、アッチへ飛んだりコッチへ飛んだりと、後から読むのすら難しい…「そもそも本当に完成するのこれ?」といった、難物ソースコードいっちょあがりとなる可能性も否定できません。

それを避けようと生まれたのが構造化プログラミング。

この手法では、一番上位のメインプログラムには、大まかな流れだけが記述されることになります。当然それだけじゃ完成しませんから、大まかな流れのひとつひとつを、サブルーチンという形で別のモジュールに切り出してやる。このサブルーチンも、内部は大まかな流れを記述して、その詳細はサブルーチンで…と切り出していく。

このように少しずつ処理を細分化していくと、各階層ごとの流れがキチンと整理されることになります。結果、効率よく、ミスの少ないプログラムが出来上がるというわけです。

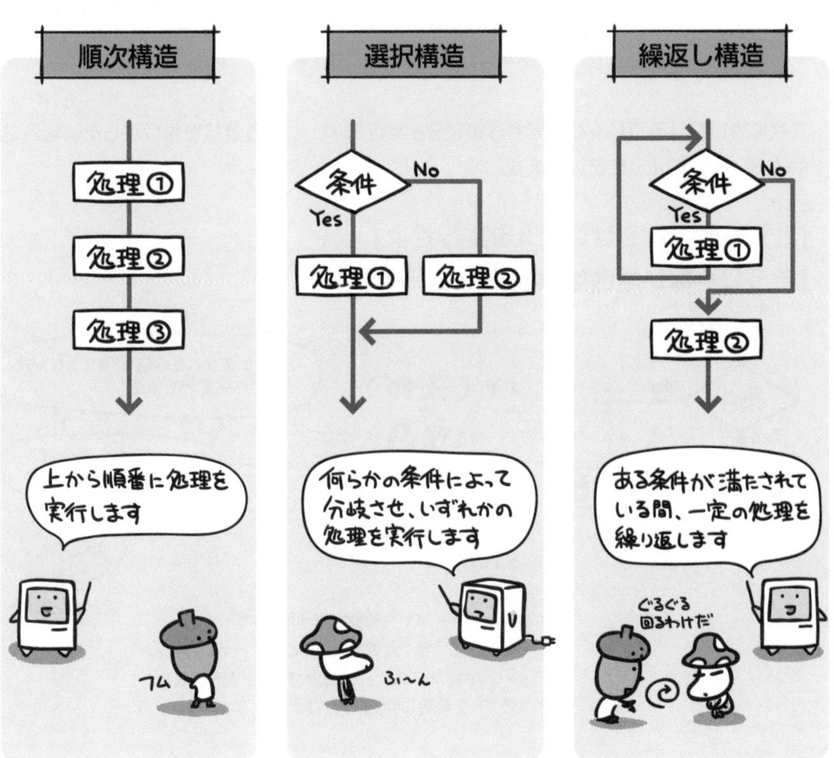

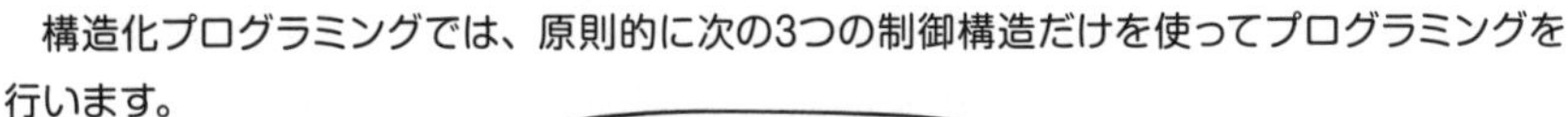

制御構造として使う3つのお約束

構造化プログラミングでは、原則的に次の3つの制御構造だけを使ってプログラミングを行います。

いえいえそんなことはありません。プログラミングというと、いかにも「複雑な処理が記述されている小難しい文書」みたいなイメージがありますが、実は紐解くとこれだけ単純な構造を組み合わせたものがほとんどだったりするのです。

順次構造

処理①
処理②
処理③

上から順番に処理を実行します

フム

選択構造

条件
Yes
No
処理①
処理②

何らかの条件によって分岐させ、いずれかの処理を実行します

ふ〜ん

繰返し構造

条件
Yes
No
処理①
処理②

ある条件が満たされている間、一定の処理を繰り返します

ぐるぐる回るわけだ

if ～ endif で選択構造をあらわす

擬似言語における選択構造は、if文で表現します。if文は、「もし～○○ならば処理Aを実行せよ」という内容をあらわすものです。処理というのは、0以上の文の集まりです。

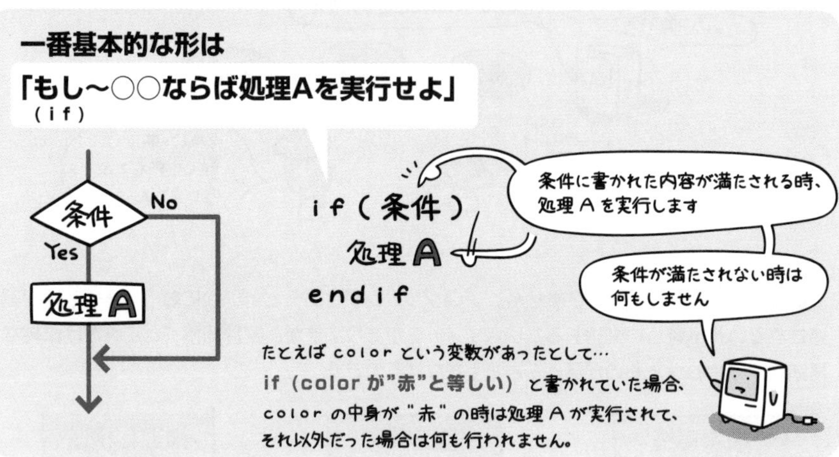

これに対して、「そうじゃない場合は処理Bを実行せよ」という分岐を付け足したい場合は、elseを使って次のように記述します。

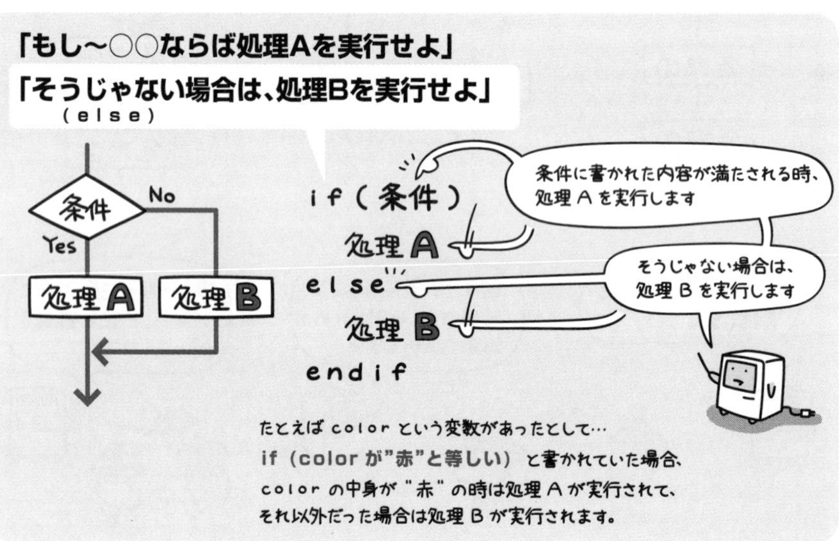

さらに複雑な分岐を表現することもできます。

elseではなくelseifを用いることで、「そうじゃない場合」にさらに条件付けをして、「そうじゃなくて□□の場合は…」という分岐を作ることができます。

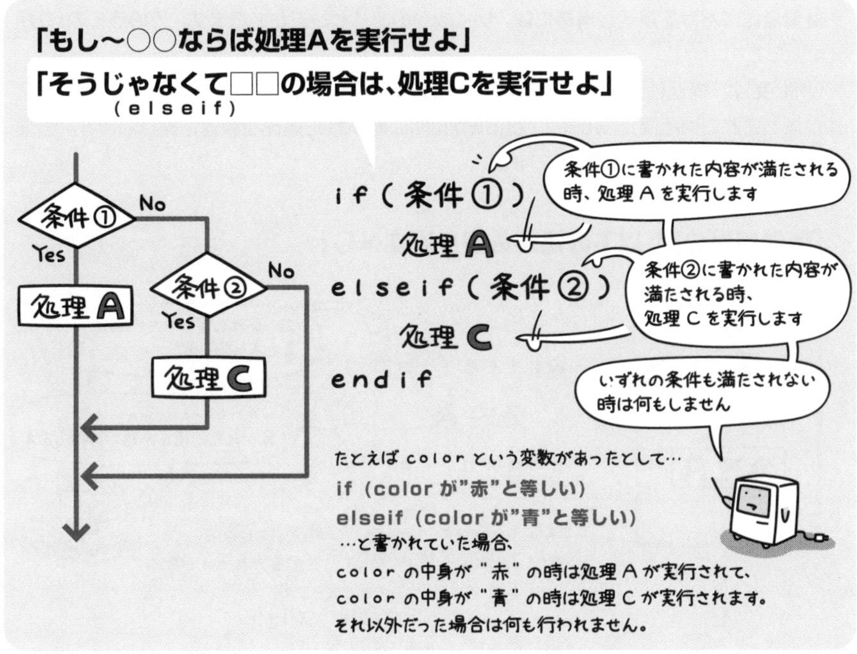

elseifはいくつでも羅列することができますし、elseと組み合わせることも可能です。

その場合の評価順序は次の通りになります。

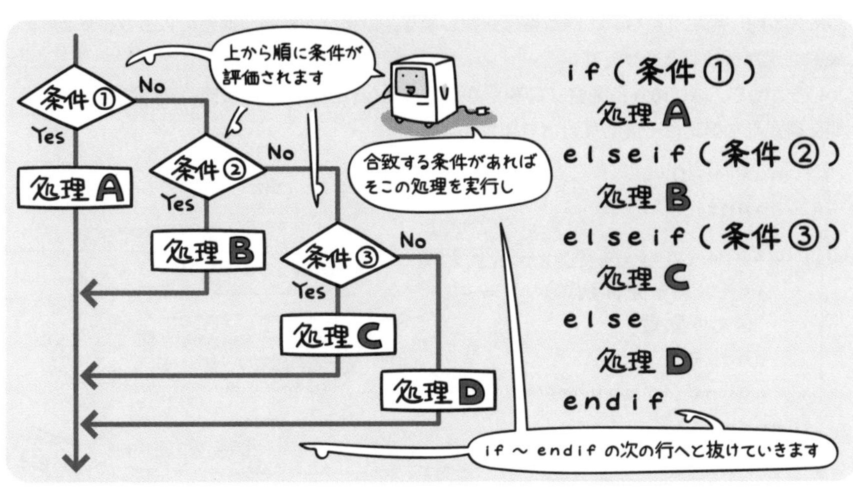

while ~ endwhile で前判定の繰返し構造をあらわす

擬似言語における繰返し構造には、いくつかのあらわし方があります。そのうちの1つがwhile文です。

while文は、繰返しに入る前に指定された条件を判定します。判定結果が真である間(条件が満たされている間)、while ~ endwhile間に書かれた処理を繰返し実行します。処理というのは、0以上の文の集まりです。

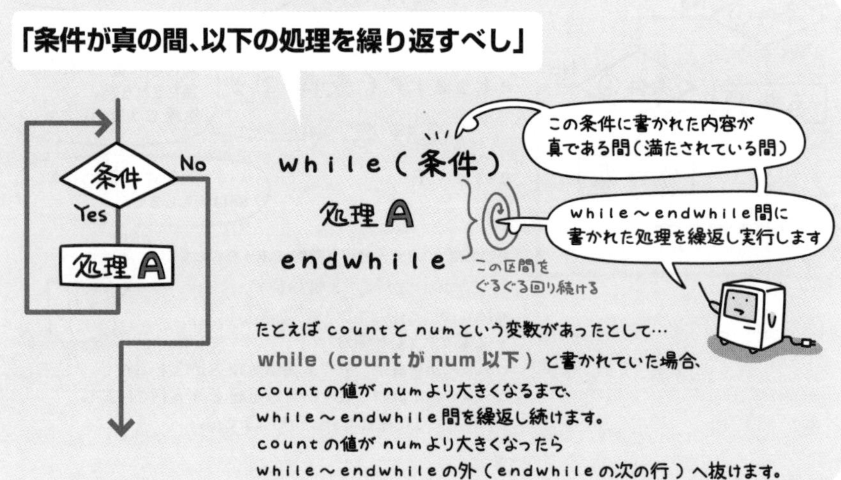

while ~ endwhileは上にも書いてある通り前判定です。ここで言う前判定とは、「繰返しに入る前に判定するね」という意味を指します。つまり、繰返し構造に入ろうとする度に条件判定が行われるわけです。

したがって、はじめから条件式の判定が偽となる(満たされない)状態であった場合、その間に書かれた処理は一度も実行されません。

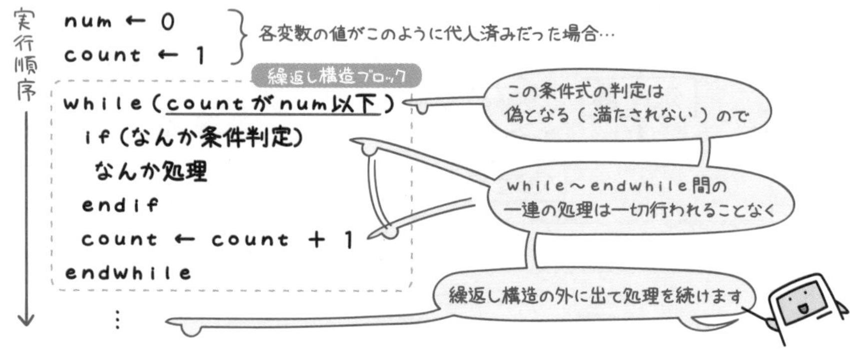

do ～ while で
後判定の繰返し構造をあらわす

擬似言語における繰返し構造の、もう1つのあらわし方がdo ～ while文です。

do ～ while文は、繰返しに入った後に指定された条件を判定します。判定結果が真である間(条件が満たされている間)、do ～ while間に書かれた処理を繰返し実行します。処理というのは、0以上の文の集まりです。

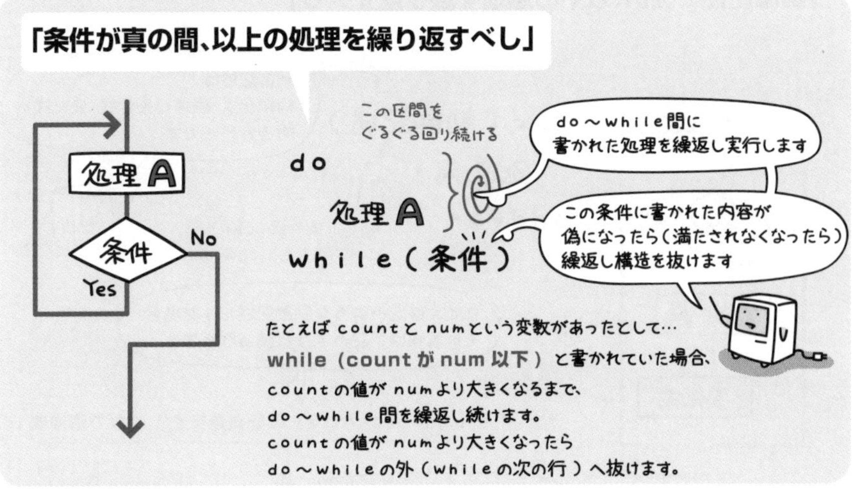

do ～ whileは上にも書いてある通り後判定です。ここで言う後判定とは、「繰返しに入った後に判定するね」という意味を指します。つまり、繰返し構造に入って処理を一度行う度に条件判定が行われるわけです。

したがって、はじめから条件式の判定が偽となる(満たされない)状態であった場合でも、その間に書かれた処理は必ず一度は実行されます。

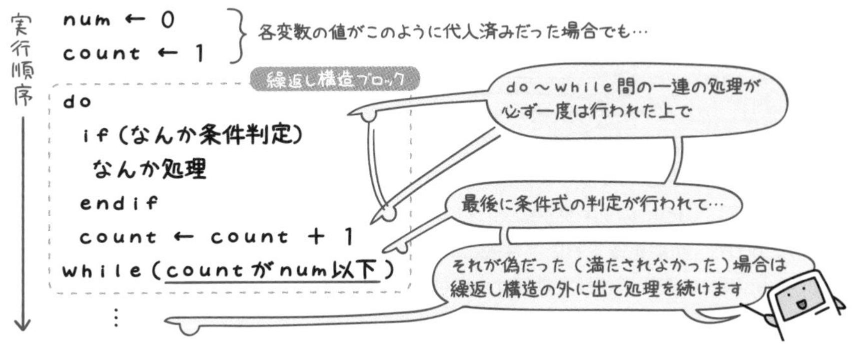

for ～ endfor で繰返し構造をあらわす

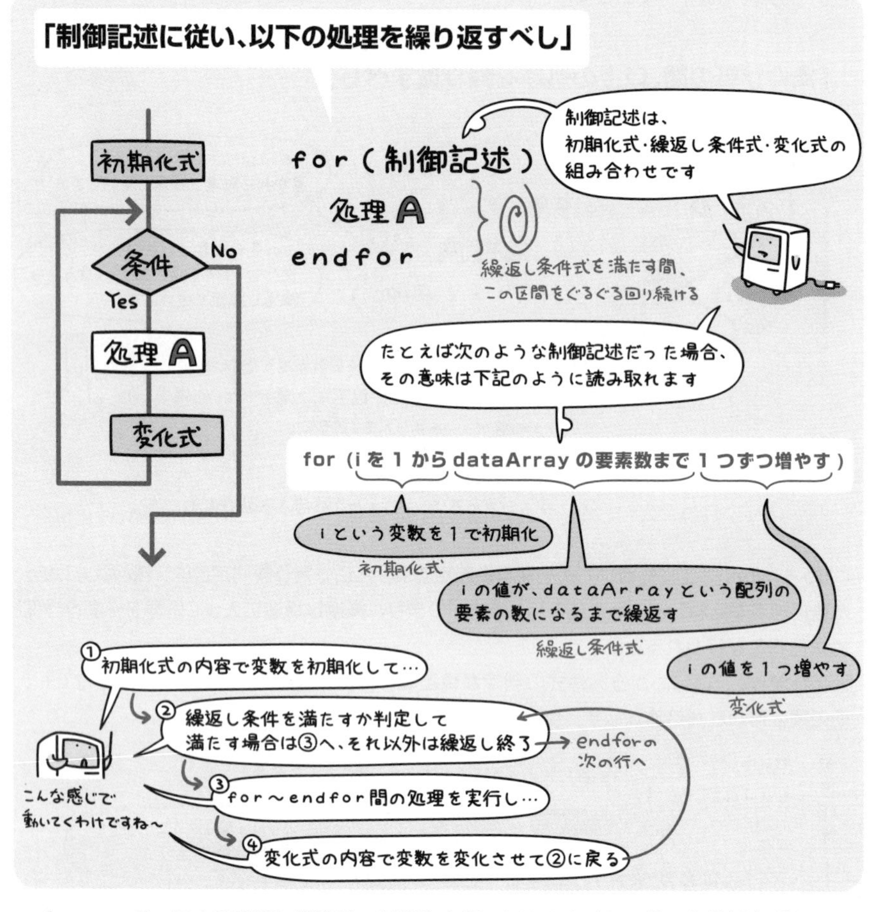

擬似言語における繰返し構造の、さらにもう1つのあらわし方がfor文です。

for文は、制御記述の内容に従って、for ～ endfor間に書かれた処理（0以上の文の集まり）を繰返し実行します。制御記述には、初期化式、繰返し条件式、変化式の3つを組み合わせて書くようになっており、これによって「どのように繰返すか」をコントロールします。

「制御記述に従い、以下の処理を繰り返すべし」

初期化式
条件
No
Yes
処理A
変化式

```
for（制御記述）
    処理A
endfor
```

制御記述は、
初期化式・繰返し条件式・変化式の
組み合わせです

繰返し条件式を満たす間、
この区間をぐるぐる回り続ける

たとえば次のような制御記述だった場合、
その意味は下記のように読み取れます

for（iを1から dataArrayの要素数まで 1ずつ増やす）

iという変数を1で初期化
初期化式

iの値が、dataArrayという配列の
要素の数になるまで繰返す
繰返し条件式

iの値を1つ増やす
変化式

①初期化式の内容で変数を初期化して…
②繰返し条件を満たすか判定して
満たす場合は③へ、それ以外は繰返し終了→endforの次の行へ
③for～endfor間の処理を実行し…
④変化式の内容で変数を変化させて②に戻る

こんな感じで
動いてくわけですね～

for ～ endforによる繰返し構造は、初期化を行った次のタイミングで条件判定が行われます(上の図でいう②のフキダシ)。

したがって、初期化後すでに条件式の判定が偽となる(満たされない)状態であった場合、for ～ endforの間に書かれた処理は一度も実行されません。

このように出題されています 過去問題練習と解説

(FE-H15-S-53)

構造化プログラミングにおいて，プログラムを作成するときに用いる三つの制御構造はどれか。

ア　繰返し，再帰，順次　　イ　繰返し，再帰，選択
ウ　繰返し，順次，選択　　エ　再帰，順次，選択

解説

構造化プログラミングは「順次」「選択」「繰返し」の3つの制御構造を用います。

(FE-H18-S-36)

プログラムの制御構造のうち，while型の繰返し構造はどれか。

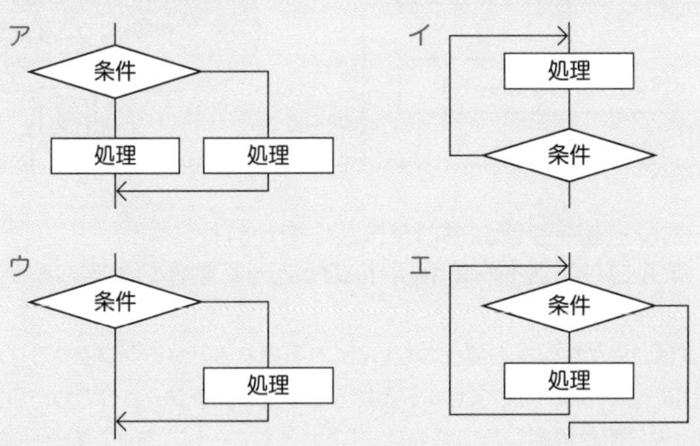

解説

以下の説明では、条件が真の場合は下に進み、偽の場合は横に進むものと仮定します。

ア　これは、条件が真のときにある処理を実行し、偽のときに別の処理を実行する選択構造です。
イ　これは、do-while型（後判定繰返し型）の繰返し構造です。条件の真・偽の前に処理があるため、少なくとも1回は処理を実行する点が、選択肢エと異なる点です。
ウ　これは、条件が偽のときに処理を実行し、真のときは何も実行しない選択構造です。
エ　これは、条件が真のときに繰り返し処理を実行し、偽のときに繰り返しを終了する繰返し構造です。このように、最初に繰返しをするか否かの条件を判定する繰返し構造を、while-do型（前判定繰返し型）といいます。本問では、この型をwhile型と呼んでいますが、選択肢イのdo-while型と混同しやすく紛らわしい問題になっています。

正解▶問1：ウ　問2：エ

アルゴリズムとフローチャート

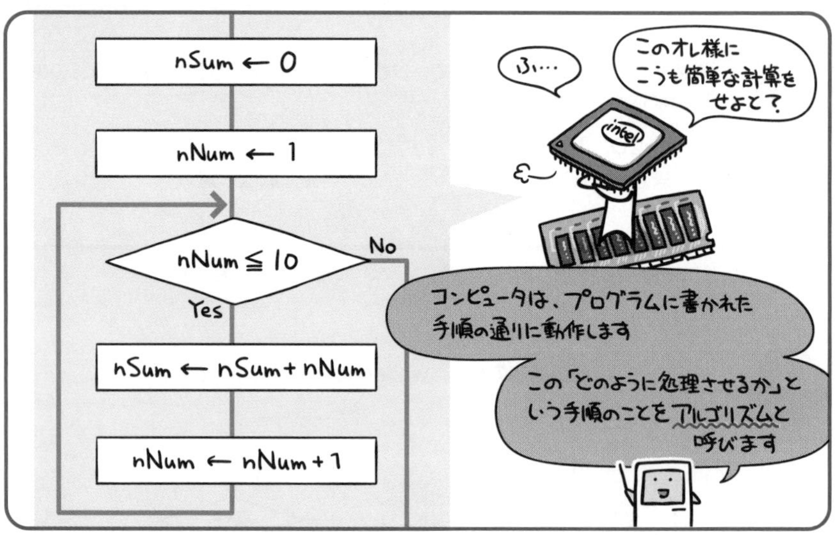

コンピュータは、プログラムに書かれた
アルゴリズム（作業手順）にのっとって動作します。

コンピュータは、様々な作業を肩代わりしてくれる頼れるアンチクショウですが、その反面「言われたこと以外は一切いたしません」という困ったコンチクショウでもあります。そのため、コンピュータに何か依頼したい場合は、「これこれこーしてあーしてそーするのですよ」と1から10まで事細かに指示しなきゃいけません。

この時、「どのように処理をさせると機能を満たすだろうか」とか、「どのような手順で処理をさせるのが効率的だろうか」とか、色々やり方を考えるわけです。そうして、固まった処理手順を元に、プログラムが書き起こされる。

この処理手順がアルゴリズムです。アルゴリズムさえきっちり固まっていれば、プログラムなんてのは、あとはそれをプログラミング言語に置きかえていくだけ。だからプログラミングの肝（キモ）は、「アルゴリズムをしっかり考えること」だと言っても過言ではありません。

このアルゴリズムをわかりやすく記述するために用いられるのがフローチャート（流れ図）です。読んで字のごとく、処理の流れをあらわす図になります。

フローチャートで使う記号

フローチャートでは、次のような記号を使って、処理の流れをあらわします。

記号	説明
	処理の開始と終了をあらわします。
	処理をあらわします。
	処理の流れをあらわします。処理の流れる方向が、上から下、左から右という原則から外れる場合は矢印を用いて明示します。
	条件によって流れが分岐する判定処理をあらわします。
	繰り返し（ループ）処理の開始をあらわします。
	繰り返し（ループ）処理の終了をあらわします。

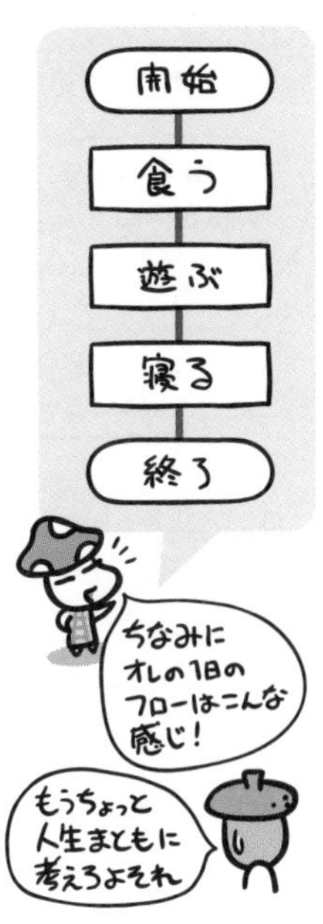

ここでちょっと構造化プログラミングのお約束を思い出してみましょう。

原則は「順次、選択、繰返しという3つの制御構造だけを使う」なので、アルゴリズムをあらわすフローチャートも、基本的には次の構造を組み合わせて処理の流れを表現する…ということになります。

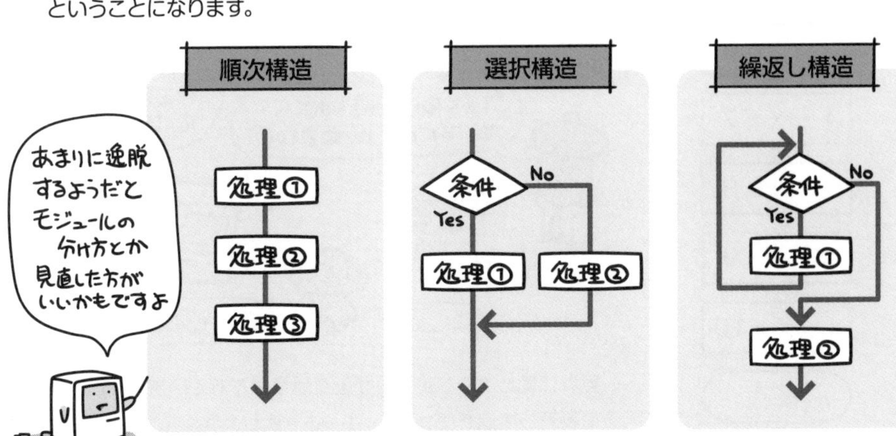

試しに1から10までの合計を求めてみる

それでは練習として、「1から10までの数を合計する」という処理のフローチャートを考えてみましょう。

たとえばどんな処理になると思いますか?

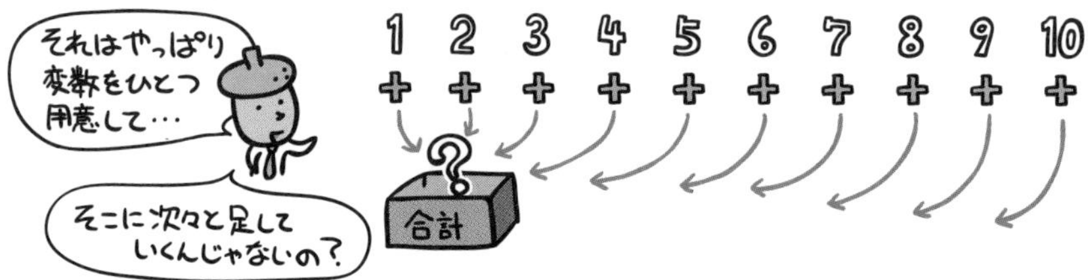

はい大正解! じゃあその場合どんなフローチャートが出来上がるでしょうか。

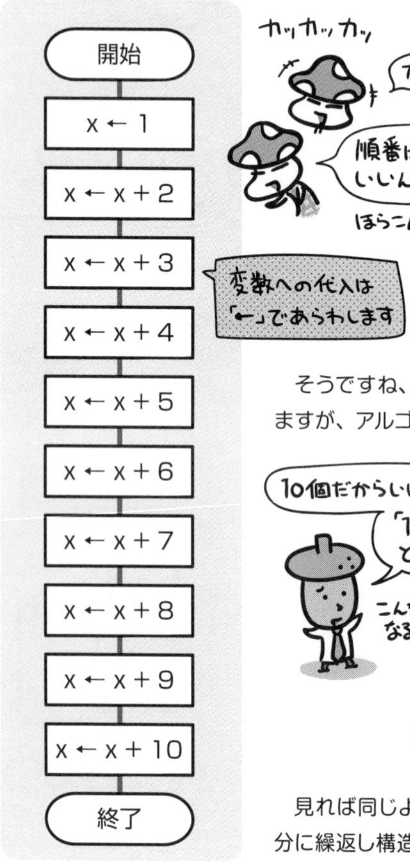

開始
x ← 1
x ← x＋2
x ← x＋3
x ← x＋4
x ← x＋5
x ← x＋6
x ← x＋7
x ← x＋8
x ← x＋9
x ← x＋10
終了

変数への代入は「←」であらわします

カッカッカッ
カンタンカンタン
順番に足していけばいいんでしょ?
ほらこんな風に
うわ! こりゃひどい!
確かに…
これはちょっとひどすぎる

そうですね、確かにこのフローチャートでも合計は求められますが、アルゴリズム的にはかなりイケてません。

10個だからいいけどさ〜
「1から100」とか言われたらどーすんの? 100個書くの?
こんなんなるよ?
変更に対する修正範囲も広くなっちゃうから
……
テストも保守も大変だよ?

見れば同じような足し算が延々繰り返されています。この部分に繰返し構造を使ってスッキリさせましょう。

…というわけで、スッキリさせてみたのが次の図です。

開始

x ← 0

i ← 1

i ≦ 10　（Yes / No）

x ← x + i

i ← i + 1

終了

処理の流れを見てみましょ～

① 合計を入れるための変数xを0で初期化

② xに足し込んでいく数字を入れるための変数iを、開始番号の1で初期化

③ これ以降に続く繰返し処理の終了条件判定

→ 中身が「10より大きい（つまりこの場合は11）」になっていれば繰返しは終了

→ 中身が10以下なら下の処理を繰返す

④ 変数xの中身に変数iの中身を加算して、その結果を変数xに入れる

0 x + 1 i → 1 x

たとえば繰返しの1回目だとこーなる

⑤ 変数iの中身を1増やす

1 i + 1 → 2 i

⑥ ③の判定に戻る

この繰返しによって「x+1」「x+2」「x+3」「x+4」…（i）…という計算が行われていくことになります

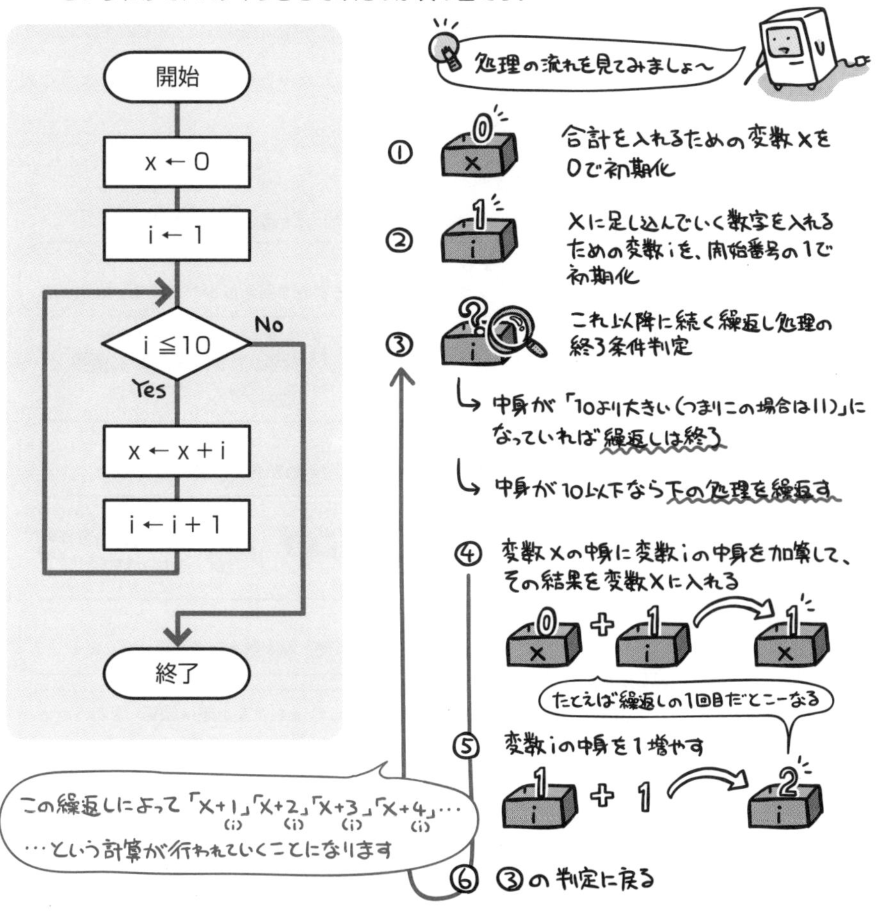

これで、お題の「1から10までの数の合計」を算出することができます。変数iの中身が11となって繰返し処理を終了した時には、計算結果である55という数字が、変数xの中に入っていることでしょう。

ちなみにこのアルゴリズム自体は数値を変えても有効です。なのでiの初期値や繰返しの終了条件判定に用いる数字を変えてやるだけで、「1から100の合計は?」とか、「10から200の合計は?」なんて計算にも対応することができます。

擬似言語であらわすとこうなります

せっかくなので、擬似言語を使って前ページのフローチャートを記述してみましょう。アルゴリズムをプログラミング言語で表現する練習です。

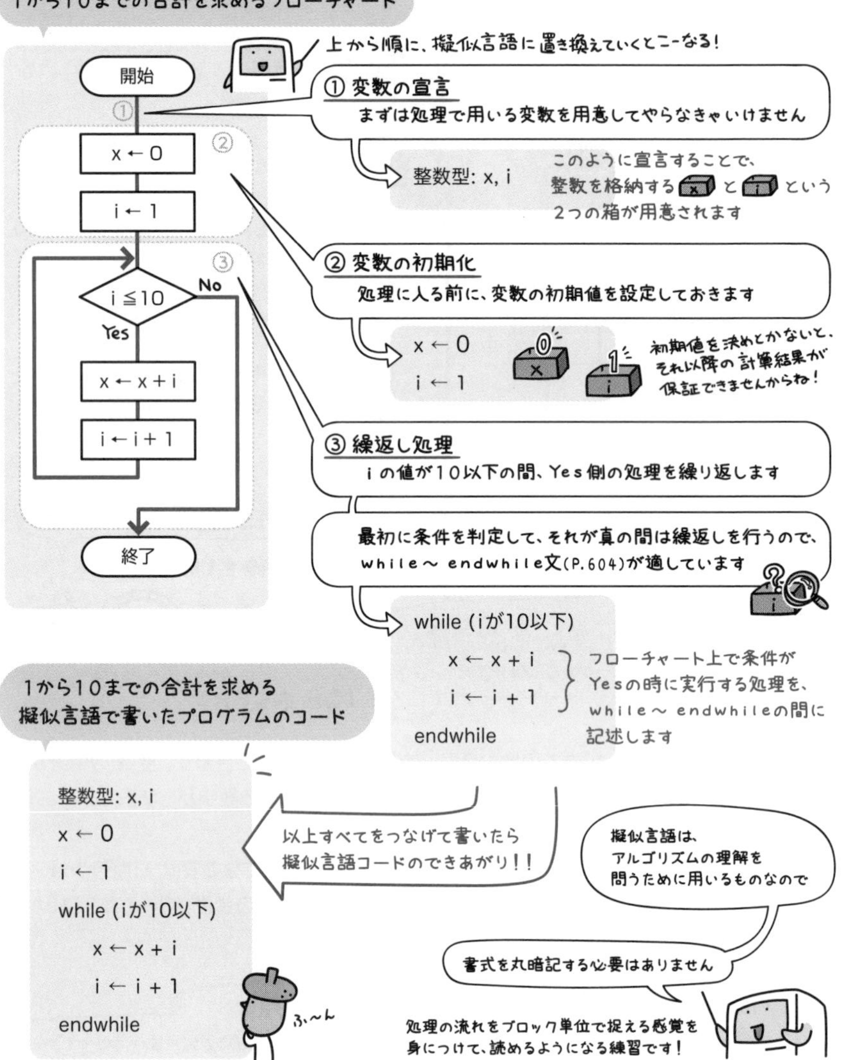

このように出題されています

過去問題練習と解説

(FE-R04-サ-02)

次の流れ図は，10進整数 j (0<j<100) を8桁の2進数に変換する処理を表している。2進数は下位桁から順に，配列の要素NISHIN(1)からNISHIN(8)に格納される。流れ図のa及びbに入れる処理はどれか。ここで，j div 2は j を2で割った商の整数部分を，j mod 2は j を2で割った余りを表す。

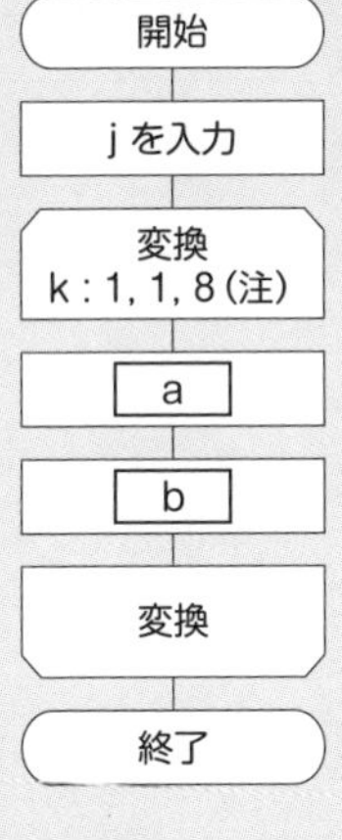

(注) ループ端の繰返し指定は，
変数名：初期値，増分，
終値を示す。

	a	b
ア	j ← j div 2	NISHIN(k) ← j mod 2
イ	j ← j mod 2	NISHIN(k) ← j div 2
ウ	NISHIN(k) ← j div 2	j ← j mod 2
エ	NISHIN(k) ← j mod 2	j ← j div 2

解説

例えば、jに、10進数の“2”を入力した場合、8桁の2進数は「00000010」になるので、NISHIN(1)からNISHIN(8)には、「0」･「1」･「0」･「0」･「0」･「0」･「0」･「0」が、それぞれ格納されます。

解説 次ページへ続く

(1) k=1のとき

	空欄aを通過した直後の状況	空欄bを通過した直後の状況
ア	2 div 2 ⇒ j は「1」になる	1 mod 2 ⇒ NISHIN(1)は「1」になる ⇒ 不正解
イ	2 mod 2 ⇒ j は「0」になる	0 div 2 ⇒ NISHIN(1)は「0」になる
ウ	2 div 2 ⇒ NISHIN(1)は「1」になる ⇒ 不正解	不正解なので省略
エ	2 mod 2 ⇒ NISHIN(1)は「0」になる	2 div 2 ⇒ jは「1」になる

(2) k=2のとき

	空欄aを通過した直後の状況	空欄bを通過した直後の状況
ア	不正解なので省略	
イ	0 mod 2 ⇒ j は「0」になる	0 div 2 ⇒ NISHIN(2)は「0」になる ⇒ 不正解
ウ	不正解なので省略	
エ	1 mod 2 ⇒ NISHIN(2)は「1」になる ⇒ 消去法により、正解である	正解なので省略

正解▶問1：エ

Chapter 16-6 データの持ち方

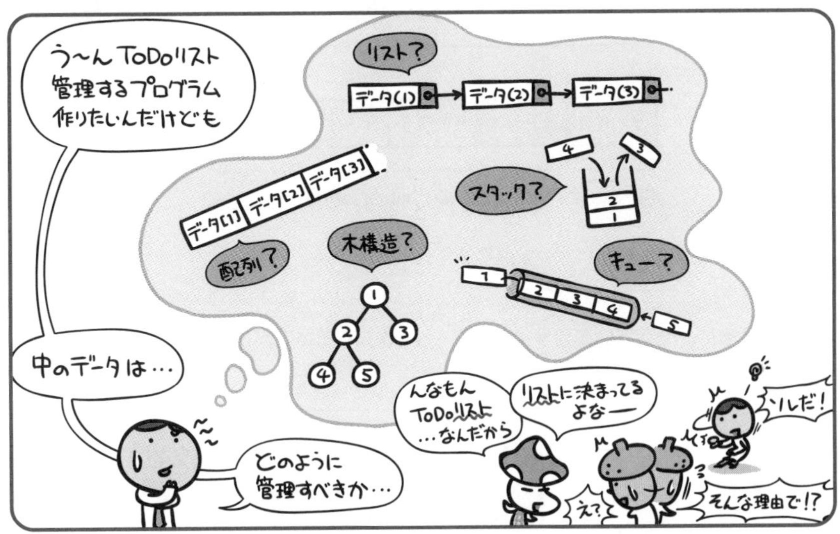

「プログラムの中でどのようにデータを保持するか」は、アルゴリズムを考える上で欠かせない検討項目です。

「データは変数という入れ物に放り込むことができる」というのは前に触れました。データ単体としてみればそれで話は終わるのですが、困ったことにデータというのは「集まって意味を成す」というものが非常に多いわけです。そしてもっと言えば、そうした「データの集まり」を処理するためにコンピュータを使うというのもすごく多い。

たとえば「住所」というデータをたくさん集めることになる住所録。たとえば「予定」データがずらずら並んだスケジューラ。そしてイラストにあるような「やらなきゃいけない項目」をいっぱい集めたToDoリストなんかもすべてそうですよね。

これらのデータを、どのような形でメモリ上に配置するか。ずらりと並べればいいのか、それとも階層管理しなきゃダメなのかそれとも…。

こうした、「データを配置する方法」を指してデータ構造と呼びます。

アルゴリズムの善し悪しは、プログラムの特性にあったデータ構造が採られているか否かに大きく左右されます。

配列

メモリ上の連続した領域に、ずらりとデータを並べて管理するのが配列です。

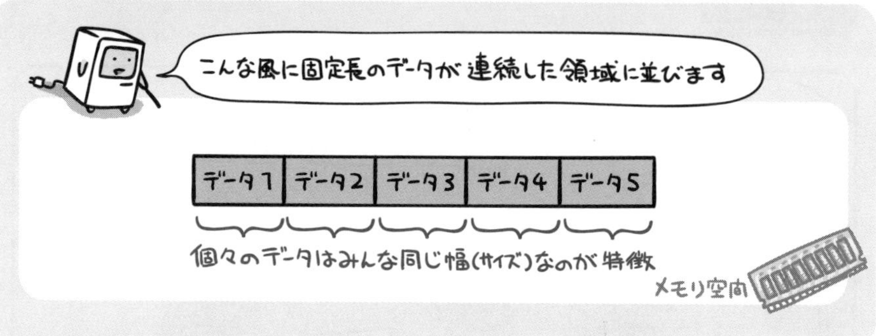

上図のように、配列では同じサイズのデータ（を入れる箱）が連続して並ぶことになるわけですが、その利点として添字（そえじ）があります。

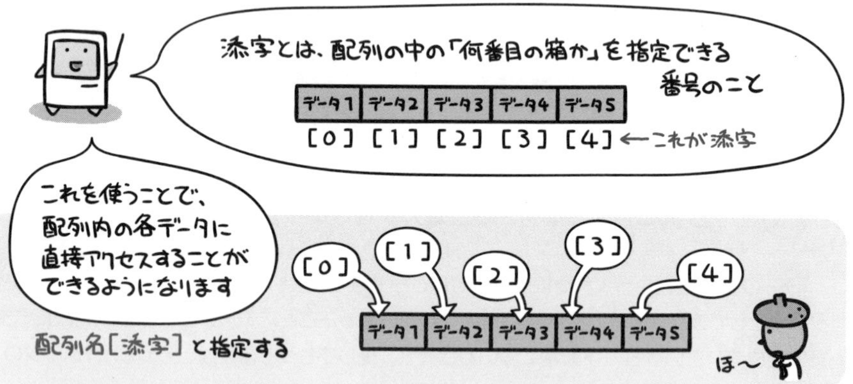

ただし最初に固定サイズでまとめてごっそり領域を確保してしまうため、データの挿入や削除などは不得手です。したがって、データの個数自体が頻繁に増減する用途には、あまり適していると言えません。

ちなみに、左ページのような一列にずらりと並んだ配列を一次元配列と呼びます。

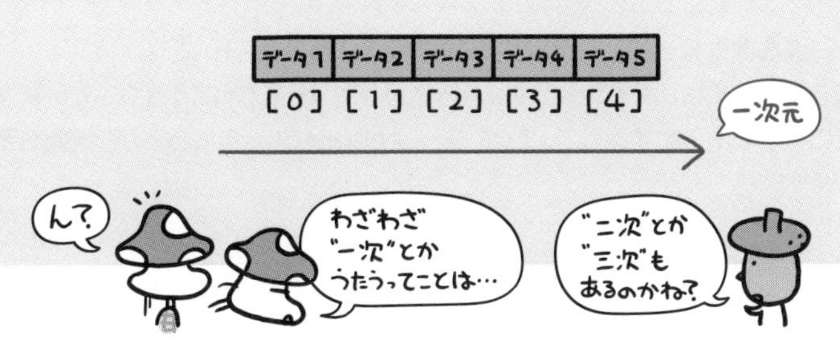

ピンポーン！多次元配列といって、添字を増やしていく（つまり「配列の配列」を作る）ことで二次、三次…とすることができます。ここではイメージのしやすい二次元配列を使って、どのようになるか見てみましょう。縦と横の2軸を使った、表状の配列を想像してください。

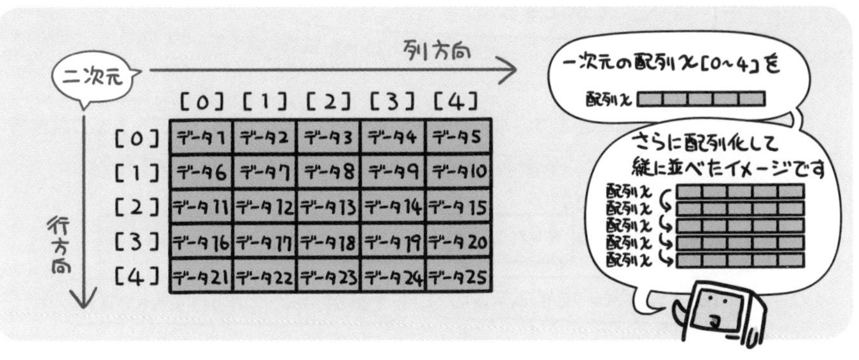

二次元配列の場合も、添字を使って個々の要素に直接アクセスできる特徴は変わりません。

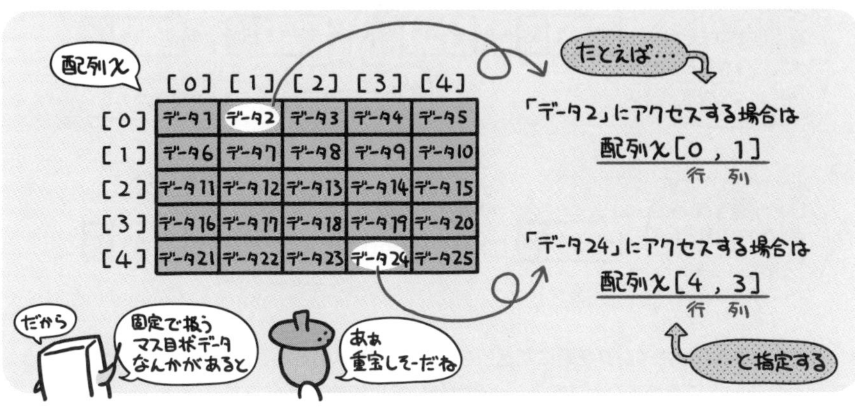

リスト

データとデータを数珠繋ぎにして管理するのがリスト（線形リスト）です。

リストの扱うデータには、ポインタと呼ばれる番号がセットになってくっついています。これはメモリ上の位置をあらわす番号で、「次のデータがメモリのどこにあるか」を指し示しています。

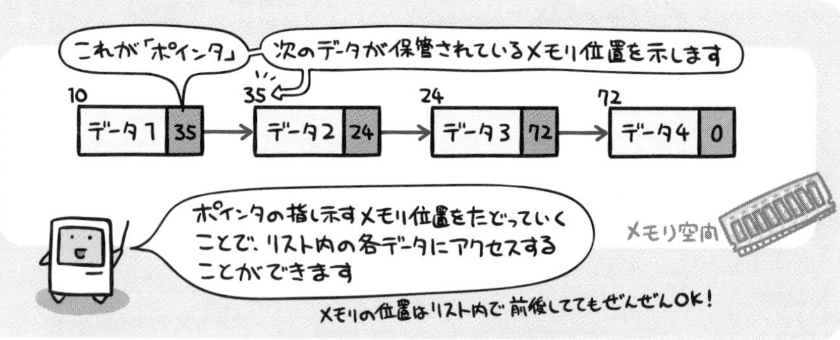

リストの特徴はその柔軟さです。ポインタさえ書きかえればいくらでもデータをつなぎ替えることができるので、データの追加・挿入や、削除などがとても簡単に行えます。

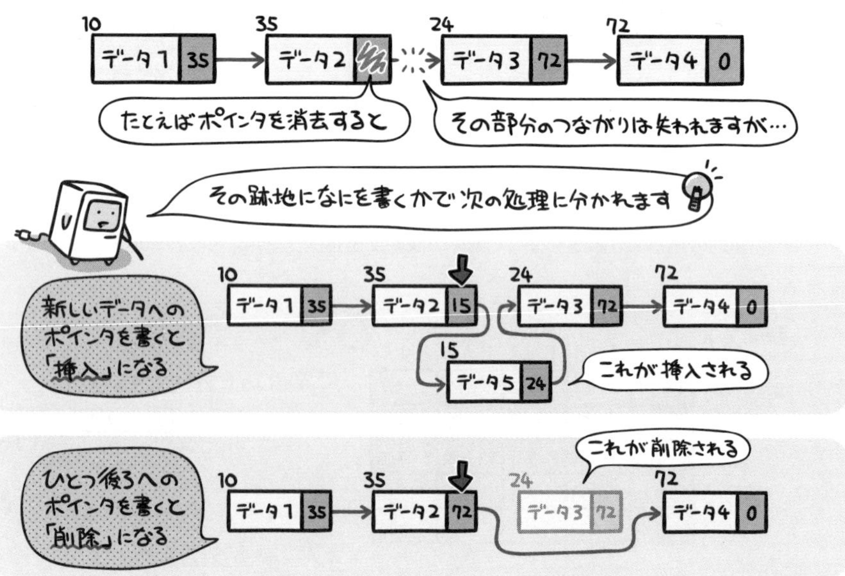

ただし、リストはポインタを順にたどらなければいけないため、配列みたいに「添字を使って個々のデータに直接アクセスする」ような使い方はできません。

こうしたリストには、ポインタの持ち方によって、単方向リスト、双方向リスト、循環リストという3つの種類があります。

単方向リスト

次のデータへのポインタを持つリストです。左ページの説明でも用いているようにリストといえばこれ。一番基本的な構造です。

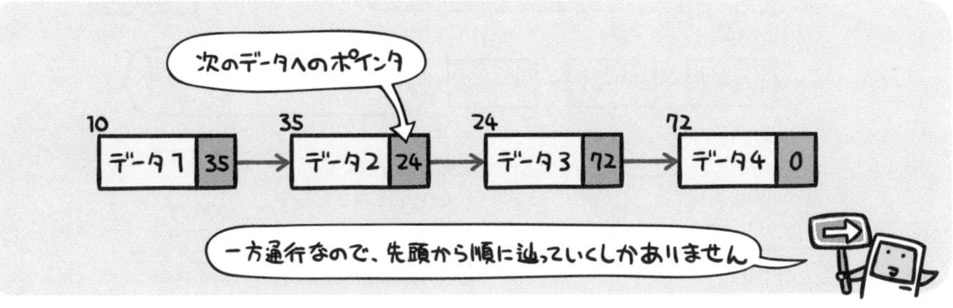

双方向リスト

次のデータへのポインタと、前のデータへのポインタを持つリストです。

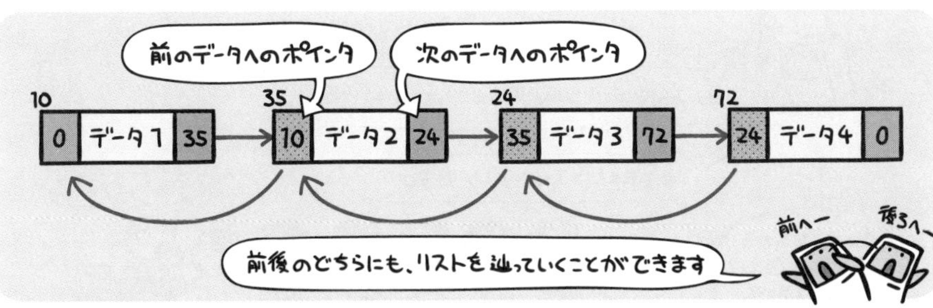

循環リスト

次のデータへのポインタを持つリスト。ただし、最後尾データは、先頭データへのポインタを持ちます。

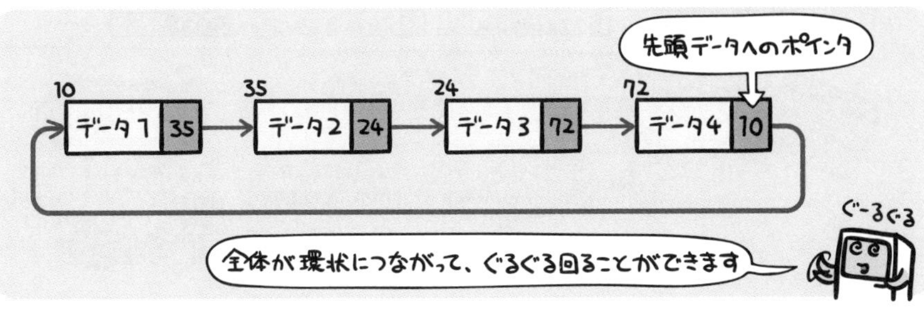

キュー

キューは待ち行列とも言われ、最初に格納したデータから順に処理を行う、先入れ先出し（FIFO: First In First Out）方式のデータ構造です。

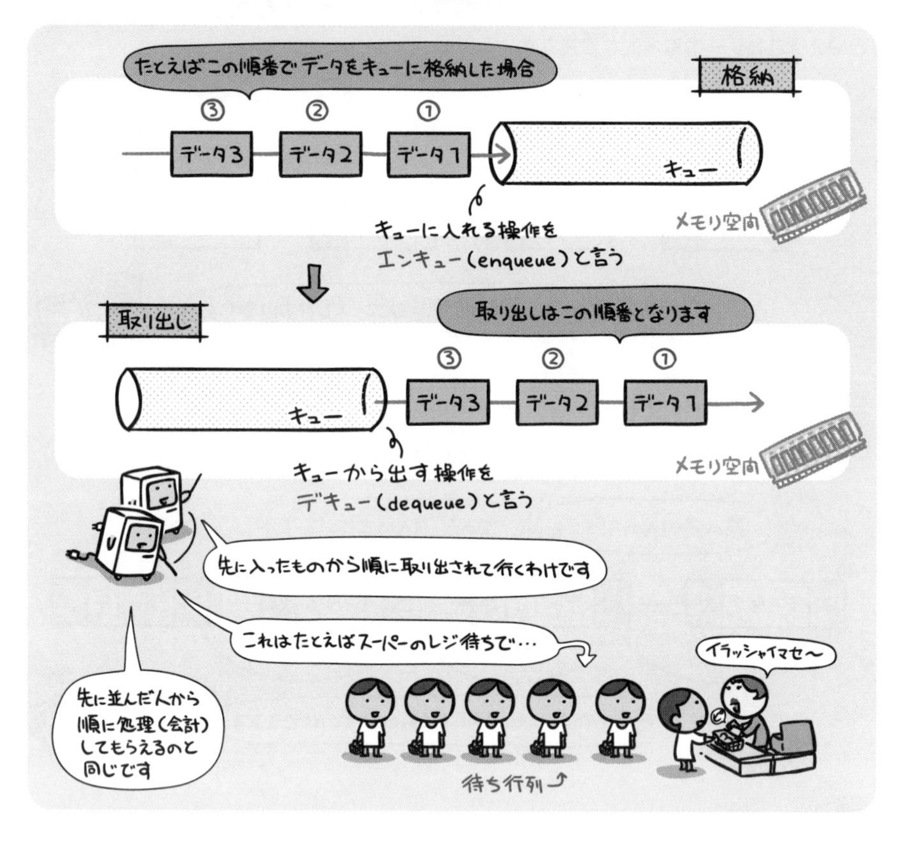

キューは、入力されたデータがその順番通りに処理されなければ困る状況で使われます。身近な例をあげると、次の処理では、いずれもキューが利用されています。

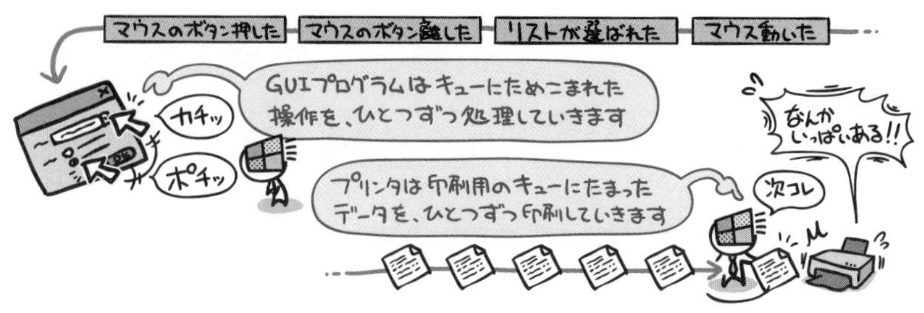

スタック

スタックはキューの逆で、最後に格納したデータから順に処理を行う、後入れ先出し(LIFO: Last In First Out) 方式のデータ構造です。

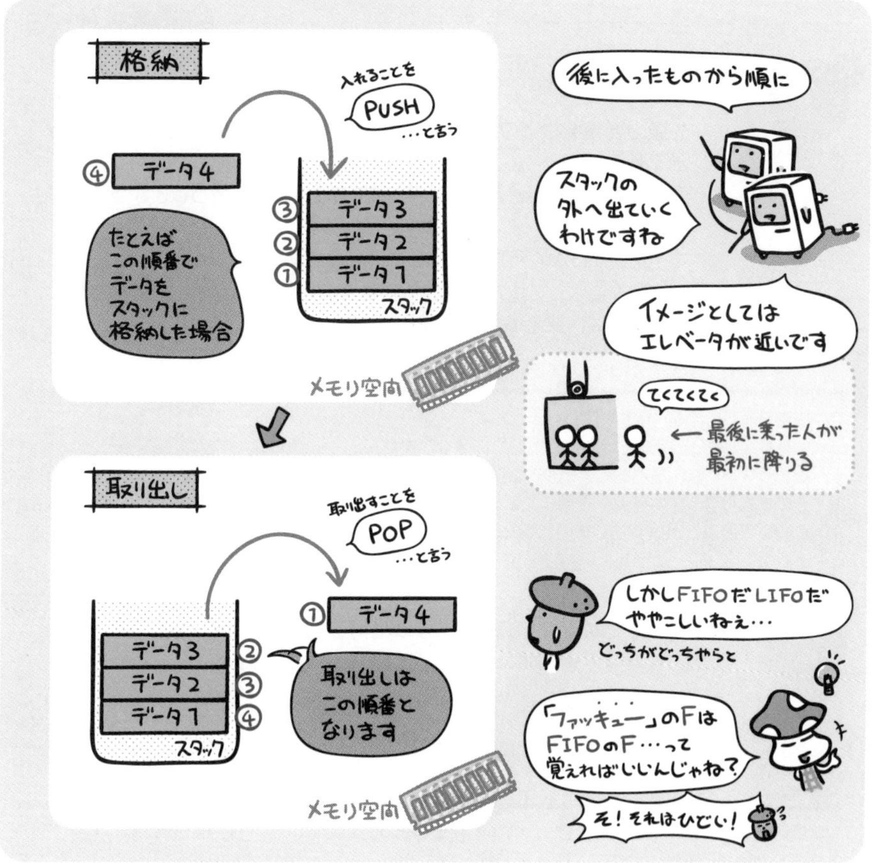

格納

入れることを PUSH …と言う

④ データ4

③ データ3
② データ2
① データ1
スタック

たとえば この順番で データを スタックに 格納した場合

メモリ空間

取り出し

取り出すことを POP …と言う

① データ4

データ3 ②
データ2 ③
データ1 ④
スタック

取り出しは この順番と なります

メモリ空間

後に入ったものから順に

スタックの 外へ出ていく わけですね

イメージとしては エレベータが近いです

てくてくてく

← 最後に乗った人が 最初に降りる

しかしFIFOだLIFOだ ややこしいねえ…

どっちがどっちやらと

「ファッキュー」のFは FIFOのF…って 覚えればいいんじゃね?

そ! それはひどい!

プログラムが、呼び出したサブルーチンの処理終了後に元の場所へ戻れるのは、「サブルーチン実行後どこに戻るのか」がスタックとして管理されているからです。

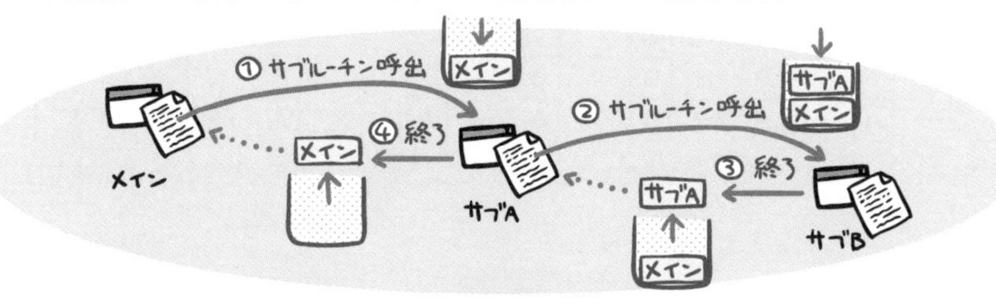

このように出題されています
過去問題練習と解説

(AP-R02-A-05)

ポインタを用いた線形リストの特徴のうち，適切なものはどれか。

ア　先頭の要素を根としたn分木で，先頭以外の要素は全て先頭の要素の子である。

イ　配列を用いた場合と比較して，2分探索を効率的に行うことが可能である。

ウ　ポインタから次の要素を求めるためにハッシュ関数を用いる。

エ　ポインタによって指定されている要素の後ろに，新たな要素を追加する計算量は，要素の個数や位置によらず一定である。

解説

ア　線形リストには、n分木は使われません。

イ　線形リストで2分探索を行うと、効率的にはなりません。

ウ　線形リストでは、基本的に、ハッシュ関数は用いられません。

エ　そのとおりです。ポインタを用いた線形リストは、618 ～ 619ページで説明されている「リスト」と同じである、と解釈して構いません。

(FE-H29-A-05)

A，B，C，Dの順に到着するデータに対して，一つのスタックだけを用いて出力可能なデータ列はどれか。

ア　A，D，B，C　　イ　B，D，A，C

ウ　C，B，D，A　　エ　D，C，A，B

解説

本問の場合、データはA，B，C，Dの順に到着します。しかし、「A，B，C，Dの順にスタックに入れた」とは書いていないので、要注意です。

下図のようにすれば、選択肢ウの順に出力できます。

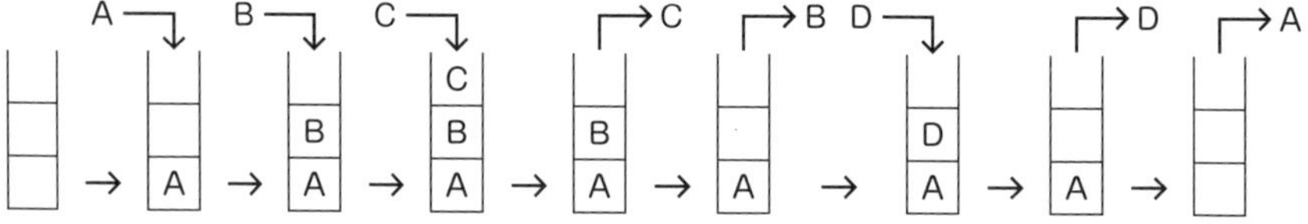

選択肢ウ以外の選択肢は、どのような順番でスタックに入れても出力不能ですので、不正解です。

正解▶問1：エ　問2：ウ

木（ツリー）構造

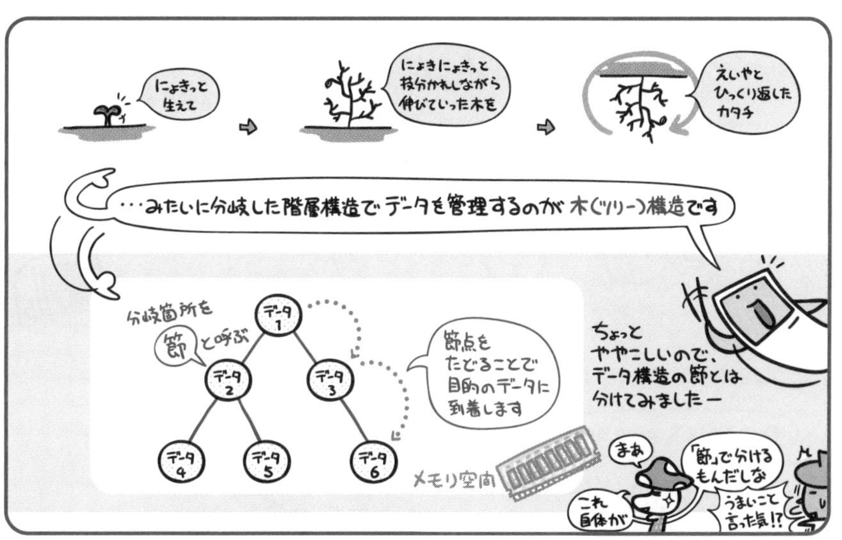

木構造は、階層構造を持つデータで広く用いられる他、データの探索や整列などの用途にも使われるデータ構造です。

木構造については、これまでにもいくつか本書内で実例が出ていますので、それを紹介した方が話が早いでしょう。

ハードディスクなど補助記憶装置のファイルシステム（P.278）や、インターネットのドメイン名（P.407）などは、いずれも木構造を用いて管理されています。つまりこのような階層構造を効率よく管理できる構造ですよー、というわけですね。

2分木というデータ構造

木構造を構成する各要素には、次のように名前がついています。

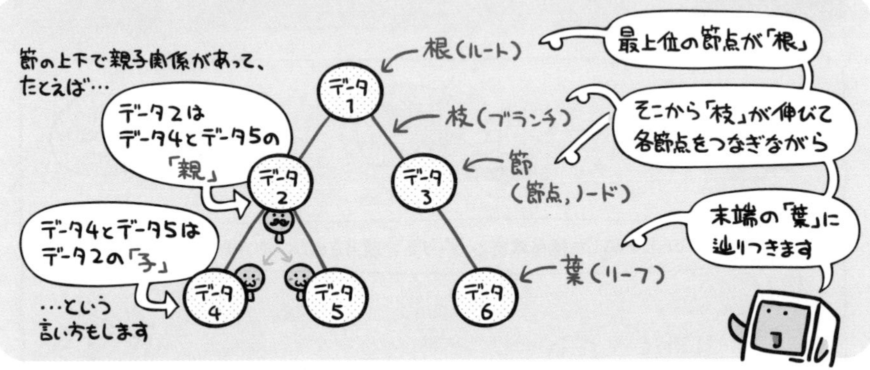

こうした木構造のうち、節から伸びる枝が2本以下であるものを2分木といいます。

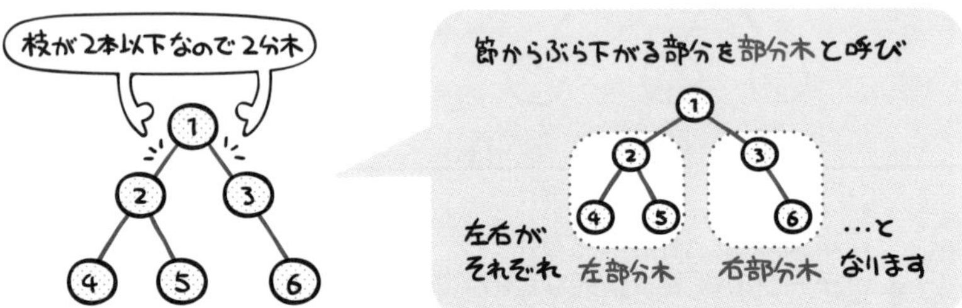

2分木は、左右の子に対するポインタをデータに付加することで、次のような配列構造としてあらわすことができます。

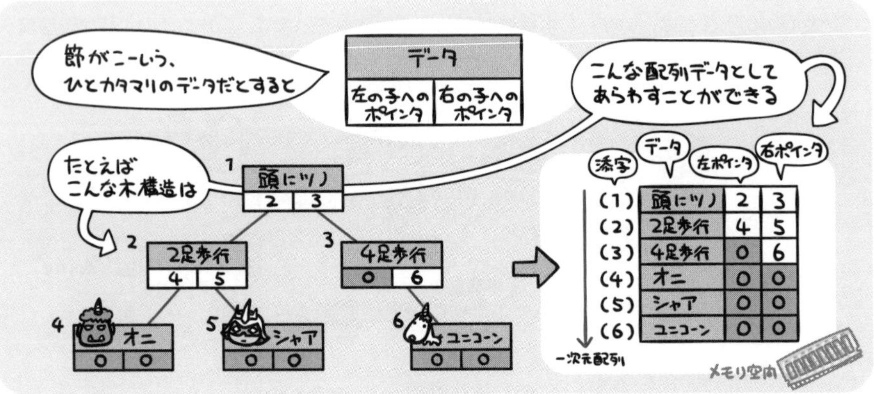

添字	データ	左ポインタ	右ポインタ
(1)	頭にツノ	2	3
(2)	2足歩行	4	5
(3)	4足歩行	0	6
(4)	オニ	0	0
(5)	シャア	0	0
(6)	ユニコーン	0	0

完全2分木

葉以外の節がすべて2つの子を持ち、根から葉までの深さが一様に等しい2分木を完全2分木と呼びます。

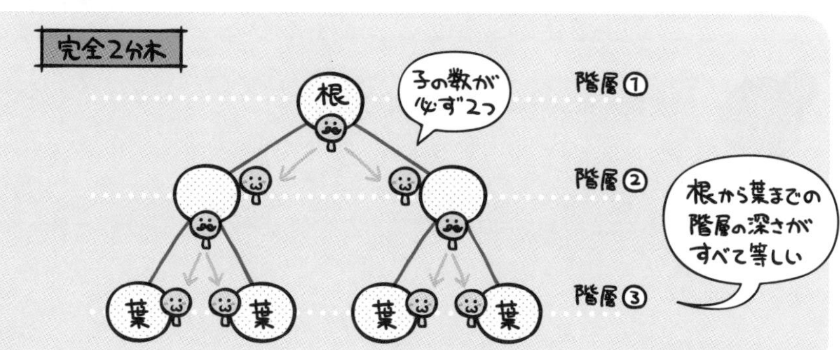

2分探索木

親に対する左部分木と右部分木の関係が、「左の子＜親＜右の子」となる2分木を2分探索木と呼びます。ここで言う「子」は、その部分木に含むすべての節を指すので…

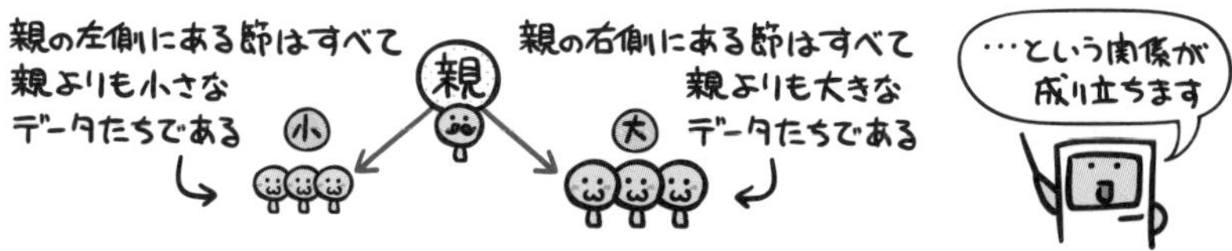

この特性により、2分探索木ではデータの探索を容易に行うことができます。

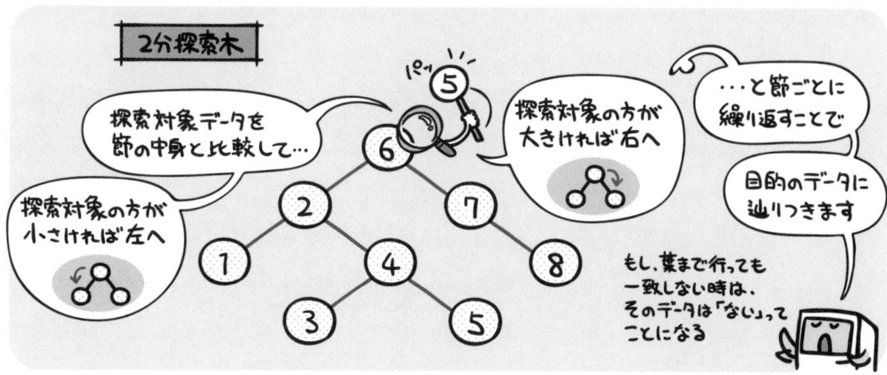

このように出題されています
過去問題練習と解説

2分探索木になっている2分木はどれか。

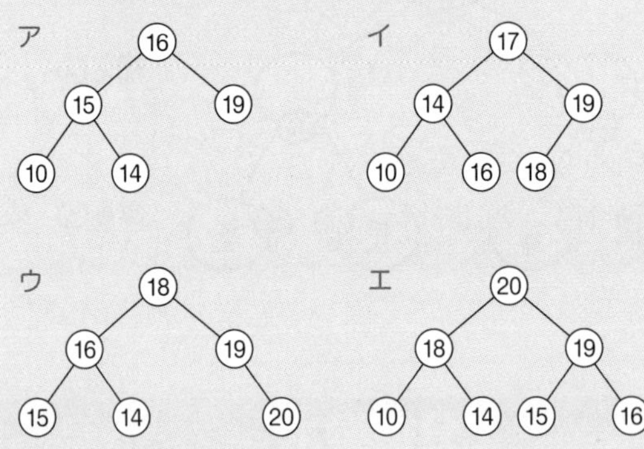

解説

2分探索木（625ページ参照）は、親に対する、左部分木（＝左の子）と右部分木（＝右の子）の全てが、“左の子＜親＜右の子”となる2分木です。このようになっているのは、選択肢イだけです。

ア　左の子（10）＜親（15）＞右の子（14）になっています。
ウ　左の子（15）＜親（16）＞右の子（14）になっています。
エ　左の子（10）＜親（18）＞右の子（14）、左の子（15）＜親（19）＞右の子（16）になっています。

正解▶問1：イ

Chapter 16-8 データを探索するアルゴリズム

探索の代表的なアルゴリズムには、
線形探索法、2分探索法、ハッシュ法などがあります。

「16-5 アルゴリズムとフローチャート（P.608）」ではアルゴリズムの一例として合計の算出を行いました。このように、アルゴリズムには、ある種お約束的に使われる処理というのが多数存在します。高度で難しいものから、単純で基礎的なものまで様々あるわけです。

そんなアルゴリズムの中で、基礎的で、かつ単純なものとして挙げられるひとつが「探索」です。上で書いてある通り、目的のデータを探し当てる処理ですね。

単純だからといってなめてはいけません。たとえば棚の中から目的のものを取り出す作業は、特に意識することもなく日常生活の中で行っているものです。

では、その時の思考ロジックを絵に描いて示すこと…できますか？

そうなのです。基礎的なアルゴリズムを知るということは、「代表的らしいから知っておく」というだけでなく、基礎的で、単純だからこそ、自身の頭の中にある処理を、「どのようにアルゴリズムとして分解するのか」という練習に役立つのです。

線形探索法

さて、それではまず「いちばん単純な探索のアルゴリズム」を考えてみましょう。

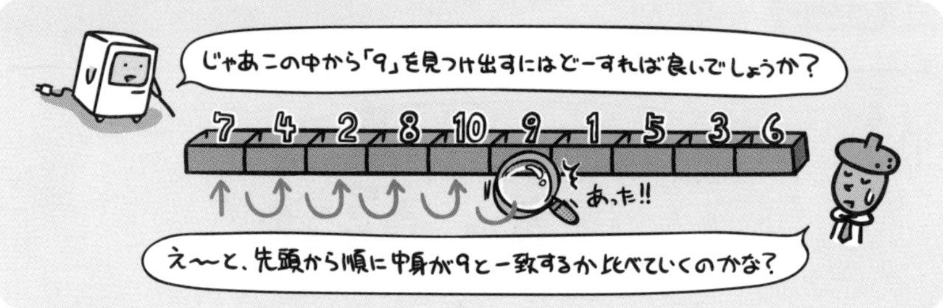

はい、正解。
このように、先頭から順に探索していく方法を線形探索法と呼びます。
どんなアルゴリズムになるか、フローチャートで見ていきましょう。

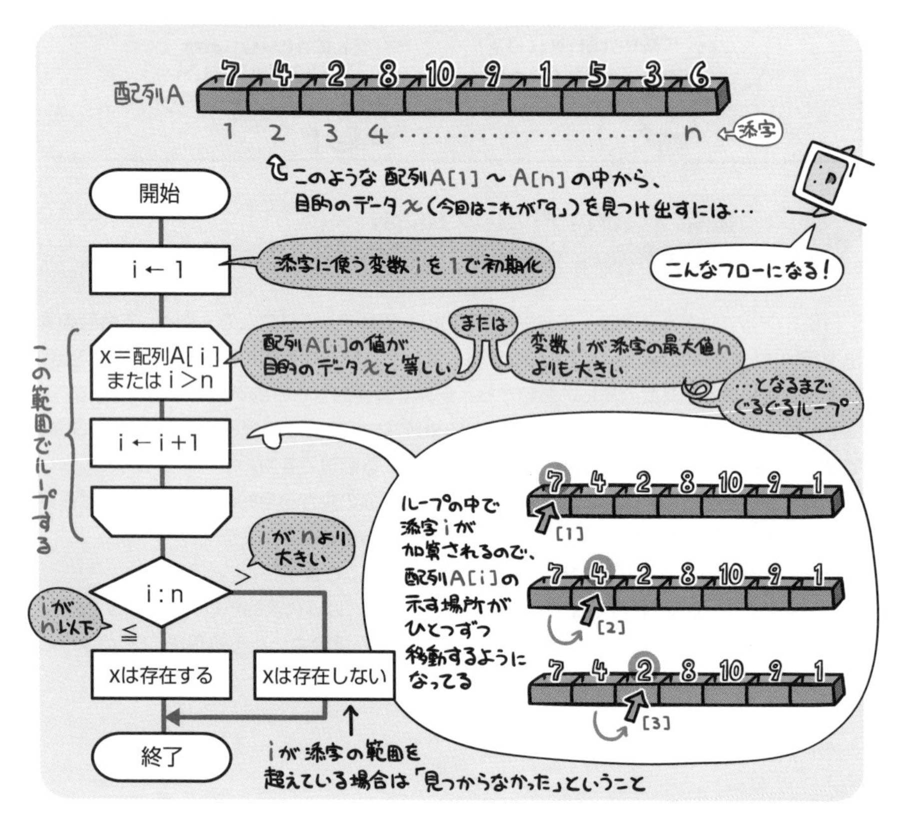

配列A
7 4 2 8 10 9 1 5 3 6
1 2 3 4 …………………… n ⇐添字

このような 配列A[1] ~ A[n] の中から、
目的のデータ x（今回はこれが「9」）を見つけ出すには…

こんなフローになる！

開始

i ← 1 ― 添字に使う変数 i を1で初期化

x＝配列A[i]
または i ＞n

配列A[i]の値が目的のデータ x と等しい　または　変数 i が添字の最大値n よりも大きい

…となるまでぐるぐるループ

i ← i +1

この範囲でループする

ループの中で添字iが加算されるので、配列A[i]の示す場所がひとつずつ移動するようになってる

7 4 2 8 10 9 1 [1]
7 4 2 8 10 9 1 [2]
7 4 2 8 10 9 1 [3]

i : n

＞ iがnより大きい

≦ iがn以下

xは存在する

xは存在しない

iが添字の範囲を超えている場合は「見つからなかった」ということ

終了

ざっくり言えば、「データが見つかるか、配列の添字範囲を超えるかしたらループ終了」という条件で探索していくのがこの方法というわけです。

ところがこれだと、ループする中で「目的のデータか？」「添字範囲を超えたか？」という2つの判定が毎回行われることになり、効率という面では少々イケてません。

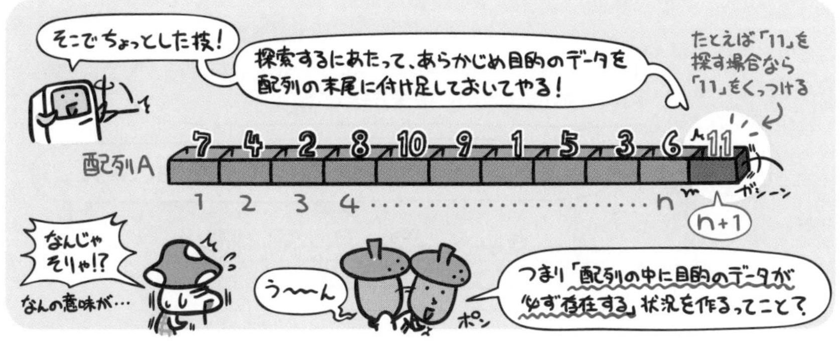

その通り！このようにすると、ループの終了判定から「添字範囲を超えたか？」という条件を取っ払うことができるのです。だって添字の範囲内で“必ず”目的のデータが見つかるわけですからね。

この、「終了判定を簡単にするため末尾に付加したデータ」のことを、番兵と呼びます。

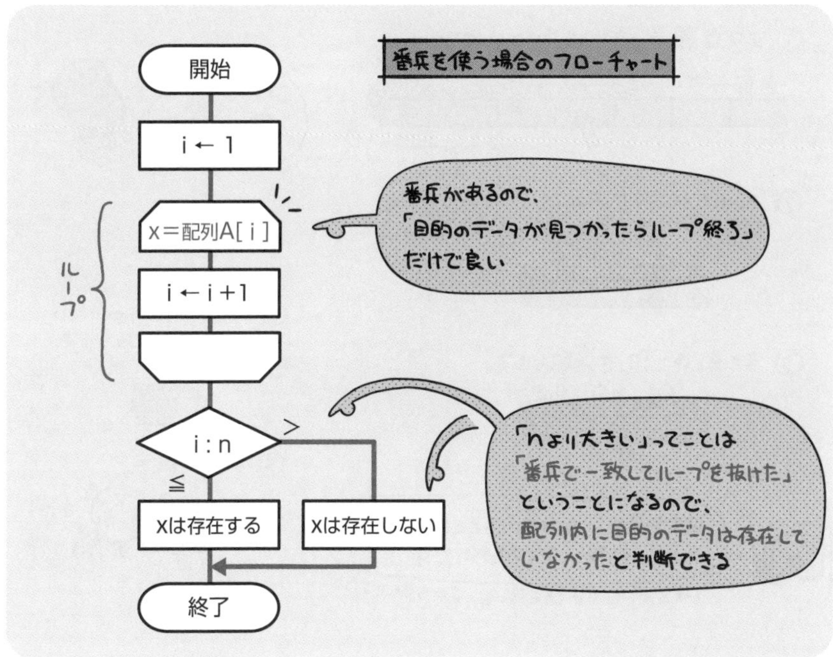

16 プログラムの作り方

2分探索法

あらかじめ探索対象のデータ群が「昇順に並んでいる」「降順に並んでいる」といった規則性を持つ場合は、2分探索法という、より効率の良い方法をとることができます。

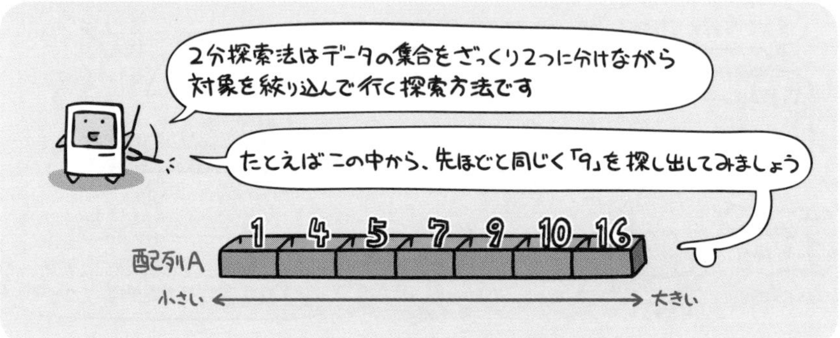

具体的には、次のような流れで絞り込んで行くことになります。

2分探索法で絞り込む手順

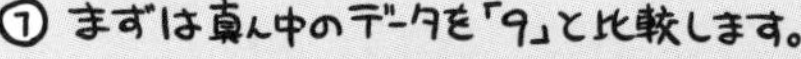

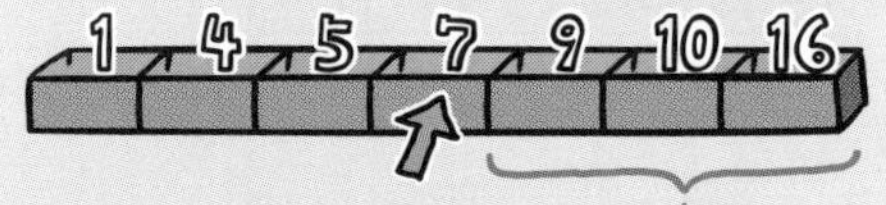

② 「9」の方が大きかったので、
探索の対象を右半分に絞り込みます。

③ また真ん中と「9」を比較します。

④ 今度は「9」の方が小さいので左半分に絞ります。

⑤ 見つかりました。

探索対象を1/2ずつ削り落としていけるので、
その分、効率が良くなるわけです

2分探索木(P.625)の話も思い出しながら見てみよう!!

それでは、この場合のフローチャートがどうなるか見てみましょう。

まず前提。配列に対して、探索範囲の上限下限、真ん中の値を次のように表現しますよーというところを頭の中で整理してください。

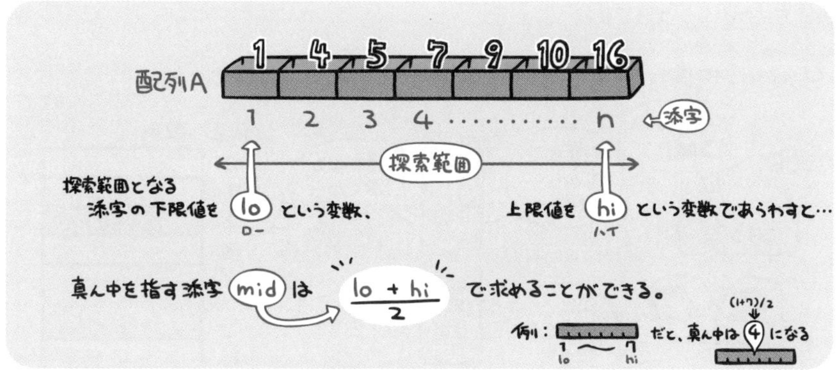

その上で、フローチャートは次のようになります。

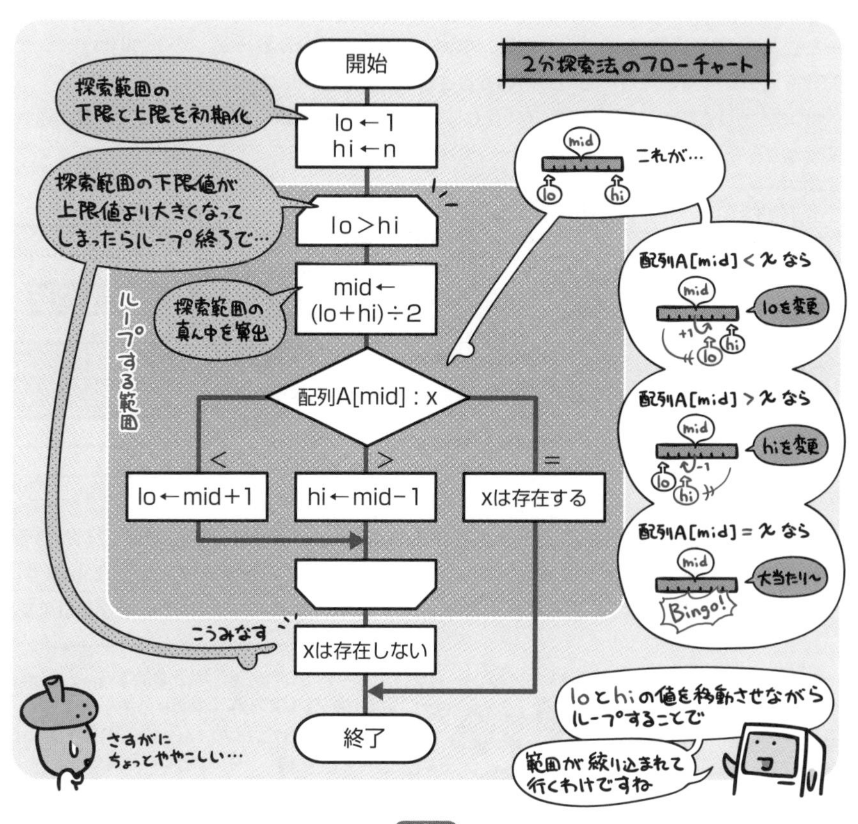

2分探索法のフローチャート

開始

lo←1
hi←n

lo＞hi

mid←
(lo＋hi)÷2

配列A[mid]：x

<

>

=

lo←mid＋1

hi←mid−1

xは存在する

xは存在しない

終了

探索範囲の
下限と上限を初期化

探索範囲の下限値が
上限値より大きくなって
しまったらループ終了で…

こうみなす

探索範囲の
真ん中を算出

ループする範囲

これが…

配列A[mid] < x なら
lo を変更
+1

配列A[mid] > x なら
hi を変更
-1

配列A[mid] = x なら
大当たり〜
Bingo!

lo と hi の値を移動させながら
ループすることで

範囲が絞り込まれて
行くわけですね

さすがに
ちょっとややこしい…

ハッシュ法

ハッシュ関数と呼ばれる「一定の計算式」を用いて、データの格納位置をズバリ算出する探索方法がハッシュ法です。

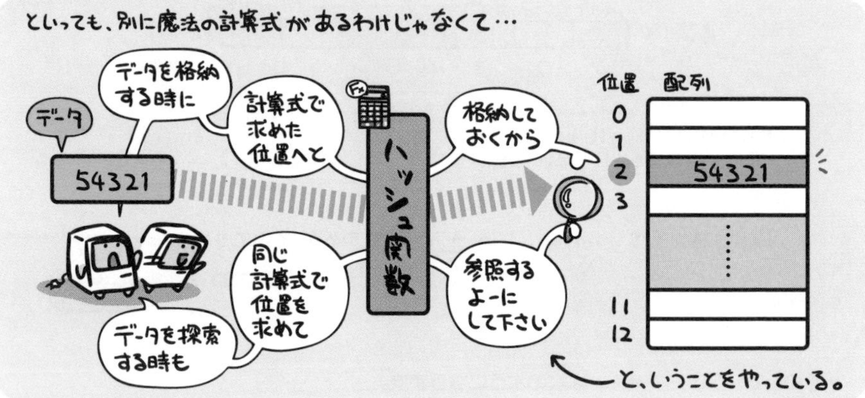

たとえば、5桁の数 $a_1\,a_2\,a_3\,a_4\,a_5$ を、mod ($a_1 + a_2 + a_3 + a_4 + a_5$, 13) というハッシュ関数を用いて位置を決め、配列に格納するとします。

modは余りを求める関数です。mod（x, 13）とした場合は、xを13で割った余りが返ってきます。では、「54321」というデータの格納位置はどこになるでしょう？

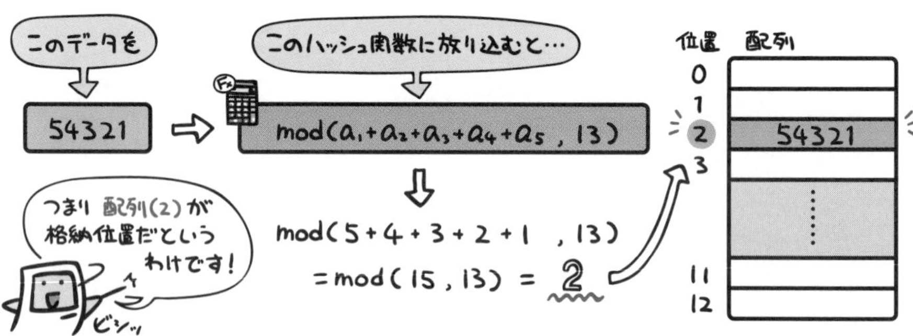

ただ、仮に「12345」というデータがあったとしたら、やっぱり格納位置は「2」という計算結果になりますから上記と衝突してしまうんですよね。この現象をシノニムといいます。シノニムが発生した場合は、さらに別の計算を行って新しい格納先を求める必要があります。

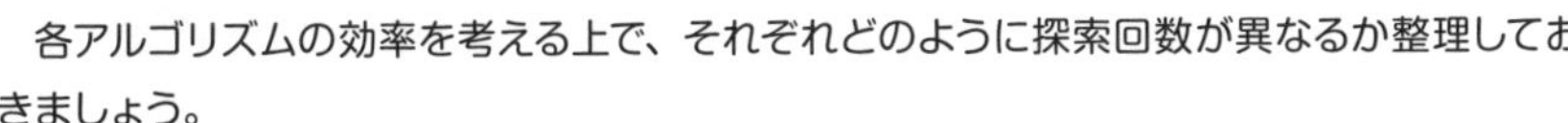

各アルゴリズムにおける探索回数

各アルゴリズムの効率を考える上で、それぞれどのように探索回数が異なるか整理しておきましょう。

線形探索法

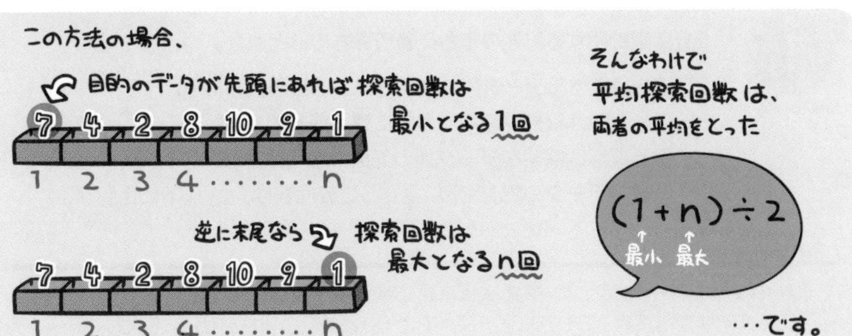

2分探索法

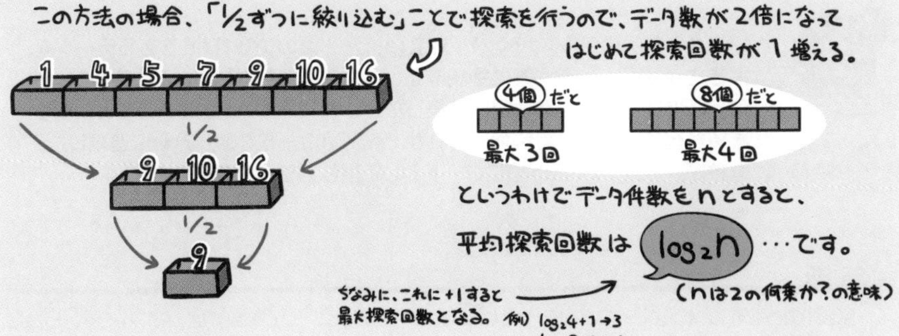

ハッシュ法

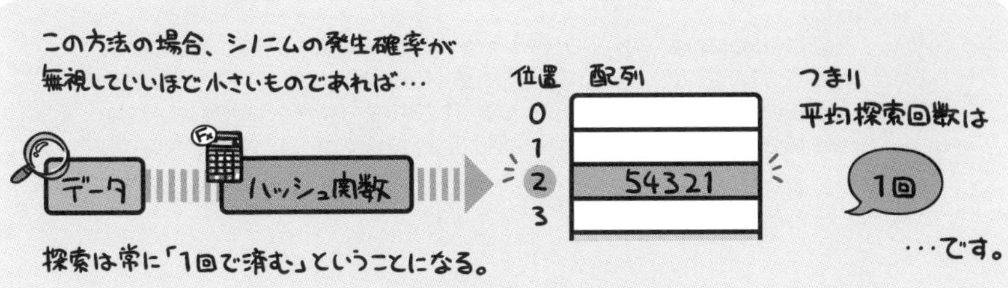

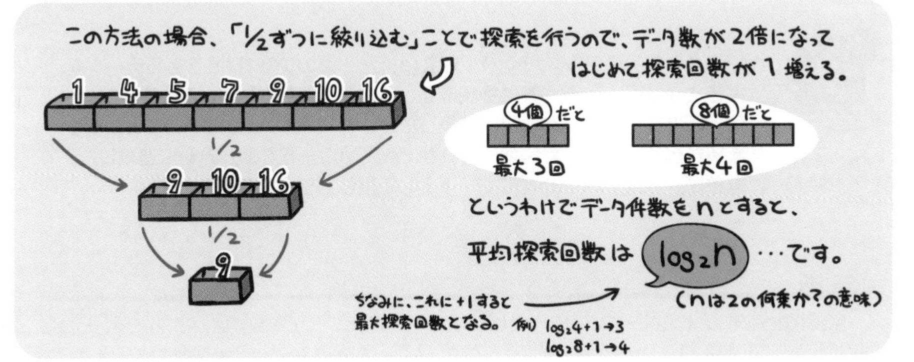

このように出題されています 過去問題練習と解説

(FE-H26-A-6)

2分探索に関する記述のうち，適切なものはどれか。

ア　2分探索するデータ列は整列されている必要がある。
イ　2分探索は線形探索よりも常に速く探索できる。
ウ　2分探索は探索をデータ列の先頭から開始する。
エ　n個のデータの2分探索に要する比較回数は，$n\log_2 n$に比例する。

解説

ア　2分探索するデータ列は、昇順もしくは降順に整列されている必要があります。
イ　「2分探索は線形探索よりも常に速く探索できる」とは言い切れません。例えば、データ列の先頭に検索する対象データがある場合、線形探索のほうが速く検索できます。
ウ　2分探索は探索をデータ列の中央から開始します。
エ　n個のデータの2分探索に要する平均比較回数は、$\log_2 n$です。

(FE-R06-02)

キーが小文字のアルファベット1文字（a, b,…, zのいずれか）であるデータを，大きさが10のハッシュ表に格納する。ハッシュ関数として，アルファベットのASCIIコードを10進表記法で表したときの1の位の数を用いることにする。衝突が起こるキーの組合せはどれか。ASCIIコードでは，昇順に連続した2進数が，アルファベット順にコードとして割り当てられている。

ア　aとi　　イ　bとr　　ウ　cとl　　エ　dとx

解説

ASCIIコード表は、109ページにあり、例えば、aは16進数の“61”（10進数では“97”）です。しかし、ASCIIコード表を覚えていない受験者がほとんどでしょう。問題文は、“ハッシュ関数として，アルファベットのASCIIコードを10進表記法で表したときの1の位の数を用いることにする”としていますので、aを10進数の“1”、bを10進数の“2”、cを10進数の“3”、…と仮定して解いても、衝突が起こるキーの組合せは同じです。この仮定をした場合、各選択肢は下記のような状況になります。

ア　aのハッシュ値（1の1の位の数…1）とiのハッシュ値（9の1の位の数…9）は、異なります。
イ　bのハッシュ値（2の1の位の数…2）とrのハッシュ値（18の1の位の数…8）は、異なります。
ウ　cのハッシュ値（3の1位の数…3）とlのハッシュ値（12の1の位の数…2）は、異なります。
エ　dのハッシュ値（4の1位の数…4）とxのハッシュ値（24の1の位の数…4）は、同じなので衝突します。

正解▶問1：ア　問2：エ

Chapter 16-9 データを整列させるアルゴリズム

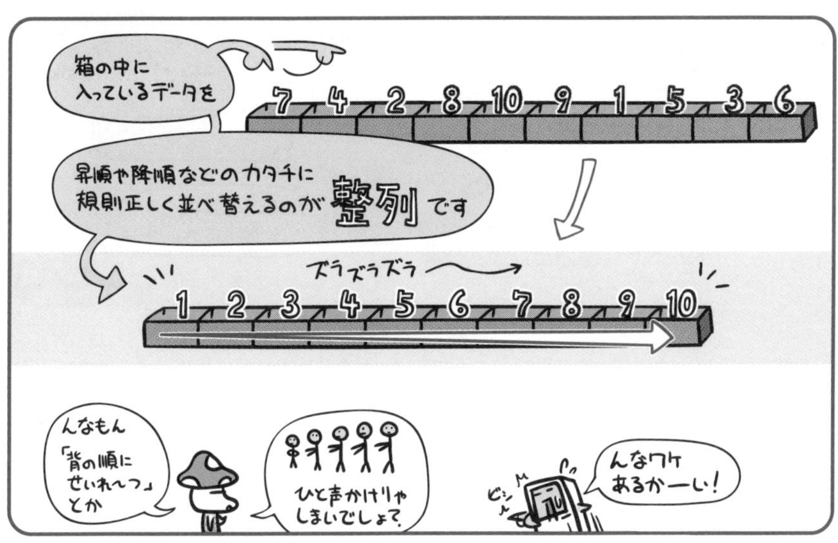

整列の代表的なアルゴリズムには、
基本交換法、基本選択法、基本挿入法などがあります。

前節で述べた「お約束として挙げられる基礎的で単純なアルゴリズム」、そのもうひとつが「整列」です。昇順とか降順に並べ替えてやるもの。

昇順といえば「小さいものから大きいものへ」と並べ替えて、降順といえば「大きいものから小さいものへ」と並べ替えてやるわけですね。

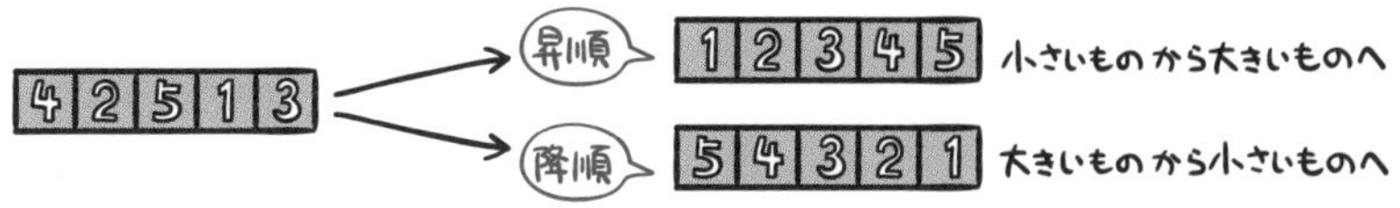

こちらも、私たちは特に意識することなく日常生活の中で行っている処理です。

学生時代の「背の順」や「出席番号順」といった懐かしいものもあれば、社会人になってからも、受け取った名刺を「五十音順」で並べたりとか…。

では前節同様、どのようなアルゴリズムで整列が行われているのかを、それぞれの方式ごとに見ていきましょう。

基本交換法（バブルソート）

隣接するデータの大小を比較、必要に応じて入れ替えることで全体を整列させるのがバブルソートです。

それでは実践。次のデータの並びを、バブルソートを使って昇順に並び替えてみましょう。

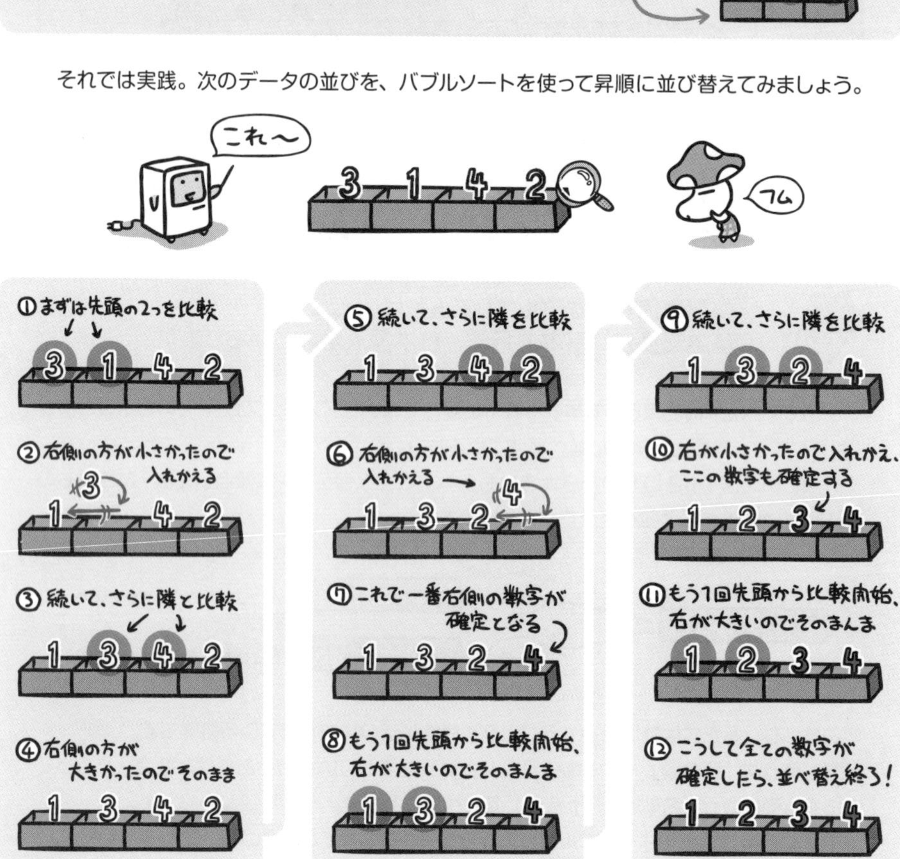

これ〜

3 1 4 2

フム

① まずは先頭の2つを比較

3 1 4 2

② 右側の方が小さかったので入れかえる

1 3 4 2

③ 続いて、さらに隣と比較

1 3 4 2

④ 右側の方が大きかったのでそのまま

1 3 4 2

⑤ 続いて、さらに隣を比較

1 3 4 2

⑥ 右側の方が小さかったので入れかえる →

1 3 2 4

⑦ これで一番右側の数字が確定となる

1 3 2 4

⑧ もう1回先頭から比較開始、右が大きいのでそのまんま

1 3 2 4

⑨ 続いて、さらに隣を比較

1 3 2 4

⑩ 右が小さかったので入れかえ、ここの数字も確定する

1 2 3 4

⑪ もう1回先頭から比較開始、右が大きいのでそのまんま

1 2 3 4

⑫ こうして全ての数字が確定したら、並べ替え終了！

1 2 3 4

基本選択法（選択ソート）

対象とするデータの中から最小値（もしくは最大値）のデータを取り出して、先頭のデータと交換。これを繰り返すことで全体を整列させるのが選択ソートです。

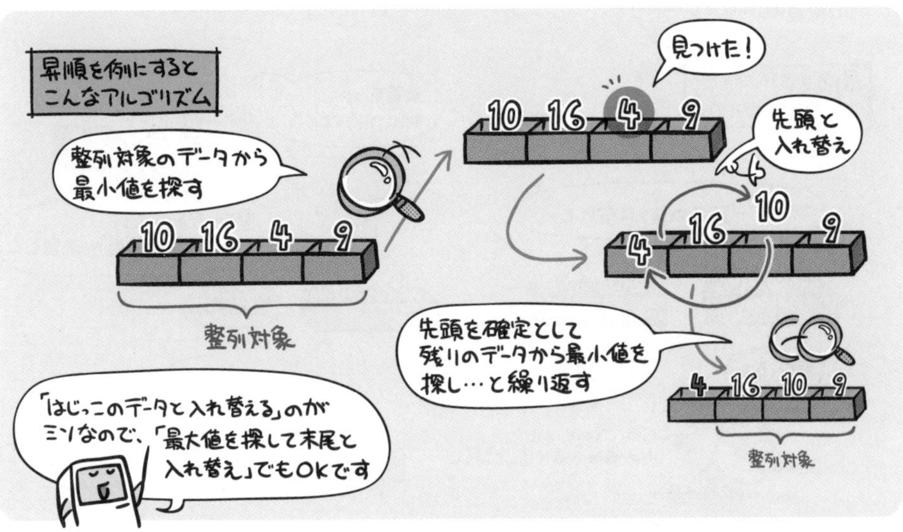

それでは次のデータを、選択ソートを使って昇順に並び替えてみましょう。

16 プログラムの作り方

基本挿入法（挿入ソート）

まず対象とするデータ列を「整列済みのもの」と「未整列のもの」とに分けます。この、未整列の側から、データをひとつずつ整列済みの列の「適切な位置」に挿入して、全体を整列させるのが挿入ソートです。

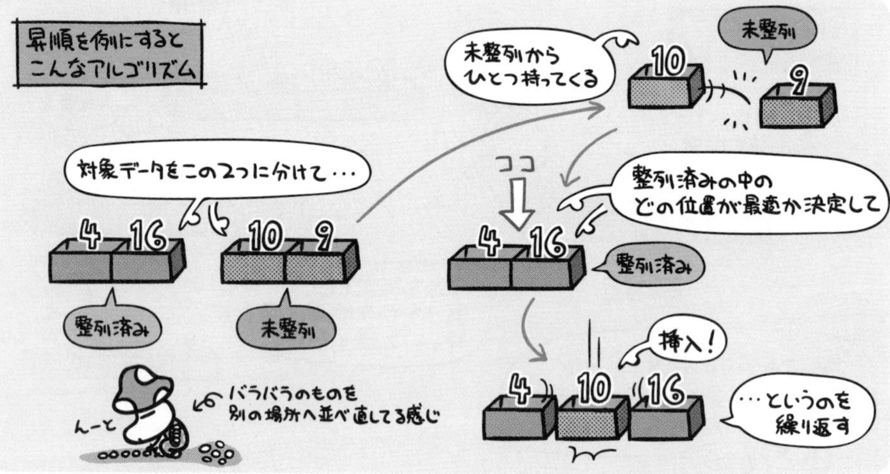

それでは次のデータを、挿入ソートを使って昇順に並び替えてみましょう。

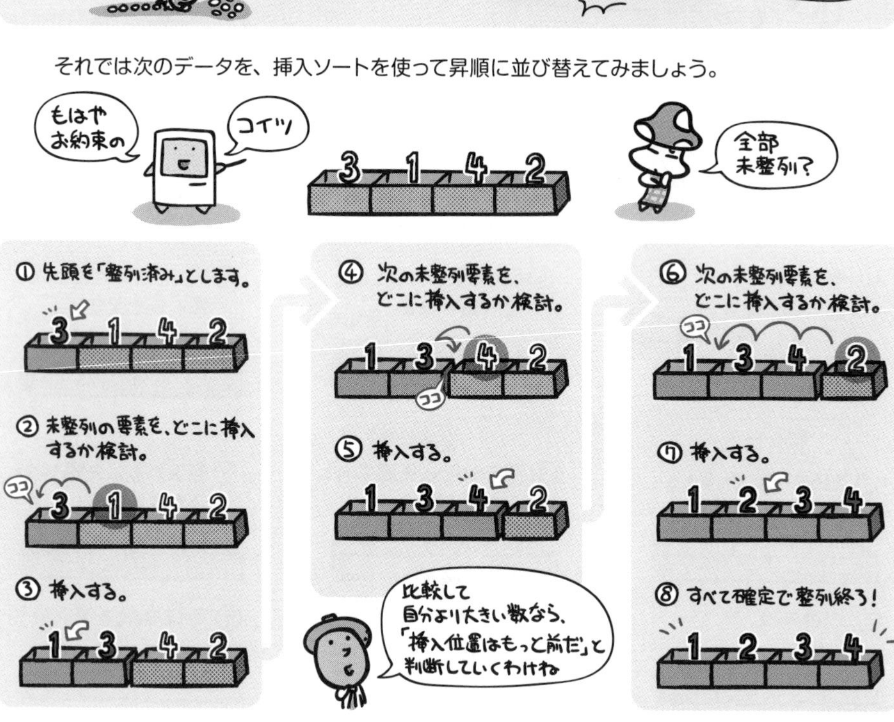

もはや
お約束の
コイツ
3 1 4 2
全部
未整列？

① 先頭を「整列済み」とします。

3 1 4 2

② 未整列の要素を、どこに挿入するか検討。

ココ 3 1 4 2

③ 挿入する。

1 3 4 2

④ 次の未整列要素を、どこに挿入するか検討。

1 3 4 2 ココ

⑤ 挿入する。

1 3 4 2

⑥ 次の未整列要素を、どこに挿入するか検討。

ココ 1 3 4 2

⑦ 挿入する。

1 2 3 4

⑧ すべて確定で整列終了！

1 2 3 4

比較して
自分より大きい数なら、
「挿入位置はもっと前だ」と
判断していくわけね

より高速な整列アルゴリズム

これまで紹介した整列アルゴリズムは、頭に「基本」とついている通り、いずれも基本的な整列法たちです。

さて、「基本」があれば「応用」もあるのが世の理というもの。というわけで、さらに高速なアルゴリズムである次の3種をご紹介。ざっくり特徴を押さえておきましょう。

シェルソート

ある一定間隔おきに取り出した要素で部分列を作り、それぞれ整列してもとに戻す。今度はさらに間隔をつめて要素を取り出し、再度整列。取り出す間隔が1になるまでこれを繰り返すことで整列を行う方法です。

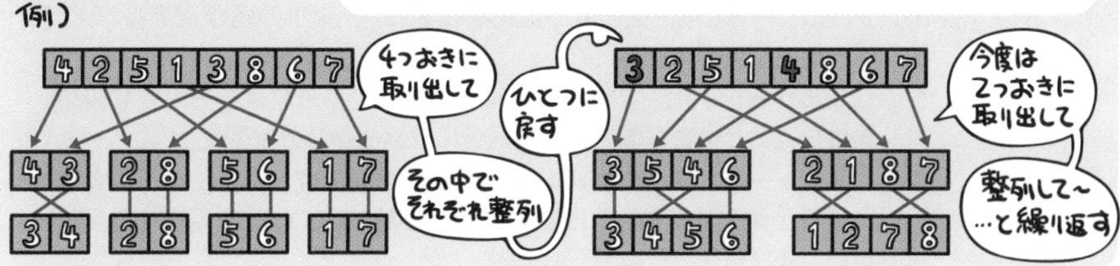

クイックソート

中間的な基準値を決めて、「それより小さい値」グループと「それより大きい値」グループに振り分けます。その後、それぞれのグループ内でまた基準値を決めて振り分けて…と繰り返すことで整列を行う方法です。

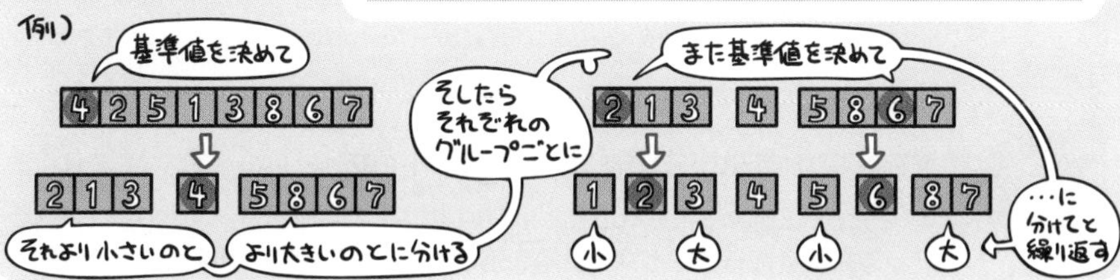

ヒープソート

未整列の部分を「順序木」といわれる木構造に構成して、そこから最大値もしくは最小値を取り出して整列済みの側へと移します。これを繰り返すことで、未整列部分を縮めて整列を行う方法です。

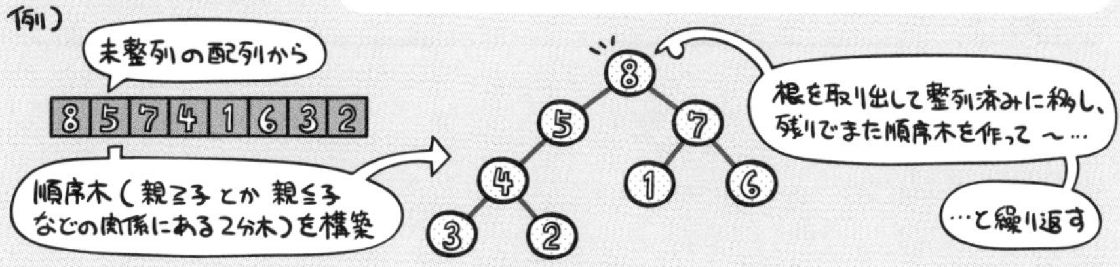

このように出題されています 過去問題練習と解説

(FE-H20-S-13)

データの整列方法に関する記述のうち，適切なものはどれか。

ア　クイックソートでは，ある一定間隔おきに取り出した要素から成る部分列をそれぞれ整列し，更に間隔を詰めて同様の操作を行い，間隔が1になるまでこれを繰り返す。
イ　シェルソートでは，隣り合う要素を比較して，大小の順が逆であれば，それらの要素を入れ替えるという操作を繰り返して行う。
ウ　バブルソートでは，中間的な基準値を決めて，それよりも大きな値を集めた区分と小さな値を集めた区分に要素を振り分ける。
エ　ヒープソートでは，未整列の部分を順序木に構成し，そこから最大値又は最小値を取り出して既整列の部分に移す。これらの操作を繰り返して，未整列部分を縮めていく。

解説

ア　シェルソートの説明です。
イ　バブルソートの説明です。シェルソートは，元のデータ列を小さなデータ列に分解しながら，挿入ソートを繰り返す方法です。
ウ　クイックソートの説明です。
エ　ヒープソートは，与えられたデータ列をヒープとなみし，ヒープの性質を利用して行うソート法です。

(FE-H27-A-07)

整列アルゴリズムの一つであるクイックソートの記述として，適切なものはどれか。

ア　対象集合から基準となる要素を選び，これよりも大きい要素の集合と小さい要素の集合に分割する。この操作を繰り返すことで，整列を行う。
イ　対象集合から最も小さい要素を順次取り出して，整列を行う。
ウ　対象集合から要素を順次取り出し，それまでに取り出した要素の集合に順序関係を保つよう挿入して，整列を行う。
エ　隣り合う要素を比較し，逆順であれば交換して，整列を行う。

解説

ア　クイックソートの記述です。
イ　基本選択法（選択ソート）の記述です。
ウ　基本挿入法（挿入ソート）の記述です。
エ　基本交換法（バブルソート）の記述です。

(FE-H19-S-14)

配列 A [i] (i =1, 2, ..., n) を，次のアルゴリズムによって整列する。行2～3の処理が初めて終了したとき，必ず実現されている配列の状態はどれか。

〔アルゴリズム〕

行番号

1 i を1から n −1まで1ずつ増やしながら行2～3を繰り返す

2 j を n から i +1まで減らしながら行3を繰り返す

3 もし A [j] < A [j −1] ならば，A [j] とA [j −1] を交換する

ア A [1] が最小値になる。　イ A [1] が最大値になる。

ウ A [n] が最小値になる。　エ A [n] が最大値になる。

解説

問題のアルゴリズムは、基本交換法（バブルソート）です。バブルソートは、隣り合ったデータの比較と入替えを繰り返すことによって，小さな値のデータを次第に端の方に移していく方法です。行2～3の処理が初めて終了したとき、入替えを繰り返すことによって、A [1] は最小値になります。わかりにくい方は、636ページの左下の図を見てください。

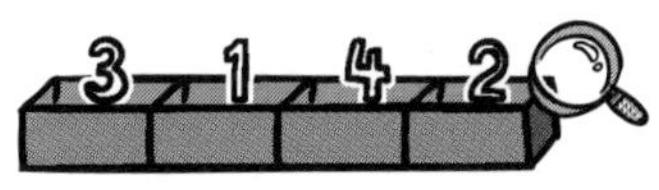

正解▶問1:エ　問2:ア　問3:ア

Chapter 16-10

オーダ記法

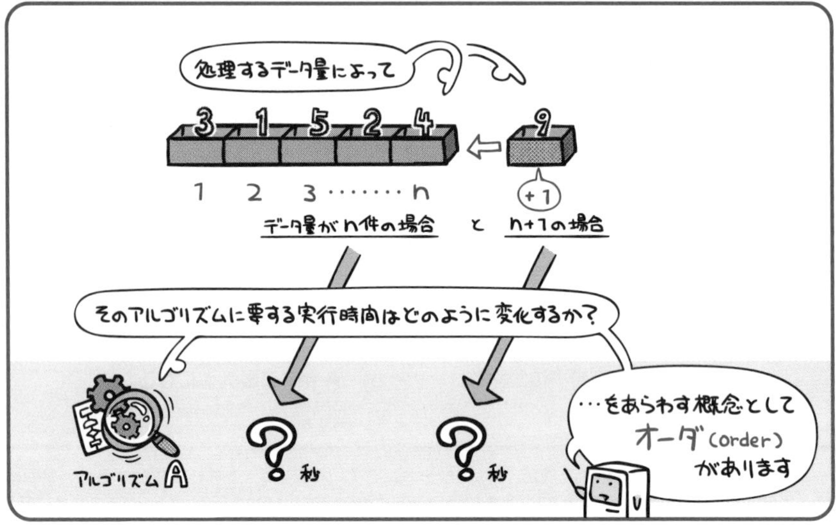

オーダ記法とは、アルゴリズムの計算量（実行時間）をO（式）のカタチであらわすものです。

オーダ記法は、アルゴリズムの正確な実行時間をはかるものではなくて、「おおまかな処理効率」をはかるための指標です。

たとえば、処理するデータ量nが2倍、3倍…と増えていった時に、処理時間も比例して2倍、3倍…と増えるアルゴリズムがあったとします。これはO(n）とあらわします。nに入る数字が増えれば、処理時間もそれに比例するよーというわけですね。線形探索法などがこれに該当します。

では、O(n^2）だとどうでしょう。nに入る数字が増えると…そう、それの2乗で処理時間が増えるアルゴリズムということになります。件数nが2倍、3倍…と増えていけば、全体の処理時間は4倍、9倍…と増えてしまうわけですね。

大量のデータを扱わないといけないプログラムの場合、上記のようなアルゴリズムを使うと処理時間がとんでもないことになってしまいます。つまりこのアルゴリズムは適さない、と判断できるのです。

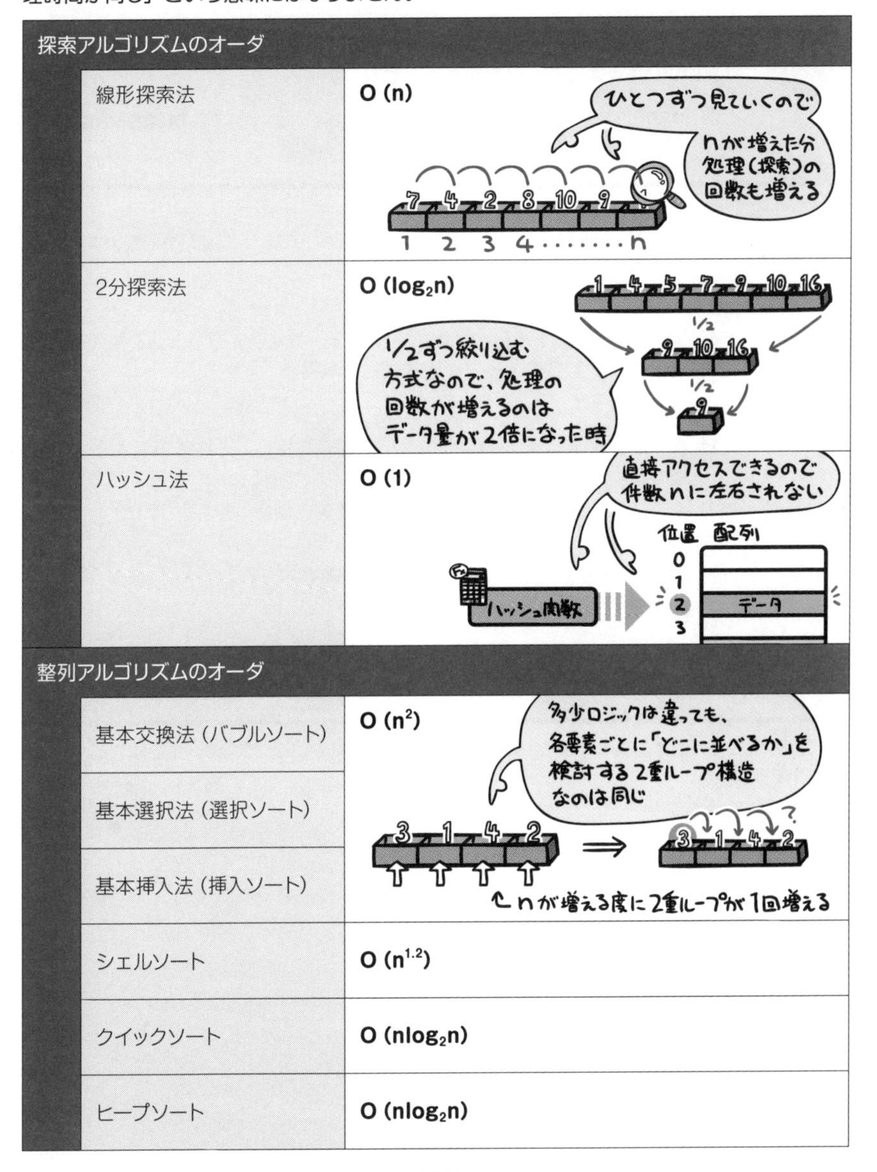

各アルゴリズムのオーダ

本章で登場したアルゴリズムのオーダは、それぞれ次のようになります。

ちなみにこれは、あくまでも「アルゴリズムにおけるデータ量と計算量との関係」を見るものなので、たとえばバブルソートと選択ソートのように「オーダが同じ」であっても、「処理時間が同じ」という意味にはなりません。

探索アルゴリズムのオーダ	
線形探索法	**O (n)** 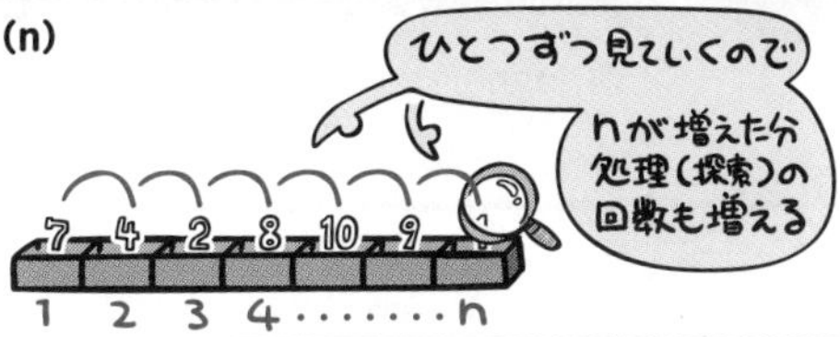 ひとつずつ見ていくので nが増えた分処理（探索）の回数も増える
2分探索法	**O ($\log_2 n$)**  1/2ずつ絞り込む方式なので、処理の回数が増えるのはデータ量が2倍になった時
ハッシュ法	**O (1)** 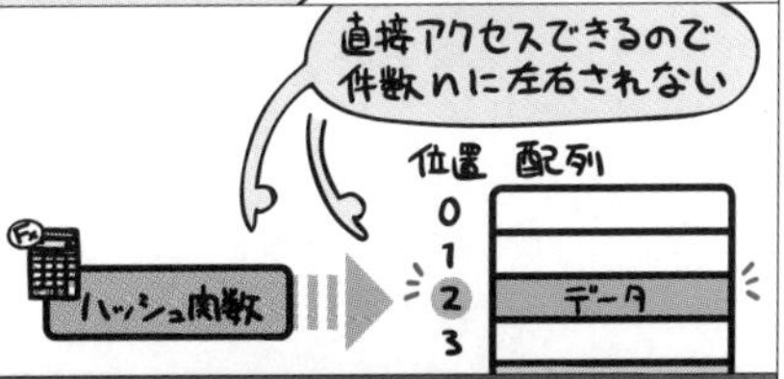 直接アクセスできるので件数nに左右されない

整列アルゴリズムのオーダ	
基本交換法（バブルソート）	**O (n^2)** 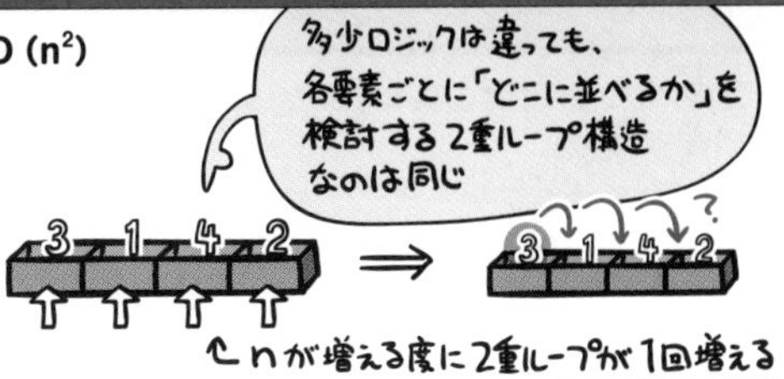 多少ロジックは違っても、各要素ごとに「どこに並べるか」を検討する2重ループ構造なのは同じ nが増える度に2重ループが1回増える
基本選択法（選択ソート）	
基本挿入法（挿入ソート）	
シェルソート	**O ($n^{1.2}$)**
クイックソート	**O ($n\log_2 n$)**
ヒープソート	**O ($n\log_2 n$)**

このように出題されています
過去問題練習と解説 Ⅰ

問 1 (FE-H27-S-06)

整列されたn個のデータの中から，求める要素を2分探索法で探索する。この処理の計算量のオーダを表す式はどれか。

ア logn　　イ n　　ウ n^2　　エ nlogn

解説

643ページでは、2分探索法のオーダは、$\log_2 n$になっています。オーダ記法においては、定数の係数は無視できます。そこで、選択肢アの$\log_2 n$の「2」である底は、無視（＝省略）されています。

問 2 (FE-H14-A-13)

未整列の配列 A［i］（i＝1，2，…，n）を，次のアルゴリズムで整列する。要素同士の比較回数のオーダを表す式はどれか。

〔アルゴリズム〕

(1) A［1］～ A［n］の中から最小の要素を探し，それを A［1］と交換する。
(2) A［2］～ A［n］の中から最小の要素を探し，それを A［2］と交換する。
(3) 同様に，範囲を狭めながら処理を繰り返す。

ア $O(\log_2 n)$　　イ $O(n)$
ウ $O(n \log_2 n)$　　エ $O(n^2)$

解説

問題のアルゴリズムは、基本選択法（選択ソート）です。したがって、そのオーダを表す式は、$O(n^2)$ です。

正解 ▶ 問1：ア　問2：エ

擬似言語問題を読み解こう

まずは「何をするためのコードなのか」を理解してから、処理の流れをブロック単位にしてざっくり読み解きましょう

プログラミングを行う際、「何をするためのコードなのか」を考えずにいきなり書き始めることはありません。そりゃそうです。何を作るか決めないと、書き始めようがないですからね。まず「何をする?」があって、次に「どういう処理の流れで実現できる?」があって、そしたら次は「それをどう書く?」がやってくる。

本試験では、この「何をする? (=プログラムの仕様)」は問題文として与えられています。ついでに「どういう処理の流れで実現できる? (=アルゴリズム)」もほぼほぼ完成したソースコードとして与えられていて、一部だけが伏せられてる。

その伏せ字部分を「どう書いたと思う?」って聞かれるわけですね。

だから、プログラムの仕様を問題文から読み取り、そのために必要なアルゴリズムをなんとなーくでもいいから想像して、その答え合わせのつもりで与えられたソースコードと比較してみれば、自ずと伏せ字部分の中身が推測できる作りになっています。まさに、アルゴリズムを考える力を問うているわけです。

本節では、「何をするためのコードなのか」を読み取って、そこから全体の流れを考えて、そして個別のコードに落とし込む手順を、サンプル問題を用いて練習してみましょう。

「何をするためのコード?」かを考えて処理の流れを予測してみよう

擬似言語問題を読み解く題材には、独立行政法人情報処理推進機構（IPA)が公開している次のサンプル問題を用います。本章で学んだ変数、制御構造、配列あたりの知識を思い出して下さい。

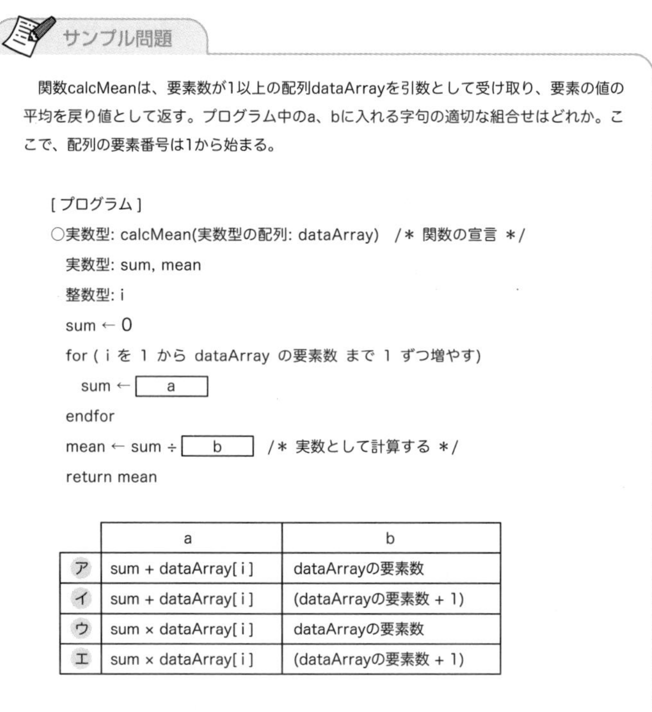

サンプル問題

関数calcMeanは、要素数が1以上の配列dataArrayを引数として受け取り、要素の値の平均を戻り値として返す。プログラム中のa、bに入れる字句の適切な組合せはどれか。ここで、配列の要素番号は1から始まる。

```
[プログラム]
○実数型: calcMean(実数型の配列: dataArray)  /* 関数の宣言 */
  実数型: sum, mean
  整数型: i
  sum ← 0
  for ( i を 1 から dataArray の要素数 まで 1 ずつ増やす)
    sum ← [ a ]
  endfor
  mean ← sum ÷ [ b ]  /* 実数として計算する */
  return mean
```

	a	b
ア	sum + dataArray[i]	dataArrayの要素数
イ	sum + dataArray[i]	(dataArrayの要素数 + 1)
ウ	sum × dataArray[i]	dataArrayの要素数
エ	sum × dataArray[i]	(dataArrayの要素数 + 1)

出典:「ITパスポート試験 擬似言語のサンプル問題」より)

まずは読み解くにあたり、このプログラムが「何をするためのコードなのか」を考えます。

この段階では、まだソースコードを読む必要はありません。問題文をよく読んで、プログラムに求められる機能（仕様といいます）を注意深く読み取ります。今回の場合、大事なのは「関数calcMeanは～」に続く下記の文ですね。

要素数が1以上の配列dataArrayを引数として受け取り、要素の値の平均を戻り値として返す。

プログラムの仕様を示す表現は慣れないと面食らうかもしれませんが、落ち着いて読めば、「平均を求めて返してくれる関数ですよ～」と書かれているに過ぎません。

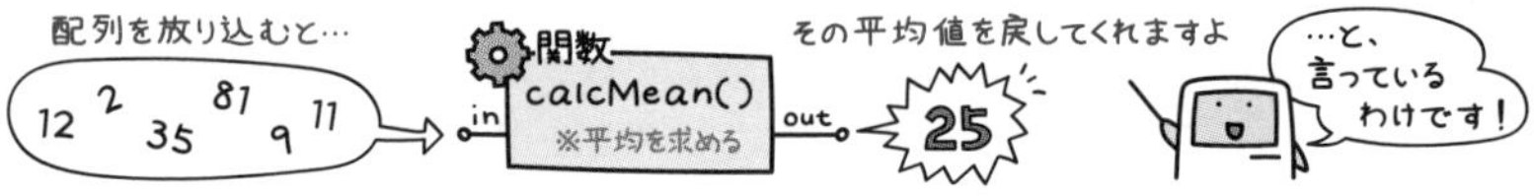

あ、関数というのは、一連の処理に名前をつけて切り出したものです。

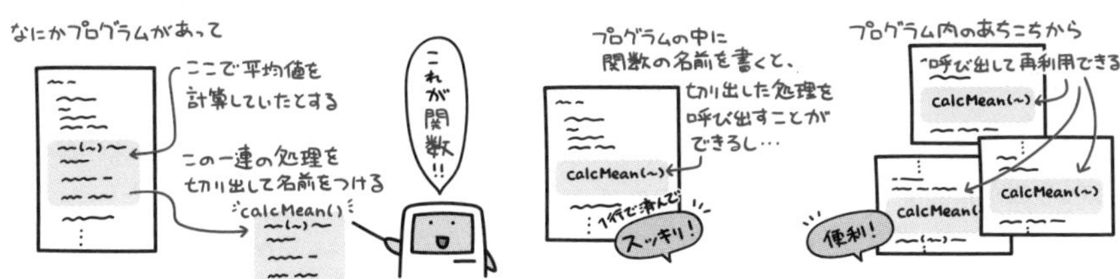

なにかプログラムがあって
ここで平均値を計算していたとする
この一連の処理を切り出して名前をつける
calcMean()
これが関数!!
プログラムの中に関数の名前を書くと、
切り出した処理を呼び出すことができるし…
calcMean(~)
1行で済んでスッキリ!
プログラム内のあちこちから呼び出して再利用できる
calcMean(~)
便利!

関数は、処理をさせるにあたって何らかの値を渡す必要がある場合は引数として渡します。一方、関数が何か値を返す場合は戻り値として受け取ります。

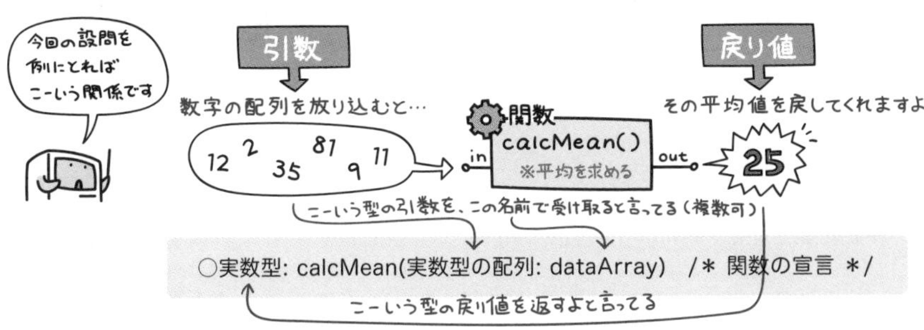

それでは関数calcMeanの気持ちになって、「平均を求める処理」を頭で思い浮かべてみましょう。

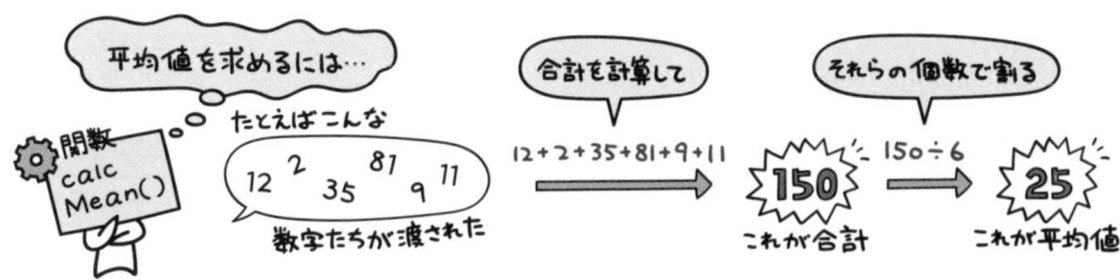

この流れが、すなわち関数calcMeanが行うべき処理の中身というわけですね。

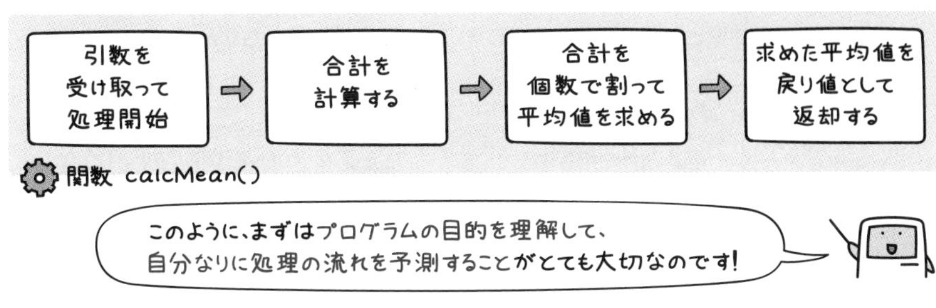

予測と照らし合わせながら、ソースコードをブロック単位にわけてみよう

それでは続いて、予測した処理の流れを頭に浮かべながら、ソースコードを意味のあるブロック単位に分割してみましょう。

ここで大事なのは、頭から1行ずつ詳細に読めることではありません。全体の流れがどのような構成で作られているか、ブロック単位でアバウトに把握することが目的です。


```
○実数型: calcMean(実数型の配列: dataArray)  /* 関数の宣言 */
  実数型: sum, mean
  整数型: i
  sum ← 0
  for ( i を 1 から dataArray の要素数 まで 1 ずつ増やす)
    sum ← [ a ]
  endfor
  mean ← sum ÷ [ b ]  /* 実数として計算する */
  return mean
```

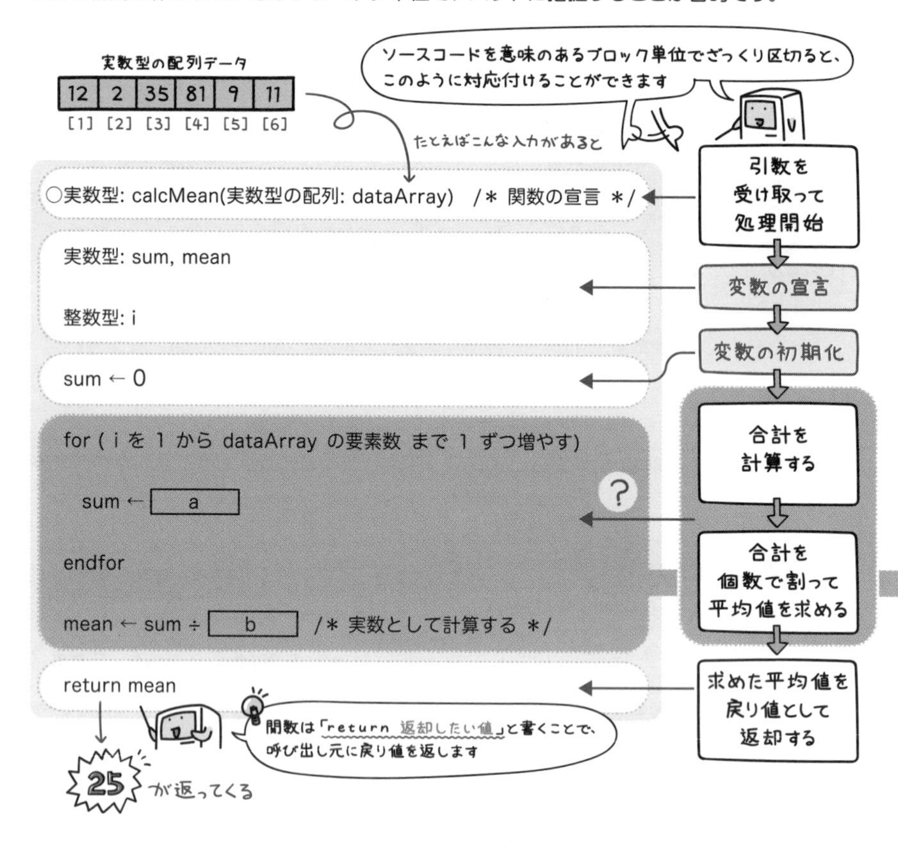

これでとりあえず頭と終わりはわかりました。あと、全体の流れもなんとなくわかりましたね。

そう、ざっくり区切っただけだと、「合計の計算〜個数で割って平均値を求める」あたりの処理がまだ不透明です。上図で「?」になっている 濃い網掛け部分 のブロックですね。

ではそこをもう少し解析して、ちゃんと区切りましょう。

まず着目すべきは、最後の「return mean」という行。ここは、平均値を戻り値として返している箇所です。つまり、自ずと「変数meanには平均値が入っている」ことがわかります。

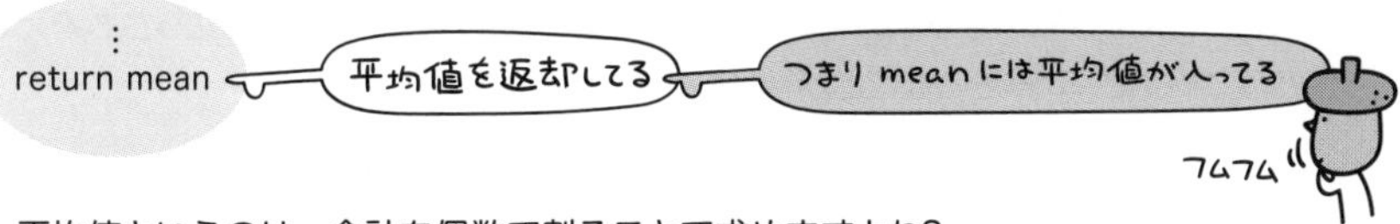

平均値というのは、合計を個数で割ることで求めますよね？

…と考えると、どうやら1つ手前の下記の行が、その計算に該当しそうです。

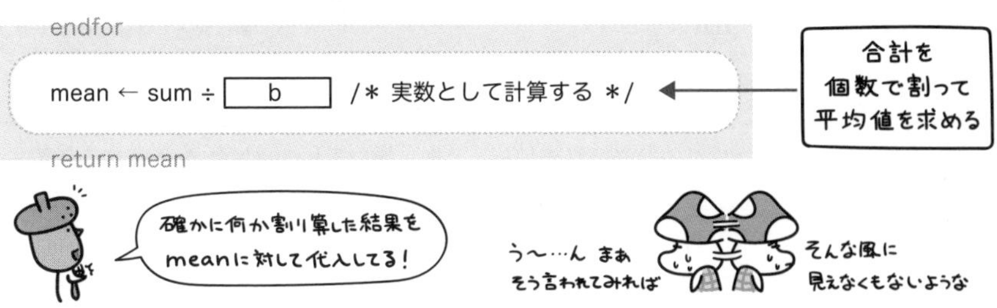

そうすると、その手前までが合計を計算するブロックにあたるというわけです。おそらく変数sumには合計が入っているんでしょう。それっぽい名前ですしね。

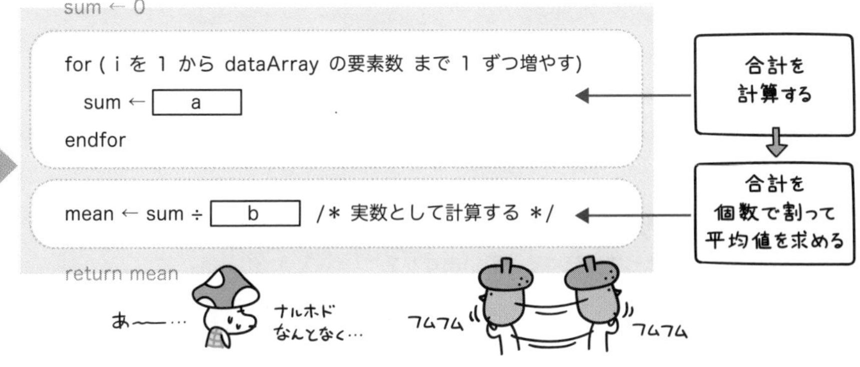

…という感じで区切るのは終了。これで、全体の流れと、それぞれのブロックで何を行っているのかを、把握することができました。

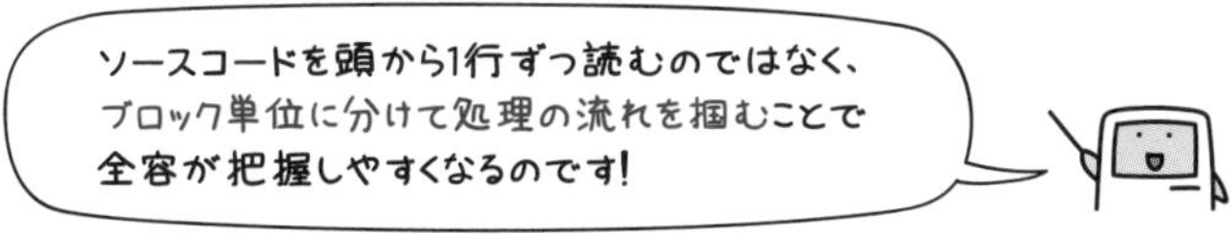

そしたら次は最後のステップ。個々のブロックに着目して、その中の処理を詳細に読み解きましょう。

各ブロックに着目して、コードを詳細に読み解こう

全体をおおまかにブロック化できたら、必要な時に必要なブロックを解析します。こうすると、一度に考えなければならない場所を極力小さくできるので、「あっちもこっちも考えてたら頭がパニックに～」みたいなことが避けられるんですね。

必ずしも「これが正しい読み方！」というわけではありませんし、今回の題材は非常に短いコードなので実感が得にくいかもしれません。でも、慣れてしまえば殊更意識する必要もなく「全体のロジックを俯瞰する目」と「個別の実装(実際に書かれているコード)を見る目」が使い分けできるようになるのでおすすめの読み方です。

では、「合計を計算する」ブロックと「合計を個数で割って平均値を求める」ブロックの2箇所を見ていきましょう。

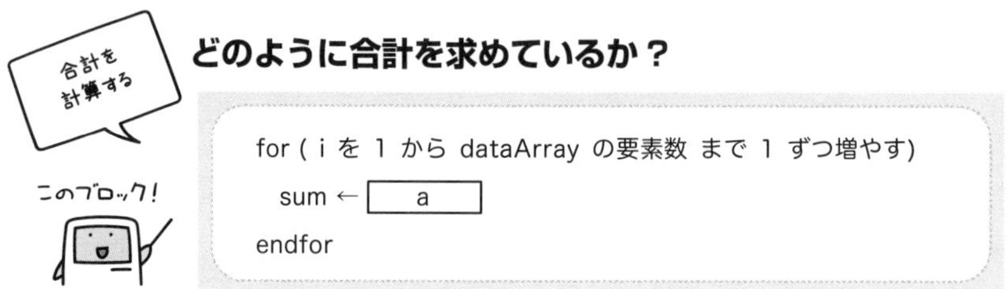

どのように合計を求めているか？

```
for ( i を 1 から dataArray の要素数 まで 1 ずつ増やす)
  sum ← [    a    ]
endfor
```

このブロックでは、引数で渡された配列データdataArrayの合計を計算しています。ちなみにそれって、どうやって計算すると思いますか？

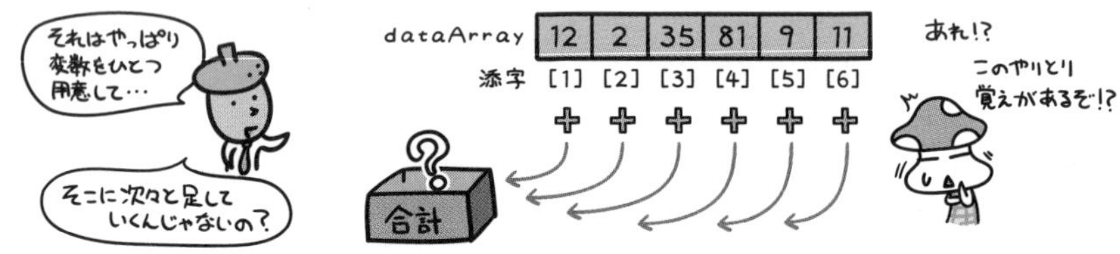

そうなんですよね。for文とwhile文という違いはありますけど、実はこの「合計を計算する」処理は、P.610以降でやった、「1から10までの合計を求めてみる」のとほぼ同じアルゴリズムなのです。

i ⇒ 1, 2, 3, ……

ただし今回の場合は、こうやって変化させた iの値の使い方がちょっと異なります

今回の場合、for文でループするのは、変化させたiの値そのものを合計したいのではありません。ここで合計を求めたいのは、あくまでも配列データの中身です。

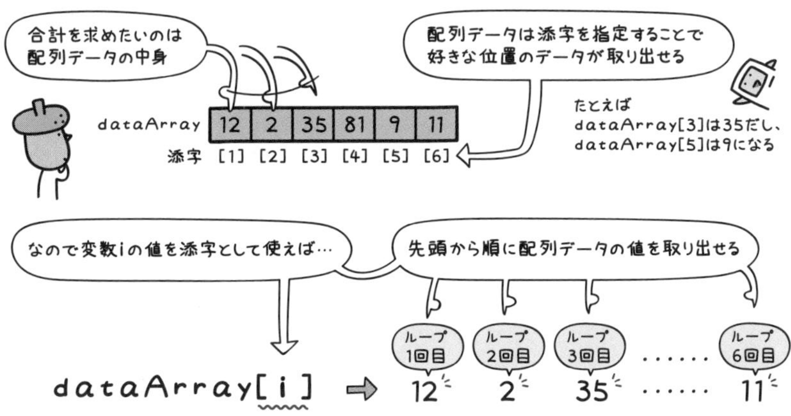

したがって、これをsumに足していってやれば、ループが終わった時には合計がsumの中に入ってますよとなるはずです。

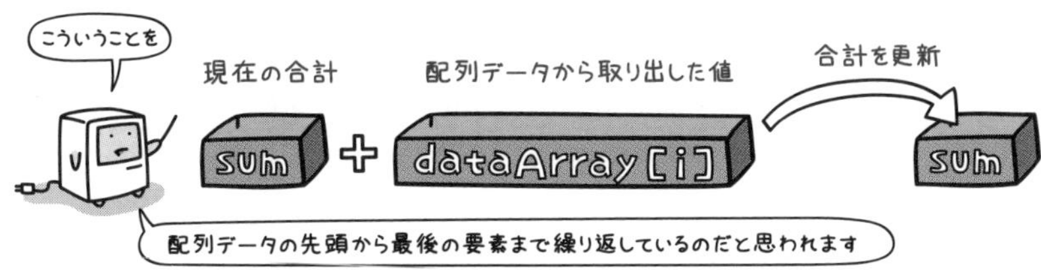

どのように平均値を求めているか？

合計を
個数で割って
平均値を求める

```
mean ← sum ÷ [ b ] /* 実数として計算する */
```

こっちはもう、ブロックと言いつつ1行しかなくて、かつブロックの説明文がそのまんま過ぎですね。

合計を個数で割ったら平均値になるんだから…

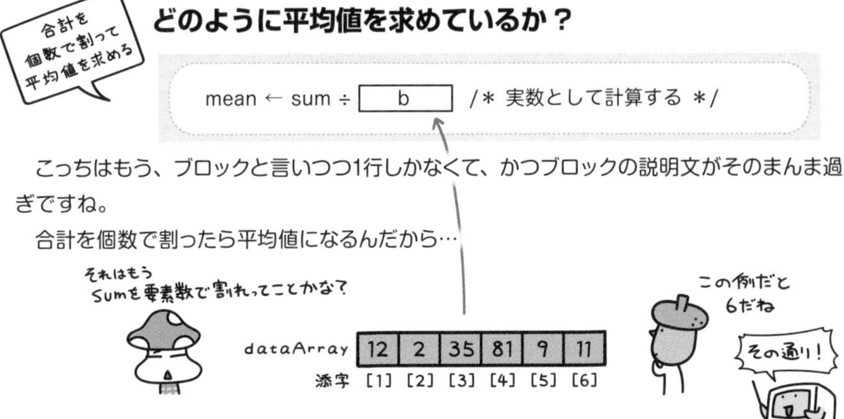

16 プログラムの作り方

解答チェックとまとめ

それでは最後に、サンプル問題の解答チェックといきましょう。
問題は、下記のa欄とb欄に入るものを問うていて…

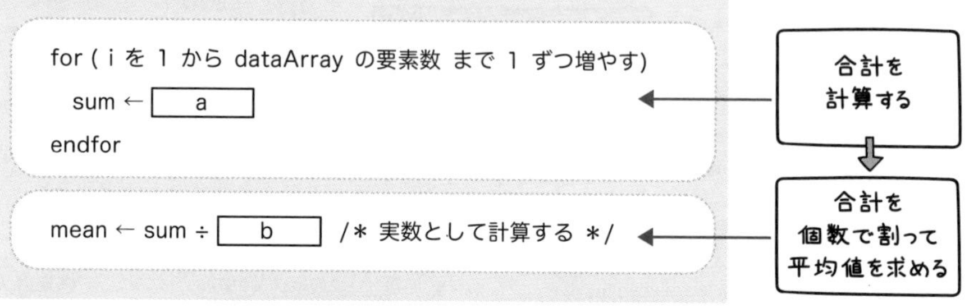

そのために与えられた選択肢は下記の4パターン。実際は、a欄用に2つの選択肢、b欄用に2つの選択肢という組合せです。

	a	b
ア	sum + dataArray[i]	dataArrayの要素数
イ	sum + dataArray[i]	(dataArrayの要素数 + 1)
ウ	sum × dataArray[i]	dataArrayの要素数
エ	sum × dataArray[i]	(dataArrayの要素数 + 1)

ではまず、合計を計算するfor文ループ内のa欄から。

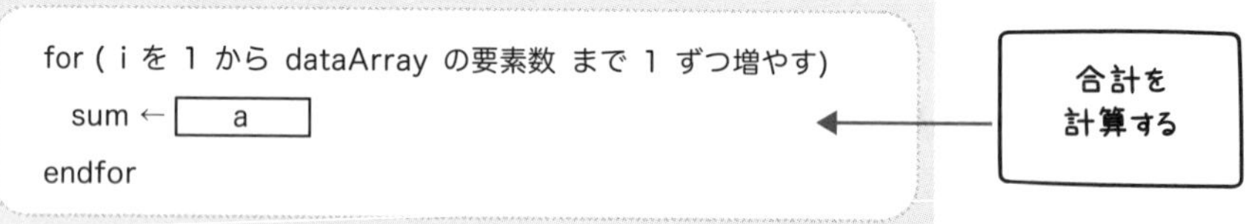

a欄用に与えられた選択肢は下記の2つです。どちらだと思いますか?

では平均値を求める行のb欄はどうでしょう。

b欄用に与えられた選択肢は下記の2つ。どちらでしょう?

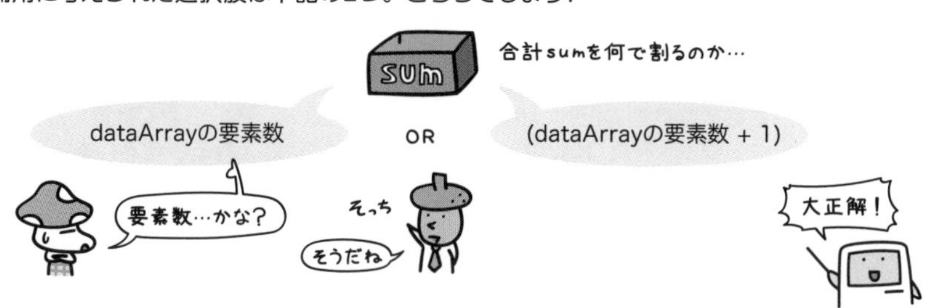

…というわけで、それらの組合せに該当する選択肢アが本問の正解となります。

	a	b
ア	sum + dataArray[i]	dataArrayの要素数
イ	sum + dataArray[i]	(dataArrayの要素数 + 1)
ウ	sum × dataArray[i]	dataArrayの要素数
エ	sum × dataArray[i]	(dataArrayの要素数 + 1)

ちなみに、「自分でソースコードを読み解く」「自分でソースコードを書く」というわけじゃなくて、単に試験問題を解くというだけであれば、ソースコードの個別の行まで詳細に読み解く必要はまずありません。

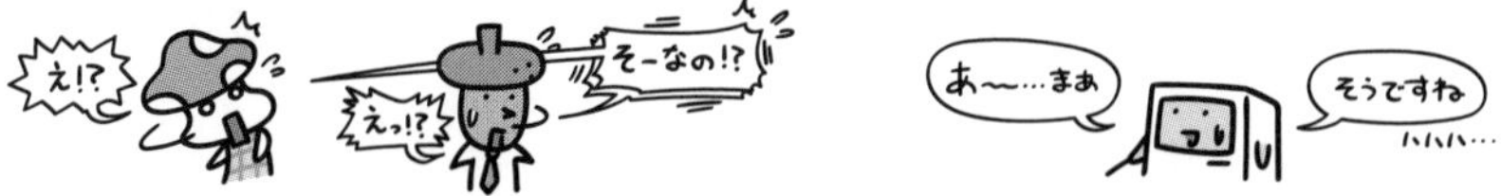

コードをブロック化して大まかな流れが見えてしまえば、その時点で解答の選択肢を見るとだいたい予測がついてしまうものなんですね。たとえば今回の場合は、「足し算なのかかけ算なのか」「要素数なのか要素数+1なのか」だったわけですが…

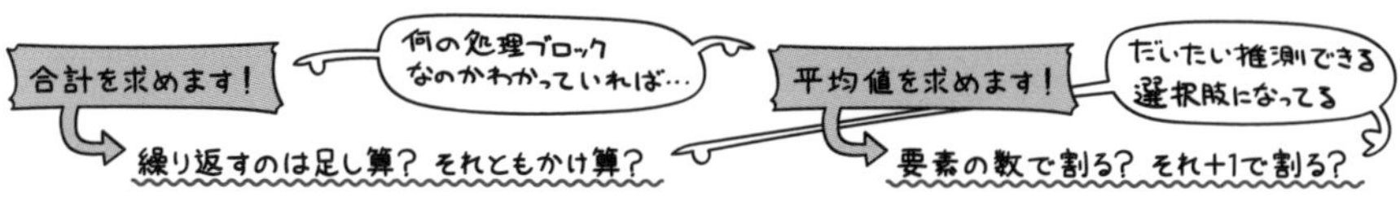

試験時間は限られていますから、そういうところで時短を図るのも大切です。

自分がどの程度までのアバウトさでコードを読み解けば解答に至れるのか、何度か解いてみて感触を掴むと良いでしょう。

このように出題されています 過去問題練習と解説

問1 (IP-R04-78)

関数checkDigitは，10進9桁の整数の各桁の数字が上位の桁から順に格納された整数型の配列originalDigitを引数として，次の手順で計算したチェックデジットを戻り値とする。プログラム中のaに入れる字句として，適切なものはどれか。ここで，配列の要素番号は1から始まる。

〔手順〕

(1) 配列originalDigitの要素番号1～9の要素の値を合計する。

(2) 合計した値が9より大きい場合は，合計した値を10進の整数で表現したときの各桁の数字を合計する。この操作を，合計した値が9以下になるまで繰り返す。

(3) (2)で得られた値をチェックデジットとする。

〔プログラム〕

```
○整数型：checkDigit（整数型の配列:originalDigit）
整数型：i, j, k
j ← 0
for ( i を1からoriginalDigitの要素数まで1ずつ増やす)
  j ← j ＋ originalDigit[i]
endfor
while ( j が9より大きい)
  k ← j ÷ 10の商  /* 10進9桁の数の場合, j が2桁を超えることはない */
  [   a   ]
endwhile
return j
```

ア　j ← j － 10 × k

イ　j ← k ＋ (j － 10 × k)

ウ　j ← k ＋ (j － 10) × k

エ　j ← k ＋ j

解説

本文でやったのと同じく、まずは「何をするためのコードなのか」をしっかり問題文から読み取りましょう。

この問いでは、「関数checkDigitは、10進9桁の整数を配列として受け取り、計算したチェックディジットを戻り値として返す」プログラムだと述べています。

じゃあ、チェックディジットはどうやって計算するのかというと、それは[手順]として示されている通り。「配列の全要素の合計を計算」して、「計算結果が2桁以上(9より大きい)場合は、各桁を合計することを繰り返す」わけです。したがって、関数calcDigitが行うべき処理の中身は、次のような流れになることが予測できます。

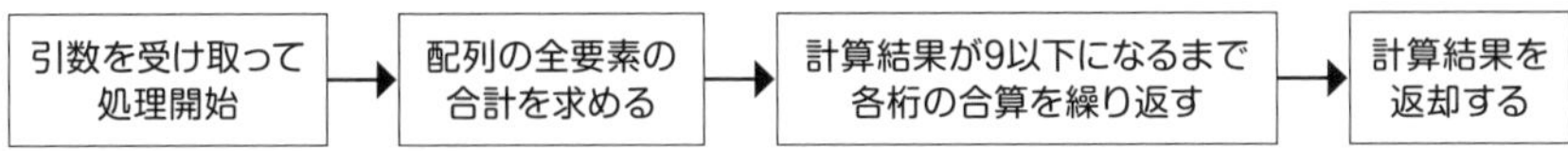

それでは上の予測に基づいて、ソースコードをブロック単位にわけてみましょう。

ブロック番号	コード	処理の中身
1	○整数型：checkDigit（整数型の配列:originalDigit）	引数を受け取って 処理開始
2	整数型：i, j, k	変数の宣言
3	j ← 0	変数の初期化

4	for (i を1からoriginalDigitの要素数まで1ずつ増やす)
	　j ← j ＋ originalDigit[i]
	endfor
		配列の全要素の合計を
		求める

5	while (j が9より大きい)
	　k ← j ÷ 10の商
	　/* 10進9桁の数の場合, j が2桁を超えることはない */
	　[a]
	endwhile
		計算結果が9以下に
		なるまで各桁の合算を
		繰り返す

6	return j	計算結果(チェックディジット)を戻り値として返却する

解説 次ページへ続く

まずわかることが1つ。最終行であるブロック6で「return j」とありますから、変数 j はチェックディジットを意味しています。

次に、ブロック4で行われた処理の結果として、この時点で j には引数で渡された9桁の数字をすべて合算した数字が入っていることもわかります。これが「9より大きい」場合、ブロック5のwhile文で、変数 j の各桁を合算する処理が行われるわけですね(そしてその結果が依然として9より大きい場合はwhile文のループが繰り返される)。

これらのことから、while文の中身は「変数 j の各桁を合算すること」だとわかります。

さて、それではwhile文の中身を1行ずつ追っていきましょう。

1行目の「k ← j ÷ 10の商」は、j を10で割り算した商をkに代入しています。たとえば j が81ならkには8、j が53ならkには5が入ります。つまり10の位がkには入るわけです。

そしたら、このkに対して、j の1の位を足し算すれば、各桁の合算が求められますよね?

では、j の1の位はどうやって取り出せるでしょうか。10の位の数字はkに入っているわけですから、たとえば j が81であっても、j が53であっても、k×10を j から引き算してやれば、1の位だけが残ります。

したがって、10の位であるkと、1の位である（j － k × 10）を合算して j に代入する式が、空欄aに入るというわけです。つまり「j ← k ＋（j － 10 × k）」の選択肢イが正解となります。

Chapter 16-12 オブジェクト指向プログラミング

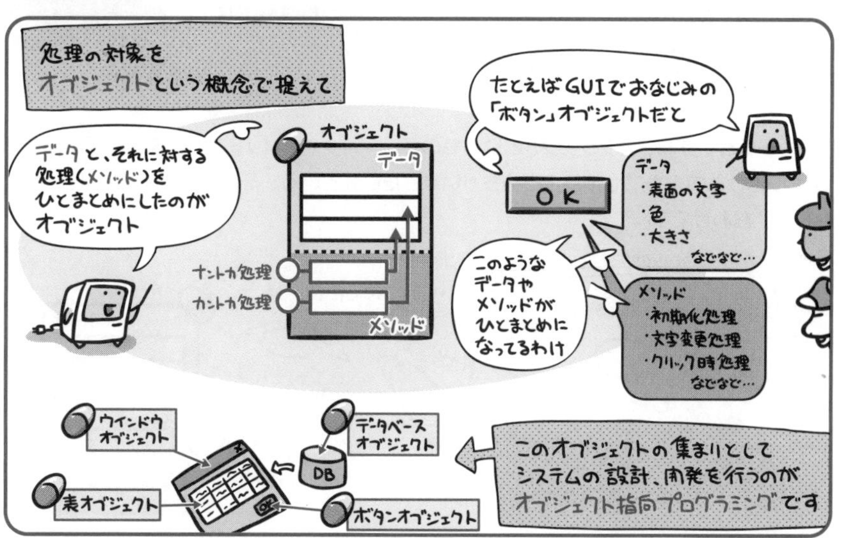

オブジェクトとは、データ(属性)と
それに対するメソッド(手続き)をひとつにまとめた概念です。

従来のプログラミングというのは、手続き型が主流でした。これはどういうものかというと、「処理の流れ」であるとか「データの流れ」といった部分に着目して、設計を行うものでした。モジュールの分割(P.535)でやった話が、まさしくそんな感じでしたよね。

これに対して、オブジェクトという概念で処理対象を捉え、これをモジュール化していくことで全体を構成するやり方がオブジェクト指向です。「オブジェクトとはなんぞや～」っていうのは、上のイラストにある通り。モジュールの独立性が高く、保守しやすいプログラムを作ることができます。

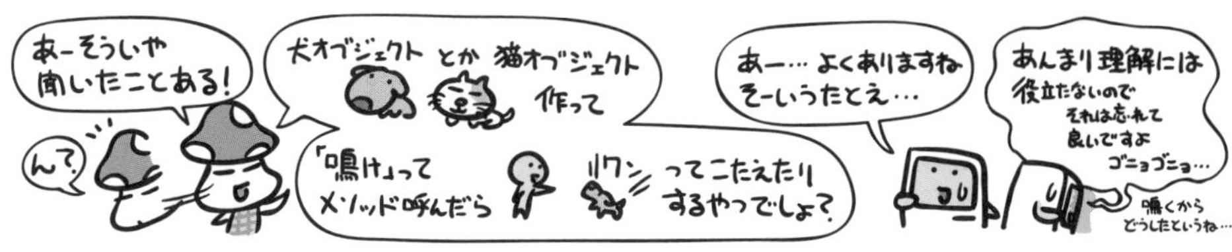

オブジェクト指向の「カプセル化」とは

オブジェクト指向の持つ大きな特徴の1つがカプセル化です。

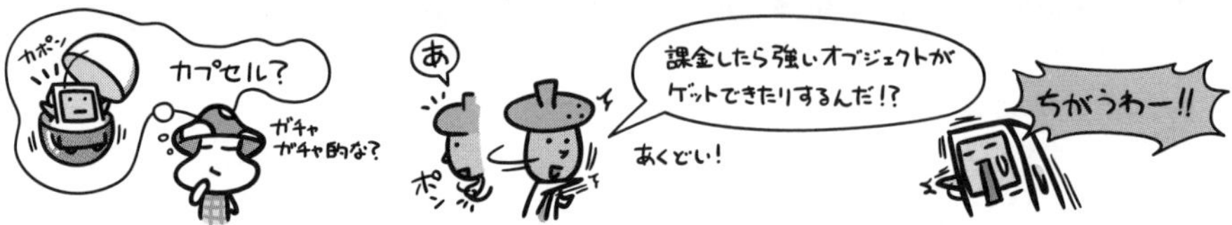

え〜…っとですね、オブジェクトというものが、データやメソッドという複数の要素たちを、「カポッとひとつのカプセルにまとめちゃいましたー」という、そんなイメージだから「カプセル化」なわけです。

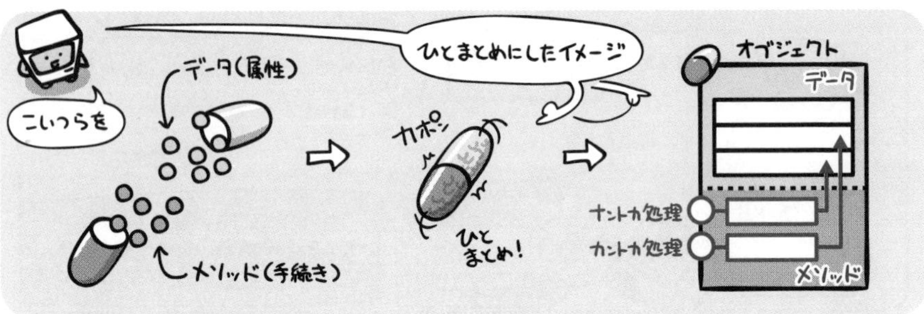

このような「ひとまとめの構造」にカプセル化されることで、オブジェクト内部の構造は、外部から知ることができなくなります。データが「どんな風に管理されてるか」なんてのも当然外からは知ったこっちゃありません。

つまり、「知るべき情報以外は知らなくて良い」と隠すことができるわけです。これが情報隠蔽という、カプセル化の利点です。

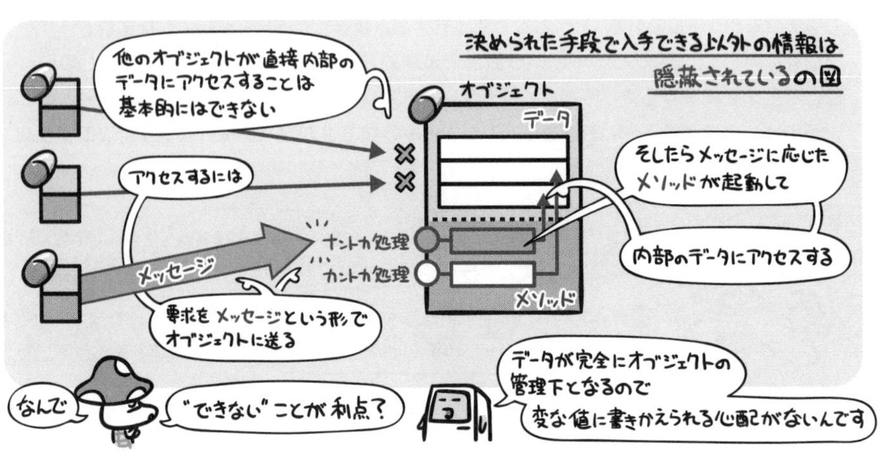

たとえばすごく単純な例として、次のような「お誕生日オブジェクト」があったとします。

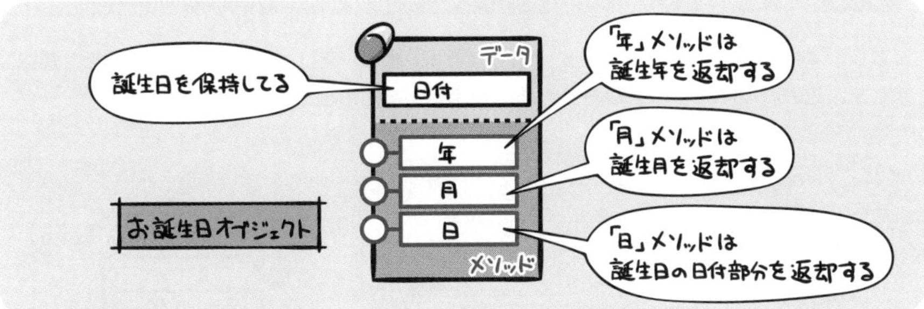

このオブジェクトを使う側は、「年」「月」「日」という必要な情報をそれぞれのメソッドを介して取得します。この時、オブジェクトの中でどんな風にデータが管理されているかはわかりません。知る必要がないのです。

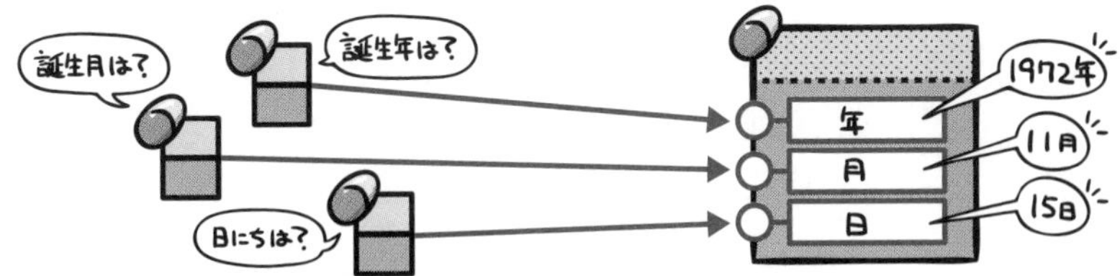

だから、「ちょっと管理方法変えちゃおっかな」と中身を作り替えたって、このオブジェクトを使う側に影響はありません。

しかも、メソッドを付け足したりしても、既存のメソッドはそのままですから、これもやっぱり影響しない。

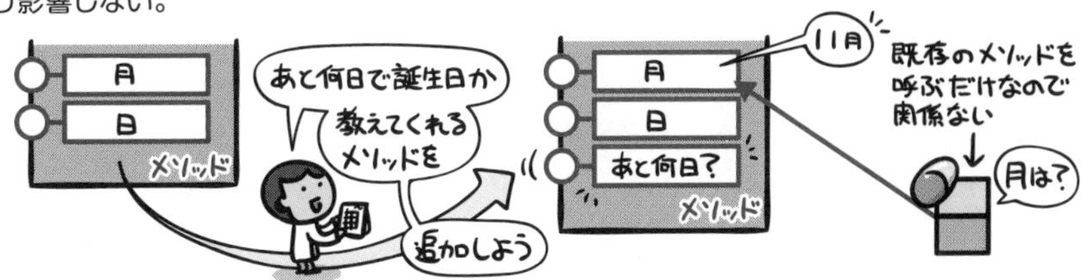

このように、カプセル化されていると、オブジェクトの実装方法に修正を加えても、その影響を最小限にとどめることができるのです。

クラスとインスタンス

オブジェクトとは、データ（属性）とメソッド（手続き）をひとまとめにしたものだと述べました。この、「オブジェクトが持つ性質」を定義したものをクラスといいます。

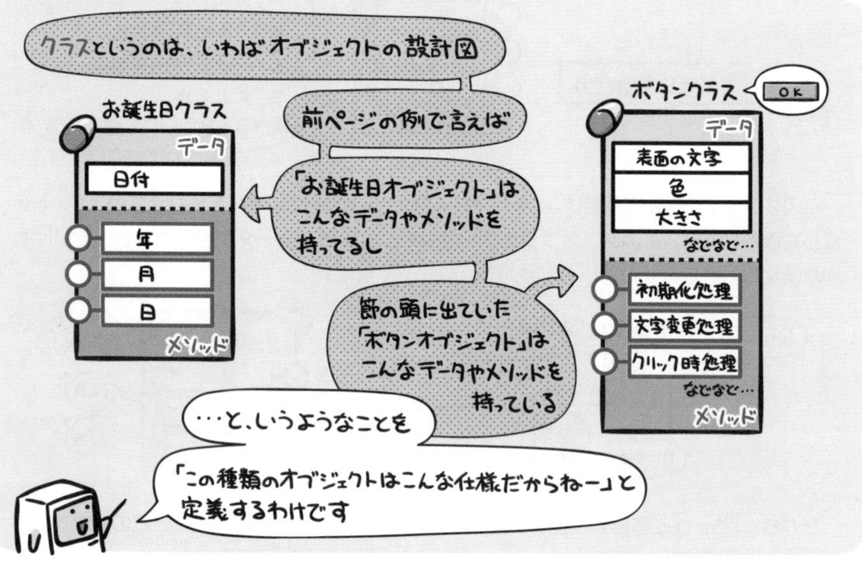

この設計図に対して具体的な属性値を与え、メモリ上に生成してポコリと実体化させたものをインスタンスと呼びます。

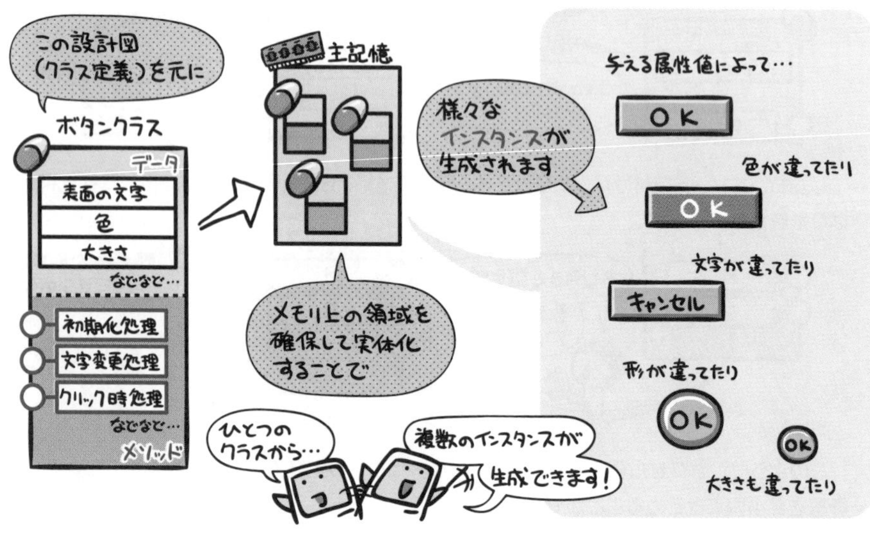

クラスには階層構造がある

クラスの考え方の基本は、「オブジェクトを抽象化して定義する」ことです。なので、ボタンであれば「ボタンというオブジェクト」を抽象化して定義するのが基本です。

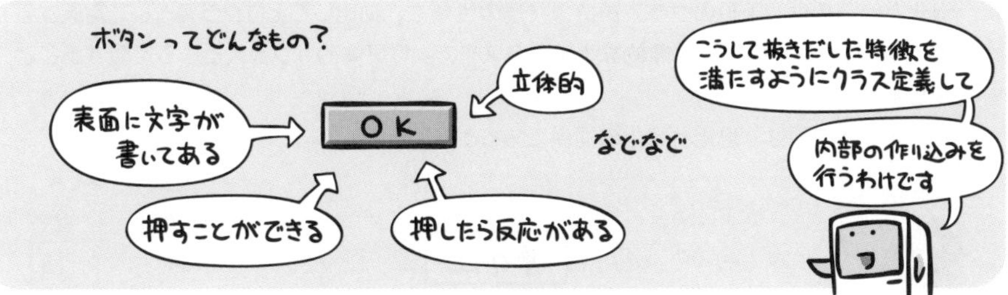

でも、「ボタン」ってひとくちに言っても、色んな種類がありますよね？

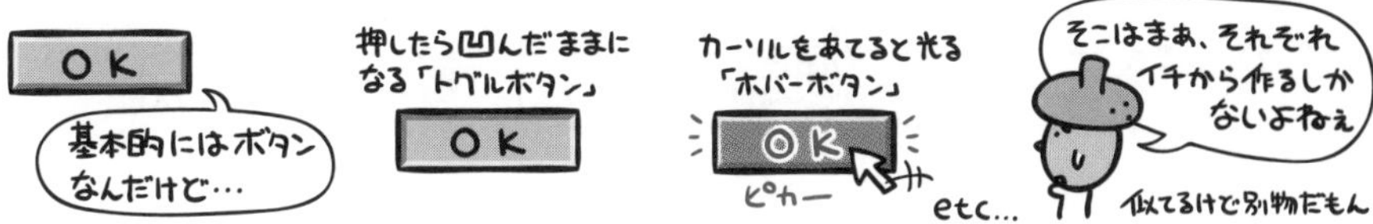

いえいえ、そこで「クラスの階層化」って話が出てくるわけです。クラスには上位-下位という階層構造を持たせることができます。特徴的なのはその性質で、下位クラスは上位クラスのデータやメソッドなどの構造を受け継ぐことができるのです。

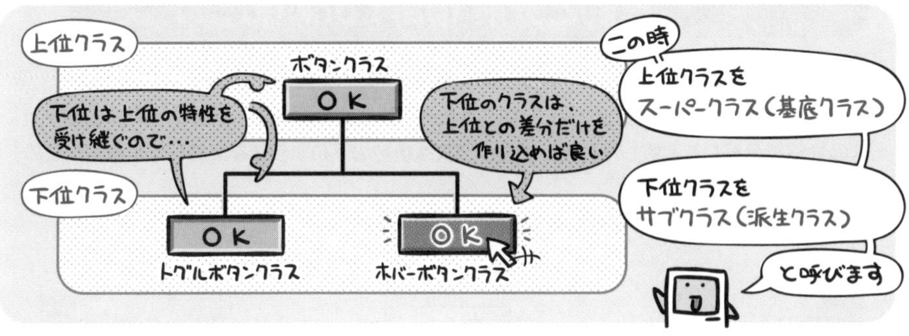

このように、サブクラスがスーパークラスの特性を受け継ぐことを継承（インヘリタンス）といいます。

オブジェクトの説明として、よく現実世界のものに置き換えた説明がなされるのも、クラスのこうした性質をわかりやすくたとえるためです。

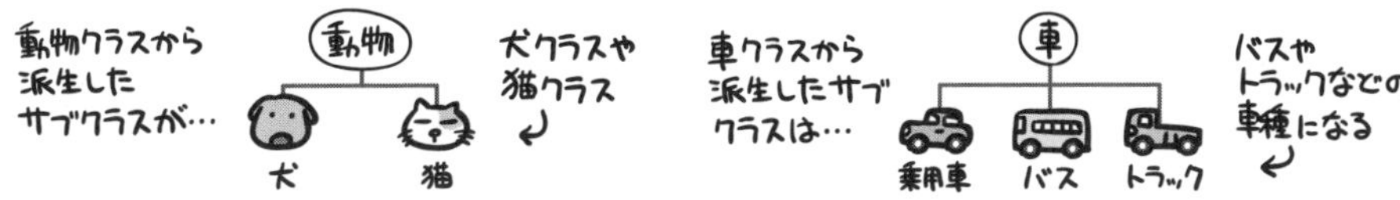

汎化と特化（is a関係）

上位クラスがスーパークラスで、下位クラスがサブクラス。この関係が成り立つためには、上位と下位のクラスが「汎化と特化」の関係になってないといけません。

汎化というのは、下位のクラスが持つ共通の性質を、抽出して上位クラスとして定義することです。特化はその逆。抽象的な上位クラスを、より具体的なクラスとして定義することを指します。

たとえば次の図は、汎化と特化の関係にあると言えます。

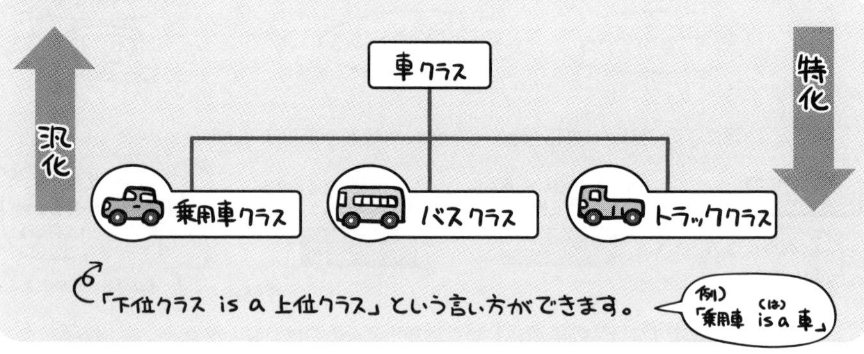

集約と分解（part of関係）

継承関係のない上位クラスと下位クラスの関係が「集約と分解」です。

これは、「下位クラスは上位クラスの一部である」という関係で、下位クラスは上位クラスの性質を分解して定義したもの。上位クラスは複数の下位クラスを集約して定義したものとなります。

たとえば次の図は、集約と分解の関係にあると言えます。

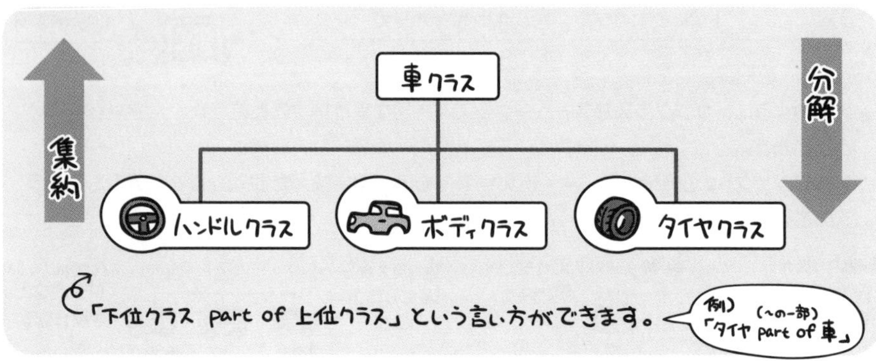

多態性（ポリモーフィズム）

同じメッセージを複数のオブジェクトに送ると、それぞれが独立した固有の処理を行います。これを多態性（ポリモーフィズム）といいます。

たとえば次の図を見てください。これらはいずれも、図形クラスから派生したサブクラスたちです。スーパークラスから継承したメソッドのひとつに「Write」というものがあり、これが呼ばれると図形が描画される…そんなクラスだとします。

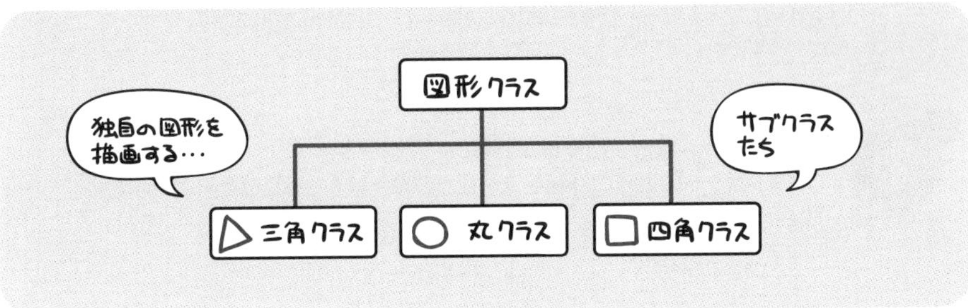

で、これらのクラスからなるオブジェクトに、「書け！」というメッセージを送って、Writeメソッドを起動させると…

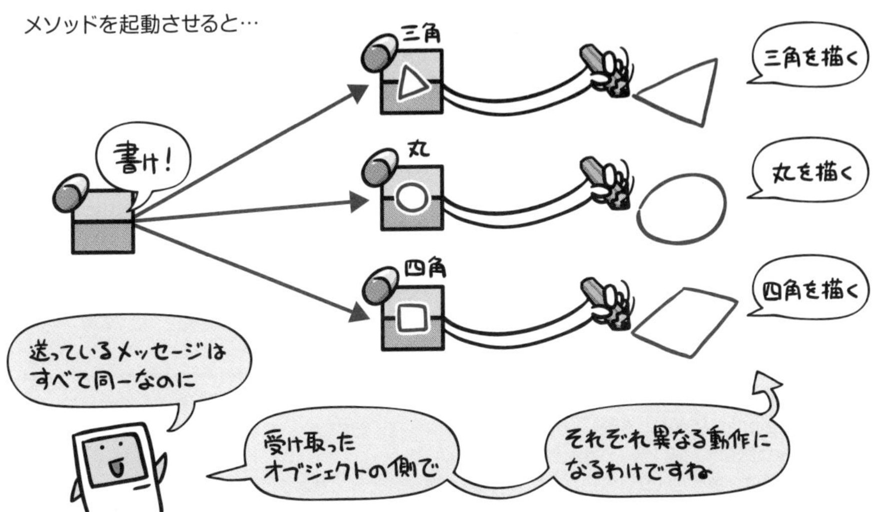

このように出題されています
過去問題練習と解説

問1 (FE-H29-A-47)

オブジェクト指向分析を用いてモデリングしたとき，クラスとオブジェクトの関係になる組みはどれか。

ア　公園，ぶらんこ　　　イ　公園，代々木公園
ウ　鉄棒，ぶらんこ　　　エ　中之島公園，代々木公園

解説

クラスとオブジェクトの関係は、「型」とその型から作られた「具体例」の関係です。公園という「型」から、その「具体例」である代々木公園が作られたと解釈し、選択肢イが正解です。なお、「オブジェクト」は、660ページの「インスタンス」とほぼ同じ意味を持つ用語です。

問2 (FE-R04-サ-38)

オブジェクト指向プログラムにおいて，データとメソッドを一つにまとめ，オブジェクトの実装の詳細をユーザから見えなくすることを何と呼ぶか。

ア　インスタンス　　　イ　カプセル化
ウ　クラスタ化　　　エ　抽象化

解説

ア　インスタンス…クラスから生成された、主記憶装置上に存在する、データに具体的な値を持つ実体のことです。
イ　カプセル化…データとメソッドを“ひとまとめ”にし、特にデータを、メソッドを通じてでしかアクセスできないようにすることです（カプセル化されたクラスには、データを取り出すメソッド（“ゲッター”）やデータを格納するメソッド（“セッター”）が通常あります）。
ウ　クラスタ化…オブジェクト指向プログラムでは使われない用語です。
エ　抽象化…2以上のオブジェクトから共通しているメソッドやデータを抽出することです。

問3 (FE-H30-S-46)

オブジェクト指向において，あるクラスの属性や機能がサブクラスで利用できることを何というか。

ア　オーバーライド　　イ　カプセル化　　ウ　継承　　エ　多相性

解説

ア　オーバーライドは、スーパークラスで定義されたメソッドをサブクラスで再定義することです。
イ　カプセル化の説明は、658～659ページを参照してください。
ウ　継承の説明は、661ページを参照してください。
エ　多相性は、多態性（663ページを参照してください）と同じ意味の用語です。

(FE-H25-A-48)

オブジェクト指向開発において，オブジェクトのもつ振る舞いを記述したものを何というか。

ア　インスタンス　　イ　クラス　　ウ　属性　　エ　メソッド

解説

ア　インスタンスは、ソースプログラムがコンパイルされて実行可能なプログラムになり、その実行可能なプログラムが主記憶装置にロードされ、動作可能な状態になったものです。インスタンスとオブジェクトは、ほぼ同じ意味であると解釈して差し支えありません。
イ　クラスは、インスタンスの仕様を定義したものです。
ウ　属性は、クラスの中に定義されるオブジェクトの状況を保持するための入れ物です。プログラムにおける変数と同じ役割を持ちます。
エ　メソッドは、クラスの中に定義されるオブジェクトのもつ振る舞いを記述したものです。プログラムにおける関数名（モジュール名、サブルーチン名）及びその命令と同じ役割を持ちます。

(FE-H30-A-47)

オブジェクト指向におけるクラスとインスタンスとの関係のうち，適切なものはどれか。

ア　インスタンスはクラスの仕様を定義したものである。
イ　クラスの定義に基づいてインスタンスが生成される。
ウ　一つのインスタンスに対して，複数のクラスが対応する。
エ　一つのクラスに対して，インスタンスはただ一つ存在する。

解説

ア　クラスはインスタンスの仕様を定義したものです。
イ　そのとおりです。クラスとインスタンスの説明は、660ページを参照してください。
ウ　常に「一つのインスタンスに対して、複数のクラスが対応する」とは言えません。一つのインスタンスに対して、一つのクラスが対応している場合も、よくあります。
エ　一つのクラスから、一つもしくは二つ以上のインスタンスが生成されます。

(FE-H27-S-48)

オブジェクト指向の考え方に基づくとき，一般に“自動車”のサブクラスといえるものはどれか。

ア　エンジン　　イ　製造番号　　ウ　タイヤ　　エ　トラック

解説

「トラック is a 自動車（トラックは自動車です）」と言えるので、選択肢エが正解です。

正解▶問1:イ　問2:イ　問3:ウ　問4:エ
問5:イ　問6:エ

Chapter 16-13 UML (Unified Modeling Language)

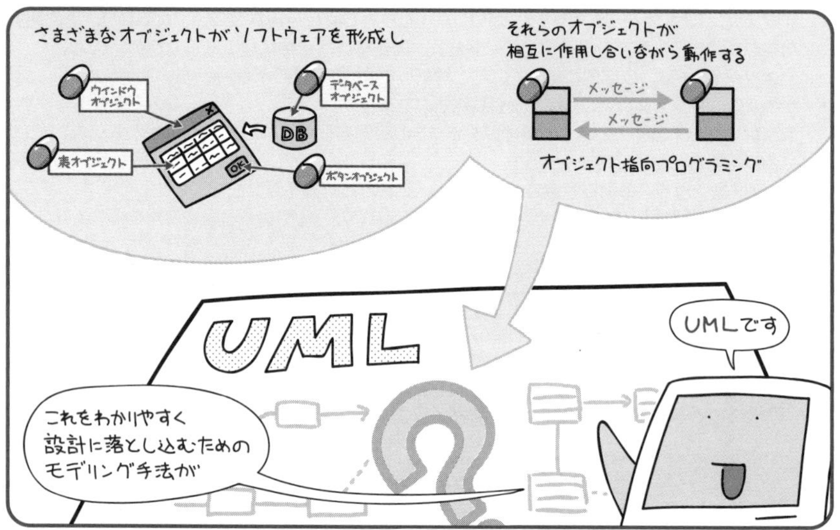

UMLは、主にオブジェクト指向分析・設計において用いられる統一モデリング言語です。

UMLはオブジェクト指向プログラミングにおいて、設計で用いられる標準的な記法です。なぜ「言語」とついているのかというと、これが「複数人で設計モデルを共有してコミュニケーションを図るための手段」であるからと言えるでしょう。単に頭の中の設計をまとめるだけにとどまらず、そのアイデアをわかりやすくビジュアル化し共有する、そのための統一言語なのです。

UMLでは、規定されている図をダイアグラムと呼びます。13種類の図がありますが、必ずしもすべてを使わなければいけないわけではなく、必要に応じて各図を使い分けることになります。よく使われる図としては、ユースケース図やシーケンス図、クラス図などがあります。

ちなみに、過去の設計ノウハウを整理して、これに名前をつけて再利用可能にしたひな形のことをデザインパターンと呼びますが、UMLはこの説明でもよく使われます。汎用的なひな形であるデザインパターンの活用は、設計上の問題解決や効率アップに役立ちます。

UMLのダイアグラム（図）

UMLで用いる図は、前ページにも書いた通り13種類。大きく分けると、システム構造を示す構造図、システムの振る舞いを示す振る舞い図の2つに分類することができます。

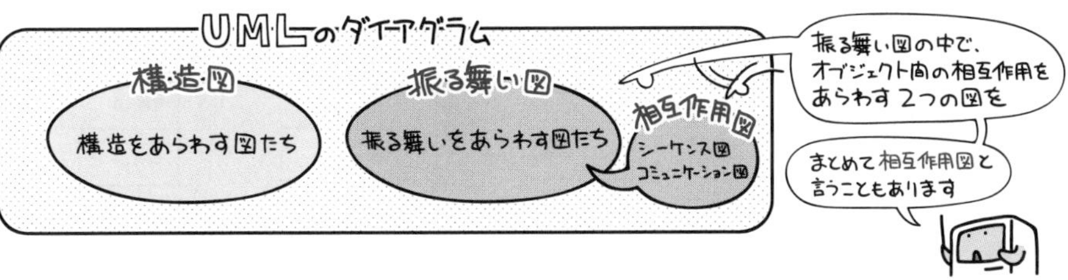

以下に、13種類の概要を示します。
一部の図については次ページ以降でより詳しく見ていきます。

構造図	クラス図 (class diagram)	クラスの定義や、関連付けなど、クラス構造をあらわす。
	オブジェクト図 (object diagram)	クラスを実体化させるインスタンス（オブジェクト）の、具体的な関係をあらわす。
	パッケージ図 (package diagram)	クラスなどがどのようにグループ化されているかをあらわす。
	コンポーネント図 (component diagram)	処理を構成する複数のクラスを1つのコンポーネントと見なし、その内部構造と相互の関係をあらわす。
	複合構造図 (composite structure diagram)	複数クラスを内包するクラスやコンポーネントの内部構造をあらわす。
	配置図 (deployment diagram)	システムを構成する物理的な構造をあらわす。
振る舞い図	ユースケース図 (use case diagram)	利用者や外部システムからの要求に対して、システムがどのような振る舞いをするかをあらわす。
	アクティビティ図 (activity diagram)	システム実行時における、一連の処理の流れや状態遷移をあらわす。フローチャート的なもの。
	状態マシン図 (state machine diagram)	イベントによって起こる、オブジェクトの状態遷移をあらわす。
	シーケンス図 (sequence diagram)	オブジェクト間のやり取りを、時系列にそってあらわす。
	コミュニケーション図 (communication diagram)	オブジェクト間の関連と、そこで行われるメッセージのやり取りをあらわす。
	相互作用概要図 (interaction overview diagram)	ユースケース図やシーケンス図などを構成要素として、より大枠の処理の流れをあらわす。アクティビティ図の変形。
	タイミング図 (timing diagram)	オブジェクトの状態遷移を時系列であらわす。

クラス図

クラスの定義や関連付けを示す図です。
クラス内の属性と操作を記述し、クラス同士を線でつないで互いの関係をあらわします。

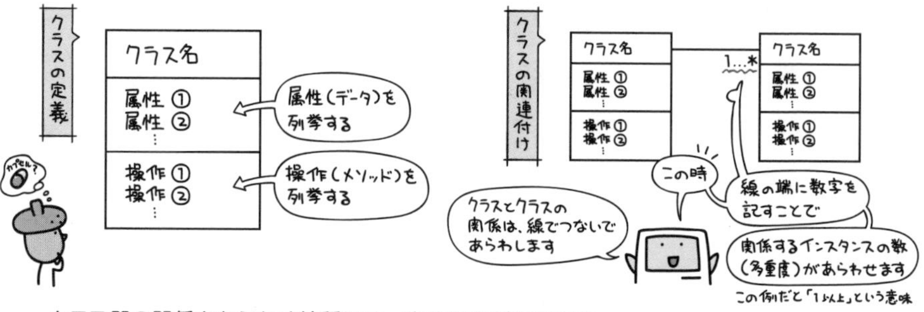

クラス間の関係をあらわす線種には、次のものがあります。

関連 (association)	A　B	基本的なつながりをあらわす。
集約 (aggregation)	A　B	クラスBは、クラスAの一部である。ただし、両者にライフサイクルの依存関係はない。
コンポジション (composition)	A　B	クラスBはクラスAの一部であり、クラスAが削除されるとクラスBもあわせて削除される。
依存 (dependency)	A　B	クラスAが変更された時、クラスBも変更が生じる依存関係にある。
汎化 (generalization)	A　B	クラスBはクラスAの性質を継承している。クラスAがスーパークラスであり、クラスBはサブクラスの関係にある。
実現 (realization)	A　B	抽象的な定義にとどまるクラスAの振る舞いを、具体的に実装したものがクラスBである。

ユースケース図

利用者視点でシステムが要求に対してどのように振る舞うかを示す図です。
システムに働きかける利用者や外部システムなどをアクター、システムに対する具体的な操作や機能をユースケースとして、その関連を図示することで求められる要件を視覚化します。

たとえば次のような図になります。

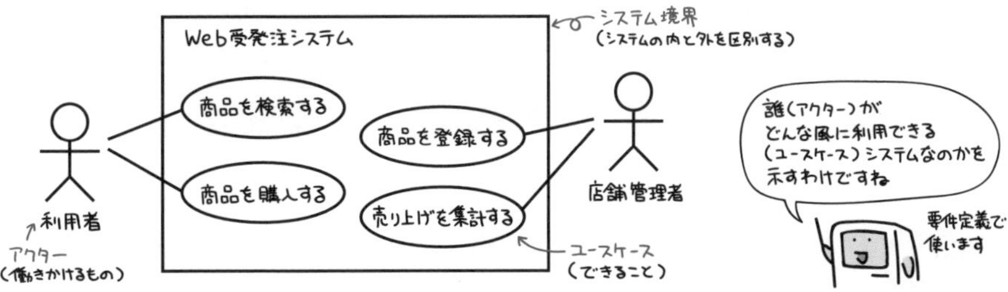

アクティビティ図

業務や処理のフローをあらわす図です。処理の開始から終了までの一連の流れを、実行される順番通りに図示します。

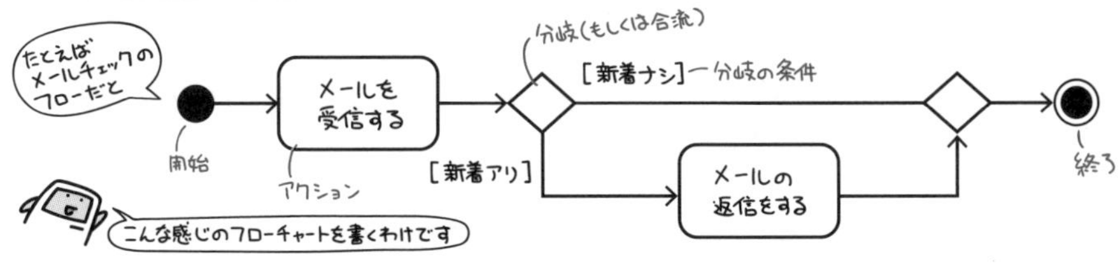

シーケンス図

オブジェクト間のやり取りを時系列に沿ってあらわす図です。オブジェクト同士の相互作用を表現するもので、オブジェクト下の点線で生成から消滅までをあらわし、そこで行われるメッセージのやり取りを横向きの矢印であらわします。

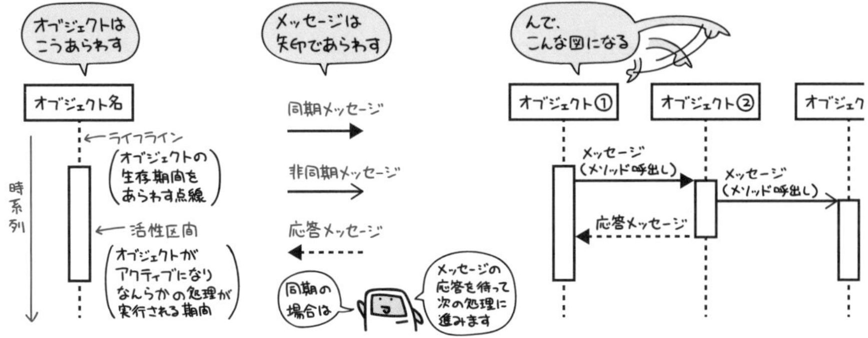

16 プログラムの作り方

このように出題されています 過去問題練習と解説

問1 (FE-H28-S-64)

業務プロセスを可視化する手法としてUMLを採用した場合の活用シーンはどれか。

ア　対象をエンティティとその属性及びエンティティ間の関連で捉え，データ中心アプローチの表現によって図に示す。

イ　データの流れによってプロセスを表現するために，データの発生，吸収の場所，蓄積場所，データの処理を，データの流れを示す矢印でつないで表現する。

ウ　複数の観点でプロセスを表現するために，目的に応じたモデル図法を使用し，オブジェクトモデリングのために標準化された記述ルールで表現する。

エ　プロセスの機能を網羅的に表現するために，一つの要件に対して発生する事象を条件分岐の形式で記述する。

解説

ア　エンティティとその属性、およびエンティティ間の関連を概念データモデルとして図示する方法は，E-R図（518ページを参照）です。

イ　DFD（Data Flow Diagram：517ページを参照）を採用した場合の活用シーンです。

ウ　UML（Unified Modeling Language：666ページを参照）を採用した場合の活用シーンです。

エ　本選択肢の説明に該当するものの1つに、フローチャートにおける「選択構造」（609ページを参照）があります。

問2 (FE-H26-S-46)

UMLにおける図の □ の中に記述するものはどれか。

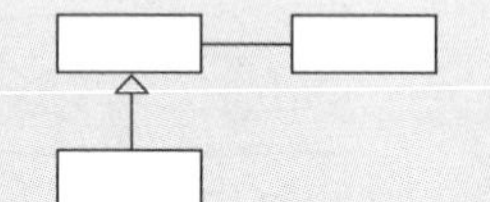

ア　関連名　　イ　クラス名

ウ　集約名　　エ　ユースケース名

解説

ア　関連名は、クラス図の「関連」（668ページを参照）である直線マークに記述されます。関連名は、「所属する▶」のように、▶の左側に関連元のクラス（例えば、「社員」クラス）、▶の右側に関連先のクラス（例えば、「部門」クラス）が配置されるように、▶を付けて表記されます。

イ　クラス名は、本問の図のようなクラス図の四角形（668ページを参照）マークに記述されます。

ウ　集約名は、クラス間の「集約」（668ページを参照）に付けられた名称であり、「集約」には菱形マークが使われます。

エ　ユースケース名は、ユースケース図（668ページを参照）の楕円マークに記述されます。

(FE-H30-S-64)

UMLをビジネスモデリングに用いる場合，ビジネスプロセスの実行順序や条件による分岐などのワークフローを表すことができる図はどれか。

ア　アクティビティ図　　イ　オブジェクト図
ウ　クラス図　　エ　コンポーネント図

解説

ア　アクティビティ図は、669ページに記述されているとおり、業務（ビジネスプロセス）の実行順序や、条件による分岐を含む処理のフローをあらわす図です。
イ　オブジェクト図は、667ページに記述されているとおり、クラスを実体化させるインスタンス（オブジェクト）の、具体的な関係をあらわす図です。
ウ　クラス図は、668ページに記述されているとおり、クラスの定義や関連付けを示す図です。
エ　コンポーネント図は、667ページに記述されているとおり、処理を構成する複数のクラスを1つのコンポーネントと見なし、その内部構造と相互の関係をあらわす図です。

(FE-H30-A-46)

UML 2.0のシーケンス図とコミュニケーション図のどちらにも表現されるものはどれか。

ア　イベントとオブジェクトの状態
イ　オブジェクトがある状態にとどまる最短時間及び最長時間
ウ　オブジェクトがメッセージを処理している期間
エ　オブジェクト間で送受信されるメッセージ

解説

シーケンス図は、オブジェクト間のメッセージのやり取りを時系列に沿ってあらわす図であり、コミュニケーション図は、オブジェクト間の関連と、そこで行われるメッセージのやり取りをあらわす図です。したがって、シーケンス図とコミュニケーション図は、類似しており、選択肢エの「オブジェクト間で送受信されるメッセージ」は、その両者に共通して表現されます。

なお、シーケンス図の例は、669ページを参照してください。コミュニケーション図の例は、下図を参照してください。

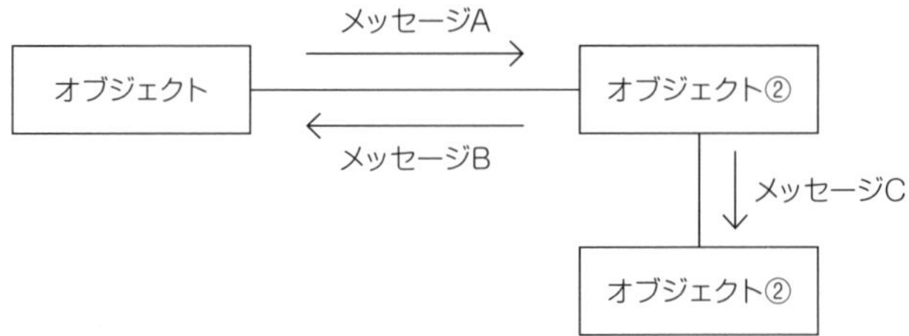

正解▶問1：ウ　問2：イ　問3：ア　問4：エ

Chapter 17 システム構成と故障対策

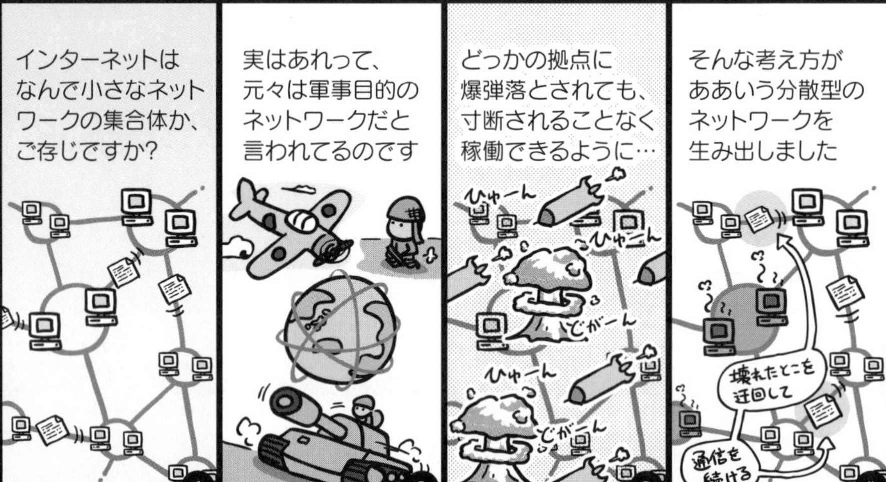

インターネットは
なんで小さなネット
ワークの集合体か、
ご存じですか?
実はあれって、
元々は軍事目的の
ネットワークだと
言われてるのです
どっかの拠点に
爆弾落とされても、
寸断されることなく
稼働できるように…
ひゅ〜ん
ひゅ〜ん
でが〜ん
ひゅ〜ん
でが〜ん
そんな考え方が
ああいう分散型の
ネットワークを
生み出しました
壊れたとこを
迂回して
通信を
続ける

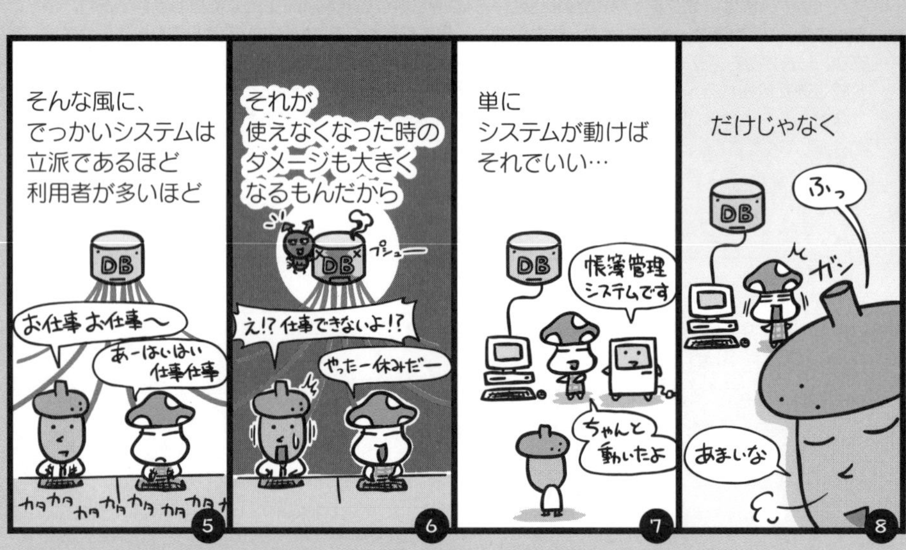

そんな風に、
でっかいシステムは
立派であるほど
利用者が多いほど

使えなくなった時の
ダメージも大きく
なるもんだから

BANK

いかに
動きを止めない
ようにできるか
ネズミにケーブル かじられないように
24時間監視チュー
DB
9
いかに
素早く故障から
復帰するか
ぐぐ〜〜〜
はっ
うぉあ
カジカジ カジカジ
10
そんなことも
考えて作られて
います
ちっちっちっ
だから甘いと 言ったのに
なんか すっげームカつく
11
さてここで問題
なんだ コノヤロー
ギャース
ギャース
いつもの仕返しだ バカヤロー
12

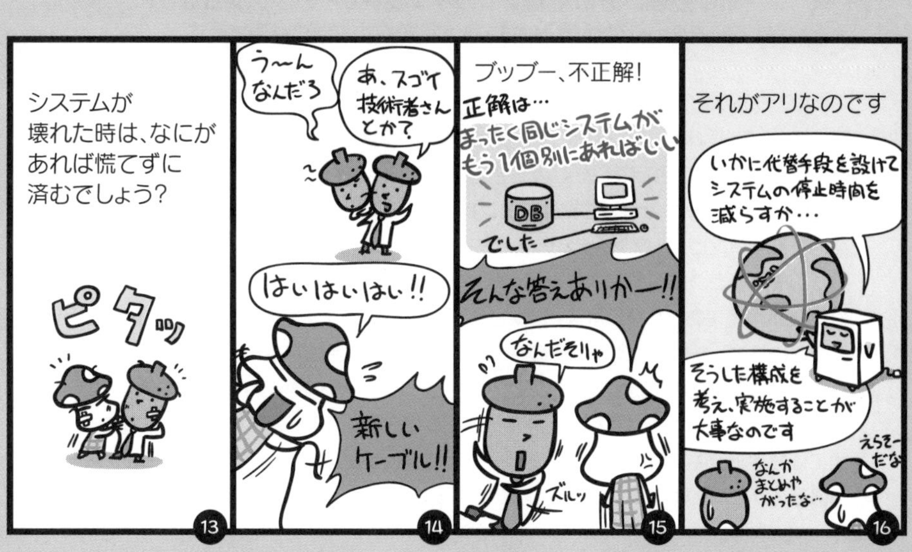
システムが
壊れた時は、なにが
あれば慌てずに
済むでしょう?
ピタッ
13
う〜ん なんだろ
あ、スゴイ 技術者さん とかで
はいはいはい!!
新しい ケーブル!!
14
ブッブー、不正解!
正解は…
まったく同じシステムが もう1個別にあればいい
DB
でした
そんな答えありかー!!
なんだそりゃ
ズルッ
15
それがアリなのです
いかに代替手段を設けて システムの停止時間を 減らすか…
そうした構成を 考え、実施することが 大事なのです
えらそーだな
なんか まとめやがったな…
16

Chapter 17-1 コンピュータを働かせるカタチの話

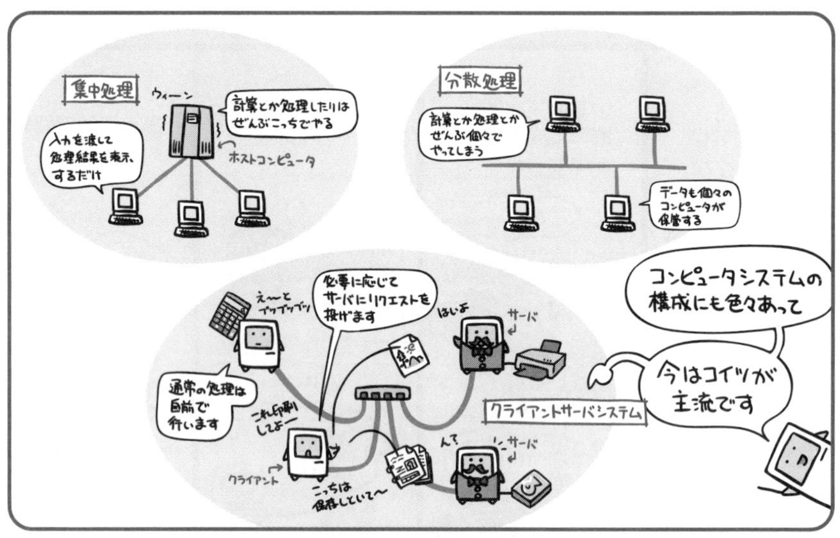

集中処理、分散処理、クライアントサーバシステムなど、コンピュータが組み合わさって働くカタチは様々です。

ネットワークの章で取り上げた「クライアントとサーバ」（P.354）の話を覚えているでしょうか。ネットワークにより、複数のコンピュータが組み合わさって動く処理形態には種類があるんですよーという内容でした。

さて、「ネットワークを介して複数のコンピュータが組み合わさって動く図」とはつまり、企業内で働くコンピュータシステムの話でもあったわけです。

処理形態のひとつである集中処理は、セキュリティ確保や運用管理が簡単な反面、システムの拡張が大変であったり、ホストコンピュータの故障が全システムの故障に直結するという弱点がありました。分散処理はその逆で、システムの拡張は容易だし、どこかが故障しても全体には影響しない。けれどもその反面、セキュリティの確保や運用管理に難がありました。

今はそれらのいいとこ取りをしたクライアントサーバシステムが主流となっています。基本的には分散処理なのですが、ネットワーク上の役割を2つに分け、集中して管理や処理を行う部分をサーバとして残しているところが特徴です。

シンクライアントとピアツーピア

クライアントサーバシステムの中で、特にサーバ側への依存度を高くしたのがシンクライアントです。

シンクライアントにおけるクライアント側の端末は、入力や表示部分を担当するだけで、情報の処理や保管といった機能はすべてサーバに任せます。

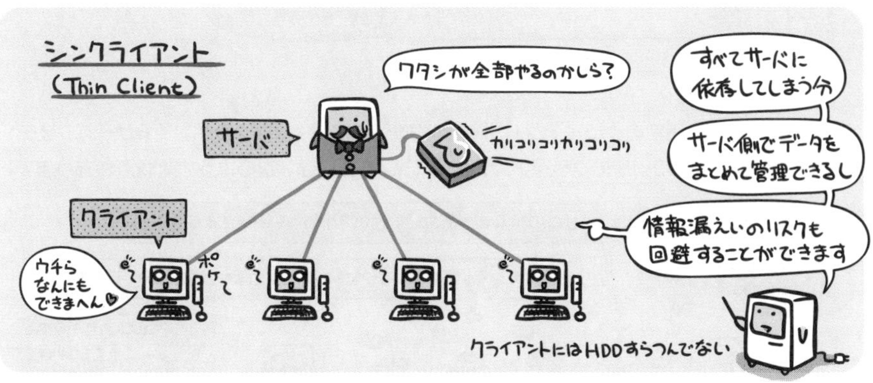

一方、完全な分散処理型のシステムとしてはピアツーピアがあります。これは、ネットワーク上で協調動作するコンピュータ同士が対等な関係でやり取りするもので、サーバなどの一元的に管理する存在を必要としません。

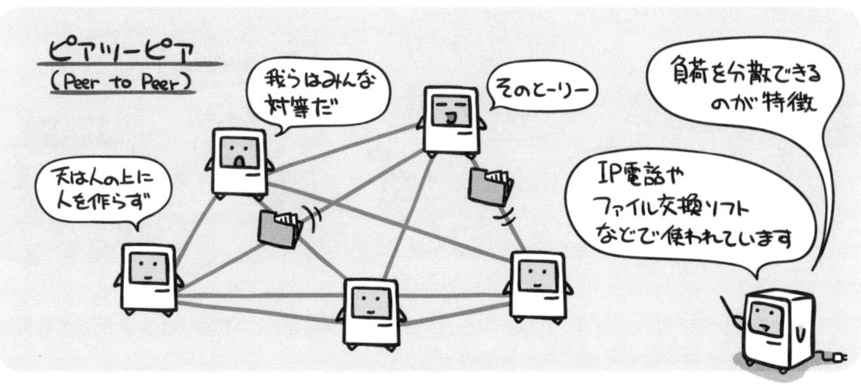

3層クライアントサーバシステム

クライアントサーバシステムの機能を、プレゼンテーション層・ファンクション層・データ層の3つに分けて構成するシステムを、3層クライアントサーバシステムと言います。

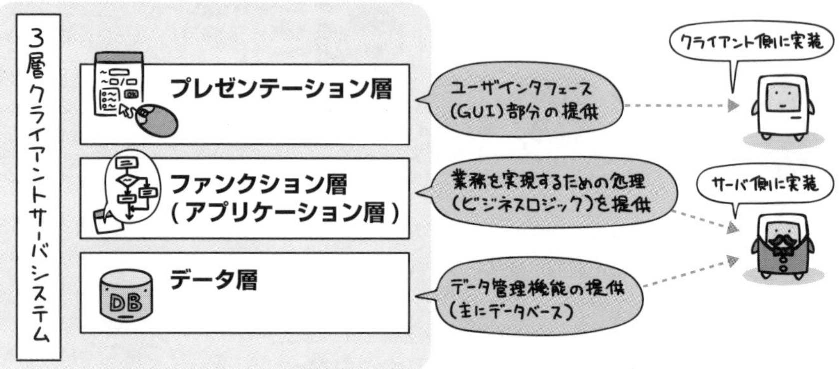

これに対して、通常のクライアントサーバシステムのことを2層クライアントサーバシステムと呼びます。この2階層のクライアントサーバシステムには、次のような問題点があります。

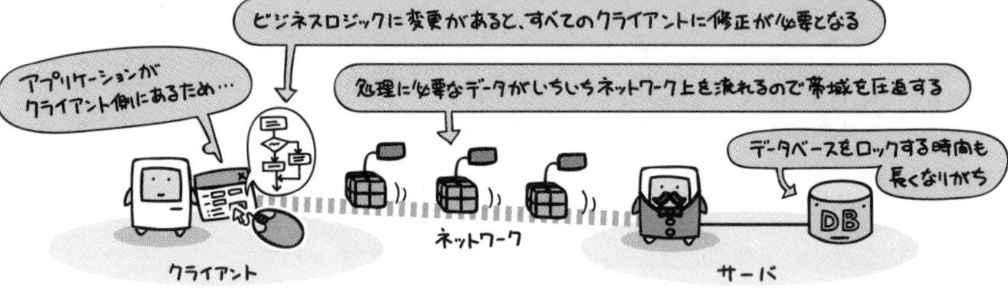

そこでこれを3階層に分け、ビジネスロジック部分をサーバ側に移します。すると、次のような利点が出てくるのです。

3層クライアントサーバシステムは、ネットショッピングなどWebを用いるシステムと親和性が高く、その構築に多く用いられる構成です。

オンライントランザクション処理とバッチ処理

システムの稼働形態として、要求に対して即座に処理を行い、結果が反映されるものをオンライントランザクション処理といいます。

一方、「別にそーんなリアルタイムに反映しなくてもいいしー」という処理の場合は、一定期間ごとに処理を取りまとめて実行します。これをバッチ処理といいます。

ちなみに、普段コンピュータを使っていて普通に行う次のような操作を対話型処理と呼びます。

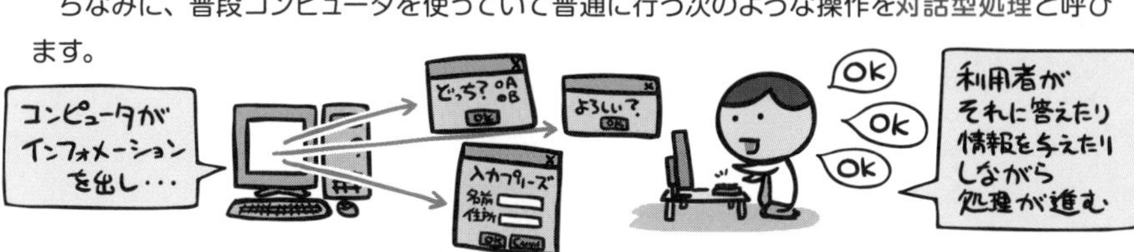

17 システム構成と故障対策

クラスタリングシステム

クラスタリングとは、複数のコンピュータをネットワーク上で結合させることで、ひとつのシステムとして構築する技術です。この技術を用いて構成されるシステムがクラスタリングシステムです。

クラスタリングシステムの運用形態は、負荷分散クラスタ、HAクラスタ、HPCクラスタなどに大別されます。

負荷分散クラスタ

複数のコンピュータに処理を分散させることで、1台あたりの負荷を低く抑えるシステム構成です。たとえば、アクセス数の多い商用のWebサイトなどで用いられています。

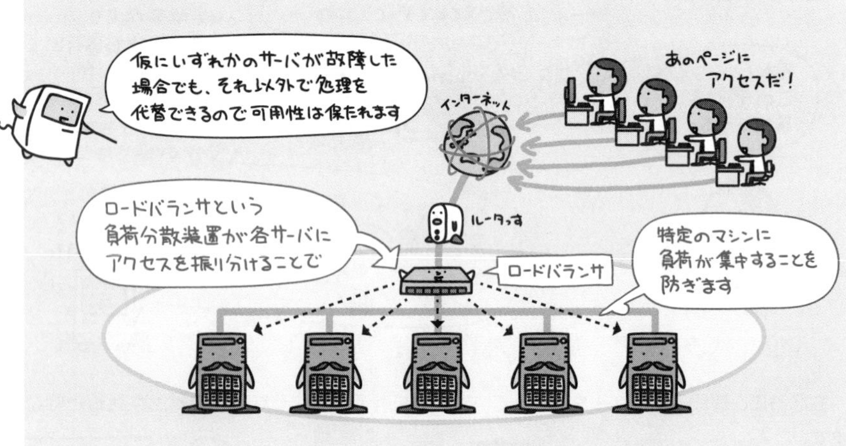

HA(High Availability)クラスタ

High Availabilityとは「高可用性」の意味。稼働中のコンピュータに障害が発生した場合、待機していた別のコンピュータが速やかに処理を引き継ぐことで、停止時間を最小限に抑える(可用性を高く保つ)システム構成です。

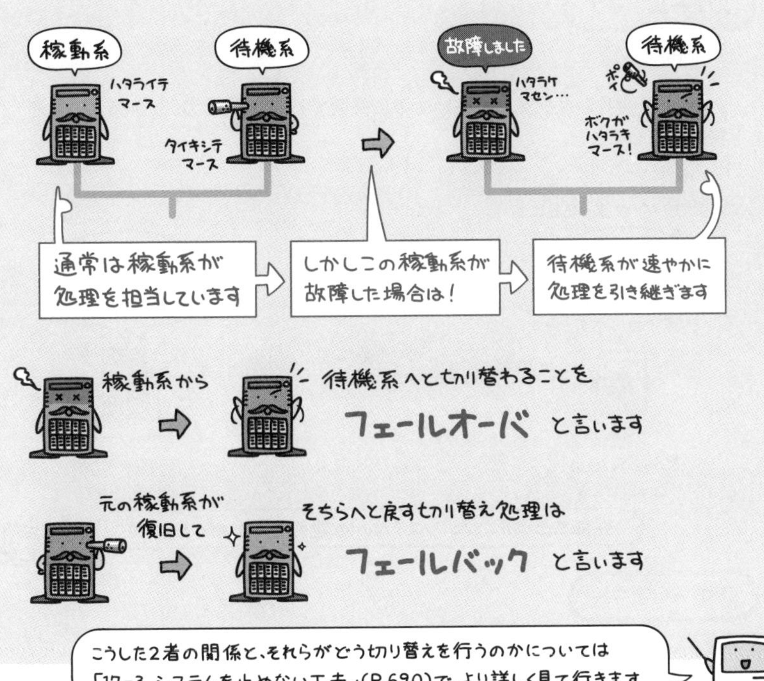

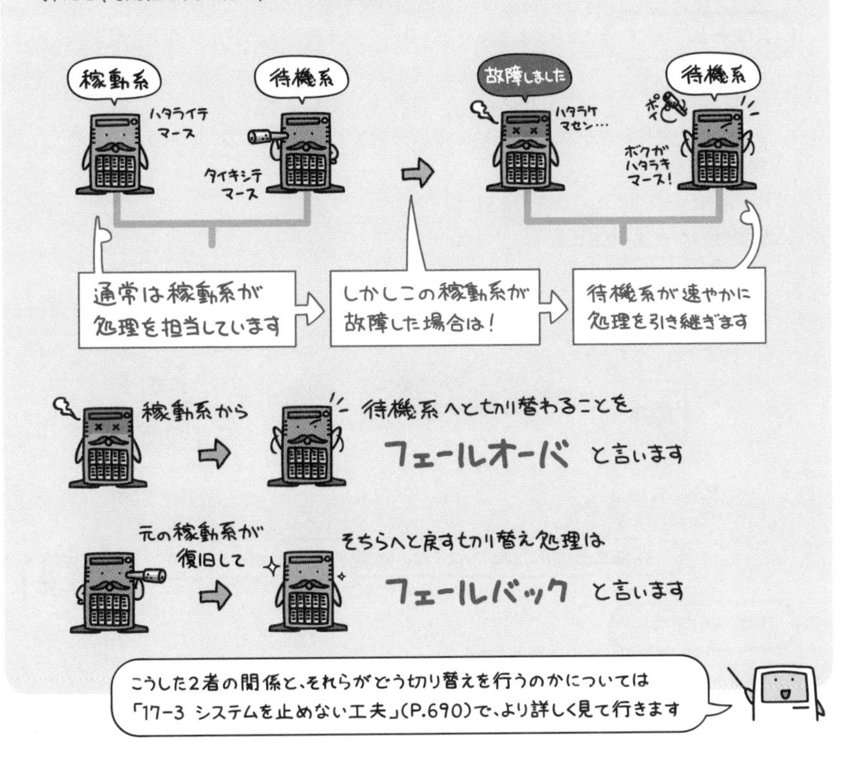

こうした2者の関係と、それらがどう切り替えを行うのかについては「17-3 システムを止めない工夫」(P.690)で、より詳しく見て行きます

HPC(High Performance Computing)クラスタ

膨大な計算量を要するようなひとつの処理を分割し、複数のコンピュータが並行して処理にあたることで、全体の処理速度を高めるシステム構成です。

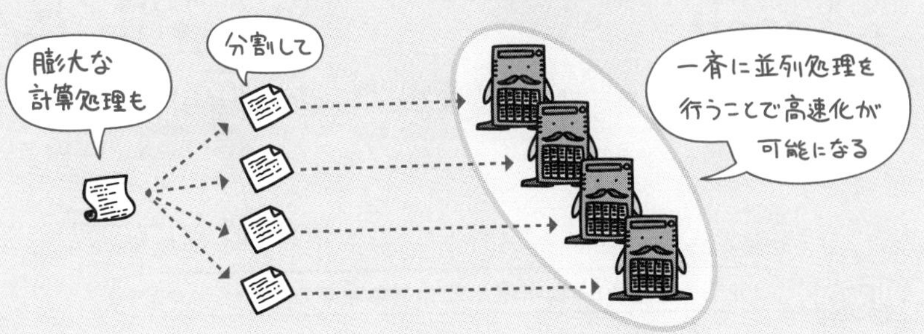

17 システム構成と故障対策

スケールアップとスケールアウト

システムの処理能力をもっと向上させたい!という場合、そのアプローチとしてスケールアップとスケールアウトという2つの手法が考えられます。特徴は次の通りです。

スケールアップ

「サーバ自身の性能をより高いものに交換する」ことにより、システムの処理能力を高めること。

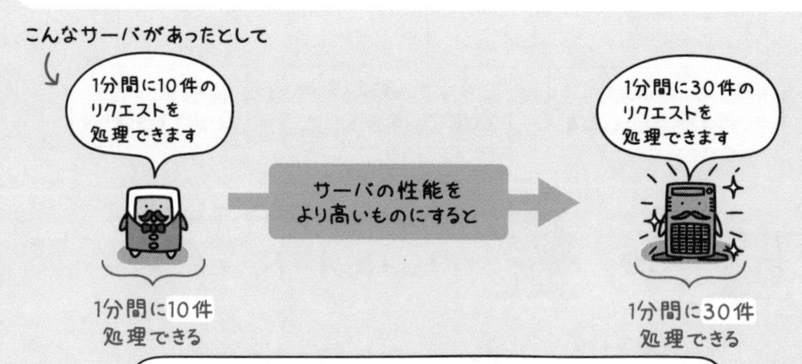

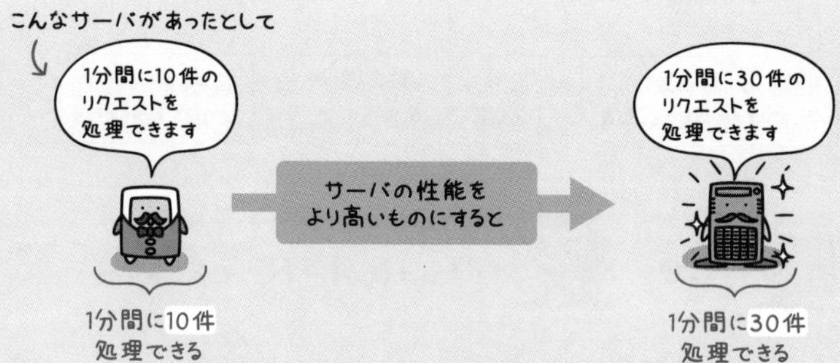

性能を上げたことで、システムの処理能力が上がっています

スケールアウト

「システムを構成するサーバの台数を増やす」ことにより、システムの処理能力を高めること。

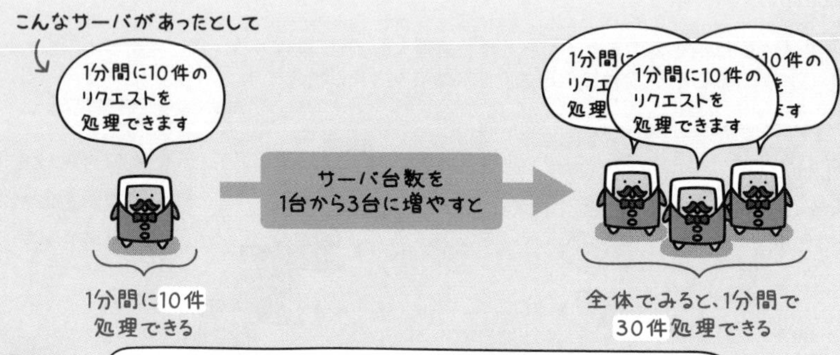

1分間に処理できる数が増え、全体の処理能力が上がっています

グリッドコンピューティング

グリッドコンピューティングとは、小型のパソコンから大型コンピュータに至るまで、インターネットなどのネットワーク上にある複数のプロセッサに処理を分散して、大規模な処理を行う方式です。

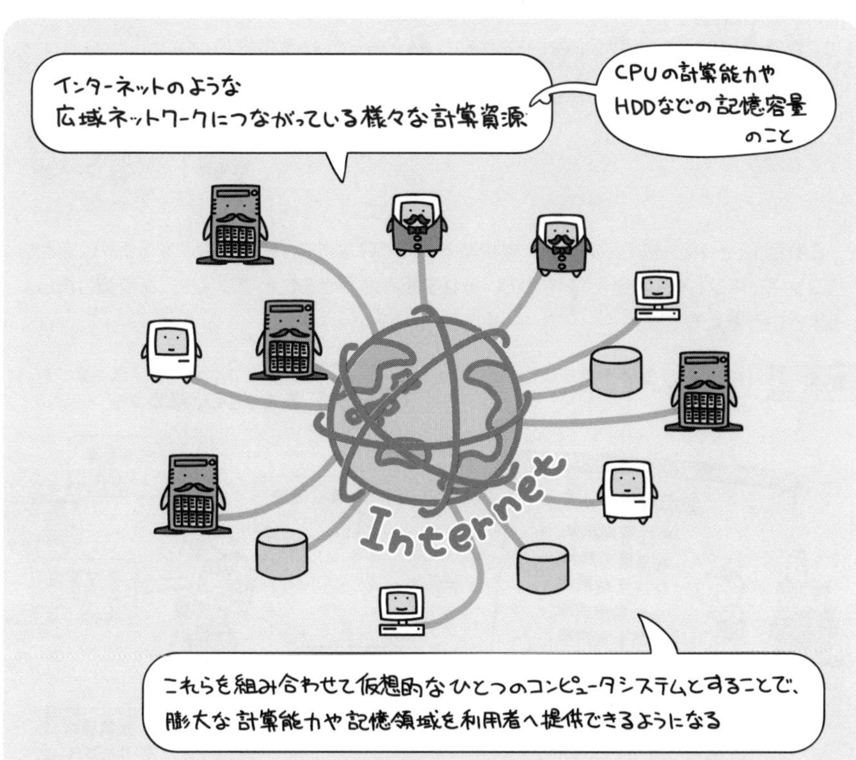

17 システム構成と故障対策

SOA（サービス指向アーキテクチャ：Service Oriented Architecture）

SOAとは、次の言葉の略称です。

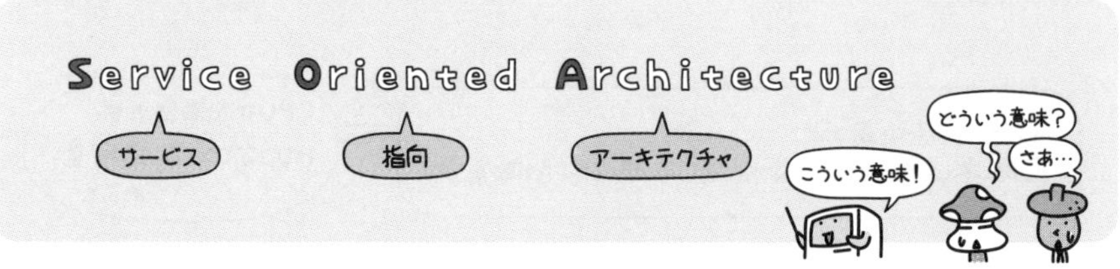

これは「ドーンと1個のシステム」を構築するんではなくて、個々の機能を「サービスというコンポーネント化（部品化）」をして、それを組み合わせることでシステムを構築しましょうよという考え方です。

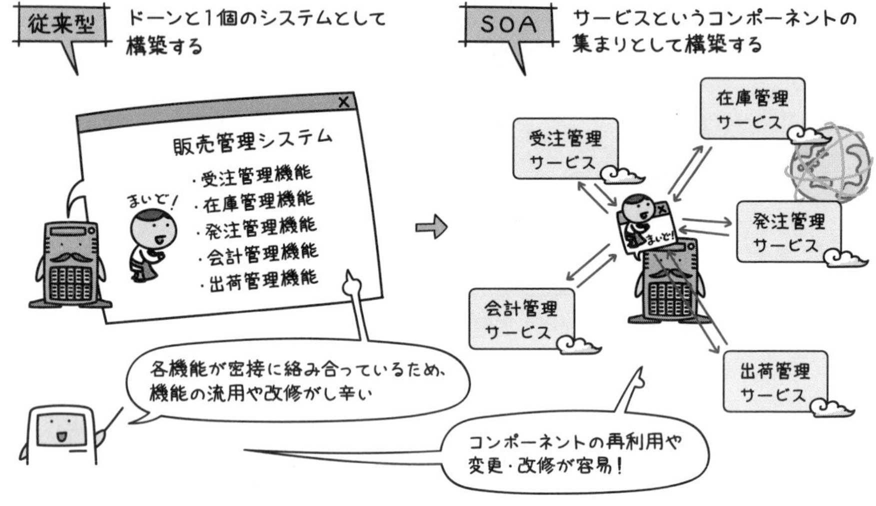

このような構成とすることで、「ビジネス変化に対応しやすくする」などの効果が期待できるわけです。

このように出題されています
過去問題練習と解説

問1 (FE-H27-A-13)

2層クライアントサーバシステムと比較した3層クライアントサーバシステムの特徴として，適切なものはどれか。

ア　クライアント側で業務処理専用のミドルウェアを採用しているので，業務処理の追加・変更などがしやすい。
イ　クライアント側で業務処理を行い，サーバ側ではデータベース処理に特化できるので，ハードウェア構成の自由度も高く，拡張性に優れている。
ウ　クライアント側の端末には，管理が容易で入出力のGUI処理だけを扱うシンクライアントを使用することができる。
エ　クライアントとサーバ間でSQL文がやり取りされるので，データ伝送量をネットワークに合わせて最少化できる。

解説

3層クライアントサーバシステムは、下図のように、2種類のサーバを使ったシステム構成になっています。アプリケーションサーバでは、Javaなどのアプリケーションプログラムが実行され、SQL文を発行します。データベースサーバは、そのSQL文を受け取り、解釈･実行し、結果をアプリケーションサーバに返します。

クライアント ― アプリケーションサーバ ― データベースサーバ

選択肢ア・イ・エは誤りを含んでいるので、消去法により、選択肢ウが正解です。

問2 (FE-H30-S-15)

システムのスケールアウトに関する記述として，適切なものはどれか。

ア　既存のシステムにサーバを追加導入することによって，システム全体の処理能力を向上させる。
イ　既存のシステムのサーバの一部又は全部を，クラウドサービスなどに再配置することによって，システム運用コストを下げる。
ウ　既存のシステムのサーバを，より高性能なものと入れ替えることによって，個々のサーバの処理能力を向上させる。
エ　一つのサーバをあたかも複数のサーバであるかのように見せることによって，システム運用コストを下げる。

解説

ア　スケールアウト（680ページ参照）に関する記述です。　イ　クラウドコンピューティングに関する記述です。　ウ　スケールアップ（680ページ参照）に関する記述です。　エ　サーバの仮想化に関する記述です。

正解▶問1：ウ　問2：ア

Chapter 17-2 システムの性能指標

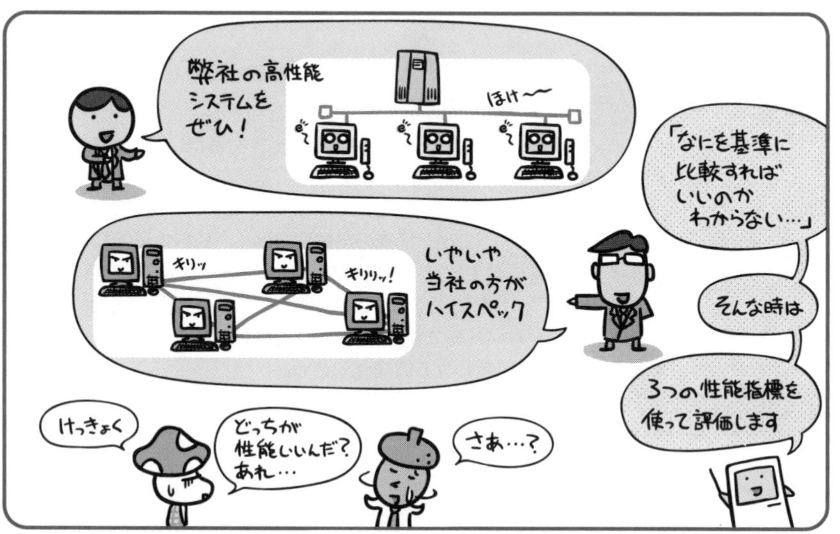

システムの性能を評価する指標には、スループット、レスポンスタイム、ターンアラウンドタイムがあります。

システムには様々な構成の仕方があるもんですから、そこに使われる機材だけを比較して一概に性能を論じることはできません。とはいえ、何らかの指標がないと、「このシステムは早いのか遅いのか」がわかりませんし、導入検討に際して「高いのか安いのか」という判断もしかねます。

そこでシステム全体の性能を評価するモノサシとして、スループット、レスポンスタイム、ターンアラウンドタイムといった指標が用いられています。端的に言うと「どれだけの量の仕事を、どれだけの時間でこなせるか」という内容をあらわす指標たちで…と、長くなるので詳しくは次ページ以降でふれていきますね。

ちなみに、こうした処理性能を評価する手法としてベンチマークテストがあります。これは、性能測定用のソフトウェアを使って、システムの各処理性能を数値化するものです。これですべての機能が網羅できて評価が完了する…というわけではないですが、傾向をつかむ一定の目安として役立てることができます。

スループットはシステムの仕事量

スループットというのは、単位時間あたりに処理できる仕事（ジョブ）量をあらわします。この数字が大きいほど「いっぱい仕事できるぞ!」ってことなので、当然性能は上ということになります。

…と言われても、なんか漠然としすぎていてイメージしづらいですよね。

スループットと仕事の関係は次のような感じです。どのような処理が入るとスループットが低下するのかとあわせておさえておきましょう。

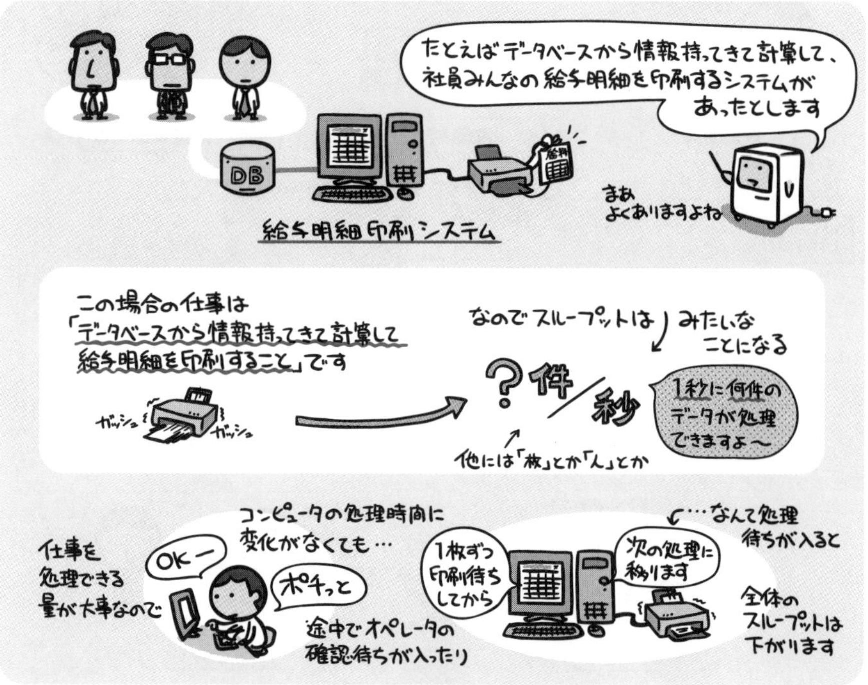

レスポンスタイムとターンアラウンドタイム

さて、続いてはレスポンスタイムとターンアラウンドタイムです。

こっちはちょっと大げさなシステムを題材にした方がイメージしやすくなります。次のような例を用いて考えてみるとしましょう。

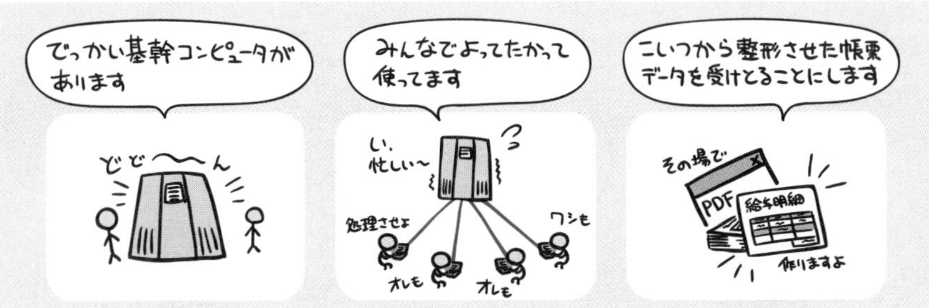

処理の流れはというとこんな感じ。

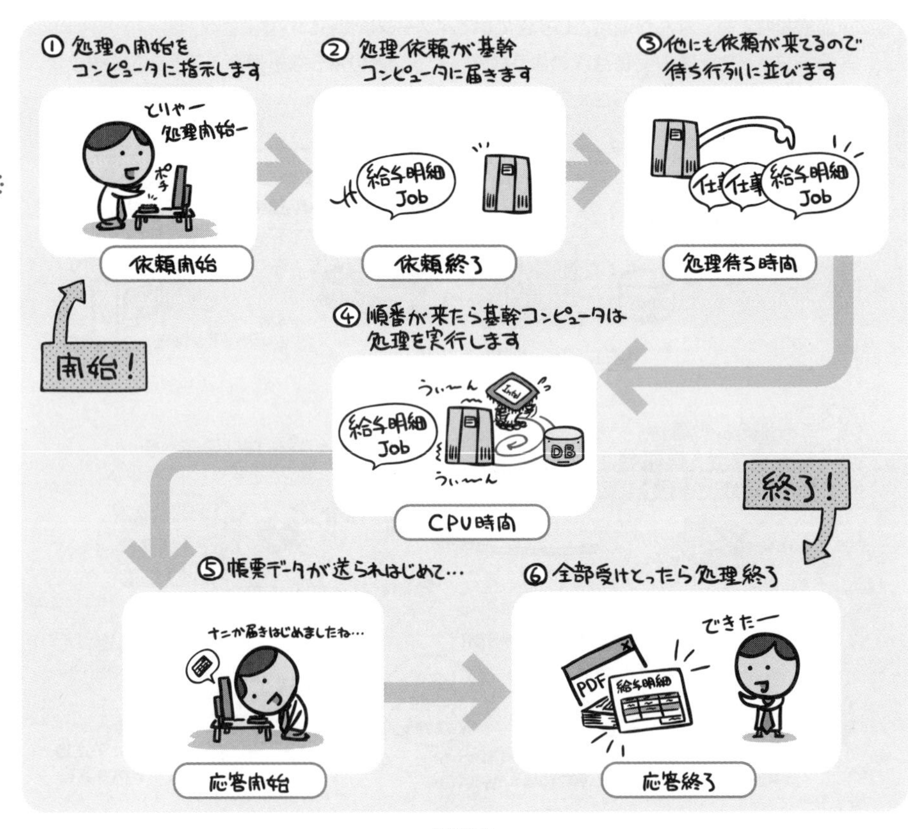

① 処理の開始をコンピュータに指示します
とりゃー 処理開始ー
ポチ
依頼開始
開始！

② 処理依頼が基幹コンピュータに届きます
給与明細 Job
依頼終了

③ 他にも依頼が来てるので待ち行列に並びます
給与明細 Job
処理待ち時間

④ 順番が来たら基幹コンピュータは処理を実行します
うぃ〜ん
給与明細 Job
DB
CPU時間

⑤ 帳票データが送られはじめて…
ナニか届きはじめましたね…
応答開始

⑥ 全部受けとったら処理終了
できたー
PDF
給与明細
応答終了
終了！

こうした一連の処理の中で、レスポンスタイムというのは「コンピュータに処理を依頼し終えてから、実際になにか応答が返されてくるまでの時間」を指しています。

つまりは下図というわけですね。

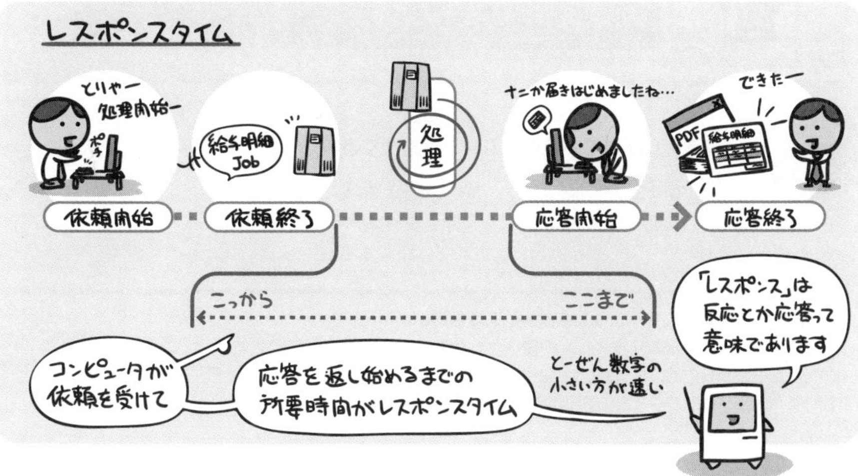

一方、ターンアラウンドタイムの方は、「コンピュータに処理を依頼し始めてから、その応答がすべて返されるまでの時間」を指します。

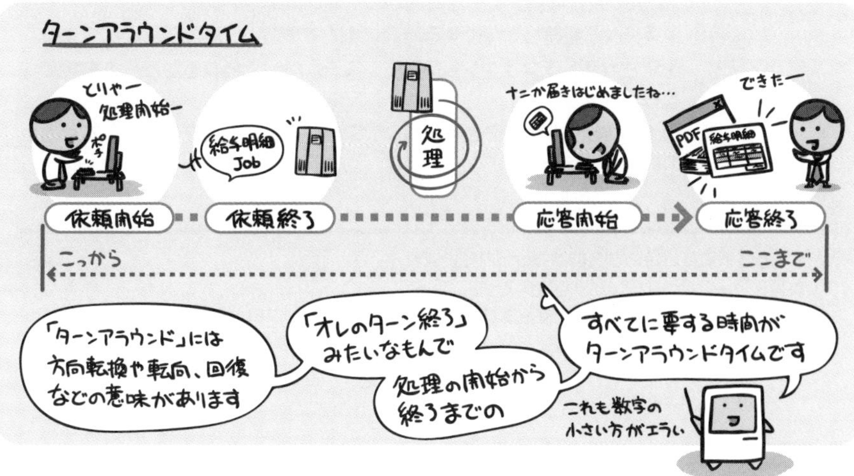

「システムの応答時間が重視されるオンライントランザクション処理」ではレスポンスタイムが、「一連の処理をひとまとめにして実行するバッチ処理」ではターンアラウンドタイムが、それぞれ性能を評価する指標として用いられます。

なにかと混同されやすい両者ですが、「レスポンス」「ターンアラウンド」といった用語の意味に着目すれば、自ずと示すところが見えてくるはずです。

このように出題されています
過去問題練習と解説

(FE-H28-S-13)

システムが単位時間内にジョブを処理する能力の評価尺度はどれか。

ア　MIPS値　　イ　応答時間
ウ　スループット　　エ　ターンアラウンドタイム

解説

ア　MIPSの説明は、149ページを参照してください。
イ　応答時間（レスポンスタイム）の説明は、686ページを参照してください。
ウ　スループットの説明は問題文のとおりです。詳しくは、685ページを参照してください。
エ　ターンアラウンドタイムの説明は、687ページを参照してください。

(FE-H25-A-16)

コンピュータシステムのベンチマークテストの説明として，最も適切なものはどれか。

ア　1命令の実行に要する平均時間から，コンピュータの性能を測る。
イ　システムが連続して稼働する時間の割合を測定し，他の製品と比較する。
ウ　想定されるトランザクション量にシステムが耐えられるかどうかを判定する。
エ　測定用のソフトウェアを実行し，システムの処理性能を数値化して，他の製品と比較する。

解説

アとイ　当選択肢に、特別な名前はつけられていません。
ウ　負荷テストのような感じがする説明です。
エ　ベンチマークテストは、ベンチマークプログラム（入出力や制御プログラムを含めたシステムの総合的な処理性能を測定するプログラム）を使って、コンピュータの性能を評価するためのテストです。

問 3

(FE-H22-S-15)

一つのジョブについての，ターンアラウンドタイム，CPU 時間，入出力時間及び処理待ち時間の四つの時間の関係を表す式はどれか。ここで，ほかのオーバヘッド時間は考慮しないものとする。

ア　処理待ち時間 ＝ CPU 時間 ＋ ターンアラウンドタイム ＋ 入出力時間
イ　処理待ち時間 ＝ CPU 時間 − ターンアラウンドタイム ＋ 入出力時間
ウ　処理待ち時間 ＝ ターンアラウンドタイム − CPU 時間 − 入出力時間
エ　処理待ち時間 ＝ 入出力時間 − CPU 時間 − ターンアラウンドタイム

解説

ターンアラウンドタイムは、バッチ処理を実行する場合に、オペレータがシステムに処理要求を送ってから、結果が出力されるまでの時間をいいます。したがって、

ターンアラウンドタイム ＝ CPU 時間 ＋ 入出力時間 ＋ 処理待ち時間　といえます。この計算式を本問にあわせて変形すると、

処理待ち時間 ＝ ターンアラウンドタイム − CPU 時間 − 入出力時間　となります。

問 4

(FE-H26-S-14)

スループットに関する記述のうち，適切なものはどれか。

ア　ジョブの終了と次のジョブの開始との間にオペレータが介入することによってシステムに遊休時間が生じても，スループットには影響を及ぼさない。
イ　スループットはCPU性能の指標であり，入出力の速度，オーバヘッド時間などによって影響を受けない。
ウ　多重プログラミングはターンアラウンドタイムの短縮に貢献するが，スループットの向上には役立たない。
エ　プリンタへの出力を一時的に磁気ディスク装置へ保存するスプーリングは，スループットの向上に役立つ。

解説

ア　遊休時間が生じるとスループットは低下します。
イ　スループットは、CPU性能・入出力の速度・オーバヘッド時間などの影響を受けます。
ウ　多重プログラミングは、スループットの向上に役立ちます。多重プログラミングの説明は、242ページを参照してください。
エ　スループットは、システム全体の単位時間当たりの仕事量を指す用語です。

正解 ▶ 問1：ウ　問2：エ　問3：ウ　問4：エ

Chapter 17-3 システムを止めない工夫

企業内のシステムでは、障害が発生した時にも業務を継続できるような信頼性が、強く求められます。

本章の冒頭マンガでも書いたように、企業内のシステムというのは「単に動けばそれでいい」ではなくて、「動き続けることが大事」という視点が求められることになります。だって皆さん、このシステムによって仕事を進めるわけですから、いくら便利なシステムでも…いや、便利なシステムであればあるほど、止まってしまった時の損失は大きくなっちゃうわけですよね。

仮にシステムが止まったことで、社員さん1,000人分の仕事がストップしちゃったとしましょう。当然止まってる間の人件費はただの無駄。それが止まっている時間に比例してズンズンズンズン積み重なっていくと考えると…。

恐ろしいですよね。しかも人件費なんて、生じるであろう損失のごく一部でしかありません。

じゃあどうしようかと。それも冒頭マンガに書きました。そう、「まったく同じシステムがもう1つ別にあればいい」なのです。仕事で使うシステムのように「止まってはいけない」ものに対しては、2組のシステムを用意するなどして、信頼性を高める手法が用いられます。

デュアルシステム

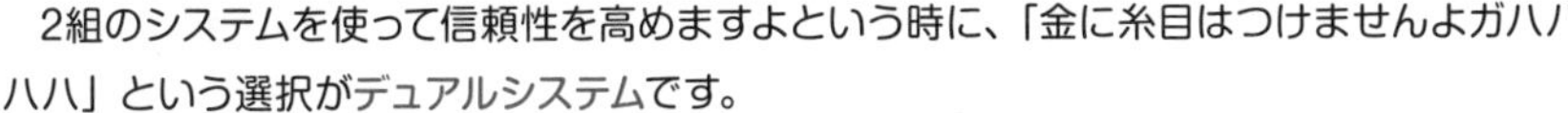

2組のシステムを使って信頼性を高めますよという時に、「金に糸目はつけませんよガハハハハ」という選択がデュアルシステムです。

この構成では、まったく同じ処理を行うシステムを2組用意します。

デュアルシステムでは、2組のシステムが同じ処理を行いながら、処理結果を互いに付き合わせて誤動作してないか監視しています。

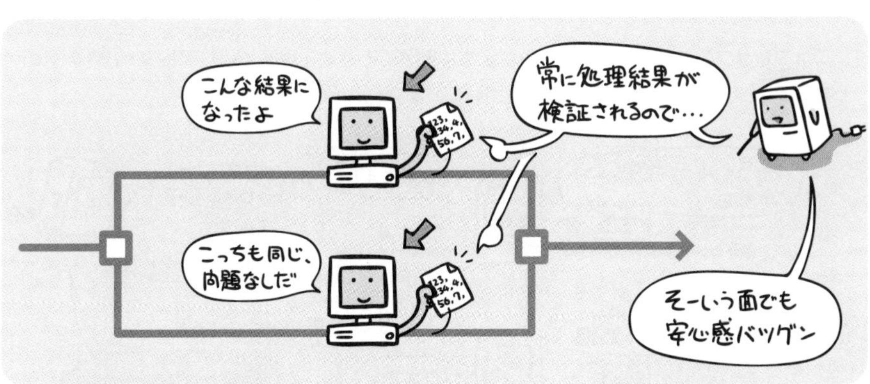

いずれかが故障した場合には異常の発生した側のシステムを切り離し、残る片方だけでそのまま処理を継続することができます。

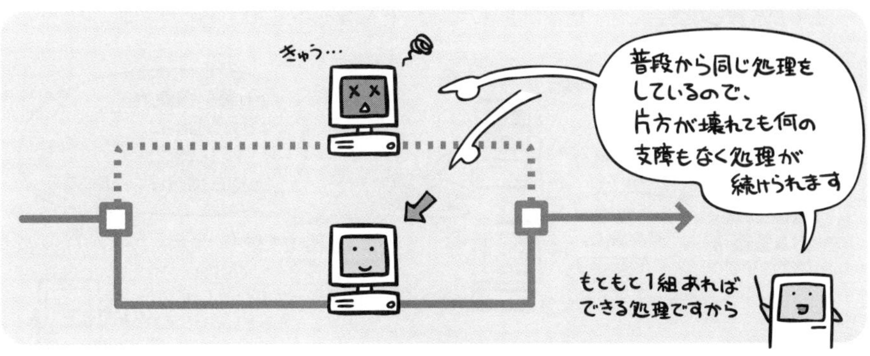

デュプレックスシステム

一方、「さすがに丸ごと2組を、まったく同じ用途で動かしてられるほどブルジョワじゃねーぜ」というのがデュプレックスシステムです。

2組のシステムを用意するところまでは同じですが、正常運転中は片方を待機状態にしておく点が異なります。

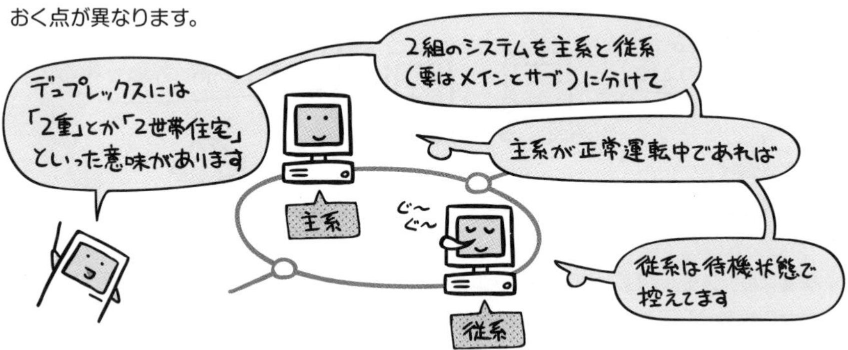

デュプレックスシステムでは、主系が正常に動作してる間、従系ではリアルタイム性の求められないバッチ処理などの別作業を担当しています。

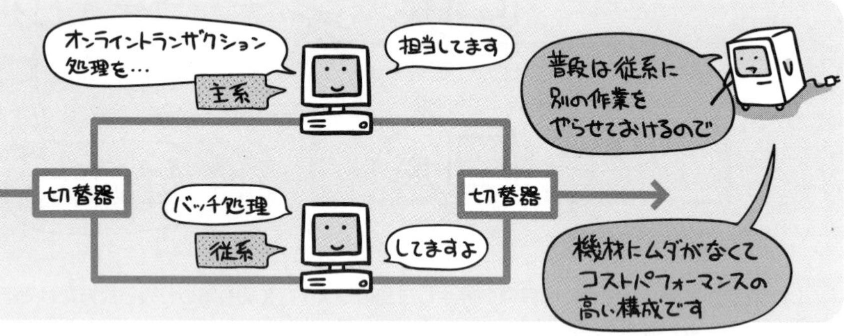

主系が故障した場合には、従系が主系の処理を代替するように切り替わります。

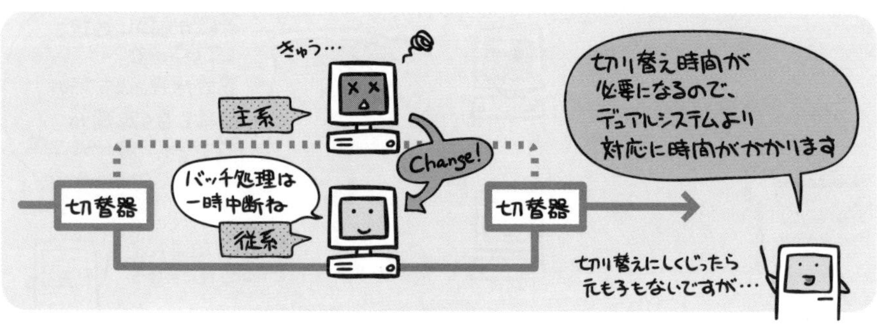

デュプレックスシステムにおける従系システムの待機方法には、次の2つのパターンがあります。

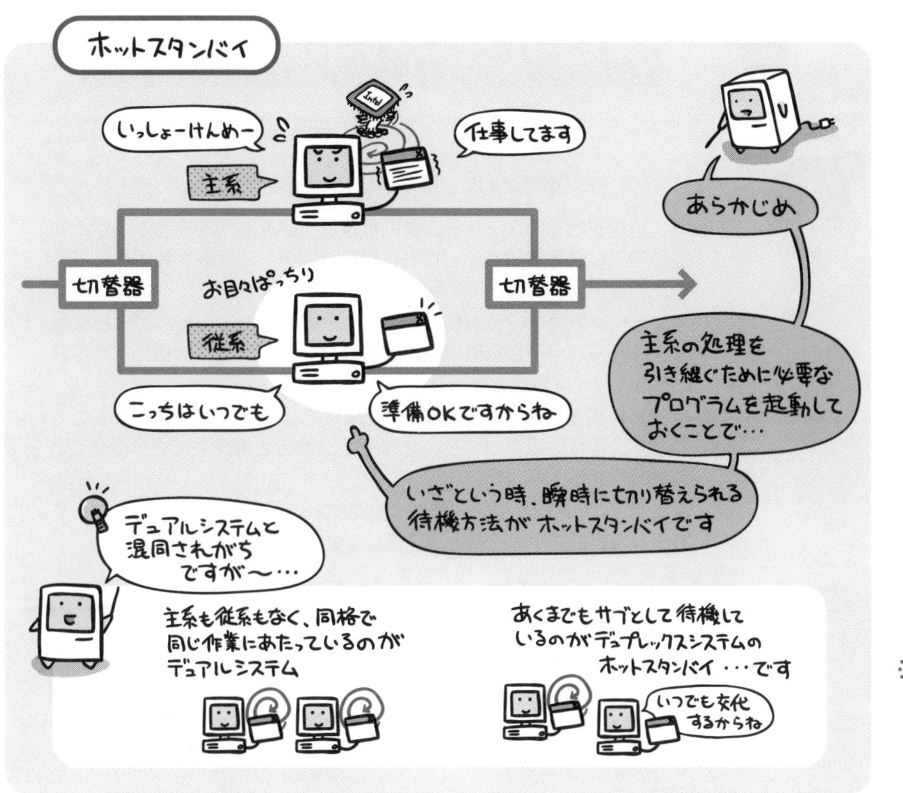

ホットスタンバイ

いっしょーけんめー
仕事してます
主系
あらかじめ
切替器
お目々ぱっちり
切替器
従系
主系の処理を引き継ぐために必要なプログラムを起動しておくことで…
こっちはいつでも
準備OKですからね
いざという時、瞬時に切り替えられる待機方法がホットスタンバイです
デュアルシステムと混同されがちですが～…
主系も従系もなく、同格で同じ作業にあたっているのがデュアルシステム
あくまでもサブとして待機しているのがデュプレックスシステムのホットスタンバイ…です
いつでも交代するからね

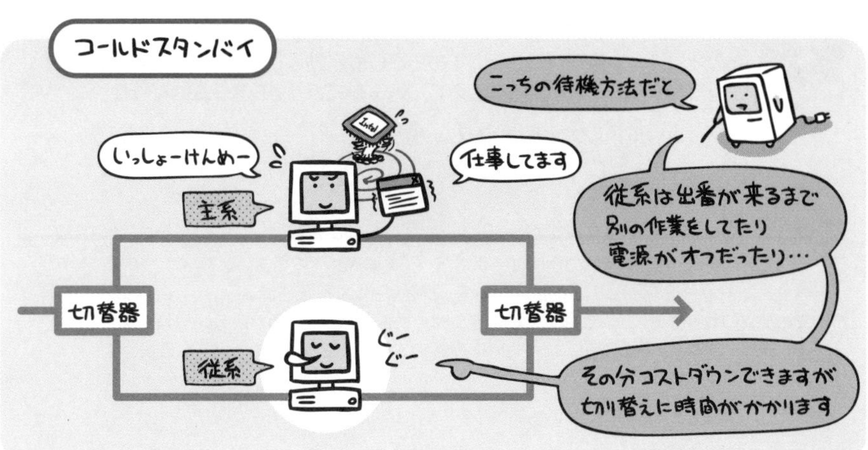

このように出題されています
過去問題練習と解説

問 1 (FE-H29-A-13)

デュアルシステムの説明として，最も適切なものはどれか。

ア　同じ処理を行うシステムを二重に用意し，処理結果を照合することで処理の正しさを確認する。どちらかのシステムに障害が発生した場合は，縮退運転によって処理を継続する。

イ　オンライン処理を行う現用系と，バッチ処理などを行いながら待機させる待機系を用意し，現用系に障害が発生した場合は待機系に切り替え，オンライン処理を続行する。

ウ　待機系に現用系のオンライン処理プログラムをロードして待機させておき，現用系に障害が発生した場合は，即時に待機系に切り替えて処理を続行する。

エ　プロセッサ，メモリ，チャネル，電源系などを二重に用意しておき，それぞれの装置で片方に障害が発生した場合でも，処理を継続する。

解説

ア　デュアルシステムの説明です。

イ　デュプレックスシステムの説明です。

ウ　ホットスタンバイの説明です。

エ　当選択肢の記述に特別な名前は、付けられていません。あえていえば、デュプレックスシステムに類似したシステムです。

問 2 (FE-H30-S-14)

コンピュータを2台用意しておき，現用系が故障したときは，現用系と同一のオンライン処理プログラムをあらかじめ起動して待機している待機系のコンピュータに速やかに切り替えて，処理を続行するシステムはどれか。

ア　コールドスタンバイシステム　　イ　ホットスタンバイシステム

ウ　マルチプロセッサシステム　　エ　マルチユーザシステム

解説

ア　コールドスタンバイシステムの説明は、693ページを参照してください。

イ　ホットスタンバイシステムの説明は、693ページを参照してください。

ウ　マルチプロセッサシステムとは、複数のプロセッサを装備しているシステムです。

エ　マルチユーザシステムの説明とは、同時に複数のユーザが使用可能なシステムです。

正解 ▶ 問1：ア　問2：イ

Chapter 17-4 システムの信頼性と稼働率

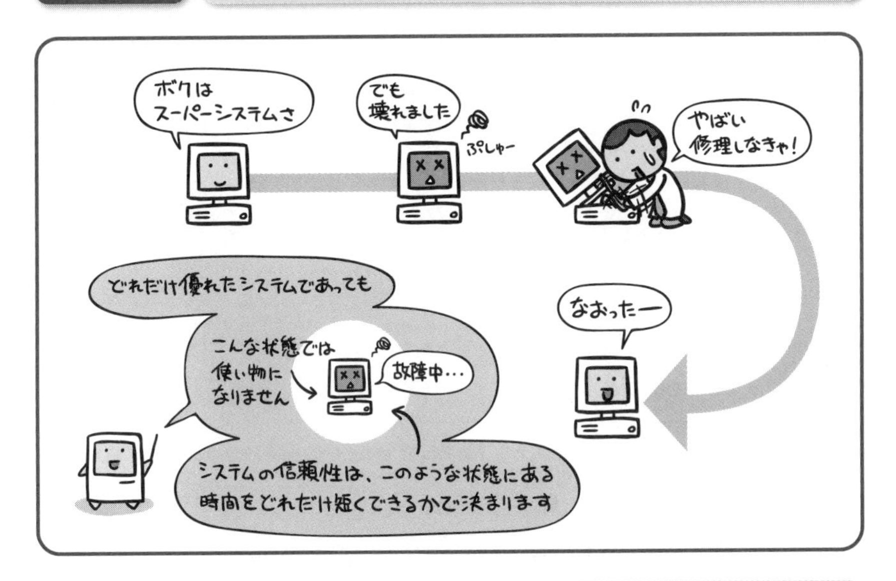

システムの信頼性は、故障する間隔や、その修復時間から求められる稼働率によって評価されます。

素晴らしいシステムがあったとします。機能はバッチリで動作も速い。なにもかもが要望通りで、みんなが満足するシステムです。ただ一点だけ問題があって、やたらとコイツは故障しやすい。しかもいったん壊れたら復旧がえらく大変で、数日使えないなんてざら。そんなシステムがあったとします。

さて、そのシステムに、安心して仕事を任せられるでしょうか。

…任せられないですよね。いつ壊れるかもわかったもんじゃない上に、いつ復旧できるかもわからんシステムです。あてにしていたら痛い目を見るに決まってます。

つまり、どれだけ機能面で優れたシステムであったとしても、「故障しやすく」「復旧に時間がかかる」システムは信頼性が低いと言えるわけです。

稼働率というのは、そうしたトラブルのない、無事に使えていた期間を割合として示すものです。稼働率の計算に用いる平均故障間隔（MTBF）や平均修理時間（MTTR）などとともに、信頼性をあらわす指標として用いられています。

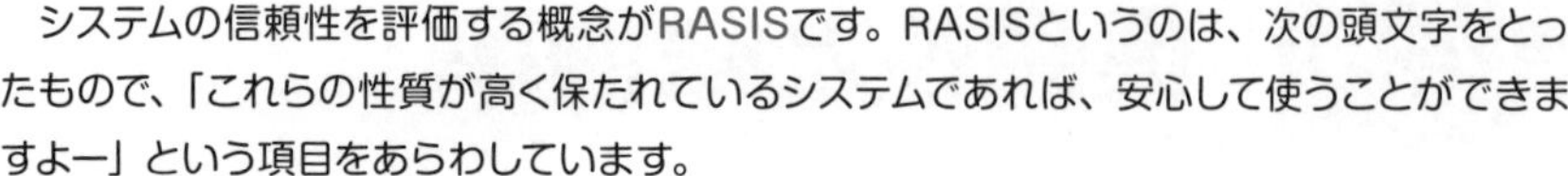

RASIS（ラシス）

システムの信頼性を評価する概念がRASISです。RASISというのは、次の頭文字をとったもので、「これらの性質が高く保たれているシステムであれば、安心して使うことができますよー」という項目をあらわしています。

それぞれ次のような意味を持ちます。

R	Reliability (信頼性)	システムが正常に稼働している状態にあること。 故障せずに稼働し続けている方がエライ。指標値としてMTBFを用いる。
A	Availability (可用性)	必要な時にいつでも利用できる状態にあること。 システムが導入されてからの全運転時間中、正常稼働できていた時間が長いほどエライ。指標値として稼働率を用いる。
S	Serviceability (保守性)	故障などの障害発生時に、どれだけ早く発見、修復が行えるかということ。修復に要する時間が短いほどエライ。指標値としてMTTRを用いる。
I	Integrity (保全性)	誤作動がなく、データの完全性が保たれること。データが破壊されたりすると気分はチョーサイアク。
S	Security (安全性)	不正利用に対してシステムが保護されていること。機密性ともいう。

それでは、上記の中で用いられている指標値について、ひとつずつ見ていきましょう。

平均故障間隔 (MTBF：Mean Time Between Failure)

まずはじめに平均故障間隔（MTBF）から。

これは故障と故障の間隔をあらわすものです。つまりは「故障してない期間＝問題なく普通に稼働できている時間」のことを示します。

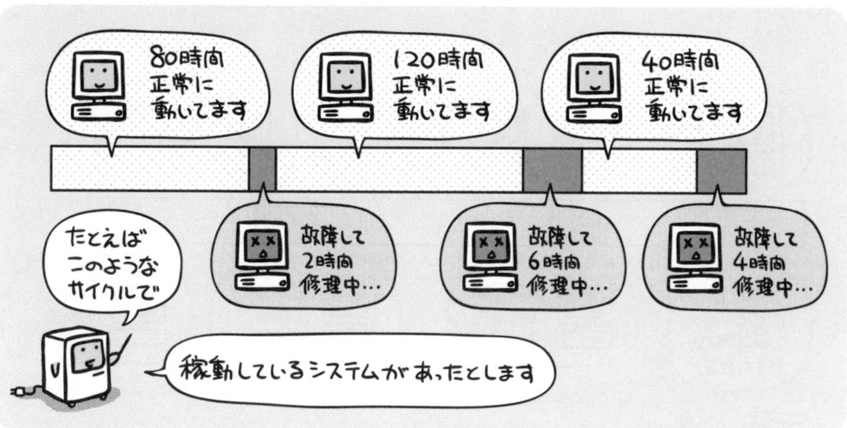

この図の中で、「問題なく普通に稼働できている時間」というのは次の3つ。

“平均”故障間隔なので、これらの平均を求めます。

$$\frac{80\text{時間}+120\text{時間}+40\text{時間}}{3}=80\text{時間}$$

平均故障間隔は、「だいたい平均するとこれぐらいの間隔でどこかしらが故障する」という目安に用いることのできる指標値です。上の例だと80時間。当然、この間隔が大きくなればなるほど「信頼性の高いシステムだ」と言えます。

略語じゃなくて元の言葉（Between Failure）で覚えれば混じる心配はないはずですが、どうしてもダメな場合は、「MTBFのFは普通（Futsu-）に動いてる時間を示すF」と覚えてしまいましょ～

平均修理時間 (MTTR：Mean Time To Repair)

続いては平均修理時間（MTTR）です。

これも読んで字のごとく、修理に必要な時間をあらわすものです。つまりは「一度故障すると、修理時間としてこれぐらいはシステムが稼働できませんよー」という時間を示しているわけですね。

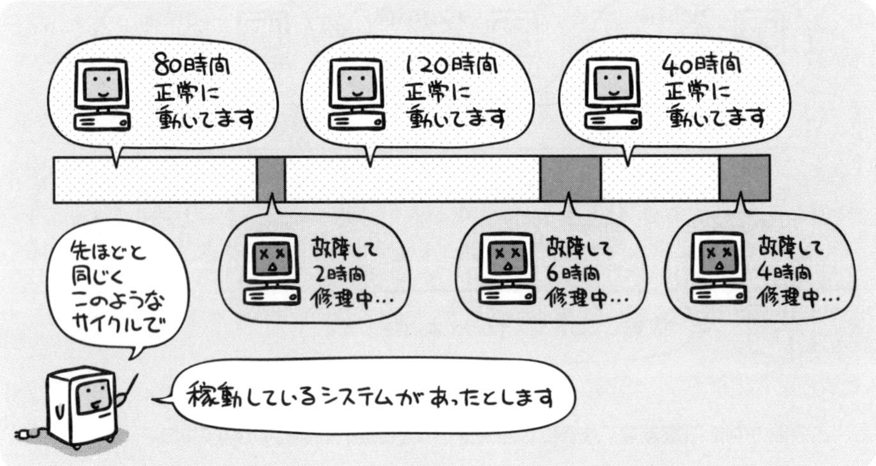

この図の中で、「修理に要している時間」というのは次の3つ。

“平均”修理時間なので、これらの平均を求めます。

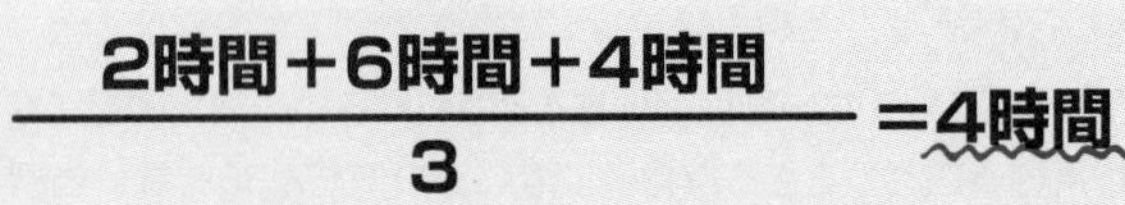

$$\frac{2\text{時間}+6\text{時間}+4\text{時間}}{3}=4\text{時間}$$

平均修理時間は、「だいたい平均するとこれぐらいの時間が、故障した際の復旧時間として必要です」という目安に用いることのできる指標値です。上の例だと4時間。これが短いほど「保守性の高いシステム（保守がしやすいという意味）だ」と言えます。

システムの稼働率を考える

それでは最後に、システムの稼働率です。

稼働率というのは、システムが導入されてからの全運転時間の中で、「正常稼働できていたのはどれくらいの割合か」をあらわすものです。

当然この数字が100%に近いほど、「品質の高いシステムだ」ということになります。

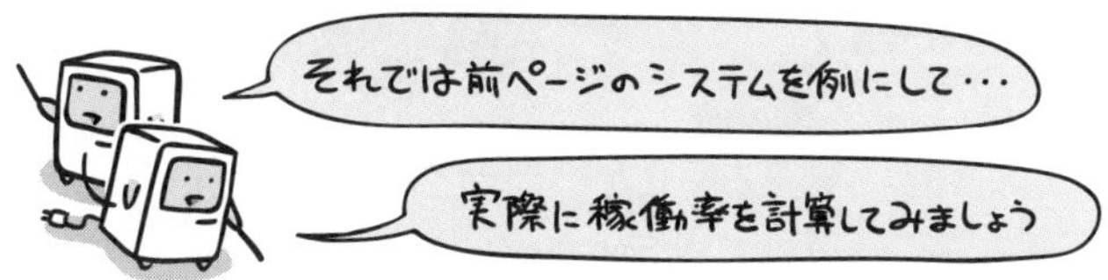

さて、稼働率というのは「正常稼働していた割合」ですから、全運転時間で稼働時間を割れば求めることができます。

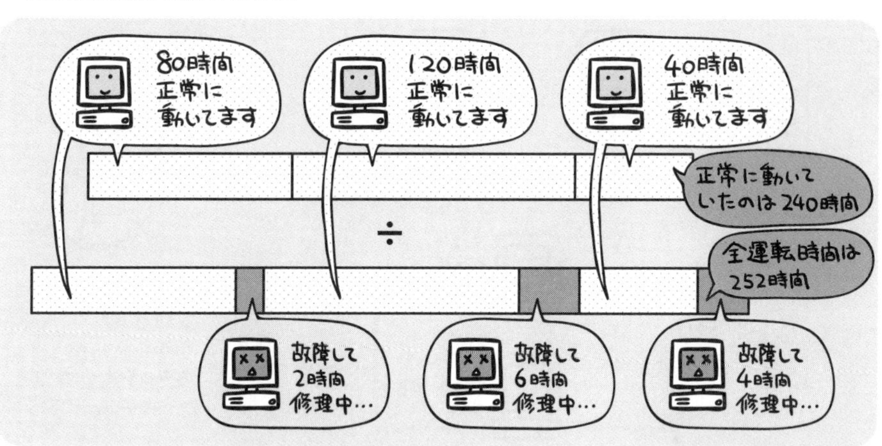

これって、平均故障間隔（MTBF）と平均修理時間（MTTR）の時にやった計算をはめこむと、次のように考えることができるんですよね。

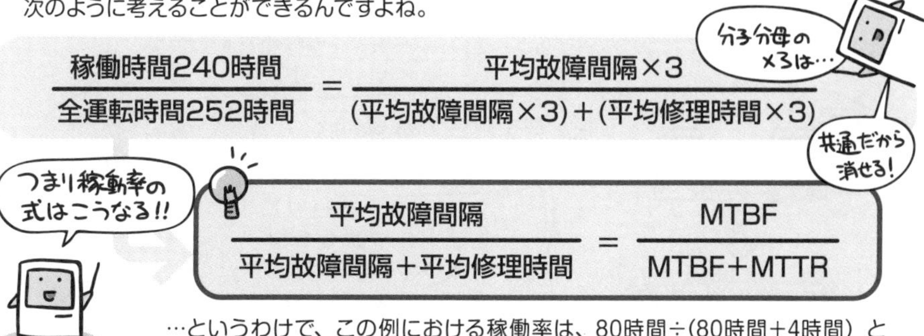

$$\frac{\text{稼働時間240時間}}{\text{全運転時間252時間}} = \frac{\text{平均故障間隔}\times 3}{(\text{平均故障間隔}\times 3)+(\text{平均修理時間}\times 3)}$$

$$\frac{\text{平均故障間隔}}{\text{平均故障間隔}+\text{平均修理時間}} = \frac{\text{MTBF}}{\text{MTBF}+\text{MTTR}}$$

…というわけで、この例における稼働率は、80時間÷(80時間+4時間)という式でも求めることができます。いずれの式でも、答えは約95%です。

直列につながっているシステムの稼働率

システムが複数のシステムによって構成されている場合、それぞれの稼働率は前ページの式で求められますが、「全体の稼働率は?」となると話は少し違ってきます。

複数のシステムをつなぐ方法には、直列接続と並列接続があります。

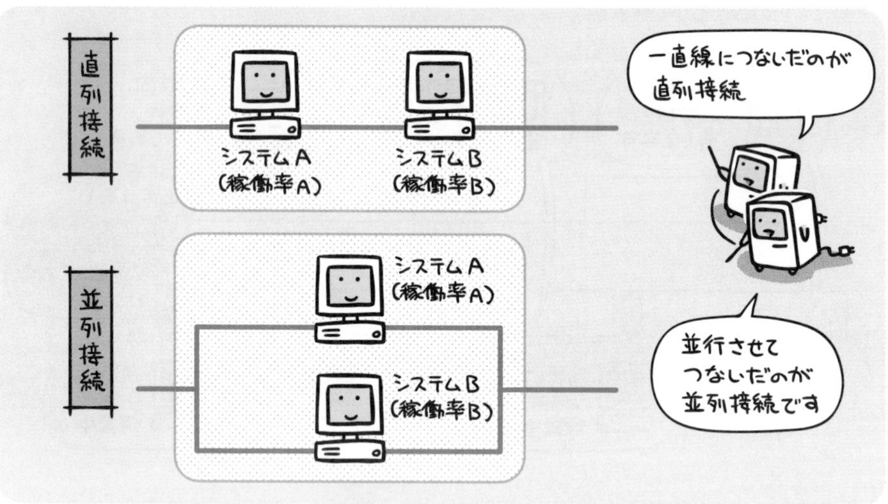

直列接続では、片方のシステムに生じたトラブルであっても、システム全体に影響が及びます。したがっていずれかが故障すると、そのシステムは正常稼働できません。

…というわけで、直列接続されたシステムの組み合わせを考えると、次のようになる。

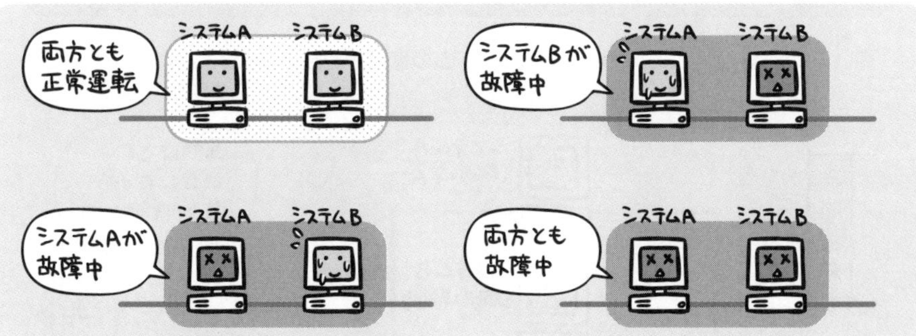

直列接続でシステム全体が正常稼働できるのは、両方のシステムが問題なく動作している場合だけです。じゃあその確率はというと…。

両方とも正常運転

システムA　システムB

システムA

システムAが正常に動いている確率は稼働率A

システムB

システムBが正常に動いている確率は稼働率B

稼働率Aにあてはまり、かつ稼働率Bも成り立つケースの確率は

このような式で求めることができます

直列システムの稼働率＝稼働率A×稼働率B

なんでそんな式になるのかはコチラ！

コインの　オモテ ①　ウラ ●　それぞれ出る確率は50%

コイン2枚を投げて両方オモテになる確率は

①① ●① ①① ●●

4通りある中の1つなので $\frac{1}{4}$ =25%

つまり↓のように計算したのといっしょ

50%×50%=0.50×0.50=0.25=25%

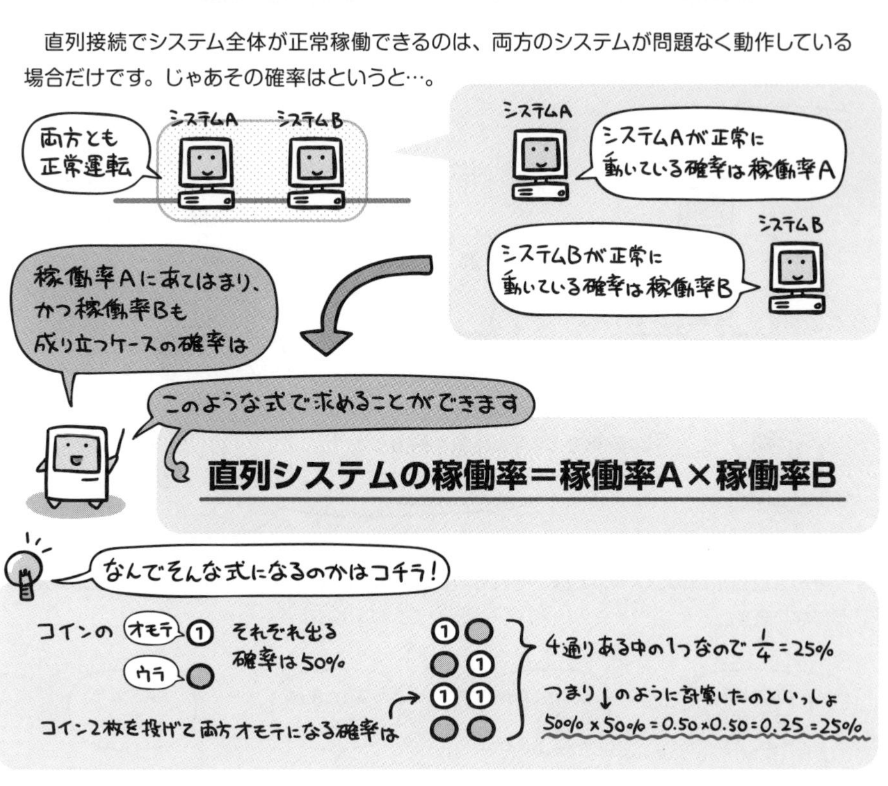

たとえば、稼働率0.90のシステムを2つ直列につないだ場合、全体の稼働率は下記となります。

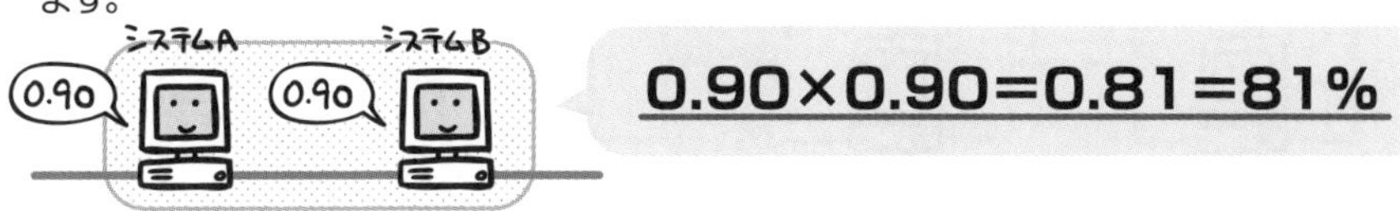

0.90×0.90＝0.81＝81%

並列につながっているシステムの稼働率

続いて今度は、並列につながっているシステムの稼働率を見てみましょう。

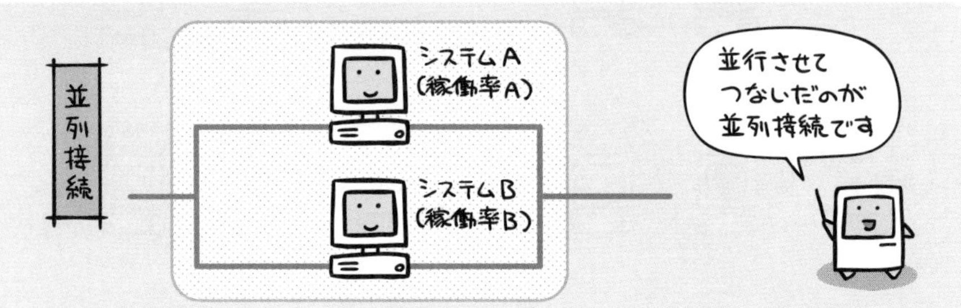

並列接続では、片方のシステムが故障した場合も、残る片方のシステムで稼働し続けることができます。

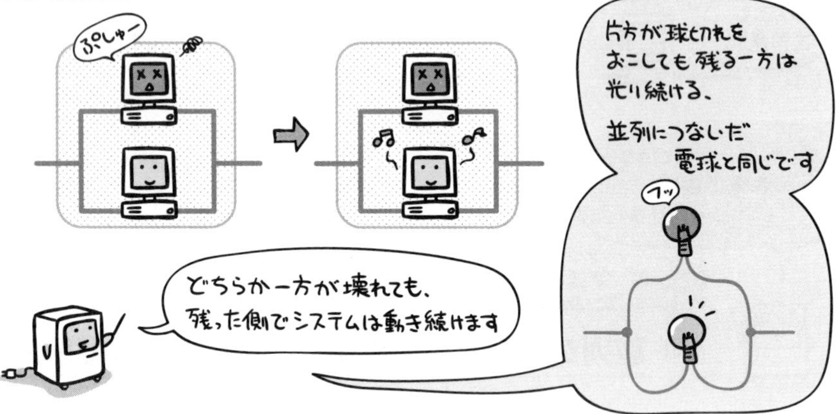

そんな並列接続のシステムでは、それぞれの稼働状況による組み合わせを考えると次のようになります。

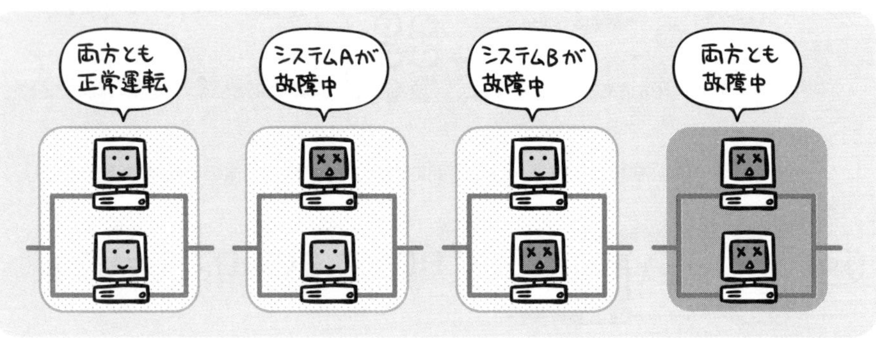

17 システム構成と故障対策

つまり並列接続のケースでシステム全体が停止してしまうのは、両方のシステムがともに故障してしまった場合だけ…ということになります。

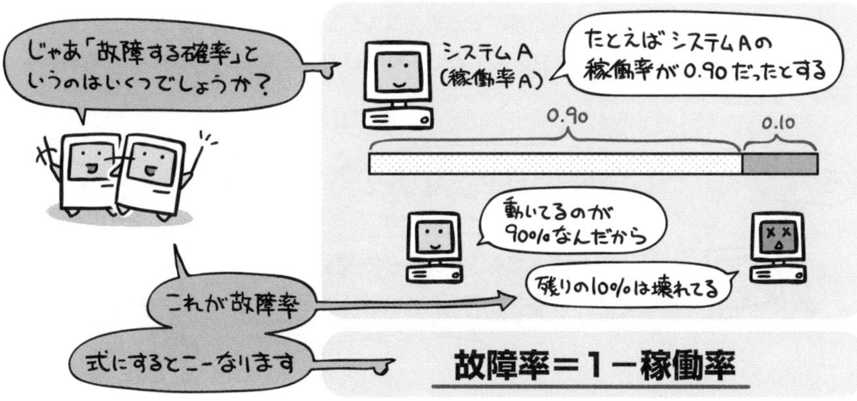

そして、「両方のシステムがともに故障してしまった」確率はというと、これは直列接続でやった時と同じ式が使えるわけですね。

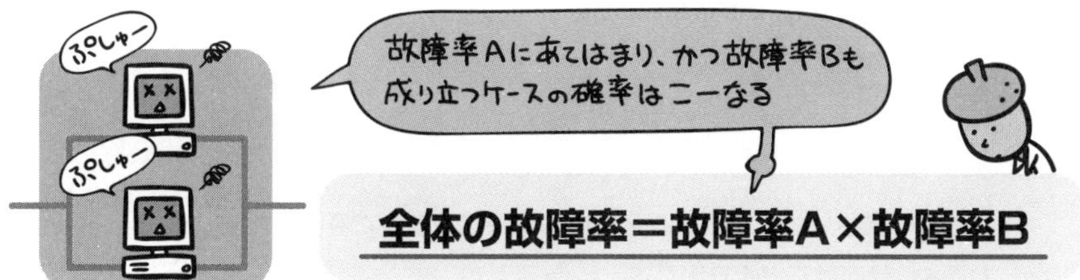

全体の故障率がわかってしまえば後はカンタン。

それ以外が「システム全体の稼働率」ってことになりますから、故障率を求めた時の逆をやってあげれば良いのです。

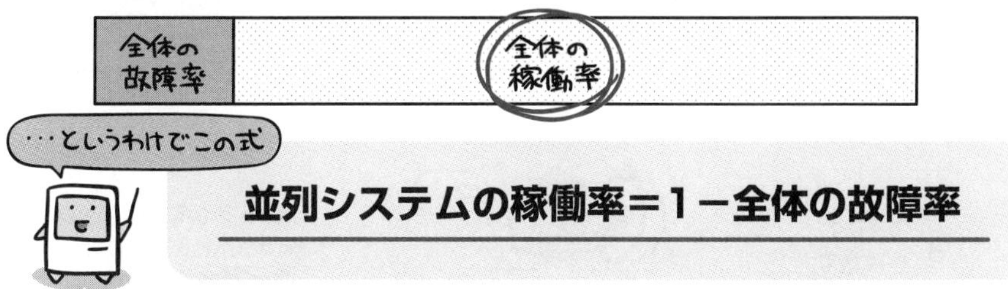

たとえば、稼働率0.90のシステムを2つ並列につないだ場合、全体の稼働率は次のようになります。

$$1-((1-0.90)\times(1-0.90))=1-(0.10\times0.10)=1-0.01$$
$$=0.99=99\%$$

「故障しても耐える」という考え方

稼働率100%、すごく信頼できる超絶安心耐久システム…というのがあれば理想的ですが、「形あるものいつかは壊れる」が世の理。というわけで、いつかは必ず故障して泣き濡れる日がやってきます。

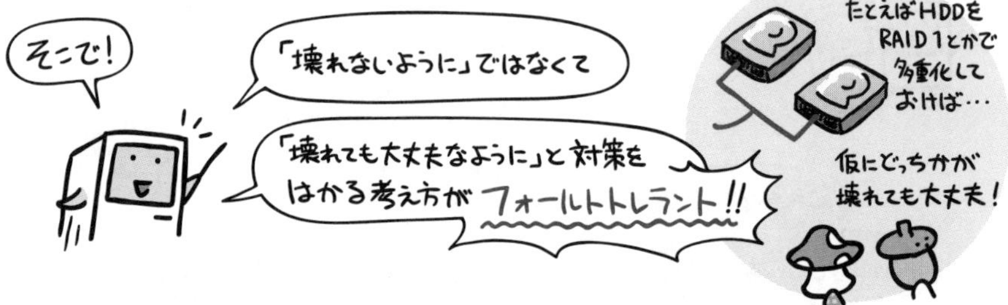

このフォールトトレラントを実現する方法には、次のようなものがあります。
それぞれの特徴をおさえておきましょう。

フェールセーフ

故障が発生した場合には、安全性を確保する方向で壊れるよう仕向けておく方法です。

このようにすることで、障害が致命的な問題にまで発展することを防ぎます。

「故障の場合は、安全性が最優先」とする考え方です。

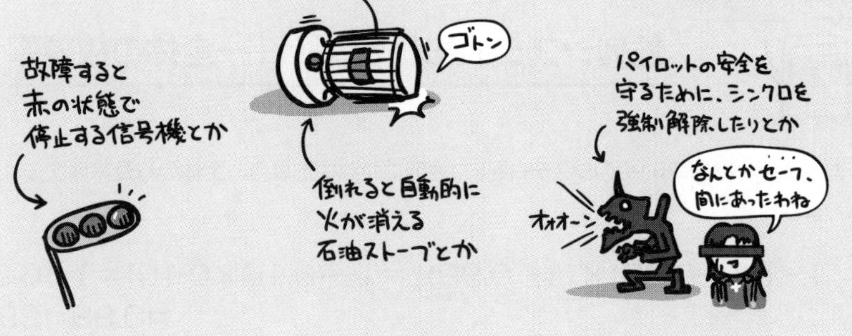

17 システム構成と故障対策

フェールソフト

故障が発生した場合にシステム全体を停止させるのではなく、一部機能を切り離すなどして、動作の継続を図る方法です。これにより、障害発生時にも、機能は低下しますが処理を継続することができます。

「故障の場合は、継続性が最優先」とする考え方です。

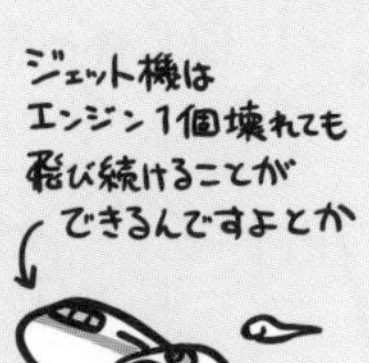

フールプルーフ

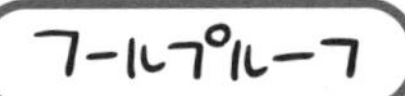

すさまじく直訳すれば「バカにも耐える」です。「人にはミスがつきもの」という視点に立ち、操作に不慣れな人が扱っても、誤動作しないよう安全対策を施しておくことです。

「意図しない使い方をしても、故障しないようにする」という考え方です。

一方、品質管理などを通じてシステム構成要素の信頼性を高め、故障そのものの発生を防ごうという考え方もあります。こちらはフォールトアボイダンスといいます。

バスタブ曲線

機械や装置というのは、いつか必ず壊れるもの。そうした故障の発生頻度と時間の関係をグラフにすると次のような傾向を示します。

これをバスタブ曲線といいます。

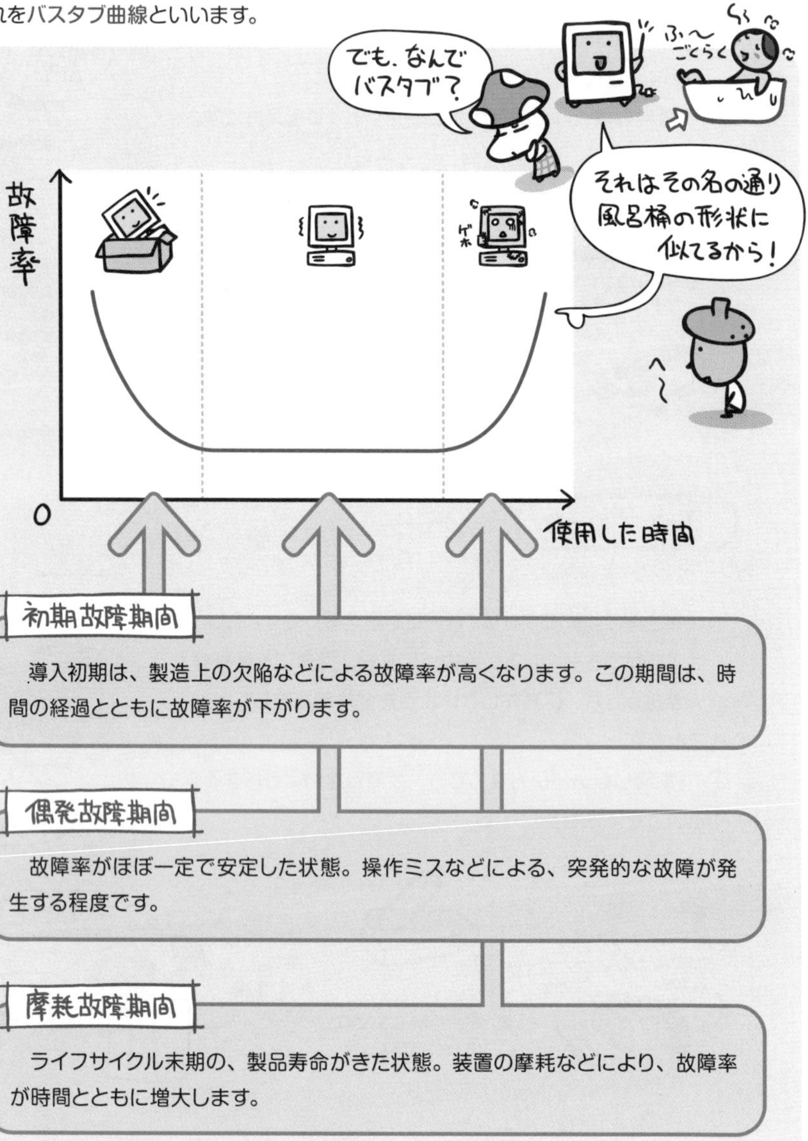

初期故障期間

導入初期は、製造上の欠陥などによる故障率が高くなります。この期間は、時間の経過とともに故障率が下がります。

偶発故障期間

故障率がほぼ一定で安定した状態。操作ミスなどによる、突発的な故障が発生する程度です。

摩耗故障期間

ライフサイクル末期の、製品寿命がきた状態。装置の摩耗などにより、故障率が時間とともに増大します。

システムに必要なお金の話

システムを評価するにあたってお金の話は避けられません。どれだけ便利な超高性能システムだったとしても、それを導入したがために破産して会社がなくなってしまっては意味がないからです。

初期コスト

ハードウェアやソフトウェアの購入費用

システムの新規開発費用など…

システムの導入時にはついつい最初に必要となる初期コストにばかり目が向きがちになりますが…

電気代

システム管理者の人件費

メンテナンス費用

消耗品の交換

などなど…

システムを維持管理していくために必要な運用コストを忘れてはいけません

運用コスト

システムの費用対効果ってのを考えるんだってさ

ふ〜〜ん

システムに必要となる、これらのコストをすべてひっくるめて、TCOと呼びます。

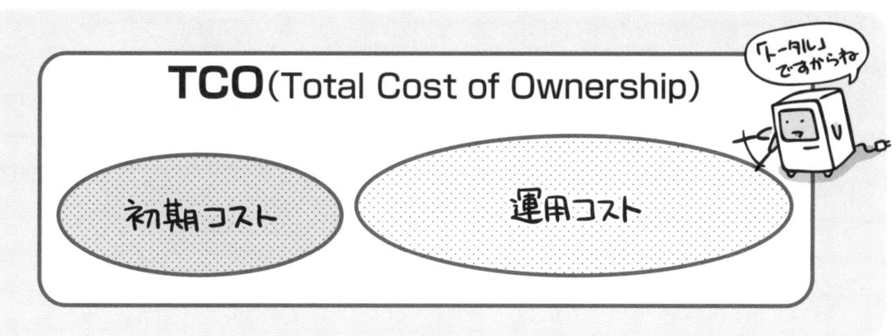

このように出題されています
過去問題練習と解説

問1 (FE-R04-サ-14)

図のように，1台のサーバ，3台のクライアント及び2台のプリンタがLANで接続されている。このシステムはクライアントからの指示に基づいて，サーバにあるデータをプリンタに出力する。各装置の稼働率が表のとおりであるとき，このシステムの稼働率を表す計算式はどれか。ここで，クライアントは3台のうちどれか1台が稼働していればよく，プリンタは2台のうちどちらかが稼働していればよい。

装置	稼働率
サーバ	a
クライアント	b
プリンタ	c
LAN	1

サーバ
クライアント　クライアント　クライアント　プリンタ　プリンタ

ア　ab^3c^2　　イ　$a(1-b^3)(1-c^2)$

ウ　$a(1-b)^3(1-c)^2$　　エ　$a(1-(1-b)^3)(1-(1-c)^2)$

解説

(1) サーバの稼働率…サーバは1台しかないので、aです。

(2) クライアントの稼働率…クライアント3台のうち1台でも稼働していれば正常とみなされるので、3台ともすべて故障している確率 $(1-b)^3$を1から引いて、$(1-(1-b)^3)$ です。

(3) プリンタの稼働率…プリンタ2台のうちどちらかが稼働していれば正常とみなれるので、2台とも故障している確率 $(1-c)^2$を1から引いて、$(1-(1-c)^2)$ です。

LANの稼働率は1であり、サーバとクライアントとプリンタは直列に接続されている、と考えられるので、上記の(1)×(2)×(3)が、このシステムの稼働率を表す計算式になります。

(1)×(2)×(3)= $a(1-(1-b)^3)(1-(1-c)^2)$

問2 (FE-R06-04)

あるシステムの今年度のMTBFは3,000時間，MTTRは1,000時間である。翌年度はMTBFについて今年度の20%分の改善，MTTRについて今年度の10%分の改善を図ると，翌年度の稼働率は何%になるか。

ア　69　　イ　73　　ウ　77　　エ　80

解説

(1) 翌年度のMTBFとMTTR
MTBF … 3,000時間 × 120% (今年度の20%分の改善) ＝ 3,600時間
MTTR … 1,000時間 × 90% (今年度の10%分の改善) ＝ 900時間

(2) 翌年度の稼働率
MTBF (3,600時間) ÷｛MTBF (3,600時間) ＋MTTR (900時間)｝×100 ＝ 80%

正解▶問1：エ　問2：エ

Chapter 17-5

転ばぬ先のバックアップ

人為的なミスをも含む様々なトラブルからデータを守るには、バックアップをとっておくことが有効です。

HDDを多重化するなどして機械的な故障に備えたとしても、人為的なミスによってファイルを消失するリスクは避け得ません。たとえば「あ、間違えてファイル消しちゃった」とか「しまった、別のファイル上書きしちゃった」とかいったことですね。

そういった諸々のリスクからデータを守ってくれるのがバックアップ。

バックアップを行う際は、以下の点に留意する必要があります。

●定期的にバックアップを行うこと

バックアップが存在しても、それが1年前とかの古いデータでは意味がありません。データの更新頻度にあわせて適切な周期でバックアップを行うことが必要です。

●バックアップする媒体は分けること

元データと同じ記憶媒体上にバックアップを作ってしまうと、その媒体が壊れた時にはバックアップごとデータが失われてしまい意味がありません。

●業務処理中にバックアップしないこと

処理中のデータをバックアップすると、データの一貫性が損なわれる恐れがあります。

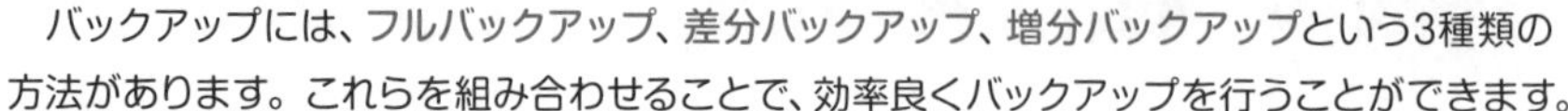

バックアップの方法

バックアップには、フルバックアップ、差分バックアップ、増分バックアップという3種類の方法があります。これらを組み合わせることで、効率良くバックアップを行うことができます。

フルバックアップ

保存されているすべてのデータをバックアップするのがフルバックアップです。1回のバックアップにすべての内容が含まれているので、障害発生時には直前のバックアップだけで元の状態に戻せます。

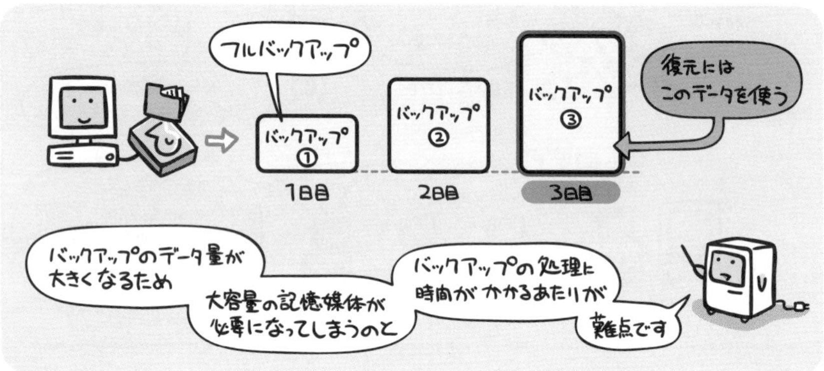

差分バックアップ

前回のフルバックアップ以降に作成、変更されたファイルだけをバックアップするのが差分バックアップです。障害発生時には、直近のフルバックアップと差分バックアップを使って元の状態に戻せます。

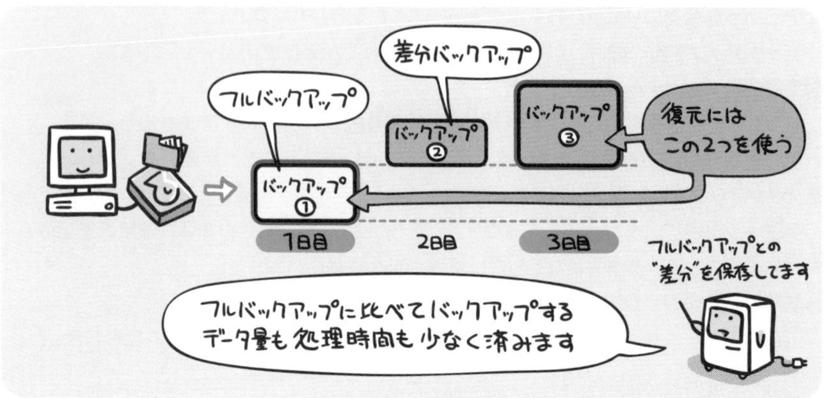

増分バックアップ

バックアップの種類に関係なく、前回のバックアップ以降に作成、変更されたファイルだけをバックアップするのが増分バックアップです。障害発生時には、元の状態に復元するために、直近となるフルバックアップ以降のバックアップがすべて必要となります。

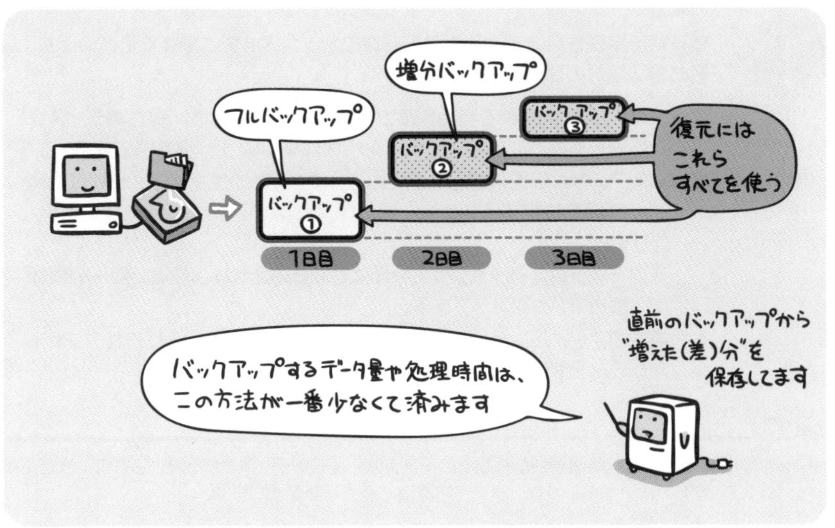

このように出題されています
過去問題練習と解説

(FE-H30-S-57)

サーバに接続されたディスクのデータのバックアップに関する記述のうち，最も適切なものはどれか。

ア　一定の期間を過ぎて利用頻度が低くなったデータは，現在のディスクから消去するとともに，バックアップしておいたデータも消去する。

イ　システムの本稼働開始日に全てのデータをバックアップし，それ以降は作業時間を短縮するために，更新頻度が高いデータだけをバックアップする。

ウ　重要データは，バックアップの媒体を取り違えないように，同一の媒体に上書きでバックアップする。

エ　複数のファイルに分散して格納されているデータは，それぞれのファイルへの一連の更新処理が終了した時点でバックアップする。

解説

ア　一定の期間を過ぎて利用頻度が低くなったデータは、現在のディスクから消去して構いませんが、バックアップしておいたデータは、更に一定期間、消去せず保管します。

イ　システムの本稼働開始日に全てのデータをバックアップします。それ以降も、全てのデータをバックアップします。バックアップの作業時間を短縮するためには、差分バックアップもしくは増分バックアップを実施します。

ウ　重要データは、バックアップした媒体が壊れても復旧できるように、バックアップした媒体とは異なる媒体に、複製させます。

エ　そのとおりです。

(FE-H29-A-56)

新規システムにおけるデータのバックアップ方法に関する記述のうち，最も適切なものはどれか。

ア　業務処理がバックアップ処理と重なると応答時間が長くなる可能性がある場合には，両方の処理が重ならないようにスケジュールを立てる。

イ　バックアップ処理時間を短くするためには，バックアップデータをバックアップ元データと同一の記憶媒体内に置く。

ウ　バックアップデータからの復旧時間を短くするためには，差分バックアップを採用する。

エ　バックアップデータを長期間保存するためには，ランダムアクセスが可能な媒体を使用する。

解説

ア　消去法により、当選択肢が正解です。
イ　バックアップデータを同一記憶媒体内に置いた場合、その記憶媒体が物理的に故障すると復旧できなくなります。
ウ　バックアップデータからの復旧時間を短くするためには、フルバックアップを採用します。
エ　バックアップデータの保存期間の長短とランダムアクセス可能な媒体か否かは、無関係です。バックアップデータは、その全部をリストアしますので、通常はシーケンシャルアクセスが可能な媒体（例えば、磁気テープ）に保存させます。しかし、ランダムアクセスな媒体（例えば、磁気ディスク）でも、バックアップデータをリストアできるので、バックアップする媒体として使用されます。

(FE-H25-S-21)

次の仕様のバックアップシステムにおいて，金曜日に変更されたデータの増分バックアップを取得した直後に磁気ディスクが故障した。修理が完了した後，データを復元するのに必要となる時間は何秒か。ここで，増分バックアップは直前に行ったバックアップとの差分だけをバックアップする方式であり，金曜日に変更されたデータの増分バックアップを取得した磁気テープは取り付けられた状態であって，リストア時には磁気テープを1本ごとに取り替える必要がある。また，次の仕様に示された以外の時間は無視する。

〔バックアップシステムの仕様〕

バックアップ媒体	磁気テープ（各曜日ごとの7本を使用）
フルバックアップを行う曜日	毎週日曜日
増分バックアップを行う曜日	月曜日～土曜日の毎日
フルバックアップのデータ量	100Gバイト
磁気テープからのリストア時間	10秒／Gバイト
磁気テープの取替え時間	100秒／本
変更されるデータ量	5Gバイト／日

ア　1,250
イ　1,450
ウ　1,750
エ　1,850

解説

問題文の条件にしたがって、下記のように計算します。

(1) 日曜日のフルバックアップを新磁気ディスクにリストアする時間
磁気テープの取替え時間　100秒 … ①
100Gバイト × 10秒／G = 1,000秒 … ②
① + ② = 1,100秒 … ③

(2) 月曜日の増分バックアップを新磁気ディスクにリストアする時間
磁気テープの取替え時間　100秒 … ④
5Gバイト／日 × 10秒／G = 50秒 … ⑤
④ + ⑤ = 150秒 … ⑥

(3) 月曜日～金曜日の増分バックアップを順次新磁気ディスクにリストアする時間
150秒（⑥）×5 = 750秒… ⑦

(4) 総所要時間
③ + ⑦ = 1,850秒

Chapter 18

企業活動と関連法規

でも、企業というものがどのように意志決定するのか

……

5

なにを目的として活動するのか

私たちは技術をカタチに

やっぱお金!

6

それらがわからないと「仕事」のカタチが見えません

え〜〜…と

7

つまり業務分析も問題解決もできません

なにをお手伝いすればいーのでしょうか?

え!? じゃ…

そ、その人に聞いてみれば?

8

作者

え〜と
なにを手伝えば
いーですか？
でもまぁ
早い話がもうかりゃ
い一んだろ
て？
じゃあ悪どいこと
とか色々やっちゃえばさ
ひっひっ
ひっひっ…
てんちゅう
天誅
どぴしゃん
企業活動は、
「儲かれば
なにをしてもいい」
…ではなく、
ほくほく
9
10
11
12

様々なルールや
法にのっとって
行うべきもの
労働基準法
著作権
不正競争防止法
産業財産権
労働者派遣法
個人情報の保護
じょぼじょぼ
情報システムを
インフラとして
活用するためには
これらの知識も
欠かせないもの
なのです
そして、
これらの
知識を
生かすからこそ
システムは一…
花ひらくのだ!!
ポン!
アイム
バ〜ック
おぉー
おー
パチ
パチ
パチ
パチ
13
14
15
16

企業活動と組織のカタチ

近年では、「人」「モノ」「金」という3大資源に「情報」を加えて、経営の4大資源と見なします。

よく言われる経営資源が、「人」「モノ」「金」という3つです。

「人」は企業を支える人材であり、すなわち社員を指しています。「モノ」は商品であったり工場であったりの他、企業活動に欠かせないオフィスやパソコンや電話機などもそう。これらがないと仕事が回らないですからね。

そして「金」。言うまでもなく必要です。人を雇うにも、モノを生み出すにも、お金がなくちゃはじまりません。いわば企業の血液と言っていいものです。

そこに近年加わったのが「情報」です。「情報」とは、顧客情報や営業手法、市場調査の結果など、企業が正確な判断を下すために必要となる様々なデータのこと。そういえば、「情報戦略」というような、「情報○○」的な言葉もすっかり今ではお馴染みになりました。

このように、今や企業が競争力を保つためには、「いかに情報を吸い上げ、判断して、すみやかに実行できる組織とするか」…という視点が不可欠となっているのです。

代表的な組織形態と特徴

企業内の組織形態としては、次のものが代表的です。

職能別組織

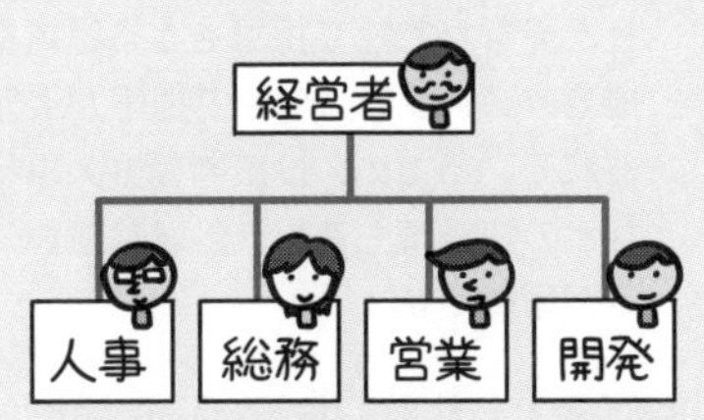

開発や営業といった仕事の種類・職能によって部門分けする組織構成です。

事業部制組織

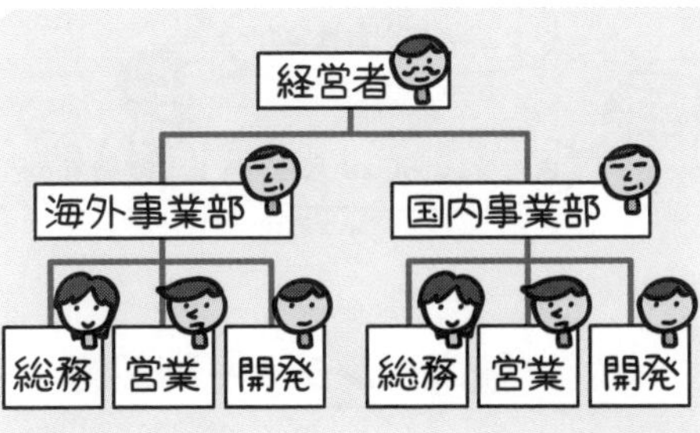

取り扱う製品や市場ごとに、独立性を持った事業部を設ける組織構成です。事業部単位で必要な職能部門を持つため、各々が独立した形で経営活動を行うことができます。

プロジェクト組織

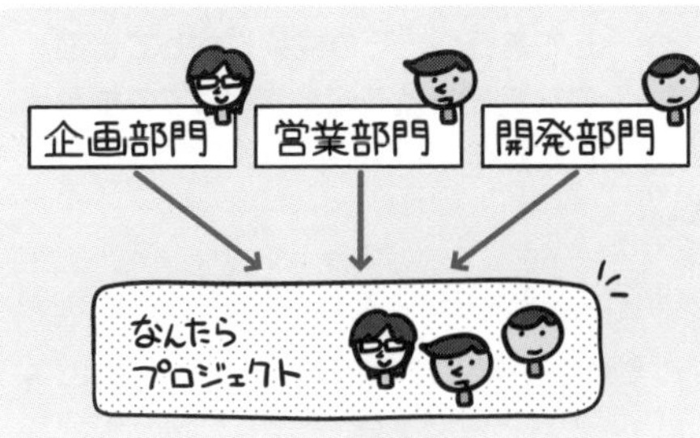

プロジェクトごとに、各部門から必要な技術や経験の保有者を選抜して、適宜チーム編成を行う組織構成です。

マトリックス組織

	開発	営業	総務
国内事業部			
海外事業部			

事業部と職能別など、2系統の所属をマス目状に組み合わせた組織です。命令系統が複数できてしまうため、混乱を生じることがあります。

社内カンパニー制組織

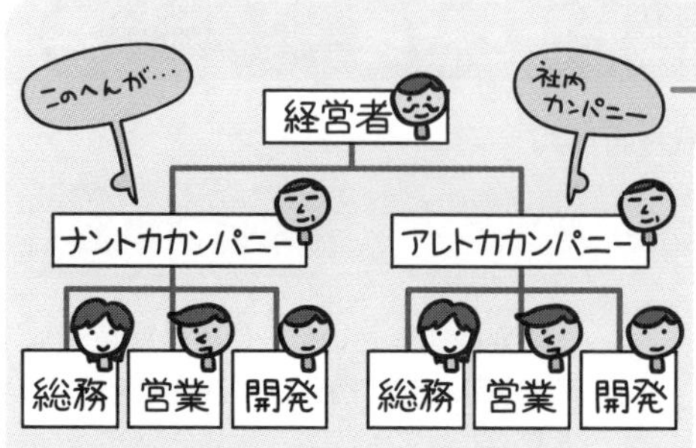

事業部制組織よりもさらに独立性を高め、事業分野ごとに仮想的な会社と見なして独立採算をとる組織構成です。より広い範囲で権限が委譲されているため、投資判断や人事権などの決裁権も有し、迅速な意思決定が可能です。

ただし、個別の会社と見なすといっても、それはあくまでも社内に限られた話。法的には同じ会社として扱われますし、会計処理上も同様です。

社内ベンチャー制組織

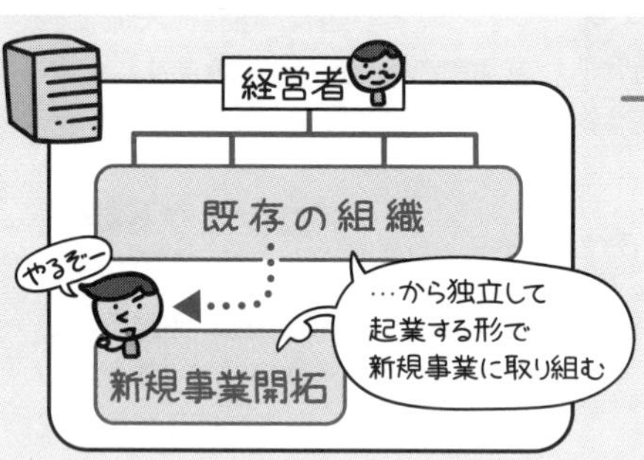

プロジェクトを準独立的な事業として遂行し、その成果に対して全面的な責任を負う起業者としての権限と責任を与えられる組織構成です。

独立した別会社のような形態で業務を行うことから、一見「社内カンパニー制」と同じように見えますが…

事業として確立されたものを個別の会社と見なす
社内カンパニー制に対して、こちらは新規事業の開拓を
目的とした、より小規模な取り組みです

事業の芽を育てるのが目的

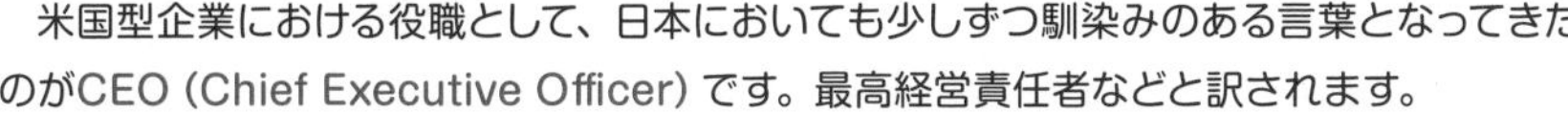

CEOとCIO

米国型企業における役職として、日本においても少しずつ馴染みのある言葉となってきたのがCEO (Chief Executive Officer) です。最高経営責任者などと訳されます。

企業の所有者である株主の信任により、経営の責任者として決定権を委任された存在で、企業戦略の策定や経営方針の決定など、企業経営における意志決定の責任を負います。

一方､情報システム戦略を統括する最高責任者がCIO (Chief Information Officer) です。最高情報責任者や情報システム担当役員などと訳されます。

日本ではまだ今ひとつポピュラーではないですが、IT技術の必要性が高まるにつれて、存在感を増してきている役職です。

経営戦略に基づいた情報システム戦略の策定と、その実現に関する責任を負います。

技術経営とイノベーション

技術経営（MOT: Management Of Technology）という言葉があります。これは、科学的知識や工学的知識をはじめとする技術的な知識を、どのようにして経営に生かすかを体系化したものです。

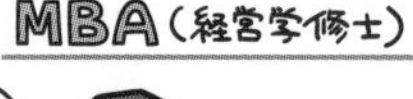

技術経営ではこのように、技術力をベースにイノベーション（技術革新）を創出し、企業の成長力へと結びつけます。

このイノベーションには、大きく分けて次の2つがあります。

プロダクトイノベーション

革新的な新商品を開発することにより、他社との差別化を図ります。

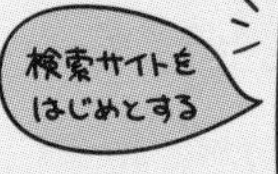

プロセスイノベーション

開発・製造・物流などで革新的なプロセスを実現化させることにより、他社との差別化を図ります。

グリーン購入

「環境への負荷の少ない持続的発展が可能な社会の構築を図る」として、2000年に『国等による環境物品等の調達の推進等に関する法律（いわゆるグリーン購入法）』が制定されました。

これは、環境対策の観点から、物品や役務の調達に際しては、環境に配慮されたものから選択するように行動の転換を図るものです。

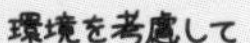

心要性をよく考え

環境への負荷が
できるだけ少ない
製品やサービスを選び

環境負荷の低減に
努める事業者から
優先して購入する

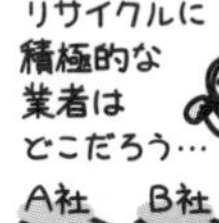

組織において、初めてグリーン購入に取り組む場合は、組織内で意識を統一することが望ましいため、調達方針を策定しておくことが重要です。

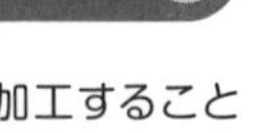

BI (Business Intelligence)

企業内の情報システムにおいて蓄積される、膨大な業務データを分析・加工することにより、そこから得られる知見をもとに経営や業務に関する意思決定を支援する手法をBI（Buisiness Intelligence）と言います。

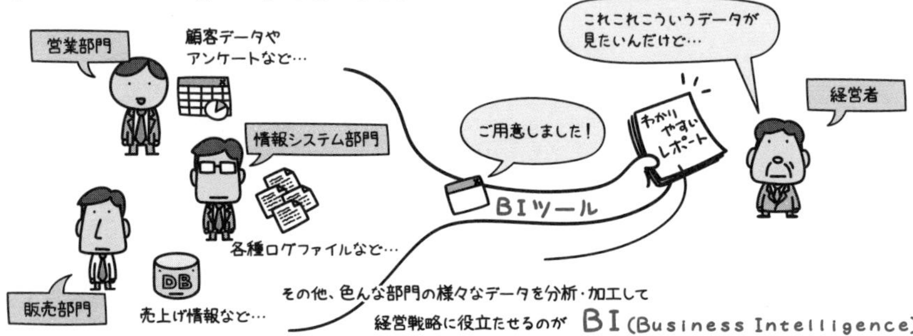

そのために用いるソフトウェアが、BIツール（もしくはBIシステム）です。

BIツールは、業務データの分析結果をわかりやすく可視化することによって、データサイエンティストなど専門家の力を借りることなく、経営者や現場社員が意志決定できるように支援します。

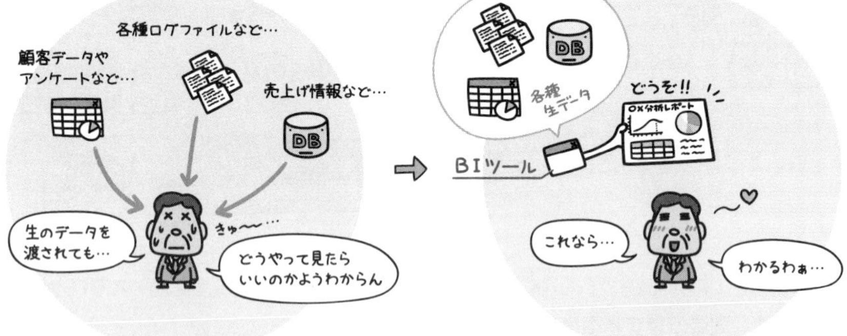

エンタープライズアーキテクチャ (EA: Enterprise Architecture)

組織全体の業務と情報システムを分析、整理することで「全体最適化」を図る設計・管理手法がエンタープライズアーキテクチャ（EA）です。この手法では、ビジネス、データ、アプリケーション、テクノロジという4つの体系を分析して可視化します。

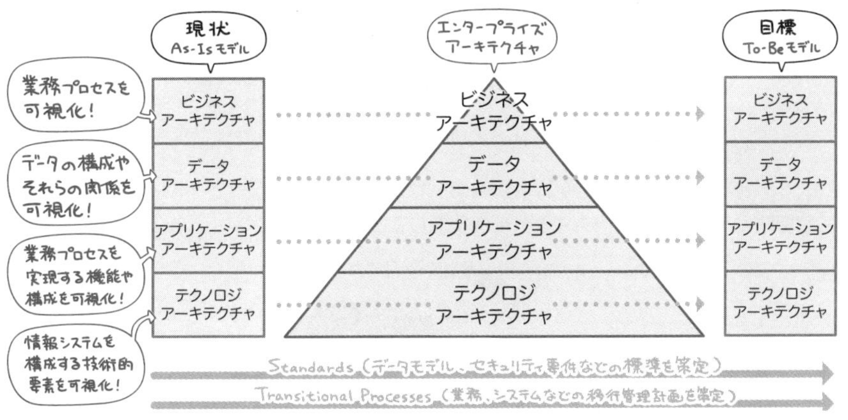

全体最適化とは何かというと…

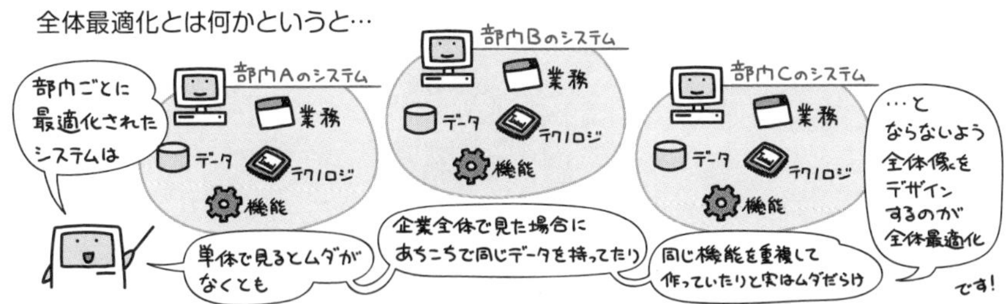

各部門の情報システムを、こうした4つの体系によって横断的に分析、整理することで、組織全体のあるべきシステム像を把握することができるわけです。

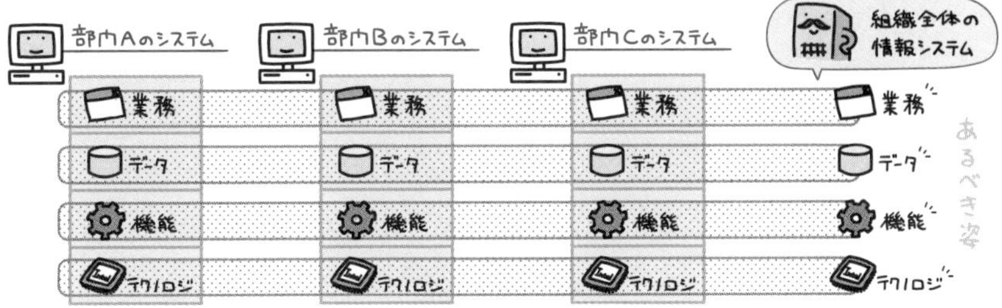

EAで用いられる、「現状」と「あるべき姿」とを比較して分析する手法を、ギャップ分析と言います。

BPO (Business Process Outsourcing)

BPOとは、次の言葉の略称です。

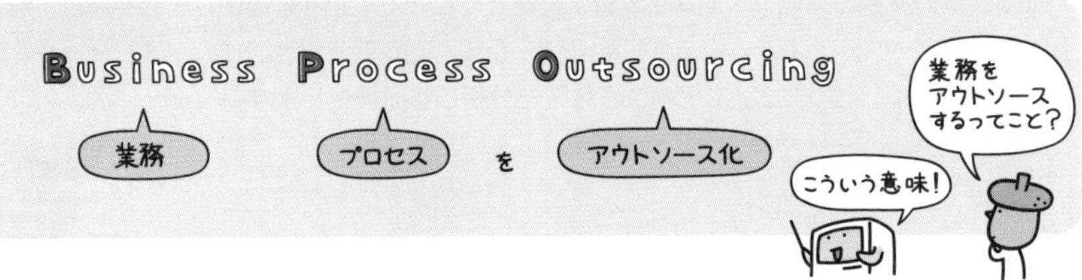

上でドングリが言っている通り、「業務のアウトソース化」なのですが、業務の一部ではなく、特定部門の業務プロセスを丸ごと外部へ委託してしまうところに特徴があります。

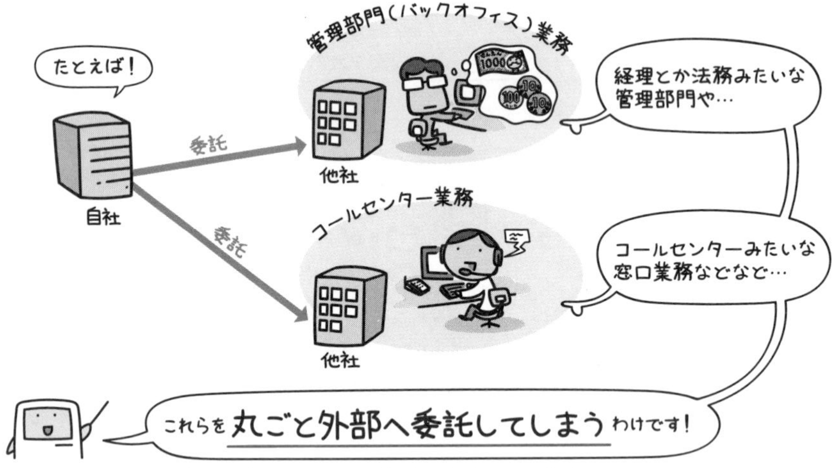

社員が本来の事業のコアとなる業務に集中できる利点がありますし、委託した業務についても、それらを専任とするプロの手に任せることができるため、社内で賄っていた時より業務品質の向上が期待できます。

このように出題されています 過去問題練習と解説

問1 (FE-R05-19)

CIOの説明はどれか。

ア　経営戦略の立案及び業務執行を統括する最高責任者
イ　資金調達，財務報告などの財務面での戦略策定及び執行を統括する最高責任者
ウ　自社の技術戦略や研究開発計画の立案及び執行を統括する最高責任者
エ　情報管理，情報システムに関する戦略立案及び執行を統括する最高責任者

解説

ア　CEO（Chief Executive Officer：最高経営責任者）の説明です。
イ　CFO（Chief Financial Officer：財務・経理の最高責任者）の説明です。
ウ　CTO（Chief Technical Officer：技術の最高責任者）の説明です。
エ　CIO（Chief Information Officer：情報システムの最高責任者）の説明です。

問2 (FE-H31-S-61)

エンタープライズアーキテクチャを構成するアプリケーションアーキテクチャについて説明したものはどれか。

ア　業務に必要なデータの内容，データ間の関連や構造などを体系的に示したもの
イ　業務プロセスを支援するシステムの機能や構成などを体系的に示したもの
ウ　情報システムの構築・運用に必要な技術的構成要素を体系的に示したもの
エ　ビジネス戦略に必要な業務プロセスや情報の流れを体系的に示したもの

解説

エンタープライズアーキテクチャの説明は、722ページを参照してください。選択肢ア〜エは、下記の各用語の説明です。

ア　データアーキテクチャ
イ　アプリケーションアーキテクチャ
ウ　テクノロジアーキテクチャ
エ　ビジネスアーキテクチャ

正解▶問1：エ　問2：イ

Chapter 18-2

電子商取引 (EC : Electronic Commerce)

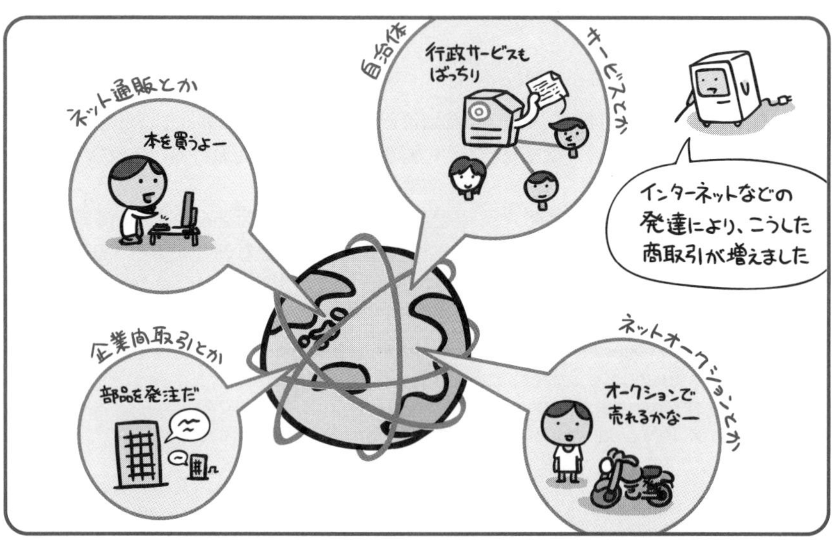

ネットワークなどを用いた電子的な商取引のことを EC (Electronic Commerce)と呼びます。

従来の紙ベースな取引だと、発注や受注に対して必ずなんらかの伝票がついてまわりました。発注書や受注書、納品書、検収書などなど、こうした文書をファックスしたり郵送したりして、取引を行っていたわけです。

当然手間もかかりますし、先方に到着するまでのタイムラグも発生します。そして、紙の伝票ではそのまま社内システムに流し込むこともできません。いくら社内の受発注システムが整備されていたとしても、紙で発注を受けている限りは、誰かがそれを手入力してやらねば駄目だったわけです。

このやり取りを電子化したものがEC (Electronic Commerce) です。

注文を電子的なデータとして受けてしまえば、そのまま社内システムに流し込んで処理することができます。ネットワークならやり取りは一瞬ですから、タイムラグもありません。伝票の保管コストや入力コストなど様々なコストも削減できます。

ECであれば実際の店舗を構えるよりも安く開業できるとあって、インターネットの普及とあわせて、広い範囲で活用されるようになっています。

取引の形態

ECには、「誰」と「誰」が取引するかによって、様々な形態があります。

B(Business)

G(Government)

E(Employee)

形態	説明
B to B	Business to Businessの略。 企業間の取引を示します。商取引のために、組織間で標準的な規約を定めてネットワークでやり取りすることをEDI（Electronic Data Interchange）と呼びます。
B to C	Business to Consumerの略。 企業と個人の取引を示します。オンラインショッピングなどが該当します。
C to C	Consumer to Consumerの略。 個人間の取引を示します。ネットオークションによる個人売買などが該当します。
B to E	Business to Employeeの略。 企業と社員の取引を示します。企業が自社の従業員向けに提供するサービスなどが該当します。
G to B	Government to Businessの略。 政府や自治体と企業間の取引を示します。官公庁が物品や資材の調達を行う電子調達や、電子入札などが該当します。
G to C	Government to Consumerの略。 政府や自治体と個人間の取引を示します。行政サービス（住民票や戸籍謄本等）の電子申請などが該当します。

EDI (Electronic Data Interchange)

ECにおいて円滑に取引を行うためには、交換されるデータ形式の統一化と機密保持が欠かせません。そこで出てくる用語がEDIです。

EDIとはElectronic Data Interchangeの略で、日本語にすると「電子データ交換」という意味になります。

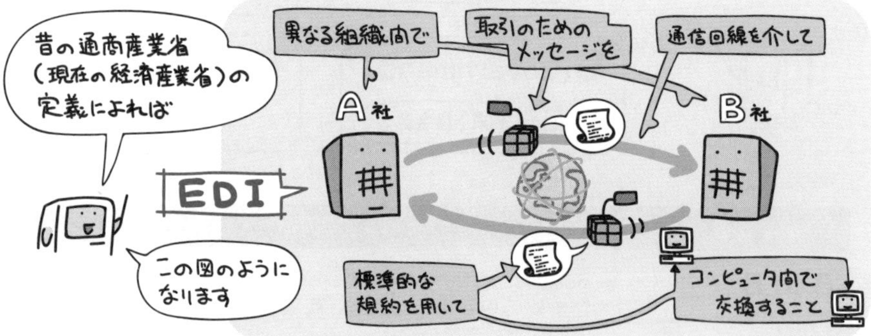

上の定義ではEDIに必要な取り決めとして、情報伝達規約、情報表現規約、業務運用規約、取引基本規約の4階層が定められています。

情報伝達規約（第1レベル）	コンピュータ間の通信手順に係わる取り決め
情報表現規約（第2レベル）	交換するデータを双方のコンピュータが理解するために必要な、データ記述方法に係わる取り決め
業務運用規約（第3レベル）	EDIの運用方法に係わる取り決め
取引基本規約（第4レベル）	EDIを用いた取引に係わる基本的な契約

下層 ↕ 上層

カードシステム

ECを利用するにあたり、問題になってくるのが決済手段です。

そこで決済手段として重宝されるのがクレジットカードをはじめとする様々なカードシステムです。現在は、従来主流であった磁気カード方式から、より偽造に強く、多くの情報を記録することのできるICカード方式へと、順次切り替わりつつあります。

名称	説明
クレジットカード	買い物時点ではカードを提示するだけに留め、後日決済を行う後払い方式のカードです。 提示するカードは、カード会社と会員との契約に基づいて発行されたものです。買い物時点では現金を支払わずに、後日カード会社と会員との間で決済を行います。
デビットカード	買い物代金の支払いを、銀行のキャッシュカードで行えるようにしたものです。 手持ちのキャッシュカードを使って、銀行口座からリアルタイムに代金を直接引き落として決済することができます。

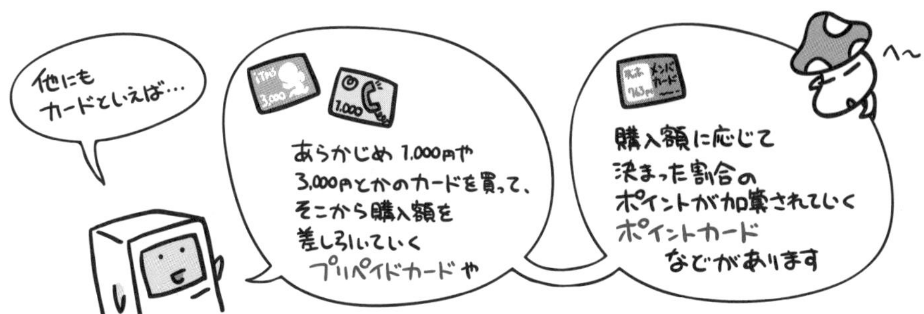

耐タンパ性

ハードウェアなどに対して、外部から不正に行われる内部データの改ざんや解読、取り出しなどがされづらくなっている性質を耐タンパ性と言います。

…というように、簡単に言ってしまえば、外部からの攻撃に対する耐性度合いをあらわします。

例に挙げたICカードの他にも、IoTデバイス(P.426)など様々な機器で、セキュリティへの取り組みとして耐タンパ性の向上は無視できません。

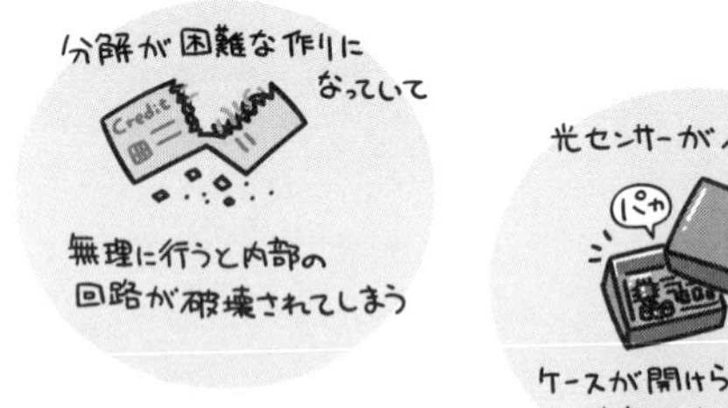

などなどなど…

ロングテール

従来型の店舗を考えた場合、商品の売上というのは一般的に「上位20%の商品が売上の80%を占める」という法則が当てはまります。

これをパレートの法則といいます。

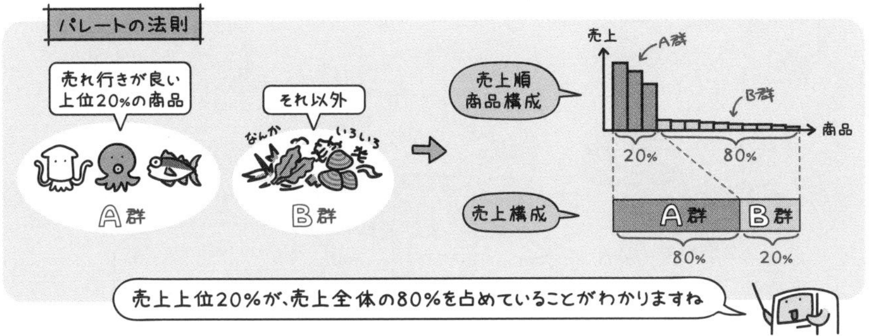

ただしこれがインターネット上の店舗の場合、商品の陳列に物理的な制約がありません。したがって、どこまでも品数を増やすことができちゃいます。

そうすると、1つ1つはあまり売れない商品たちでも、それらの売上を合計した時に、全体の中に占める割合が無視できないほど大きくなります。

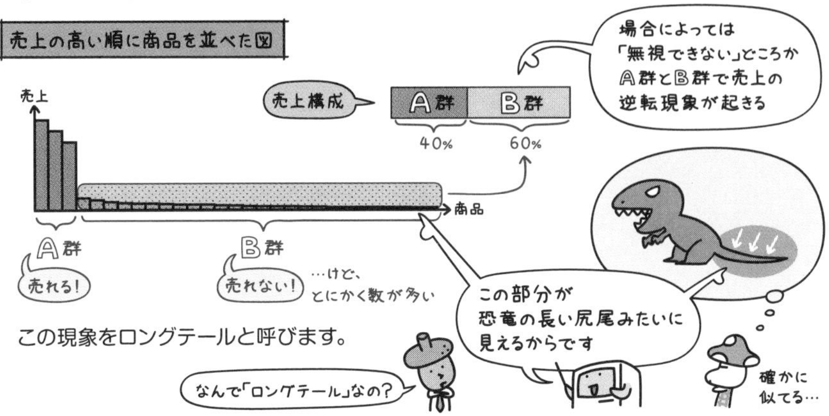

この現象をロングテールと呼びます。

シェアリングエコノミー

シェアリングエコノミーとは、インターネットを介して個人が保有する遊休資産(モノや場所、スキルなど)の貸し借りなどを仲介するサービスのことです。

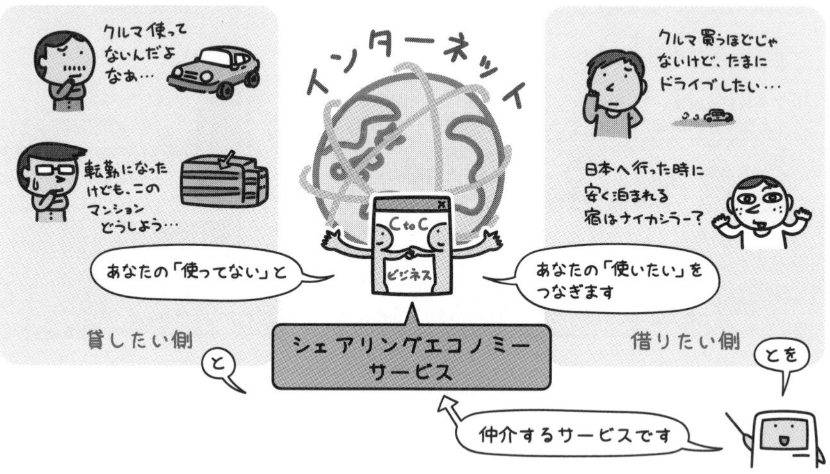

貸す側は遊休資産からの収入を得ることができ…

借りる側は所有にまつわるコストを負担することなく必要な時に利用できる…

…と、双方にメリットがあるわけです。

このように出題されています 過去問題練習と解説

(FE-H27-S-72)

電子自治体において，G to Bに該当するものはどれか。

ア　自治体内で電子決裁や電子公文書管理を行う。
イ　自治体の利用する物品や資材の電子調達，電子入札を行う。
ウ　住民基本台帳ネットワークによって，自治体間で住民票データを送受信する。
エ　住民票，戸籍謄本，婚姻届，パスポートなどを電子申請する。

解説

ア　in G (自治体内での電子データ交換) の例です。
イ　G to Bは、Government to Businessの略であり、企業が政府や自治体と行う電子商取引のことです。本選択肢の場合、自治体と物品や資材を扱う企業の間の電子商取引を指しています。
ウ　G to G (自治体間での電子データ交換) の例です。
エ　G to C (自治体と住民間の電子データ交換) の例です。CはConsumerの略です。

(FE-R04-サ-55)

ロングテールの説明はどれか。

ア　Webコンテンツを構成するテキストや画像などのデジタルコンテンツに，統合的・体系的な管理，配信などの必要な処理を行うこと
イ　インターネットショッピングで，売上の全体に対して，あまり売れない商品群の売上合計が無視できない割合になっていること
ウ　自分のWebサイトやブログに企業へのリンクを掲載し，他者がこれらのリンクを経由して商品を購入したときに，企業が紹介料を支払うこと
エ　メーカや卸売業者から商品を直接発送することによって，在庫リスクを負うことなく自分のWebサイトで商品が販売できること

解説

選択肢ア～エは、下記の各用語の説明です。

ア　CMS (Content Management System)
イ　ロングテール (731ページ参照)
ウ　アフィリエイト
エ　ドロップシッピング

正解▶問1:イ　問2:イ

Chapter 18-3 経営戦略と自社のポジショニング

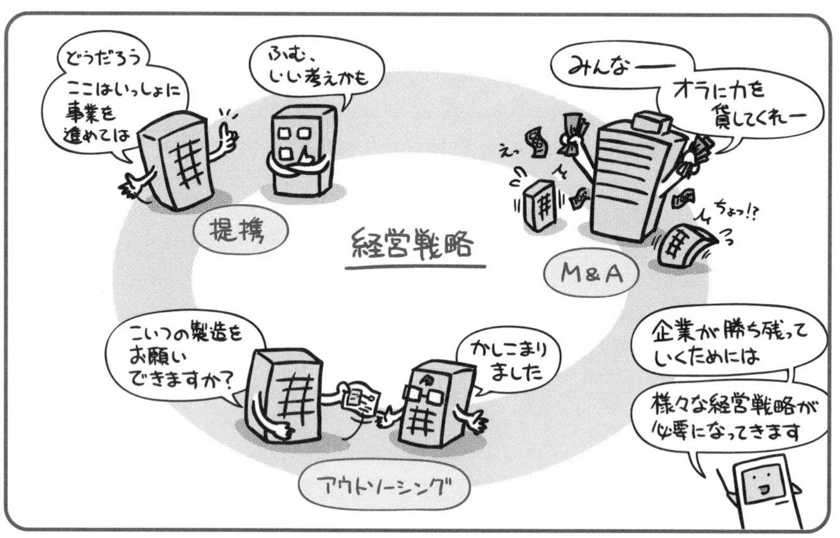

企業同士が提携して共同で事業を行うことを
アライアンスと言います。

どうにも世の中は資本主義の競争社会さんですから、自社がいかに勝ち抜いていくかなんてことを、日々考えなきゃいけません。

これは自社単独では厳しいな…という時には、企業同士で提携を結びます。技術提携とか資本提携とかはよく耳にする言葉ですし、生産設備を提携したりとか、販売網を提携したりなんてのもよくあることです。

一方、「新しい市場に切り込みたいんだけど、どーにもノウハウがなくてねぇ」なんて時、素早く事業を立ち上げる技として丸ごと他社を買い取ってしまうのがM&A。他にも「限られた自社の経営資源を効率よく本業へ集中させるため」として、それ以外の部分を他社に業務委託するアウトソーシングなんてのもあります。

いずれも市場の中で競争力を高め、確固たるポジションを築いていくための経営戦略というやつですが、ポジションの確立という意味では、自社の製品・サービスを利用した顧客の、満足度を高めるための取り組みも欠かすことができません。

顧客満足度の向上は、自社製品へのリピーターが増えることにもつながります。

SWOT分析

自社の強みと弱みを分析する手法としてSWOT分析があります。

この手法は、自社の現状を「強み（Strength）」「弱み（Weakness）」「機会（Opportunity）」「脅威（Threat）」という4つに要素に分けて整理することで、自社を取り巻く環境を分析するものです。

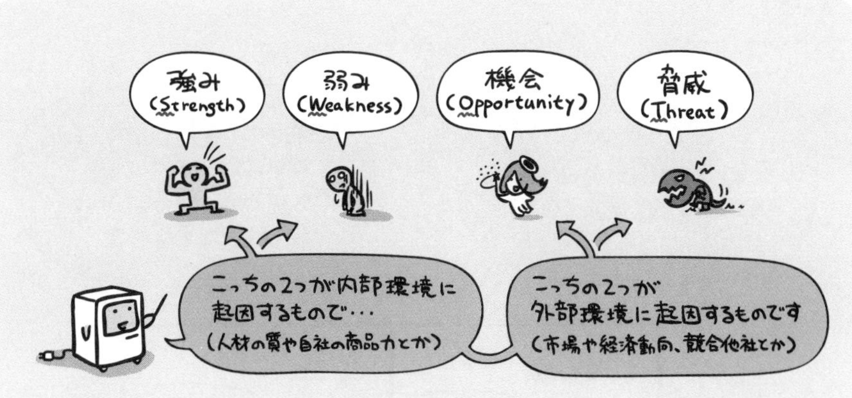

4つの要素は、次の図に示すような関係となります。

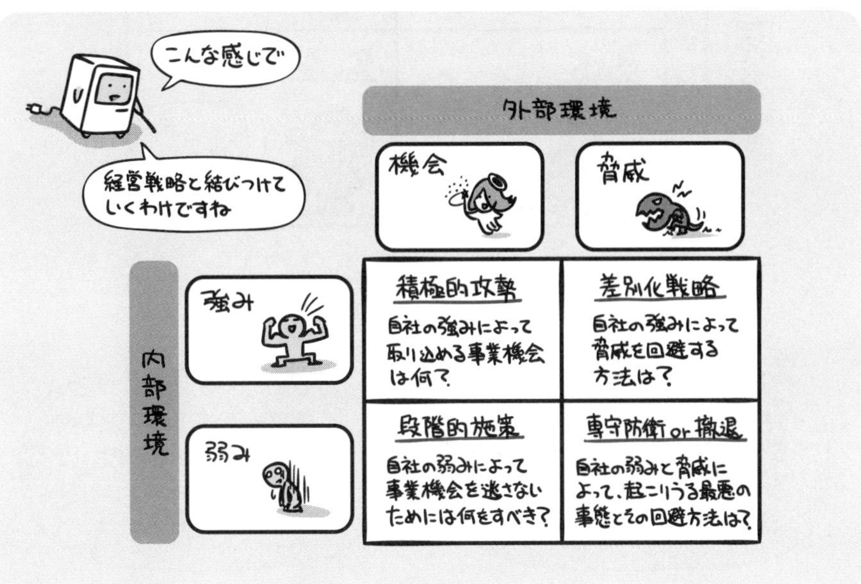

18 企業活動と関連法規

プロダクトポートフォリオマネジメント（PPM：Product Portfolio Management）

プロダクトポートフォリオは、経営資源の配分バランスを分析する手法です。

この手法では、縦軸に市場成長率、横軸に市場占有率(シェア)をとり、自社の製品やサービスを「花形」「金のなる木」「問題児」「負け犬」という4つに分類して、資源配分の検討に使います。

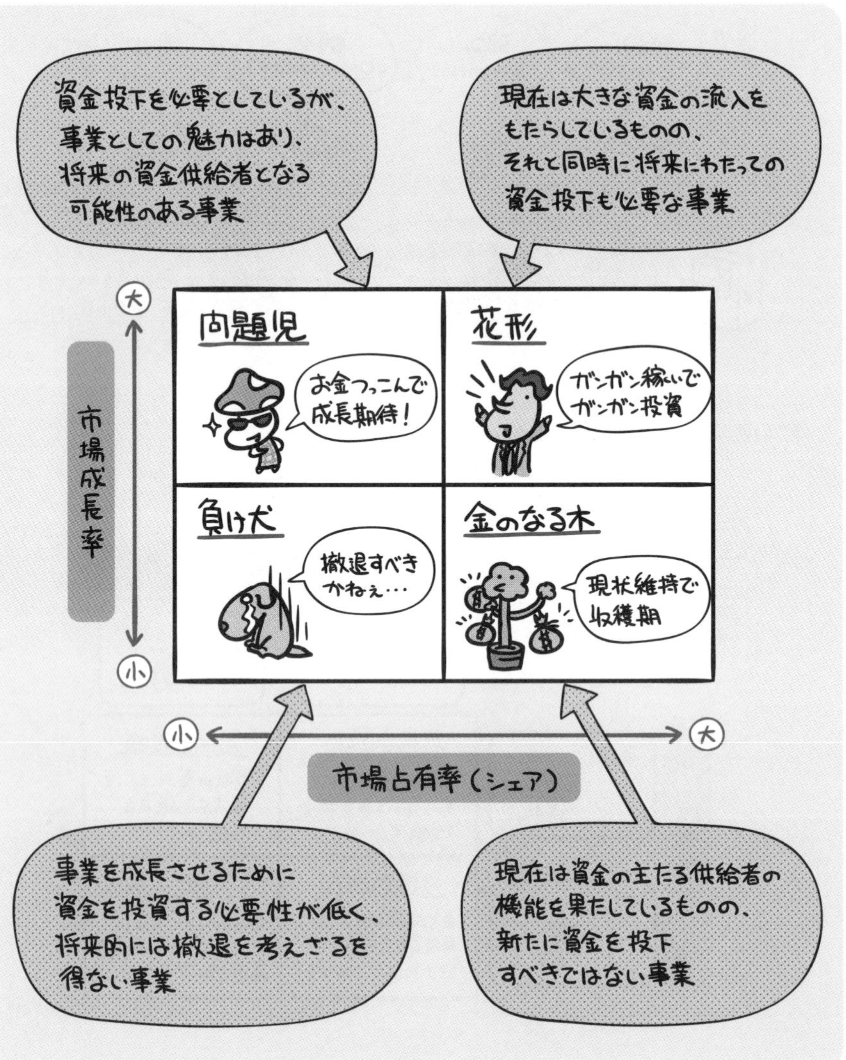

18 企業活動と関連法規

コアコンピタンスとベンチマーキング

それでは最後に、企業活動を改善する指標となるコアコンピタンスと、ベンチマーキングをご紹介。コアコンピタンスとは自社の強みを指す言葉であり、ベンチマーキングは「他社の強みを参考にしちゃえ!」というものです。

コアコンピタンス

他社には真似のできない、その企業独自のノウハウや技術などの強みのこと。

これを核として注力する手法をコアコンピタンス経営という。

ベンチマーキング

経営目標設定の際のベストな手法を得るために、最強の競合相手または先進企業と比較することで、製品、サービス、および実践方法を定性的・定量的に測定すること。

コトラーの競争地位戦略

1980年にアメリカの経営学者フィリップ・コトラーが提唱した理論に、競争地位戦略があります。市場シェアの観点から企業を4つに類型化して、それぞれが選択するべき戦略目標をあらわしたものです。

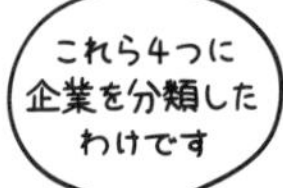

類型ごとの詳細はというと、こんな感じ。

リーダ戦略

市場において最大のシェアを持つリーディングカンパニー。
業界の牽引役として、需要を開拓し、市場全体の拡大を目指します。

チャレンジャ戦略

業界の2番手、3番手にあたる企業。リーダに挑戦してトップを狙うと同時に、リーダとの差別化を図りシェアの拡大を目指します。

フォロワ戦略

業界の2番手、3番手にあたる企業ですが、リーダに挑戦するのではなく、その模倣をすることで、開発コストを抑えながら収益向上を図ります。

ニッチャ(ニッチ)戦略

市場全体におけるシェアは高くないものの、小規模な市場に特化することで独自の地位を獲得し、他にはない価値を提供する企業です。こうした小規模な市場のことを隙間市場(ニッチ市場)と呼びます。

CRM (Customer Relationship Management)

顧客情報などを分析することで営業戦略に生かすのがリレーションシップマーケティング。そのマネジメント手法がCRM（Customer Relationship Management）です。

CRMでは、顧客の情報を管理・分析して適切な営業戦略を実施することにより、顧客ロイヤリティの獲得と、顧客生涯価値の最大化を目指します。

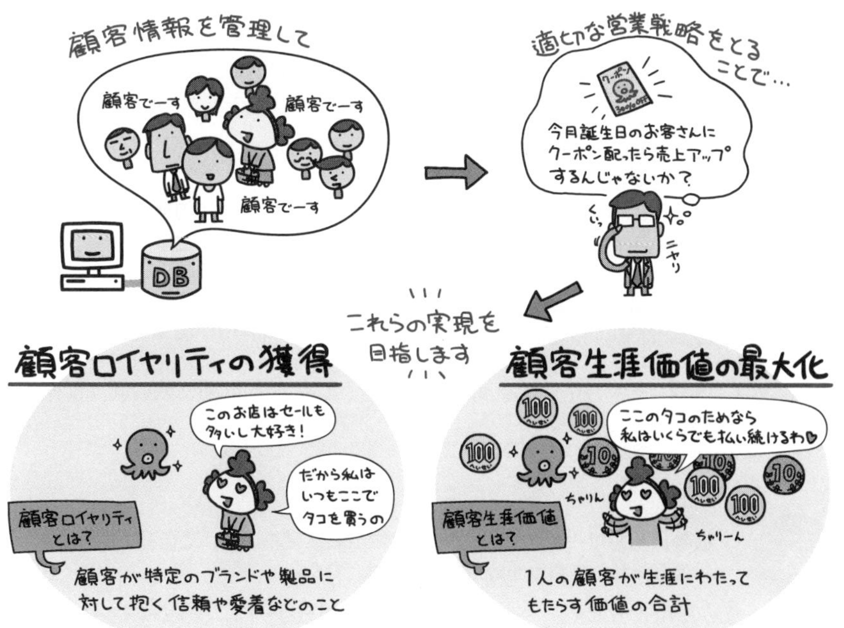

このように出題されています

過去問題練習と解説

問1 (FE-R06-16)

コアコンピタンスを説明したものはどれか。

ア　経営活動における基本精神や行動指針
イ　事業戦略の遂行によって達成すべき到達目標
ウ　自社を取り巻く環境に関するビジネス上の機会と脅威
エ　他社との競争優位の源泉となる経営資源及び企業能力

解説

選択肢ア・ウ・エは、下記の用語の説明です。

ア　社是、社訓、経営理念　　ウ　SWOT 分析の外部環境（735ページ参照）
エ　コアコンピタンス（737ページ参照）

選択肢イに、特別な用語は付けられていません。強いて言うならば、ビジネスゴールぐらいでしょう。

問2 (FE-R06-17)

マーケティング戦略におけるブルーオーシャンの説明として，適切なものはどれか。

ア　競争が存在していない未知の市場
イ　コモディティ化が進んだ既存の市場
ウ　新事業のアイディアを実際のビジネスに育成するまでの期間
エ　製品開発したものを市場化する過程に横たわっている障壁

解説

選択肢ア・イ・エは、下記の用語の説明です。

ア　ブルーオーシャン　　イ　レッドオーシャン　　エ　死の谷

選択肢ウに、特別な用語は付けられていません。なお、ブルーオーシャン戦略を採用した例として、2005年ごろの10分1000円の理髪店が挙げられます。その当時は、1時間2,000円程度の理髪店が普通だったので、10分1000円の散髪は、“競争が存在していない未知の市場”だったのです。

問3 (IP-R02-A-21)

横軸に相対マーケットシェア，縦軸に市場成長率を用いて自社の製品や事業の戦略的位置付けを分析する手法はどれか。

ア　ABC分析　イ　PPM分析　ウ　SWOT分析　エ　バリューチェーン分析

解説

PPM（Product Portfolio Management）分析の説明は、736ページを参照してください。

正解▶問1：エ　問2：ア　問3：イ

外部企業による労働力の提供

外部企業による労働力の提供形態には、
請負と派遣があります。

請負は、仕事を外部の企業にお願いして、その成果に対してお金を支払う労働契約です。「これ作ってー」とお願いして成果を受け取るだけですから、請け負った先がどんな体制で仕事をしてるかなんて発注元は知りません。したがって、誰が仕事に従事してるかとか、いつからいつ何の仕事をやるべきか、なんてことも、発注元が口出しすることではありません。

一方派遣はというと、人材派遣会社にお願いして自分のところに人を出してもらう労働契約です。なのでこちらは仕事の成果ではなくて、「派遣されてきている」こと自体に対してお金を支払うことになります。労働力の提供、確保という意味では、こちらの方がより近いと言えますね。

仕事の量には波があるのが普通ですが、社員はそれに応じて手軽に増減させる…というわけにはいきません。したがって、こういった外部の労働力によって、足りない部分を補うというわけなのです。

ちなみに本試験の中では、提供形態ごとの「指揮命令系統がどこに属しているか」という点が特に問われます。それについては、次ページでより詳しく見ておきましょう。

請負と派遣で違う、指揮命令系統

請負と派遣、それぞれの指揮命令系統は次のようになっています。派遣の場合、指揮命令権を持つのが、雇用関係にある会社ではないところが特徴です。

請負の場合

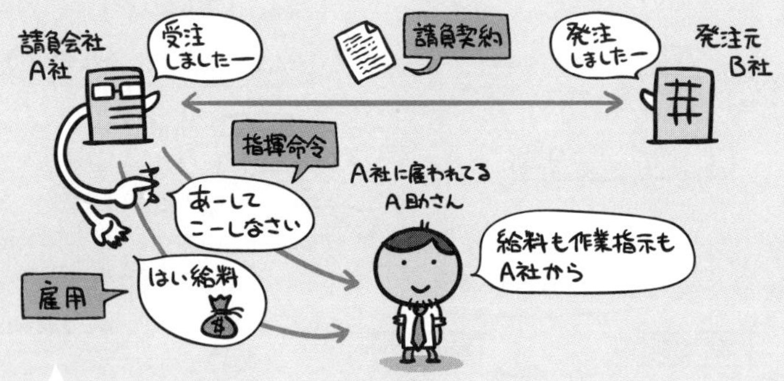

請負会社A社に雇われているA助さんは、A社の指揮のもとで、B社から請け負った仕事を行います。

派遣の場合

派遣会社C社に雇われているC助さんは、D社の指揮のもとで、D社の仕事を行います。

このように出題されています

過去問題練習と解説

(FE-R04-サ-60)

労働者派遣法に基づく，派遣先企業と労働者との関係（図の太線部分）はどれか。

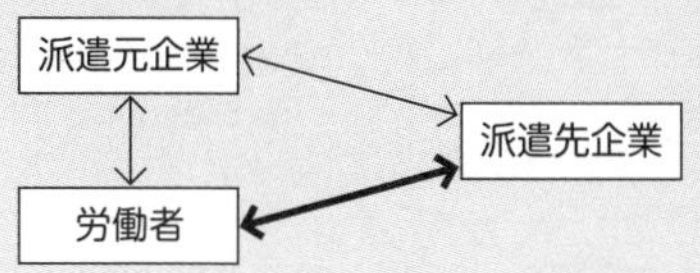

ア　請負契約関係
イ　雇用契約関係
ウ　指揮命令関係
エ　労働者派遣契約関係

解説

太線部分の派遣先企業と労働者の関係は、指揮命令関係です。
派遣元企業と派遣先企業の関係は、労働者派遣契約関係です。
派遣元企業と労働者の関係は、雇用関係です。

(FE-H24-A-80)

派遣元会社A社と派遣先会社B社が派遣契約を結び，A社は社員であるN氏を派遣した。労働者派遣法に照らして適切な行為はどれか。

ア　B社の繁忙期とN氏の休暇申請が重なったので，B社から直接N氏に休暇の変更を指示した。
イ　N氏からの作業環境に関する苦情に対し，B社は雇用関係にないので，対応はA社だけで行った。
ウ　N氏は派遣期間中の仕事に関する指示を，B社の担当者から直接受けることにした。
エ　派遣期間中にN氏の作業時間が空いたので，B社は派遣取決め以外の作業を依頼した。

解説

ア　派遣先会社B社は、直接N氏に休暇の変更を指示できません。
イ　派遣先会社B社の派遣先責任者は、N氏からの作業環境に関する苦情に対応しなければなりません。
ウ　派遣先会社B社の担当者は、N氏に仕事に関する指示を直接行います。
エ　派遣先会社B社は、派遣取決め以外の作業をN氏に依頼できません。

正解▸問1:ウ　問2:ウ

関連法規いろいろ

法律はもちろん、各種ルールやモラルも守って企業活動を行うことをコンプライアンスといいます。

コンプライアンスとは法令遵守とも訳される言葉で、「儲かれば何をやってもいい」とは真逆の意味を示します。たとえば「コンプライアンスなんて知るかー」といって好き勝手な企業活動を行った場合、一見収益があがっているように見えても、同時に大きなリスクまで抱え込んでしまっているケースが多々あります。ひょっとすると何かを契機に経営者が逮捕される…? そんな事態も「ない」とは言えませんよね。

企業には、経営者だけではなくて、その社員や顧客、株主など、様々な利害関係者（ステークホルダ）が存在します。「儲かりゃいいぜー」と暴走行為を働いたツケは、きまって全員に降りかかりますが、そもそも皆が望んだ結果とは限りません。「知っていれば投資しなかった」「もっと経営に透明性を!」なんて言葉はよく耳にするところです。

企業の経営管理が適切になされて、その透明性や正当性がきちんと確保できているか。それを監視する仕組みをコーポレートガバナンス（企業統治）といいます。もちろん、「ちゃんとしようね」なんてかけ声だけじゃ効力はありませんから、違法行為や不正行為のチェックを行う体制作りは不可欠。こっちは内部統制と呼びます。

それでは「逮捕されちゃったー」なんてことにならないよう、企業活動に関係する法令を色々と見ていきましょう。

著作権

発明や創作、商品開発など、それらは誰かの努力があって生み出されるものです。しかし、生み出した後のものをコピーするのは簡単だったりするんですよね。人の作品を丸パクリしたりとか、ゲームソフトをコピーしてばらまいたりとか…。

そう、苦労して生み出したものをあっさりコピーされてはやるせなさ過ぎますし、なによりそれでは収入にならなくて食べていけません。

そこで、「作り手の権利を守らなきゃいけないんじゃないの?」という法律ができました。それが知的財産権というやつです。

知的財産権は、大きく2つに分かれます。うちひとつが著作権で、次のような権利を規定しています。

著作権は著作物に対する権利保護を行うものなので、創作された時点で自動的に権利が発生します。さらに細かく見ると、次のような権利に分かれます。

権利名称	説明
著作人格権	著作物の「生みの親」に付与される権利で、公表権（いつどのように公表するか決定する権利）、氏名表示権（公表時に名前を表示する権利）、同一性保持権（著作物の改変を禁止する権利）を保護します。 他人に譲渡したり相続したりすることはできません。
著作財産権	著作物から発生する財産的権利で、複製権（出版などの著作物をコピーする権利）や公衆送信権（不特定多数に向けて著作物を発信する権利）などを保護します。 こちらは他人に譲渡したり相続したりすることができます。

産業財産権

知的財産権を大きく2つに分けたうちの、もうひとつが産業財産権です。

こっちは著作権と違って「先願主義」というやつなので、発明しただけだと権利は発生しません。特許庁に登録することで、はじめて権利が発生して保護対象となります。

産業財産権には次のようなものがあります。

権利名称	説明
特許権	高度な発明やアイデアなどを保護します。
実用新案権	ちょっとした改良とか創意工夫とか、特許ほど高度ではない考案を保護します。
意匠権	製品のデザインを保護します。
商標権	商品名やマーク（トレードマークとか）などの商標を保護します。

法人著作権

2ページ前でも述べた通り、著作権は著作物の「生みの親」に付与される権利です。創作された時点で自動的に権利が発生し、他人に譲渡したり相続したりすることはできません。

しかし業務として会社従業員が著作物の創作を行った場合、この権利を逐一個人に帰属していては管理を一元化することができません。会社としては、自ずとその活動が大きく制約されてしまうことになり、困ってしまうわけです。

そこで、著作権法15条では、以下の要件を満たす場合には、その著作者は法人とするよう定められています。当然この時、著作権は法人に帰属します。

これを法人著作（職務著作）と言います。

要するに、「法人の発意に基づく法人名義の著作物」の場合は、特段の取決めがない限り、その製作担当者を雇用していた法人の側に著作権が帰属することになるわけです。

著作権の帰属先

少しお堅い言い回しとして、「原始的」という言葉があります。これは、特段の取決めがない限りそのように扱うよーという意味を表していて、たとえば「著作権は原始的にはその創作者個人に帰属します」というように用います。

このように、著作権とは著作物を創作した者に対して原始的に帰属する権利です。しかし、例えば「これこれこういったプログラムが欲しい！」と発案したとしても、それを作成する人物が必ずしも発案者本人とは限りません。

そして、その依頼方法というか、どのような発注形態をとるかによって、成果物に対する著作権の原始的な帰属先は異なってくるのです。

次の3パターンを例に、著作権がどこに帰属するのか詳しく見てみましょう。

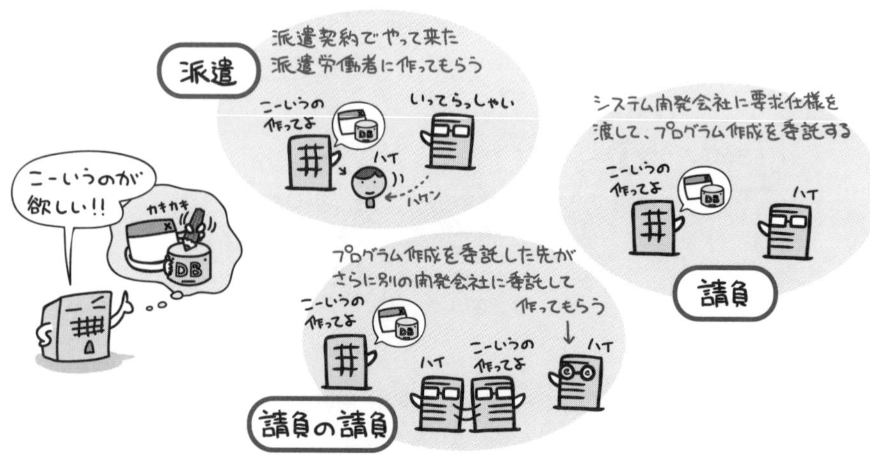

著作権によって保護されるのは、アイデアではなく作成された創作物です。したがって、帰属先を考える上では、「“誰が” 作ったのか」という視点が重要となります。

派遣の場合

派遣契約の場合、派遣先企業の指揮のもとで、派遣労働者がプログラム開発を行います。

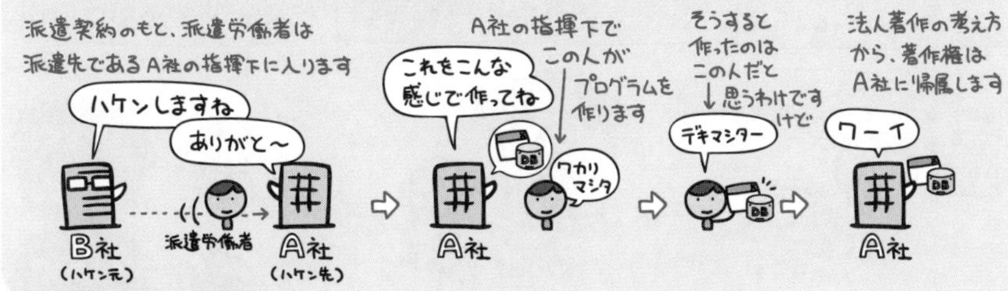

請負の場合

請負契約では、発注元は作成された成果物に対して報酬の支払いを行い、開発体制等には関知しません。

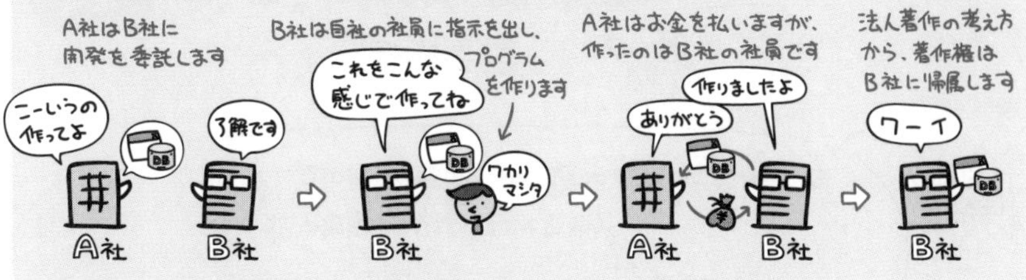

請負の請負の場合

請負契約を結んだ会社が、さらに外部企業へ開発を委託した場合も、請負契約が持つ関係に変化はありません。

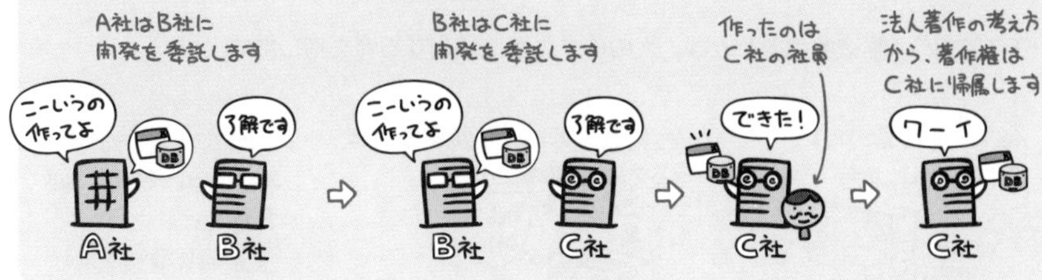

これらはいずれも「原始的には」の話であるため、それ以外の帰属先を検討する場合には、著作権の帰属先を明記した契約書を取り交わす必要が出てきます。

ちなみに、プログラムやマニュアルといった創作物については著作権法で保護されますが、その作成に用いるプログラム言語や、プロトコルなどの規約類、アルゴリズムといったものは著作権保護の対象外です。

製造物責任法（PL法）

製造物責任法とは、製造物の欠陥によって消費者が生命、身体、または財産に損害を負った場合に、製造業者等の負うべき損害賠償責任を定めた法律です。

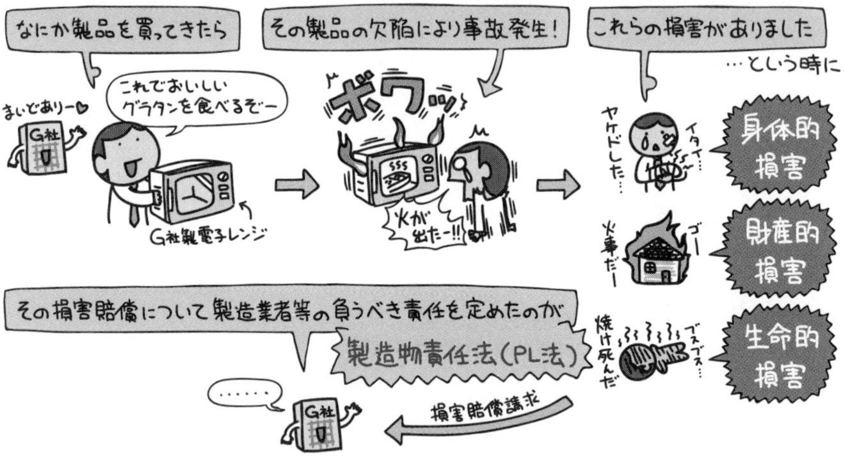

なにか製品を買ってきたら
その製品の欠陥により事故発生！
これらの損害がありました
…という時に

まいどありー♡
これでおいしいグラタンを食べるぞー
G社製電子レンジ
ボワッ
火が出たー!!
ヤケドした…
イタイ…
身体的損害
火事だー
ゴー
財産的損害
焼け死んだ
ブスブス…
生命的損害

その損害賠償について製造業者等の負うべき責任を定めたのが
製造物責任法（PL法）
……
損害賠償請求

ちなみに、この法律の対象は「製造物」なので
（製造または加工された動産のこと）
土地などの不動産 や ソフトウェアや電気のように形を持たないもの
ビリビリ～
などは対象外です

ここで言う「製造業者等」とは、次のいずれかに該当する者を指します。

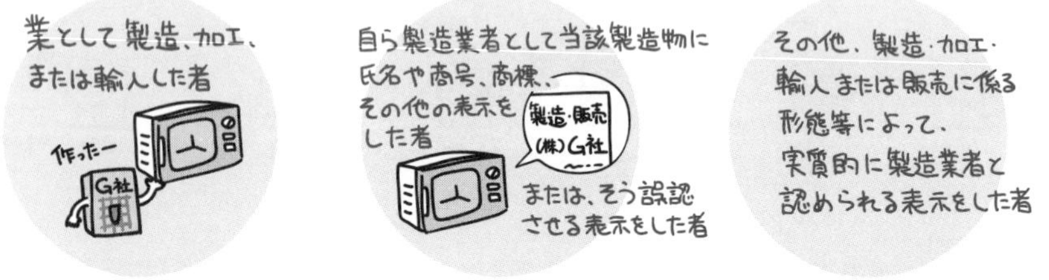

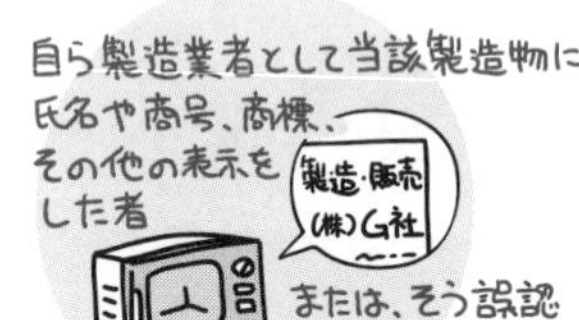

その他、製造・加工・
輸入または販売に係る
形態等によって、
実質的に製造業者と
認められる表示をした者

仮に、欠陥が製品を構成する外注部品に起因する場合であっても、本法により消費者に対して責を負うのは、その外注部品のメーカーではなく上記に該当する製造業者等です。

製造物責任法の適用範囲は「製造又は加工された動産の欠陥に起因した損害」に限定しています。つまり、事故が欠陥によって引き起こされたという因果関係が立証されなくてはなりません。

また、欠陥によって事故が発生したという場合においても、次のケースに該当すれば、製造業者等はその責を免れることができます。

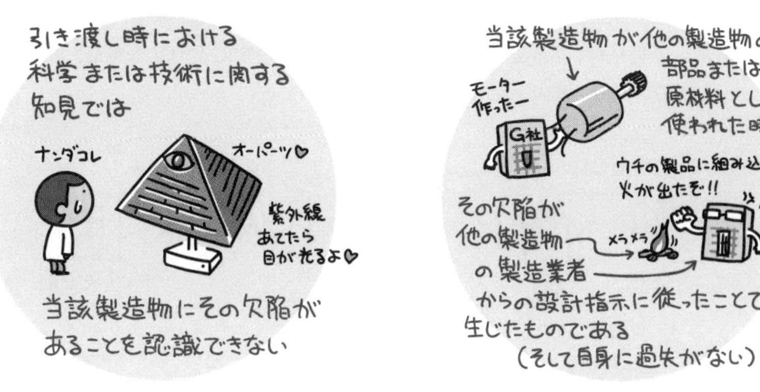

製造物責任法の時効は10年です。この間は、中古品であっても製造業者は自身の製造物に対して責任を負います。逆に消費者の側は事故の発生から3年以内に製造業者に対して損害賠償請求を行わなくてはならず、この期間を超えてしまった場合は時効としてその事故に対する請求権を失います。

労働基準法と労働者派遣法

働く人たちを保護するための法律が、労働基準法と労働者派遣法です。

労働基準法では、最低賃金、残業賃金、労働時間、休憩、休暇といった労働条件の最低ラインを定めています。つまり「これより劣悪な条件で働かせたら違法ですよ」という線引きをしているわけですね。

一方、労働者派遣法は、「必要な技術を持った労働者を企業に派遣する事業に関しての法律」というもので、派遣で働く人の権利を守っています。

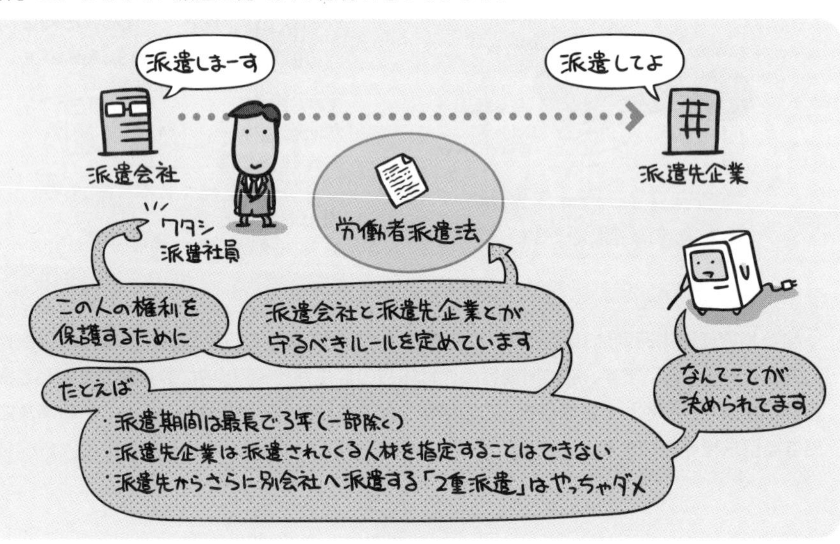

シュリンクラップ契約

シュリンクラップというのは、商品パッケージをぴっちり密着して覆う透明フィルム包装のことです。

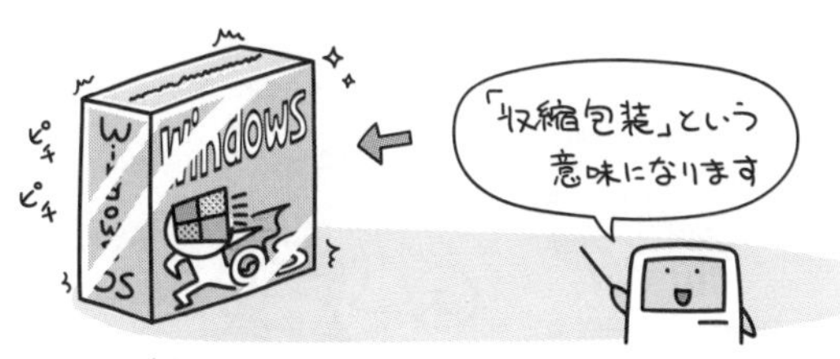

こうした包装を破くことで「使用許諾契約に同意したと見なしますからね」とするのがシュリンクラップ契約です。

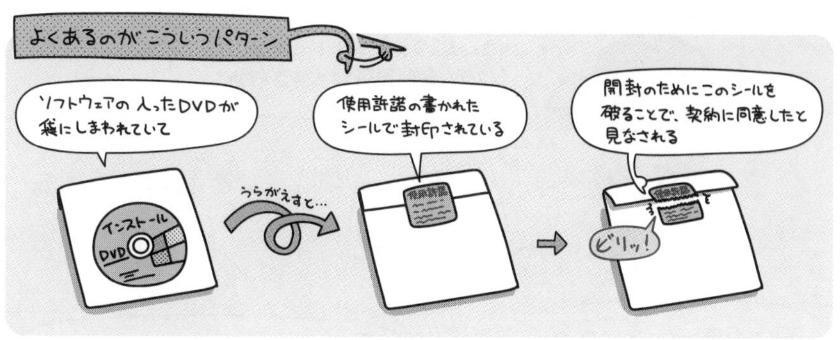

この契約では、包装を解いた時点で使用許諾契約が成立します。

不正アクセス禁止法

不正アクセス禁止法というのは、不正なアクセスを禁止するための法律です。

うんうん
なるほどねぇ…
って、
そのままやん!?
いやあ…
あははのは
あ
具体的には「不正なアクセス」
というのは…
次のような行為を指してます

他人のIDやパスワードを盗用して、
システムを利用可能とする行為
うわ
わわわ
不正な手段によりネットワークの
アクセス認証を突破して…
内部システムを利用可能とする
などの目的に達する行為
それ以外の手法
(セキュリティホールをつくなど)によって、
システムを不正に利用可能とする行為

不正アクセス禁止法では「不正アクセスを助長する行為」に関しても罰則が定められています。したがって、次のような行為も罰せられる対象となりますので気をつけましょう。

サイバーセキュリティ基本法

日本において、社会インフラとなっている情報システムや情報通信ネットワークへの防御施策を、効果的に推進するための政府組織の設置などを定めた法律がサイバーセキュリティ基本法です。

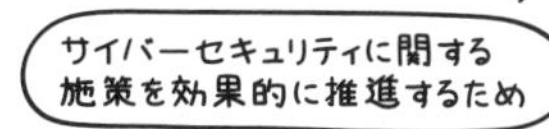

サイバーセキュリティ戦略本部ー!

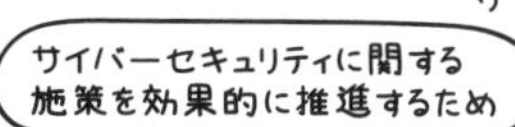

平成27年に内閣に設置されました!

ここで、サイバーセキュリティの対象となるのは、「電子的方式、磁気的方式その他人の知覚によっては認識することができない方式（以上をまとめて電磁的方式と呼称）により記録され、又は発信され、伝送され、もしくは受信される情報」です。

この法律では、国、地方公共団体、重要社会基盤事業者、サイバー関連事業者その他の事業者、教育研究機関の果たすべき責務と、国民の果たす努力目標が記されています。

この法律が定める国の基本的施策には、次の11項目があります。

- 国の行政機関等におけるサイバーセキュリティの確保
- 重要社会基盤事業者等におけるサイバーセキュリティ確保の促進
- サイバーセキュリティに対する民間事業者及び教育研究機関等の自発的な取組の促進
- サイバーセキュリティに関する施策に取り組む多様な主体の連携等
- サイバーセキュリティ協議会の組織化
- サイバーセキュリティ関連犯罪の取締り及び被害の拡大の防止
- サイバーセキュリティに関する事象のうち我が国の安全に重大な影響を及ぼすおそれのある事象への対応
- サイバーセキュリティ関連産業の振興及び国際競争力の強化
- サイバーセキュリティに関する研究開発の推進等
- サイバーセキュリティに係る人材の確保等
- サイバーセキュリティに関する教育及び学習の振興、普及啓発等
- サイバーセキュリティに関する分野における国際協力の推進等

なんとな〜く、うす〜くおさえておきましょう

プロバイダ責任制限法

プロバイダ責任制限法とは、インターネット上で権利侵害があった場合に、特定電気通信役務提供者（プロバイダなど）が負うべき損害賠償責任の範囲や、権利侵害を行った発信者の情報を、被害者が開示請求する権利について定めたものです。

特定電気通信役務提供者とは…

たとえばインターネット上の掲示板で権利侵害が発生しましたという場合、その掲示板管理者は次の条件にあてはまる場合には、被害者に対する損害賠償責任を負う必要はありません。

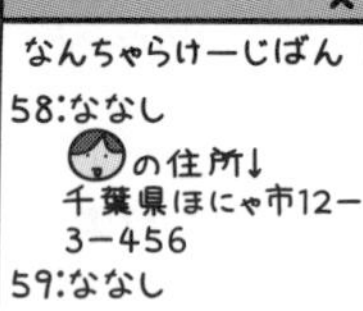

- 他人の権利が侵害されているのを知らなかった
- 他人の権利が侵害されているのを知ることができたと認めるのに足る相当の理由がない

場合は免責！

一方で、その権利侵害の書き込みを削除した場合に、発信者がそれによって損害を受けたとしても、次の条件にあてはまる場合は、やはり損害賠償責任を負うことはありません。

- 他人の権利が侵害されているのを信じるに足る相当の理由があった
- 削除の申出があったことを発信者に連絡して7日以内に反論がない

場合は免責！

で、被害者が「発信者を突き止めて責任を取ってもらうんだ！」と立腹していた場合、その情報を開示請求してお灸を据えてやるぜ！となるわけですね。その際の開示請求は次のような段取りで行われることになります。

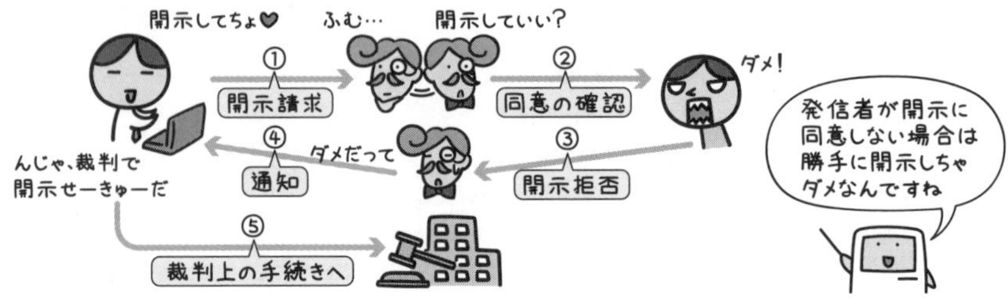

刑法

どのような行為が犯罪となり、それに対してどのような刑が科せられるかを定めた基本的な法令が刑法です。

この刑法と、前ページで挙げた不正アクセス禁止法の間で混同しがちなのがコンピュータウイルスの扱いです。たとえば「コンピュータウイルスを用いて企業で使用されているコンピュータの記憶内容を消去した」という場合、これを罰するのはどの法律でしょうか?

そう、コンピュータウイルス=情報セキュリティ関連という連想から、うっかり聞き覚えのある「不正アクセス禁止法」が該当するような気がしがちですが、こちらはインターネット等の通信における不正なアクセス行為とそれを助長する行為を禁止するための法律であるため、上のようなケースには該当しません。

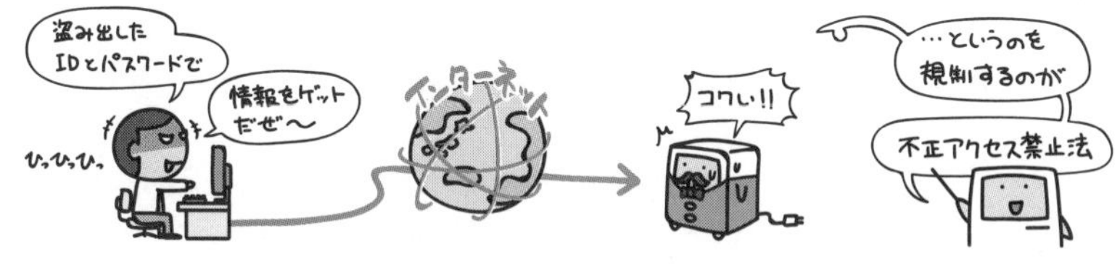

上のケースの場合、具体的には、刑法に定められた次のような罪によって罰せられます。

［刑法234条の2］
電子計算機損壊等業務妨害罪

人の業務に使用しているコンピュータや電磁的記録を損壊するなどによって業務を妨害する行為を処罰の対象とする。

［刑法168条の2および168条の3］
不正指令電磁的記録に関する罪
(いわゆるコンピュータ・ウイルスに関する罪)

使用者の意に反するような不正な指令を与える電磁的記録(コンピュータウイルス)の作成、提供、供用、取得、保管行為を処罰の対象とする。

このように出題されています

過去問題練習と解説

(FE-H28-S-75)

企業経営の透明性を確保するために，企業は誰のために経営を行っているか，トップマネジメントの構造はどうなっているか，組織内部に自浄能力をもっているかなどの視点で，企業活動を監督・監視する仕組みはどれか。

ア　コアコンピタンス　　イ　コーポレートアンデンティティ
ウ　コーポレートガバナンス　　エ　ステークホルダアナリシス

解説

ア　コアコンピタンスの説明は、737ページを参照してください。
イ　コーポレートアンデンティティは、統一されたデザインやメッセージを使って、顧客を含む利害関係者に、企業の特徴や個性のイメージを定着させる企業戦略です。
ウ　コーポレートガバナンスの説明は、744ページを参照してください。
エ　ステークホルダアナリシスを直訳すれば、利害関係者分析になります。利害関係者の期待・関与度・影響度などを分析することを指す用語です。

(FE-H29-S-79)

著作権法によるソフトウェアの保護範囲に関する記述のうち，適切なものはどれか。

ア　アプリケーションプログラムは著作権法によって保護されるが，OSなどの基本プログラムは権利の対価がハードウェアの料金に含まれるので，保護されない。
イ　アルゴリズムやプログラム言語は，著作権法によって保護される。
ウ　アルゴリズムを記述した文書は著作権法で保護されるが，そのアルゴリズムを用いて作成されたプログラムは保護されない。
エ　ソースプログラムとオブジェクトプログラムの両方とも著作権法によって保護される。

解説

ア　アプリケーションプログラム、OSなどの基本プログラムの両方とも著作権法によって保護されます。
イ　アルゴリズムやプログラム言語は、著作権法で保護されません。なお、ここでいうプログラム言語とは、プログラム言語の規則であり、プログラム言語を実装したコンパイラなどは、著作権法によって保護されます。
ウ　アルゴリズムは、保護対象外ですが、そのアルゴリズムを用いて作成されたプログラムは保護されます。
エ　そのとおりです。

(FE-H30-S-79)

A社は，B社と著作物の権利に関する特段の取決めをせず，A社の要求仕様に基づいて，販売管理システムのプログラム作成をB社に委託した。この場合のプログラム著作権の原始的帰属はどれか。

ア　A社とB社が話し合って決定する。　　イ　A社とB社の共有となる。
ウ　A社に帰属する。　　エ　B社に帰属する。

解説

本問の問題文の1文目は、「A社は，B社と著作物の権利に関する特段の取決めをせず，A社の要求仕様に基づいて，販売管理システムのプログラム作成をB社に委託した」としていますので、「A社とB社は、著作物の権利に関する条項を、A社・B社間の契約書に盛り込んでおらず、B社が販売管理システムのプログラムを作成した」と解釈できます。したがって、748ページに書かれているとおり、販売管理システムのプログラムの著作権は、当該プログラムを作成したB社に帰属します。

(FE-R06-20)

日本において，産業財産権と総称される四つの権利はどれか。

ア　意匠権，実用新案権，商標権，特許権
イ　意匠権，実用新案権，著作権，特許権
ウ　意匠権，商標権，著作権，特許権
エ　実用新案権，商標権，著作権，特許権

解説

産業財産権の説明は、746ページを参照してください。著作権は、産業財産権に含まれません。

(FE-R01-A-80)

ソフトウェアやデータに瑕疵（かし）がある場合に，製造物責任法の対象となるものはどれか。

ア　ROM化したソフトウェアを内蔵した組込み機器
イ　アプリケーションソフトウェアパッケージ
ウ　利用者がPCにインストールしたOS
エ　利用者によってネットワークからダウンロードされたデータ

解説

750ページに書かれているとおり、製造物責任法（PL法）の対象は「製造物」であり、形を持たないソフトウェアやデータは対象外です。ただし、選択肢アのように、ROM化され、ROMとしての形を持ったソフトウェアは、PL法の対象になります。

正解▶問1：ウ　問2：エ　問3：エ　問4：ア
問5：ア

Chapter 19

経営戦略のための業務改善と分析手法

でもそれだとまた
同じような店相手に、
同じような失敗を
しちゃいませんか?

じゃあ、食べた時の
教訓をもとに毎回
こんなチャートを
残していたとしたら?

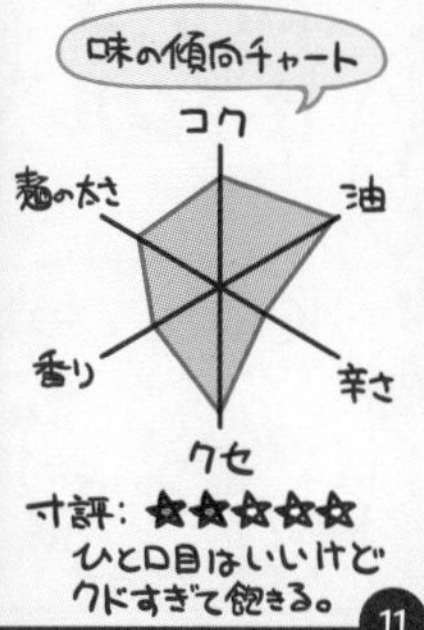

Chapter 19-1 PDCAサイクルとデータ整理技法

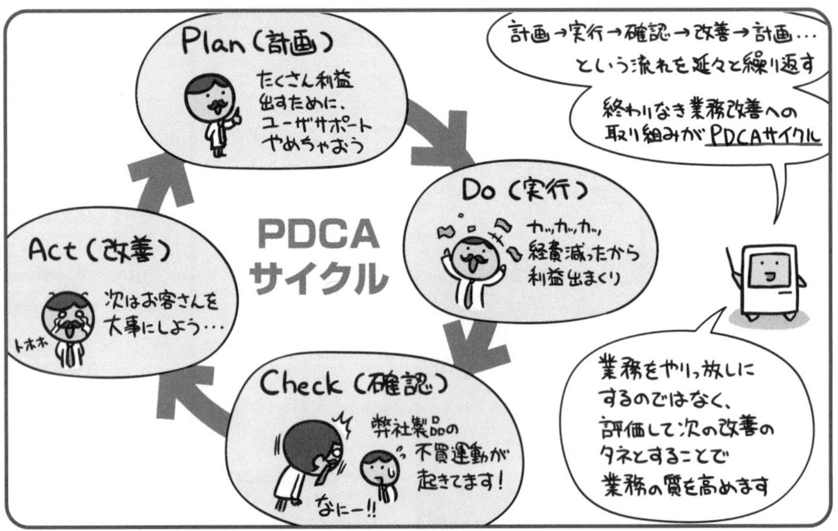

業務の「やりっ放し」を防ぐのが、
PDCAサイクルによる業務改善の役割です。

計画をして、実行したら、その結果を確認・評価して、次につなげる改善のタネとして、また計画して…と延々繰り返すのがPDCAサイクル。業務改善の手法としてごくポピュラーな手法です。失敗は成功のタネとしていくわけですね。

このPDCAという手順。個人レベルであれば、「特に意識せずともそうしてるよ」という人も多いのではないでしょうか。

しかしこれが組織レベルになってくると、なかなか「意識せずとも」というわけにもいきません。特に、一番大事な「評価して次の改善につなげる」というところがことのほか難しい。だって、みんながどんな点に「問題アリ」と感じていて、それを「どのように改善するか」なんて、人によって考え方は千差万別で、誰かが勝手に決めて押しつけるようなものでもないですものね。

じゃあどうしましょう?

そんな時、知恵を出し合い、活用するための手法として用いられるのが様々なデータ整理技法です。具体的にどんな方法があるのかについては、いざ次ページ以降へレッツゴー。

ブレーンストーミング

なにか検討するにしても分析するにしても、まず知恵を出し合わなきゃはじまりません。そのため、複数人で自由に意見を言い合って、幅広いアイデアをひっぱり出す手法として用いられるのがブレーンストーミングです。

ブレーンストーミングでは、次のようなルールにのっとって発言を行います。

主に「発言を萎縮させるような行為は控えて、自由闊達な意見交換をしましょうね」という基本方針に沿ったルールたちとなっています。

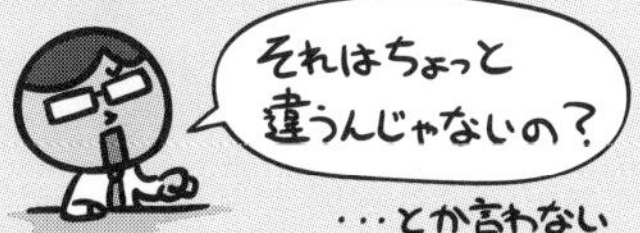

・・・とか言わない

萎縮させて発言の機会を奪うことにつながるので、人の発言を批判しない。

自由奔放

型にとらわれない奇抜な発想を笑うのではなく、そういう発言こそ重視する。

質より量

発言の質にこだわらず、とにかくたくさんの意見やアイデアを出し合うようにする。

結合改善

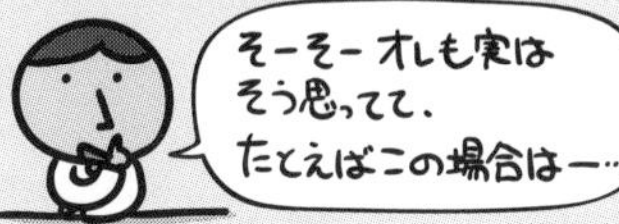

便乗意見は大歓迎。アイデア同士をくっつけることで、新しいアイデアが生まれたりする。

バズセッション

しかし、自由闊達な意見交換がいいよねーとか思っても、30人40人と人数がふくらんでくると、好き勝手に発言していては議論に収拾がつかなくなってしまいます。

というか発言を把握するだけでもチョー大変。聖徳太子レベルのマルチタスクな耳が必要になってくるのは自明の理なわけでありますよ。

そこで、全体を少人数のグループに分け、それぞれのグループごとに結論を出すようにする手法がバズセッションです。

各グループの出した結論は、あらためて全体の場で発表を行います。こうやってグループごとの結論を持ち寄ることにより、全体としての結論を導き出すわけです。

KJ法

ところで話し合った結果というのは、どう取りまとめて分析を行うのでしょうか。

ブレーンストーミングなどで出し合ったアイデアや意見、事実を整理して、解決すべき問題を明確にするデータ整理技法にKJ法があります。

KJ法は、収集した情報をカード化して、それらをグループ化することで、問題点を浮かびあがらせます。新QC七つ道具（P.771）で用いられる親和図法は、これを起源とした同様の整理手法です。

具体的にどうやるかというと、次のような流れで情報を整理していきます。

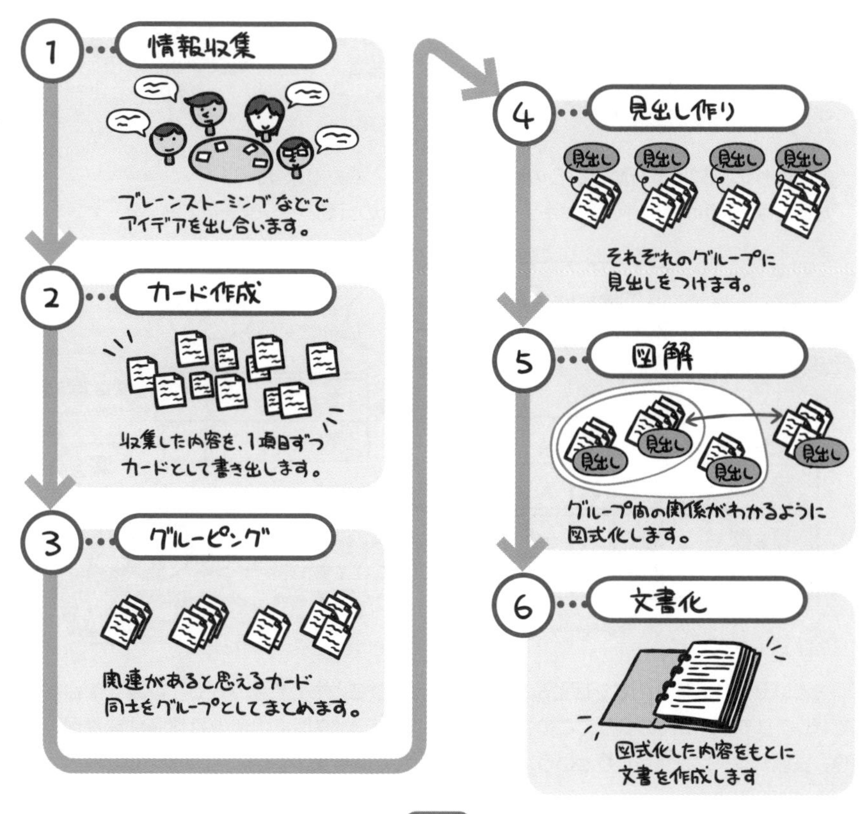

1…情報収集
ブレーンストーミングなどでアイデアを出し合います。

2…カード作成
収集した内容を、1項目ずつカードとして書き出します。

3…グルーピング
関連があると思えるカード同士をグループとしてまとめます。

4…見出し作り
見出し
それぞれのグループに見出しをつけます。

5…図解
見出し
グループ間の関係がわかるように図式化します。

6…文書化
図式化した内容をもとに文書を作成します

決定表（デシジョンテーブル）

複数の条件と、それによって決定づけられる行動とを整理するのに有効なのが決定表（デシジョンテーブル）です。たとえば「腹痛の時にどうするか」という行動パターンを、すごく単純な例として決定表でまとめてみると下図のようになります。

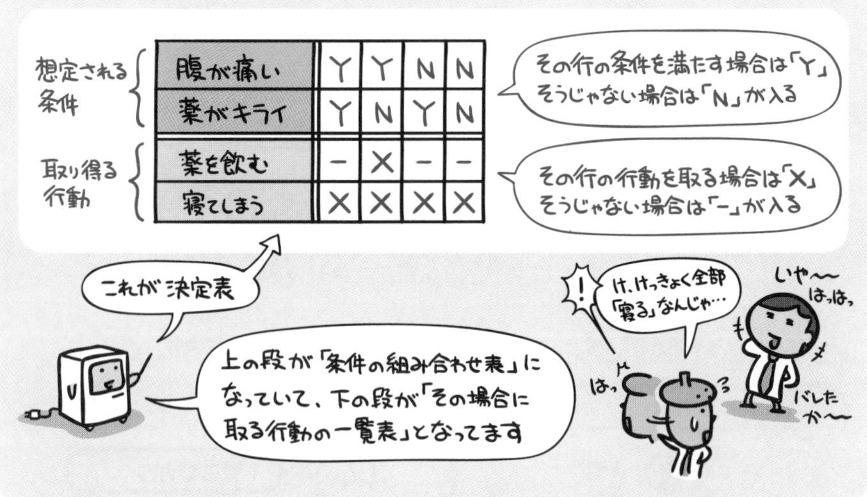

ある条件の時に取る行動というのは、縦軸を見るとわかります。
たとえば、「腹は痛いが、薬がキライ」という場合の行動パターンを見てみると…。

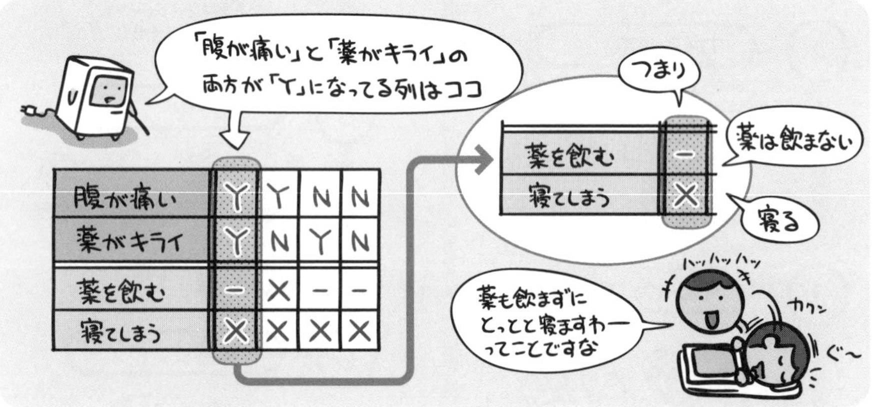

…という感じ。行さえ足せばどんどん条件を増やすこともできますから、複雑な条件だってバッチリです。そんなわけでこの技法は、プログラミング時に内部の処理条件を整理したり、試験パターンを作ったりという用途でも使われています。

このように出題されています
過去問題練習と解説

問 1 (FE-H26-S-51)

システム開発の進捗管理やソフトウェアの品質管理などで用いられるPDCAサイクルの“P”，“D”，“C”，“A”は，それぞれ英単語の頭文字をとったものである。3番目の文字“C”が表す単語はどれか。

ア　Challenge　　イ　Change　　ウ　Check　　エ　Control

解説

PDCAは、それぞれ「Plan」、「Do」、「Check」、「Act」の頭文字です。

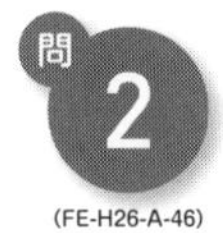

問 2 (FE-H26-A-46)

システム開発で用いる設計技法のうち，決定表を説明したものはどれか。

ア　エンティティを長方形で表し，その関係を線で結んで表現したものである。
イ　外部インタフェース，プロセス，データストア間でのデータの流れを表現したものである。
ウ　条件の組合せとそれに対する動作とを表現したものである。
エ　処理や選択などの制御の流れを，直線又は矢印で表現したものである。

解説

ア　E-R図 (Entity Relationship Diagram) の説明です。
イ　DFD(Data Flow Diagram) の説明です(ただし､｢外部インタフェース｣は､｢データの源泉と吸収｣に置き換えます)。
ウ　決定表の説明は、766ページを参照してください。
エ　フローチャートの説明です。

腹が痛い	Y	Y	N	N
薬がキライ	Y	N	Y	N
薬を飲む	－	X	－	－
寝てしまう	X	X	X	X

正解▶問1:ウ　問2:ウ

Chapter 19-2 グラフ

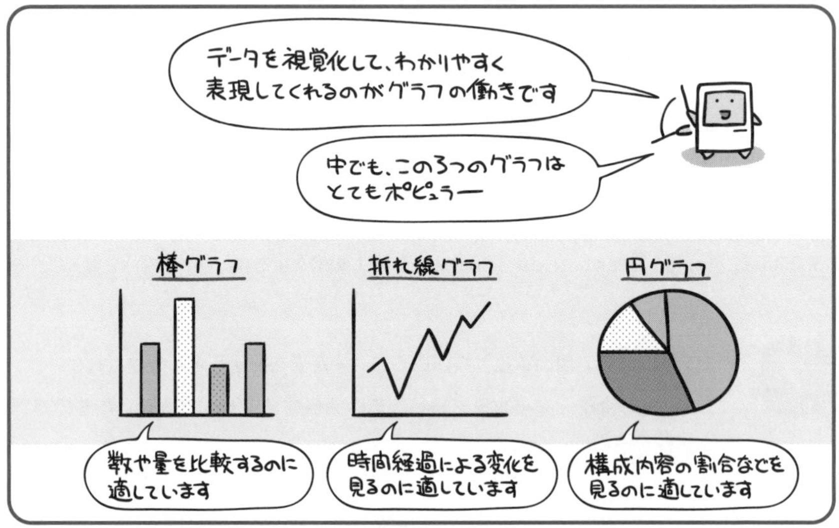

データをわかりやすく表現するためには、その内容に適した種類のグラフを選択します。

様々な討論や調査をしたとしても、そこで集まったデータが生かされなければなんの意味もありません。

ところがデータって、いっぱいあると正確性が増すんですけど、同じくいっぱいあると整理したり把握したりが大変になってくるんですよね。それこそ数字ばっかりのデータともなれば、「データ単独だと何を意味してるのかよくわからない」なんてことになりがちですし…。

というわけで出てくるのがグラフです。かき集めたデータは、グラフとして視覚化してやることで、ひと目見ただけで直感的にわかる、価値ある情報に生まれ変わらせることができるのです。

代表的なものとしては、上のイラストにもある「棒グラフ」「折れ線グラフ」「円グラフ」という3つが挙げられます。他にも、項目のバランスを見るためのものや、グループの分布状況や関連性を分析するためのものなど、様々なグラフがあります。

レーダチャート

項目ごとのバランスを見るのに役立つのがレーダチャートです。くもの巣のような形をしたグラフで、描かれる形状の面積と凸凹具合で、特徴を把握することができます。

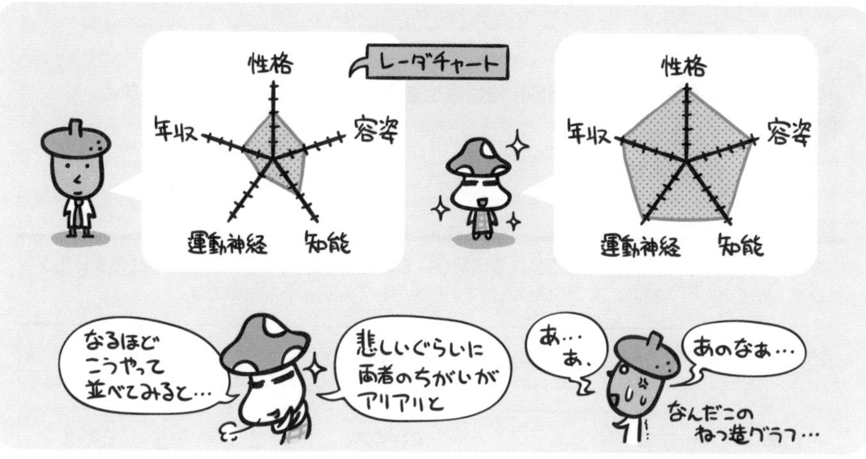

ポートフォリオ図

2つの軸の中で、個々のグループが「どの位置にどんな大きさで分布しているか」見ることのできるグラフが、ポートフォリオ図です。たとえば業界内における自社の位置づけや、製品ごとのマーケット分布図などをあらわすのに使います。

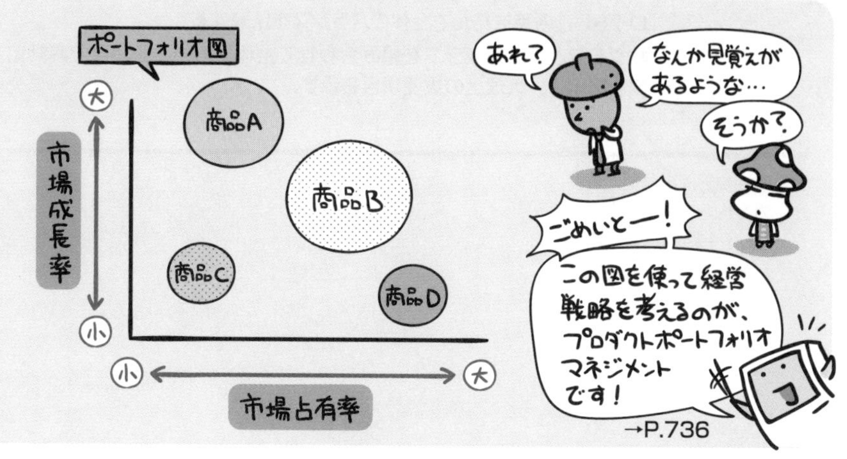

このように出題されています
過去問題練習と解説

(FE-H21-S-54)

ある商品のメーカ別の市場構成比を表すのに適切なグラフはどれか。

ア　Z グラフ　　イ　帯グラフ
ウ　折れ線グラフ　　エ　レーダチャート

解説

帯グラフは、帯状の長方形をある長さで区切り、その各部分の面積で数量の大きさを表したグラフです。構成比を示す時に、よく用いられます。例えば、下記のようなものです。

2009年	A社 40%	B社 30%	その他
2010年	A社 20%	B社 60%	その他

(FE-H17-A-75)

レーダチャートを説明したものはどれか。

ア　原因と結果の関連を魚の骨のような形状として体系的にまとめ，結果に対してどのような原因が関連しているかを明確にする。

イ　作業別に実施期間の予定と実績を棒状に図示し，作業の進捗状況を表す。

ウ　複数の項目に対応する放射状の各軸上に，基準値に対する度合いをプロットし，各点を結んで全体のバランスを比較する。

エ　棒グラフと折れ線グラフを組み合わせて全体に占める各項目の累計比率を図示し，管理上の重要項目を示す。

解説

ア　特性要因図の説明です。
イ　ガントチャートの説明です。
エ　パレート図の説明です。

正解▶問1：イ　問2：ウ

Chapter 19-3 QC七つ道具と呼ばれる品質管理手法たち

QC七つ道具の「QC」とは「Quality Control」を略したもの。品質管理を意味しています。

「七つ道具」といっても何か特別な姿形があるわけじゃなくて、主に数値データなどを統計としてまとめ、これを分析して品質管理に役立てる手法のことをQC七つ道具と呼んでいます。層別、パレート図、散布図、ヒストグラム、管理図、特性要因図、チェックシートという種類があり、一部を除いていずれも独自のグラフ形状を描きます。

要するに、現場に潜む色んな情報を視覚的にあらわすことで、「あー、このへんに問題がありそうね」とかいうことを把握しやすくするグラフたちなわけですね。たとえば「不良品の発生箇所はどの作業区間に多く認められるか」なんて傾向を図式化して、作業工程の問題箇所発見に役立てたりするわけです。

元々は工業製品の品質向上に役立てていた手法なのですが、現在ではもっと広範な、「仕事上の問題点を発見する」ためのデータ分析手法としても使われています。

一方、定量的な分析を行うQC七つ道具に対して、言語データ（たとえば顧客からのクレームとか）を元に定性的な分析を行う手法として新QC七つ道具があります。こちらは、連関図法、親和図法（KJ法と同じ、P.765）、系統図法、マトリックス図法、マトリックスデータ解析法、PDPC法、アローダイアグラム法（P.559、PERT図とも言う）が含まれます。

層別

データを属性ごとに分けることで特徴をつかみやすくする…という考え方です。そう、QC七つ道具の中にあって、こいつだけはグラフでもなんでもなく、ただの考え方なのです。

パレート図

現象や原因などの項目を件数の多い順に棒グラフとして並べ、その累積値を折れ線グラフにして重ね合わせることで、重要な項目を把握する手法です。

たとえば、とある架空の(キノコが経営する)ネット通販店に寄せられたクレームを、パレート図にしてみるとこんな感じ

棒グラフは個々のクレームを集計して、多い順に並べたもの

件数
200
150
100
50

累積比率
100%
75%
50%
25%

折れ線グラフは累積値

ん?

梱包がひどい
発送が遅い
対応が不親切
品物が壊れていた
注文したのとちがう!
その他

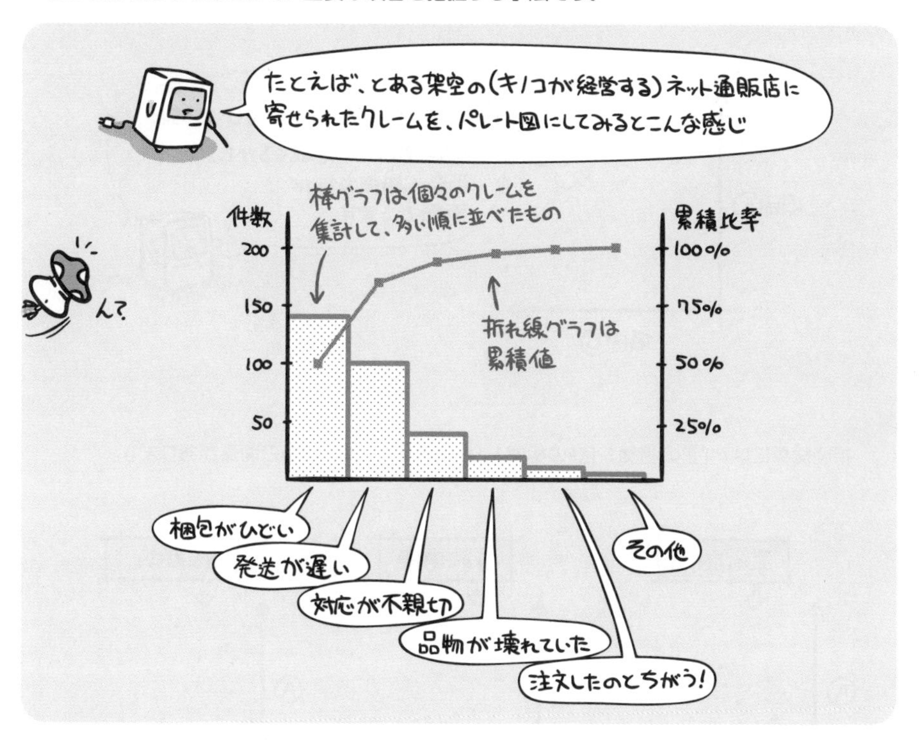

このパレート図を利用して、「累積比率の70%をしめる項目をA群、それ以降の20%をB群、最後の10%をC群と分けて考える手法」をABC分析と呼びます。

「A群だけはちょっと対策しておいた方がいいんじゃないの?」的に使います。

散布図

相関関係を調べたい2つの項目を対としてグラフ上にプロット（点をうつこと）していき、その点のばらつき具合によって両者の相関関係を判断する手法です。

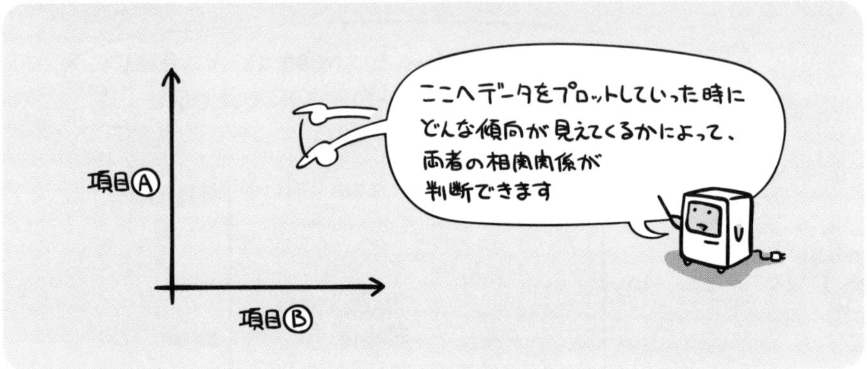

相関関係には、「正の相関」「負の相関」「相関なし」という3つの関係があります。

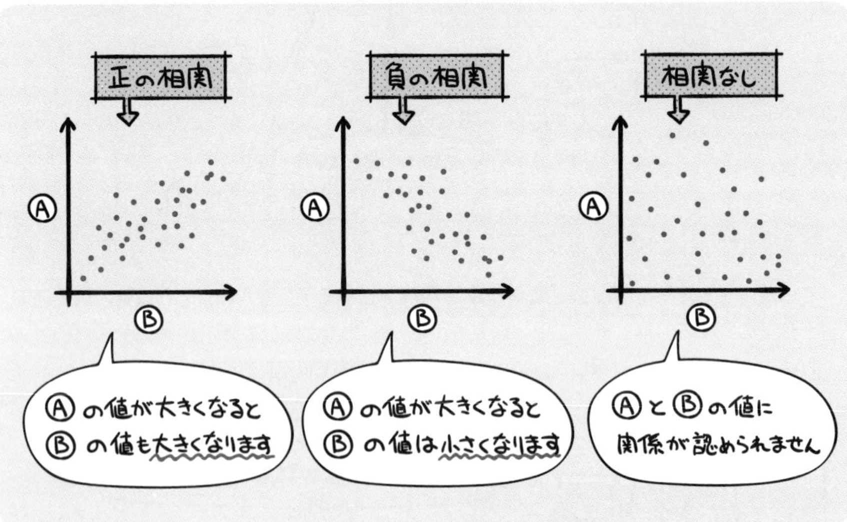

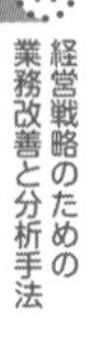

ヒストグラム

収集したデータをいくつかの区間に分け、その区間ごとのデータ個数を棒グラフとして描くことで、品質のばらつきなどを捉える手法です。

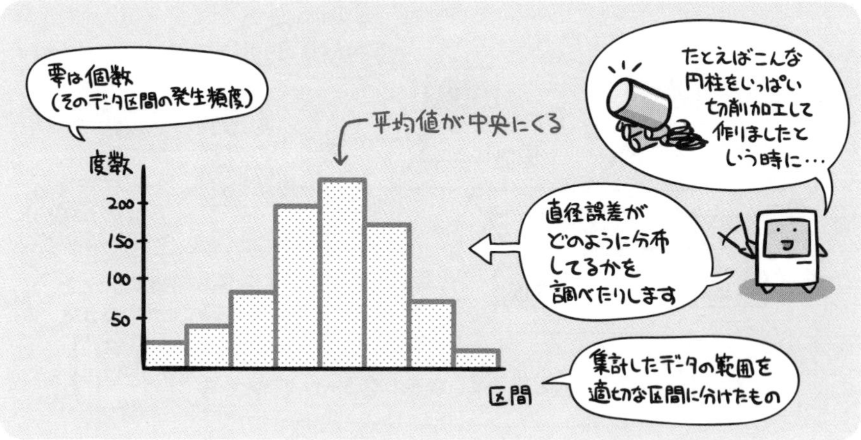

管理図

時系列的に発生するデータのばらつきを折れ線グラフであらわし、上限と下限を設定して異常の発見に用いる手法です。

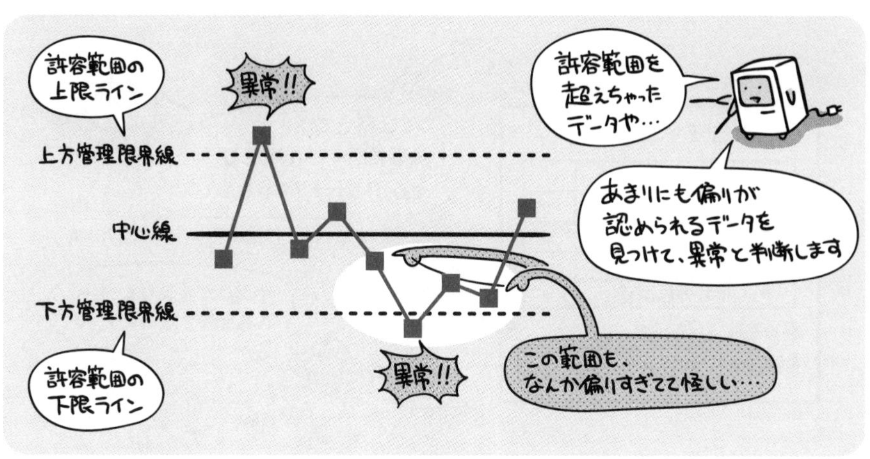

19
経営戦略のための業務改善と分析手法

特性要因図

原因と結果の関連を魚の骨のような形状として体系的にまとめ、結果に対してどのような原因が関連してるかを明確にする手法です。

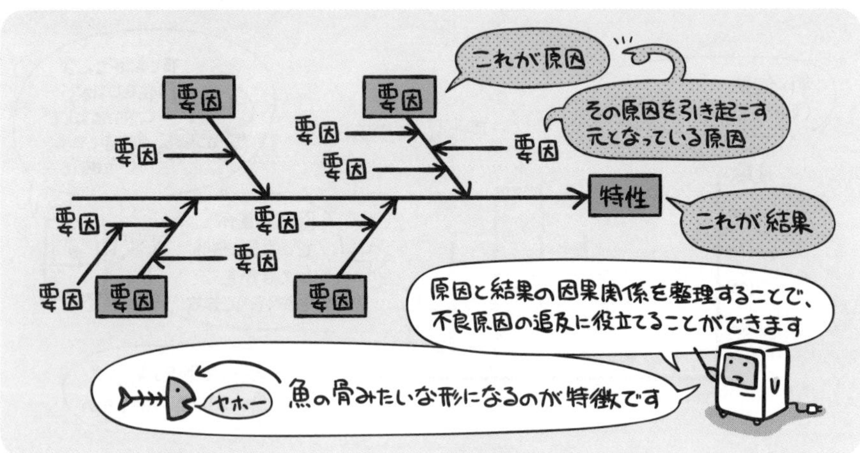

チェックシート

あらかじめ確認すべき項目を列挙しておいたシートを使って、確認結果を記入していく手法です。

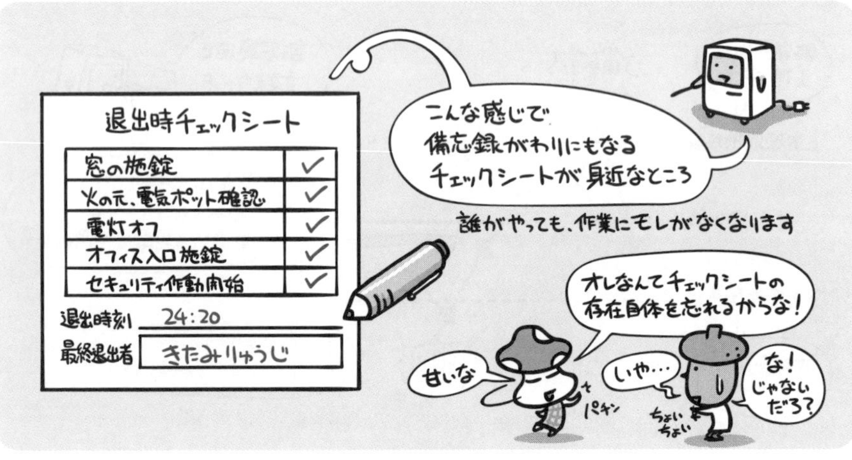

連関図法

最後に、新QC七つ道具からもひとつだけ、連関図法を紹介しておきましょう。

連関図法とは、複雑な要因が絡み合う事象について、その事象間の因果関係を明らかにする手法です。

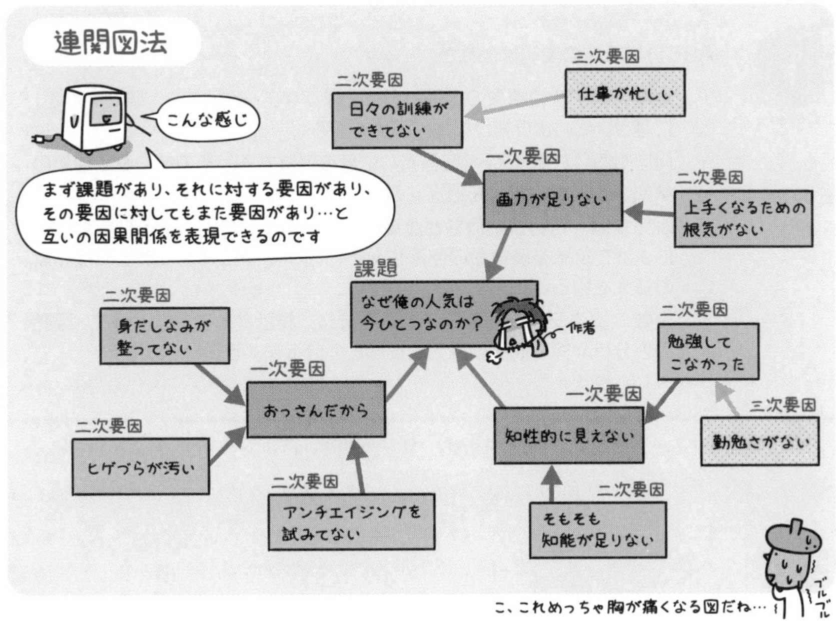

前ページで紹介したQC七つ道具の特性要因図と位置付けが似ていますが、あちらは結果に対して各要因が伸びていくだけなのに対し、連関図法では各要因同士のつながりも表現できるところに違いがあります。

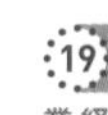

このように出題されています
過去問題練習と解説

問1 (FE-H30-S-75)

ABC分析手法の説明はどれか。

ア　地域を格子状の複数の区画に分け，様々なデータ（人口，購買力など）に基づいて，より細かに地域分析をする。
イ　何回も同じパネリスト（回答者）に反復調査する。そのデータで地域の傾向や購入層の変化を把握する。
ウ　販売金額，粗利益金額などが高い商品から順番に並べ，その累計比率によって商品を幾つかの階層に分け，高い階層に属する商品の販売量の拡大を図る。
エ　複数の調査データを要因ごとに区分し，集計することによって，販売力の分析や同一商品の購入状況などの分析をする。

解説

ABC分析は、パレート図を用いて行われます。パレート図は、773ページを参照してください。

(FE-R06-19)

図は，製品の製造上のある要因の値xと品質特性の値yとの関係をプロットしたものである。この図から読み取れることはどれか。

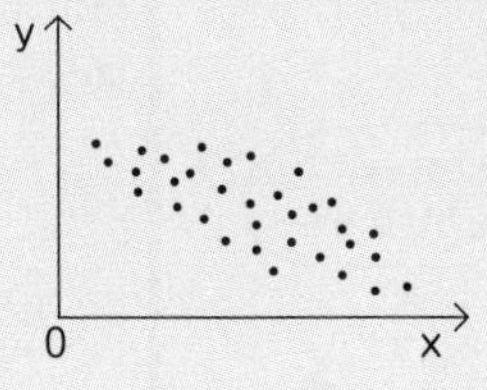

ア　xからyを推定するためには，2次回帰係数の計算が必要である。

イ　xからyを推定するための回帰式は，yからxを推定する回帰式と同じである。

ウ　xとyの相関係数は正である。

エ　xとyの相関係数は負である。

解説

本問の図は、散布図の例です。散布図において、点の集団がおおむね左上から右下に向かって集まっている場合、「相関係数が負である」もしくは「負の相関をもつ」といいます。774ページを参照してください。

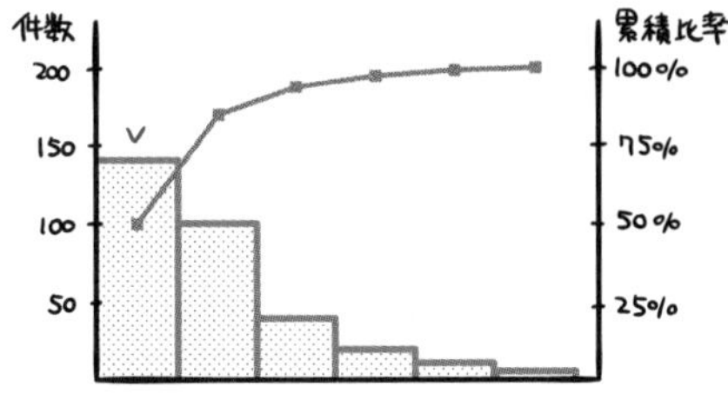

Chapter 20

財務会計は忘れちゃいけないお金の話

さらにはお店を
都会の一等地に
構えるか
うじゃうじゃ
ごちゃごちゃ
9
過疎地の農村地帯に
構えるかでも、
ぜんぜんコストは
ちがってきますし
ぽつねん
10
品物1個1個は
超高値で売れたと
しても…
はっはっはっ
タコ大人気!!
1,000円や2,000円で
バンバン売れる!!
11
…こんなことも
ある
でも
在庫たっぷりで
まだまだ
トータルじゃ
大赤字
ごちゃ
ぐちゃ
ごちゃ
12

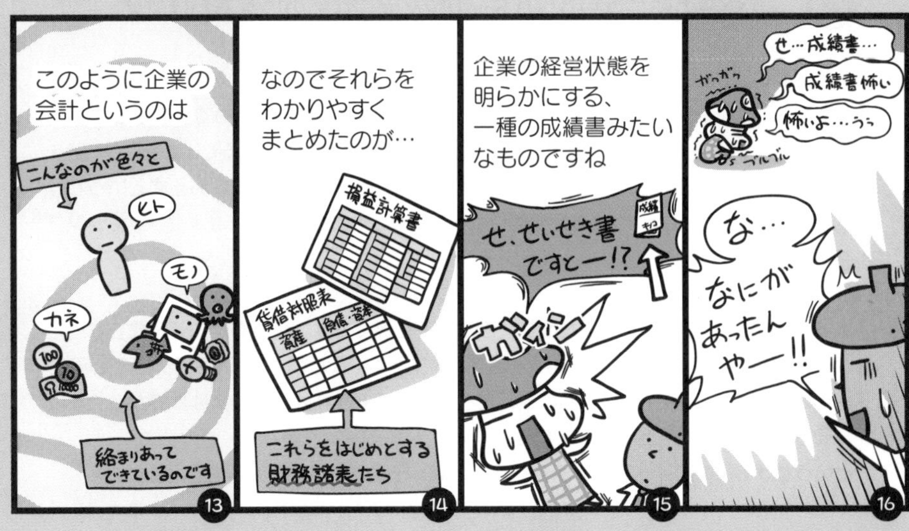
このように企業の
会計というのは
こんなのが色々と
ヒト
モノ
カネ
絡まりあって
できているのです
13
なのでそれらを
わかりやすく
まとめたのが…
損益計算書
貸借対照表
資産
負債・資本
これらをはじめとする
財務諸表たち
14
企業の経営状態を
明らかにする、
一種の成績書みたいな
なものですね
せ、せいせき書
ですとー!?
15
せ…成績書…
成績書怖い
怖いよ…うぅ
な…
なにが
あったん
やー!!
16

費用と利益

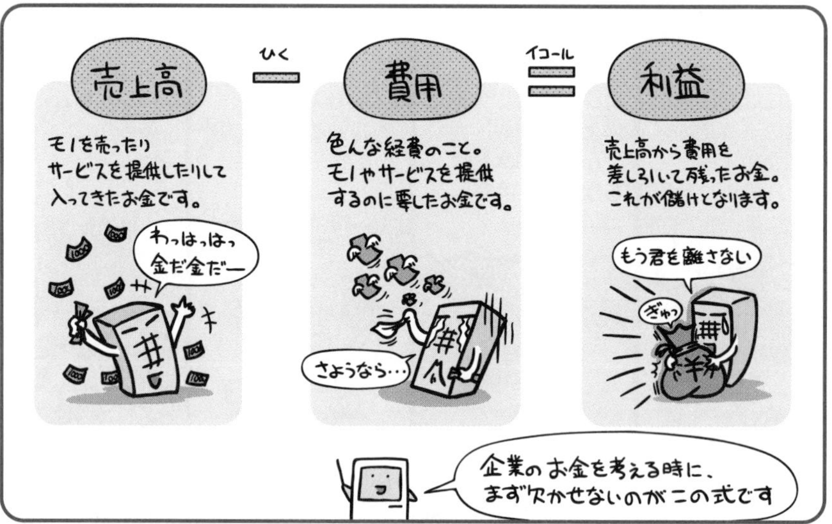

売上高を伸ばし、費用を抑えることによって、
企業の利益はウハウハドッカンと大きなものになるわけです。

企業活動の目的はどこにあるかといえば、やはりまずは儲けること。たくさんの利益を出すことです。そうじゃないと事業を継続できないですし、人を雇うこともできません。

そんなわけで、「企業のお金」を知ろうと思えば「儲けはどこから出るでしょう」って話を欠かすわけにはいかないとなり、そしてつまりはそれが、上のイラストにある式というわけです。売れたお金からかかったお金を差し引いて、残ったお金が儲けですよと。実にシンプルな話ですね。

しかしもちろん企業の話ですから、そうシンプルなだけで話は終わりません。

まず、「かかったお金」と言ったって、その内訳も様々です。商品をぜんぜん作らなくても、社員を抱えてりゃお金は消えていきます。オフィスを構えていれば場所代だって必要です。そのお金はどっから持ってくるのか、どれだけ売り上げればこの事業は採算がとれるのか。そんなことも考えなきゃいけません。

というわけでこの節は、費用の話と採算性の話。そのあたりについて見ていきます。

費用には「固定費」と「変動費」がある

さて、企業活動を行う上で必要な諸経費である費用。その内訳は、固定費と変動費にわかれます。

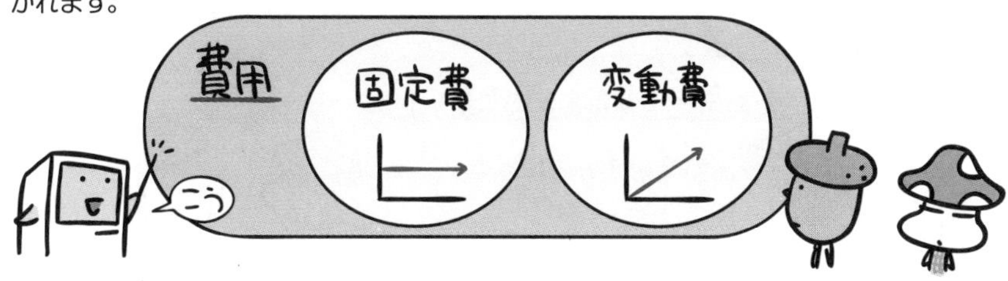

固定費というのは、売上に関係なく発生するお金たち。たとえば人件費やオフィスの賃料、光熱費などがそうです。

これらは、商品の生産量や売れ行きに関係なく、必ず発生する費用です。

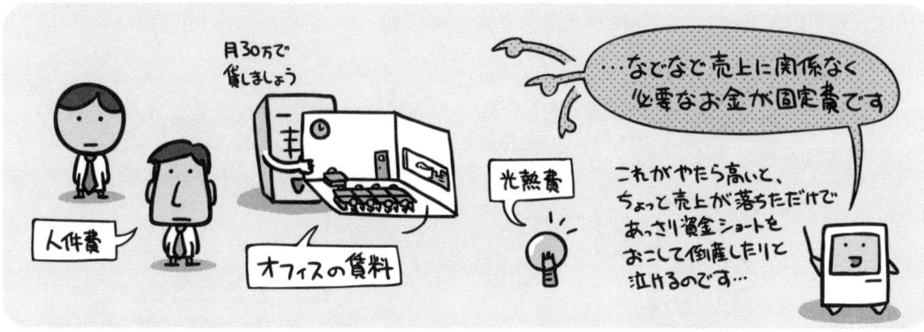

一方、売上と比例して増減するお金が変動費。こちらは主に、商品の生産に必要な材料を買うお金が該当します。

当然生産量が増えれば増えるほど、変動費は大きくなるわけです。

損益分岐点

損益分岐点というのは、その名の示す通り損失（赤字）と利益（黒字）とが分岐するところ。「これ以上に売上を伸ばせたら、赤字から黒字に切り替わりますよー」というポイントのことです。

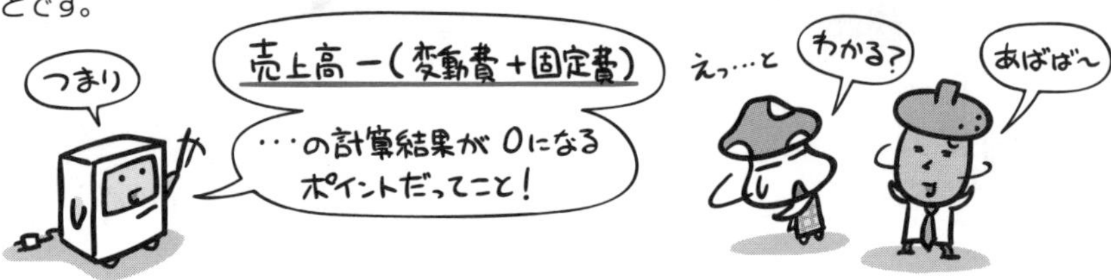

それでは順をおって見ていきましょう。

こちらにタコを売ることを生業とする企業さんがありました。人件費やら売り場の確保やらで、毎月固定費として30万円が必要な企業さんです。

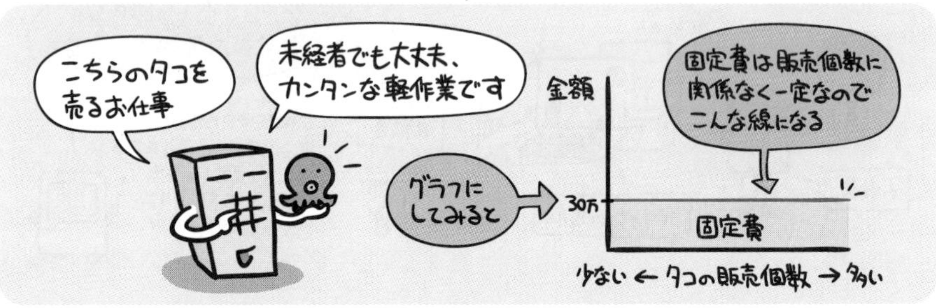

このタコを1匹1,000円で販売します。

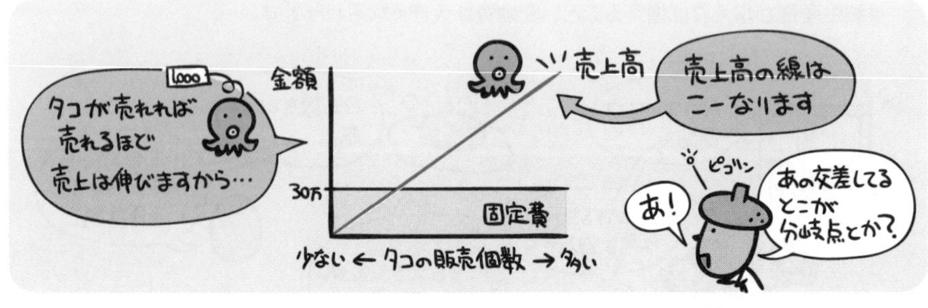

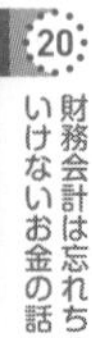

いえいえ、それは気が早いというもの。大事なことを忘れちゃいけません。タコはどっかから仕入れてくるわけですよね。当然それにはお金が必要です。

タコの仕入れ値が1匹600円だったとしましょう。これが変動費です。
その総額は当然タコの売れた数に比例しますから、次のような線となります。

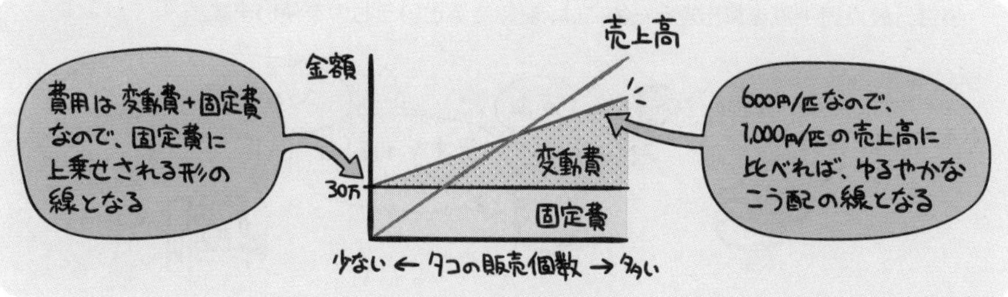

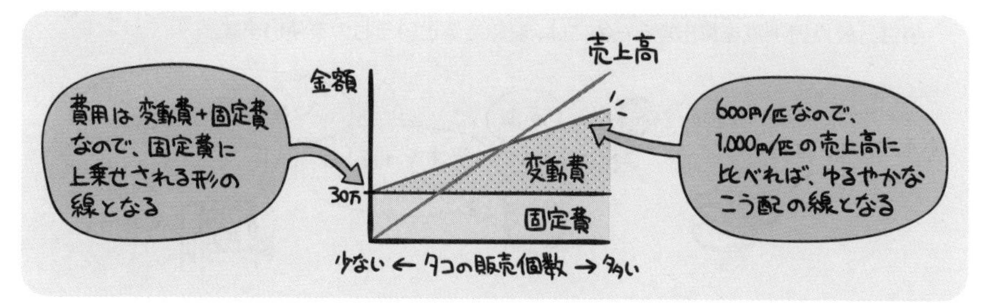

さて、こうして出来上がったグラフを良く見てください。（変動費＋固定費）と、売上高とがイコールになっている箇所（つまりは交差している箇所）がありますよね。

それが損益分岐点ですよ…というわけです。

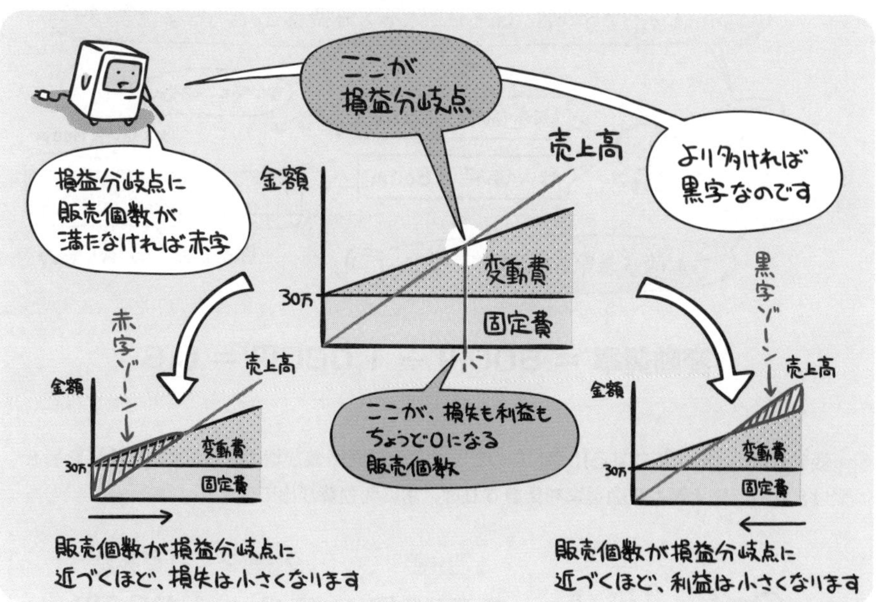

ちなみに、損益分岐点になる時の売上高を、損益分岐点売上高と呼びます。実にそのまんまの名称で、覚えやすいことこの上なしですね。

ところで上の場合の損益分岐点売上高。果たしていくらになるか、わかります？

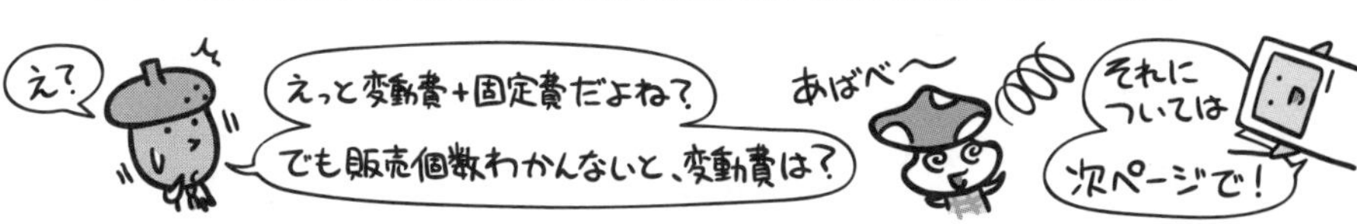

変動費率と損益分岐点

損益分岐点売上高を算出するためには、変動費率というものを使います。

変動費率というのは、売上に対する変動費の比率を示すものです。要するに「品物価格に含まれる変動費の割合はいくつか」ということです。

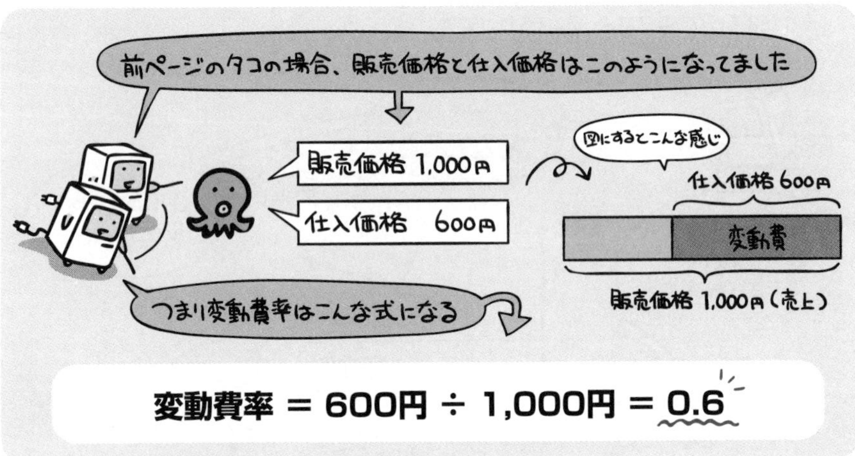

変動費率は「売上に対する比率」なので、タコの販売個数が増えても減っても特に影響を受けません。売上高と変動費率を乗算すれば、常に変動費が出てきます。

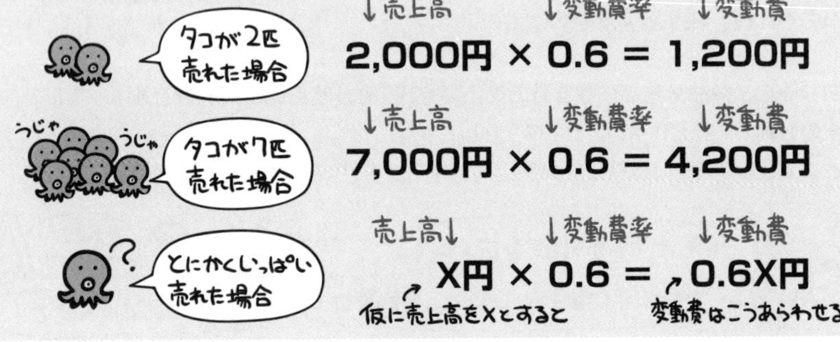

つまり変動費というのは、次のように書くことができるわけです。

変動費 ＝ 売上高 × 変動費率

…ということは、こんな式にもできちゃうわけです。

損益分岐点売上高 ＝ 変動費 ＋ 固定費

＝ (損益分岐点売上高 × 変動費率) ＋ 固定費

さあ、それでは前々ページのやり残しを、この式を使って片づけちゃいましょう。

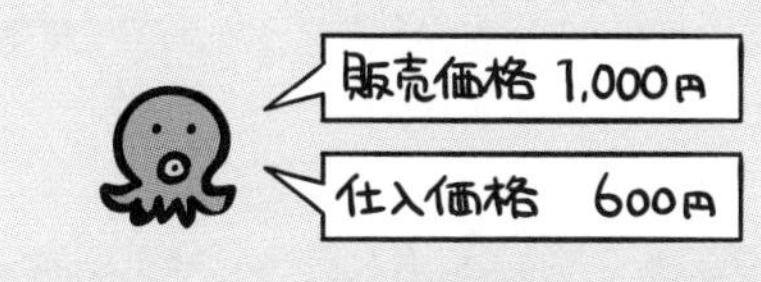

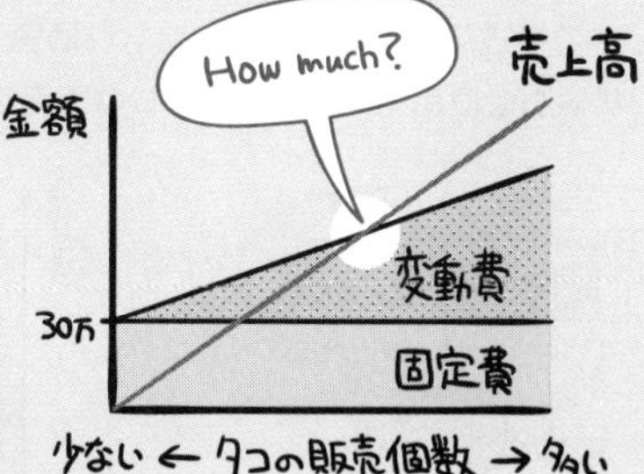

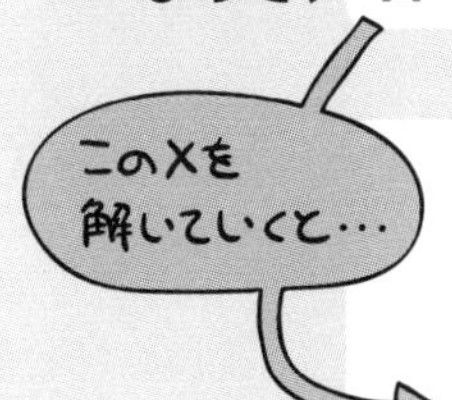

損益分岐点売上高 ＝ (損益分岐点売上高 × 変動費率) ＋ 固定費

…なので、 X ＝ (X × 0.6) ＋ 300,000 という式になる。

このXを解いていくと…

X ＝ 0.6X ＋ 300,000
X － 0.6X ＝ 300,000
0.4X ＝ 300,000
X ＝ 750,000

固定資産と減価償却

モノやサービスを提供するために使ったお金は、通常は経費として売上高から差し引くことになります。

しかし、ある程度高額な品…たとえばパソコンやクルマなどを想像してみるとわかりやすいんですけど、そういった品は買ってきて使用したからといっていきなり価値が0になるわけじゃありません。

これを固定資産と言います。

ところで中古のクルマって、「いきなり価値が0になるわけじゃない」と言ったって、2年落ち、3年落ちと使用期間がかさむにつれて価値は目減りしていきますよね？

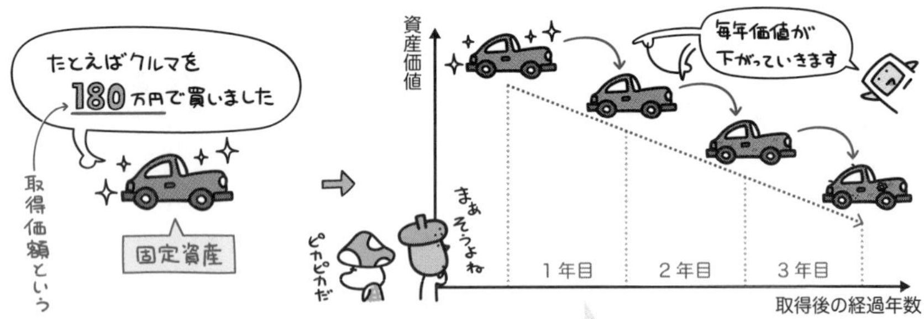

なので固定資産は、その「目減りした価値」の分を、その会計年度に要した経費の一部として計上します。これを減価償却と言います。

でも「目減りした価値」が
いくらになるかって、
どうやったらわかるんだ？

ですよね？
そこで登場するのが耐用年数です。

タイヨウ…？
おてんとさんは
見てるぜ的な？

チガイマスヨー！
「使用に耐える」で
耐用ですからね！

資産には、一応種類ごとに「これだけの期間は使えますよ」という基準が定められているのです。これが耐用年数です。

なので、取得価額（購入した金額）をその年数で割ってやれば、1年に償却するべき金額が求められます。

取得価額 ÷ 耐用年数 ＝ 毎年の減価償却額

つまり先ほどのクルマの例で言えば、こんな風になるわけですね。

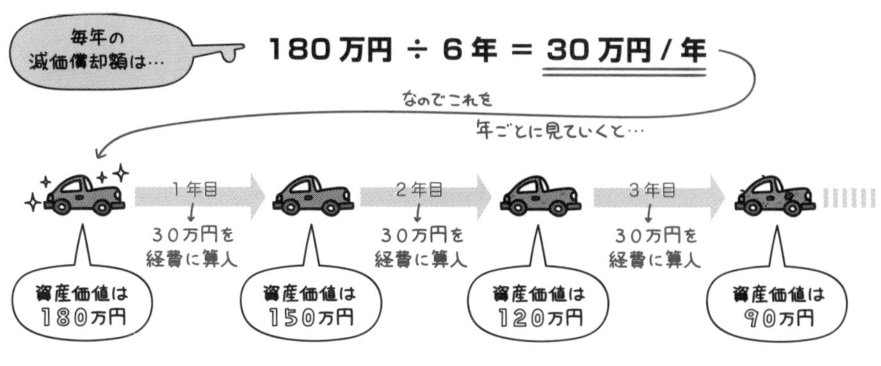

このように、毎年一定額を償却していくやり方を定額法と言います。他にも定率法というやり方があって、この場合は毎年同じ率で償却を行います。定率なので、資産価値の高い初年度に償却する額が一番多くなり、後は年々償却額が減る形になります。

ROI (Return On Investment)

最後にROIという指標を知っておきましょう。これは、「費用対効果」を意味します。

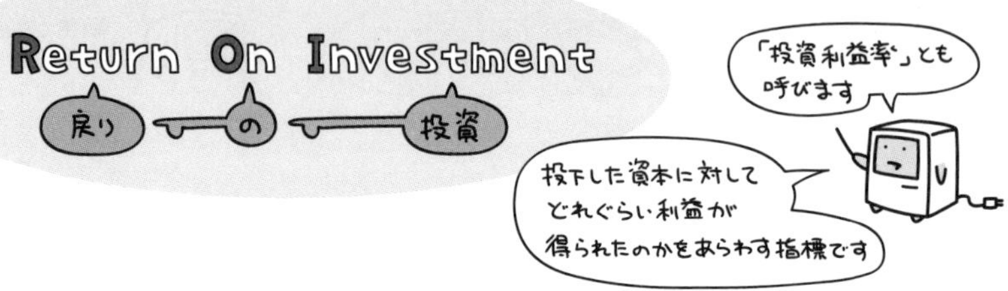

ROIは一般的に、次の式によって算出されます。

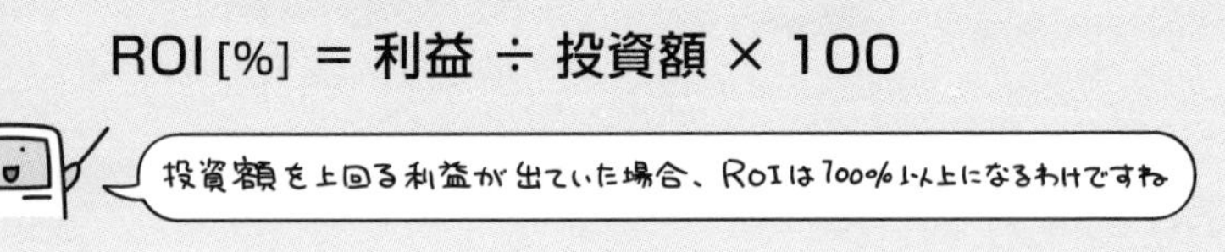

ROIの数値が大きいほど、その投資は効果的で利益も大きいと考えることができるので、価値のある施策だと判断する材料になるわけです。

ちなみに、投資したお金を何年後に回収できるか示す指標をPBP (Pay Back Period) と言います。投資額÷1年間のキャッシュフロー（収入から諸経費や税金等を差し引いた額）により回収期間を算出します。

当然、この期間が短いほど「優秀な投資だ」となるわけですね

このように出題されています
過去問題練習と解説

問1 (FE-H26-S-78)

表は，ある企業の損益計算書である。損益分岐点は何百万円か。

単位　百万円

項　目	内　訳	金　額
売上高		700
売上原価	変動費　100 固定費　200	300
売上総利益		400
販売費・一般管理費	変動費　40 固定費　300	340
営業利益		60

ア　250
イ　490
ウ　500
エ　625

解説

本問の損益計算書にしたがって、次のように計算します。

(1) 変動費率
{(売上原価の変動費：100)＋(販売費・一般管理費の変動費：40)}÷売上高：700 ＝ 0.2

(2) 固定費合計
売上原価の固定費：200 ＋ 販売費・一般管理費の固定費：300 ＝ 500

(3) 損益分岐点売上高
固定費合計÷（1−変動費率）＝ 500 ÷（1 − 0.2）＝ 625

問2 (FE-R04-サ-58)

令和2年4月に30万円で購入したPCを3年後に1万円で売却するとき，固定資産売却損は何万円か。ここで，耐用年数は4年，減価償却は定額法，定額法の償却率は0.250，残存価額は0円とする。

ア　6.0　　イ　6.5　　ウ　7.0　　エ　7.5

解説

定額法の1年間の償却費計算は、(取得価額 − 残存価額）× 償却率 で計算します。30万円で購入したPCを、耐用年数：4年、残存価額：0円、定額法の償却率：0.250、償却方法：定額法、の条件で償却する場合の1年間の償却額は、(300,000 − 0) × 0.250＝ 75,000 です。3年間の減価償却費は、75,000 × 3 ＝ 225,000 です。

PCの3年後の未償却残高は、300,000 − 225,000 ＝ 75,000 です。PCを3年後に1万円で売却すると、固定資産売却損は、10,000 − 75,000 ＝ △65,000 です。

正解▶問1：エ　問2：イ

(FE-R04-サ-50)

投資案件において，5年間の投資効果をROI (Return On Investment)で評価した場合，四つの案件a～dのうち，最もROIが高いものはどれか。ここで，割引率は考慮しなくてもよいものとする。

a

年目		1	2	3	4	5
利益		15	30	45	30	15
投資額	100					

b

年目		1	2	3	4	5
利益		105	75	45	15	0
投資額	200					

c

年目		1	2	3	4	5
利益		60	75	90	75	60
投資額	300					

d

年目		1	2	3	4	5
利益		105	105	105	105	105
投資額	400					

ア a　　イ b　　ウ c　　エ d

解説

ROIは、利益÷投資額×100で算出されます。したがって、a～dのROIは、それぞれ下記のように算出されます。

a …(15+30+45+30+15)÷100×100=135÷100×100=135%
b…(105+75+45+15+0)÷200×100=240÷200×100=120%
c…(60+75+90+75+60)÷300×100=360÷300×100=120%
d…(105+105+105+105+105)÷400×100=525÷400×100=131.25%

正解▶問3:ア

在庫の管理

売る度に「いくらで仕入れた在庫だったか」を確認するのは現実的じゃないので、在庫計算はお約束を決めて行います。

なんでもかんでも「時価」と書いてあるお寿司屋さんじゃないですが、たいてい物価というのはフラフラ上下動しているものです。そうすると、こちらは同じ値段で売り続けていても、仕入れ価格に応じて利益はフラフラ上下動することになる。

すると、「利益はその都度把握したいんだけど、何百何千と販売されていく商品ひとつひとつの仕入れ価格なんて、個別に管理しきれるはずもない」となるわけです。

そりゃそうですよ。困っちゃいますよね。

そこで、個々の仕入価格を厳密に管理するのではなくて、「このやり方でやります」とお約束を決めて、計算を簡単にしてしまうのが在庫管理の一般的な手法です。

先入先出法	先に仕入れた商品から、順に出庫していったと見なす計算方法です。
後入先出法	後に仕入れた商品から、順に出庫していったと見なす計算方法です。
移動平均法	商品を仕入れる度に、残っている在庫分と合算して平均単価を計算し、それを仕入れ原価と見なす計算方法です。

※ただし、後入先出法は2011年3月期から廃止されています。

先入先出法と後入先出法

それでは代表的な手法である先入先出法と後入先出法を例に、売上原価（売上に含まれる原価）と在庫評価額（在庫分の原価合計）が、どのような計算になるか見てみましょう。

11月5日	取得原価	600円	個数	10匹
11月15日	取得原価	800円	個数	5匹
11月25日	取得原価	550円	個数	10匹

仕入れ↑

このように仕入れを行い、次のように売れていったとします

11月10日に5匹

11月20日に5匹

11月30日に5匹

売上→

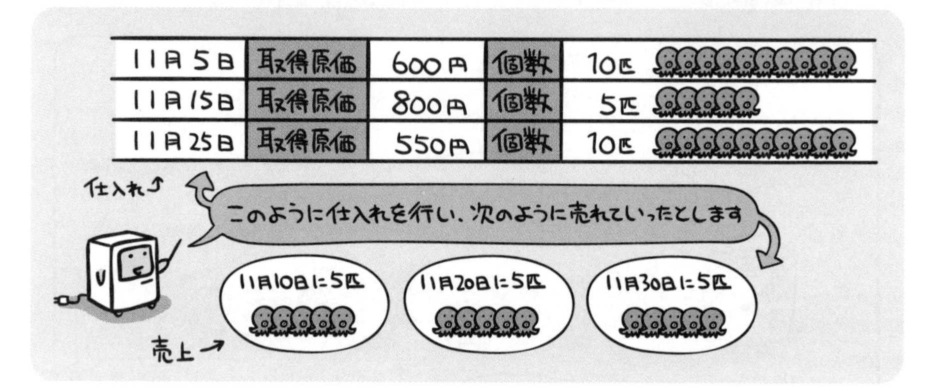

先入先出法では、仕入れた順番に出庫したとみなすので、次のように計算します。

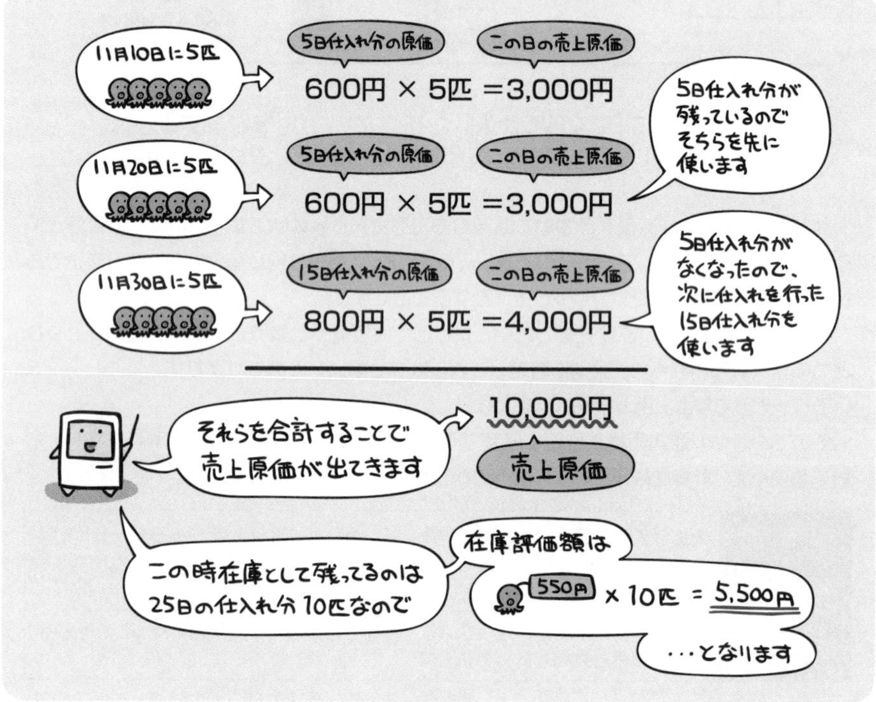

一方、後入先出法では、最後に仕入れたものから順番に出庫したとみなすので、次のように計算します。

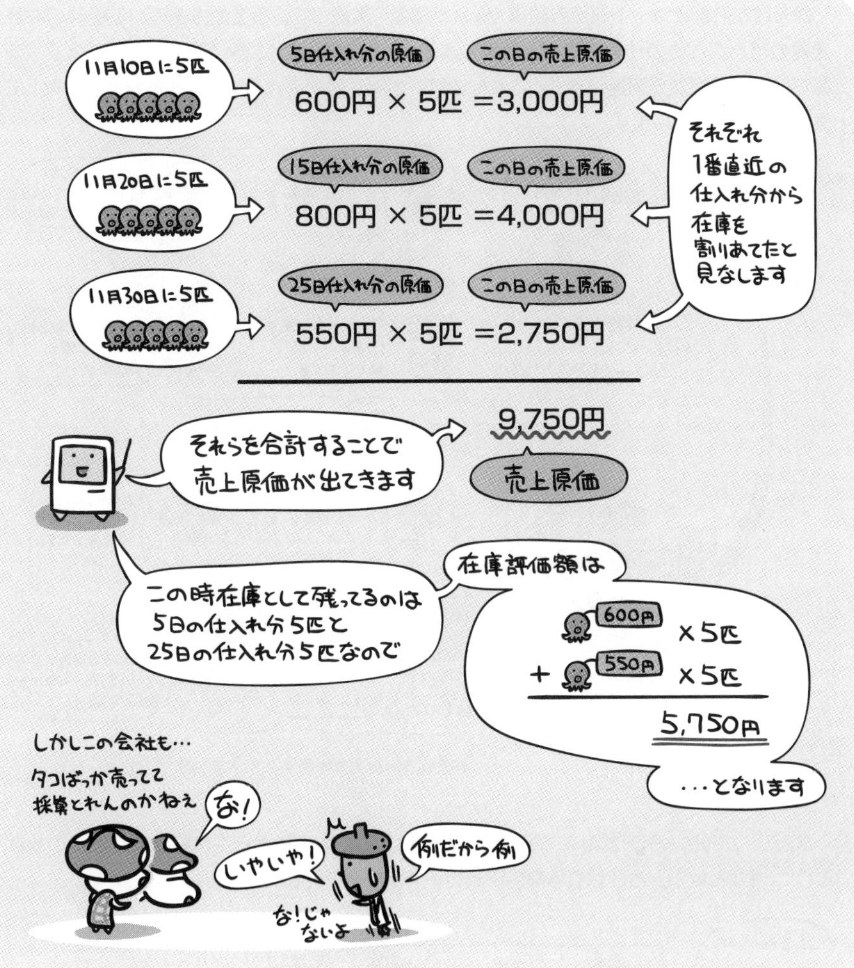

かんばん方式

かんばん方式とは、トヨタ自動車（株）が開発・実施している生産方式で、工程間の在庫を極力減らすための仕組みです。この方式では、生産ラインにおいて、後工程に必要な部品だけを前工程から調達します。これにより、中間工程での作り過ぎによる無駄を排除して、生産コストを削減します。

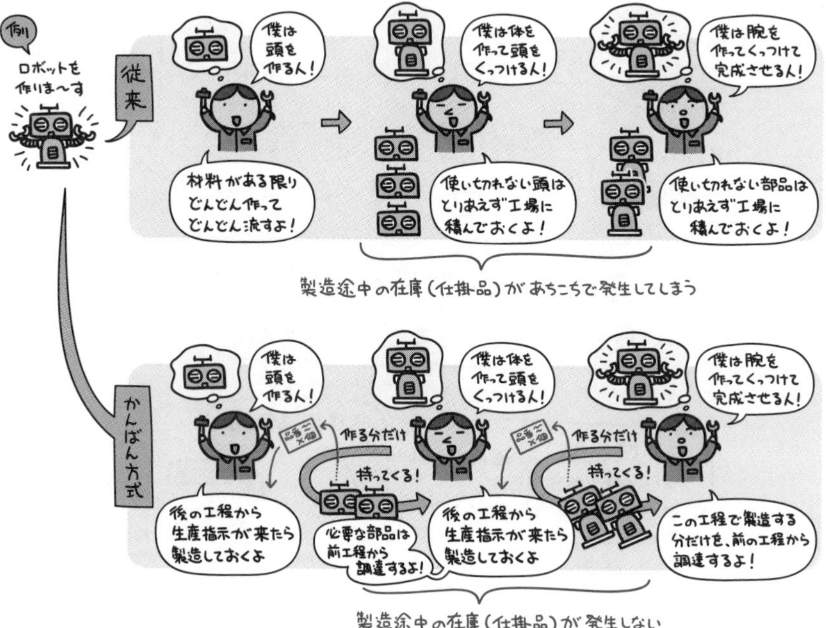

なんで “かんばん” 方式なんて名前なのかというと、後工程から生産指示を行う際のやりとりに、「かんばん」と呼ばれる商品管理カードが用いられていたから。

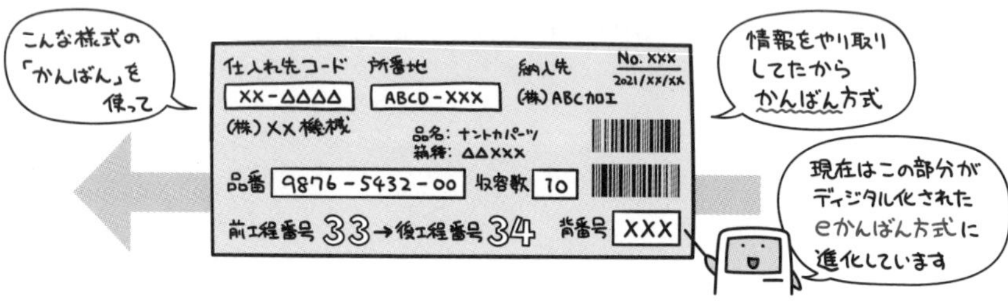

このかんばん方式は、「必要なものを、必要なときに、必要な分だけ生産する」というジャストインタイム生産方式を実現する運用手段のひとつです。

このように出題されています

過去問題練習と解説

問1 (FE-H26-A-78)

部品の受払記録が表のように示される場合，先入先出法を採用したときの4月10日の払出単価は何円か。

取引日	取引内容	数量（個）	単価（円）	金額（円）
4月1日	前月繰越	2,000	100	200,000
4月5日	購入	3,000	130	390,000
4月10日	払出	3,000		

ア　100
イ　110
ウ　115
エ　118

解説

先入先出法は、先に入った（購入した）ものから、先に出て（払出して）いくことを前提とする単価の計算方式です。

この前提から、在庫数(単価)と払出数(単価)を整理すると、下表のようになります。

取引日	取引内容	数量（個）	単価（円）	在庫数（単価）	払出数（単価）
4月1日	前月繰越	2,000	100	2,000（100）	
4月5日	購入	3,000	130	2,000（100）＋ 3,000（130）	
4月10日	払出	3,000	－	2,000（130）	2,000（100）＋ 1,000（130）★

上表の★より、4月10日の払出単価は、(2,000個×100+1,000個×130）÷（2,000個+1,000個）＝ 110円です。

問2 (FE-H29-A-78)

表から，期末在庫品を先入先出法で評価した場合の期末の在庫評価額は何千円か。

ア　132　　イ　138
ウ　150　　エ　168

摘要		数量（個）	単価（千円）
期首在庫		10	10
仕入	4月	1	11
	6月	2	12
	7月	3	13
	9月	4	14
期末在庫		12	

解説

先入先出法は，先に入った（購入した）ものから，先に出て（払出して）いくことを前提とする単価の計算方式です。これを期末在庫の観点から、言いかえれば、後に購入したものが期末在庫に残っているはずです。したがって、期末在庫の12個は、9月（4個×14千円＝56千円）+7月（3個×13千円＝39千円）+6月（2個×12千円＝24千円）+4月（1個×11千円＝11千円）+期首在庫（2個×10千円＝20千円）＝（12個　150千円）になります。

正解▶問1：イ　問2：ウ

“かんばん方式” を説明したものはどれか。

ア　各作業の効率を向上させるために，仕様が統一された部品，半製品を調達する。

イ　効率よく部品調達を行うために，関連会社から部品を調達する。

ウ　中間在庫を極力減らすために，生産ラインにおいて，後工程が自工程の生産に合わせて，必要な部品を前工程から調達する。

エ　より品質が高い部品を調達するために，部品の納入指定業者を複数定め，競争入札で部品を調達する。

解説

“かんばん方式” では、796ページのロボットの製造工場を例にすれば、下記のような手順でロボットを組み立てます。

①：組立工程の担当者は、翌々日、100個のロボットを組み立てる予定なので、“ロボットの頭:100個”，ロボットの腕：200個，ロボットの胴体：100個，納期：翌々日の朝9時” と書いた “かんばん” を、組立工程の前工程である部品製造工程の担当者に渡します。

②：①の “かんばん” をもらった部品製造工程の担当者は、翌日に “ロボットの頭：100個，ロボットの腕：200個，ロボットの胴体：100個” を製造します。

③：翌々日の朝9時に、部品製造工程の担当者は、“ロボットの頭:100個，ロボットの腕:200個，ロボットの胴体：100個” を、①の “かんばん” と一緒に、組立工程の担当者に渡します。

④：組立工程の担当者は、ロボットを組み立てます。

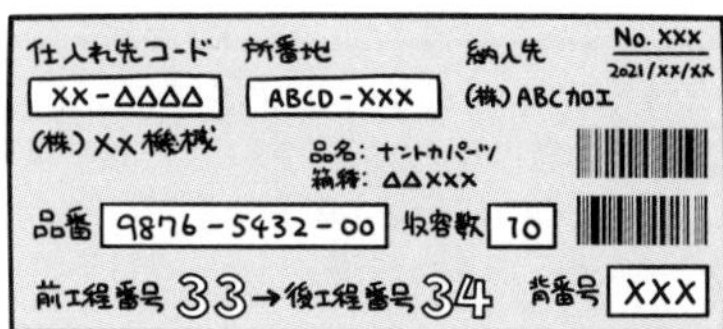

正解▶問3：ウ

Chapter 20-3 財務諸表は企業のフトコロ具合を示す

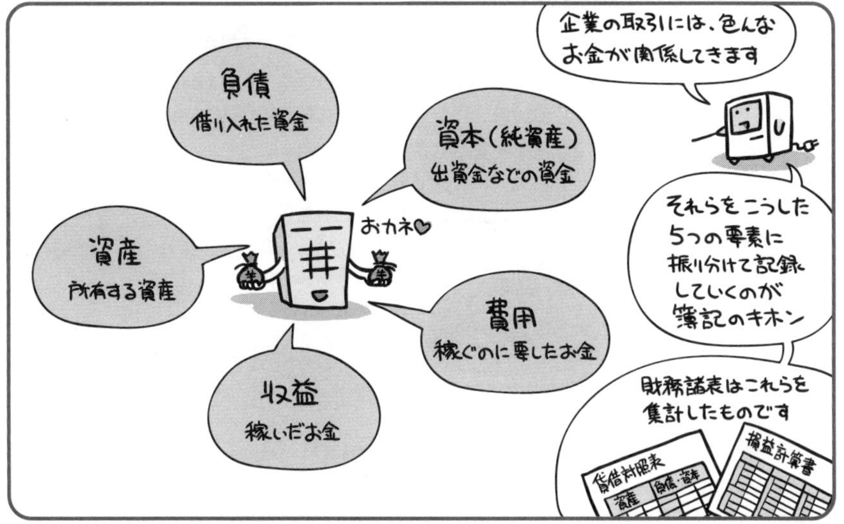

「資産」「負債」「資本」を集計したのが貸借対照表。
「費用」と「収益」を集計したのが損益計算書となります。

企業の経理業務とか会計士さんとかがなにをしてるのかというと、「はあ？ 経費と認めてくれだあ？ 今頃こんな領収書持ってきて寝ぼけたこと言ってんじゃねーよ」とかいって社員をいじめるのがお仕事…なわけではなくて、会社の中のお金の流れを管理するという仕事を担っているわけです。

管理というからには、当然お金の流れは記録されていってます。ちゃんとコツコツ帳簿に記録していくからこそ、「今の損益はどうなっているんだろう」とか、「今のうちの財務体質はどんな案配だろうかね」なんて確認ができるようになるんですね。

ただ、「確認する」といったって、いちいち社長さんや株主さんたちが、帳簿をひっくり返して最初から確認していくわけじゃありません。あんなの一件一件追って行ったら、意味がわかる前に日が暮れます。

そこでズバッと、「今の財務体質」とか「今の損益状況」などを確認できる資料が必要でありますよと。それがつまりは財務諸表。企業のフトコロ具合を示す成績書だと言えます。

貸借対照表

貸借対照表は、「資産」「負債」「資本（純資産）」を集計したもので、バランスシート（B/S: Balance Sheet）とも呼ばれます。

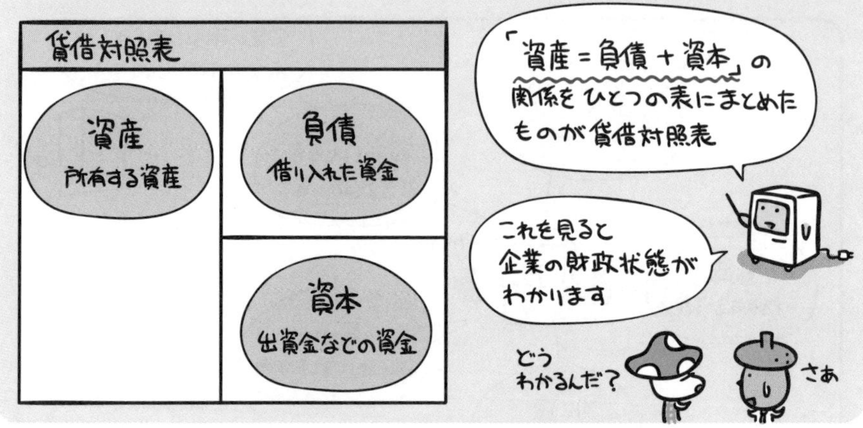

以降の話は、本試験においてあまり詳しく聞かれるわけじゃないですから、試験対策という意味ではことさら暗記する必要はありません。ただ、意味がわからないと上のイラストも単なる呪文で終わっちゃいますので、ざっと読むだけ読んでください。

というわけで解説です。企業活動に必要なお金は、自前で用意するか、株主に出資してもらうか、それでも足りなきゃどっかから借りてくるかして賄わなきゃいけませんよね。それをあらわしているのが、資本と負債の部。

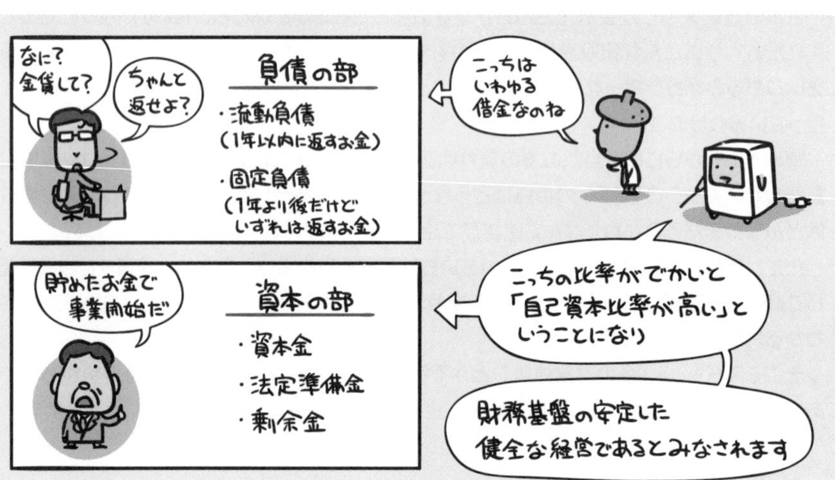

一方、そうして集めたお金を、どんなことに使ってるかあらわしているのが資産の部です。

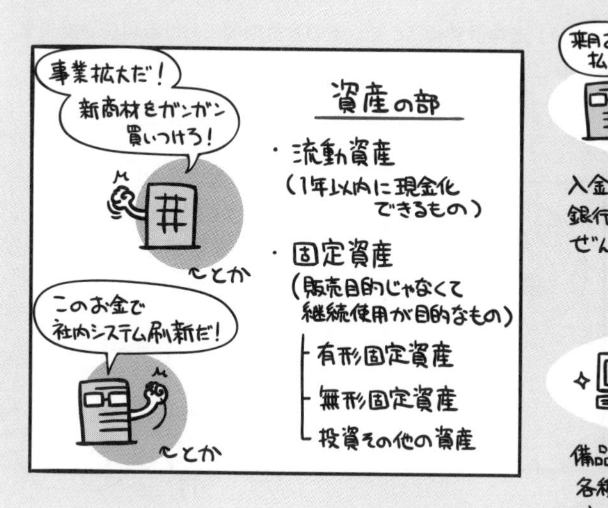

…ということをふまえて下のものを見比べてみると、財政状態の良し悪しにちがいができているのがわかるようになっている…というわけです。

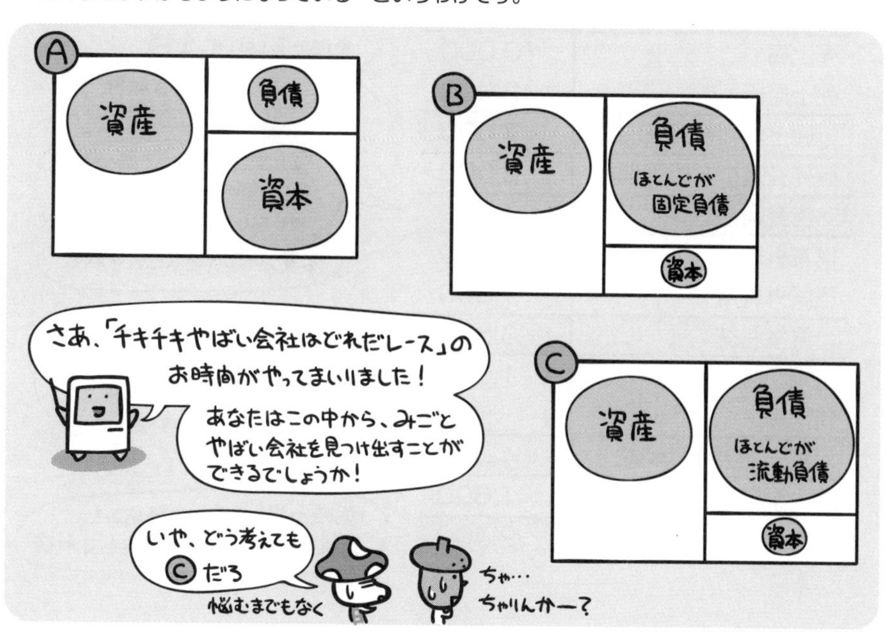

20
財務会計は忘れちゃいけないお金の話

損益計算書

損益計算書は「費用」と「収益」を集計することで、その会計期間における利益や損失を明らかにしたものです。ピーエル（P/L:Profit & Loss statement）とも呼ばれます。

ただし「儲け」にも色んな種類があるので、そこだけはちょっと要注意。例としてあげる次の計算書を見ながら、どんな利益があるのか確認しておきましょう。

科目	金額［千円］
売上高	10,000
売上原価	3,000
売上総利益（粗利益）	7,000
販売費及び一般管理費	3,000
営業利益	4,000
営業外収益	1,000
営業外費用	1,500
経常利益	3,500
特別利益	1,000
特別損失	500
税引前当期純利益	4,000
法人税等	1,600
当期純利益	2,400

商品を売ったお金から原価を差し引いた金額
もっとも基本となる利益

売上総利益から、販促費や間接部門の人件費などを差し引いたお金
本業の儲けをあらわす利益

「お金貸したら利子が入った～」みたいな、本業以外の収支もあわせた結果の利益

臨時の損失なども全部込みで、最終的に残った金額をあらわす利益

ちょっと「利益」という言葉ばかりが並んでいるので、覚えづらいかもしれません。特に営業利益と経常利益は、前後関係を混同してしまうケースが多々見られます。

これについては、「営業」と「経常」という言葉の意味を知ることで、ある程度間違いを予防することができます。

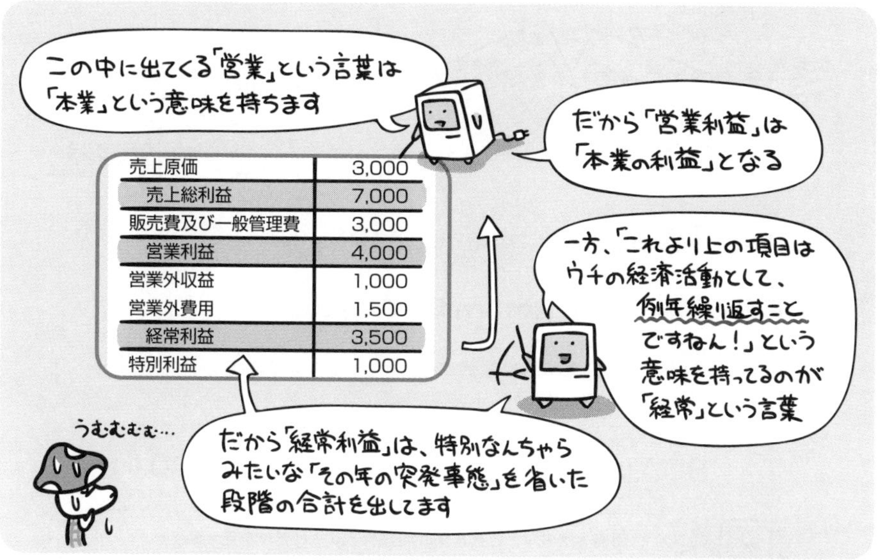

売上原価	3,000
売上総利益	7,000
販売費及び一般管理費	3,000
営業利益	4,000
営業外収益	1,000
営業外費用	1,500
経常利益	3,500
特別利益	1,000

え？ それでもまだ覚えづらい？ そんなキノコみたいなアナタは、下のイラストを脳裏に焼き付けて、計算書の中に出てくる順番だけでも覚えておくと良いでしょう。

おおう！

これなら覚えられる！

いや、ちょっ

色々つっこみたいけどあの…

あそこの最後のワンフレーズって必要なの？

様々な財務指標

財務諸表の数値をもとにして、企業の業績や経営状況を分析・把握するために計算する指標が財務指標です。

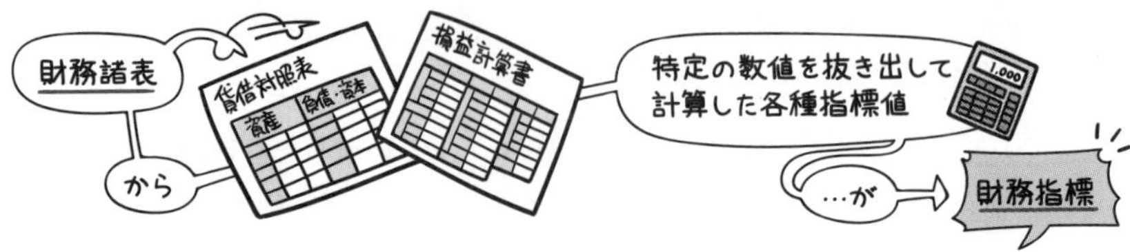

ここでは収益性を計る指標をいくつか紹介しておきましょう。

総資本利益率 (ROA: Return On Assets)

現金や売掛金の他、借入金や社債なども含む、企業の総ての資本を使ってどれだけの利益を生み出せたかを示す指標値です。

$$\text{ROA}\,[\%] = \text{当期純利益} \div \text{総資本} \times 100$$

総資本を使ってどれだけの利益をあげられたかが見えるので、
資本に対する運用効率と収益性を測ることができます

自己資本利益率 (ROE: Return On Equity)

借入金や社債などの他人資本は含まず、自己資本だけを対象として、そこからどれだけの利益を生み出せたかを示す指標値です。

$$\text{ROE}\,[\%] = \text{当期純利益} \div \text{自己資本} \times 100$$

自己資本というのは主に株主が出資したお金なので、
投資に対する収益性を測ることができます

投資家による株式投資の際、参考にされる指標値ですね

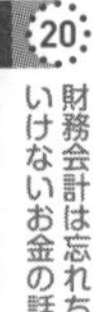

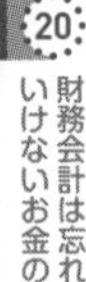

費用対効果 (ROI: Return On Investment)

投下した資本に対して、どれぐらい利益が得られたのかを示す指標値です。
→ P.790

このように出題されています
過去問題練習と解説

問1 (FE-H29-A-77)

財務諸表のうち，一定時点における企業の資産，負債及び純資産を表示し，企業の財政状態を明らかにするものはどれか。

ア　株主資本等変動計算書　　イ　キャッシュフロー計算書
ウ　損益計算書　　エ　貸借対照表

解説

ア　株主資本等変動計算書は、貸借対照表の純資産の変動状況を示す書類です。具体的には、純資産を「株主資本」、「評価・換算差額等」、「新株予約権」に区分し、その内訳および増減額を記載します。
イ　キャッシュフロー計算書は、会計期間内の資金（=キャッシュ）の増減（=フロー）を営業活動・投資活動・財務活動に区分し、その内訳を記載した書類です。
ウ　損益計算書は、会計期間内の収益・費用・利益を計算した書類です。
エ　貸借対照表は、会計期間の期末日の資産・負債・純資産の状況を示した書類です。

問2 (FE-H23-S-77)

売上総利益の計算式はどれか。

ア　売上高 − 売上原価
イ　売上高 − 売上原価 − 販売費及び一般管理費
ウ　売上高 − 売上原価 − 販売費及び一般管理費 ＋ 営業外損益
エ　売上高 − 売上原価 − 販売費及び一般管理費 ＋ 営業外損益 ＋ 特別損益

解説

ア　売上総利益の計算式です。
イ　営業利益の計算式です。
ウ　経常利益の計算式です。なお、営業外損益は、営業外収益から営業外費用を差し引いた金額です。
エ　税引前当期利益の計算式です。なお、特別損益は、特別利益から特別損失を差し引いた金額です。

正解 ▶ 問1：エ　問2：ア

過去問題に挑戦！

完読おつかれさまでした。最後に実際に過去に出された試験問題にチャレンジしてみてください。本書にはページ数の関係で収録できませんでしたので、以下のサイトにてダウンロードサイトへのリンクを案内しています。

実際にどのようなかたちで試験に出されるかに慣れていただき、解くことができなかった問題については、再度本書にて基礎知識からしっかり学習していただければと思います。

サポートページ：
https://gihyo.jp/book/2024/978-4-297-14472-2

ダウンロードサイトでは、平成16年度春期から令和元年度秋期までの問題が用意されています。

ちなみに、試験は科目ABにわかれており、科目Aが90分で60問（全問解答）となり、科目Bが100分で20問（多肢選択式）となり、その両方の点数が60%以上で合格となります。

詳細については、情報技術者試験センターのWebサイト（http://www.jitec.ipa.go.jp/）をご参照ください。

索　引

記号・数字

A～D

E～K

L～O

P～Z

ア 行

タ行

ナ行

ハ行

マ行

ヤ行

ラ行

ワ行

◆ 著者について

きたみりゅうじ

もとはコンピュータプログラマ。本職のかたわらホームページで4コマまんがの連載などを行う。この連載がきっかけで読者の方から書籍イラストをお願いされるようになり、そこからの流れで何故かイラストレーターではなくライターとしても仕事を請負うことになる。
本職とホームページ、ライター稼業など、ワラジが増えるにしたがって睡眠時間が過酷なことになってしまったので、フリーランスとして活動を開始。本人はイラストレーターのつもりながら、「ライターのきたみです」と名乗る自分は何なのだろうと毎日を過ごす。
自身のホームページでは、遅筆ながら現在も4コマまんがを連載中。
平成11年 第二種情報処理技術者取得
平成13年 ソフトウェア開発技術者取得
https://oiio.jp

● 練習問題解説／金子則彦
● 装丁／小山 巧（志岐デザイン事務所）
● イラスト／きたみりゅうじ
● 本文デザイン・DTP／小島明子（株式会社 しろいろ）
● 編集／山口政志

■ お問い合わせに関しまして ■

本書に関するご質問については、本書に記載されている内容に関するもののみとさせていただきます。本書の内容を超えるものや、本書の内容と関係のないご質問につきましては一切お答えできませんので、あらかじめご承知ください。なお、ご質問の際には、書名と該当ページ、返信先を明記してくださいますようお願いいたします。

また、電話でのご質問は受け付けておりません。Webの質問フォームにてお送りください。FAXまたは書面でも受け付けております。

○質問フォームのURL（本書サポートページ）
https://gihyo.jp/book/2024/978-4-297-14472-2
※本書内容の訂正・補足についても上記URLにて行います。あわせてご活用ください。

○FAXまたは書面の宛先
〒162-0846 東京都新宿区市谷左内町21-13
株式会社 技術評論社 書籍編集部
『キタミ式イラストIT塾
基本情報技術者 令和07年』
質問係
FAX：03-3513-6183

キタミ式イラストIT塾 基本情報技術者 令和07年

2011年 3月25日 初　版 第1刷発行
2024年 12月14日 第15版 第1刷発行

著　者　きたみりゅうじ
発行者　片岡　巌
発行所　株式会社技術評論社
東京都新宿区市谷左内町21-13
電話　03-3513-6150　販売促進部
　　　03-3513-6166　書籍編集部
印刷／製本　昭和情報プロセス株式会社

定価はカバーに表示してあります.

本書の一部または全部を著作権法の定める範囲を越え，無断で複写，複製，転載，あるいはファイルに落とすことを禁じます.

©2024　きたみりゅうじ

造本には細心の注意を払っておりますが、万一、乱丁（ページの乱れ）や落丁（ページの抜け）がございましたら、小社販売促進部までお送りください。送料小社負担にてお取り替えいたします。

ISBN978-4-297-14472-2 C3055

Printed in Japan